Les Pensées

En Sociologie, Philosophie Écologie,
Économie, Culture, Religion, Politique

IDJADI Jalal Didier

MEHRI PUBLICATION

Research * 54

Les Pensées
En Sociologie, Philosophie Écologie,
Économie, Culture, Religion, Politique

IDJADI Jalal Didier

British Library Cataloguing Publication Data:
A catalogue record for this book is available from
the British Library | ISBN: 978-1-914165-56-6|

|First Edition: Mehri Publication, Winter 2021. 718.
pages |Printed in the United Kingdom, 2021 |

|Page Layout & Cover Design: Mehri Studio |

www.mehripublication.com
info@mehripublication.com

برای همسرم، فریماه، به‌خاطر همهٔ مهربانی‌ها و همیاری‌هایش

فـهـرسـت

پیش‌گفتار

اندیشه‌ورزی‌ها، نگاه من به جهان است. جهانی سرشار از پیچیدگی و دگرگونی که پیوسته تردید و پرسش می‌آفریند. تلاش ما برای پی بردن به این جهان و رویدادهای تند آن همیشگی است. در بستر تجربه‌های تازه، باورهای دیرینه می‌شکنند و یا کم‌دامنه و اندک می‌شوند. از نگاه جامعه شناختی، شناخت در بسیاری از موارد جزئی و ناچیز است و هنگامی که با دانش و پژوهش پیوند می‌خورد در آزمایش‌ها و تجربه‌های نو و نیز به‌دلیل پویاییِ درونیِ پدیده‌ها و سازه‌های پیرامون، نارسا و سست می‌شود. با این وجود، ما باید به پژوهش ادامه دهیم، به گفتمان بپردازیم و پیوند خود را با انسان‌های دیگر نشان دهیم. جامعهٔ بی‌گفتار جامعه‌ای مرده است. ما باید در گفتمان‌ها و پروژه‌های جامعه شرکت داشته باشیم و به نقش‌آفرینیِ خود ادامه دهیم. پیشرفت در مدرنیته و نوآوری به گفتمان‌ها و مبارزه در عرصهِ اندیشه نیازمند است. چرا جامعه ایران از مدرنیته باز ماند؟ زیرا گفتمان‌ها دچار ایست شده و بازیگران از میدان اصلی آزاد فکری بیرون افتادند.

گفت‌وگو دربارهٔ ایده‌ها، مداخله در اندیشه‌ورزی، تولید نقد اندیشه‌ها، زنده

نگه‌داشتن میدان و فضای فرهنگی و روشن‌فکری، پیکار با تباهی‌ها و باورهای خرافیِ اسلامی، آموختن از مکتب‌های جهانیِ اندیشه، کار روزمرهٔ ماست. روشن‌فکر باید اندیشه‌ورز باشد، در راه حقیقت و ارزش‌های معنوی زندگیِ جسورانه پای‌بند بماند و از دین و قدرت و فشار جامعه نهراسد. روشن‌فکرِ محافظه‌کار به پوسیدگی‌ها یاری می‌رساند و روشن‌فکر دین‌زده موجودی مسخ‌شده و ازخودبیگانه است که با اساس جزم‌اندیشانهٔ نظام هم‌بستر است.

در جامعهٔ ما فضای عمومی به باورهای دینی و سقوط ارزش‌ها و انحطاط فکری آلوده است. استبداد دینی عامل رشد عفونت‌ها و ویرانیِ اندیشه و فلسفه و دانش است. روان جامعه آزرده و ناتوان و آسیب‌دیده است. ما باید به مدرنیته و بهبود فرهنگی و نوگراییِ فلسفی و دگرگونی بینش‌ها بپردازیم. این نوگرایی نمی‌تواند در سدهٔ هجدم باقی بماند، این نوگرایی به جهان امروز نگاه می‌کند و تمامی پدیده‌های فکری و علمی و زیست‌بوم‌گراییِ کنونی را در چالش‌های فکری دخالت می‌دهد. آخرین پیشرفت‌های علمی و فن‌آوری، چالش‌های بزرگ زیست‌بوم و زیست‌بوم‌گرایی، دگرگونیِ روان و نیاز انسان‌ها، نظریه‌های نوینِ جامعه‌شناختی و فلسفی و ستاره‌شناسی و ژنتیک و عصب‌شناسی، ضرورت انکشاف دموکراسی و گسترش آزادی فرد، از عناصر چالش‌های نوگرایی و الگوهای دوران ما هستند.

در ایران باید اندیشه‌ها و انتقاد علمی را به جریان انداخت یا گسترده نمود. بی‌شک، محیط دانشگاهی و روشن‌فکریِ زنده می‌تواند نقش برجسته‌ای در جنبش انتقادی ایفا کند ولی در ایران نظام آموزشی دانشگاهی سراسر آسیب‌دیده است. افت کیفیت آموزشی و دانشگاهی در ایران ساختاری است. فساد در مدیریت و نزد بسیاری از استادان، بیگانگی درون‌مایهٔ آموزشی با دنیای مهارت‌های حرفه‌ای، نبود تولید نظری و آثار دانشگاهی، دزدی کار دانشجو توسط استادان، نبود اخلاق و منش استادی نزد بسیاری از استادان و همسازی استادان با نظام اداری حاکم، نبود خودمختاری و انتقاد علمی، کرنش در برابر دین اسلام و فرهنگ زیان‌آور شیعه‌گری، حوزوی‌گرایی در منطق دانشگاهی، غرب‌ستیزی، همه‌وهمه بیان‌گر سقوط دانشگاهی است. بسیاری از استادان در مسیر تعیین‌شدهٔ دولتی حرکت می‌کنند و قدرت نوآوری و انتقادگری را از دست داده‌اند. آن‌ها کار دانشگاهی را با منطق معامله‌گریِ شخصی منطبق می‌کنند و فاقد تقاضا و خواست علمی بوده و در پی بهره‌جوییِ شخصی هستند. آن‌ها موفقیت دانشجو و سربلندی و استقلال

دانشگاهی را از اهداف خود دور کرده‌اند. البته این سقوط دانشگاهی جدا از سقوط اخلاق در کل جامعه و فسادپروریِ نظام‌مند قدرت سیاسی دینی نیست.

اندیشه‌ورزی‌های این کتاب برای ادامهٔ تلاش در گسست از کهنگی بینش‌ها جای می‌گیرند. تلاش‌های فکری و فرهنگی ما در راستای نقد دین‌گرایی و تقدس‌محوری، نقد فرهنگ قرآنی، نقد نظریات عوام‌گرایی و مارکسیستی، نقد صوفی‌گری و عرفان‌گرایی، نقد تاریک‌اندیشی شوینیستی، نقد غرب‌ستیزی، نقد جعلیات تاریخی، نقد روحیهٔ تنبل و فرسوده، نقد دروغ‌های مقدس و نقد تمامی قدرت‌هاست. ما با نقد خِردمندانهٔ خود می‌خواهیم عطش جامعه به آموختن، دانش و فرهنگ دانشگاهی افزایش یابد. دین اسلام مرداب‌پرور است، تربیت‌های سنتی سبب خشک‌مغزی می‌شوند، جهان‌بینی‌های کمونیستی نابودکنندهٔ شادابیِ اندیشه‌اند. رفتارهای اجتماعیِ امروز آلوده به خرافه‌پرستی و رازگرایی‌اند. بسیاری از روشن‌فکران ویژگیِ روشن‌فکری را از دست داده‌اند و کارشان هیچ خطری برای نظام ایدئولوژیکِ حاکم ندارد. چنین شرایطی زندگی در فرسودگی و گنداب و، در بهترین حالت، ادامهٔ وضع همیشگی است.

بسیاری از روشنفکران ایرانی، که چه بسا در اپوزیسیون سیاسی رژیم هستند، به لحاظ ازخودبیگانگی و دین خوئی خود، دارای خویشاوندی نیرومند با فرهنگ اسلامی هستند. همسوئی و خاموشی آنها در رابطه با دین، آنها را در تولید ایدئولوژی دینی رایج، در کنار حاکمان قرار داده است. ما باید از نابودی و بن‌بست اندیشه بیرون آییم، ما باید ازخودبیگانگی روانی و فرهنگی خود را نقد کنیم، ما باید نقش برجسته‌ای در جهان و در جهان اندیشه ایفا کنیم. برخی برآنند که مشکل روشنفکران ایرانی «روسانتیمان» یا کینه ورزی و انتقام جوئی است. این نگاه تقلیل گرا از تراژدی روشنفکری، از وابستگی روانی و فکری روشنفکر ایرانی به اسلام، از فقر فلسفه در نزد روشنفکر و از ناآشنایی او نسبت به مدرنیته، چیزی نمی داند.

پرسش‌گری‌ها و چالش‌های اساسی جهان ما موضوع این کتاب است. نوشتارهای کوتاه و بلند و گاه یادداشت‌ها دربرگیرندهٔ پاسخ‌ها و نگاه‌های من در زمینهٔ جامعه‌شناسی و فلسفه و اقتصاد و زیست‌بوم‌گرایی و دین و سیاست است. زیگمنت بومن از جهانی همچون مایع سخن می‌گفت. اگر جهان سیال باشد، همهٔ قوانین آن و نیز تمام مناسبات اجتماعی و انسانی‌اش نیز سیال خواهند

بود. شناخت و اندیشه در سیالیت و پویایی حقیقت خود را بازمی‌یابند اما این حقیقت‌جویی پادرهوا نیست، ارزش‌ها و آرمان‌ها و پروژه‌ها و تجربه‌های ما بر حقیقت شناخت و اندیشه تأثیرگذارند.

این یادداشت‌ها که در دوره‌های اخیر به نگارش درآمده‌اند و به‌طور عمده با تجربه‌های زمان تاریخی و شخصی در ارتباط هستند، جلوه‌هایی از اندیشه‌ایی به شمار می‌آیند که به آنچه که امروز وجود دارد بسنده نمی‌کنند. فعالیت دانشگاهی، محیط اجتماعی و سیاسی، تولید برنامه‌های فرهنگی در رسانه‌ها، ناسازگاری با نظام سیاسی حاکم، نگاه‌های روشن‌فکران جهان، چاره‌جویی‌های فکری، چالش زیست‌بوم، تمایل به نوگرایی ای پویا، همه‌وهمه بر اندیشه‌های من تأثیر راسخی داشته‌اند. در طی این دوران اخیر، دربارهٔ مطالب بسیار گوناگونی نوشته‌ام و نوشته‌ها را به‌طور عمده در روند زمانی گذاشته‌ام و نخواسته‌ام آن‌ها را در فصل‌بندی گروه‌بندی‌های مقوله‌ای قرار دهم بلکه آنچه برایم مهم است تشخیص‌پذیریِ سیر دگرگونیِ فکری در زمینه‌های گوناگون است و بس. شماری از نوشته‌های آغاز کتاب به زمان نزدیک برمی‌گردند و رفته‌رفته دورتر می‌شوند. همهٔ نوشته‌ها دارای پیوند محکم و اُرگانیک درونی‌اند، از چالش‌های فکری کنونیِ جهان ما پیروی می‌کنند و در راستای گشایش جامعه و مدرنیته قرار می‌گیرند.

جلال ایجادی

۱۵ ژوئیه ۲۰۲۰ برابر با ۲۵ تیر ۱۳۹۹ خورشیدی

جامعه‌شناسی، فلسفه و چالش‌های مشترک

واکاویِ جامعه‌شناختیِ نقش فلسفه چیست؟ یکی از ویژگی‌های پیشرفت فرهنگیِ یک جامعه میزان حضور و نفوذ فکریِ نخبگان روشن‌فکر و از آن میان فیلسوفان و جامعه‌شناسان و اندیشمندان آن است. این‌گونه افراد با نوآوری و قدرت فکری، با مباحث خود در دانشگاه و رسانه و فعالیت انتشاراتی موجب طرح گفتمان تازه و جنبش فکری و شادابی فرهنگی می‌شوند. کیفیت و قدرت فکریِ این روشن‌گران خمودگی را پس می‌راند و اجتماع را با جامعهٔ جهانیِ اندیشه مرتبط می‌کند. تولید بحث و سخن‌رانی‌های دانشگاهی، انتشار مقاله و کتاب‌های پژوهشی، فعالیت فرهنگی این گروهِ اجتماعی و نیز انتشار ترجمهٔ آثار کلاسیک و مهم از جمله ویژگی‌های این کیفیت روشن‌فکرانه‌اند. ارزیابی این کیفیت باید بر پایهٔ معیارهای جهانی و سیر دگرگونیِ فرهنگی و روشن‌فکریِ جامعه باشد. جامعهٔ روشن‌فکریِ ایران دارای پتانسیل و توانایی خوبی است؛ هرچند، هنوز نمی‌تواند همهٔ استعدادهای خود را به کار گیرد و شکوفاتر شود. جامعهٔ روشن‌فکری ایران باید بیاموزد و نقد فکری را گسترش دهد.

با وجود این ارزیابی عمومی از جامعهٔ روشن‌فکری، ما نیازمند یک بررسی دقیقِ علمی هستیم. برای نمونه، جایگاه فلسفه در جامعهٔ ایران در گذشته و امروز

نیازمند یک بررسیِ علمی است. این واکاوی نیازمند دوری از خودستایی و یا بررسی شتاب‌زده و یک‌جانبه است. واکاویِ فلسفه خاطره‌نویسی نیست. فلسفه در ایران، مکتب‌های فلسفی، نوآوری فلسفی، میراث فیلسوفان غیرایرانی بر فکر فلسفی در کشور ما، رابطهٔ فکر فلسفی و تأثیر دین در نزد نخبگان، تناقضات باورهای دینی و گرایش فلسفی، اندیشه‌های التقاطی، بررسی نوشته‌های فیلسوفان و حکما، ویژگی فکر فیلسوفان معاصر و جدیت و کیفیت کار آن‌ها، جایگاه خِردگرایی، تأثیر فکر فلسفی در زندگی و در سیاست، تأثیر ویران‌گر اسلام بر دیدگاه فلسفی از جمله موضوعاتی هستند که باید مورد بررسی جامعه‌شناسانه و اندیشمندانه قرار گیرند.

یکی از وظایف جامعه‌شناسی ارزیابی فلسفه و فیلسوفان در جامعه است. روشن‌فکران و اندیشمندان ایرانی باید در این راه به‌طور جدی بکوشند. چنین کاری در غرب صورت گرفته است. برای نمونه، لوئی پینتو جامعه‌شناس فرانسوی در چند اثر خود مانند نقش و شغل فیلسوف (انتشارات سوی) (۱) یک واکاویِ جامعه‌شناسانه در فلسفه در فرانسه ارائه کرده. پی‌یر بوردیو، جامعه‌شناس معروف فرانسوی، در اثر خود هستی‌شناسی سیاسی مارتین هایدگر (۲) می‌گوید دیدگاه هایدگر، در واقع، دارای یک جنبهٔ ایدئولوژیک و موافق نازیسم است ولی ما نمی‌توانیم اندیشهٔ او را به همین مفهوم خلاصه کنیم زیرا هایدگر پیشنهادهای فلسفیِ زیادی داده و با مفاهیم و مسائل عرصهٔ فلسفه درگیر است. پی‌یر بوردیو می‌افزاید هایدگر یک مبتکر است و دیدگاه‌های خودش را دربارهٔ جهان‌شهرگرایی و تکنیک و دکارت داراست و بلندپروازی‌های روشن‌فکرانه او و دربارهٔ منطق و دانش و ادراک و زمان و تاریخ، در رویارویی با فیلسوفان نئوکانتی از فصل‌های بزرگ اندیشهٔ او به شمار می‌آیند. بوردیو می‌گوید هرچند فلسفهٔ هایدگر یک «انقلاب محافظه‌کارانه» است ولی جایگاه گسترده‌ای را در فلسفهٔ غرب از آن خودکرده. در واقع، جامعه‌شناسی پی‌یر بوردیو فلسفهٔ هایدگر را در بستر تاریخی و تناقض مکتب‌های فلسفی قرار می‌دهد و نیز دست به سنجش ساختار فکر فلسفی و تناسب قوای فکری می‌زند.

فلسفه در ایران نیازمند پژوهش بزرگی در عرصهٔ اندیشه و سنت فلسفی است. جامعه‌شناسی نیز باید در این زمینه تلاش کند. ویژگی‌هایِ فرهنگی و اجتماعی دوران‌های تاریخی کدامند و دشواری‌ها و موانع رشد فکر فلسفی چیستند؟ چگونه

اسلام کوشیده تا اندیشهٔ فلسفی مغلوب باور دینی شود؟ ابعاد تلاش نخبگان جامعه برای بهبود فلسفه چه بوده است؟ شکست‌ها و موفقیت‌ها و سایه‌روشن‌های نقد کدامند؟ پیچیدگی‌ها و ظرافت‌های بررسی تناقض‌ها و درهم‌آمیختگی افکار فلسفی و عقلانی و نیز باورهای عرفانی و دینی کدامند؟ تأثیرپذیری‌های فکری از فیلسوفان غرب کدامند؟ راه اعتلای امروز چیست؟

فیلسوفان چه کسانی هستند؟ برخی بر این باورند که فلسفهٔ غرب به اندیشهٔ بزرگانی مانند ارسطو به‌مثابه قدرت‌گرایی پیشکسوت فلسفه، هگل به‌مثابه نمایندهٔ برجستهٔ آرمان‌گرایی فلسفی، کانت به‌مَثابه نمایندهٔ برزگ خِردگرایی، دکارت به‌مثابه مبتکر منطق‌گَرایی، نیچه به‌مثابه منتقد اخلاق و آرمان‌گَرایی و اعلان‌کنندهٔ مرگ خدا و هایدگر به‌مثابه فیلسوف پسانوگرایی محدود است، حال آن‌که چنین برداشتی اشتباه است. اندیشهٔ فلسفی متوقف نشده بلکه یک دنیای گوناگون و پیچیده است و از دیدگاه و نگرش بسیارانی گوناگون می‌نماید. افزون‌بر بزرگانی که نام بردیم، کارل مارکس، آرتور شوپنهاور، مونتسکیو، لودویک ویتگنشتان، مارتین هایدگر، جان لاک، باروخ اسپینوزا، دیوید هیوم، هانا آرنت و ده‌ها فیلسوف دیگر فرهنگ بزرگ فلسفهٔ جهانی را ساخته‌اند و پربار کرده‌اند و کماکان این روند زایش و آفرینش ادامه دارد.

آلمان و فرانسه دو کشوری هستند که دارای تولید فرهنگ فلسفی بالایی هستند. در فرانسهٔ امروز فیلسوف در صحنهٔ اجتماع حاضر است و تأثیرگذَار بر سیاست و فرهنگ و آموزش. سدهٔ بیستم فرانسه سرشار از فیلسوفانی است که بر جهان تأثیر گذاشته‌اند. برای نمونه، در فرانسه گاستون باشلار، ژان پُل سارتر، ولادیمیر یاکله ویچ، آلبرکامو، میشل فوکو، لوئی آلتوسر، امانوئل لویناس، لوی استروس، ژَک دولوز، پی‌یر بوردیو، مرلوپونتی، ژَک دریدا، گی دوبورد، پُل ریکور، اتین بالیبار، پی‌یر ماشره، کورنیلیوس کاستوریادیس، رونه ژیرار، فرانسوا شاتله، ادگار مورن، فرانسوا ژولین، کلمان روسه، ژَک رانسیه، میشل سر، دومینیک مدا، کنت اسپونویل، برونو لاتور، مونیک کنت اسپربر، آلن بادیو، مارسل گوشه، میشل اونفری، الیزابت دوفونته، لوک فری، مارسل کونش، ساراکوفمن و ده‌ها فیلسوف دیگر اندیشه‌های فلسفی را تنومند کرده‌اند و آثارشان به ده‌ها زبان ترجمه شده. خوانندگان این آثار فقط دانش‌آموزان و دانشجویان نیستند بلکه همواره شهروندان بسیار زیادی به خوانندگان فلسفه می‌پیوندند. شمارگان برخی آثار فلسفی بسیار بالاست. برای

نمونه، کتاب گیتی نوشتهٔ میشل اونفری طی یک سال بیش از هشتادهزار نسخه فروش داشت. این آثار فلسفی توسط آموزگاران مدارس و استادان دانشگاه‌ها و بدون هر گونه فشار سیاسی و اداری و دینی در کشور درس داده می‌شوند و جوانان و شهروندان با خِردگرایی فلسفی و منطق و نقد فکری تربیت می‌شوند. البته در فرانسه کار آموزگاران گاه بسیار دشوار است زیرا گرایش‌های اسلام‌گرایی به‌شکلی نظام‌مند در بخشی از جامعه تأثیر آموزش فلسفی را خنثی می‌کنند ولی، با وجود این دشواری، اندیشهٔ فلسفه و جداانگاری دین از سیاست و خداناباوری در جامعه گسترش یافته و تأثیرگذار است.

پرسمان‌ها و پرسش‌های فیلسوفان بسیار گوناگون‌اند. نوگرایی و منطق‌گرایی، نقد خردگرایی و منطق‌گراییِ قرن هجدهم، کمونیسم و بن‌بست آن، فلسفه و روانکاوی، ژنتیک و هوش مصنوعی، حقوق بشر و حقوق حیوانات، ناممکن بودن واقعیت، سکولارسازی و خداناباوری، آزادی و دموکراسی، جامعهٔ مصرفی و فروکش ارزش‌های معنوی، اخلاق در دوران معاصر، دین و جامعه، مسیحیت‌گرایی و مارکسیسم، زیستبومگرایی، بنیادگرایی اسلامی و تروریسم، بن‌بست جامعهٔ کار، سقوط غرب و سرآغاز دوران نوینِ تمدن، زیست‌بوم و الگوی ساختاری، روان و ناخودآگاه و جهش عملکردیِ مغز، فلسفه و روان‌کاوی، ادبیات و هنر و فلسفه، ریاضیات و زمان، زیبایی‌شناسی، قدرت و نهادهای ملی و جهانی، پوپولیسم و ایدئولوژی، ارزش‌ها و معنای زندگی در جامعهٔ امروز، انسان و افسردگی، از جمله پرسش‌ها و موضوع‌های فلسفهٔ معاصرند.

بدین ترتیب، فیلسوفان بخشی از روشن‌فکران جامعه هستند که نقش پررنگی در جامعه ایفا می‌کنند و انتشار افکار آنان و انتقادها و ملاحظات‌شان در دنیای سیاسی و روشن‌فکری و رسانه‌ای منجر به ایجاد واکنش شوند. روشن است که همهٔ فیلسوفان دارای یک قدرت و نفوذ نیستند، همگی یکسان فکر نمی‌کنند و گفته‌های آنان همیشه درخشان و بی‌کم‌وکاست نیستند ولی اندیشهٔ فلسفی زنده است، زیربنای روحیهٔ استدلالی است و نقش آن‌ها در جامعه محسوس است. روشن است که این حساسیت ناشی از یک تاریخ فلسفی و آموزش و فرهنگ است. پشتوانهٔ حضور فلسفیِ کنونی، فیلسوفان دوران روشن‌گری و سنت انتقاد روشن‌فکرانه‌ای است که پیوسته زنده است.

فلسفه چیست؟ ارسطو می‌گوید فلسفه دانش حقیقت است. از گفتهٔ او می‌توان

نتیجه گرفت که فلسفه ما را به‌سوی حقیقت سوق می‌دهد زیرا پرسشگری و قانع نبودن به راهی برای رفتن به ژرفاست. واقعیت با حقیقت یکی نیست. دانش ما را به پدیداریِ واقعیت می‌رساند زیرا واقعیت پیچیده است و زیر تأثیر عوامل بسیار گوناگون و تغییریابنده‌ای قرار دارد. از واقعیت می‌توان برداشت‌های گوناگونی کرد و هم‌تلاشی دانش و تجربه راه کشف واقعیت را هموارتر می‌کند. شناخت حقیقت‌جو را می‌توان پیشروی به‌سوی ذات یا ابعاد پنهان پدیده دانست. فلسفه راه را باز می‌کند زیرا به تعبد و تقدس باوری ندارد. حقیقت روشنایی خاصی است که فرد بدان می‌رسد و انکارناشدنی است ولی حقیقت می‌تواند همگانی نباشد.

گاستون باشلار می‌گوید: «حقیقت مطلقی وجود ندارد زیرا هر شناختی تصحیح اشتباهات ما و برداشتی تقریبی و نزدیک از حقیقت است.»(۳) کارل پوپر نیز می‌گوید حقیقت ما «شبیه حقیقت» است. می‌توان گفت که واقعیت چندلایه است. آنچه که برای ما حقیقت به شمار می‌آید با ارزش‌های ما درهم می‌آمیزد. پس اگر حقیقت از نگاه و ارزش‌ها جداشدنی نباشد، هر یک از ما با نوعی حقیقت زندگی می‌کنیم. فلسفه ما را به این حقیقت نزدیک و آن را تعریف می‌کند. تمام پرسش‌های اساسی که انسان دربارهٔ خود و زندگی و هستی مطرح می‌کند پرسش‌های فلسفی‌اند. پرسش دربارهٔ متافیزیک، معنای هستی، اخلاق، دین، زیبایی‌شناسی، عقل، عشق، هدف زندگی، آزادی، مسئولیت، احساس، خشونت، خوشبختی، لذت و غیره در حوزهٔ فلسفه‌اند. پس فلسفه پرسش و گفت‌وگو و دیالکتیک اندیشه است، فلسفه تلاش خِردگرا برای دانستن و تعریف مستدل یک دیدگاه است. هر انسانی تعریف و پاسخ ویژه‌ای از این موضوع‌ها ارائه می‌دهد زیرا تعریف خود را با ارزش‌هایش درهم می‌آمیزد. این ارزش‌ها به‌نوبهٔ خود با تاریخ و جامعه‌شناسی و روانشناسی و زبان گره خورده‌اند.

در واقع، براساس تعریف، یک فیلسوف از خود گرایش خاصی نشان می‌دهد و دارای ویژگیِ منحصربه‌فردی است و از دیدگاه‌های خود دفاع می‌کند ولی نمی‌تواند جزم‌اندیش باشد. البته فیلسوفانی هستند که گاه به جزم‌اندیشی دچار شده و راه را بر پنداشت‌های دیگر بسته‌اند. باور فلسفی اندیشهٔ باز است، باید دربارهٔ همهٔ پدیده‌ها فکر کرد، دست به استدلال و بررسی و انتقاد زد. دربارهٔ تکامل خِرد و عقل‌های گوناگون، دربارهٔ دین، دربارهٔ حکمای ایران مانند سهروردی و ابن سینا و رازی و دیگران و رابطه و تناقض آن‌ها با اندیشیدن فلسفی، دربارهٔ

فیزیک و زیست‌شناسی و فلسفه، دربارهٔ فلسفهٔ یونان، دربارهٔ فلسفه در ایران و هند و چین، دربارهٔ روان‌کاوی فروید و فلسفه، دربارهٔ فلسفه در قرن هجدهم، دربارهٔ آرمان‌گرایی و مادّه‌باوری و منطق‌گرایی، دربارهٔ تاریخ، دربارهٔ جنگ و صلح، دربارهٔ اساطیر، دربارهٔ فرهنگ و ادبیات و بسیاری مطالب دیگر باید مطالعه کرد و موشکافانه و کاوش‌گرایانه مطالب را باز کرد. تاریخ اندیشه‌ها و باورها و ادیان یکی از زمینه‌های پژوهشیِ برخی فیلسوفان است. جایگاه مسیحیت در فلسفه برای برخی فیلسوفان یک موضوع اساسیِ فکری است. پیوند فلسفه و فرویدیسم یکی دیگر از عرصه‌های اندیشهٔ امروز است. هوش مصنوعی و آزادی انسان نیز موضوع دیگری در فلسفهٔ غرب به شمار می‌آید. بنابراین، تعریف فلسفه درگیری و مداخلهٔ اندیشه برای کشف حقیقت است و از آن‌جا که ارزش‌ها گوناگون هستند، کارزار فکری برای کشف حقایق نیز گوناگون است.

روش بهبود فلسفه باید یکی از کارهای پژوهشگر باشد. فلسفه همیشه دوستان خوبی ندارد و همین نکته گاه آن را به نظام بستهٔ جزم‌اندیشانه‌ای تبدیل می‌کند. کدام روش در عرصهٔ بهبود فلسفه معتبر است؟ برای پاسخ به این پرسش به نکته‌های زیر توجه کنیم: نخست افراد کوته‌بین که با غروری ناپسند می‌پندارند فلسفه به درک و دانستهٔ کم‌دامنهٔ آن‌ها محدود می‌شود. این افراد آقامعلم‌های جالبی نیستند زیرا صادرکنندهٔ احکام هستند و درهای اندیشه و کاوش را می‌بندند. کسی که با قطعیت حکم می‌راند به دور از منش فلسفی و دانایی است. دوم افراد جزم‌اندیش که صرفاً چیزهایی دربارهٔ فلسفه می‌دانند ولی فیلسوف یا کارشناس فلسفه نیستند و آثار فلسفیِ زیادی نخوانده‌اند و صرفاً ایدئولوژی‌پردازند، کسانی هستند که با فلسفه ایدئولوژیک برخورد می‌کنند و فرادستی‌خواهند و ظرفیت لازم برای شنیدن را ندارند. این گونه افراد دارای رفتاری ضدفلسفی هستند. سوم افراد مبلغ فلسفه که فلسفه‌دوست هستند و دارای شناخت ولی خود فیلسوف نیستند. آن‌ها در هر مجلسی بنشینند از فلسفه حرف می‌زنند و از فیلسوفان گفت‌آورد فلسفی می‌آورند ولی قصد آموزش فلسفی ندارند. چهارم افراد آموزگار فلسفه که در مدرسه و دانشگاه فلسفه درس می‌دهند و فلاسفهٔ گوناگونی را با عشق به جوانان می‌آموزند ولی خود فیلسوف نیستند. هر آموزگاری الزاماً خود فیلسوف نیست. افراد فیلسوف کسانی‌اند که تولید مفهوم می‌کنند. فیلسوف کسی است که دارای روحیهٔ پرسشگری است، کسی که پیشنهاد فلسفی دارد، کسی که از خودپرستی به ایده‌پرستی و نقد

روشن‌فکرانهٔ متین رسیده است.

فیلسوفان اغلب خودشان را دارای شخصیتی می‌دانند که از دانایی برجسته‌ای برخوردارند و حس می‌کنند با مسائل روزمره فاصله دارند و دارای اندیشهٔ بلندپروازانه‌اند. گاه فیلسوف خود را مانند روحی می‌نگرد که بر جهان نظارت دارد. البته این خودستایی عموماً نابجاست و به دور از جایگاه جامعه‌شناسانه. هگل خود را اوج فلسفه می‌داند، مارکس فکر خود را آغاز فلسفهٔ یگانه می‌داند ولی تاریخ نشان می‌دهد این بزرگان صرفاً مکتبی میان مکتب‌های فلسفی هستند.

با وجود این ویژگی‌ها، در بیشتر اوقات فیلسوف در دنیای ایده‌ها در گردش و با جهان مقولات در پیوند است. جامعه‌شناس با دیدگاه نظریِ خود به زمین و جامعه نگاه می‌کند تا پدیده‌ها و آسیب‌ها را دریابد، حال آن‌که فیلسوف به اندیشه‌ورزی می‌پردازد. امانوئل کانت خط فاصلی میان رشته‌های علمی و مباحث متافیزیک می‌کشد و از دید او آنچه علمی است به تجربهٔ انسانی مربوط می‌شود و آنچه که متافیزیک است به باورها انسانی می‌ماند. او در کتاب سنجش خِرد ناب دانش و باور را به دو حوزهٔ مستقل تقسیم می‌کند. به‌باور او خِرد می‌کوشد تا قلمرو خودش را فراتر از همهٔ مرزهای تجربه بگستراند. او می‌افزاید: «فلسفه از حیطهٔ تجربه‌ها آغاز می‌شود و رفته‌رفته خودش را به‌اندازهٔ مینوهای عالی می‌رساند، چنان ارج و شکوهی نشان می‌دهد که اگر می‌توانست ادعاهای خود را برقرار کند ممکن بود ارزش‌های دیگرِ آدمی را بسی دور پشت‌سر گذارد زیرا فلسفه شالودهٔ بزرگ‌ترین انتظارها و چشم‌اندازهای ما را با هدف‌های فرجامین نوید می‌دهد: آیا جهان آغازی دارد؟ آیا من در کنش‌های خود آزادم؟ بدین‌سان ریاضیات حتی کاربرد گستردهٔ خِردی فراتر از هر گونه تجربه را سبب می‌شود و آن را تشویق می‌کند. (به برگ‌های ۵۵۲ تا ۵۵۳ سنجش خِرد ناب ترجمهٔ ادیب سلطانی مراجعه شود) (۴)

کانت در این‌جا به نگرورزیِ نظری اشاره دارد و بر این باور است که فلسفه می‌تواند جدا از تجربه به سفر خود ادامه دهد و چه‌بسا خود را درگیر مناقشات حادّ نظری کند زیرا در پی کشف دوردست‌هاست و برای مفاهیمی پیکار می‌کند که واقعیت عینی آن‌ها نمی‌تواند برقرار شود. در این‌جا ما با تلاش سخت عقل و روند استدلالی خِردمندانه و منطقی روبه‌رو هستیم. این روند مرز و محدودیتی نمی‌شناسد. بهبود فلسفه مرز و حصار را نفی می‌کند. جامعه‌شناس با دیدگاه خود

مرتب به واقعیات جامعه می‌نگرد تا با اتکا به مفاهیم نظری و روش‌مند توضیح منطقی و مستدل و روشن‌کننده‌ای عرضه کند. حال آن‌که نقطهٔ آغاز و پایان فیلسوف دنیای مقولات و عشق به فلسفه‌پردازی و تنظیم دانایی است. قدرت فلسفه در پرداخت اندیشه است؛ هرچند، این پرداخت چه بسا با انتزاعی نیرومند همراه باشد و رشته‌های آن کاملاً با واقعیت گسیخته باشند. روش بهبود فلسفه به آزادی فکر و پویش فکری و رفع هر گونه مانع وابسته است. باورهای سخت دینی و خشک‌مغزی‌های جامعه و جزم‌اندیشی و نبود روش‌های پژوهشیِ دانشگاهی و یک فضای فرهنگی مناسب به‌مثابه عوامل منفی و بازدارنده عمل می‌کنند. فلسفه به آزادی و به ذهن خلاق و جسارت فکری نیاز دارد. ذهنی که از تاریخ و شناخت اسطوره و نقد دین مایه گرفته و با اندیشه‌های جهانی پیوند دارد می‌تواند بیافریند.

دیدگاهای فلسفی متضاد در جست‌وجوی چه هدفی هستند؟ گفتیم که ارسطو از فلسفه به‌مثابه دانش حقیقت‌جویی نام می‌برد. این گفتهٔ ارسطو ما را به روند بی‌پایانِ جست‌وجوی حقیقت سوق می‌دهد. اپیکور می‌گوید: «فلسفه یک دانش پاک و نظری نیست بلکه یک قاعدهٔ عملی برای کنش است؛ فراتر از آن حتی خودِ فلسفه هم یک کنش است، یک انرژی است که با گفتمان و استدلال و برهان دست به تأمین یک زندگی خوشایند می‌زند.» (ماکسیم‌ها)(۵). اپیکور فلسفه را وارد زندگی و راهی از تبادل نظر برای زندگی سعادت‌مند می‌داند. دکارت نیز بر این باور بود که:«واژهٔ فلسفه به‌معنای مطالعهٔ دانایی است و دانایی یک شناخت کامل از همه چیزهایی است که انسان می‌تواند بداند، چیزهایی برای هدایت زندگی‌اش و همچنین حفظ سلامتی‌اش و آفرینش همهٔ هنرها.»(گفتار در روش) (۶). در نگاه دکارت جست‌وجوی دانایی و شناخت برای زندگی و آفرینش هنری است. روشن است که کوشش برای دانایی افق بسته‌ای ندارد و با هنر همسو می‌شود. کانت می‌گوید: «فلسفه یک سیستم از شناخت منطق بر پایهٔ مقوله‌هاست.»(متافیزیک اخلاقیات) (۷). کانت فلسفه را شناختی بر پایهٔ مقولات می‌داند و مقوله به‌معنای «مفهوم» است. کانت بر آن است که فلسفیدن را باید یاد گرفت و در نقد خِرد ناب می‌پرسد: «چه چیزی را می‌توانم بشناسم؟ چه باید بکنم؟ به چه چیزی می‌توانم امیدوار باشم؟» و سپس در اثر دیگر خود یعنی دوران روشنایی چیست؟ (۸) می‌نویسد: «با اتکا به خود فکر کن.» کانت عصر روشنایی را عصر انسان نوگرای خودمختارِ توانا به فکر می‌داند.

هگل در همین زمینه می‌نویسد: «فلسفه اساس عقلانی است، فلسفه هوشمندیِ زمان حاضر و واقعیت است. فلسفه ساخت یک چیز خداخواسته نیست.» (اصول فلسفهٔ حقوق) (۹). هگل آرمان‌گراست و تکیه بر عقل می‌کند تا زمان و واقعیت را دریابد. کارل مارکس در تز یازدهم «تزهایی دربارهٔ فوئرباخ» (۱۰) تمام دیدگاههای فیلسوفان پیشین را رد می‌کندَ و در این تز کنش سیاسی را تنها حقیقت فلسفه می‌داند و بر این باور است که «فیلسوفان تاکنون تنها جهان را به شیوه‌های گوناگون تفسیر کرده‌اند اما اصل این است که آن را تغییر دهند.» فلسفهٔ مارکس متکی بر مادّه‌باوریِ تاریخی و دیالکتیکیِ خواهان تغییر سرمایه‌داری و انقلاب کمونیستی است. ویتگنشتاین می‌گوید: «فَلسفه هیچ‌کدام از علوم طبیعی نیست.» نگاه ویتگنشتاین عرصهٔ فلسفه را از تمام عرصه‌های تجربی و علمی جدا می‌کند تا میدان آن را گسترش دهد. وی در جای دیگری فلسفه را «فعالیتی نقادی می‌داند که وظیفهٔ آن روشن کردنِ اندیشه‌هاست.» و در زمانی دیگر نیز فلسفه را گونه‌ای درمانگری می‌پندارد و می‌نویسد: «فیلسوف کسی است که بیماری‌های فهم انسان را درمان می‌کند.» (۱۱)

اگر با دقت به تعریف هر یک از فیلسوفان نگاه کنیم، متوجه تفاوت در دیدگاه‌ها خواهیم شد. هر یک از آن‌ها حقیقت خود را از فلسفه بیان می‌کند و در این‌جا قطعیتی وجود ندارد و اگر هم قطعیتی موجود باشد همان اصل اندیشه‌ورزی است. می‌توان به این یا آن دیدگاه علاقه داشت و با آن‌ها همسویی روشن‌فکرانه برقرار کرد و یا لب به انتقاد گشود ولی اعلان رد قطعیِ یک دیدگاه در عرصهٔ فلسفی بیرون از احتیاط فیلسوفانه است. در واقع، نمی‌توانَ بر روی افکار خط بطلان کشید. دیدگاه‌های موجود دربارهٔ هستی، زیباشناسی و اخلاق، هرچند متفاوت ولی همه اجزای تفکرهای فلسفی‌اند. فلسفه گونه‌ای نگاه است که با سلیقهٔ فیلسوفان درهم آمیخته و با مفاهیمْ خواهان جابه‌جایی در اندیشه است.

برای نمونه، دیدگاه مارکس که فلسفهٔ خود را برای تغییر می‌پندارد مورد انتقاد بسیاری از فیلسوفان و روشن‌فکران قرار گرفته. مارکس با گفتهٔ خود دست به صدور یک حکم کلی و عمومی زد. البته تاریخ فلسفه حکم‌پذیر نیست و مارکس از آن‌جا که در عرصهٔ سیاست احساس مسئولیت می‌کرد و خواهان آزادی پرولتاریا بود فلسفه را در خدمت این هدف گذاشت. البته در تاریخ معاصر دیدیم که هدف سیاسی مارکس از فلسفه نمی‌توانست به تغییری رهایی‌بخش منجر شود. فلسفه‌ای

که خود را مادّه‌باور تعریف کرد قدرت فکریِ فلسفه را نادیده انگاشت. بنابراین، نباید در فلسفه به‌دنبال نگاهی یگانه بود زیرا فلسفه خود در گوناگونی معنا می‌یابد. در جوانی همزمان با پیشبرد رشتهٔ جامعه‌شناسی، رشته فلسفه را نیز دنبال می‌کردم و در دوره‌های گوناگون گفتارهای درسی لوئی آلتوسر، پی‌یر مشره، میشل فوکو و پی‌یر بوردیو را گوش می‌کردم و می‌آموختم. دنیای آلتوسر دنیای مارکسیسم و مائوئیسم و خوانش دوبارهٔ سرمایه بود. دنیای پی‌یر مشره، فضای هگل و سفر و گردش روح یا ایدهٔ مطلق بود. دنیای میشل فوکو تاریخ شیوه‌های گوناگون در برداشت از انسان در فرهنگ غرب بود و این‌که چگونه انسان در شرایط گوناگون به سوژهٔ تاریخ تبدیل می‌شود و این که در این بستر، قدرت به‌مثابه پدیده‌ای حاضر در همهٔ روندهای خُرد و کلان است. دنیای افکار پی‌یر بوردیو زیر نفوذ واکاویِ مارکسیستی بود و نگرش او جامعه‌شناسی بازتولید فرهنگ و سلسله‌مراتب و سرمایهٔ اجتماعی و آداب و عادات پیونددهندهٔ انسان به گروه اجتماعی بود.

بدین ترتیب، از فلسفه انتظار همسویی و یگانگی نباید داشت چراکه نقش و بهبود فلسفه در تضاد و گوناگونی است. این گوناگونی پایهٔ تربیت اذهان جامعه است. جامعهٔ باز نیازمند فلسفه‌های گوناگون و رقابتی است، حال آن‌که جامعهٔ استبدادی و دین‌گرا پیوسته در حال محدودکردن و بستن است. فلسفه با دموکراسی و جمع‌گرایی و آزادی همسو است، حال آن‌که دین به نظام بستهٔ اقتدارگر وابسته و نافی اندیشهٔ فلسفی است.

جامعهٔ تازه به نظریه‌های فلسفی تازه نیازمند است. فلسفه با تاریخ و جامعه حرکت می‌کند. این حرکت پرسش‌های کهن را نقض نمی‌کند بلکه پرسش‌های جدیدی می‌آفریند. موضوع فلسفه به پرسش‌های کلاسیک مانند عقل و زمان و هستی و آزادی و دوران روشنایی خلاصه نمی‌شود. در طی یک سدهٔ گذشته، انبوه پرسمان‌های فلسفی عرصه‌های تازه‌ای در گفتارهای ساختاری گشوده و فلسفه با مکتب‌های جامعه‌شناسی و روان‌کاوی و نوع‌دوستی و ژنتیک گره خورده است. فلسفه با مفاهیم اساسی کلاسیک و نیز با پرسش‌های زمان خود حرکت می‌کند. پرسش‌های جدید دربارهٔ مسائل و روندهای جدید بیان‌گر پوییِ فلسفه است. البته فلسفه نمی‌تواند جای شاخه‌های دیگر علوم انسانی و رشته‌های علمی ـ تجربی را بگیرد. ما می‌دانیم که برخی اندیشمندان کار فلسفه را پایان‌یافته می‌دانند و برآنند که مفاهیم فلسفی توسط مکتب‌های دیگر علوم انسانی یا دانش‌های جدید

تصرف شده و استقلال آن به پایان رسیده است. از دید من چنین دیدگاهی شتابزده است چراکه فلسفه ضرورت و خودمختاریِ خود را حفظ کرده است. انتظار از فلسفه باید متناسب با عرصهٔ آن باشد ولی فلسفه تلاش می‌کند تمام زندگی را زیر پرسش قرار دهد. فیلسوفان امروز در غرب تاریخ و جهان کنونی را مورد توجه قرار داده‌اند و همان مسائل فکریِ قرن هجدهم را تکرار نمی‌کنند.

برخی ساده‌لوحانه بر این باورند که مسائل فلسفه به همان مطلب فلسفهٔ یونان و دوران روشن‌گری محدود می‌شود و فیلسوفان دیگر حرف تازه‌ای نگفته‌اند. این قضاوت ناشی از ناآگاهی است. این افراد با کم‌دانشیِ خود به جزم‌اندیشی دچار می‌شوند. برخی از افراد بر این پندارند که فلسفه فقط به خِرد می‌پردازد. این گفته نیز سراپا اشتباه است. درست است که فلسفیدن و دوست داشتن فلسفه با خِردباوری اعتبار پیدا می‌کند ولی فکر فلسفی در روندی خِردمندانه در تمامی عرصه‌ها وارد می‌شود و هیچ ممنوعیتی در انتخاب موضوع و گفت‌وگو ندارد. امروز باید پرسش‌های تازه‌ای را به بحث گذاشت: فن‌آوری و شبکه‌های اجتماعی و مفاهیم مسئولیت و آزادی، تغییر کامل الگوی زندگی، نوع‌دوستیِ کنونی انسان، نظام خبری جهانی و مهارت‌گرایی، فروپاشی چارچوب همبستگیِ سنتی، حقوق طبیعت و انسان شهروند جهانی از جمله پرسش‌های اساسیِ تمامی جوامع بشری‌اند. دامنهٔ بحث فلسفی باید این پرسش‌ها را دربرگیرد همان‌گونه که جامعه‌شناسی هرگز نمی‌تواند نسبت‌به آن‌ها بی‌طرف باشد. (۱۲)

بسیاری از فلاسفه کاملاً مادّه‌باورند هستند، بسیاری دیگر خِردگرای مادّه‌باورند، برخی خود را فیلسوف لاادری تعریف می‌کنند، برخی دیگر آرمان‌گرایند، گروهی خداپرست هستند، گروهی دیگر تاریخ‌دان اندیشه‌های فلسفی‌اند، برخی فلسفه و تخیل را همدوش یکدیگر می‌دانند، برخی عناصر دینی را با فکر فلسفه درهم می‌آمی‌زند، برخی نقد فرهنگ دینی را کلید فهم جامعهٔ ایران می‌دانند، برخی نابودیِ اندیشه در تاریخ ایران را معضلی اساسی به شمار می‌آورند و عده‌ای هم ازخودبیگانگیِ انسان ایرانی را آسیب‌شناسیِ ایدئولوژیک و روانیِ جامعهٔ ما می‌دانند. به هر روی، ما باید گوناگونی را ببینیم و از برچسب زدن و جزم‌اندیشی دوری کنیم. فلسفه دارای یک تاریخ اندیشه است و در آن همهٔ رنگ‌ها نقش بازی می‌کنند. بررسی و نقد و آموزش مدام فلسفی وسیلهٔ برخورد ما در عرصهٔ فلسفی است.

ارزیابی کارکرد فلسفه در ایران نیازمند یک واکاویِ همه‌جانبه است. همچنین

باید این نکته را هم ارزیابی کرد که آیا معضلات و مسائل عصر کنونی ایران و جهان در رشته افکار اندیشه‌ورزان ایرانی جایگاه لازم را کسب کرده است؟ باید فکر فلسفی را استقلال بخشید، آن را از زنگار دین اسلام و شیعه‌گری متمایز کرد، از تقدس‌محوری و قرآن‌گرایی بیرون برد و این نیازمند کاوش‌گری و باستان‌شناسی افکار رایج در تاریخ و ادبیات و امروز ماست. نگاه فلسفه به جامعهٔ دین‌زده و ملتهب ایران چیست؟ خوشبختی انسانی در این جامعه چه ویژگی‌هایی دارد و اضطراب انسانی چگونه قابل واکاوی است؟ آسیب‌های روانی ناشی از قدرت سیاسی و جهان‌بینیِ دینی کدامند؟ ریشهٔ افسوس‌ها و محرومیت‌های انسان در جهان کنونی در کجاست؟

جامعه‌شناسی از فلسفه پرسش می‌کند و پاسخ فلسفی را می‌سنجد. جامعه‌شناسی به سیر تاریخی و اجتماعی و شکل‌گیری معضلات و پرسش‌های فلسفی توجه دارد و درهمان زمان در پی توضیح آخرین رویدادهای فلسفی است. جامعهٔ ایران آسیب‌های سنگینی به خود دیده است و، بنابراین، فلسفهٔ آن نشان‌های این تاریخ را در خود دارد. اندیشه در جامعهٔ ما باید با گسترش نگرش و جسارت روشن‌فکرانه کار نقد و تولید فکری را به پیش ببرد.

منابع نظری:

1. Luis Pinto, «la vocation et le role du philosophe», le seuil 2007.
2. Pierre Bourdieu, «L’ontologie politique de Martin Heidegger».
3. Gaston Bachelard, «Matérialisme rationnel», Puf, Paris.
4. E. Kant, «La critique de la raison pure», Paris.
5. Epicure, «Lettres et Maximes», Puf, Paris.
6. R. Descartes, «Le discours de la méthode».
7. E. Kant, «Fondements de la métaphysique des mœurs».
8. E. Kant, «Qu’est-ce que les Lumières?», éd: Flammarion.
9. F. Hegel, «Les principes de la philosophie du droit».
10. K. Marx, «Les thèses sur Feuerbach», 1845.
11. L. Wittgenstein, «Les remarques philosophiques», 1964.
12. J. Idjadi, «sociology of fractures and changes in iranian society», H&S, 2014.

فلسفه زیست‌بوم‌گرایی و مسئولیت

در دوران نوگرا، علوم انسانی به شاخه‌های گوناگون شناخت تقسیم می‌شود و یکی از آن‌ها فلسفه است. فلسفه یک نظام فکری است که با آراستن دیدگاه‌ها و اندیشه‌ها به یک دانش متکی بر دانایی منجر می‌شود. مجموعه پرسش‌هایی که انسان دربارهٔ خود مطرح می‌کند کار فلسفه است. فلسفه بینش سامان‌یافته و همه‌جانبه از جهان بوده که زیبایی‌شناسی، اخلاق، منطق، متافیزیک، هستی‌شناسی، دین‌شناسی، دانش، طبیعت، زندگی و هستی‌شناسی انسان را به گفت‌وگو می‌گذارد. دیدگاه‌های فلسفی دامنه‌های گوناگونی دارند و چالش‌های فکری آن‌ها رنگارنگ است.

برآمد بینش فلسفی زیست‌بوم‌گرا در نیمهٔ دوم قرن بیستم روی می‌دهد ولی ریشه‌های این اندیشه یک روند تاریخی دیرینه است. ژان ژاک روسو در سدهٔ هیجدهم شیفتهٔ طبیعت بود ولی اندیشهٔ طَبیعت‌گرا در سدهٔ بیستم به یک گرایش تنومند و همه‌جانبهٔ فلسفی تبدیل شد. در سدهٔ بیستم، این گرایش به شکل‌گیری جریان‌های فکری زیست‌محیطی و انتشار آثار فلسفیِ فراوان منجر شد و ایجاد کرسی‌های دانشگاهی، پدیداریِ نهادهای زیست‌محیطیِ فراوان و احزاب سیاسی برای تسخیر قدرت سیاسی زیست‌محیطی از پیامدهای اَین گرایش رشدیابنده بود.

ریشه‌های فلسفهٔ زیست‌محیطی فراوانند. سدهٔ نوزدهم تا آغاز جنگ جهانی دوم دوران بیداریِ تدریجی وجدان‌ها و و درک آسیب‌های زیست‌محیطی است. در سال ۱۸۶۶ زیست‌شناس آلمانی، ارنست هیکل، واژهٔ «زیست‌بوم» را به کار می‌گیرد و در این دوران، به‌ویژه در آمریکا و آلمان و فرانسه و انگلستان و سوئد، با زایش و گسترش انجمن‌ها و نهادها و جنبش‌های گوناگون در هواداری و پشتیبانی از طبیعت و محیط زیست و جنگل‌ها روبه‌رو هستیم. در این دوران، پروژه‌های روشن‌فکری و قانونی در نگه‌داری طبیعت، ایجاد نهادهای رسمی، فعالیت‌های علمی و انتشاراتی در ضرورت توجه و حفظ طبیعت گسترش می‌یابد. ویرانیِ جنگل‌ها و گیاهان و رشد فعالیت‌های معدنیِ زغال سنگ و مس و آلودگی ناشی از آن منجر به اعتراض‌های برخی محافل عِلمی می‌شود و تعریف دوبارهٔ رابطهٔ انسان و طبیعت و کشاورزی سالم و بدون سموم شیمیایی و خطراتی که گوناگونیِ زیستی را تهدید می‌کنند در دستورکار برخی اندیشمندان مانند ژرژ امرسون، اوژن هوزار، ژورژ پرکینز مارچ، الیزه رکلوس، موریس دو تریبوله، ارنست فریدریش،

لودویک کلاژ، ولادیمیر ورنادسکی، آلبر هوارد قرار می‌گیرند.

منطق‌گراییِ دکارتی بر کلیسا پیروز شد و راه را برای دانش و مهارت و صنعت و اقتصاد سرمایه‌داری گشود. پیروزی مهارت و سرمایه‌داریِ پس از جنگ جهانی دوم بر انتقاد و گسست و پیدایش مکتب‌های جدیدی در فلسفه می‌انجامد. فلسفهٔ زیست‌بوم از دل افکار انسان‌گرایانه و طبیعت‌گرا و نقد فلسفی بیرون می‌آید. این دیدگاه به منطق‌گراییِ دکارت و فلسفهٔ کانت اکتفا نمی‌کند. این فلسفه عناصر فلسفی پیشین را می‌پذیرد و دست به انتقاد می‌زند. منطق‌گراییِ دکارتی اجزای طبیعت را جدا می‌کند و زیست‌بوم این منطق را نمی‌پسندد. نیچه چگونه برخورد می‌کند؟ نیچه تدوین و تهیهٔ ارزش‌های اخلاقی جدید را مطرح می‌کند و زیست‌بوم در روندی دیرینه به تدوین ارزش‌های زیست‌بوم‌گرا روی می‌آورد. انسان‌گرایی به منشور حقوق بشر می‌رسد ولی این منشور از دیدگاه فلسفهٔ زیست‌بوم ناقص است. انسان حقوق بشر از محیط زیست خود جدا شده است. نگرش زیست‌بوم‌گرا رابطهٔ انسان و طبیعت را دوباره تعریف می‌کند و پرسشی برای هدف و شیوهٔ به‌کارگیریِ مهارت می‌گشاید. برای این‌که فلسفهٔ زیست‌بوم به تدوین دستگاه فکری خود برسد، تجربه‌های بشری را وارسی می‌کند و به نقد می‌کشاند، نقد فلسفی فیلسوفان را دنبال می‌کند و از نقد مارکسیسم و دستاوردهای مکتب فرانکفورت وام می‌گیرد. فلسفهٔ مکتب فرانکفورت یکی از عوامل شکل‌گیریِ فلسفهٔ زیست‌بوم است.

ماکس هورکهایمر (۱۹۷۳-۱۸۹۵) و تئودور آدورنو (۱۹۰۳-۱۹۶۹) «جامعهٔ مصرفی» را نقد می‌کنند و، از این رو، مکتب فرانکفورت پدید می‌آید. اریش فروم (۱۹۰۰-۱۹۸۰) فرویدیسم را با مارکسیسم و روان‌کاوی را با جامعه‌شناسی پیوند می‌دهد. هربرت مارکوزه (۱۸۹۸-۱۹۷۹) در سال ۱۹۵۵ اروس و تمدن را منتشر می‌کند و سپس انسان تک‌ساختی او موجی از بحث فلسفی را در جهان پیش می‌آورد. این اندیشمندان تجربهٔ هیتلر و جنگ جهانیِ دوم را می‌بینند و اقتصاد سرمایه‌داری و الگوی مصرفی را ناهنجار ارزیابی می‌کنند. با جنگ سرد سال‌های ۵۰-۶۰ میلادی نسل دوم مکتب فرانکفورت با هابرماس زاده می‌شود. مکتب فرانکفورت، همچون یک جریان نیرومند فلسفی با نقد الگوی اقتصاد و جامعه و انسان مسخ‌شده، زمینهٔ گسترده‌ای برای رشد اندیشه‌های زیست‌بوم‌گرا و پیدایش گرایش مستقل فلسفه در این زمینه را به وجود می‌آورد.

سامان اندیشهٔ زیست‌بوم‌گرا در تمام عرصه‌های زندگی انسانی دارای دیدگاه

است. نقد رابطهٔ انسان و طبیعت، نقد منطق تولید و اقتصاد و مصرف، نقد شیوه‌های سوختی، نقد کشاورزی انبوه مولدگرا و متکی بر مواد شیمیایی، نقد شهرسازی انبوه‌گرا، نقد جهان‌بینی‌های ویرانگرِ خودمختاریِ انسان، نقد خودپرستی تندروانه و نابودیِ مناسبات اجتماعی از جملهٔ اندیشه‌های زیست‌بوم‌گرای همراه با پروژه‌های جانشین هستند. زیست‌بوم یک جهان‌بینی صرف نیست بلکه دیدگاهی به جهان و زندگی انسانی است. چگونه انسان و طبیعت و زمین آشتی کنند؟ این فلسفه به دانش و تجربه‌های انسانی و نوآوری‌های اجتماعی توجه دارد و در تداوم نوگرایی با نگاهی نقادانه وجود ژرفای دموکراسی و آزادی را ضروری می‌داند و زندگی هماهنگ با طبیعت را می‌جوید.

الگوی زیست‌بوم‌گرا در قرن ۲۱ مهم‌ترین چالش است. ویرانگری فعالیت انسان بر محیط زیست منجر به گرمایش زمین و فروریزی گوناگونیِ زیستی شده است. دگرگونیِ نظریِ داروین و تلاش‌های فکری و اجتماعی در نگه‌داری طبیعت ما را به زیست‌بوم نزدیک می‌کند. امروز ما به حقوق جانوران و جنگل‌ها می‌رسیم و فکر می‌کنم که درخت و فیل و زنبور و انسان هم سرنوشت‌ساز هستند. دیدگاه زیست‌بوم‌گرا بُعدی بی‌سابقه به زندگی بخشیده و مسئولیت انسانی را به حفظ کرهٔ زمین گسترش می‌دهد. مسئولیت ما نسبت‌به نسل‌های آتی چیست؟

طی دو سدهٔ گذشته، اندیشمندان در عرصهٔ شناخت و پشتیبانی از طبیعت پرشمار بوده‌اند و امروز فیلسوفان زیست‌بوم‌گرا در همهٔ دانشگاه‌های معتبر جهانی وجود دارند و نوشتارهای گوناگونِ این زمینه به یک کتابخانهٔ بزرگ تبدیل شده است. از میان این بزرگان باید از اندیشمندان زیر یاد کرد: هانری داوید تورو (۱۸۶۲–۱۸۱۷)، فلیکس گاتاری (۱۹۹۲–۱۹۳۰)، آندره گورز (۲۰۰۷–۱۹۲۳)، ژاک الول (۱۹۹۴–۱۹۱۲)، هانس ژوناس (۱۹۰۳–۱۹۹۳)، ایوان ایلیچ (۱۹۲۶–۲۰۰۲)، سرژ مسکوویچی (۲۰۱۴–۱۹۲۵)، دومینیک بورگ، لوک فری، ادگار مورن، برتراند ژونل، ژولیت گرانژ، وال پلوموود (۲۰۰۸–۱۹۳۹)، فیلیپ وان پاریژس، گلن آلبرشت، موری بوکین (۱۹۲۱–۲۰۰۶)، دیوید آبرام، واندانا شیوا، آرن نیس (۱۹۱۲–۲۰۰۹)، هولمس روستن، ژک دریدا، اولریش بک، میشل سر (۱۹۳۰–۲۰۱۹)، برونولاتور، تیموتی مورتون، ونسیان دسپره و شماری دیگر.

زیست‌بوم بازتاب واکنش به نظام‌های ایدئولوژیک و اقتصادی مولدگرا، نقد نادانیِ اندوه‌بار انسان و فاجعهٔ ویران‌گریِ طبیعت است. بمب‌های اتمی در هیروشیما

و کوره‌های آدم‌سوزی برای یهودیان در آلمان هیتلری و جنایت اردوگاه‌های استالینی یک نسل را برآشفته می‌کند. زیست‌تبوم به این آسیب‌های ساختاری می‌اندیشد. پرسش‌های تازه کدامند؟ الگوی مصرف در اقتصاد سرمایه‌داری، الگوی تولید و مصرف مواد اولیه در زمین، نگرش سودجویانه به زمین، ویرانگری در محیط زیست، سلطه‌گری نابودکننده بر زمین و جانور و گیاه، همه‌وهمه به نقد زیست‌بوم درمی‌آیند. انتقاد به شگرد پیروِ سود، تقسیم کار اجتماعی، شکاف میان اندیشه و کردار و انسانِ ماشینی و تحقیرشده همان دلهره و پرسش و چالش فیلسوفان زیست‌بوم را شامل می‌شوند. سودجویی و مستی و نادانیِ انسان به ویرانیِ طبیعت کشیده شد، حال آن‌که انسان خودْ طبیعت است و، بنابراین، ویرانیِ طبیعت جز ویرانیِ خودِ انسان نخواهد بود.

می‌توان مسئولَیت را یک وظیفهٔ اخلاقی و دینی و یا حقوقی تعریف کرد حال آن‌که از نگاه زیست‌بوم مسئولیت یک مفهوم گستردهٔ فرهنگی و ارزشی برای حفظ زمین و زندگی است. هانس ژوناس، فیلسوف آلمانی، در کتاب اصل مسئولیت، که در ۱۹۷۹ منتشر شد، دربارهٔ پیشرفت و آرمان‌شهر، اخلاق و مسئولیت، آزادی و طبیعت، آیندهٔ بشریت و طبیعت، خطر مارکسیسم و آسیب سرمایه‌داری، مفهوم بدی و نیکی، آموزش و هدف زندگی، انسان جسم‌شده و خودپرستی اقتصادی، آرمان‌شهر مارکسیستی و مفهوم آزادی، انتقاد آرمان‌شهری و اصل مسئولیت، کانت و هگل، بحران و تمدن فن‌آورانه، محیط زیست و ژنتیک، قدرت بی‌پایان انسان و ضرورت تعریف جدید از مفهوم مسئولیت و دیگر نکته‌ها به گفت‌وگو و بررسی پرداخته است.

از دید او، مقولهٔ «تکنیک علم» قدرت بسیار زیادی در اختیار انسان قرار داده که نمی‌توان بدان بی‌توجه بود. به‌عبارت دیگر، باید مسئولیت انسان را تعریف کرد. این مسئولیت ربطی به مالکیت و اثبات خطای دیگری ندارد چراکه تعهدی برای انسان است تا کردارش به نسل آتی زیانی وارد نیاورد، مسئولیتی برای نگه‌داشت کیفیت زندگی در کرهٔ خاکی. از این رو، پیش از کاربست یک مهارت ویژه باید با پژوهش و بررسی همه‌جانبه مطمئن شد که چنین کاربستی خطر مرگباری برای جامعه و زندگی موجودات زنده نداشته باشد؛ نباید به این‌گونه مهارت‌ها کورکورانه اعتماد کرد بلکه باید با هوشیاری و احتیاط آن‌ها را به کار گرفت و بدان‌ها روح داد و با زندگی همسازشان کرد. به این خاطر است که از فلسفهٔ هانس ژونس با عنوان فلسفهٔ طبیعت واخلاق نام می‌برند. مسئولیت نباید همچون یک رفتار

بلکه باید به‌مثابه یک قدرت و کیفیت هوشمندانه و نه به‌عنوان یک وظیفه و امر واجب بلکه همچون درک یک درخواست ژرف دربارهٔ شکنندگی انسان و مسئلهٔ نسل‌های آیندهٔ بشری و کیفیت زندگی آینده در زمین پنداشته شود.

باید تمام تخصص‌ها را فراهم کرد و به خاطر داشت که شناخت جدی پیش از عمل لازم است و هر گونه پنداشت خوش‌بینانه، بی‌طرفانه و یا بدبینانه و ناامیدانه باید مورد بررسی قرار گیرد. نباید در فکر به یک آرمان‌شهر به خواب رفت و به هیجان دل سپرد. دانایی فن‌آورانه باید محتاط باشد. اما با زیست‌اخلاق و هوش مصنوعی و اخلاق زیست محیطی چه باید کرد؟ مسئله نفی مهارت نیست و نگاه مارتین هایدگر هم به چنین‌چیزی پسندیده نیست ولی نباید در این راه هوشیاری همه‌جانبه را نادیده انگاشت و باید زندگی نسل‌های آینده را هم در نظر گرفت. برای نمونه، یکی از نتایج این فلسفه قانون «اصل پیش‌گیری» در سیاست و رهنمودهای زیست‌محیطیِ اتحادیهٔ اروپا و نیز اصل زیست‌بوم‌گرایی در پیش‌درآمد قانون اساسی جمهوری فرانسه است. این فلسفهٔ زیست‌بوم‌گرا در کنش سیاسی خود و مدیریت جامعه و جهان به اقتصاد پایدار می‌رسد: اقتصاد غیرکربنی، اقتصادی که چالش گرمایش زمین را هدف مرکزی خود قرار می‌دهد. اقتصاد کنونی باید از درون و همچون سیستم تولیدی و مصرفی دگرگون شود. چنین‌چیزی یک روند پیچیده، طولانی، فرهنگی، آموزشی، سیاسی و اقتصادی است. فلسفهٔ زیست‌بوم‌گرا مخالف اقتصاد بازار نیست، این فلسفه به فلسفهٔ جان استوارت میل وفادار است، به شادمانی و تندرستی انسان، به طبیعت اُرگانیک و زندگی انسانی توجه دارد و از همهٔ نقش‌آفرینانِ مسئول در جهان می‌خواهد که زندگی انسان و محیط زیست را ویران نکنند.

ناکارامدیِ نظریه کارل مارکس

کارل مارکس دویست سال پیش زاده شد و طی قرن بیستم به پرنفوذترین اندیشمند جهان شد. امروز کارنامه او را چگونه باید مورد بررسی قرارداد؟ جایگاه اندیشهٔ مارکس در فلسفه و جامعه‌شناسی و تاریخ جنبش کارگری انکارناپذیر است. در عرصهٔ سیاسی، کنش‌گران و اندیشمندانی هستند که همچنان به او وفادارند. حال این وفاداری بیان تیزبینی است و یا تجلی یک جزم‌اندیشیِ مزمن است؟ آیا

اندیشهٔ مارکس امروز کارآیی و تازگی خود را حفظ کرده است؟ در این نوشتهٔ کوتاه به‌طور عمده به نقد جنبه‌هایی از نظریهٔ او می‌پردازم.

کارل مارکس در دوران زندگی حرفه‌ایِ خود در عرصهٔ روزنامه‌نگاری و فعالیت سیاسی بسیار فعال بود ولی تا زمانی که زنده بود، فقط دو کتاب اقتصادی منتشر کرد. کتاب انتقاد بر اقتصاد سیاسی در سال ۱۸۵۹ و کتاب نخستِ سرمایه در سال ۱۸۶۷ منتشر شد. پس از مرگ او، دو کتاب دیگرِ سرمایه توسط فردریش انگلس و نظریه‌های ارزش افزوده توسط کارل کائوتسکی انتشار یافتند.

یکی از نظریه‌های برجستهٔ مارکس نظریهٔ ارزش افزوده است. پیش از او، داوید ریکاردو نظریهٔ ارزش کار را ارائه کرده بود و مارکس با اتکا به نظریهٔ ریکاردو نظریهٔ ارزش افزوده را مطرح کرد. به‌گفتهٔ مارکس، ارزش آفریده‌شده توسط کارگر نتیجهٔ ساعات کاری است که در تولید به کار رفته است. این میزان کارِ کارگر یا به‌کارگیری قدرت جسمانی پرولتاریا اجازه می‌دهد تا ارزش به وجود آید و این ارزش نه‌تنها ارزش لازم برای بازتولید نیروی کار را به وجود می‌آورد تا با دستمزد و مصرف غذا و پوشاک و مسکن دوباره نیروی کار کارگر تجدید شود بلکه بخش دیگر ارزش جدید یعنی ارزش افزوده را هم شامل می‌شود که توسط کارفرما به تصاحب درمی‌آید. پس فعالیت جسمی کارگر هم منبع دستمزد و هم ارزش افزودهٔ کارفرماست. بنابراین، در پشت مناسبات کار و سرمایه استثمار کارگر نهفته است.

یکی از نتایج نظریهٔ مارکس این است که سرمایه‌داری با رشد خود ناتوانی‌اش را گسترش می‌دهد زیرا رفته‌رفته میزان سودآوری‌اش افت می‌کند. دیدگاه مارکس این است که ارزش افزوده از ماشین حاصل نمی‌شود بلکه منبع آن کارِ کارگری است. حال، زمانی که در روند سرمایه‌داری «سرمایهٔ ثابت» یعنی مهارت و ماشین رشد می‌کند، کارگران به بی‌کاری رانده می‌شوند و جایگاه خود را در تولید از دست می‌دهند. پس به‌طور نسبی و در یک روند گرایشی «سرمایهٔ متغیر» یا نیروی کارگری در تولید کاهش می‌یابد. این کاهش به‌معنای کاهش منبع ارزش افزوده است. بنابراین، با چنین گرایشی میزان سوددهی افت می‌کند و به‌خاطر تناقضات درونی و بحران اقتصادی، سرمایه‌داری فرو می‌ریزد. بحران اقتصادی انگلستان و آلمان در ۱۸۵۷ تأثیر بسیاری بر تکوین نظریهٔ کارل مارکس داشت. استنتاج مارکس از بحران این بود که سرمایه‌داری نمی‌تواند بحرانش را مدیریت کند و

به‌شکل حادّی مرگ خود را رقم می‌زند و با انقلاب در اروپا کارش پایان می‌گیرد.

تاریخ به ما نشان می‌دهد که سرمایه‌داری در برابر بحران‌ها ایستاد و با وجود آسیب‌های اقتصادی و اجتماعی فراوان به‌مثابه اقتصاد بازار نوآور شد و ابتکارهای جدیدی به کار گرفت و الگوی خود را بر تمامی زمین گسترده کرد. سرمایه‌داری با قدرت بی‌سابقه شرکت‌های بزرگ جهانی مانند گوگل و فیس‌بوک و آمازون و اَپل را در محور اقتصاد جهانی قرار داده و این شرکت‌ها بیش از هر زمان دیگری فن‌آوری و علم و سرمایه را انکشاف داده‌اند. برخلاف نظریهٔ مارکس، سرمایه‌داری گورکن خود نشد و اروپا هیچ تمایلی به انقلاب پرولتاریایی ندارد. افزون‌بر آن، برخلاف نظریهٔ لنین سرمایه‌داری به امپریالیسم مرحلهٔ «نهایی» خود نرسید و با تصرف جهان و جهانی شدن خود حیاتی تازه یافت. روشن است که بحث بر سر ستایش و تجلیل سرمایه‌داری نیست. جامعه‌شناسیِ نقاد بررسی و نقد می‌کند و در کار علمی خود به توضیح واقعیت روی آورد. مَطلب مرکزی در این‌جا مشاهدهٔ تجربهٔ سرمایه‌داریِ جهانی است که با وجود تمام بحران‌ها دشواری‌ها را پشت‌سر گذاشته و قدرت و نوآوری خود را نمایش می‌دهد. بیش از یک قرن است که انقلابیون مارکسیست آرزو دارند سرمایه‌داری نابود شود ولی خیال انقلابی نباید مانع درک درست واقعیت اقتصاد شود.

از نگاه جامعه‌شناسی و تاریخ، ما نمی‌توانیم آرزو و خیال خود را جای واقعیت و تجربه بنشانیم. ما در درون همین سرمایه‌داری شاهد یک طبقهٔ انگل بورس‌باز هستیم، در درون همین نظام شاهد شبکه‌های فساد و مافیایی هستیم، در درون همین الگو فقر تهی‌دستان یک واقعیت دردناک جهانی است، در درون همین الگو شاهد تبهکاری و خط استعماری و مداخلهٔ نظامی و همراهی با فاشیست‌ها و نازی‌ها و اسلام‌گرایان هستیم، همین الگوی اقتصادی محیط زیست جهان را به مرحلهٔ هولناکی کشانده و با افزایش گرمایش زمین زندگی انسان و جانور و گیاه را به‌طور جدی به دورهٔ خطرناکی وارد کرده است. با وجود همهٔ این زشتی‌ها، ما با الگویی روبه‌رو هستیم که اقتصاد جهانی را با شتاب و با انگیزهٔ سودآوریِ بیشتر و تسلط بر بازارها و مغزهای مصرفی انسان‌ها گسترش می‌دهد. رشد اقتصادیِ برخی مناطق جهان با رشد بیش از ۱۰ درصد الگوی «تولید ستاه» را به الگویی تبدیل کرده که ایجاد ثروت در جهان را به‌شکلی بی‌سابقه میسر کرده است؛ الگویی سرشار از نابرابری و فلاکت و بحران ولی، در عین حال، الگویی که به انکشاف

خود ادامه می‌دهد و ثروت در بخش‌های مهمی در کرهٔ زمین را افزایش می‌بخشد. این اقتصاد یک‌پارچه و یک‌دست نیست و در اروپا و آمریکا و آسیا به یک شیوه نمی‌چرخد. این اقتصاد برخلاف دیدگاه کمونیست‌ها و اقتدارگریزان نرمش‌پذیر است و شیوه‌های جدید مدیریت را می‌پذیرد. در تمام کشورهای صنعتی وجود دولت رفاه و پخش قدرت خرید برای طبقات متوسط و کارگری یک واقعیت است.

کارل مارکس می‌نویسد: «انباشت برای انباشت، تولید برای تولید! این است فرمان اقتصاد سیاسی و رسالت تاریخی دوران بورژوازی.» (سرمایه، کتاب نخست) انتقاد مارکس بر سرمایه‌داری دوران خود درست بود و همین قاعده امروز نیز یک ویژگی اساسیِ سرمایه‌داری به شمار می‌آید. هر شرکت و هر کارفرمایی در پی افزایش درآمد و سود خود است. تمام ثروتمندان سرمایه‌داری در پی آنند تا بر ثروت هنگفت خود بیفزایند ولی سرمایه‌داری رشد خودش را به دو نکتهٔ اساسی موکول می‌کند: نخست، گسترش بازار با افزایش نسبیِ دستمزد کارگران و رشد طبقهٔ متوسط و دوم توجه به عامل نوآوری علمی و فن‌آوریِ نوین تا نوآوری کالا و خدمات میسر شود. رشد سرمایه‌داری با فقر مطلق همیشگی و قطعی میسر نیست و مقاومت در بازار رقابتی بدون نوآوری ممکن نخواهد شد. در این الگو رقابت آرام نخواهد شد و اختلاف طبقاتی میان ثروتمندان بزرگ و توده‌های اجتماعی باز هم افزایش خواهد یافت ولی از باید به این نکته هم توجه کرد که در کشورهای سرمایه‌داری دولت رفاه از راه نظام مالیاتی توزیع ثروت را ممکن کرده است. در این نظام، سندیکاها و احزاب پشتیبان عدالت اجتماعی دارای نقش فعال‌اند و میدان برای بورژوازی خالی نیست. مارکس این پیش‌بینی را نکرده بود زیرا الگوی دوران خود را برای کل تاریخ عمومیت بخشیده بود و فکر می‌کرد سرمایه‌داری قرون هجدهم و نوزدهم به دور از قدرت انطباقی باقی‌مانده و زیر فشار جمود و بحران سقوط خواهد کرد.

نظریهٔ دیگرِ کارل مارکس دربارهٔ مبارزهٔ طبقاتی است. از دید مارکس، مبارزهٔ پرولتاریا با سرمایه‌داران در جامعهٔ سرمایه‌داری یک مبارزهٔ طبقاتی است و این مبارزه تعیین‌کنندهٔ سرنوشت جامعه است. کارل مارکس بر آن بود که سرمایه‌داری، در نهایت، فرو خواهد ریخت. در این جامعه، کارگران که اکثریت را تشکیل خواهند داد در برابر سرمایه‌داران که یک اقلیت کوچک است، انقلاب قهرآمیز

را تدارک و طبقهٔ حاکم را سرنگون خواهند کرد. مانیفست حزب کمونیست، که در سال ۱۸۴۸ چاپ شد، اعلان می‌کند: «تاریخ کلّیهٔ جوامعی را که تاکنون وجود داشته‌اند تاریخ مبارزهٔ طبقاتی است.» وی در ادامه می‌نویسد: «دوران ما، یعنی دوران بورژوازی، دارای این ویژگی روشن است که تضاد طبقاتی را ساده کرده است: سراسر جامعه بیش‌ازپیش به دو اردوگاه بزرگ درگیر، دو طبقهٔ بزرگ، تقسیم می‌شود که مستقیماً در برابر یکدیگر ایستاده‌اند: بورژوازی و پرولتاریا؛ بورژوازی مقدم بر هر چیز گورکنان خویش را به وجود می‌آورد.»

بر پایهٔ گفته‌های مارکس، یادآوری چند نکته ضرورت دارد. نکتهٔ نخست این‌که تاریخ کلّیهٔ جوامع تاریخی مبارزهٔ طبقاتی نیست. از مبارزهٔ طبقاتی چه درکی داریم؟ با برآمد جامعهٔ صنعتی آدام اِسمیت و دیوید ریکاردو دربارهٔ طبقات نوشته‌اند. مارکس تعریف طبقه را به روند تولیدی و موضع آن‌ها نسبت‌به وسایل تولید موکول کرده و گروه‌های گوناگونی را در درون دو طبقهٔ اصلی قرار داده و به‌باور او طبقهٔ متوسط بیش‌ازپیش خُرد شده و لایه‌های آن به درون پرولتاریا ریخته. وی طبقه را در برابر طبقه قرار داده و مناسبات آن‌ها را بر پایهٔ تضاد آشتی‌ناپذیر قرار می‌دهد. برای مارکس زمانی طبقه به طبقهٔ واقعی تبدیل می‌شود که آگاهی طبقاتی پیدا کند. از آنجا که پرولتاریا فاقد آگاهی طبقاتی بودند، مارکس باور داشت «نخبگان» به «سوسیالیسم علمی» او مجهز می‌شوند و طبقهٔ انقلابی به انقلاب دست می‌زند و پرولتاریا به رسالت تاریخی یا جامعهٔ بدون طبقه دست پیدا می‌کند. دیدگاه مارکس سرشار از اراده‌گراییِ رمانتیک است. پرولتاریای توصیف‌شده در «سرمایه» کارگرانی هستند که زیر فشار و ستم و شرایط دهشتناک قرار دارند و پرولتاریای «مانیفست» طبقهٔ انقلابی با رسالت بی‌سابقه در تاریخ. بر پایهٔ این برداشت، مارکس جنگ طبقات را عمومیت می‌دهد. برای او طبقه در برابر طبقه به نفی یکی توسط دیگری می‌ماند.

یک جامعه تاریخ چندگانه دارد و گاه‌به‌گاه نیز در جریان مبارزهٔ طبقاتی قرار می‌گیرد. از دید انسان‌شناسی، تمامی گروه‌بندی‌های اجتماعی در جست‌وجوی امتیازات گروهی و فرهنگی و سیاسی هستند و گاه در رویاروییِ حادّ و گاه در آشتی و همزیستی قرارداشته‌اند. گروه‌بندی‌های حرفه‌ای و اداری و نظامی پیوسته در مبارزهٔ رقابت‌جویانه بوده‌اند. افراد فلاکت‌زده در برابر افراد فلاکت‌زدهٔ دیگر دست به کشتار زده‌اند. جمعیت‌های گوناگون در پیروی از احکام دینی و

احساسات قومی و یا زیر نفوذ رهبران خود به جنگ و ستیز برخاسته‌اند. گاه یک گروه نظامی در برابر گروه نظامی دیگری کودتا می‌کند. در موارد بی‌شماری، کارگران پشت‌سر دیکتاتورهایی چون هیتلر و استالین صف کشیده‌اند و برای آن‌ها و در برابر دیگران جنگ کرده‌اند. سرزمین‌ها و ملت‌هایی در طول تاریخ مورد تجاوز ملت‌های دیگر قرار گرفته‌اند. ما از دید جامعه‌شناسی، نمی‌توانیم پیچیدگی‌های جامعه یا تاریخ را ساده کنیم و چنین‌چیزی را در خدمت شعارهای سیاسی و هیجانی قرار دهیم. همهٔ جوامع بشری یکسان عمل نمی‌کنند و به همین خاطر واکاویِ موشکافانهٔ جامعه‌شناسانه و اقتصادی و تاریخی و روان‌شناسانه در هر موردی یک ضرورت است. جنگ‌های صلیبی، جنگ نازی‌ها، کشتار کامبوجی توسط کامبوجی، مبارزهٔ ویتنام در برابر آمریکا، جنبش ماه مِه فرانسه، مبارزهٔ الجزایر در برابر فرانسه، جدال طولانی میان اسرائیلی‌ها و فلسطینی‌ها، جنگ میان عراق و ایران و غیره در مقولهٔ مبارزه طبقاتی قرار نمی‌گیرند.

رمانتیسم انقلابی کارل مارکس سرچشمهٔ همین اشتباه تاریخی است. افزون‌بر آن، همین رمانتیسم منجر به اعلان پایان تاریخ توسط مارکس می‌شود. مادّه‌باوریِ تاریخیِ مارکس تاریخ را رده‌بندی می‌کند و تصویری به دست می‌دهد که گویا جوامع اروپایی و حتی جهان بر اساس مرحله‌بندیِ برده‌داری، فئودالیسم، سرمایه‌داری و نیز سوسیالیسم و کمونیسم حرکت تکاملی خواهند داشت. مادّه‌باوریِ تاریخیِ مارکس نقض دیدگاه پویا در تاریخ و جوامع انسانی است. مارکس در پی تحمیلِ الگوی روشن‌فکرانه و انقلابی خود به تاریخ است و این آرمان‌خواهی در اندازهٔ یک شعار تهییجیِ انقلابی باقی می‌ماند.

مارکس در واکاویِ سرمایه‌داریِ زمان خودش در سرمایه بررسیِ جامعه‌شناسانهٔ جالبی عرضه می‌کند و ازخودبیگانگی کارگران را به نقد می‌کَشد ولی او در استنتاج نظریِ خود دربارهٔ تاریخ به ساده‌انگاری و جبرگرایی کشیده می‌شود و به نظریه‌سازی دست می‌زند. او می‌نویسد: «هدف عبارتست از براندازی همهٔ طبقات ممتاز، اِعمال دیکتاتوری پرولتاریا بر این طبقات و حفظ تداوم انقلاب تا تحقق کمونیسم.» مارکس پیوسته در این روش پژوهشی خود را موظف می‌بیند تا زیربنای اقتصادی جوامع و مناسبات تولیدی مشخص را نشان بدهد. با وجود این تمایل، او در واکاویِ سرمایه‌داری زمان خود به واکاویِ مشخصی وفادار نمی‌ماند و به یک ذهنیت‌پردازیِ فردی می‌پردازد، در تعریف مراحل در تاریخ به

ذهنی‌گرایی گرایش می‌یابد و پایان زمان را با کمونیسم ترسیم می‌کند. همچنین، مارکس خواهان جبر و خشونت طبقاتی است. او می‌گوید در برابر دیکتاتوری بورژوازی باید دیکتاتوری پرولتری را قرار داد و این دیکتاتوری ضمانت رسیدن به کمونیسم است. وی برآن است که بسیاری از سوسیالیست‌های دوران او در سوسیالیسم تخیلی‌اند و سوسیالیسم او «علمی» است زیرا او به‌خوبی می‌داند که پرولتاریا ابزار طبقاتی برای تحقق دنیای بهترِ بدون طبقه است و پی‌گیریِ این هدف باید با دیکتاتوری خشونت‌بار پرولتاریا همراه باشد.

از نگاه تاریخی و انسان‌شناسی، تصرف قدرت همیشه با خشونت و انقلاب قهرآمیز همراه نبوده است. در طول تاریخ، قهر در مناسبات اجتماعی بروز کرده و حضور پررنگی داشته است ولی مارکس قهر و خشونت پرولتاریا را به یک خشونت مقدس و مشروع تبدیل کرده و آنرا به یک شرط قطعی تبدیل مینماید. بعلاوه او استقرار دیکتاتوری پرولتاریا را تنها شکل اعمال قدرت می‌بیند. مارکس اِعمال خشونت سازمان‌یافته را چارهٔ نابودی یک طبقهٔ اجتماعی می‌داند. در واقع، مارکس خواهان یک قدرت دولتی متمرکز و نظامی است و، برخلاف دیدگاهش که خواهان پایان دادن به طبقات و دولت است، این دستگاه دولتی جز گسترش و پایداری خشونت در جامعه نتیجهٔ دیگری ندارد. همچنین، آرمان‌شهر بدون طبقات خارج از یک اندیشهٔ متین علمی و مشروط به ترور و استبداد است. البته انسان‌ها پیوسته دارای آرمان‌وآرزو برای یک دنیای زیبا بوده‌اند تا به درد و رنج انسانیت پایان داده شود. پروژهٔ مارکس اعلان گسست از تخیل و برقراری «سوسیالیسم علمی» است تا دنیای آرمانی حاصل شود ولی ما درمی‌یابیم که مارکس برای رسیدن به جامعهٔ خیالیِ کمونیستی، دیکتاتوری پرولتاریا را ضروری می‌داند؛ او از آزادی و دموکراسی بیزار است زیرا این مفاهیم را حربهٔ بورژوازی می‌داند و پرولتاریا را حامل قهر تاریخی و موجه ارزیابی می‌کند.

کارل مارکس می‌گوید طبقه و مبارزهٔ طبقاتی را او کشف نکرده بلکه «تاریخ‌نگاران بورژوایی» پیش از او این مفاهیم را اعلان داشته‌اند. او می‌نویسد کشف وی این بوده که «وجود طبقات به مراحل معین تاریخی رشد تولید» بستگی دارد و این‌که «مبارزهٔ طبقاتی به‌ناگزیر به دیکتاتوری پرولتاریا می‌انجامد و این دیکتاتوری یک دورهٔ انتقالی برای الغای همهٔ طبقات و پیشروی به‌سوی جامعهٔ بدون طبقات است». («نامه به ژوزف آرنولد ویدومیر»، ۵ مارس ۱۸۵۲).

آیا میان نظریهٔ سیاسیِ دیکتاتوری پرولتاریا و خودکامگیِ دوران استالین رابطهٔ مستقیمی وجود دارد؟ مارکس یک شخصیت انقلابی و علیه استبداد بود و برای حقوق کارگران تلاش فراوان کرد، حال آن‌که بخش مهمی از منتقدان برآنند که بینش مارکس به خودکامگی می‌انجامد. ریموند آرون، جامعه‌شناس و فیلسوف فرانسوی، در تأیید دیدگاه الکساندر زینوویف، اندیشمند روس، می‌گوید نفی مطلق کالا از جانب مارکس به‌ناگزیر به برقراری قدرت سیاسیِ نوعِ شوروی می‌انجامد. آندره گولکسمن، فیلسوف فرانسوی، در کتاب آشپز و آدمخوار که در سال ۱۹۷۵ منتشر شد می‌گوید دیدگاه مارکس دربارهٔ دیکتاتوری نتیجهٔ «ضروری و پیش‌بینی‌پذیر الگوی مارکسیستی» بود و نظام اردوگاهی شوروی نیز یکی از نتایج آن است. شوربختانه، تمام کمونیست‌های جهان در ضدیت کور با سرمایه‌داری به پشتیبانی از دیکتاتوری مارکسیستی پرداختند. آن‌ها از دید این بینش خودکامه نتوانستند پیشگام آزادی و دموکراسی‌خواهی و پشتیبانی از حقوق بشر باشند.

نوام چامسکی و همچنین برخی از جامعه‌شناسان به‌درستی برای توصیف نابسامانی طبقهٔ کارگر که به سبب دگرگونی‌های چند دههٔ گذشته در زمینهٔ برون‌سپاری، قراردادهای موقت‌کاری، افزایش مهاجران و کاهش نیروی کارگری در کارخانه‌های تولیدی از بی‌ثباتی شغلی صحبت می‌کنند واژهٔ « پروکاریا» و یا در زبان فرانسه «پره کاریته» را به کار می‌برند. این واژه به‌معنای بی‌ثباتیِ خطرناک برای پرولتاریاست. زمانی که سیاست‌های مالی و نئولیبرالی در مدیریت اقتصاد قرار دارند و بازار جهانی میدان عمل سرمایه است، به‌ناگزیر ناامنی فزایندهٔ کارگران افزایش می‌یابد و این توان چانه‌زنی برای افزایش دستمزدها را محدود می‌کند. با وجود این شرایط فشار، سرمایه‌داری به انکشاف و نوآوری خود ادامه می‌دهد و برخلاف دیدگاه مارکس طبقهٔ متوسط را گسترش داده است و حتی بخش مهمی از کارگران را در وجود نظام ذینفع کرده است. امتیازات کارگران در شرکت‌های بزرگ نفتی، شیمیایی، دارویی، صنایع نظامی، موشک‌سازی، خودروسازی، صنایع غذایی و فراورده‌های وابسته‌به آن نمونهٔ بارز دگرگونی در زندگی و رفتار کارگران است.

پژوهش‌های جامعه‌شناسانه نشان می‌دهند که بخش بسیاری از کارگران روحیهٔ ضدسرمایه‌داری ندارند و زندگی و ترقی خود را در درون همین الگو میسر می‌دانند. آن‌ها به هیچ‌وجه خواهان انقلاب نیستند. البته ما می‌دانیم که نظام

اقتصادی موجود نیازمند افراد پی‌رو است و ایجاد وابستگی روانی از اهداف این نظام به شمار می‌آید. ذهن‌های پی‌رو و بارآوری تولید بالا مطلوب چنین نظامی است ولی این سرمایه‌داری همان سرمایه‌داری قرن نوزدهم نیست، اقشار اجتماعی همان اقشار نیستند و نیز در درون سیستم موجود مناسبات یک‌جانبه نیستند و در درون این نظام گرایش‌ها و تناقضات بی‌شماری وجود دارند و بازیگران از سهم خود پشتیبانی می‌کنند. تناسب قوا میان ثروتمند و دیگر اقشار برابر نیست ولی نظام اقتصادی فرصتی برای اقشار متوسط و کارگری به وجود آورده است. در غرب، تمرکز ثروت در یک قطب جامعه منبع ناهنجاریِ دردناکِ جامعه است ولی کارگران امروز دیگر واکنش قرن نوزدهم و قرن بیستم را ندارند، آن‌ها خواهان تقویت دستمزد و حقوق خود هستند ولی خواهان برهم زدن وضع از راه خشونت و انقلاب و سرنگونی نظام کنونی نیستند.

در قرن بیست‌ویکم، بسیاری از پدیده‌ها دگرگون شده‌اند. اقصاد سرمایه‌داری با جهانی شدن و بهره‌گیری از فن‌آوری‌های جدید و ربات‌ها و هوش مصنوعی و افزایش نیروی ذهنی و فکری در روند تولید دستخوش دگرگونی قرار گرفته‌اند. این نظام ثروت را رشد داده و گروه‌بندی‌های بسیاری را وارد میدان عرضه و تقاضا کرده است. طبقهٔ کارگری که مورد تحلیل کارل مارکس در «سرمایه» بود امروز در کشورهای پیشرفتهٔ سرمایه‌داری بخش کوچکِ کارگران را تشکیل می‌دهد و ساختار اجتماعی و ذهنی کارگران دگرگون شده است. این کارگران دیگر کارگران تولید فوردیستی نیستند. همچنین، این کارگران با روحیات و نیازهای تازه‌ای زندگی می‌کنند و حامل فرهنگ رفتاری دیگری هستند. اشتباه آشکار زمانی روی خواهد داد که جامعه‌شناسی کارگران زمان مارکس را برابر جامعه‌شناسی کارگران جهان فن‌آورانهٔ کنونی بداند. نظام تولیدی با فن‌آوری‌های جدید کار جسمی در روند تولید را فرعی کرده و گرایش اصلی بهره‌گیری از توجه ذهنی و فکری را گسترش داده است. کارگر صنعتی قرن نوزدهم که فعالیت جسمی می‌کرد برای مارکس سرچشمهٔ ثروت‌آفرینی بود ولی در کشورهای فن‌آورانهٔ کنونی شرط اصلی مهارت فنی و علمی و شگردهای سازمان‌دهی و نیروی فکریِ خلاق است. مهندسان و کارشناسان فنی و کارگران بسیار ماهر و مدیریت‌های نوگرا نیروهای انسانی و درک بازار و تشخیص و ارائهٔ کالا و خدمات مناسب پایهٔ ابتکار تولیدی و ثروت‌آفرینی را تشکیل می‌دهند. سرمایه‌داری و سیستم تولیدی

امروز نسبت‌به سرمایه‌داری و الگوی تولیدیِ قرن نوزدهم تغییرات اساسی کرده است و سرمایهٔ فردا نیز چیز دیگری خواهد بود.

روشن است که ما باید پیوسته به تلاش‌های جدید دست بزنیم و جهان و شرایط خود را تغییر دهیم و بهبود بخشیم. در این راستا، نظریه‌ها و شناخت‌های جدید یاور ما هستند و ما باید به پژوهش ادامه دهیم. در افکار تجربه‌شده نباید درجا زد. مارکسیسم یک تجربهٔ بزرگ است و این مکتب محدودیت‌های ساختاری خود را به نمایش گذاشته است و خطاهای مهلکی نیز مرتکب است. تجربهٔ سه قرن گذشته کمابیش نیاز به آزادی و دموکراسی و دموکراسی اجتماعی را پررنگ کرده است. طی یک‌صد و پنجاه سال گذشته، اقصاد سرمایه‌داری محیط زیست را ویران کرده و زندگی انسان‌ها را به خطر انداخته است. در این دنیا، بی‌فرهنگی و تعصب دینی بیداد می‌کند، در این جهان اسلام روحیهٔ آزادی‌خواهی و اندیشه را منکوب می‌کند، در این جهان سیاست‌مداران تبهکار و فاسدان اقتصادی خواهان اسارت انسان‌ها هستند. آرمان‌وآرزوی ما جهانی بهتر است. بازار آزاد لازم است، آزادی بدون قیدوشرط لازم است، جداانگاری دین از سیاست و خِردگرایی و دانش‌آموزی لازم است؛ ما باید آرمان‌های انسانی را بهبود بخشیم. این نظام اقتصادی باید تغییر کند، این نظام باید مورد اصلاح سیاسی و مداخلهٔ شهروندانه قرار گیرد تا انسان‌ها بتوانند با آرامش، عدالت و نوگراییِ بیشتری زندگی کنند. باید از تمدن فسیلیِ کنونی خارج شویم و تمدن نافسیلی و متکی‌بر تعادل بین انسان و طبیعت را به وجود بیاوریم.

هوش مصنوعی، چالشی تازه در فلسفه و جامعه‌شناسی

هوش مصنوعی یک رویداد اساسیِ ساختاری در جهان ماست. گسترش هوش مصنوعی به دگرگونی‌های شگرفی در جامعه منجر خواهد شد و این دگرگونی‌های بنیادی فلسفه و جامعه‌شناسی را در برابر چالشی بزرگ و تازه قرار خواهند داد. دانش ستاره‌شناسی به ما می‌گوید جهان نزدیک به ۱۴ میلیارد سال پیش به وجود آمده است. منظومهٔ خورشیدی نیز ۴٫۶ میلیارد سال پیش آغاز به کار کرده و دانشمندان برآنند که این نظام ظرف ۵ میلیارد سال دیگر به سردی خواهد گرایید.

جهان دربرگیرندهٔ میلیاردها کهکشان است و هر کهکشان دربرگیرندهٔ میلیاردها منظومهٔ خوشیدی و هر منظومه دربرگیرندهٔ سیاره‌ها و ماه‌های بی‌شمار. سیاره‌ها از «اَبَرخورشید» جدا شده‌اند و ماه‌ها نتیجهٔ تصادم سیاره‌ها هستند. گفته می‌شود در منظومهٔ خورشیدی ما در آغاز نزدیک ۱۰۰ ماه وجود داشته که با تصادم و برخوردهای درونیِ آن شمارشان کاهش یافته و با هم ترکیب شده‌اند. بر اساس نظریهٔ ستاره‌شناسان، جهان در حال انکشاف دمادم است؛ به این معنا که فاصلهٔ میان کهکشان‌ها در حال افزایش است و پایانی بر آن نیست ولی خورشید ما پس از یک دوران بسیار طولانی بزرگ خواهد شد و به مدار فعلی زمین خواهد رسید و، در نهایت، زمین توسط خورشید بلعیده خواهد شد.

این نظریه‌های علمی آیندهٔ ما را ترسیم می‌کنند ولی ندانسته‌ها و تاریکی‌ها بسیارند. اوبر ریو، دانشمند سوئیسی، می‌گوید امکانات ما برای شناخت بسیار ناچیز است و ما فرای حس پنجگانهٔ خود امکان شناخت دیگری نداریم. در توضیح بیشترِ نظریهٔ این دانشمند سوئیسی می‌توان گفت برای نمونه در حال حاضر در جهان، ما به‌عنوان ساکنان زمین تنها هستیم ولی این تنهایی نتیجهٔ نبود شناخت ماست. اگر ما بتوانیم به شناخت منظومه‌های خورشیدی و کهکشان‌ها پی ببریم، چه بسا این نظریه تغییر کند و زندگی در سیارهٔ دیگری نیز کشف شود. هر دانشمندی باید پنداشت‌ها و تصورات خود را از جهان بهبود بخشد. در جهان نمی‌توان گفت من به حقیقت رسیده‌ام زیرا ما در قلمرو بسیار کلان و گسترده‌ای هستیم که فقط بر اساس موضع خود ابراز نظر می‌کنیم. رابطهٔ ما با حقیقت چیست؟ همان رابطه‌ای که میان یک نقشه و جغرافیا وجود دارد. نقشه از جغرافیا حرف می‌زند ولی آیا نقشهٔ ما بازتاب دقیق جغرافیا است؟ بنابراین، دانش ما همان نقشه است که بازتابی از حقیقت به شمار می‌آید ولی همهٔ حقیقت نیست. ادیان ابراهیمی بر آن هستند که خداوند جهان را در شش روز به وجود آورد و همهٔ پی‌روان آن‌ها نیز به همین باور چنگ زدند و خود را تسلیم خدا کردند ولی این تسلیم به‌معنای پایان دادن به پژوهش و جست‌وجو است. اشتباه انسان در تسلیم اوست. دانش در مورد ستارگان و تمامی عرصه‌های زندگی بشری همیشه به انسان کمک کرده تا افق آگاهی گسترش یابد ولی، با وجود این روند پویا، انسان پیوسته در قلمرو شناخت و آگاهی بسیار محدودی سیر کرده است. چگونه می‌توان بر محدودیت آگاهی غلبه کرد؟ هوش مصنوعی در این راستا جایگاه خود را پیدا می‌کند.

خِرد انسانی نمی‌تواند آرام بنشیند، به محدودیت خود آگاه است ولی پیوسته تلاش دارد تا قدرت درک و فهم را گسترش دهد. دانش بشری راه بزرگی را پیموده تا اسیر اسطوره‌های دینی و باورهای عامیانه باقی نماند. توسعهٔ عقل منجر به دانش و مهارت و اقتصاد و جامعهٔ نوگرا شد و فرهنگ بشری به جایگاه والای کنونی رسید. در این راه، فلسفه و علوم انسانی از دنیای باستان تا سدهٔ اخیر پرسش‌ها و الگوهای نوین و تازه‌ای مطرح و پیروزی انسان نوگرا را میسر کردند. طی سده‌های بیستم و بیست‌ویکم پیشرفت فیزیک، زیست‌شناسی، ژنتیک، رایانه و فن‌آوری ربات‌ها ما را در دوران جدیدی از دگرگونی‌های علمی و جامعه‌شناسانه و فلسفی قرار داده و پرسش‌های تازه‌ای در مورد سرنوشت انسان و آیندهٔ او طرح کرده است. پیدایش هوش مصنوعی در نیم‌قرن گذشته الگوهای شگفت‌انگیزی را به بار آورده است. از این پس نمی‌توانِ مانند گذشته فکر کرد، هوش مصنوعی قدرت اندیشهٔ مغز را به افق‌های کاملاً جدیدی سوق داده است و بسیار دور خواهد رفت.

هوش مصنوعی چیست؟ هوش مصنوعی دانش برنامه‌ریزیِ سیستم‌های رایانه‌ای و الکترونیک و دانش الگوریتم است که می‌کوشد تا رفتار «انسان‌گونه» را بازسازی کند و حتی فراتر از قدرت مغز انسان پیش رود. هدف هوش مصنوعی در این است که می‌توان رایانه‌ها و ربات‌ها را وادار به فعالیتی کرد که در حال حاضر انسان‌ها انجامش می‌دهند. آیا گسترش هوش مصنوعی منجر به غلبهٔ ربات بر انسان خواهد شد؟ آیا انسان می‌تواند ماشینی هوشمندتر از انسان بیافریند و آیا این ماشین با هوش برتر می‌تواند ماشین دیگری بیافریند؟ در سال‌های دههٔ ۷۰ میلادی ربات‌ها و نظم‌های خودکار و برنامه‌دار وارد تولید و بنگاه‌های اقتصادی شدند و خانوادهٔ ربات‌ها بیش‌ازپیش تکمیل و کارآمدتر شد. ربات‌ها از تولید صنعتی گذر کردند و تمام زمینه‌های اجتماعی، علمی، فرهنگی، اداری، پزشکی و آموزشی را اشغال کردند. هوش مصنوعی ادامهٔ این فن‌آوریِ ربات‌ها و سیستم‌های برنامه‌دار و محاسبه‌کننده است. تاکنون، هوش مصنوعی بسیار پیش رفته است و ربات‌ها را به یک مرحلهٔ جدید و بی‌سابقه از دگرگونیِ هوشمندانه رسانده است. این‌گونه ماشین هوشمند باید موقعیت‌های ازپیش‌تعریف‌نشده را با نرمش‌پذیری و چابکی و بر اساس بانک داده‌های علمی دریابد و تشخیص بدهد، باید پیام‌های نادرست یا مبهم را جدا کند، تمایزها و شباهت‌ها را بفهمد، واکاویِ

داده‌ها و اطلاعات را در دستور کارش قرار دهد و، در نهایت، نتیجه‌گیری کند و بتواند ارتباط دوجانبه‌ای در محیط خود برقرار کند.

امروز ربات‌هایی به وجود آمده‌اند که می‌توانند در بازی پوکر یا شطرنج انسان قهرمان را شکست دهند اما هنوز ربات به نقش انسان دسترسی پیدا نکرده است. مقایسهٔ هوش مصنوعی با هوش انسانی به ما نشان می‌دهد که انسان با مشاهده و واکاویِ شرایط می‌تواند قضاوت کند و تصمیم بگیرد، در حالی که هوش مصنوعی بر اساس قوانین علمی و رویه‌هایی ازپیش‌تنظیم و تعبیه‌شده و سوار بر رایانه عمل می‌کند. به‌معنای دیگر، برنامه‌ریزی ربات، هرچند پیچیده، توسط انسان صورت می‌گیرد. در واقع، شیوه‌ها و مهارت‌های هوش مصنوعی برای پاسخ به آن دسته از معضلات و مسائل اختراع شده‌اند که به‌آسانی توسط برنامه‌نویسی یا شیوه‌های ریاضی حل‌شدنی نبوده‌اند.

هوش مصنوعی قدرت انسان و سرعت عمل او را به‌طرز بی‌مانندی افزایش می‌دهد. هوش مصنوعی، در واقع، دانش و مهندسیِ ایجاد ماشین‌هایی هوشمند با به‌کارگیری رایانه و الگوگیری از فهم و هوش انسانی یا حیوانی و، در نهایت، دسترسی به ساختار هوش مصنوعی در سطح و همطراز هوش انسانی است. هدف هوش مصنوعی بالاتر رفتن از هوش انسانی است. حال، پرسشی مهم در برابر ماست: آیا می‌توان ماشینی با توان اندیشه‌ای گسترده به وجود آورد؟ بله، این کشف عملی شده است. آیا ساخت رباتی با هوش برتر از هوش انسان میسر است؟ دانشمندان بسیاری این هدف را دشوار نمی‌دانند. آیا دانشمندان و کارشناسان می‌توانند به تولید ماشین‌هایی اقدام کنند که نه‌تنها برنامهٔ کنش در شرایط پیچیده دارند بلکه دارای احساسات هستند و نسبت‌به وجود خود و روحیات و احساسات‌شان آگاهند؟ در حال حاضر ما به این دگرگونی نرسیده‌ایم ولی آیا در آینده هم چنین‌چیزی ناشدنی است؟ برخی از اندیشمندان و دانشمندان این کار را در آینده‌ای نه‌چندان دور ممکن می‌دانند.

مخالفان و موافقان هوش مصنوعی کیستند؟ کتاب‌هایی مانند ربات‌ها و انسان‌ها نوشتهٔ لورانس دوویلر و یا اسطورهٔ سنگولاریته نوشتهٔ ژان گابریل گاناسیا، فیزیک‌دان فرانسوی، به همین پرسش‌ها پرداخته‌اند و با نگاهی انتقادی به بررسی هوش مصنوعی می‌پردازند و انسان را، در نهایت، تصمیم‌گیرنده می‌دانند. لورانس دوویلر، پژوهشگر زمینهٔ فن‌آوری ربات، برآن است که آنچه مسلم است با توجه

به رشد جمعیت سالخورده و نیازهای پزشکی، ربات‌ها نقش مهمی در جامعه بازی خواهند کرد ولی نباید در ذهنی‌گری و رؤیاپردازی فرو افتاد. او می‌گوید می‌توان به ربات فهماند که یک سیب چگونه است و اسم آن چیست ولی ربات مزهٔ سیب را درک نخواهد کرد. با این وجود، از دید لورانس دوویلر باید به ربات آموزش داد، باید قواعد را تنظیم کرد، ابزار کنترل را به وجود آورد و از پس تعریف مبنای قضایی و حقوقی در زمینهٔ ربات‌ها برآمد. از دید او، ربات‌ها می‌توانند دنیای بد و نابسامانی به وجود آورند، پس ما باید نتایج احتمالی ربات‌ها را در جامعه مورد بررسی قرار دهیم. ژان گابریل گاناسیا می‌پرسد آیا ماشین‌های ما از ما هوشمندتر خواهند شد؟ آیا در آینده، با پیروزی یک جامعهٔ فن‌آورانه و زیر فرمان ربات‌ها، بشریت از نقش اصلی خارج نخواهد شد؟ او نگران جامعه با دگرگونی‌هایی است که عقل را یک‌سره به ربات می‌سپرد و انسان را فراموش می‌کند. وی می‌گوید نوگرایی فقط با مهارت تعریف نمی‌شود و ما باید نسبت‌به فن‌آوری شک خود را حفظ کنیم و دچار اعتماد کور نشویم. از دید او، آینده‌ای که شرکت‌هایی مانند گوگل برای ما آماده می‌کنند قابل اعتماد نیست.

لوک فری، فیلسوف فرانسوی، نیز در کتاب خود یعنی انقلاب ترانس اومانیست از «پروژهٔ نگران‌کننده فرمان‌شناسی» صحبت می‌کند که در پی هم‌آمیزیِ انسان با ماشین است. فیزیک‌دان انگلیسی، استیوِن هاوگینگ، در روزنامهٔ ایندیپِندنت در یکم ماه مه ۲۰۱۴ می‌گوید رشد فن‌آوریِ هوش مصنوعی با سرعتی که به خود گرفته دیگر مهارشدنی نیست و می‌تواند جامعه را به‌طور جدی به خطر بیفکند. او می‌گوید هنوز امکان توقف آن را داریم ولی فردا دیر خواهد بود. در این ارزیابی عمومی، این دانشمندان موافق هستند که هوش مصنوعی، به هر حال، گسترش خواهد یافت ولی ژان گابریل گاناسیا بر این باور است که دربارهٔ آهنگ رشد هوش مصنوعی و اثرات شگفت‌انگیز آن بر جامعه تا اندازه‌ای اغراق شده است و ما بیشتر با حالتی از یک داستان تخیلی روبه‌روییم. از دید او، هواداران هوش مصنوعی غلوآمیز سخن می‌گویند و این رویداد را چه بسا از برخورد زمین و یک سیارهٔ دیگر و یا دگرگونی‌های اقلیمی و افزایش گرمایش زمین اساسی‌تر و قطعی‌تر می‌دانند، حال آن‌که، این دورنمایی غلوآمیز و ناشدنی است. (رجوع شود به اسطورهٔ سنگولاریته، انتشارات سویی، پاریس ۲۰۱۷)

البته همهٔ اندیشمندان دارای یک دیدگاه یگانه و همسان نیستند و دقیقاً

مانند همدیگر نمی‌اندیشند. دیدگاه‌های اِستیون هاوگینگ و ژان گابریل گاناسیا و لورانس دوویلر رشد هوش مصنوعی را انکار نمی‌کنند و آهنگ رشد را متفاوت می‌دانند ولی حلقهٔ کلیدی در نگاه آن‌ها نگرانی در مورد آیندهٔ بشری است و این‌که باید به اقدامی پیش‌گیرانه برای مهار آن دست زد. این گروه از دانشمندان نگران خِرد ابزاری و فن‌آورانه هستند و برخوردی انتقادی با آهنگ رشد هوش مصنوعی و اهداف آن دارند، حال آن‌که گروه دیگری از اندیشمندان برخوردی خوشبینانه‌تر دارند و برآنند که باید به استقبال هوش مصنوعی رفت. برای نمونه، اندیشمندانی مانند نیک بوسترم به استقبال هوش مصنوعی شتافته‌اند و خواهان ایجاد جامعهٔ ماشینی با اخلاق مصنوعی‌اند. از نگاه افرادی همچون او، انسان با دانش خود به ماشینْ قدرت شگفت‌انگیزی می‌دهد و امروزه ربات‌هایی وجود دارند که بر اساس برنامه‌ریزی‌های مربوطه در کرهٔ مریخ عمل می‌کنند؛ امروز ربات‌هایی وجود دارند که واژگون می‌شوند ولی این استعداد را دارند که از زمین برخیزند و به‌سوی هدف خود پیش برود. اگر امروز ربات در مسابقهٔ شطرنج و قمار پوکر بر انسان پیروز می‌شود، چرا فردا به مراحل بالاتر و پیچیده‌تر نرسد؟ منتقدان این دیدگاه می‌گویند چرا در آینده این ربات‌ها به جنگ با انسان دست نزنند؟ چرا ربات زندگی انسان را مختل نکند؟ نیک بوسترم می‌گوید برای دوری از این وضع می‌توان به ربات‌ها اخلاقیات را انتقال داد و رفتار آن‌ها را اخلاقی و معطوف‌به ارزش انسانی کرد.

آشتی نگاه فلسفی با هوش مصنوعی چگونه امکان‌پذیر است؟ فیلسوف سوئدی‌تبار دانشگاه آکسفورد، نیک بوسترم، با کتاب معروفش هوش برتر در جست‌وجوی چگونگی مهار و مدیریت ربات‌ها با هوش مصنوعی است. از دید این فیلسوف در آینده با توسعهٔ هوش مصنوعی پیشامدهای ناگواری می‌تواند روی بدهد ولی می‌توان از رخداد آن‌ها پیشگیری کرد. از دید او، ایجاد ربات برتر از مغز انسان میسر است ولی اگر ربات جدید با هوشمندی مصنوعی بتواند بر مغز بشر پیروز شود، پیشامدهای شومی می‌تواند در انتظار انسان باشد. از دیدگاه او، این وضع تراژیک ناگزیر نیست و باید خطرات را پیش‌بینی کرد. نیک بوسترم خواهان رویارویی با هوش مصنوعی نیست ولی می‌پرسد فردا چگونه می‌توانیم ماشین‌های متکی‌بر هوش مصنوعی را مهار کنیم تا به انسان زیان نرسانند؟ او می‌پرسد آیا می‌توان به ربات‌ها درس اخلاق داد تا در برابر انسان نشورند؟ این فیلسوف تمام مقوله‌های اقتصادی، روان‌شناسانه و فیلسوفانه را بررسی می‌کند تا راه مدیریت

بر ربات‌ها تدوین شود. نیک بوسترم می‌نویسد: «همان‌گونه که سرنوشت گوریل‌ها امروز بیشتر به انسان‌ها بستگی دارد، سرنوشتی که در انتظار نوع بشر هست هم به‌طرز فعالانه‌های به ماشین بستگی خواهد داشت. هرچند، ما، به‌عنوان انسان، یک امتیاز داریم و آن این‌که ما سازنده هستیم. بر اساس همین توانایی، می‌توانیم هوش برتری بیافرینیم که به پشتیبانی از ارزش‌های انسانی بپردازد.» (هوش برتر، انتشار دونو، پاریس)

از دید او، ما تا چند دههٔ دیگر و با ویژگی فن‌آورانهٔ هوش مصنوعی با «انفجار هوش» روبه‌رو خواهیم بود و این «انفجار» فن‌آورانه با ماشینی که دارای «هوش برتر» است تحقق می‌یابد. این انفجار هوش پایهٔ رویدادهای اساسی برای اقتصاد و جامعه خواهد شد. حال، ممکن است اشتباه کنیم و در مورد این رویداد دستخوش خوش‌بینی باشیم و آن را در کوتاه‌مدت میسر بدانیم ولی آنچه که مسلم است این است که این رویداد بزرگ بدون شک به وقوع می‌پیوندد. حال، از آن‌جایی که این سناریو در آیندهٔ نزدیکی رخ می‌دهد، احتمال دارد که نتایج ناگواری در انتظار زندگی بشری باشد. پس ما باید در کار علمی ـ پژوهشی در زمینهٔ هوش مصنوعی برنامهٔ انتقال اخلاق را نیز در نظر بگیریم. از دید نیک بوسترم، در عرصهٔ علمی بهبود عملکرد یک مغز امروز کاملاً شدنی است و نیز قدرت‌بخشی به ظرفیت دانش‌اندوزیِ مغز برای دانش امروزی نیز دور از دسترس نیست. تقویت زیستی و عصب‌شناسی نزد انسان امکان‌پذیر است و حتی دانش ژنتیک در قرن بیستم نیز مداخلهٔ در ژنوم انسان و جلوگیری از سالخوردگی و پیری را ممکن کرده است. استعداد علمی در جامعه پیشرفت شگرفی کرده و این نشان می‌دهد که ما می‌توانیم پیش برویم و در راه هوش مصنوعی نیز گام‌های بلندی برداریم.

از این رو، کار علمی در زمینهٔ رابطهٔ مغز با رایانه در حال دگرگونیِ سرنوشت‌سازی است و هوش مصنوعی دگرگونی‌های شگرفی را در پی خواهد داشت. هوش مصنوعی راهبرد جدیدی خواهد بود تا بتوان در عرصهٔ فن‌آوری و اقتصادی و اجتماعی به موقعیتی بی‌مانند دست یافت. چنین‌چیزی مقیاس زمان را به زمان گسترده و درازمدتی گسترش خواهد داد و جغرافیای عملکرد را به‌ناگزیر جهانی خواهد کرد. هوش مصنوعی معنایی جز برتری روشن‌فکری و شناخت برتر نخواهد داشت. روشن است که در این فضای فن‌آورانه و پر از ربات‌های هوشمند پرقدرت امکان خطر هم وجود دارد ولی فکر مهندسی می‌تواند سیستم‌های مهارکننده

را پیش‌بینی کند و احتمال خطر را به حداقل برساند. یک نظام رباتی که دارای هوش برتر است می‌تواند نظام کنترلیِ خودکار خود را داشته باشد زیرا دارای قدرت تصمیم‌گیری برتر هم هست. هوش مصنوعی دربرگیرندهٔ مقوله‌ها و فن‌آوری‌های گوناگونی است که در پی انتقال هوش انسانی به ماشین به سر می‌برد. این نظریه خود را متکی‌بر شناخت، عصب‌شناسی، منطق ریاضی، دانش رایانه و الگوریتم می‌کند. نظریهٔ علمیِ هوش مصنوعی پس از سال‌های ۵۰ میلادی در آمریکا به وجود آمد و سپس با گسترش دانش رایانه و فن‌آوریِ ربات‌ها بیش‌ازپیش تحکیم شد. در سال‌های گذشته، هوش مصنوعی با شکست انسان در برابر ماشین، با شکست انسان در بازی شطرنج در سال ۱۹۹۷ و با شکست انسان در قمار پوکر در سال ۲۰۱۷ تردیدهای بسیاری را از بین برد و پرسش‌های اساسی جدیدی تولید کرد و هوش مصنوعی به‌عنوان یک نظریهٔ علمی، اجتماعی و فلسفی معروف شد. پرسمان مرکزی در این نظریه این است که آیا ربات از انسان پیشی خواهد گرفت یا نه؟

چالش بزرگ فلسفی و جامعه‌شناسانهٔ امروز کدامند؟ در واکنش به هوش مصنوعی، دانشمندان و فیلسوفان و جامعه‌شناسان به دو دستهٔ بزرگِ مخالف و موافق تقسیم می‌شوند. گروهی می‌گوید ربات‌ها و ماشین‌ها هرگز مانند انسان‌ها دارای احساس و واکنش نیستند و این‌گونه فن‌آوری خطرناک است و گروه دیگر بر آن است که رایانه‌ها نمادها را دستکاری کرده‌اند و این دگرگونیِ بزرگِ علمی منجر به ایجاد الگوهای جدیدی خواهد شد. این گروه بر این باور است با هوش مصنوعی ویژگی این دوران چیزی جز انفجار و زنجیرهٔ بزرگ تغییرات نخواهد بود و عصر ما تکان خواهد خورد و به‌گفتهٔ ری کورزول هوش از ساختار زیستی بیرون می‌آید و شکلی نازیستی با ابعادی تازه به خود می‌گیرد.

پژوهش علمی و اختراع در این زمینه پیوسته با گسترش خود پرسش‌های فلسفی و چالش‌های جامعه‌شناسانه و اضطراب‌ها و خوش‌بینی‌های بی‌شماری تولید کرده است. هم‌اکنون، ما نمی‌توانیم ادعا کنیم که هوش مصنوعی مسئلهٔ ما ایرانیان نیست؛ این‌گونه اندیشه‌ها صرفاً ویژهٔ غرب نیستند بلکه مسائل و پرسش‌هایی جهانی‌اند و ما نیز باید به آن‌ها توجه کنیم. دیدگاه فلسفی و جامعه‌شناسیِ ما باید به این معضل بیندیشد. گسترش دانش به انسان کمک‌های بی‌شماری کرده و خواهد کرد ولی ماشینِ خارج از کنترل می‌تواند خسارت بزرگی به وجود آورد. این پنداشت نیازمند تداوم اندیشه‌ورزیِ خود در عرصهٔ جامعه‌شناسی، فلسفه و

اخلاق است. مهارت بدون روح و معنا ما را به پرتگاه می‌کشاند و ایستادگی در برابر مهارت و دانش نیز ما را در تاریکی زندانی خواهد کرد.

جامعه‌ای که در نتیجهٔ هوش مصنوعی پدید می‌آید جامعه‌ای با دانشی بی‌مانند و بزرگ خواهد بود، جامعه‌ای که حضور ربات‌ها در تمام اجزایش عمومیت خواهد داشت. تولید، اقتصاد، بهداشت، نظام پزشکی، شهرسازی، معماری، آموزش و اطلاعاتی به‌کلی دگرگون خواهد شد. نظام هوش مصنوعی گروه‌بندی‌های اجتماعی را دگرگون خواهد کرد و فعالیت انسانی را به یک انتخاب و نه یک اجبار تغییر شکل خواهد داد. در چنین جامعه‌ای، ارزش‌ها و رفتار و احساس انسانی به‌طور مسلم دگرگون و صاحب یک کیستیِ نوین خواهد شد. حال، آیا این جامعه متکی‌بر همکاری ربات و انسان خواهد بود یا جامعه‌ای با هوش ابزاری که با قدرت برای نابودی انسان عاشق و مهربانی انسانی و ادبیات و فلسفه عمل خواهد کرد؟ در چنین جامعه‌ای، خوشبختی به‌طرز دیگری تعریف خواهد شد ولی حس خوشبختی و آرامش و عشق چگونه در هویت انسان‌ها نمایان می‌شود؟ هوش مصنوعی دوران‌سازخواهد بود و ما باید خود را برای آن آماده کنیم و دانش و پژوهش را به این سو سوق دهیم ولی باید همیشه دقت داشته باشیم که دانش ما به جنایت در برابر روان و بندگی اراده‌گرایانهٔ انسان منجر نشود.

منابع:

Jean-Gabriel Ganascia, «Le mythe de la singularité», Seuil, Paris 2017
Dominique Boullier, «Sociologie du numérique», Colin, Paris 2016
Nick Bostrom, «Super intelligence», Dunod, Paris 2017
Laurence Devillers, «Les robots et les Hommes», Plon, Paris, 2017

زندگی خوب از نگاه فیلسوفان

از دید فلسفی، زندگی خوب چیست؟ پاسخ فیلسوفان به این پرسش با توجه به بینش و سنت‌های فلسفی یگانه نیست. باروخ اسپینوزا در اخلاقیات می‌گوید: «زندگی خوب یعنی کردار خوب و نگه‌داشت شادمانی خود. از نگاه او، این شادی است که در ما شور می‌انگیزاند و ما را درهستی خود پایدار می‌کند. هانری

برگسون می‌گوید شادی ما را جهت می‌بخشد و نشان پیشرویِ ما در سمت‌وسوی خوبی است. او می‌افزاید هر جا که خوشی هست، آفرینش نیز وجود دارد و برای پرهیزکاری باید شادی را، که همان حس آفرینندگی است، رشد داد. سیمون ویل نیز می‌گوید هوشیاری فقط در هنگام شادی به بار می‌نشیند و حتی پرباریِ روان و هستی نیز وابسته‌به شادی است. ژیل دولوز نیز بر این باور است که شادی به‌خودی خود خوب است زیرا برخلاف قدرت، که ستم می‌کند، بیان‌گر قدرتمندیِ زندگی است. روبرت میسرائی با الهام از اسپینوزا برای زندگی فلسفهٔ شادی را مطرح می‌کند. از دیدگاه کلمان روسه هم شادی ناب بیان همسوییِ کامل با زندگی است. آندره کنت اسپونویل، که یک فیلسوف مادّه‌باور به شمار می‌آید، می‌نویسد وجودْ تراژیک است و از دید او راه رسیدن به خوشبختی راهی همراه با ناهمواری است. نیچه در دانش شادمانه می‌نویسد خوشبختی نه نبود درد است و نه پذیریش بی‌ارادهٔ هستی بلکه عشق به سرنوشتی است که تیره‌بختی را دربرگرفته و، بنابراین، برای داشتن وجودی کامل باید به‌شکلی روشن و شادمانه زندگی کرد. افزون‌بر او، کی‌یر کگارد ستایش‌گر آن خوشبختی است که انتخاب درونی انسان باشد و از نگاه او پیمان‌های زندگی مانند پیوند زناشویی و کار و دوستی‌های پایدار و غیره امکان وجود داشتن را فراهم می‌کنند. افلاتون نیز خوشبختی را نتیجهٔ یک هماهنگی درونی و سیاستی می‌داند که بر چهار اصل استوار است: دانایی، جسارت، اعتدال در لذت‌جویی و عدالت. همچنین، از دیدگاه ارسطو خوشبختی در پرهیزکاری و مدارا و هماهنگیِ کامل میان هستی و عملکرد آن است. ویژگی انسان همان خِرد اوست و انسان خوشبختی خود را در تلاش روشن‌فکرانه و کردار عقلانی می‌یابد. سنک می‌نویسد خوشبختی بر پایهٔ پیمان ارادی فرد و نظم گیتی‌منشانه میسر است و نام دیگر این پرهیزکاری همان هماهنگی است.

در واقع، خوشبختی و شادی به یکدیگر آمیخته شده‌اند و دستیابیِ بدان‌ها همیشه با سختی‌ها و ناهمواری‌هایی همراه است. خوشبختی روی همین کرهٔ خاکی هم میسر است: هنگامی که در آرامش خاطر هستیم و با دیگران احساس راحتی داریم. برای این خوشبختی به شعبده‌باز اجتماعی و جادوگر دینی و معرکه‌گردان ایدئولوژیک نیازی نیست. اگر فضای کلان سالم و هوشمند وجود دارد و اگر هستی و نبض درونی ما، با وجود کشمکش‌ها و تفاوت‌ها، برای ما شادی‌آور و دلپذیر است، خوشبختی ما در همین‌جاست. انسان تواناست تا زندگی خود را تعریف

کند و بدان معنا بخشد. انسانی که اخلاق و مسئولیت و آزادی می‌داند می‌تواند تعریف خود را از زندگی ارائه دهد و انسانی که روان لطیف انسانی دارد و آنرا با سادگی و خوش بینی درآمیخته می‌تواند از زندگی بهره گیرد. شوپنهاور می گوید: پیام نیچه به ما این بود که زندگی را به گونه ای زندگی کنیم که تا ابد بخواهیم آن را تکرار کنیم، زندگی اتان را با کمال زندگی کنید و در وقت مناسب بمیرید. هیچ جایی از زندگی را بدون زیستن پشت سرنگذار.(درمان شوپنهاور، اروین دیالوم). شوپنهاور باز می‌گوید:«درست زندگی کن و ایمان داشته باشد که نیکی از تو به دیگران جاری خواهد شد حتا اگر خود از آن نیکی‌ها آگاه نباشی.». جان اشتاین بک می‌نویسد:«آنچه که من به آن اعتقاد دارم از این قرار است: روح آزاده و کنجکاو انسان ارزشمندترین چیزیست که در دنیا وجود دارد. آنچه که بخاطرش مبارزه می‌کنیم: «آزاد» گذاشتن روح انسان در انتخاب «راه» مورد علاقه اش است و آنچه علیه آن مبارزه می‌کنیم: هر حکومتی یا «مذهب» یا نظریه ای است که بخواهد این «آزاداندیشی» و روحیه ی فردیت را از بین ببرد.»(شرق بهشت).

لئو تولستوی در رستاخیز می نویسد:

«از اشتباهات بی‌پایه مردم یکی این است که خیال می‌کنند هر کس دارای خصوصیاتی است تغییرناپذیر؛ یکی بد است و دیگری خوب، این هشیار است و آن احمق؛ این فعال است و آن تنبل. حال آن که اینجور نیست. آدم‌ها مثل رودخانه‌اند، اگر چه همه یک‌شکل و یک‌جورند ولی رودخانه را که دیده‌اید، همچنان‌که پیش می‌رود، گاهی آهسته حرکت می‌کند، گاهی تند، گاه که به کوهسار می‌رسد باریک می‌شود، گاهی که به دشت می‌رسد پهن می‌شود و وسعت پیدا می‌کند؛ در جایی آبش سرد است و چند فرسنگ آن طرف‌تر آبش گرم می‌شود. یک زمان آرام است و یک زمان طغیان می‌کند. هر انسانی در خود عناصر خوب و بد را دارد، گاهی روی خوبش را نشان می‌دهد و گاهی روی بدش را.»

آنتوان چخوف می گفت:«زندگی همین است، به یک گل می‌ماند که شاد و خندان توی چمن شکفته می‌شود؛ یک بز سر می‌رسد، می‌بلعدش و همه چیز تمام می‌شود.»

بنابراین حوادث زیادند ولی انسان با نیکی و آزادمنشی خود و با آرزوهای بیکران خود می تواند زندگی خود را تعریف کند و از خود نشانه ای باقی گذارد.

خیام بزرگ می گوید:

«...دوزخ شَرَری ز رنجِ بیهودهٔ ماست، فردوس دمی زِ وقتِ آسودهٔ ماست»

جان استوارت میل و آزادی

جان استوارت میل زادهٔ ۱۸۰۶ در لندن است و در سال ۱۸۷۳ نیز در فرانسه درمی‌گذرد. پدرش آموزگار او بود. از سه‌سالگی یونانی و لاتین و سپس تاریخ و ریاضیات را فرا گرفت. افلاتون و ارسطو و نیز جبر و هندسه و منطق آموخت. در هنگام نوجوانی، پدرش یک دوره اقتصاد سیاسی برایش تعیین کرد و از او خواست تا کتاب‌های دو اقتصاددان بزرگ، آدام اسمیت و دیوید ریکاردو، را بخواند و از آن‌ها یادداشت‌برداری کند.

میل کارمند شرکت هند شرقی شد. در ۲۵ سالگی عاشق یک زن شوهردار شد، چیزی که برخلاف رسم کلیسا و جامعهٔ آن روزگار بود. همسر جان استوارت میل چند سال بعد می‌میرد ولی در طی این زندگی مشترک بزرگ‌ترین تأثیر را بر زندگی و اندیشه و کتاب‌های او می‌گذارد. جان استوارت میل در پیش‌گفتارش در کتاب دربارهٔ آزادی می‌نویسد: «هریت تیلر، همسرم، الهام‌بخش من بود و نوشته‌های من نتیجهٔ کار همسرم شکل گرفتند.» جان استوارت میل به‌مدت ۳ سال نمایندهٔ پارلمان بود و پیشنهاد حق رأی زنان را به مجلس برد. او در مقام نمایندهٔ پارلمان در پشتیبانی از قانون اصلاحات در سال ۱۸۶۷ بیان کرد که بر اساس این قانون حق رأی باید شامل همهٔ مردان و زنان در بریتانیا باشد. کتاب دستگاه منطق او در ۱۸۴۳ انتشار یافت. اصول اقتصاد سیاسی نیز در ۱۸۴۸ در اختیار دیگران قرار گرفت. کتاب دربارهٔ آزادی در ۱۸۵۹ منتشر شد، حال آن‌که کتاب فایده‌گرایی و سه مقاله پیرامون دین به‌ترتیب در سال‌های ۱۸۶۱ و ۱۸۷۴ پخش شدند. کتاب انقیاد زنان نیز در ۱۸۶۹ چاپ شد میل در این کتاب خواهان برابری جنسیتی بود، چیزی که در زمان خود در تضاد با فرهنگ اجتماع و جایگاه زنان اروپا بود. استوارت میل پشتیبان دموکراسی لیبرال بود و به‌باور او فایدهٔ آزادیِ اندیشه بهبود تدریجیِ سعادتِ آدمی بود. از دید او، دموکراسی امر برتر است چون کیفیت زندگی همگان را افزایش می‌دهد. افزون‌بر آن، او از آزادی سیاسی فراتر می‌رود و به آزادی اجتماعی می‌رسد و به تعاونی‌های کارگران باور دارد.

فیلسوف انگلیسی، جِرِمی بنتام، که بین سال‌های ۱۷۴۸ تا ۱۸۳۲ می‌زیست و بنیان‌گذار مکتب اصالت فایده بود می‌گوید: «هر کس را باید یک واحد شمرد و هیچ‌کس نباید بیش از یک واحد به شمار بیاید.» جِرِمی بنتام الهام‌بخش استوارت

میل بود. میل در کتاب دربارهٔ آزادی می‌نویسد: «رشد فردیت انسانی یک اصل از اصول آسودگی انسان است که با تمدن و آموزش و فرهنگ انسان همخوانی دارد. افکار رایج و سنت جاری در جامعه اهمیت فردیت را درک نمی‌کنند. این فردیت در رشد خود به آزادی نیازمند است.» وی در ادامه می‌نویسد: «یگانه غایتی که بشر، به‌طور فردی و یا جمعی، اجازه دارد به‌خاطرش در آزادی عمل فردی از افرادش مداخله کند همانا صیانت نفس است.» به سخن دیگر، فرد باید آزاد باشد و هرچه می‌خواهد انجام دهد مشروط به آن‌که زیانی به دیگری نرساند. به‌گفتهٔ او: «سلیقهٔ یک فرد به همان اندازه به خودش مربوط می‌شود که دیدگاه‌ها یا کیف پولش.» وی می‌افزاید: «فرد بر خودش، بر جسمش و بر ذهنش حاکمیت مطلق دارد.»

بدین ترتیب، جان استوارت میل تجربه‌گرا، فایده‌گرا، هوادار لیبرالیسم و فلسفهٔ خِردگرایانه بود. فلسفهٔ او مؤثرترین پشتیبانی از آزادی فردی است. زمانی که انسان بر خود حاکمیت مطلق دارد، خدا فاقد قدرت است و وظیفهٔ دولت دفاع از آزادی فردی است. انسان با به سرانجام رساندنِ پروژهٔ زندگی‌اش به آزادی‌اش دست می‌یابد و به این خاطر پروژه‌ها پیوند با جامعه را برقرار می‌کنند. انسان در جامعه حل نمی‌شود بلکه با اختلاف و خودمختاری خود با جامعه هماهنگی پیدا می‌کند. خوشبختی فردی جمعی و اشتراکی نیست بلکه ویژهٔ خود فرد است. اگر خوشبختی فردی مشروط‌به خوشبختی جمعی شود، آزادی‌های فردی از میان می‌روند. البته فرد در جامعه دست‌کم به قواعد و هنجارهایی همگانی نیازمند است تا به هدف خود برسد. زندگی خصوصیِ هر فرد یک نوع پروژه در دل پروژهٔ بزرگ‌تری است که نهادهای دولتی و همگانیِ جامعه برای خود تعریف کرده‌اند ولی پروژهٔ همگانی و بزرگ جامعه نباید خود را با سلطه‌گری به افراد تحمیل کند و اهداف خود را با ویرانیِ اهداف افراد ممکن بپندارد. تعیین مرز میان پروژهٔ فردی و پروژهٔ جامعه همیشه ساده نیست. جامعه پیوسته طرح‌های خود را به‌عنوان طرح‌های مفید و لازم و ویژهٔ خوشبختی انسان نشان می‌دهد ولی ما باید بر آزادی فردی تکیه کنیم و استقلال فرد را سنگ محک خود قرار دهیم. جامعه پیوسته در پی کنترل اجتماعیِ کامل بر فرد است، حال آن‌که اصل بنیادینْ خودمختاری و آزادی فرد است و هیچ دولت و قدرت سیاسی حق ندارد به حقوق فردی تجاوز کند.

ژاپن از مدیریت صنعتی تا ادبیات فاخر

با نام ژاپن چه چیزی در ذهن و خاطرهٔ ما زنده می‌شود؟ یک امپراتوری نظامی که چین را به استعمار درآورد ولی کمونیست‌های چینی به رهبری مائو و با همکاری چندین میلیون چینی به رهبری چیانکایچک آن را شکست دادند. بمباران اتمیِ دو شهر هیروشیما و ناکازاکی و ۲۰۰۰۰۰ نفر کشته توسط آمریکایی‌ها و بالأخره پایان جنگ و سرآغاز یک دورهٔ جدید برای ژاپن که می‌رفت تا به یک قدرت صنعتی بزرگ تبدیل شود. در تاریخ معاصر ژاپن چه چرخشی روی می‌دهد؟ پس از جنگ، جهان‌بینیِ پیشین ژاپن به‌مثابه قدرت استعماری شوینیست و وطن‌پرستانهٔ جنگ‌طلب خاموش می‌شود و جهان‌بینیِ فن‌آورانه و تسخیرکنندهٔ بازارهای جهان زاده می‌شود. پس از شکست نظامی، از سال‌های پنجاه به بعد الگوی جدیدی سازمان‌دهی و صنعتیِ «تویوتیسم» تعریف شد و درآمد و تمام اقتصاد ژاپن را به پیروزی جهانی سوق داد. مهندسان برجسته و اندیشمندانی مانند ادوارد دومینگ، زوف دوران، کائورو ایشی کاوا، تایشی اونو و مازاکی ایمای پایه‌گذار الگوی تویوتیسم شدند. این الگوی تولیدی در رقابت با الگوی تیلوریسم و فوردیسم با ویژگی تولید بی‌وقفه، ذخیرهٔ حداقل مواد اولیه، سازمان‌دهی متکی‌بر مهارت گسترده و مرغوبیت کالاها یک مرحلهٔ جدید در تاریخ تولید سرمایه‌داری پدید آورد. این الگوی جدید، ژاپن را به اوج نظام اقتصادی و صنعتی و بازرگانی کشاند و این کشور پس از سال‌های دههٔ ۶۰ میلادی، طی سه دهه در جهان درخشید. ژاپن الگو و نمادی برای همه کشورهای صنعتی شد و شکل الگویی صنعتی برای بسیاری از کشورهای «جهان سومی» را به خود گرفت و نیز الگویی دلپذیر برای مخالفان غرب و نماد قدرت ملی‌گرایانه برای جریان‌های شوینیست و وطن‌پرستانهٔ رقابت‌جو شد.

امروز ژاپن، قدرت صنعتی بزرگ، در جدال با پیر شدن است. روزگاری در عصر پهلوی و نیز در جمهوری اسلامی سیاسیونی از الگوی آرمانیِ ژاپن صحبت می‌کردند و آرزو داشتند که ایران ژاپن خاور میانه شود. آرزوی هر دو گروه سیاسیون بی‌پایه بود زیرا اراده، بینش، دانش، سازمان‌دهی و مدیریتی که ژاپنی‌ها داشتند ایرانیان نداشتند. ساختارسازی اقتصادی ژاپن در دموکراسی تحقق یافت و این الگوی هیچ ربطی با هذیان‌های اسلامی نداشت. سرمایه‌داری و اقتصاد بازار جهانی با الگوی ژاپنی نیروی حیاتی بی‌سابقه‌ای را در خود دمیدند و این الگو همهٔ اقتصادهای

غربی را از خود متأثر کرد. الگوی سازمان‌دهی تولیدی در ژاپن کارگران را در یک فرهنگ پدرسالارانه و جمعی در خدمت اقتصاد گرفت. گرچه نوع مدیریت ژاپنی با مدیریت تیلوریستی متفاوت بوده ولی مناسبات کار و نظام تصمیم‌گیری در آن ساختار قدرت را به هم نمی‌زد. سالخوردگی جمعیتی و شکنندگی تولید انرژی اتمی از جمله چالش‌های کنونیِ جامعه ژاپن است. حضور جهانی ژاپن با صنایع خودروسازی و بنگاه‌های الکترونیک و روش‌های تولیدی جدید مشخص می‌شود ولی ژاپن، در ضمن، قدرت صلح‌طلب و جهان هنر و نویسندگی هم هست.

آکیرا کوروساوا، که در سال ۱۹۹۸ درگذشت، نویسنده و کارگردان بزرگ ژاپنی است که به‌عنوان یکی تأثیرگذارترین فیلم‌سازان جهان شناخته می‌شود. او از ویلیام شکسپیر و داستایفسکی تأثیر پذیرفت و بر اینگمار برگمن، مارتین اسکورسیزی، رابرت آلیمن، اِستیون اسپیلبرگ، فرانسیس فورد کاپولا، فدریکو فلینی، بهرام بیضایی و دیگرانِ تأثیر گذاشت. فیلم معروف «راشومون» جایزهٔ شیر طلایی جشنوارهٔ ونیز را از آن او کرد. فیلم‌هایی مانند «فرشتهٔ مست»، «سگ ولگرد»، «ابله»، «سریر خون»، «هفت سامورایی»، «بهشت و دوزخ» و «رؤیاها» از کارهای هنریِ فراموش‌نشدنی او هستند.

نخستین نوبلِ ادبیات کشور ژاپن در سال ۱۹۶۸ به یاسوناری کاواباتا تعلق گرفت. او نویسنده‌ای است که گابریل گارسیا مارکز دربارهٔ یکی از کتاب‌هایش می‌گوید: «تنها رمانی که آرزو داشتم نویسنده‌اش باشم، رمان خانهٔ زیبارویان خفته است. کتاب کاواباتا، خانهٔ زیبارویان خفته، داستانی با فضایی فراواقعی است، دنیایی وهم‌آمیز و رازآلود، قصه‌هایی آمیخته با رؤیا و تخیل و شخصیت‌هایی که یا در عشق می‌سوزند یا سرخورده و مأیوس از آن هستند. شخصیت‌های داستان‌های کاواباتا گرچه واقعی به چشم نمی‌آیند ولی با قدرت در ذهن خواننده پدیدار می‌شوند و برای او جهانی تازه تصویر می‌کنند. افزون‌بر آن، هزار دُرنا، زیبایی و افسردگی و آوای کوهستان از دیگر آثار این نویسنده هستند.

از دیگر ژاپنی‌های برندهٔ نوبل ادبیات می‌توان به کنزابورو اوئه اشاره کرد که توانست در سال ۱۹۹۴ به این جایزه دست یابد. او نویسنده‌ای اندوه‌بار است. داستان‌هایش از حسرت و غم اندوه گرفته‌اند. تراژدی بمباران اتمی هیروشیما و جنگ شخصیت‌های داستانش را زخم‌خورده و دلسرد کرده‌اند. خشم و اندوه از تاریخ و نیز از جامعهٔ خشونت‌بار امروزی در رفتار قهرمانان داستان‌ها ی او

بازتاب می‌شود. کنزابورو اوئه نگران آیندهٔ بشر است. او می‌نویسد: «من دربارهٔ منزلت بشریت می‌نویسم.» گریهٔ آرام، فریاد خاموش و گل‌ها را بچین، کودکان را بکش از دیگر کتاب‌های او هستند.

نویسندهٔ سَبک فراواقعیِ ژاپنیِ دیگر کوبو آبه است که از پیش‌گامان این سَبک به شمار می‌آید و از دردهای ناشی از جنگ و بحران فکری ناشی از آن حرف می‌زند. نمایشنامه‌ها و داستان‌های او همچون کتاب‌های هم‌نسل‌هایش از جنگ مایه گرفته‌اند. او با ادبیات غرب و هستی‌گرایی و فراواقع‌گرایی و مارکسیسم آشنا بود و از بحران هویت و ازخودبیگانگی حرف می‌زد. نخستین مجموعه داستان‌های کوتاه این نویسندهٔ ژاپنی، که در سال ۱۹۵۱ منتشر شد، جایزهٔ آکوتاگاوا را از آن او کرد که برجسته‌ترین جایزهٔ ادبی ژاپن به شمار می‌آید. کتاب زن در ریگ روان کوبوآبه را به قلهٔ شهرت جهانی رساند و او در همین رمان می‌نویسد: « نفهمیدم اما به گمانم زندگی چیزی نیست که آدم بتواند بفهمد. همه‌جور زندگی هست وگاه آن سوی تپه سبزتر به چشم می‌آید. چیزی که برایم مشکل‌تر از همه است این است که نمی‌دانم این جور زندگی به کجا می‌کشد اما گویا آدم هرگز نمی‌فهمد، صرف نظر از این‌که چه‌جوری زندگی کند. به هر حال، چاره‌ای جز این احساس ندارم که بهتر است چیزهای بیشتری برای سرگرمی داشته باشم.»

هاروکی موراکامی نیز یکی از بزرگ‌ترین نویسندگان ژاپنی است و از کتاب‌های معروف او می‌توان به تعقیب گوسفند وحشی، کافکا در کرانه، کشتن کماندانور و جنگل نروژی اشاره کرد. داستان‌های او با نگاه واقع‌گرایی جادویی و فراواقع‌گرایی همراهند و از پدیدهٔ ازخودبیگانگی و تنهایی و ترس از آن حکایت می‌کنند. فضای ذهنی او به غرب نزدیک است و خوانندهٔ غربی از داستان‌های او به‌طور عمیقی متأثر می‌شود. کتاب‌های او تاکنون به پنجاه زبان دنیا ترجمه شده‌اند. او در سال ۱۹۸۵ داستان «سرزمین عجایب و پایان جهان» را نوشت که با روشی طنز، رؤیایی و جادویی به کتاب الگوی نویسندگی او تبدیل شد. در سال ۱۹۸۷ نیز جنگل نروژی منتشر شد که دربارهٔ دلتنگی‌ها و افسوس‌های جنسی بود و به یک موفقیت بزرگ جهانی تبدیل شد.

سومین نوبل ادبیات ژاپن به نام کازو ایشی‌گورو رقم خورده است. این نویسندهٔ انگلیسی ـ ژاپنی، به‌عنوان برندهٔ صدودهمین جایزهٔ نوبل ادبیات، بار دیگر نام ادبیات ژاپن را برسر زبان‌ها انداخت. آثارش به فضای انگلیسی نزدیکی است

و رنگ‌وبوی ژاپنی ندارد ولی به‌شدت گیرا و خیره‌کننده است. از میان دیگر آثار او می‌توان به وقتی یتیم بودیم و هرگز رهایم مکن اشاره کرد که به فهرست نهاییِ جایزهٔ بوکر هم راه یافتند. در سال ۲۰۰۸، مجلهٔ تایمز کازو ایشی‌گورو را در میانَ ۵۰ نویسندهٔ برتر انگلیسی از زمان جنگ جهانی دوم در ردهٔ ۳۲ قرار داد.

حق با کامو بود

حق با آلبر کامو بود. حق با کامو بود زمانی که در مخالفت با ژان پل سارتر از حزب کمونیست بیرون آمد و به شوروی انتقاد کرد. حق با کامو بود زمانی که از همان آغاز حس می‌کرد که رهبران جدید الجزایری فقط با بمب می‌خواهند صحبت کنند و از همان آغاز تروریسم راست فرانسوی و بمب‌های نظامیان الجزایری علیه مردم عادی را محکوم کرد. حق با کامو بود که زمانی که شوروی پراگ را اشغال کرد گفت: «ما هرگز موافق اردوگاه‌های کار اجباری نیستیم.» حق با کامو بود زمانی که در ۱۰ دسامبر ۱۹۵۷ جایزهٔ نوبل ادبیات را دریافت کرد گفت: «احساس گرفتگی و افسردگی دارم زیرا نگران مادرم در الجزایر هستم.» حق با کامو بود زمانی که در عین مخالفت با خشونت مخالفت هوادار انسان شورشی و طغیانگر بود و می‌گفت: «من شورش می‌کنم، پس هستم.»

کامو می‌گفت خانه‌های ناشناخته‌ای هستند که هرگز نمی‌توان به داخل آن‌ها نفوذ کرد. او بارها عاشق شده بود، او از دنیای طاعون‌زده وحشت داشت، او مضطرب جهانی بیگانه بود، او فکر می‌کرد ما با سوء‌تفاهم زندگی می‌کنیم و پوچ‌گرایی کالیگولا او را به تراژدی انسانی نزدیک می‌کرد. کامو می‌گفت: «تئاتر یک بازی نیست بلکه باور من است.» برای کامو تئاتر نمایش پوچی نیست بلکه خودِ زندگی است و زندگی در دورانی جریان دارد که ارزش‌های زیبا پوچ از آب درمی‌آیند. کامو به دنیای آندره مالرو، ویلیام فاکنر و داستایفسکی سفر کرده بود و بر این باور بود که تسخیرشدگان داستایفسکی بیان‌گر روان‌های پاره‌پاره‌ای هستند که توان دوست داشتن ندارند.

در رمان بیگانه، قهرمان داستان یعنی مرسو در مراسم خاکسپاری مادرش شرکت می‌کند و هیچ تأثر و اندوه و احساس خاصی از خود نشان نمی‌دهد.

داستان بیگانه از مرسو به‌عنوان انسانی بدون اراده صحبت می‌کند؛ مرسو هیچ رابطهٔ احساسی بین خود و افراد دیگر برقرار نمی‌کند و زندگی‌اش را در بی‌تفاوتی خود و پیامدهای حاصل از آن پر می‌کند. او از این‌که روزهایش را بدون تغییر در رفتارهای همیشگی و عادت‌های خود می‌گذراند خشنود است، در دادگاه محاکمه نیز اتهام بی‌خدا بودنش را بدون هیچ سخنی می‌پذیرد و به اعدام محکوم می‌شود.

کتاب طاعون با گزارشی از مردم و شهر آغاز می‌شود و سپس به افزایش سریع شمار موش‌ها در شهر و مرگ آن‌ها می‌پردازد. بیماری و مرگ همه‌جا را فرا می‌گیرد، برخی‌ها خودکشی می‌کنند و برخی دیگر می‌گریزند. شهر در شرایط دردناکی قرار دارد و زمانی که از پیشروی طاعون تا حدی جلوگیری می‌کنند و زمانی که انسان‌ها همدیگر را پیدا می‌کنند، اعلان می‌شود که طاعون سالیان دراز در شهر باقی می‌ماند و شهر را دوباره مورد هجوم قرار می‌دهد.

کامو ناامید نبود بلکه از ناامیدی و بی‌طرفی و بی‌اعتمادی در جامعه حرف می‌زد. کامو گرفتار ایدئولوژی نشد و همیشه بازگوکنندهٔ دردهای بشری بود. او زمانی که کتاب بازگشت از شوروی نوشتهٔ آندره ژید را خواند، دیگر نمی‌توانست به دروغ‌های ایدئولوژیک کمونیسم باور داشته باشد. تردید او و سپس انتقاد او از کمونیسم با حملهٔ سارتر روبه‌رو شد و سارتر، که خود از زندگی یک خانوادهٔ اشرافی بیرون آمده بود، کامو را «بورژوا و خائن» خواند. کامو شدیداً آزرده شد و فشار روحی در تمام زندگی‌اش او را دنبال کرد ولی او زندگی را دوست می‌داشت و با راستگویی و اندوه و شجاعت به زندگی ادامه داد تا روزی که در سال ۱۹۵۸ در یک تصادف رانندگی جان باخت.

آلبر کامو یکی از زیباترین چهره‌های ادبی و فلسفی سدهٔ بیستم فرانسه است. کامو را در جوانی و در دبیرستان دارالفنون شناختم. در آغاز، رمان طاعون را خواندم. از همان زمان مبارزه با طاعون ذهن مرا به خود مشغول کرد. طاعون کیست و کجاست و قربانی طاعون کیست؟ نخستین رمان کامو بیگانه بود که در ۱۹۴۲ نوشته شد و طاعون در ۱۹۴۷ انتشار یافت. کامو انسان یاغی را در ۱۹۵۱ نوشت و انسان شورشی و طغیان‌زده همان روحی است که در برابر طاعون ایستادگی می‌کند. برای کامو انسان فریاد می‌زند ولی پاسخی نمی‌شنود. پس آیا بیهودگی هستی را در برگرفته است؟ انسان پوچ به‌گفتهٔ کامو در انتظار صدای انسانی است. از نگاه کامو انسان نمی‌تواند یاغی نباشد. ژان پل سارتر از کمونیسم شوروی اطاعت کرد ولی

کامو تا پایان نه گفت. کامو در هواداری از جمهوری‌خواهان اسپانیایی برخاست، از قربانیان استالین پشتیبانی کرد و استعمار فرانسه در الجزایر را به انتقاد کشاند. در سال ۱۹۵۷ جایزهٔ نوبل ادبیات به او تعلق گرفت. ادبیات معاصر ایران و بسیاری از روشن‌فکران ایرانی با فکر کامو آشنایی دارند ولی این روشن‌فکران استقلال فکریِ کامو را ندارند. کامو یاغی آرام بود، اهل جاروجنجال نبود ولی نفوذش قطعی بود.

دانشمند نام‌دار، ماری کوری

دانشمند لهستانی ـ فرانسوی، ماری کوری، در سال ۱۸۶۷ در ورشو زاده شد و در ۱۹۳۴ در فرانسه درگذشت. او به همراه همسرش، پی‌یر کوری و نیز هانری بکرل در ۱۹۰۳ جایزهٔ نوبل فیزیک را به‌دلیل کشف رادیواکتیویته دریافت کرد و در ۱۹۱۱ نیز جایزهٔ نوبل شیمی به‌دلیل کشف پلونیوم و رادیوم را از آن خود کرد. ماری کوری نخستین زنی بود که جایزهٔ نوبل را به دست آورد. او در سال ۱۸۹۱ برای درس به پاریس می‌آید و با آغاز درس‌ها و کار آزمایشگاهی علاقه‌اش به فیزیک و شیمی گسترش یافت. در دورهٔ دانشگاهی با پی‌یر کوری آشنا شد و در ژوئیه ۱۸۹۵ با او ازدواج کرد. ماری کوری در ۱۹۰۶ نخستین استاد زن در دانشگاه سوربن می‌شود. پیشرفت‌های او چشمگیر بود ولی جامعهٔ مردسالار آن زمان موانع بی‌شماری در برابر او به وجود آورده بود. در آغاز، کمیتهٔ جایزهٔ نوبل فقط پی‌یر کوری را برای دریافت جایزه تعیین کرد. خوشبختانه همسرش گفت از دستاوردهای علمیِ ماری کوری قاطعانه پشتیبانی می‌کنم و چنین هم کرد و بالأخره نظر کمیتهٔ نوبل تغییر کرد. ماری کوری نیازمند آزمایشگاه و وسایل تکنیکی و بودجه بود ولی برای دریافت بودجهٔ آزمایشگاهی و کار استادی با مخالفت بی‌اندازهٔ جامعهٔ مردسالار روبه‌رو بود. او پشتکار داشت و با تلاش فراوان امکان‌ها را فراهم کرد. ماری کوری، پنج سال پس از مرگ همسرش، به دستیارش علاقه پیدا کرد و عاشق او شد. به‌سرعت احزاب دست راستی و افکار عمومی جامعه در برابر ماری کوری بسیج شدند و در روزنامه‌ها او را به‌عنوان «خارجی، خائن و مبتکر زهر رادیواکتیو» معرفی کردند و دست به «افشاگری» و تبلیغات منفی زدند.

ماری کوری دلیر بود و شخصیتی قوی داشت و با وجود تمام فشارهای

مردسالارانه و تبلیغات خارجی‌ستیز ایستادگی کرد. پشتکار او در پژوهش‌های علمی و ایستادگی‌اش در برابر فرهنگ عامیانهٔ زن‌ستیز رفته‌رفته احترام جامعه را نسبت‌به او برانگیخت. او به اعتبار جهانی دست یافته بود و با البرت اینشتین و دیگر دانشمندان همکاری داشت. او به‌خوبی آگاه بود که رادیواکتیو برای پزشکی بسیار مهم است و مبارزه با سرطان و انجام رادیولوژی در گروِ همین دانش است؛ البته کوری از خطر مرگ‌آورِ اتم نیز آگاه بود و مخالف بهره‌گیری‌های ویران‌گرِ آن بود.

فیلم مرجان ساتراپی به‌نام «رادیواکتیو» دربارهٔ ماری کوری است. مرجان ساتراپی در فرانسه با کتاب پرسپولیس معروف شد و سپس کارگردانی فیلم «پرسپولیس» و فیلم‌های دیگر او را به یک شخصیت هنریِ مسلم تبدیل کرد. کارگردانی این فیلم با زبردستی تمام صورت گرفته و فیلمبرداریِ آن کیفیت بالایی دارد. این فیلم از یک سو شخصیت ماری کوری را به نمایش می‌گذارد و نشان می‌دهد که زنی کارساز است و از سوی دیگر دو وجههٔ متضاد علم را به‌روشنی ترسیم می‌کند، دانش برای مبارزه با بیماری سرطان و نجات زخمی‌های جنگ و نیز بهره‌گیریِ خطرناک از اتم در ساخت بمب هسته‌ای و نابودی انسان‌ها. در این فیلم فقط زندگی ماری کوری ترسیم نمی‌شود بلکه مرجان ساتراپی به روزگاران پس از زندگی او نیز نقب زده و آزمایش انفجار بمب اتم در نِوادای آمریکا، انداختن بمب‌های اتمی آمریکایی بر سر شهرهای ژاپن و انفجار نیروگاه اتمی چرنوبیل را نیز با مهارت ویژه‌ای نشان می‌دهد. از دید من، این فیلم یک بینش زیست‌بوم‌گرایانه در برابر اتم را بیان می‌کند و آشکارا پیکار زن برای پیشرفت اجتماعی را بازتاب می‌دهد.

از نگاه جامعه‌شناختی و فلسفی، دانش پیوسته سرچشمهٔ اختلاف نظر بوده است. دانش بنا بر طبیعتش همیشه اختلاف‌برانگیز است. از یک سو کسانی هستند که در برابر دانش موضع می‌گیرند و به گونه‌ای آن را برای انسان زیان‌بار می‌دانند. در این جبهه دین‌داران و جزم‌اندیشان مردم‌فریب و فیلسوفان رازگرا گِرد هم می‌آیند. این افراد با انگشت گذاشتن بر رویدادهای منفی و یا پیشامدهای دلخراش، کل پیشرفت علمی را زیر پرسش می‌برند و به نفی دانش می‌رسند و، به این ترتیب، مُبلّغ تاریک‌اندیشی و جادوگری و معجزه می‌شوند. از سوی دیگر کسانی که کاملاً دستخوش شیفتگی شده‌اند و به‌طرزی یک‌جانبه و بدون انتقاد به هواداری از مهارت و دانش می‌پردازند هم دانش را از جامعه و جامعه‌شناسی جدا می‌کنند و فاقد

هر گونه آینده‌نگری و احتیاط هستند. از دید جامعه‌شناسی، گفتمان‌های علمی متفاوت‌اند و هر چالشی در عرصهٔ دانش میان دانشمندان اختلاف به وجود می‌آورد. افزون‌بر این، دانش در عملکرد خود نیز همیشه متفاوت و گاه متضاد است. البته منطق علمیِ ناب و نگاه و منفعت یک دانشمند همیشه به شفافیت نمی‌انجامد. دانش در اجتماعْ با عملکردها و ارزیابی‌های گوناگونی روبه‌روست. بی‌شک، اختلاف نظرها نیز جزو روند علمی در جامعه‌اند. دیدگاه‌های متضاد مسبب ایجاد تعادل در برداشت می‌شوند. در بیشتر مواقع، انتخاب نامزد نوبل توسط آکادمی نوبل منجر به بحث و اختلاف نظر شده است. داروین و فروید و اینیشتین پیوسته مورد جدل جامعهٔ اندیشمندان و پژوهشگران بوده‌اند. به‌گفتهٔ یورگن هابرماس، حقیقت ادعایی برای تصدیق است. این حقیقت هم از نگاه عینی باید مورد تصدیق قرار گیرد و هم در زمینهٔ ذهنی باید ایستادگی کند و خود را به جامعه علمی بقبولاند. برای نمونه، بهره‌گیری از مواد شیمیایی در کشاورزی دارای یک منطق ریاضی و متکی‌بر فرمول‌بندی شیمیایی است ولی این عنصر عینی بیش از پیش مورد اعتراض دانشمندان و هواداران محیط زیست و جامعهٔ انسانی قرار گرفته. بنابراین، دانش یک پدیدهٔ ساده نیست و در خود متضاد و پیچیده است ولی، با وجود این تناقضات، دانش موتور تاریخ است. بدون دانشْ راه ما رو به تاریکی است.

جامعه‌شناسیِ بازار کار زنان

نظام جمهوری اسلامی اسلام‌گرا و مردسالار است و از این رو شرایط زندگی و موقعیت اجتماعی و سیاسی زنان اسفناک است. علی خامنه‌ای می‌گوید اگر می‌خواهیم نگاه‌مان به مسئلهٔ زن، «سالم، منطقی، دقیق و راهگشا» باشد، باید «از افکار غربی در مسائلی همچون اشتغال و برابری جنسی کاملاً فاصله بگیریم.» او موقعیت زنان در جمهوری اسلامی را در تاریخ ایران «بی‌سابقه» توصیف کرده و می‌گوید این وضعیت «مدیون نگاه مبارک و پرطراوت اسلام و دیدگاه‌های کارگشای امام خمینی است.» آنچه خامنه‌ای می‌گوید فقط یک تبلیغ دینی و سراسر ناواقعی است. در اینجا به آمار نگاهی بیندازیم و دیدگاه سازمان دیده‌بان حقوق بشر را مورد توجه قرار دهیم.

مرکز آمار ایران برآن ست که در سال ۱۳۹۵، ۴۰ میلیون و ۴۹۸ هزار و ۴۴۲ مرد در کشور زندگی کرده‌اند که دو میلیون و ۵۹۲ هزار و ۷۷۳ نفر نسبت‌به سال ۱۳۹۰ افزایش یافته است. شمار زنان در سال ۱۳۹۵ معادل ۳۹ میلیون و ۴۲۷ هزار و ۸۲۸ نفر بوده‌اند که نسبت‌به سال ۱۳۹۰، ۲ میلیون و ۱۸۳ هزار و ۸۲۸ نفر افزایش یافته‌اند. بدین ترتیب، پنجاه درصد جمعیت کشور را زنان تشکیل می‌دهند. آیا این پنجاه درصد دارای حقوق برابر با مردان است؟ جامعهٔ سیاسیِ حاکم یک گروه‌بندی آخوندی و شیعه و مردسالار دینی است. شمار نمایندگان مَجلس دهم ۲۹۰ نفر است که از آن میان ۱۷ نفرشان زن هستند. در بین ۱۸ وزیر دولت یازدهم یک نفر زن وجود ندارد. در بین ۱۷ وزیر دولت دوازدهم هم همین‌طور و در میان ۸ تن معاون و مشاور تنها دو نفر زن هستند.

سهم زنان ایرانی از اشتغال چقدر است؟ نگاهی به نتایج طرح آمارگیری نیروی کار سال ۱۳۹۴ نشان می‌دهد زنان همچنین در وضعیت خوبی از اشتغال قرار ندارند. بر اساس نتایج، این طرح در سال ۱۳۹۴، بررسی نرخ بیکاری نشان می‌دهد که ۱۱ درصد از جمعیت فعال بی‌کار بوده‌اند و نرخ بی‌کاری در بین زنان

شاخص‌های نیروی کار بر اساس جنسیت در سال ۱۳۹۴

شاخص‌های نیروی کار		کل (درصد)	مرد	زن
بی‌کاری جوانان ۲۴ - ۱۵ساله	نرخ	۲۶,۱	۲۲,۳	۴۲,۸
	تعداد	۷۶۵۱۷۰	۵۲۹۶۷۳	۲۳۵۴۹۶
بی‌کاری جوانان ۲۹ - ۱۵ساله	نرخ	۲۳,۳	۱۹,۱	۴۰,۲
	تعداد	۱۶۴۶۳۸۰	۱۰۸۳۹۸۰	۵۶۲۳۹۹
اشتغال در بخش کشاورزی	سهم	۱۸,۰	۱۷,۱	۲۲,۸
	تعداد	۳۹۶۱۲۹۷	۳۱۷۱۴۵۸	۷۸۹۸۳۹
اشتغال در بخش صنعت	سهم	۳۲,۵	۳۴,۲	۲۳,۸
	تعداد	۷۱۴۷۰۱۱	۶۳۲۳۳۰۶	۸۲۳۷۰۴
اشتغال در بخش خدمات	سهم	۴۹,۴	۴۸,۷	۵۳,۴
	تعداد	۱۰۸۶۰۳۹۲	۹۰۱۳۴۲۶	۱۸۴۶۹۶۶
سهم شاغلین ۱۵ساله و بیشتر با ساعت کار معمول ۴۹ ساعت و و بیشتر		۳۸,۰	۴۲,۷	۱۳,۱

نسبت‌به مردان بیشتر بوده است. همچنین، این نتایج نشان می‌دهد نرخ مشارکت اقتصادی در بین زنان نسبت‌به مردان و در نقاط شهری نسبت‌به نقاط روستایی کمتر بوده است. در بررسی نرخ بی‌کاری در هر دو گروه ۲۴ - ۱۵ و ۲۹ - ۱۵ساله نیز دیده می‌شود که نرخ بیکاری زنان نسبت‌به مردان بیشتر بوده است.

تغییرات سریع اجتماعی مانند روند فزایندۀ طلاق، آمارهایی که از تجرد قطعی دختران خبر می‌دهند، فزونیِ مرگ‌ومیر مردان و کسب استقلال دختران برای زندگی نشان می‌دهد بخش زیادی از جمعیت خانوارهای ایرانی را زنان خودسرپرست یا سرپرست خانوار تشکیل می‌دهد که باید برای اشتغال و معیشت‌شان چاره‌ای جدی اندیشیده شود. چنان‌چه وزیر کشور در طی اعلان آماری که ۱۷ خرداد ۱۳۹۵ از وضعیت آسیب‌های اجتماعی در مجلس گفت ۲,۵ میلیون نفر زن سرپرست خانوار در کشور وجود دارد. ایدئولوژی حاکم و فرهنگ مردسالار زنان را به حاشیه می‌رانند و البته زنان به‌شکل‌های گوناگون ایستادگی و در ایفای نقش اقتصادی‌شان تلاش کرده‌اند. ویژگی‌های بازار کار زنان کدامند؟

- پنجاه درصد از زنان شاغل در بخش غیر رسمی کار می‌کنند.
- زنان کارگر بیشتر در بنگاه‌های اقتصادی کوچک و غیررسمی کار می‌کنند.
- زنان بیش از ۶۵ درصد از کارکنان بدون دستمزد (کار در بخش‌های خانوادگی و فامیلی) را تشکیل می‌دهند.
- بیش از نیمی از زنان بیکار بیش از یک سال در جست‌وجوی کار بوده‌اند.
- یک‌چهارم زنان شاغل مستقل هستند.
- نزدیک به یک‌سوم زنان شاغل مزد و حقوق‌بگیر بخش خصوصی‌اند.
- فقط یک درصد از زنان شاغل به عنوان کارفرما به کار اشتغال دارند.
- نیمی از زنان تحصیل‌کردۀ دانشگاهی، که در جست‌وجوی کار هستند، هنوز بیکار هستند.

به این ترتیب، زنان چه آن‌هایی که در بازار کار موفق شده‌اند به شغلی دست یابند چه آن‌هایی که ناامید از بازار کار خانه‌نشین شده‌اند یا به شاغلین غیررسمی پیوسته‌اند و یا به‌دلایل گوناگون کار در خانه را به عنوان یک شغل در پیش گرفته‌اند با مشکلاتی روبه‌رو هستند که سبب شده‌اند نرخ مشارکت زنان در عرصه‌های اقتصادی تا این اندازه کم گزارش شود.

«انجمن زنان مدیر کارآفرین» با بیان این‌که ۵۰ درصد جامعه را جمعیت زنان

اشتغال زنان در کشورهای جهان

	الف) درصد نیروی فعال اقتصادی ۲۰۱۱					ب) نسبت زنان فعال اقتصادی به مردان			
	٪ زن	٪مرد		٪ زن	٪مرد	۲۰۱۱	۲۰۰۸	۲۰۰۵	۲۰۰۰
سوئد	۴/۵۹	۱/۶۸	آذربایجان	۶/۶۱	۵/۶۸	۸۹۹/۰	۹۰۷/۰	۸۶۷/۰	۸۰۴/۰
ایالات متحد	۵/۵۷	۱/۷۰	ارمنستان	۴/۴۹	۲/۷۰	۷۰۴/۰	۷۰۴/۰	۷۴۵/۰	۷۹۳/۰
آلمان	۰/۵۳	۵/۶۶	قطر	۸/۵۱	۲/۹۵	۵۴۴/۰	۵۳۵/۰	۴۹۰/۰	۴۲۴/۰
استرالیا	۸/۵۸	۳/۷۲	کویت	۴/۴۳	۳/۸۲	۵۲۷/۰	۵۲۵/۰	۵۴۷/۰	۵۴۱/۰
کُره جنوبی	۲/۴۹	۴/۷۱	امارات	۵/۴۳	۳/۹۲	۴۷۱/۰	۴۵۸/۰	۴۰۸/۰	۳۶۸/۰
سنگاپور	۵/۵۶	۶/۷۶	بحرین	۴/۳۹	۳/۸۷	۴۵۱/۰	۴۴۵/۰	۴۳۲/۰	۴۰۵/۰
چین	۷/۶۷	۱/۸۰	لیبی	۱/۳۰	۸/۷۶	۳۹۲/۰	۴۰۱/۰	۴۰۱/۰	۳۷۵/۰
تایلند	۸/۶۳	۸/۸۰	ترکیه	۱/۲۸	۴/۷۱	۳۹۴/۰	۳۵۲/۰	۳۳۴/۰	۳۶۲/۰
آفریقای جنوب صحرای کبیر	۷/۶۴	۲/۷۶	پاکستان	۷/۲۲	۳/۸۳	۲۷۳/۰	۲۵۸/۰	۲۲۹/۰	۱۹۱/۰
آسیای شرقی و اقیانوسیه	۲/۶۵	۶/۸۰	عربستان	۷/۱۷	۱/۷۴	۲۳۹/۰	۲۳۷/۰	۲۳۸/۰	۲۱۹/۰
اروپا و آسیای میانه	۶/۴۹	۰/۶۹	ایران	۴/۱۶	۵/۷۲	۲۲۶/۰	۲۱۹/۰	۲۶۲/۰	۱۹۰/۰
آمریکای‌لاتین و کارائیب	۷/۵۳	۹/۷۹	عراق	۵/۱۴	۳/۶۹	۲۰۹/۰	۲۰۳/۰	۱۹۷/۰	۱۸۲/۰
کشورهای عرب	۸/۲۲	۱/۷۴	الجزایر	۰/۱۵	۹/۷۱	۲۰۹/۰	۱۹۷/۰	۱۷۸/۰	۱۵۹/۰
جنوب آسیا	۳/۳۱	۰/۸۱	سوریه	۱/۱۳	۶/۷۱	۱۸۳/۰	۱۹۷/۰	۲۱۰/۰	۲۵۴/۰
جهان	۳/۵۱	۲/۷۷	افغانستان	۷/۱۵	۳/۸۰	۱۹۶/۰	۱۸۳/۰	۱۷۲/۰	۱۶۶/۰

تشکیل می‌دهد بر آن است که بر اساس گزارش نتایج آمارگیری نیروی کار سال ۹۵ مرکز آمار ایران، نرخ مشارکت اقتصادی زنان (بالای ۱۵سال) ۱۶.۳ درصد و در سطح جهانی ۴۷.۶ درصد است، در حالی که میانگین اشتغال زنان در کشورهای شمال آفریقا و خاورمیانه ۲۰ درصد است. چندی پیش سازمان دیده‌بان حقوق بشر گزارشی در بارۀ بازار کار زنان منتشر کرد که با عنوان «اینجا جمعی مردانه است: تبعیض علیه زنان در بازار کار ایران» و بخشی از آن به بررسی محدودیت‌های اِعمال‌شده بر زنان در قوانین مدنیِ جمهوری اسلامی اختصاص دارد. از نگاه

سازمان دیده‌بان حقوق بشر، بازار کار ایران مردانه است. سازمان دیده‌بان حقوق بشر بر این باور است که قوانین و سیاست‌های تبعیض‌آمیز در جمهوری اسلامی حقوق زنان ایرانی در بازار کار را پایمال می‌کند. بر اساس بررسی‌های این نهاد درصد اشتغال زنان در ایران از میانگین کشورهای خاورمیانه کمتر است. بر پایهٔ این گزارش، در حال حاضر میانگین اشتغال زنان در کشورهای شمال آفریقا و خاورمیانه ۲۰ درصد و شمار زنان شاغل در جمهوری اسلامی یک‌چهارم کمتر از این میزان است. این سازمان بر این باور است که «زنان ایرانی با مجموعه‌ای از محدودیت‌ها همچون محدودیت سفر به خارج از کشور، ممنوعیت اشتغال در حرفه‌های خاص، و نبود حفاظت‌های قانونیِ اولیه روبه‌رو هستند.» دیده‌بان حقوق بشر می‌گوید در فاصلهٔ زمانیِ یادشده، که تقریباً کل سال ۱۳۹۵ خورشیدی را شامل می‌شود، میزان اشتغال در میان مردان ایرانی اندکی بیش از ۶۴ درصد بوده، در حالی که سهم زنان در بازار کار تنها به نزدیک ۱۵ درصد می‌رسیده است.

پژوهش دیده‌بان حقوق بشر بر اساس بررسی قوانین و سیاست‌های جاری در جمهوری اسلامی و گفت‌وگو با ۴۴ زن و مرد ایرانی از جمله وکیلان، کارشناسان اقتصادی، صاحبان کسب‌وکارهای کوچک و کارمندان بخش‌های دولتی و خصوصی تنظیم شده است. در این گزارش، سازمان دیده‌بان حقوق بشر، نایب‌رئیس کانون عالی انجمن‌های صنفی کارگران دربارهٔ شرایط سخت زنان کارگر می‌گوید: «کارفرمایان ترجیح می‌دهند از زنان در مشاغل سخت استفاده کنند چراکه اگر نیروی مرد را به خدمت بگیرند باید حق بیمه و دستمزد کامل به آن‌ها بدهند. مطابق قوانین ایران مرد سرپرست خانواده محسوب می‌شود و می‌تواند تحت شرایطی انتخاب‌های اقتصادی و اشتغال همسرش را محدود کند. دریافت گذرنامه و سفر خارجی زنان نیز در جمهوری اسلامی مستلزم موافقت همسران آنان است و همین می‌تواند فعالیت زنان در شغل‌های مدیریتی و کارهایی را که نیاز به سفر دارند، محدود کند.»

دیده‌بان حقوق بشر می‌گوید گرچه بر اساس قانون تبعیض علیه زنان در محل کار ممنوع است اما این ممنوعیت شامل استخدام یا ارتقای شغلی نمی‌شود و ترجیح جنسیتی به‌سود مردان در بسیاری از آگهی‌های استخدام به چشم می‌خورد. بر اساس بررسی‌های دیده‌بان حقوق بشر از ۷۰۲۶ موقعیت شغلی آگهی‌شده برای اشتغال به مشاغل دولتی در سال گذشته حدود ۶۰ درصد موارد مردان ترجیح

داشته‌اند و تنها در ۵ درصد موارد زنان بوده‌اند. در سال‌های گذشته، همواره شمار زنان در میان دانش‌آموختگان دانشگاه‌ها و مراکز آموزش عالی در بیشتر رشته‌ها از مردان بیشتر بوده، با این همه سهم آن‌ها در اشتغال، به‌ویژه در موقعیت‌های مدیریتی، بسیار ناچیز است.

بیکاری ۴۴ درصد زنان جوان یک واقعهٔ دلخراش است. بر اساس بررسی‌های مرکز آمار ایران، در سال ۹۵ اندکی بیش از ۲۹ درصد جوانان بین ۱۵ تا ۲۹ سال بی‌کار بوده‌اند و سهم زنان بیکار در میان این رده سنی کمی فراتر از ۴۴ درصد بوده است. از یاد نبریم که سالانه حدود ۸۵۰هزار دانش‌آموختهٔ دانشگاهی وارد بازار کار ایران می‌شوند که بیش از ۵۰درصد آن‌ها را زنان تشکیل می‌دهند. در سال ۱۳۹۵، میزان ۵۷ درصد ورودی‌های مقطع کارشناسی را زنان تشکیل دادند، در حالی که نرخ مشارکت اقتصادی زنان تحصیل‌کرده نسبت‌به مردان تحصیل‌کرده بسیار پایین‌تر است. زنان تحصیل‌کرده خواهان ورود به بازار کار و مشارکت در مدیریت جامعه و دستیابی به موقعیت‌های بهتر هستند و در برنامهٔ ششم حکومتی هم این نکته برای بهره‌مندی جامعه از این ظرفیت پیش‌بینی شده است ولی دولت و نهادهای سیاست‌گذار و بسیاری از کارفرمایان برای توانمندسازی و ترویج رویکرد خوداشتغالی و کارآفرینی در کردار به نقش زن در اقتصاد و جامعه توجه لازم را ندارند که می‌تواند در افزایش مشارکت اقتصادی زنان بسیار تأثیرگذار باشد؛ هرچند، در این نظام دینی الگوی تلاش و موفقیت نباید زنانه باشد.

بر اساس پژوهش انجام‌شده توسط صندوق جهانیِ پول اگر زنان هند همانند مردان این سرزمین وارد بازار کار و اقتصاد شوند، ۲۷ درصد نرخ تولید ثروت داخلی هند افزایش خواهد یافت. همین مشارکت در آمریکا افزایش ۵ درصدی را به همراه دارد. با توجه به این‌که نقش اجتماعی زنان در ایران محدود است و روحیهٔ مرسالاری و موانع دینی در برابر ورود زنان ایستادگی می‌کنند، بازار کار توانایی زنان را نمی‌تواند به کار گیرد. تیزهوشی و استعداد و قدرت کارآفرینی و دانش زنان می‌تواند یک جهش بزرگ در اقتصاد به وجود آورد. قدرت سیاسیِ ناشی از انقلاب اسلامی گام‌به‌گام نقش زنان را کاهش داده زیرا در این بینش دینی حاکم نقش زن به‌طور اساسی باید در فرزندآوری و لذت‌جوییِ مرد محدود باقی بماند، حال آن‌که درک امروزی و متکی‌بر برابری حقوقی زن‌ومرد می‌تواند یک گشایش بزرگ اجتماعی بیافریند و نیمی از جمعیت کشوری را در ابتکار و

پیشرفت مداخله دهد.

ساختار بازار کار ایران با وجود پنجاه درصد زن و پنجاه درصد دانشجوی دختر که به پایان درس خود رسیده‌اند، برای زنان بسته است و نقش کارکنان زن در اقتصاد ایران فرعی است. در بازار کار چین سهم زنان ۶۷ درصد است، در حالی که در ایران حضور زن در بازار کار کمی بالاتر از ۱۶ درصد است. رونق و پیشرفت یک اقتصاد به عواملی چون فن‌آوری، سرمایه‌گذاری، دانش مدیریت، مهارت فنی کارکنان، سیاست زیست‌بوم، همکاری جهانی، بازار مصرفی داخلی، قوانین شفاف رقابتی و امنیتی و به‌طور مسلم نیروی کار زنان و حضور تخصصی آن‌ها در تمام روندهای تولیدی و تصمیم‌گیری وابسته است. واپس‌گراییِ اقتصاد ایران نتیجهٔ سیستم غارت، فساد سراسری و عدم حضور کامل زنان است.

مسئله اینجاست که از ۲۷ میلیون زن ایرانی در سن کار فقط ۳ میلیون نفر آن‌ها کار می‌کنند. بنابراین، ۲۴میلیون زن بیکار در ایران وجود دارند. در آمار زیر می‌بینیم که شمار زنانی که کارفرما هستند فقط ده‌هزار نفر است و این رقم بسیار ناچیز است زیرا موانع ناشی ازقوانین اسلامی و نظام اداری و ایدئولوژیک فراوان‌اند، حال آن‌که می‌دانیم ۶۱ درصد از ورودی دانشگاه‌ها را زنان و دختران تشکیل می‌دهند. شمار زنان در مجلس ایران فقط شش درصد مردان است در صورتی که در فرانسه ۳۹ درصد، در سوئد ۴۵ درصد، در عراق ۲۵ درصد، در روسیه ۱۴ درصد، در پاکستان ۲۲ درصد و در نیجریه ۷ درصد است. تمام تلاش جمهوری اسلامی بیرون راندن و محدود کردنِ زنان در بازار کار و صحنهٔ اجتماعی و اقتصادی است زیرا ایدئولوژی قرآنی و آخوندی خواهان سرکوب زنان است. کسب حقوق زنان مستلزم نفی کامل جمهوری اسلامی و تمامی قوانین دینی ایران است. افزون‌بر آن، جامعهٔ ایران مردسالار است و خشونت علیه زنان در آن ساختاری است. حجاب اسلامی به‌طور مسلم باید برچیده شود و آفرین به زنان‌ومردانی که آشکارا در این زمینه مبارزه می‌کنند. برابری زن‌ومرد در حکومتی سکولار و دموکراتیک آرزوی یک جامعهٔ آگاه است. شریعتی با ایدئولوژی ارتجاعی خود از فاطمه، دختر علی، یک الگو ساخته بود، حال آن‌که الگوی زنان پیشرو فروغ فرخزاد، نسرین ستوده و سیمون دوبووار هستند. زنانی که در بند اسلام هستند نمی‌توانند پیشروِ جامعه باشند.

جوانان در آینده ایران

کشور ما با منابع انسانی جوان چه می‌کند؟ دانش جمعیت‌شناسی به بررسی جمعیتِ یک نسل می‌پردازد. از بیست‌وپنج سال پیش چه تغییری در ساختار جمعیت جوان رخ داده است و با توجه به شرایط کنونی و سیاست‌های موجود در بیست‌وپنج سال دیگر جوانان ما کجا خواهند بود؟ نزدیک ۵ میلیون نفر از جوانان ایرانی امروز در دانشگاه‌های کشور مشغول به تحصیل هستند. با توجه به نرخ بی‌کاری ۵۰درصدی دانش‌آموختگانِ دانشگاه‌ها نزدیک ۲.۵ میلیون دانش‌آموخته میان ۲۲ تا ۲۴ساله، ۱.۲۵میلیون نفر باید بیکار باشند. با توجه به نرخ رشد اقتصادی منفی، انتظار می‌رود در سال‌های آینده جمعیت بیشتری از دانش‌آموختگان دانشگاهی به بیکاران بپیوندند. بر اساس آمار کشور، حدود ۸۰۰ هزار در سال بیکار خواهند شد.

واقعاً چه میزانی از نیروهای انسانی به هدر می‌رود؟ بر اساس آمار دولتی، اگر شمار دانشجویان در حال تحصیل و دانش‌آموختهٔ بیکار و شاغل، دانش‌آموزان در حال تحصیل و ترک‌تحصیل‌کرده را با هم جمع کنیم (۱۱.۵ میلیون نفر) بقیه (۶.۵ میلیون) نباید در وضعیتی بهتر از این جمعیت قرار داشته باشند. میزان بی‌کاری این جوانان که بسیاری از آن‌ها حتی دیپلم هم ندارند در برخی از استان‌ها به ۶۰ درصد می‌رسد. بخش قابل توجهی از جوانان ترک‌تحصیل‌کردهٔ میان ۱۵ تا ۱۸سال به جمعیت دو میلیون نفریِ کودکان‌ونوجوانان کار پیوسته‌اند که دستخوش آسیب‌های اجتماعی گوناگون قرار دارند. به دلیل همین وضعیت بی‌کاری و جداافتادگی از تحصیل، بخش قابل توجهی از جمعیت ۱۸ تا ۲۵میلیونیِ حاشیه‌نشین، معتادان ۳ تا ۷ میلیون نفری به مواد مخدر و الکل، جمعیت ۱۵میلیونیِ درگیر با فقر مطلق، جمعیت حدوداً بیست‌میلیونیِ درگیر با اختلالات روانی و جمعیت چندصد هزار نفریِ درگیر جرائم گوناگون را همین جوانان ۱۵ تا ۲۴ساله تشکیل می‌دهند.

فردا چه خواهد شد؟ با توجه به پایین آمدن میانگین سنیِ زندانیان، فحشا، اعتیاد و مجرمان در کشور، گزند امروزِ جوانان از آسیب‌های اجتماعی نسبت‌به حتی یک دهه پیش هم بیشتر شده و با توجه به روندهای موجود نیز این روند افزایش و ادامه خواهد یافت.

نزدیک به پنج میلیون دانشجوی دانشگاه‌های داخل کشور می‌دانند که پس

از دانش‌آموختگی با اتکا به مدرک به جایی نمی‌رسند اما در شرایط درماندگیِ فزایندهٔ دانشگاه و افت تحصیلی و در شرایطی که بیشتر دانشجویان از استادانِ نورچشمی‌های نظام و فاقد شایستگی تدریس هستند، راه پیشرفت برای بسیاری بسته است. با این‌که بیشتر افراد از تحصیل در دانشگاه در دورهٔ کارشناسی به جایی نمی‌رسند، باز برای دوره‌های کارشناسی ارشد و دکترا در مقیاس‌های صدها هزار نفری (آزمون کارشناسی ارشد بیش از ۴۰۰ هزار و آزمون دکترا بیش از ۲۰۰ هزار داوطلب) آزمون می‌دهند اما آن‌ها با کدام امید برای آیندهٔ خود می‌توانند طرح بریزند؟

اگر گشایشی هم در درآمدهای کشور صورت بگیرد، چاله‌های فساد، امتیازات حاکمان، جهان‌گشایی و بحران‌سازی‌ها آن‌ها را فرو خواهند داد. روندهای موجود نشان می‌دهند که کشور ظرفیت ایجاد اشتغال و مسکن و دیگر امکانات زندگی برای ۹ میلیون جوان ایرانی در سال ۱۴۰۰ را نخواهد داشت. به همین علت است که هم جوانان زادهٔ دههٔ هفتاد خورشیدی از تن دادن به ازدواج می‌گریزند (کاهش ۳۰۰ هزار موردیِ ازدواج در شش سال گذشته)، هم خانواده‌ها با وجود سیاست‌های تشویقی به افزایش جمعیت به تک‌فرزندی روی آورده‌اند و هم افراد ثروتمند فرزندان خود را به جای تحصیل در داخل به خارج از کشور اعزام می‌کنند (حدود ۱۰۰ هزار دانشجوی در حال تحصیل در خارج از کشور) تا زمینهٔ باقی ماندن آن‌ها را در غرب و یا کشورهای دیگر را فراهم کنند.

قدرت سیاسیِ اسلام‌گرا درک واپس‌گرایانه و ایدئولوژیک نسبت‌به جوانان دارد. در این نظام انتخاب جوانان محدود است: کرنش در برابر نظام ولایت فقیهی با عضویت در دستگاه‌های نظامی و جاسوسی و دیپلماتیک وابسته‌به حکومت، تبدیل به تکنوکرات‌های جزم‌اندیشِ حکومتی در دستگاه اداری، ورود به اقتصاد غیرحکومتی با نابسامانی‌های فزاینده و ناامنی راه سرکشی و زندان و افسردگی اجتماعی و روانی و غلتیدن به گرداب آسیب‌های ناهنجار و ویرانگر و، سرانجام، احتمال خروج از کشور و پروژهٔ شغلی و تحصیلی در سرزمین‌های دیگر.

کشور ما در سیطرهٔ نظام اسلامی نیروی جوان خود را هدر می‌دهد. کشوری که محیط زیست خود را ویران می‌کند، به قوای فرهنگی آسیب می‌زند، جوانان خود را به بیراهه می‌کشاند و انرژی آن‌ها را در عرصهٔ دانش و اقتصاد و فرهنگ و هنر نابود می‌کند در «خودویران‌گری» به سر می‌برد و سقوط قطعی خود را آغاز

کرده است. این جوانان می‌توانند در آینده نویسنده، هنرمند، دانشمند، پژوهشگر، رئیس‌جمهور، ستاره‌شناس، صنعت‌گر، پزشک، کارشناس، مورّخ، فیلسوف، جامعه‌شناس، مهندس، ورزشکار، فضانورد، کارگر فنی، وزیر، دیپلمات سازمان ملل، تکنیسین، بازیگر سینما، سرمایه‌گذار، مخترع، آموزگار و غیره باشند اما این سرنوشت احتمالی در الگوی کنونی بسیار ضعیف است و در معرض خطرهای گوناگونی قرار دارد. نبود عدالت اجتماعی و برابریِ حقوقی شهروندان ایرانی هر گونه امید اجتماعی و امکان پروژهٔ شخصی را نابود می‌کند. دیوان‌سالاریِ حاکمْ کارشناسان فنیِ خود را خواهد داشت ولی بخش زیادی از توانایی جوانان در جامعه به هدر خواهد رفت.

اگر به اقتصاد جهان نگاه کنیم به‌آسانی درمی‌یابیم که بسیاری از بنگاه‌های بزرگ دیجیتال مانند مایکروسافت و فیس‌بوک و گوگل توسط جوانان آفریده شده‌اند. این الگوی اقتصادی نقش قاطعی در اقتصاد جهانی دارد. تعداد بی‌شماری از بنگاه‌های دیجیتالی در جهان با ابتکار جوانان دانشگاه‌های باکیفیت و امکان مالی و قوانینی حمایت‌گر به وجود آمده. جوانان ایرانی دارای استعداد زیادی هستند ولی محیط سیاسی و مزاحمت‌های دولتی و مداخله‌های دینی و عدم پشتیبانی دولتی مانع بهره‌گیریِ لازم از این استعدادها می‌شوند.

فیلم و چالش جامعه‌شناختی و فلسفی

سینما عرصهٔ اندیشه را باز می‌کند و میدان خیال و آرزو را دامنه می‌بخشد. انسان‌های تک‌بُعدی فقط به یک چیز نگاه می‌کنند و گفتمان آن‌ها خشک و محدود است. ما به هنر و ادبیات نیاز داریم تا ذهن خود را شاداب کنیم و از یک جانبه‌نگری دور باشیم و بیندیشیم. هنر سینما نیز راهی برای شناخت جهان یا نگاهی دیگر به جهان است. همان‌گونه که تراژدی و تئاتر به‌هم‌پیوسته هستند فیلم و فلسفه نیز به یکدیگر وابسته‌اند. فلسفه از دو هزار و پانصد سال پیش عرصهٔ اندیشیدن فلسفی بوده است. سینما تکنیک صدساله‌ای است که به فلسفه تحرک و دامنه بخشیده. هر فیلم هنری نوعی نگاه فیلسوفانه به جهان است. فیلم‌هایی از چارلی چاپلین، وودی آلن، سَم مِندِس، مارتین اسکورسیزی، مایکل مان، استَنلی

کوبریک، کلینت استیوود، فرانسوا تروفو، ژان لوک گودار، سیدنی لومه، اورسن ولز، رنه کلر، ژان فورد، ژان رونوار، لوک داردن، فرانسیس کاپولا، ویکتور فلمینگ، فرانک دارابون، اِستیون اِسپیلبرگ، ژورژ لوکاس، داوید لین، میلوس فورمن، آلفرد هیچکاک، کانتن تارانتینو، عباس کیارستمی، ژاک دمی، اصغر فرهادی، جعفر پناهی، داریوش مهرجویی، بهرام بیضایی، آرتو پن، آکیرو کوروسوا، کن لوچ، و دیگران حاکی از نگاه نافذ و نیرومندی به جهان ما هستند.

فیلم‌های هنری زندگی را مانند فلسفه توضیح نمی‌دهند ولی قدرت پرداخت به زندگی توسط فیلم تصویر و انتزاع و احساس و هیجان را به فکر پیوند می‌زند. فلسفه پرش در درون اندیشهٔ نوشتاری است که پیش‌داوری‌ها را می‌شکند و درک ما را به‌سوی جهان‌نگریِ تازه‌ای سوق می‌دهد، حال آن‌که سینما نیز نگاه را به هم می‌ریزد، یقین را تکان می‌دهد و اندیشه را دگرگون می‌کند. به‌گفتهٔ فیلسوف فرانسوی، ژیل دولوز، تصویر سینمایی می‌تواند بی‌درنگ بینش تازه‌ای بیافریند، احساس تازه‌ای به وجود آورد و مقوله‌های جدیدی شکل دهد.

به دیدن فیلم «۱۹۱۷» رفتم، فیلمی ساختهٔ سَم مِندِس، کارگردان انگلیسی، و دربارهٔ جنگ جهانی نخست. این فیلم پرسشی دربارهٔ چرایی و منطق و هدف جنگ است. در آغاز، جنگ به‌دنبال ترور ولیعهد امپراتوری اتریش-مجارستان توسط یک ملی‌گرای صرب درگرفت و کل اروپا را وارد درگیری کرد و ۱۰ میلیون انسان را کشت. قهرمان فیلم حامل پیامی برای جلوگیری از یورش جنگی است و شما تمام زشتی‌های جنگ و آرزوهای بربادرفته و توهّم‌های انسان را در آن می‌بینید. معنای جنگ‌ها چیست؟ بخشی از بشریت باید بخشی دیگری را نابود کند تا خود بماند؟ جنگ دوم با توطئه‌های نازیسم آغاز شد و هیتلر شش میلیون یهودی را خفه کرد و کشت و، در مجموع، در این جنگ ۶۰ میلیون انسان نابود شدند. جنگ ایران و عراق با تحریکات صدور انقلاب اسلامی از سوی خمینی آماده شد؛ صدام جنگ را آغاز کرد، خمینی خواستار ادامهٔ آن شد و یک میلیون ایرانی و عراقی نابود شدند. جنگ آمریکا در عراق با یک ادعای دروغین آغاز شد و در پی خود داعش را به وجود آورد و تمام منطقه هنوز در بحران ناشی از آن قرار دارد. فردا اگر جنگی میان ایران و دیگران شکل بگیرد، چه کسی مسئول است و نتایج آن چه خواهد شد؟ تمام رویدادهای چهل سال گذشته نشان داده‌اند که جمهوری اسلامی همیشه در پی تحریک بوده است. سیاست نظامی و سپاه قدس، سیاست موشکی،

سیاست اتمی، بحران‌سازی علیه آمریکا و عربستان و اسرائیل از جمله اقدامات استعماری و تحریک‌کننده جمهوری اسلامی بوده است. این رژیم دینی برای بقای خود خواهان تبلیغات جنگی و تحریکات نظامی است. تحریک جنگی همیشه مهارشدنی نیستند. اگر روزی جنگی پیش آید، جمهوری اسلامی مسئول اصلی آن است. نتایج چنین جنگی فاجعه‌ای بزرگ خواهد بود. مردم ما رفاه و آرامش و آزادی می‌خواهند و رژیم اسلامی بحران و جنگ. پایان دادن به جمهوری اسلامی نخستین گام برای دوری از جنگ و پشتیبانی از صلح است.

فیلم هایی مانند «پلاتون» در ۱۹۸۶، «خط سرخ» در ۱۹۹۸، «اپوکالیپس نو» در ۱۹۷۹، «زندگی زیباست» در ۱۹۹۷، «نجات سرباز رایان» در ۱۹۹۸، و دهها فیلم دیگر تراژدی جنگ را بنمایش گذاشته اند. فیلم بمثابه یک هنر و بمثابه یک آموزش سیاسی، گاه همچون صدای اعتراض بشریت علیه دیوانگی بشریت است. اینگونه فیلم‌ها چالش جامعه شناختی در زبان هنر را بیان می‌کنند.

تدارک انقلاب اسلامی

محمدرضا شاه پهلوی در ۲۵ شهریور ۱۳۲۰ به قدرت رسید و روز ۲۶ دی‌ماه ۱۳۵۷ از ایران رفت و در ۱۲ بهمن ۱۳۵۷ آیت‌الله خمینی به ایران بازگشت و در ۲۲ بهمن ۱۳۵۷ انقلاب اسلامی به وقوع پیوست. احمد خمینی، آیت‌الله حسن لاهوتی، محمدعلی صدوقی، سیدمحمود دعایی، هادی غفاری، محمد منتظری، سیدمحمد موسوی خوئینی‌ها، حسن حبیبی، محمدمهدی عراقی، حبیب‌الله عسگراولادی، ابراهیم یزدی، سیدابوالحسن بنی‌صدر، سیدصادق طباطبایی، صادق قطب‌زاده، محسن سازگارا، اسماعیل فردوسی‌پور و دیگران از همراهان خمینی بودند. شخص شاه ۵۹ساله به همراه شهبانو فرح، خلبان هواپیمای سلطنتی، بوئینگ ۷۲۷، به‌نام «شاهین پادشاه» را به دست گرفت و هواپیما پس از صعود به آسمان تهران به‌سمت اسوان در مصر پرواز کرد. در آنجا انور سادات، رئیس‌جمهور مصر، از شاه ایران استقبال کرد. شاه در هنگام خروج توسط شاپور بختیار و جواد سعید، رئیس مجلس، و علی‌نقی اردلان بدرقه شد. زمانی که شاه خارج می‌شد، عده‌ای از سران ارتش به‌صورت پنهانی با محافل آمریکایی صحبت کرده بودند و گفت‌وگوهایی نیز

میان محافل آمریکایی و هواداران خمینی همچون یزدی و قطب‌زاده در پاریس انجام گرفته بود. حرکت برای تصرف قدرت سیاسیِ خمینی آغاز شد و زنجیره‌ای از اعتراضات در دوره‌های چهل‌روزه (به‌تقلید از سنت مراسم سوگواری در شیعه) شکل گرفت. خمینی در یک مصاحبه در ۹ مه سال ۱۹۷۸ برابر با ۹ اردیبهشت ۱۳۵۷ با روزنامهٔ لوموند سرنگونی و برچینیِ حکومت پهلوی و قانون اساسی ایران را خواستار شد. گویا مذاکرهٔ پشت پرده سرنوشت قدرت را روشن کرده بود. آیت‌الله خمینی مطمئن از پیروزی، پیوسته عبارت «زمانی که ما به قدرت رسیدیم» را تکرار می‌کرد. در نوامبر ۱۹۷۸ کریم سنجابی شرایط خمینی را پذیرفت و بخش بزرگی از روشنفکران چپ و ملی و دموکرات و جوانان با خمینی همسو شدند. افکار شریعتی و بینش آل احمد و شیفتگی نخبگان نسبت‌به خمینی گسست با رژیم شاه را قطعی کرد و مذاکرات چندجانبه آخرین دشواری‌ها را کنار گذاشت و همه با هم به‌سوی قدرت خیز برداشتند. در آغاز، شاه فکر می‌کرد که «اسلام راه نجات بشریت است» و روحانیت را متحد خود در برابر کمونیسم می‌دانست ولی پیشامدها مسیر دیگری را پیمودند و کمونیسم با خمینیسم متحد شد.

نقش دست‌کاری در تاریخ چیست؟ نقش توطئه‌گری چیست؟ آن‌جا که صحبت از جنبش مردم می‌شود چه دست‌های بی‌شماری در پس پرده نقش‌آفرینی می‌کنند؟ منافع متضاد به امتیازگیری دست می‌زنند ولی وانمود می‌کنند توده‌ها نقش‌آفرین هستند. از دید جامعه‌شناختی، جنبش‌ها به‌طور آشکار نقش دارند ولی هزاران بازیگر پنهانی هم با راهبردهای خود فعال‌اند. این بازیگران گاه موفق می‌شوند و گاه شکست می‌خورند ولی این بازی‌ها را نمی‌توان از جنبش‌ها جدا ساخت.

نقش هر یک از افراد پیرامون خمینی در پاریس چه بود؟ چرا شاه نتوانست در ماه‌های پایانی قدرت سیاسی خود را حفظ کند؟ چرا ارتش شاه به شاه پشت کرد؟ چرا دولت ۳۷روزه بختیار تداوم نیافت؟ چرا جبههٔ ملی با خمینی ساخت؟ چگونه آیت‌الله خمینی با همراهان خود قدرت را تدارک دید و آن‌ها چگونه با هیجان‌های عاطفیِ خرافه‌آمیز تودهٔ مردم و شیعه‌گری مست‌کننده و هسته‌های مسلح کمیته‌های انقلابِ و تبلیغ گفتارهای خمینی قدرت را به چنگ آوردند؟ چرا شاه و بختیار باختند و چرا اسلام‌گرایان و تحجر اسلامی پیروز شد؟ پاسخگویی به این پرسش‌ها ما را برای درک چگونگی واژگونی حکومت اسلامی کمک می‌کند. تاریخ لحظهٔ انقلاب اسلامی نوشته نشده است و بسیاری گفت‌وگوهای پنهانی آشکار نشده‌اند. نخبگان

سیاسی که پروژهٔ کسب قدرت دارند باید توجه ژرفی به مسائل تاریخ معاصر بکنند.

پژوهش دربارهٔ قرآن

از سال‌های ۹۰ میلادی نقد به اسلام و قرآن را به‌طرزی پیگیر و عریان در دستور کار خود قرار دادم. این تلاش متکی‌بر ارزیابی من از ضرورت یک دگرگونیِ عمیق فرهنگی و پیشبرد پروژهٔ نوگرایی در ایران است. منابع غربی در بررسیِ اسلام و قرآن مشوق کار من بوده‌اند. هیچ اسلام‌گرایی نمی‌توانست یک کار پژوهشی علمی دربارهٔ قرآن ارائه دهد. تنها کسانی که قرآن و تقدس آن را پیش‌شرط قرار نمی‌دادند می‌توانستند به حقیقت‌گوییِ علمی بپردازند. پژوهش‌ها همیشه متفاوت و چه بسا متضادند. کار علمی در بسترِ پیشرفت خود به مطالب و نتیجه‌گیری‌های تازه‌ای می‌رسد. آن‌چه مهم است رازز‌دایی است تا همهٔ موضع‌ها به‌کار دانشگاهی و آزمایشگاهی تبدیل شوند. جامعهٔ ایران در برخورد با دین و قرآن همیشه در تعبد و سرسپردگی باقی مانده است. نخبگان جامعه اسلام‌خو هستند و فاقد درک انتقادی و در فضای فرهنگ رایج دینی و عامیانه فلج و بی‌سواد باقی مانده‌اند. من در روند کار پژوهشی خود با محیط دانشگاهی وارد بحث شدم و برنامه‌های رسانه‌ای و نوشتارهایم انگیزهٔ مرا تقویت کردند.

پژوهش دربارهٔ قرآن و اسلام نخستین یکی از عرصه‌های اساسی در کالژ دوفرانس است. همکارم، فرانسوا دَروش، یکی از پژوهش‌گران برجستهٔ فرانسوی در زمینهٔ اسلام‌شناسی و خود یکی از پایه‌گذاران مکتب فرانسه در بررسی قرآن است. نوع پژوهش‌های ما همسوست و در فرانسه پروژهٔ پژوهش دربارهٔ قرآن ادبیات علمی برجسته‌ای را به وجود آورده است. چند دهه است که من در این عرصه در حال پژوهشم و فکر می‌کنم نقد قدسیت دینی و تبدیل نقد قرآن به یک مفهوم عادیِ دانشگاهی برای جامعهٔ ما ضروری است. هدف این بررسیِ قرآن رازگشایی و توهّم‌زدایی است. نقد قرآن عامل مهمی در گسترش خِردگَرایی و نوگرایی فکری است. ما نشان می‌دهیم که چگونه قرآن در طی چند قرن توسط کاتبان گوناگون تنظیم شده، دربرگیرندهٔ لایه‌هایی از نوشتارهای توراتی و انجیلی است و چگونه خلفای عرب جهت‌دهندهٔ نگارش و سَبک قرآن بوده‌اند. قرآن از

آسمان نیامده است، قرآن را به‌ویژه در زمان عباسیان تنظیم کرده‌اند و قرآن رسمیِ کنونی محصول ۱۹۲۴ است. تازه‌ترین کتاب من یعنی «بررسی تاریخی، هرمنوتیک و جامعه‌شناختی قرآن» یکی از نتایج این‌گونه پژوهش‌هاست و در آن تمام این جنبه‌ها به‌طور دقیق بررسی می‌شوند. روشن است که کار پژوهش پایان ندارد نتایج امروز می‌تواند در گام بعدی تغییر کند و یا دقیقتر بشود.

در پیشبرد این کار جدی، فشارهای دشمنانهٔ بی‌شماری را تاب آوردم ولی هرگز جهت کار را تغییر ندادم. نیروهای نواندیش دینی و چپ سنتی و سیاسیون مصلحت‌اندیش و روشنفکران بی مایه و کم دانش پیوسته از من خواستند که بر قرآن و اسلام نقد ننویسم. آن‌ها با اندیشه‌های واپس‌گرایی مانند «احترام به دین توده»، «انتقاد به قرآن اولویت ندارد» و یا «انتقاد به قرآن نژادپرستی است» پیوسته تلاش کردند تا جلوِ نقد علمی و باجسارت را بگیرند. من در پروژهٔ خود استوار بودم و به انتشار کتاب و مقاله ادامه دادم. رفته‌رفته دیدم که شمار فزاینده‌ای از شهروندان و تحصیل‌کردگان از این کار نقادانه و هرمنوتیک استقبال کردند. امروزه در ایران و خارج از آن گسترهٔ گسترده‌ای به ضرورت نقد قرآن و اسلام رسیده‌اند و در انتشار و ترویج این اندیشه‌های انتقادی تمام همت خود را به کار می‌گیرند. آزادی اندیشه در نقد قرآن و دین اسلام هرچه بیشتر پرتوان‌تر می‌شود و این شادمانی‌بخش است.

کافی نیست که بگوییم اصل خِردگرایی لازم است. ما باید به‌طور دقیق نشان دهیم که در جامعهٔ ایران نوگرایی از نقد قرآن و اسلام و شیعه‌گری می‌گذرد. این خِردگرایی در نقد قدرت سیاسی موجود و تمامی آثار این دین در جامعهٔ ما و جهان معنا می‌یابد. روشن است که همهٔ جهان‌بینی‌ها و دین‌ها و سیاست‌ها پیوسته باید مورد انتقاد قرار گیرند ولی معضل مهم جامعه ما اسلام است. فرهنگ نخبگان و فرهنگ عامیانه و ادبیات و اخلاق روزمرهٔ ما به فرهنگ قرآنی آلوده است. کوته‌فکران تلاش دارند که از این مبارزه نظری و فلسفی و سیاسی جلوگیری کنند، حال آن‌که این مبارزه در ارتباط با یک چالش بزرگ جامعهٔ ایرانی قرار دارد.

حال ممکن است به من خرده بگیرند که چرا واژه «آلوده» را بکار می‌گیرم. آلودگی انبوه زمین توسط گازکربنیک و گاز گلخانه ای جز بیماری و تخریب اکوسیستم‌ها و ویرانگری در سلامتی انسان و طبیعت نتیجه دیگری نخواهد داشت. شیعه گری جز خرافه گری و انحطاط فکری هیچ نتیجه دیگری ندارد. جبر روانی

ناشی از قرآن همه افکار را مسدود می‌سازد. بنابراین ما باید قدسیت را نقد کنیم و روان ایرانیان را از انجماد مقدس خارج سازیم. بسیاری از نخبگان ایرانی دستخوش عقب ماندگی هستند. آنها قرآن را بطور علمی و انتقادی نخوانده و خواندنشان از سر وفاداری به دین است. از کتاب هزار لایه و چهل تکه قرآن باید اسرارزدایی صورت گیرد و نشان داده شود که در قرآن جای پای قبایل عرب و قبایل یهودی و نصارا و نیز خلافای گوناگون عرب و تمام بنی امیه و عباسیان و فرهنگ‌ها و سنت‌های خاورمیانه ای پس و پیش اسلام، وجود دارد. هنگامیکه قرآن زمینی می‌گردد توهم و قدسیت فرو می‌ریزد.

جنبش شعوبیهٔ ایرانیان در برابر استعمار عربی ـ اسلامی

رومن گیرشمن، مورّخ و باستان‌شناس فرانسوی و کارشناس ایران باستان، می‌گوید: «ملت ایران در برابر همهٔ یورش‌های مقدونیه، عرب، مغول و تُرک نه‌تنها توانستند نیروی ادامهٔ زندگی خویش را حفظ کنند بلکه موفق شدند این عناصر خارجی را ایرانی کنند؛ این ملت در طی تاریخ متمادی خویش نیروی حیاتیِ شگفت‌انگیزی از خود نشان داده‌است.» یکی از جلوه‌های این نیروی حیاتی جنبش شعوبیه است که خود از جنبش‌های گوناگون ایرانیان در برابر خلفای عرب است. پرفسور گلدزیهر، خاورشناس آلمانی، شعوبیه را در دسته‌ها یا حزب مخالفان معرفی می‌کند و می‌نویسد: «باید دانست که این حزب را توده‌های مخالف و اراذل‌واوباش تشکیل نمی‌دادند بلکه گروهی از نویسندگان، ادبا، شعرا و نخبگان روشنفکر از پدیدآورندگان آن بودند. دوران شکوفایی این نهضت را می‌توان قرن‌های دوم و سوم هجری دانست.» (برگ ۱۵۶ شعوبیه)

تصرف استعماریِ عرب اسلامی از همان آغاز خواهان نفی کیستیِ ملت‌ها بود. امویان از برتری‌جویی عرب و تحقیر عجم به جایی رسیدند که غیرعرب مانند ایرانیان را «موالی» می‌خواندند. حاکمان عرب بر آن بودند که عجم مسلمان حق ازدواج با عرب را ندارد، عجم حق ارث ندارد، عرب می‌تواند زن عجم بگیرد و از ارث برخوردار باشد، عجم باید به کار پَست گمارده شود و حق امامت ندارد. این سیاست تحقیر خط پررنگ یورش و چیرگی بود. واکنش ایرانیان در برابر تبعیض

نژادیِ اعراب سکوت نبود و بلکه بی‌درنگ و گوناگون بود. جزم‌اندیشان اسلام‌گرا همیشه واقعیت‌های تاریخی را پنهان کرده‌اند ولی مردمان ایران‌زمین با اسلام و قدرت عرب مخالف بوده‌اند. این مخالفت‌ها و اعتراض‌ها به سه گرایش مهم تقسیم می‌شوند. یکی از این گرایش‌ها قیام‌های نظامی و سیاسی در برابر حاکمان بود. گرایش دیگر با قیام‌های مذهبی و ایستادگی در برابر دستگاه خلافت روشن می‌شود. گرایش سوم هم مبارزهٔ فرهنگی توسط شعوبیه است که بسیار گوناگون و بزرگ بود و تا چند سده ادامه داشت.

جنبش شعوبیه فرهنگی و اجتماعی بود. در واقع، شعوبیه نام بزرگ‌ترین جنبش ایرانیانِ پس از استیلای اعراب و در برابر امویان و عباسی است. در آغاز، زورگویی حاکمان عرب ایرانیان را به این فکر انداخت که رفتار حاکمان عرب با قرآن خوانایی ندارد. ایرانیانی بودند که برای رویارویی با استعمارگران با اتکا بر متن قرآن در سورهٔ حجرات آیه ۱۳ ملاک برتری میان شعوبِ و قبائل را تقوای الهی می‌شمرند و به شعوبیه مشهور شدند. قرآن می‌گوید: «يَا أَيُّهَا النَّاسُ إِنَّا خَلَقْنَاكُم مِّن ذَكَرٍ وَأُنثَىٰ وَجَعَلْنَاكُمْ شُعُوبًا وَقَبَائِلَ لِتَعَارَفُوا ۚ إِنَّ أَكْرَمَكُمْ عِندَ اللَّهِ أَتْقَاكُمْ ۚ إِنَّ اللَّهَ عَلِيمٌ خَبِيرٌ.» (حجرات، آیه ۱۳) این ایرانیان بر این باور بودند که خطا از حاکمان است، حال آن‌که قرآن دیدگاه مساعدی نسبت‌به آن‌ها دارد. البته ایرانیان می‌دانستند در قرآن، این دینْ دین قوم عرب معرفی شده ولی آن‌ها ستم حاکمان را از کتاب‌شان جدا می‌کردند.

ایرانیان دیگری در ادامهٔ دیدگاه پیشین تندروتر شده و در برابر تبعیض و بیدادگری اعراب راه مخالفت با سلطهٔ عرب را در پیش گرفتند و خواهان پشتیبانی از کیستیِ فرهنگی و استقلال ایرانیان بودند. این ایرانیان در عرصهٔ فرهنگی و سیاسی به دستاوردهای فرهنگ ایرانی رجوع کردند. استعمار عرب خواهان زدودن فرهنگ ایرانی بود و «پان‌عربیسم» همان استعمار خلافت اعراب بود که رشد خود را در نفی کیستیِ دیگران می‌دید. شعوبیه بیان نوعی «ملی‌گرایی ایرانی» یا میهن‌پرستی و کیستی‌خواهی، نوعی حرکت ضداستعماری فرهنگی است. این ملی‌گرایی به‌معنای امروزی نبود بلکه کیستی‌خواه بود و فرهنگ ایرانی را در برابر عربیت قرار می‌داد. در آغاز، این جنبش با خلفای اموی و کارگزاران آن‌ها مخالف بود ولی رفته‌رفته به جنبش فرهنگی و کیستی‌خواهی تبدیل شد.

اعراب و قبایل گرسنه و بیابان‌گرد و راهزنان چپاول‌گر برای ویرانی آمدند

و برای غنیمت‌گیری به جنگ پرداختند و افزون‌بر آن‌ها خواهان ویرانیِ فرهنگ و زبان ایرانیان بودند. تحقیر ایرانیان در نزد شورشیان رایج بود. محمد بن احمد شمس‌الدین المقدسی، جغرافیادان قرن چهارم هجری، در احسن التقاسیم فی معرفهٔ الاقالیم در سفرهای خود روحیات حاکمان را معرفی و حدیثی را این‌چنین مطرح می‌کند: «مبغوض‌ترین زبان‌ها در نزد خدا زبان فارسی است و زبان خوزستان زبان شیطان است و زبان اهل جهنم زبان بخارایی و زبان اهل جنت زبان عربی است.»

ابن قتیبه بن مسلم دینوری، زادهٔ ۲۱۳ هجری، ادیب مکتب بصره در جوانی به هنگام نبرد فرهنگی و قومی عرب و عجم هوادار اهل «تسویه» و شعوبیه بود و در انتقاد به عرب کتاب التسویه بین العرب و العجم را نوشت ولی زمانی که به قدرت قضاوت رسید و والی شد به پان‌عربیسم کشیده شد و دو کتاب الرد علی الشعوبیه و فضل العرب علی العجم را نوشت. (دکتر نات، گلدزیهر و افتخارزاده، اسلام در ایران، شعوبیه، نهضت مقاومت ملی ایران، برگ ۱۰۲) ابن قتیبه علیه کسانی که خط خوارزمی می‌نوشتند و سنت علمی و باستانی سرزمین خود را می‌شناختند با شدت عمل برخورد می‌کرد. «خداوند ما را به قتال شما اعاجم فرمان داده و جهاد با شما را بر ما واجب فرموده و بندگی شما را خواسته ما قرارداده است.» (همان، برگ ۳۱۶) این احکام در بسیاری از نوشتارها و روایت‌های دوران بنی‌امیه و بنی‌عباس جاری بودند. جاحظ، که هوادار پان‌عربیسم امویان و عباسیان بود، در آثار خود و از جمله در کتاب الحیوان عجم را بنده معرفی کرده و برای او حتی حیوانات جزیره‌العرب بر حیوانات ممالک عجم برتری دارند. ایرانیان برای نوروز و مهرگان دو روز خراج به عمال خلیفه می‌پرداختند. حاکمان فرمان داده بودند که ایرانیان همه باید عربی بدانند و ریش بگذارند و قرآن بخوانند و در مسجد حضور یابند. (همان، برگ ۳۱۸)

شعوبیه به‌نوبهٔ خود یک خط محکم ایستادگی و پاسخگویی به پا کرده بودند. اسناد بی‌شماری در دست است که این جبهه‌بندی ستم عرب را آشکارا نشان می‌دهند. فضای عمومیِ ضدیت با فرهنگ ایرانیان نخبگان ایرانی‌تبار را به ایستادگی واداشت. آن‌ها نمی‌توانستند در دوران سلطهٔ عرب خاموش باشند. این نخبگان برای نشان دادن هوش و حتی برتری خود به زبان عربی تسلط پیدا کردند و کارشناس رشته‌های فلسفه و ستاره‌شناسی شدند و نیز در پی زنده کردنِ اساطیر و شکوه پادشاهان خود بودند. ادوارد براون در کتاب تاریخ ادبیات

ایران می‌نویسد: «وجه مشترک همهٔ این فرقه‌های قدریه و شعوبیه و معتزله و اخوان‌الصفا که، توسط ایرانیان پا گرفتند، اعتراض مداوم و عمیق شعور و اصالت انسانی به تبعیض‌های جابرانه‌ای بود که تعلیمات تعصب‌آمیز به‌نام مذهب بر آنان تحمیل می‌کردند.» ملک‌الشعرای بهار نیز در کتاب سبک‌شناسی می‌نویسد: «یکی از عوامل بزرگ احیاء زبان پارسی و به وجود آمدن زمینهٔ تدوین شاهنامه و امثال آن در خراسان تأثیر نهضت شعوبیه و آزادمردان ایرانی بوده است. این نهضت با وجود این‌که گاهی به بیراهه رفت اما، در کل، باعث یک رنگ شدن ملت شد.»(۱)

چند تن از کسانی که از تبار ایرانی بودند و به زبان عربی مسلط شدند و به جنبش شعوبیه تعلق داشتند:

- حمزه بن الحسن اصفهانی کتاب‌هایی با روحیهٔ میهن‌پرستی نوشت و نوشته‌هایی پیرامون تاریخ گذشتهٔ ایرانیان تنظیم کرد.

- اسماعیل بن یسار نسایی، شاعر عربی‌سرای ایرانی‌تبار سدهٔ دوم هجری و همزمان با امویان، که از پیروان شعوبیه بود و دربارهٔ نیاکان ایرانی‌اش شعر سروده بود.

- بَشّار، پسر بُرد پسر یرجوخ تخارستانی، شاعر ایرانی‌تبار زمان امویان و عباسیان بود و شعرهای او در ستایش ایرانیان و نکوهش تازیان است. یک بار خلیفهٔ عرب به بشار می‌گوید: «ای بشار، تو ما را کوچک می‌کنی و موالی را با ما می‌شورانی که ترک ولاء ما گویند و به اصل‌ونسب ایرانی خود بازگردند، در حالی که تو خود نژاد پاک و اصل معروفی نداری.»

بشار نیز در اعتراض می‌گوید: «به خدا سوگند، نژاد من از زر ناب پاک‌تر و بهتر است و اصلم از کردار نیکان و پرهیزگاران پاکیزه‌تر. بر روی زمین حتی سگی هم نیست که آرزوی پیوستن به نژاد تو را داشته باشد.»

- سهل بن محمدبن عثمان بن یزید سجستانی، معروف‌به ابوحاتم سجستانی، از بزرگان علم وادب فقه و حدیث در سیستان بوده و در سدهٔ سوم می‌زیسته است. از وجوه قابل توجه در دانش ابوحاتم آشنایی او به زبان فارسی است. ابوحاتم به شیوهٔ معمول سده‌های نخست اسلام در نوشته‌های لغوی خود اطلاعات جغرافیایی، مطالبی دربارهٔ گیاهان و جانوران و نیز اوضاع جَوّی به دست داده است.

- ابویعقوب اسحاق بن حسّان بن قوصی خُرَیمی سُغدی، که در سال ۲۰۰ هجری درگذشت، شاعر ایرانی عربی‌گوی روزگار عباسیان و سدهٔ سوم و جزو

شعوبیه بود. او در خراسان می‌زیست و سغدی‌تبار بود و به‌نظم گفته است: «من مردی از بزرگان سغدم و رگ و پوستم از نژاد پاک ایرانی است.» گلدزهیر دربارهٔ او می‌نویسد: وی ایرانیان را به برکناری و راندن تازیان دعوت می‌کرد. او از زبان قومش فریاد برآورد که «من یک عجم اصیل هستم و خواهان میراث پادشاهان ایرانی. به پسران هاشم بگو، پیش از پشیمانی تسلیم شوید، بساط‌تان را جمع کنید، به جزیره‌العرب برگردید و دوباره سوسمار بخورید و گله‌هاتان را بچرانید، در حالی که من به مدد تیزی شمشیرم و نوک قلمم بر سریر سلطنت خواهم نشست.» (اسلام در ایران، شعوبیه، نهضت مقاومت ملی ایران نوشتهٔ دکتر ر.نات و پروفسور ایگناس گلدزیهر، برگ ۱۸۰)

– روزبه یا ابن مقفع از آیین مانی پشتیبانی می‌کرد و پیوسته حس ایرانی خود را نشان می‌داد.

– ابومحمد عبدالله ابن مقفع با نام اصلی روزبه پور دادویه معروف‌به اِبْنِ مُقَفَّع زاده فیروزآباد در سال ۱۰۴ هجری و مرگش به سال هجری ۱۴۲ در بغداد بوده است. او نویسنده و مترجم ایرانی آثار پهلوی به عربی بود و کتاب‌های زیادی از پارسی میانه به عربی برگرداند و از جمله کلیه‌ودمنه، تاجنامه انوشیروان، آیین‌نامه، سخنوری بزرگ و سخنوری خُرد نتیجهٔ تلاش‌های او بوده‌اند. کتاب‌های او به‌مثابه نمونه‌های خوب و شیوایی از نثر عربی‌اند. او سرانجام در سال ۱۴۲ هجری به‌دستور خلیفه و به‌دست سفیان بن معاویه به‌شکلی بسیار وحشیانه کشته می‌شود. دکتر زرین کوب در دو قرن سکوت می‌نویسد: «حاکم بصره، سفیان بن معاویه، نویسنده زندیق را فرو گرفت و فرمان داد تنوری افروختند و اندام وی را یک یک بریدند و پیش چشم او به آتش انداختند.»

این پدیده‌ها جلوه‌های گوناگونی از جنبش «شعوبیه» بوده‌اند و زمینه‌ساز دگرگونی‌های فرهنگی و ادبیات و شعر فارسی به شمار می‌آیند. مبارزهٔ ایرانیان با سلطهٔ عرب آسان نبود. از زمان تصرف ایران‌زمین، مردمان ایرانی جنگ و هجوم و غارت و تجاوز به زنان را تجربه کردند. در زمان چهار خلیفه و در طول حکم‌رانیِ امویان و عباسیان زورگویی و تحقیر عجم رفتار رایج حاکمان بود. پان‌عربیسم و پان‌اسلامیسم مخالف حقوق و زندگی و فرهنگ ایرانیانِ خط حاکمیت بود و فاتحان هیچ‌گونه آرامشی برای ملت‌های مغلوب باقی نمی‌گذاشتند. تنها شمشیر و تحقیر نصیب ایرانیان بود و این وضع بی‌درنگ واکنش پنهان و آشکاری را به رقم

زد و ایستادگیِ سیاسی و مبارزهٔ فرهنگی برای باقی ماندن و کیستی ادامه یافت.

یکی از راه‌های مبارزهٔ ایرانیان با حاکمان ارائهٔ تفسیر خود از قرآن و احادیث و حتی سندسازی به‌منظور جلوه دادنِ حقانیتِ خود در برابر اسناد و روایت‌های حاکمان بود. در تاریخ اسلام سندسازی و جعل بسیار گسترده است و همیشه خطر پذیرش جعل به‌عنوان تاریخ وجود داشته. حتی مخالفان قدرت‌های عرب مانند شعوبیه نیز جعل می‌کردند. آن‌ها برای توجیه مبارزهٔ خود روایت‌های گوناگونی بر اساس منافع‌شان تنظیم می‌کردند تا ضدیت با حاکمان عرب را از دید دینی توجیه کنند. برخی از اینان روایت و داستان ناواقعی می‌ساختند و حتی خود را به خاندان علی ابن ابی طالب می‌چسباندند تا مبارزه‌شان با خلیفهٔ عرب را تقویت کنند. ادامهٔ چنین جعل‌هایی به قصهٔ ازدواج ساختگی دختر یزدگرد پادشاه ایران با نوهٔ پیامبر امام حسین می‌انجامد. برای برخی از پژوهشگران در اینجا می‌توان نوعی «شعوبیه شیعه» را باز شناخت.

صف‌آرایی در برابر حکام اموی و عباسی و پان‌عربیسم نیازمند سازمان‌دهیِ اقدامات مناسب از سوی جنبش گستردهٔ شعوبیان متشکل از متکلمان، شاعران، مورّخان، راویان، سیاسیون و معترضان بود. گلدزهیر می‌نویسد: «شعوبی‌ها از یادآوری هر گونه هنر و دانشی که بشریت آن را مرهون عجم‌ها می‌دانست فروگذار نکردند: فلسفه، ستاره‌شناسی و حریربافی از جمله کارهایی بودند که عجم‌ها همزمان با توحّش تازی‌ها بدان‌ها مشغول بودند و در انجام‌شان ممارست به خرج می‌دادند.» جنبش شعوبیه زمینه‌ساز افکار و عواطفی است که از آغاز قرن دوم به‌صورت قیام‌های سیاسی و نظامی و مذهبی چون «ابومسلم»، «استاذسیس»، «بابک» و سپس سامانیان و طاهریان و صفاریان و غیره پدیدار می‌شود و در اساس برچیدن قدرت خلفای اموی و عباسی را نشانه گرفته‌اند.

یکی از پیامدهای برجستهٔ جنبش فرهنگی شعوبیه شاهنامه فردوسی است. فردوسی به بازگویی کیستی ایران و ملی‌گرایی می‌پردازد و در پی آن است تا اعتبار تاریخ باستان را در آینهٔ اساطیر و سیرهٔ باستانیِ خویش بنگرد. شاهنامه خواهان بازگرداندن غرور به ایرانیان است. (همان برگِ ۳۳۰)

بایران چوگردد عرب چیره دست / شود بی‌بها، مرد یزدان پرست

بمیرد فروزنده این آذران / از این بی‌هنر خیره سرتازیان

قلمرو فعالیت فرهنگی شعوبیه کدام است؟

- ادبیات: تفاخر نژادیِ عجم بر عرب در شعر حماسی و هجو حاکمان و اشرافیان عرب. در مواردی کژاندیشی نیز وجود داشته است ولی محور نمایش قدرت و استعداد ایرانی بوده است.

- تاریخ: جعل روایت‌های تاریخی در جهت اهداف سیاسی، احیای اساطیر ایرانی و تقدیس پادشاهان ساسانیان به‌منظور نفی حاکمیت عرب بوده است.

- تفسیر: تطبیق برخی آیات قرآن با اهداف شعوبیه و تطبیق آیات با اساطیر و تاریخ باستانی از ویژگی این کار فرهنگی است. نمونه تأویل ذوالقرنین بر کوروش هخامنشی و یا تفسیر سورۀ حجرات برای توجیه حقانیت شعوبیه در همین راستا هستند.

- حدیث و کلام: جعل احادیث از زبان پیامبر و امامان، هم‌آمیزیِ باورهای باستانی با باورهای اسلامی، اثبات آرا و باورهای باستانی در قالب مباحث توحید، بزرگ‌نمایی در تشیع و باورهای امامیه و ابداع مذاهب کلامی جنبه‌های دیگرِ این تلاش فرهنگی به شمار می‌آیند.

- فقه: به‌رسمیت شناختن هرچه بیشترِ دین باستانی ایران، تلاش برای تساویِ زبان عجمی و عربی، از اعتبار انداختن زبان عربی در عقدها و ایقاعات، پدیداریِ قواعد گوناگون برای پشتیبانی از منافع اقتصادی اشرافیت ایرانی از جمله ابتکارها در این زمینه بوده‌اند.

- عرفان: حلول معنویت ایرانی در تصوف، انتقال «روح آریایی» در ظرف‌های سامی، انتظار منجی از جمله نکته‌های این عرصه است.

حال، اگر بخواهیم شعوبیه را به‌شکل فشرده تشریح کنیم باید بگوییم: نخست، اندیشۀ آنان با عنصر پادشاهی همچون سایۀ پرورگار بر روی زمین است؛ دوم، گرایش مانی‌گری و زرتشتی‌گری، ویژگی آیین‌گراییِ شعوبیه است و گونه‌ای «شعوبیه شیعه» نیز گاه در این مجموعه قرار می‌گیرد؛ سوم، روحیۀ ملی‌گراییِ کیستی‌محورانه و باستان‌گراییِ ایرانی روان آنان را ساختار داده است؛ چهارم، ابتکارهای فرهنگی و ادبی و فکری آنان با هدف اثبات قدرت خود در برابر حاکمان ستم‌گر استعمارگر شکل گرفته.

پژوهش علمی دربارۀ جنبش شعوبیه باید ادامه یابد تا جنبه‌های تاریک آن روشن شوند. نوشتۀ پیش رو کوششی برای فهم بهترِ رویدادهایی است که از ذهن

جامعه حذف شده‌اند. تاریخ را باید جدا از مصلحت‌خواهی‌ها و بدون جعل و با دقت بازتاب داد. البته همیشه امکان اشتباه وجود دارد.

کتاب‌شناسی در زمینهٔ شعوبیه:

آذرنوش و زریاب خویی، «ابن مقفع»، دائره المعارف بزرگ اسلامی ۱۳۷۰،

اقبال آشتیانی عباس، «شرح حال عبدالله ابن مقفع»، برلین ۱۹۲۶،

عباس اقبال آشتیانی، تاریخ طبرستان (۱۳۲۰)

محمدی ملایری، محمد، تاریخ و فرهنگ در ایران، دوران انتقال از عصر ساسانی به عصر اسلامی، انتشارات یزدان، ۱۳۷۲

رسول جعفریان، «شعوبیگری و ضد شعوبیگری در ادبیات اسلامی» آینه پژوهش، خرداد و تیر ۱۳۷۵،

دکتر ذبیح‌الله صفا تاریخ ادبیات در ایران. تهران، فردوس،۱۳۷۱،

عبدالحمید آیتی، «شعوبیه پیشاهنگان نهضت استقلال طلبی ایران»، دی ۱۳۴۹،

حسین‌علی ممتحن نهضت شعوبیه و نتایج سیاسی و اجتماعی آن، ۱۳۵۳،

محمودرضا افتخارزاده، شعوبیه، ناسیونالیسم ایرانی، چاپ دوم. تهران ۱۳۷۶

دکتر ناث، گلدزیهر و افتخارزاده، اسلام در ایران، شعوبیه، نهضت مقاومت ملی ایران، ۱۳۷۱

مرتضی راوندی، تاریخ اجتماعی ایران.

The Social Significance of the Shuubiya", Gibb

ترجمه شاهنامه فردوسی به زبان فرانسه

ترجمه کامل شاهنامه فردوسی به زبان فرانسه انتشار یافت. مترجم شاهنامه «پی یر لوکوک» بوده و پیشگفتار را نهال تجدد نوشته است. این شاهنامه به زبان فرانسه در ۱۷۴۰ برگ در تاریخ دسامبر ۲۰۱۹ توسط بنگاه «لبل لتر/گوتنر» بصورتی دلپذیر و زیبا در پاریس انتشار یافت و دربرگیرنده ۶۰ هزار بیت است.

این ترجمه برپایه نسخه ۱۰ جلدی به کوشش سعید نفیسی است که در سال ۱۹۳۴ بمناسبت هزاره فردوسی به انتشارات بروخیم سپرده شده بود. افزون بر آن،

این ترجمه با نسخه «تورنر کاکان » چاپ هند بسال ۱۸۲۹ و نیز نسخه «ژول مول» ۱۸۳۸ مقایسه شده است. سرانجام این ترجمه با نسخه ۸ جلدی شاهنامه به کوشش جلال خالقی مطلق ۱۹۸۸–۲۰۰۸ مورد بررسی قرار گرفته است.

ترجمه شاهنامه برابر با نسخه فارسی با شعر «بنام خداوند جان و خرد» آغاز می‌گردد و سپس در ستایش خرد و آفرینش جهان و انسان و خورشید و ماه پیش می‌رود. پس از آن، پنجاه فصل در باره شاهان و پهلوانان و قهرمانان اسطوره ای گشوده می‌گردد. از کیومرث پادشاه نخستین تا یزدگرد آخرین پادشاه ساسانی تاریخ و داستان به زبان شعر و با آهنگ حماسی بازگو میشود.

این نسخه شاهنامه به فرانسه در پایان با فهرست نام ها،کتاب شناسی مترجم، فهرست فصل ها، راهنمای نقاشی‌ها مینیاتور همراه با شعرهای شاهنامه، آراسته گشته است.

سبک مترجم کدام است؟ «پی یر لوکوک» می‌نویسد ترجمه شعر یک شاعر نزدیک به خیانت است. انتقال همه شعر و روح آن به زبان دیگر بسیار دشوار و نشدنی است. شعر پیش از هرچیز یک موسیقی است و موسیقی دارای یک آهنگ است. بنابراین از جانب مترجم کوشش شده تا در کار ترجمه وزن شعر پهلوانی در هر خط نگهداری شود. افزون بر آن، در شعر فارسی قافیه وجود دارد بنابراین ترجمه نیز باید این اصل را رعایت کند. برای نگهداری قافیه بناگزیر ترجمه نمی تواند همیشه بشیوه موشکافانه وفادار بماند، ولی همه تلاش‌ها انجام گرفته تا قافیه به زبان فرانسه پاس داشته شود.

شاهنامه در زندگی مردمان فارسی زبان یک رویداد تاریخی و هویت بخش است. شاهنامه بازگوکننده تاریخ ایران زمین از مادها و کورش هخامنشی تا ساسانیان است و افزون برآن، شاهنامه روان ایرانی و پهلوانی و سختی‌های روزگار را نمایش میدهد. فردوسی این گذشته را می‌سراید تا برآمد دوران تازه را با زبان و ادبیات آشکار سازد. شاهنامه بین سال‌های ۹۹۴ تا ۱۰۲۰ میلادی سروده شد. شاهنامه گذشته ما است و نیز شاهنامه زبان و فرهنگ ما می‌باشد و پس از تجاوز عرب و هجوم اسلام، بنیادی برای آینده سرزمینی رنج دیده بشمار می‌آید. چه بسا ایرانیان بدون شاهنامه در گرد و غبار تاریخ گم شده بودند. خوشبختانه شاهنامه توسط فردوسی بزرگ سروده شد تا ما دنیای کیومرث و جمشید و گودرز و طوس و رستم و سیاوش و کیخسرو و بهرام گور و بهرام چوبینه

و خسرو پرویز و گردآفرید و انوشیروان و بابک را بشناسیم، به تاریخ و اساطیر بیاندیشیم، اندوه و شادی و شکست و پیروزی آن زمانه را دریابیم و باز احساس سربلندی داشته باشیم. رستم فرخزاد در بخش پایانی شاهنامه میگوید:

همه بودنی‌ها ببینم همی / وزان خامشی برگزنیم همی

دریغ این سر و تاج و این داد و تخت / دریغ این بزرگی و این فر و بخت

کزین پس شکست آید از تازیان / ستاره نگردد مگر بر زبان

فردوسی با اندوه از شکست می‌گوید ولی برآنست که «روز آهرمنی» پایان می‌پذیرد زیرا کاوه‌ها و رستم ها، پادشاهان و پهلوانان به میدان برمی گردند. پیام شاهنامه خرد و داد است و فردوسی پیام آور پایان یافتگی چیرگی تازیان است. فردوسی شاهنامه را به ستون برجسته شعر و ادبیات و زبان فارسی درمی آورد.

ما میدانم ترجمه نوشتارهای فارسی به زبان فرانسه از دیرباز شروع شده است. رباعیات خیام، غزل‌های حافظ، گلستان سعدی، مثنوی مولانا، هفت شهر عشق فریدالدین عطار، منطق الطیر عطار، شمس تبریزی مولوی، خسرو و شیرین نظامی، هفت پیکر نظامی، روزبهان شیرازی، دانشنامه ابن سینا، سه قطره خون و بوف کور صادق هدایت، از جمله نوشتارهای ادب فارسی است که به فرانسه برگردان شده است. با توجه به اهمیت بزرگ شاهنامه برای ادبیات فارسی ترجمه این شاهکار به زبان فرانسه رویدادی بزرگ بشمار می‌آید.

در فرانسه از پایان سده هجدهم، شاهنامه مورد علاقه قرار گرفت. اولین خاورشناس فرانسوی که به بیان علمی کتاب شاهنامه پرداخت، لویی لانگلس بود که در سال ۱۷۸۸ فشرده ای بسیار کوتاه از این حماسه را منتشر کرد. سپس ژول مول کار ترجمه را آغاز کرد. مول ایران شناس آلمانی ساکن فرانسه، یکی از چهره‌های اصلی شرق شناسی پاریس در قرن نوزدهم بود. مول از یک سنت فلسفی آلمانی تغذیه می‌کند که هیچ متنی را نمی توان ترجمه کرد بدون اینکه از پیش تفسیر شود. در سال ۱۸۳۶ بود که ژول مول جلد اول کتاب شاهنامه را با ارائه انتشار کامل متن و ترجمه آن، انتشار داد. اولین دفترهای جلد هفتم و آخر این ترجمه در سال ۱۸۷۳ به چاپخانه تحویل داده شد، اما این اثر تا سال ۱۸۷۸ منتشر نشد.

از نگاه برخی زبانشناسان، هنگامیکه ژول مول در پیشگفتار جلد اول اعلام می‌کند که شاهنامه را با همان معنای واقعی کلمه ترجمه کرده، تا قوانین زبان

فرانسه را نقض نکند، این امر اشتباه بود. خطاهای مول گاهی از سردرگمی در مورد معنی واژه‌ها نیز ناشی می‌شود. این وضع با توجه به اینکه شاعران بزرگی مانند گوته و لامارتین نیز فردوسی را می‌شناختند، انگیزه نیرومندی بود تا کار ترجمه شاهنامه از سر گرفته شود.

ترجمه تازه شاهنامه فردوسی توسط ایرانشناس، زبانشناس در مدرسه عالی و متخصص زبان‌های کهن ایرانی در موزه لوور پاریس، «پی یر لوکوک»، تلاش بیسابقه و سترگی برای شناساندن ادبیات و فرهنگ ما به فرانسوی زبان‌ها می‌باشد. هدف مترجم برای برگردان شاهنامه، نگهداری تمام کیفیت تاریخی و زبانی و حماسی این اثر و نیز انتقال دقیق ادبیات شعری ایران زمین، با روح ویژه آن، به ادبیات فرانسه می‌باشد.

نظریهٔ «فروریزیِ عمومی»

آیا جهان در روند سقوط قطعی قرار گرفته است؟ اندیشمندان و نظریه‌پردازان حوزهٔ «فروریزیِ عمومی» در رویارویی با تمدن و طبیعت بر این باورند که بحران زیست‌بومِ کنونی پایان یک دورهٔ جهانی است و در آیندهٔ نزدیک یعنی از سال‌های دو هزار وَ پنجاه میلادی تمام منابع زیرزمینی و طبیعی به‌طور محسوسی کاهش خواهند یافت و یک شکاف منفیِ ساختاری در نیازهای اقتصاد و جمعیتِ روی زمین به وجود خواهد آمد. بر اساَس آمارش‌های علمی، روند رشد جمعیت منفی خواهد شد و رشد اقتصادی نیز ناممکن خواهد شد و ویرانیِ طبیعت به اوج می‌رسد. نظریهٔ فروریزیِ عمومی مورد توجه اندیشمندان بسیاری قرار گرفته است. این نظریه توسط برخی منتقدین «ناامیدانه و فاجعه‌گرا» ارزیابی شده ولی شمار قابل توجهی از دانشمندان با توجه به عمق بحران زیست‌محیطیِ کنونی روند ویرانیِ عمومی را بازگشت‌ناپذیر ارزیابی می‌کنند و این نظریه را منطبق با رویدادهای سی سال آینده در جهان می‌دانند.

از اندیشمندانی که در این زمینه اندیشه‌های بنیادینی مطرح کرده‌اند می‌توان به ادگار مورن، فیلسوف و جامعه‌شناس فرانسوی و نظریه‌پرداز اندیشهٔ نظام‌مند

و همه‌جانبه، اشاره کرد که نظریاتش در آثاری مانند «روش» و «درباره اندیشه سیستمیک» نشان می‌دهند چگونه همهٔ پدیده‌ها به هم پیوسته‌اند و بحران تمام بخش‌های ساختاری را متأثر می‌کند. برونو لاتور کتاب در برابر گایا را نوشته و درکِ جداکنندهٔ فرهنگ و طبیعت را به نقد کشیده. روب هوپگینگ، اندیشمند انگلیسی، نیز کشاورزی سنتی را به نقد کشیده و در کتاب خود با عنوان راهنمای دوران انتقال توقف کاربست مواد شیمیایی در کشاورزی را مطرح کرده. نیکولا ژرژکو رویگنِ اقتصاددان نظریهٔ «رشد منفی» را مطرح می‌کند و برآن است که باید از رشد تولید جلوگیری کرد. آندره گرزِ جامعه‌شناس نیز در کتاب اکولوژیا مولدگراییِ سرمایه‌داری را نقد می‌کند و برش و گسست از «ایدئولوژی رشد» را مطرح می‌کند. ایو کوشه، ریاضی‌دان و کارشناس محیط زیست، در سال ۲۰۱۹ نظریهٔ «گسیختگی عمومی» را مطرح می‌کند. آلن بورگ، فیلسوف سوئیسی، هم از ضرورت ارزش‌های معنویِ جدید صحبت می‌کند؛ وی در سال ۲۰۱۸ زمین جدید را منتشر کرد. پُل آر ارلیش، زیست‌شناس آمریکایی، از انفجار جمعیت صحبت می‌کند و در ۲۰۱۵ ششمین خاموشی جهان را اعلان می‌دارد. گونتر گراس، فیلسوف آلمانی، از «فرسودگی انسان» می‌گوید و هانس ژوناس نیز از ممنوعیت هر کنشی می‌نویسد که زندگی نسل‌های بعدی را به خطر می‌اندازد. افزون‌بر این‌ها، ژرد دیاموند از فروریختگی ساختاریِ طبیعت می‌نویسد و دیمیتری اولوف هم بحث «فروریختگی عمومی» در زمینه‌های مالی، بازرگانی، سیاسی، اجتماعی و فرهنگی را پیش می‌کشد و کتاب «پنج مرحله فروریختگی جهانی» را در سال ۲۰۱۶ نظریه‌پردازی می‌کند. کیل هارپر نیز با کتاب خود با عنوان چگونه امپراتوری روم نابود شد؟ در سال ۲۰۱۷ روندهای سقوط تمدن را به بحث می‌گذارد.

تعریف‌های مختلفی از فروپاشی وجود دارد. باستان شناسان از فروپاشی بدنبال کاهش سریع جمعیت و تنش تند ناشی از پیچیدگی‌های سیاسی / اقتصادی / اجتماعی / نهادی، در یک منطقه وسیع و برای مدت زمان قابل توجهی صحبت می‌کنند. جوزف تینتر، انسان شناس آمریکایی، در کتاب فروپاشی جوامع پیچیده، می‌نویسد هرچه جامعه پیچیده تر باشد، انرژی بیشتری نیز نیاز دارد. پس از فرسودگی انرژی ارزان و بدهی‌های سنگین، یک جامعه پیچیده توانایی خود را در حل مشکلات اقتصادی و غیره از دست می‌دهد.

تعریف دیگر، تعریف ریاضیدان و سیاستمدار محیط زیست، ایو کوشه است. او

می‌نویسد: «فرایندی که در پایان آن نیازهای اساسی (آب، غذا، مسکن، پوشاک، انرژی، تحرک، امنیت) با خدمات تنظیم شده توسط قانون، دیگر برای اکثریت مردم قابل تحقق نیست». طبق نظر «آنتونی دی بارنوسکی»، متخصص آمریکایی زیست شناسی تکاملی، خطر تحول بنیادی اکوسیستم جهانی، امکان تغییر ناگهانی و برگشت ناپذیر در اکوسیستم جهانی، امری جدی می‌باشد. نظریه دیگر در باره رشد جمعیت است.

رشد جمعیت برخی کشورها می‌تواند منجر به افزایش بیش از اندازه جمعیت جهان شود. توماس مالتوس در قرن هجدهم از جمعیت بیش از حد نگران شده بود، وی به ویژه با حمایت از محدودیت جمعیتی در مورد آن نظریه پردازی کرد. تغییرات آب و هوایی و عواقب آن مانند تهدید به آبگرفتگی بسیاری از شهرهای ساحلی و شهرهای بزرگ، غرق شدن شماری از جزیره ها، جاری شدن سیلاب‌ها در مناطق و حوضه‌های بزرگ زندگی باعث جابجایی گسترده جمعیت خواهد شد. میلیونها مهاجر که به ترک زمینهایی که به دلیل همین گرم شدن کره زمین عقیم شده اند، در مناطق مختلف افزوده خواهد شد و موجت بحران‌های اجتماعی فرهنگی خواهند گشت.

براساس این نظریه‌ها، جهان ما با گسست عمومی تعادلِ خود روبه‌رو شده است و با توجه به ناتوانی سیاست‌های کنونی ما دنیا به‌سوی فروریزیِ عمومی در شتاب است. نقش کشور ما در این فروپاشی چیست؟ مسئولیت ما روشنفکران کدام است؟

اخلاق اجتماعی

اخلاق یک رشته فلسفی است که به داوری‌های اخلاقی و معنوی می‌پردازد. در اخلاق یونانی روشی اساسی است که هر کسی بر اساس اخلاق می‌تواند معیارها، محدودیت‌ها و وظایف آن را تعیین کند. اخلاق نظرهای هنجاری، تجویزی، حتی ارزشیابی را بیان می‌کند و این نظرها ویژگی و خواست‌های گروهبندی اجتماعی را منعکس می‌گرداند. از این منظر، اخلاق هنجاری است که بطور وسیع بر مفاهیم خوب و بد قرار دارد و در نظریه‌های عدالت اجتماعی خود را نشان می‌دهد. حال

در عصر بحران اکولوژیکی می‌توان اخلاق را با اکولوژی گره زد. این اخلاق به مواردی مانند محیط زیست، توسعه پایدار، ارزیابی از اثرهای زیست محیطی و هدایت فعالیت‌های انسانی توجه می‌کند. مفهوم اخلاق زیست محیطی با حفاظت از محیط زیست ترکیب شده است.

برای اخلاق در عرصه اکولوژیکی به روندهای مختلف زیر می‌توان توجه کرد:

اکولوژی عمیق یا اخلاق اکولوژی؛

اخلاق جامعه شناختی و زیست شناسی؛

بوم شناسی اجتماعی؛

اکوفمینیسم؛

اخلاق مسئولیت زیست محیطی؛

اخلاق توسعه پایدار؛

اخلاق شهروندی سازگار با محیط زیست؛

اخلاق گفتگوی اجتماعی؛

اخلاق زیستی انسان؛

اخلاق عدالت زیست محیطی.

می‌توان اخلاق را به عنوان مجموعه‌ای منطقی و خردمندانه از ارزش‌های صریح در نظر گرفت که مقوله‌هایی مانند خوب، عادلانه و زیبا را تعریف می‌کند. این روشی است برای تشخیص اینکه فرد چگونه باید زندگی کند و بر چه اساسی باید قضاوت نماید و تصمیم بگیرد. بنابراین چنین اخلاقی یک سیستم ارزش‌های صریح و مستدل است که رفتارها یا عملکردهای اجتماعی را پیشنهاد می‌کند. بنابراین اخلاقیات جهانی مانند حقوق بشر یا اخلاقیات خاص، در پیوند با یک فرهنگ و اجتماع می‌باشد. این گونه اخلاق می‌تواند در رابطه با ناهنجاری‌های اجتماعی و بی عدالتی‌ها مداخله کند.

حقوق اساسی در زمینه اجتماعی چنین می‌تواند باشد:

حق اصل رفع تبعیض؛

حق مراقبت و حمایت مناسب از فرد؛

حق اطلاعات؛

حق اصل انتخاب آزاد، رضایت آگاهانه و مشارکت شخصی؛

حق نه گفتن؛
حق احترام به حقوق خانواده؛
حق خودمختاری فرد؛
حق استفاده از حقوق شهروندی؛
حق مشارکت مذهبی؛
حق مخالفت با دین؛
حق احترام، عزت فرد و حریم خصوصی.

اخلاقْ اصول رفتاریِ انسان در جامعه است. اخلاقْ و دین دو پدیده گوناگون اند. پیش از آنکه یکتاپرستی بوجود آید اخلاق در میان قوم و تیره وجود داشته است. البته دین به اخلاق دستبرد زده و بر این ادعاست که دین سرچشمهٔ اخلاق است و اخلاق به‌معنای دین‌پرستی است، حال آن‌که پیش از شکل‌گیری دین یهود و مسیحی و اسلام، انسان‌ها آدابی برای زندگی داشتند و مرگ و زایش انسان همراه با رسوم خاصی بوده است. تمدن بابلی و مصر کهن و آیین مِهر و غیره از نظمی در آداب برخوردار بوده‌اند. افلاتون اخلاق را با فلسفه و دانش پیوند زده است. او بر آن بود که چیزهای مادّیِ این جهان تغییر می‌کنند و از بین می‌روند ولی ارزش‌های اخلاقی جاودانه هستند. او ارزش‌های اخلاقی را همچون جوهری آرمانی و، در عین حال، عینی می‌دید. این ارزش‌های اخلاقی پایه‌ای اساسی در بطن خوبی و کمال دارند. با توجه به چنین درکی، مرز میان فلسفه و اخلاق یا اخلاق و زیباشناسی کم‌رنگ می‌شود. بنابراین، فلسفه سرچشمه‌ای اساسی برای سیاست و عملکرد انسان و نیز جست‌وجوی تعادل و خوشبختی است. ما با نگاه افلاتون برای دسترسی اخلاق نیازی به دین نداریم. در قرآن اطاعت از الله پایهٔ اخلاق است و وظیفهٔ انسان پیروی اوست و ترس از روز قیامت است. در این جهان انسان وظیفه و مسئولیتی جز اطاعت از الله و پیامبر ندارد. در افسانهٔ یهودیت نیز ابراهیم برای اثبات وفاداری به خدا باید فرزندش را بکُشد. فردریک نیچه می‌گوید اخلاقیات همچون غریزه‌ای گلّه‌ای و قبیله‌ای نزد انسان وجود دارد و متعلق‌به انسان فرومایه است. اخلاق دین بنیاد خرد و بلوغ انسان را نفی می‌کند و او را وابسته به اراده کور خدایان می‌کند.

بدین ترتیب، ما برای تعریف اخلاق نیازی به دین نداریم بلکه اخلاق را می‌توان

مجموعه‌ای از ارزش‌ها و اصول معنوی در زندگی اجتماعی به شمار آورد. اسلام می‌گوید از الله پیروی کنید ولی ما پیروی نمی‌کنیم. قرآن می‌گوید اسلام واپسین دین است ولی ما هرگز بدان باوری نداریم. قرآن می‌گوید کفار و مرتدان را بکشید ولی ما آدم‌کُشی را محکوم می‌کنیم. قرآن می‌گوید روزه بگیرید و نماز بخوانید ولی ما از انجام این عبادات تکراری و برده‌وار دوری می‌ورزیم. شیعه می‌گوید امامان معصوم و بی‌گناه هستند ولی ما آن‌ها را جعلی و فرزندان استعمار عرب می‌نامیم. اسلام می‌گوید پشتیبانی از مستمندان و غصب ثروت کافران و مشرکان واجب است و ما می‌گوییم این شعار اسلامی مردم‌فریبانه و توجیهی برای چپاول دیگران است.

اخلاق ما کدام است؟ پرهیزکاری و عدم فساد در جامعه، احترام به حقوق بشر، احترام به حقوق طبیعت، بردباری میان انسان‌ها، پشتیبانی از صلح، آزادمنشی در زندگی، عدم فساد و ویرانی در طبیعت، احترام به حق انسان‌ها در عشق ورزیدن، گرایش به عدالت اجتماعی، درستکاری و مخالفت با دروغ، شجاعت و شفافیت، همزیستی و همکاری میان ملت‌ها، تشویق هنرپروری، اندیشهٔ آزاد، برابری حقوقی زن‌ومرد، رعایت حقوق کودکان، بهبود فلسفه و ادبیات، تشویق خوبی و مهربانی انسان‌ها، تربیت کودکان با داستان‌های اساطیریِ ایران‌زمین و یونان و دیگران و نیز دانش نوین، تشویق قانون‌گرایی نوین، پشتیبانی از مواد غذایی اُرگانیک و طبیعی، مبارزه با آزار جنسی کودکان و تجاوز و خشونت علیه زنان، مبارزه با صیغه و قصاص اسلامی، دفاع از شرافت انسان‌ها، عدم عادت به بدی‌ها و زشتی‌ها و غیره. تمام این موارد توسط اسلام پایمال شده‌اند و فراموش می‌شوند. اسلام دین ستم و تبعیض است. بنابراین، باید از اسلام خارج شویم تا به ارزش‌های معنوی و انسانی دست یابیم.

در اسلام ارزش معنوی وجود ندارد

جامعه برای ادامهٔ زندگی نیازمند قانون است زیرا نظم و امنیت و قاعده می‌خواهد و جامعه به معیارهای اخلاقی و آرمانی نیازمند است چراکه در پی معنویت و معنای زندگی است. هرچه قانون دموکراتیک و اخلاق اجتماعی در جامعه نیرومندتر باشد، آن جامعه از ایستادگی و پویاییِ بیشتری برخوردار است. در

جامعهٔ بی‌قانون و بی‌اخلاق، خودسری و هرج‌ومرج و جنایت گسترده است و نیروهای انسانی دستخوش سستی و آسیب و ویرانی و نابودی هستند. در ایران ما شاهد فروریزی باورهای دینی هستیم. جنایت مستمر حکومتی و عریان شدن فساد نمایندگان سیاسی و حوزویِ اسلام و شیعه بیش از گذشته ایمان را سست کرده است. واکنش بخش‌های گوناگون جامعه چیست؟

بخش دین‌داران هوادار حکومت: در جامعهٔ ایران دین‌داران با توجه کیش و آیین‌شان بسیار گوناگون‌اند. در ایران جمعیت شیعهٔ دوازده‌امامیِ موافق ولایت فقیه یک گروه اقلیت را تشکیل می‌دهند. دین‌دارانی که با تعلقِ خاطر به قرآن و اسلام خود را معرفی می‌کنند همگی معنویت را در ارتباط با باور به این دین و کتاب آن و تمامی رسوم شیعه تعریف می‌کنند. در این بخش از جامعه فعالان بی‌شماری هستند که از دولت حقوق کلان می‌گیرند و در همه‌جا معنویت را در اسلام و وفاداری به ولایت فقیه تعریف می‌کنند. بنابراین، با توجه به قدرت تبلیغاتیِ رسانه‌های حکومتی، باور غالب در جامعهٔ ایران باور به معنویت ناشی از اسلام است. بخش مخالفان حکومت و موافق با اسلام: این بخش از جامعه دوری خود از حکومت دینی و اسلام رسمی را به‌معنای پایان باور به اسلام نمی‌داند و پیوسته گوشزد می‌کند که اسلام آن‌ها از اسلام حکومتگران متفاوت است. البته پیداست که این خط‌کشی بیان اشتیاق و تمایل قلبی آن‌هاست ولی واقعیت ندارد؛ ادعای آن‌ها یک توهّم است زیرا مبانی قرآنی و فقه شیعه مورد پذیرش همهٔ آن‌ها هستند. این افراد دستخوش باوری دروغین‌اند زیرا قرآن و جهان‌بینیِ شیعه و باور به دوازده امام و قدسیت آن‌ها و مراسم و آداب دینی مورد احترامِ و اجرای حکومتگران و تودهٔ باورمند است. اگر آن‌ها خشونت حکومتی را مورد انتقاد قرار می‌دهند و سودپرستی حکومتگران را سرزنش می‌کنند، در نزد پیامبر اسلام و علی ابن ابی طالب، خشونت و غنمیت‌گیری و چپاول ثروت‌های دیگران رایج بوده است. پیامبر اسلام مخالفان خود را قتل عام می‌کرد و آن‌ها را به جهنم حواله می‌داد و حکومتگران کنونی نیز مخالفان خود را همیشه شکنجه و کشتار کرده‌اند. در دورهٔ آغازین اسلام، موارد ضدیت و سرکوب یهودیان توسط محمد و بنی هاشم فراوان است. در طول تاریخ اسلامی، خشونت جاری است؛ در تاریخ طبری آمده که علی ابن ابی طالب ۸۰۰ نفر مرد اسیر و درماندهٔ یهودی را گِرد آورد و سپس با شمشیر خود سر آن‌ها را قطع کرد. به هر روی، برای این بخش از جامعه نیز معنویت

به دین نزدیک می‌شود و اسلام منبع معنویت است. بخش مخالفان حکومت و اسلام فربه: این بخش از جامعه مانند روشنفکران و سیاسیون مخالف حکومت و لایه‌های بی‌شماری از جوانان و بخش گسترده‌ای از طبقهٔ متوسط نه‌تنها از اسلام حکومتی فاصله گرفته‌اند بلکه مخالفت خود را با ارزش‌ها و نمادهای دینی هم نشان داده‌اند و اساطیر و شخصیت‌های دین شیعه را به شوخی می‌گیرند و بخشی از آن‌ها را از باور دینی خود بیرون رانده‌اند. با وجود دگرگونی‌های روان‌شناسانه در میان همین بخش هنوز هم توهّم معنویت اسلام بالاست. در میان این بخش افرادی وجود دارند که خواستار دین اسلام «غیر فربه» هستند تا جامعه در برابر دین تحریک نشود. در میان این بخش هم اَفرادی وجود دارند که انتقاد از دین و قرآن را «توهین به دین توده» می‌دانند و منقدان را به سکوت دعوت می‌کنند. در نزد این افراد ناخودآگاه دین‌خو، ساختارهای روانی به‌شکل خودکار و «تقلیدی» تنظیم می‌شوند و دوری قاطع از دین ناشدنی است. بسیاری از این افراد در یک توهّم مزمن قرار دارند و هنگامی که از ارزش‌های معنوی یاد می‌کنند به دین فکر می‌کنند. بخش ناباور: این بخش با دگرگونیِ ژرفِ فکری و روانی زندگی می‌کند و در تعریف معنویت و ارزش‌های اخلاقی به دین اتکا نمی‌کند و برعکس دین اسلام را برابر با سقوط اخلاقی به شمار می‌آورد. صدای این بخش در جامعه بسیار ضعیف است ولی دیدگاه آن‌ها درست و باکیفیت است. ارزش‌های حقوق بشری و بهبود اجتماعی و ردّ خرافات از ویژگی‌های برجستهٔ این بخش ناباور هستند.

حال، چرا بسیاری به اسلام به‌مثابه یک اصل معنوی نگاه می‌کنند؟ در طول تاریخ، ادیان کوشیده‌اند خود را تنها سرچشمهٔ معنویت نشان دهند، حال آن‌که چنین نیست و من در نوشته‌های بی‌شمار این گفتهٔ نادرست را نقد کرده‌ام. در مورد اسلام هم این جعل‌سازی از جانب مسلمانان به اوج رسیده. در تمام کشورهای مسلمان و نیز در نزد تمام جزم‌اندیشان اسلام‌گرا در غرب و تمام شبکه‌های دینی و اسلام‌زده، بدون آن‌که مخالفی آزادیِ ابراز نظر داشته باشد اسلام به‌عنوان دین صلح و معنویت معرفی می‌شود. در سراسر مخالفان حکومت دینی و بخش مهمی از غیرمذهبی‌های ایران نیز این جهان‌بینی رایج است. این دین از آغاز زندگی‌اش با تجاوز و خشونت و سرکوب انسان‌ها همراه بوده است. افزون‌بر این، در اسلام تأکید بر بردگی روانی انسان نسبت‌به الله به‌عنوان نماد معنویت معرفی شده است. تمام آیت‌الله‌های حوزوی و نواندیشان دینی و اصلاح‌طلبان، جعل‌سازان معنویت

بوده‌اند و بردگی ما را آزادی معرفی کرده‌اند. در کنار آخوندها، همهٔ جزم‌اندیشان اسلامی مانند آل احمد و مهدی بازرگان، علی شریعتی، عبدالکریم سروش چنین وانمود کرده‌اند که کنار زدن اسلام بیان‌گر سقوط ارزش‌ها و پوچی در جامعه است و با از بین رفتن اسلام و شیعه زندگی انسانی تباه می‌شود و هیچ معنویتی برای آن باقی نمی‌ماند. همین تبلیغات تاریخی در ذهن جامعه اسلام را برابر معنویت قرار می‌دهد.

جزم‌اندیش‌های اسلامی برآنند که قرآن از آنجایی که با خلقت و فطرت انسان هماهنگ است، هم ارزش‌های مادّی و هم ارزش‌های معنوی را در نظر می‌گیرد. می‌توان پرسید، در واقع، ارزش انسان در نزد قرآن کدام است؟ حقوق زن آزاد کدامند؟ معنای عشق انسانی و عشق دو فرد نسبت‌به یکدیگر چطور؟ هنگامی که قرآن انسان‌ها را از یک سو به مؤمن و از سوی دیگر به جبههٔ پهناورِ کافر و مشرک و منافق و گناهکار و زناکار تقسیم می‌کند، کدام ارزیابی روشنفکری، اجتماعی، سیاسی و تمدنی را معیار قرار می‌دهد؟ قرآن منشوری از یک جامعهٔ قبیله‌ای و تبعیض‌گرا و استعمارگر است. بنابراین، در تناقض با تمدن کهن و تمدن نوین و برابری انسان‌ها و زن‌ومرد است و هیچ قدرت فکریِ محترمی ندارد.

حال، به خودِ قرآن توجه کنید. برای نمونه، هنگامی که قرآن سخن از انتخاب همسر به میان می‌آورد، می‌گوید: «الزَّانِي لاَ يَنكِحُ الاَّ زَانِيَةً اَوْ مُشْرِكَةً وَالزَّانِيَةُ لاَ يَنكِحُهَا الاَّ زَانٍ اَوْ مُشْرِكٌ وَحُرِّمَ ذَلِكَ عَلَى الْمُؤْمِنِينَ.» مرد زناکار جز با زن زناکار یا مشرک ازدواج نمی‌کند و زن زناکار را جز مرد زناکار یا مشرک به‌ازدواج‌خود در نمی‌آورد و این کار بر مؤمنان‌حرام شده است. (سورهٔ نور، آیه۳)

و یا «وَلاَ تَنكِحُوا الْمُشْرِكَاتِ حَتَّى يُؤْمِنَّ وَلاَمَةٌ مُّؤْمِنَةٌ خَيْرٌ مِّنْ مُّشْرِكَه وَلَوْ اَعْجَبَتْكُمْ وَلاَ تُنكِحُوا الْمُشْرِكِينَ حَتَّى يُؤْمِنُوا وَلَعَبْدٌ مُّؤْمِنٌ خَيْرٌ مِنْ مُّشْرِكٍ وَلَوْ اَعْجَبَكُمْ اُوْلَئِكَ يَدْعُونَ اِلَى النَّارِ وَاللهُ يَدْعُوا اِلَى الْجَنَّه وَالْمَغْفِرَه بِاِذْنِه» و با زنان مشرک و بت‌پرست، تاایمان نیاورده‌اند، ازدواج نکنید مگر که ایمان آرند و همانا کنیزکی با ایمان بهتر از زن آزاد مشرک است هرچند از جمالش بشگفت آیید و زن به مشرکان ندهید مگر آن‌که ایمان آرند و همانا بندهٔ مؤمن بسی بهتر از آزاد مشرک است؛ هرچند، از مال و حسن او به شگفت آیید. مشرکان شما را از راه جهل به آتش دوزخ خوانند و خدا از راه لطف به بهشت و آمرزش دعوت کند. (سورهٔ بقره آیه۲۲۱).

قرآن در سوره‌های بسیاری از جمله «البقره» و «الاحزاب» بردگی را تأیید می‌کند و در سوره‌های بی‌شمارِ دیگری از جمله سورهٔ «النساء» خواهان نابودی منافق و کفار و کافران و برقراریِ جهاد و جنگ با مخالفان و خواهان کشتن مخالفان محمد است. قرآن می‌گوید: «ای اهل ایمان سلاح جنگ برگیرید.» به‌زبان دیگر، مؤمنان برای غنیمت و کشتار مخالفان باید به جنگ دست بزنند. در آیهٔ ۸۹ در «النساء» آمده خدا هر که را خواست گمراه می‌کند و کافران گمراه شده‌اند؛ بنابراین، آن‌ها را دوست خود نگیرید و هر کجا یافتید به قتل برسانید. در واقع، دسته‌های مؤمنین و غارتگرانِ پشتیبان محمد در شبه‌جزیره عربستان با جدال پیشروی می‌کنند و ثروت‌های دیگران را به غنیمت می‌گیرند و محمد می‌گوید مخالفان را باید نابود کرد. این سیاست همان معنویت الله است.

در نظام ارزشی اسلام تنها گروهی که دارای ارزش است مؤمنانی هستند که به الله و پیامبر اسلام باور دارند و از آن‌ها پیروی می‌کنند. دیگر گروه‌های اجتماعی همچون کافر، منافق، مرتد، مشرک و گناهکار دسته‌بندی می‌شوند و سزاوار طرد و قتل و دوزخ هستند. از دید قرآن، این گروه‌ها به آلودگیِ باطن دچارند زیرا از الله دور افتاده‌اند و مخالف پیامبر هستند. کسانی که به فرمانِ محمد گردن نمی‌نهند، کسانی که در پی حفظ کیش خویش‌اند، کسانی که به درستی گفتار و کردار محمد شک و انتقاد دارند، کسانی که اسلام را نمی‌پذیرند و یا ناباورند ناآگاه و سزاوار دوزخ شمرده می‌شوند. نظام ارزشی قرآن به برابری انسان‌ها باور ندارد و هر دگراندیشی باید از جمع اجتماعی اسلام طرد شود. این نظام ارزشی متکی‌بر پیروی از الله و اقتدارگرایی دینی است و آزادی فرد و وجدان و روان در آن بی‌معناست. معنویت در قرآن همان تسلیم در برابر ارادهٔ الهی است.

اسلام موافق بردگی است و بنده، غلام و کنیز بخشی از نظام اجتماعیِ مورد توافق قرآن است و غلام «خوب» ایمان دارد و خدمتگزار مؤمنی است. رَسول و امامان نیز دارای کنیز هستند. اسلام مخالف نظام بردگی نیست بلکه آن را همچون یک سنت رایج ادامه می‌دهد و همان‌گونه که در سورهٔ بقره هم می‌بینیم بردگی به‌مثابه یک پدیدهٔ رایج در مناسبات خانوادگی و اجتماعی می‌تواند ادامه یابد. قرآن خواهان نظام برده‌داری است و، افزون‌بر آن، از برده می‌خواهد تا باور خود را به‌طور قطع کنار بگذارد. به‌معنای دیگر، میزان بندگیِ برده در اسلام دوچندان می‌شود. اسلام نظام برده‌داری را ادامه داده و نیز از برده می‌خواهد تا روان و فکر

خودش را زیر سلطهٔ اسلام قرار بدهد و از هر تفاوت فکری به دور باشد. اسلام بردگی اجتماعی و جسمی را با بردگی روانی و فکری کامل می‌کند. معنویت در قرآن یعنی پذیرش اصول قرآن همچون باور به توحید و نابرابری انسان‌ها.

معنویتی که اسلام از آن حرف می‌زند کدام است؟ سراسر تاریخ اسلام سرشار از زورگویی و تجاوز است. قرآن منشور جنگ با مخالفان و سیاست نظام‌مندِ نقض حقوق بشر است. تبعیض دینی، جنسیتی، سیاسی و فرهنگی تمام فضای قرآن را گرفته است. برخلاف تمام پیامبران، محمد سازماندهٔ جنگ‌های متجاوزانه با مردمان دیگر بوده است. چهار خلیفهٔ اسلام، یاران نزدیک محمد، ادامه‌دهندهٔ تجاوز استعماری به سرزمین‌های دیگران بوده‌اند. حال، امروزه با وجود همهٔ این جنایات از معنویت اسلام صحبت می‌شود. جزم‌اندیشان اسلامی می‌گویند اسلام برابر برکت و حریت است. می‌دانیم که جنگ‌های اسلام برای غنیمت‌گیری و تجاوز به حقوق دیگران بوده پس برکت همان ثروت ناشی از تجاوز برای جنگجویان و دزدان و حاکمان اسلام به شمار می‌آید و حریت نیز چیزی جز آزادی در تجاوز و کسب قدرت توسط عرب‌های قریش و دیگر قبایل عرب نبوده است.

اگر بخواهیم به‌طرز ملموس‌تری چند معیار را به‌عنوان معنویت اسلامی در نظر بگیریم، می‌توانیم به این موارد زیر توجه کنیم: ایمان به الله، ایمان به توحید، ایمان به روز قیامت، باور به بهشت، اجرای نماز و روزه و حج، سر بریدن گوسفند در عید قربان، خواندن قرآن و زیارت‌نامه، عزاداری برای حسین، انتظار کشیدن برای امام زمان، احترام به احکام قرآنی، احترام به پیامبر و امامان، زیارت قبور، نخوردن گوشت خوک، نیاشامیدنِ نوشیدنی‌های الکلی، حجاب بر سر و تن گذاشتن. اصل اسلام هنجارهایی را برای خوب و بد شرعی تعیین کرده و مسلمان برای آن‌که به عرصهٔ گناه وارد نشود باید همهٔ اجزای این اصل را رعایت کند. گفتار رسمی و رایجی که از معنویت اسلامی حرف می‌زند، در واقع، مجموعه‌ای از خرافات و توهّمات است. معنویت اسلام مجموعه‌ای از باورهای پَست است و فاقد ارزش متمایل‌به بزرگیِ انسانی است. در قرآن تبعیض و قتل دیگری جزو احکام الهی است. اسلام فاقدِ ارزش‌های برابری دربارهٔ انسان‌ها یا زن‌ومرد است.

افزون‌بر دیدگاه انسان‌شناسی، انسان برای اسلام آلودهٔ گناه است و این دنیا هرگز پاک نخواهد بود. لذت انسانی در این جهان بیان‌گر ناپاکیِ انسان است. این جهان فاقد ارزش است و تنها پس از مرگ و دسترسی به بهشت به معنویت برتر

می‌رسید. حال، در این دنیای خوار چه باید کرد؟ در این دنیای خوار باید از الله و مجموعه باورها و آداب دینی پیروی کرد تا راه بهشت میسر شود.

قرآن می‌گوید: «وَ یوْمَ یعْرَضُ الَّذِینَ کفَرُوا عَلَی النَّارِ أَذْهَبْتُمْ طَیباتِکمْ فِی حَیاتِکمُ الدُّنْیا وَ اسْتَمْتَعْتُمْ بِها.» یعنی «آن روز که کافران را بر آتش عرضه می‌کنند، به آنان گفته می‌شود از طیبات و لذایذ در زندگی دنیوی خود بهره برده‌اید.» (سورهٔ احقاف، آیهٔ ۲۰) در هماهنگی با این بینش قرآنی، علی ابن ابی طالب در نهج‌البلاغه می‌نویسد: «مَثَل دنیا مانند مار است که زیر دست انسان نرم و ملایم ولی سمّ کشنده‌ای در درون خود دارد. نادان بی‌خبر به آن علاقه پیدا می‌کند و هوشمند عاقل از آن می‌پرهیزد.» در جای دیگر می‌نویسد: «ای مردم، دنیا در نگاه شما باید کم‌ارزش‌تر از پوست درخت و اضافی‌ها و دم قیچی‌های پشم چیده‌شده حیوانات باشد.» و باز در جای دیگر می‌آورد: «به خدا سوگند، دنیای شما نزد من از استخوان خوکی در دست یک جذامی پست‌تر است.» وی در نامهٔ ۴۵ نهج‌البلاغه می‌گوید: «أَعْزُبِی عَنِّی فَوَ اللهِ لاأذِلُّ لک فَتَسْتَذِلِّینی، وَ لااَسْلَسُ لَک فَتَقُودینی» یعنی «ای دنیا از من دور شو، به خدا سوگند من تو را رام نخواهم شد تا خوارم سازی و اختیارم را به تو واگذار نمی‌کنم تا هر کجا خواستی ببری.»

اگر بخواهیم خلاصه کنیم، باید بگوییم این دنیای زمینی پَست است و همه در آن گناهکارند زیرا به الله و پیامبر اسلام ایمان ندارند؛ همچنین، این دنیا فاقد ارزش است و تسلیم در برابر الله و قضاوت الهی در روز قیامت و رفتن به بهشت اوج مسرت معنوی است. بینش اسلام در ضدیت با زندگی انسانی و زندگی آزادمنشانه است. این بینش دینی نمی‌خواهد به انسان در این جهان شادی ببخشد.

ارزش‌های اخلاقی و معنویت ما کدامند؟ تعادل جامعه بر پایهٔ قوانین دموکراتیک و موزون و بر پایهٔ ارزش‌های اخلاقی و معنوی قرار دارد. در جامعهٔ ایران نه قوانین عادلانه حاکم است و نه ارزش‌های معنوی غلبه دارند. قوانین دینی و تبعیض‌گرا نفس جامعه را بریده است و فروریزی دین و باورهای اخلاقی و گسترش فساد ساختاری جامعه را گسیخته کرده است.

ارزش‌های معنوی ما کدامند؟ احترام به حقوق بشر، احترام به حقوق طبیعت، برابری حقوقی زن‌ومرد، ارتقای فرهنگ و ادبیات و هنر، همیاری مردمان جهان، همبستگی برای عدالت در جهان و ایران، باور به آزادی کامل و آزادی نقد، باور به عشق، باور به زیست‌بوم‌گرایی، احترام به شرافت انسانی، مبارزه با تعصب‌گراییِ

دین، باور به دوستی، فلسفهٔ دوستی، آزادی همهٔ زندانیان سیاسی، علاقه به خانواده و فرزندان، احساس مسئولیت فردی، همدردی انسانی، تمدن‌گرایی همسو با بهبود ارزش انسانی، آموزش انسان‌ها برای شهروند جهانی، نوآوری و ابتکار، روشن‌گری و غیره از جمله ارزش‌های مورد احترام ما هستند. همین ارزش‌ها به‌شهادت تاریخ بهترین ارزش‌های بشری و انسان مترقی‌اند. آیا ارزش‌های انسانی به ارزش‌های این جهان محدود می‌شوند؟ من به‌عنوان یک ناباور و پیرو دانش، ارزش‌های بالا را ارزش‌های معنوی زمینی می‌پندارم و تبدیل پیکر خود به اتم‌های طبیعت و کهکشان‌ها را آیندهٔ خود می‌دانم. ارزش‌های ما در خدمت زندگی شادمانهٔ انسان بر روی همین زمین است.

این‌که در جامعهٔ ما «معنویت» اسلام عقب‌نشینی کند و از باور مردمان بیرون رود بسیار خوب است زیرا از آن پس راه باز می‌شود تا افکار مترقی و تازه و ارزش‌های انسانی و پیشرو در ذهن افراد جاباز کنند. بنابراین، عقب‌نشینی و سستیِ «معنویت» اسلامی، جای نگرانی ندارد و برعکس با چنین‌چیزی خرافه کاهشِ می‌یابد. درک این تغییر در جامعه آسان نیست زیرا ارزش‌هایی که در بالا برشمردم مورد توجه اجتماع نیستند. فرهیختگان با قدرت و با سرعت ارزش‌های مثبت و انسانی را باید در جامعه پخش و از دلهرهٔ بی‌مورد جلوگیری کنند. در این جهان هر انسانی به‌اعتبار هوش و احساس و تجربه و شناخت و آرمان خود می‌تواند معنای زندگی را تعیین و ارزش‌های خوب و مثبتش را تعریف کند. انسان خودمختار وابسته‌به خرافات شبه‌جزیره عربستان نیست بلکه خود در تعیین سرنوشت و خوشبختی‌اش نقش‌آفرینی می‌کند.

معنای زندگی چیست؟ این یک پرسش بسیار قدیمی در فلسفه و پیرامون فهم زندگی بوده است و همین پرسش همیشه بیان نگرش جست‌وجوگر جامعه‌شناسی برای درک جوامع بشری هم به شمار می‌آید. اگر در یک تقسیم‌بندی ساده برای پاسخ بدان خدا را وارد این مبحث بکنیم، دو گونه دیدگاه خواهیم داشت. معنای زندگی با وجود خدا و معنای زندگی با نبودن خدا متفاوت خواهد بود. ناباوران برای فهم معنای زندگی به پیش‌شرط نیاز ندارند. آن‌ها خدا را سرآغاز هستی نمی‌دانند و پرسش اصلی را از انسان آغاز می‌کنند. برای آن‌ها معنای زندگی باید ساخته و تعریف شود و تمام زندگی انسان همان لحظهٔ ساختن و تعریف است. به‌گفتهٔ ارسطو ما همان چیزی هستیم که خود انجام می‌دهیم. نیچه نیز بر این باور

بود که طرح پیش‌ساخته‌ای وجود ندارد و هیچ‌چیزی در حالت مطلق معنا ندارد. تنها چیزِ با ارزش این است که زندگی کنیم و از زندگی لذت ببریم. سارتر نیز می‌گوید زندگی معنای ذاتی ندارد ولی این خودِ هستی است که معنای چیزها را می‌سازد.

معنای زندگی به فرد و شخصیت، محیط و فرهنگ و آرزو و آرمان فرد بستگی دارد. زندگی پس از مرگ پایان می‌پذیرد ولی هستی به سفرش در طبیعت و دنیا و کهکشان ادامه خواهد داد. انسان به‌طور شخصی و یا گروهی معنای زندگی را تعریف می‌کند، این تعریف گاه بیهوده و دلسردکننده و پیش‌پاافتاده و گاه با آرمان‌ها و عشق‌ها و ارزش‌های بسیار بزرگی همراه است. بی‌شک، شخصیت‌ها متفاوتند و توانایی‌هایشان گوناگون ولی جامعهٔ متعادل می‌تواند به آن‌ها نیرو دهد تا آن‌ها معنای زندگی خود را بهتر تعریف کنند و یا آن را بسازند.

برای دین‌باورانِ خداباور، نیازی نیست که به‌دنبال تعریف معنای زندگی باشیم زیرا خدا این معنا را ایجاد کرده است. برای مسیحیان، از زمان عیسی مسیح تا امروز، انسان‌ها باید خود را به‌سوی خدا ارتقا دهند. در آموزش مسیح می‌خوانیم: «خدا انسان شد تا انسان به خدا تبدیل شود. بنابراین، این دنیا یک آزمایش دردناک برای انسان است تا انسان شایستگیِ ارتقا را به دست آورد. برای رسیدن به خدا باید از رنج گذشت. ویتگنشتاین بر این باور بود که باور به خدا به‌معنای این است که زندگی دارای معناست. برای خداباوران معنای زندگی به اصل فرازمینی یعنی خدا برمی‌گردد. بدین ترتیب، تمام کارهای ما معنای خود را از قیامت و پس از مرگ می‌گیرند. زندگی جاودانه و یا رستاخیز پس از مرگ است و معنای زندگی واقعی آنجاست. در اسلام، دنیای زمینیِ حاضر پَست است و دنیای واقعی پس از قیامت پدید می‌آید. انسان در این دنیا آلودهٔ گناه و تباهی است و چنان‌چه از شخصیت خود چشم‌پوشی و به آرزو و لذت خود پشت کند و در خدمت الله در می‌آید؛ آن‌گاه به رستگاری و بهشت حوریان نزدیک می‌شود. در این دنیا باید گریه کرد و بر خود لرزید زیرا گناه همه‌جا را فرا گرفته و انسان پیوسته در لغزش و خلافکاری قرار دارد. سرکشیِ نفس تهدید به دوزخ را افزایش می‌دهد و تنها امیدِ انسان در این گرفتاری روانی به بخشش الله و راه‌یابی به بهشت است. معنای زندگیِ فرد مسلمان پیرو ارادهٔ مطلق الله است.

ما با دو دیدگاه بالا با دو الگوی رفتار جامعه‌شناختی روبه‌رو هستیم. از یک

سو رفتار پویا و متحرک برای ساختن زندگی برای نوآوری و زیستنی همراه با لذت و آزادیِ انسان ویژگی اصلی جامعهٔ غیردینی است. از سوی دیگر رفتار پیرو آسمان و روان فرمانبردار تقدیر خدایی ویژگیِ بنیادین جامعهٔ دینی است. من جامعه‌ای را می‌پسندم که در آن انسان در تعریفِ معنای زندگی در انتظار خدا نمی‌ماند.

زیگمونت باوِمَن و نظریهٔ سیّالیت جهان

زیگمونت باومن، جامعه‌شناس و انسان‌شناس لهستانی‌تبار، در ۱۹۲۵ زاده شد و در ۲۰۱۷ در انگلستان درگذشت. او در زمان یورش هیتلر به لهستان به شوروی رفت و پس از جنگ به کشورش بازگشت و پس از آن نیز روانهٔ اسرائیل شد و سپس از آنجا به انگلستان کوچ کرد. نخستین کتاب خود را به سال ۱۹۵۶ در لهستان به چاپ رسانید. این کتاب در سال ۱۹۷۲ به انگلیسی ترجمه و در انگلستان منتشر شد. باومَن کتابِ دیگری در ۱۹۶۴ منتشر کرد که دربارهٔ جامعه‌شناسی برای زندگی روزمره بود. فشار کمونیست‌های لهستان منجر به ترک روشنفکران یهودیِ زیادی از آن کشور شد. او کشور را ترک کرد و سپس کرسی تدریس جامعه‌شناسی در دانشگاه لیدز را پذیرفت. او از آن زمان به زبان انگلیسی به تدوین و انتشار اندیشه‌های خود اقدام کرد.

زندگی روشنفکریِ باومَن در آغاز متأثر از اندیشهٔ کارل مارکس بود ولی پس از آن اندیشهٔ آنتونیو گِرامشی، زیگموند فروید و ژُرژ سیمل و ژَک دریدا هم نقش مهمی در اندیشهٔ او ایفا کردند. با توجه به اهمیت اندیشه‌های او تصمیم گرفتم طی چهار ساعت دیدگاه زیگمونت باومَن را برای دانشجویان رشتهٔ جامعه‌شناسی توضیح دهم و در اینجا نیز چکیدهٔ اندیشه‌اش را عرضه می‌کنم. در آغاز دههٔ ۱۹۹۰، باومَن کتاب‌های گوناگونی دربارهٔ نوگرایی، دیوان‌سالاری، عقلانیت و گسست و شکنندگی اجتماعی چاپ می‌کند. او، در پیروی از زیگموند فروید، نوگراییِ اروپایی را به‌عنوان یک تعادل متضاد مورد بررسی قرار می‌دهد. باومَن می‌گویدِ جامعهٔ اروپایی به‌خاطر منافع مربوط‌به افزایش امنیت فردی از بخشی از آزادی صرف‌نظر می‌کند. او بر آن است که نوگرایی در درونش ویژگی معینی دارد

که به‌شکل «سفت و جامد» است و نقش آن حذف جنبه‌های ناشناخته و نامطمئن است. دیوان‌سالاریِ سلسله‌مراتبی، قوانین و مقررات، کنترل و معیارگذاری‌ها پیوسته عدم امنیت فردی و شخصی را حذف می‌کنند و دیگر جنبه‌های هرج‌ومرج از زندگی انسان‌ها را زیر نظم خوب و مشخصی در می‌آورند. البته زیگموند باومَن بر این باور بود که چنین تلاش‌هایی برای ایجاد نظم هرگز منجر به نتایج دلخواه و مطلوب نخواهند شد. هنگامی که جامعه و زندگی درون هنجارهای مدیریتی و شناخته‌شده‌ای سازمان پیدا می‌کند، گروه‌بندی‌های اجتماعی دیگری هم هستند که توانایی اداره، جدایی و مهارشان وجود ندارد. باومَن در نوگرایی و دوگانگی افراد مبهم و نامعلوم را به‌صورت چهره‌ای تمثیلی از یک غریبه و بیگانه نظریه‌پردازی می‌کند که از تصمیم‌گیری می‌گریزد. در اقتصاد مصرف‌گرا چیزهای ناآشنا و غریبه همیشه فریبنده و با جذابیت بالایی بوده‌اند.

مشهورترین کتاب باومَن یعنی نوگرایی و هولوکاست تلاشی از نویسنده است تا یک بررسی جامع از خطرات و ترس‌های جامعه به دست آید. او با توجه به بررسی‌هایی که از کتاب هانا آرنتِ و تئودور آدورنو دربارهٔ نظام خودکامهٔ استبدادی انجام می‌دهد اظهار می‌دارد که هولوکاست نباید تنها به‌عنوان یک حادثه در تاریخ یهودیت مورد کنکاش قرار گیرد. برای او رابطه‌ای میان نوگرایی و هولوکاست وجود دارد. او بر آن است که ما باید با عقلانیت انتقادی نگاه کنیم. تقسیم کار به وظایف کوچک‌تر و کوچک‌تر، پیروی از قوانین و نظم به‌عنوان عمل به اصل اخلاقی باید در بررسی پدید آمدن هولوکاست مورد توجه قرار گیرند.

باومَن با نگاه انتقادی به نوگرایی دست به مطرح کردنِ سیّالیت در جامعه و سیّالیت پدیده‌ها می‌زند. در نگاه او، جبرگراییِ مارکسیستی و ساختارگرایی وضع ثابت و سنگینی به جامعه می‌دهند، حال آن‌که جامعه در دگرگونیِ مدام و سیّالیت قرار دارد. از دید او سرمایه‌داری با نظام مصرفی‌اش آزادی خرید و نیز بهره‌مندی از زندگی را ناتوان و کم‌رنگ کرده است. همه‌چیز سُبک و ناپایدار می‌شود و اخلاق و مناسبات انسانی استواریِ خود را از دست می‌دهند. برخلاف گذشته، قواعد و هنجارها شکننده و بی‌ثباتی در جامعه گسترده می‌شود. عشق سیال می‌شود و عشق‌های اسطوره‌ای به پایان می‌رسند و عشق به پدیدهٔ شکننده‌ای تبدیل می‌شود و در بستر پیوند شکننده میان انسان‌ها کیستیِ ناپایداری می‌یابد و به همراه خود احساس‌ها و لذت‌های گوناگون و متضاد جنسی تولید می‌کند. احساس امنیت

واپس‌گرا می‌شود و ترس‌های ریزودرشت در همه‌جا شکل می‌گیرند. مسیرهای حرفه‌ای و شغلی به‌تندی از چارچوب اولیه خارج می‌شوند و اضطراب‌های مزمن و سیّالیت رفتاری به قاعده تبدیل می‌شود. زندگی به‌طرزی بی‌سابقه دگرگون است و تردیدها و نگرانی‌ها فزاینده‌اند و دوستی‌ها شکننده و زودگذر می‌شوند و عامل مثبت به‌تندی به عناصر منفی تبدیل می‌شود. اندیشه‌های ما نیز به‌تندی کهنه و شخصیت فرد و ارزش‌های او جابه‌جا می‌شوند. تاریخ‌مصرف همه‌چیز کوتاه و تعریف ارزش‌های جمعی سخت می‌شود و جامعه در محاصرهٔ تردیدها و ریزش‌ها قرار می‌گیرد.

زیگمونت باومَن نوگرایی را نقد می‌کند و گونه‌ای پسانوگرایی را مطرح می‌کند و بر شخصیت جدید انسان و دگرگونی‌های ژرف فرهنگی تأکید می‌کند. آیا حالت سیّالیتِ جدید جامعهٔ انسانی ویژهٔ جامعهٔ غربی است و یا همین ویژگی‌ها را در جوامعِ دیگر مانند ایران نیز می‌توان دید؟ با توجه به اندیشهٔ زیگمونت باومَن باید به دو نکته توجه داشت: یکی این‌که درک جهان ما و تمامی تغییرات آن با بینش زیگمونت باومَن کمی آسان‌تر می‌شود. دوم این‌که باید از خود بپرسیم ما چگونه باید در این جهان سیّال زندگی کنیم و چه پروژه‌ای برای خود و جامعه تعریف کنیم و آیا باورهای کهنه و سنگین و ایدئولوژیک و دینی ما را فلج نمی‌کنند؟

باومَن یکی از منتقدان بزرگ نوگرایی و جامعهٔ مصرفی بود. از آغاز دههٔ ۹۰ میلادی نفوذ او گسترده شد و اندیشه‌اش مورد توجه جامعهٔ جهانی قرار گرفت. یکی از مفاهیم اساسی پرداخته‌شده توسط او «جامعهٔ سیّال یا مایع» نام دارد. از دیدگاه او، جامعهٔ نوگرا جامعهٔ عصر روشنایی، جامعه‌ای «جامد» بود زیرا ثبات و هماهنگی و نیز پروژه‌های دسته‌جمعی داشت. اهداف وُلتر، روسو، مارکس و باکونین ساخت یک جامعهٔ هماهنگ و عقلانی و، در نهایت، عادل و مطمئن بود ولی این جامعهٔ نوگرا تغییر یافته و رفته‌رفته به‌سوی یک جامعهٔ سیّال و مایع حرکت می‌کند. در این جامعه، دیگر امنیت یک امنیت جمعی نیست و در این دنیای جهانی‌شده آزادی انسانی تنها حاکم موجود است. ولی این آزادی چیست؟ این آزادی هنر زیستن و، در واقع، آزادی انسان برای مصرف است. سیّالیت جهانی، همانا سیّالیت جهانیِ حرفه‌ها و ارزش‌هاست و همه‌چیز در حال حرکت است. خانواده‌ها و فعالیت‌ها و سلسله‌مراتب سازمان‌ها و انسان‌ها از مناسبات سنتی خارج می‌شوند و نقش‌آفرینان باید مناسبات جدیدی را تعریف کنند.

بر پایهٔ نظریهٔ باومَن، فاصلهٔ نوگرایی جامد و مایع مجموعهٔ بی‌سابقه و جدیدی را برای فعالیت‌های مربوط‌به زمان آسایش و آرامش زندگی فردی آفریده. این مجموعه باعث شده افراد با چالش‌هایی روبه‌رو شوند که هرگز پیش از آن با آن‌ها روبه‌رو نبوده‌اند. شکل‌های اجتماعی و نهادهای گوناگون توانایی زیادی برای ثابت نگه داشتنِ قالب‌ها و چارچوب‌های فعالیت انسانی و طرح‌های طولانی و بلندمدت زندگی را ندارند و نمی‌توانند در این زمینه هم موفق باشند. بنابراین، افراد مجبور به یافتن مسیرهای دیگری برای سازمان دادن زندگی‌شان هستند. هر کسی باید فکر کند چه تغییراتی در زندگی او ایجاد شده است و مناسبات آینده چگونه خواهند بود. از میان کتاب‌های برجستهٔ زیگمونت باومَن می‌توان به جامعهٔ محاصره‌شده، زندگی تکه‌شده، عشق سیال یا مایع، نوگرایی مایع و زمان مایع اشاره کرد.

عوام‌گرایی، قرآن و پرسش‌گری فلسفی

در سمینار ماه مارس ۲۰۲۰ کالژ فلسفهٔ دانشگاه سوربن، مطالب گوناگونی مورد بحث قرار گرفت. مارسل گوشه، فیلسوف و اندیشمند فرانسوی، هم در کنار ما بود. در اینجا به دو نکته در بحث‌هامان یعنی عوام‌گرایی و قرآن اشاره می‌کنم.

عوام‌گرایی چیست؟ مردم به‌معنای «دموس» اراده می‌کنند تا بدون واسطه وارد میدان شوند و حقانیت خود را اثبات کنند. این خلق بنابر یکی از نظریه‌های تجلی ارادهٔ طبقه متوسط و گونه‌ای اعتراض به جهانی شدن اقتصاد است. دیدگاه دیگر بر آن است که این اعتراض فرهنگی و سیاسی و خواستار امنیت در برابر تهاجم بیرونی است و انتقادی به روند افزاینده فقر به شمار می‌آید. از نگاه من، مردم‌فریبی در کشورهای گوناگون بسیار گوناگون است و همیشه از پایگاه یکسان اجتماعی برخوردار نیست. بیش از هر چیز، مردم‌فریبی یک پدیدهٔ سیاسی، فرهنگی و ایدئولوژیک است که از جانب برخی از لایه‌های اجتماعیِ بازنده و یا نگران آینده بیان می‌شود. مردم‌فریبی با رنگ‌های گوناگون همچون ملی‌گرایی و نژادپرستی و بومی‌گرایی و جنگ‌خواهی و پشتیبانی از تهی‌دستان و ضدیت با نخبگان در هم می‌آمیزد. عوام‌گرایی یک عصیان خشمناک است و لیاقت‌ها را نادیده می‌انگارد و سیاست خود را تنها ابزار خروج

از «بحران» می‌داند. مردم‌فریب‌ها بزرگ‌نمایی می‌کنند، دروغ می‌گویند، هیجان تولید می‌کنند و پیشنهادهای بی‌پایه‌ای معرفی می‌کنند. آن‌ها بر مشکلات و نارسایی‌ها تأکید دارند ولی خود ناتوان از سازندگی هستند و جامعه را به التهاب بیشتر می‌کشانند، بحران در دموکراسی را به‌عنوان بحران دموکراسی معرفی می‌کنند و با الگوی «شورایی» خواهان پایان دادن به دموکراسی هستند.

مطلب دوم دربارهٔ اصلاح‌ناپذیریِ قرآن و اسلام بود. قرآن دارای ساختاری جزمی، قطعی‌گرا و تعبدگرا است، خود را مقدس و کلام الهی می‌داند، فرد را همیشه بنده به شمار می‌آورد و مخالف را دشمن معرفی می‌کند. در بیشتر سوره‌ها انسان گناهکار معرفی شده و مورد تهدید به مجازات و دورخ قرار می‌گیرد. الله همچون یک میرغضب جبار بر همه‌چیز نظاره می‌کند و غیر از مؤمنِ مطیع و هوادار خود بقیه دنیا را شایستهٔ خشونت الهی می‌داند. حال، چگونه این رابطه را می‌توان تغییر داد؟ خواست مرکزی یک اصلاح قدرت بخشیدن به انسان است. مناسبات میان الله و انسان در قرآن یک‌جانبه و عمودی تغییرش ناشدنی است. قرآن و تاریخ اسلام بر اساس این محور ساختار یافته است. بیش از هزار آیه از شش‌هزار آیهٔ قرآن در ستایش و همسویی با خشونت و تبعیض است. آیا می‌توان این هزار آیه را از بقیهٔ آیه‌ها جدا کرد؟ آیا می‌توان متن قرآن دربارهٔ زن را تغییر داد؟ آیا می‌توان آیه‌های بی‌شمار قرآن دربارهٔ جن و قیامت و بهشت و دوزخ و شیطان و غیره را که در تناقض با خِردگرایی و دانش‌اند به دور افکند؟ آیا قدرت قرآن و سنت اسلامی و شیعه‌گری آزادی انسان نوگرا را می‌پذیرند و خواهان همزیستی اُرگانیک با تمدن کنونی هستند؟ آیا مسلمانان می‌پذیرند که تمام احادیث و روایات جعلی‌اند؟ اصلاح جدی در منطق اسلام نیازمند نفی خشونت و تبعیض و دورغ است. چنین ظرفیتی در چیستی اسلام نمی‌گنجاند. کدام اصلاح‌گر و مصلح دین در طول ۱۴۰۰ سال به میدان آمده است؟

در عرصهٔ فلسفی، آیا رابطه‌ای میان عوام‌گرایی و قرآن وجود دارد؟ آیا عوام‌گرایی با جهان‌بینی تهییجی و احساسی واقعیت و پیچیدگی‌های زندگی را نفی می‌کند؟ ساده‌انگاری و نبود پرسش‌گری با فلسفه میانهٔ خوبی ندارند. قرآن و اسلام جزم‌گرا و خودکامه هستند و راه را بر اندیشه‌های دیگر می‌بندند و خواهان ذهن مطیع‌اند. این الگوی رفتاری با پرسش‌گری فلسفی متضاد است. آموزش فلسفی ما را در برابر جهان‌بینی و جزمیت دینی قرار می‌دهد.

خفاش، انسان، زیست‌بوم

خفاش‌ها با انسان‌ها چه می‌کنند؟ همه‌جا دربارهٔ ویروس کرونا صحبت می‌شود و خفاش‌ها به‌عنوان عامل انتقال معرفی می‌شوند. واکنش‌های ما به خفاش گوناگون است. ما با شنیدن واژهٔ خفاش بی‌درنگ به فیلم‌های وحشتناک و کابوس‌های ترسناک فکر می‌کنیم و این وضع روانی در اجتماع ترس و نگرانی را رشد می‌دهد و خیال‌های هول‌انگیز را در ذهن برمی‌انگیزد. حال، اگر شماری از جوامع با خفاش در وحشت فرو می‌روند، در جغرافیای دیگری نقش خفاش‌ها تغییر می‌کند و به مواد خوراکی تبدیل می‌شوند. چندی پیش گزارشی در تلویزیون نگاه می‌کردم دربارهٔ یک بازار مواد غذایی در چین، جایی که به‌شدت آلوده و کثیف به چشم می‌آمد و خفاش‌ها و موش‌های بریانی به سیخ کشیده می‌شدند و به‌عنوان غذا به فروش می‌رسیدند. سپس، گزارش دیگری از کنگو نگاه کردم که افرادی چند خفاش پخته‌شده را به دندان گرفته بودند و از لذت آن سخن می‌گفتند. خفاش، کابوس ماست و یا غذای ما؟

حال، رابطهٔ کرونا با خفاش، این جانور پستاندار، چیست؟ در جهان بسیاری از آزمایشگاه‌ها در جست‌وجوی شناخت ویروس کرونا و داروهای درمانی و واکسن هستند. در دوره‌های گوناگون ویروس‌های گوناگونی به جامعهٔ انسانی یورش برده‌اند و این آزمایشگاه‌ها در سال میلادی ۲۰۰۳ بیماریِ همه‌گیرِ «سراس» و در سال ۲۰۱۲ ویروس «مرس» را مورد بررسی و مبارزه قرار دادند. تب «ابولا» در ۲۰۱۴ تا ۲۰۱۵ چیزی حدود ۱۱۰۰۰ نفر را در کنگو کشت و در ۲۰۰۴ تا ۲۰۰۵ در انگولا نیز بی‌شمار کشته بر جای گذاشت. افزون‌بر آن، ویروس «نیپاه» در سال‌های ۱۹۹۰ تا ۲۰۰۰ در مالزی و سنگاپور و بنگلادش تلفات انسانی زیادی به بار آورد. ویروس «هاندرا» نیز شمار زیادی را در استرالیا کشت. موج به موج، ویروس‌ها به جنگ خود ادامه می‌دهند و هم‌اکنون بیمارِ همه‌گیرِ کرونا میلیون‌ها نفر را بیمار کرده و انسان‌های بی‌شماری را به نابودی کشانده و به‌مثابه یک همه‌گیر در وسعت جغرافیاییِ پنج قاره عمل می‌کند و گفته می‌شود که منبع این ویروس همه‌گیرِ خطرناک حیوانیِ خفاش است.

دانشمندان در ضمن تجارب و آزمایش‌های خود دریافته‌اند که خفاش‌ها، برخلاف انسان، با این ویروس مقاوم باقی می‌مانند، حال آن‌که انسان با همین

ویروس بیمار می‌شود و حتی جان می‌بازد. یک گروه پژوهشیِ آمریکایی به سرپرستی مراسی گلداشتین از دانشگاه کالیفرنیا دیویس و سیمون آنتونی از دانشگاه کلمبیا در سال ۲۰۱۷ میلادی در نشریهٔ دگرگونیِ ویروس‌ها نتایج مجموعه‌ای از بررسی‌های تطبیقی را چاپ کردند. نتیجهٔ آزمایش‌ها چنین است: از میان ۱۲۳۳۳ خفاش آزمایش‌شده آزمایش کرونای ۱۰۶۵ مثبت کرونایی بوده و از میان ۳۴۷۰ میمون فقط آزمایش ۴تا از آن‌ها مثبت اعلان شد. از میان ۳۳۸۷ جونده نیز فقط آزمایش ۱۱ مورد از آن‌ها مثبت بود و از میان ۱۱۲۴ انسان تنها آزمایش ۲ نفر مثبت اعلان شد. بر اساس نتایج این پژوهشگران، ۹۸ درصد ویروس‌های کرونا از خفاش‌ها ناشی شده. در همان دوره، گروه دیگری به سرپرستی پیتر داسزاک از دانشگاه کلمبیا در مقالهٔ خود در نشریهٔ علمی طبیعت در مورد زونوس عفونتی به نتیجه‌ای مشابه رسیدند و خفاش‌ها را عامل اصلی انتقال ویروس ارزیابی کردند. حال، مریادگ لوگوئل، متخصص بیماری‌های عفونی از دانشگاه شهر کان فرانسه، برآن است که این‌گونه پژوهش‌ها بسیار پیچیده‌اند زیرا بیش از ۱۳۰۰ گونه خفاش در جهان وجود دارد. او می‌افزاید آن‌چه با قدرت می‌توان گفت این است که بر هم خوردن وضع زیست‌محیطیِ خفاش‌ها، به هم خوردن سیستم‌های حفاظتی و زندگی آن‌ها و زیست‌بوم خفاش‌ها نقش مؤثری در گسترش ویروس داشته است. زمانی که آشیانه‌ها و محل زندگی خفاش‌ها در جنگل‌ها و غارها و بناهای قدیمی ویران می‌شود و تجمع خفاش در نقاط همیشگی به هم می‌ریزد، آن‌ها پراکنده می‌شوند و ویروس‌ها را به نقاط گوناگونی انتقال می‌دهند و موجب گستردگی و مقاومت بیشترشان می‌شوند.

یک گروه پژوهشیِ ایرلندی به سرپرستی اِما تیلینگ از دانشگاه کالج دوبلین نیز در مقاله‌ای پژوهشی، که در ۲۰۱۷ در مجلهٔ آکت چاپ شد، به مسئلهٔ ویروس کرونا و عملکرد شش‌ها و دستگاه تنفسی پرداختند. این گروه برآن است که با یورش ویروس کرونا به بدن انسان، اندام تنفسی یعنی شش‌ها برای رویارویی با ویروس متورم می‌شود و ایستادگیِ اعضای بدن رو به ناتوانی می‌گذارد و از بین می‌رود. خستگی و نابودیِ شش‌ها منجر به مرگ انسان می‌شود، حال آن‌که خفاش‌ها با وجود ویروس در بدن‌شان نمی‌میرند و سالم می‌مانند. نتیجهٔ این پژوهش این است که در حالت سخت این بیماری، به‌ویژه در گروه‌های سنی بالا، باید به‌کمک بدن انسان شتافت و با لوازم تنفسی پزشکی به شش‌ها اکسیژن رساند

تا مقاومت بیمار زیادتر شود. این ویروس دو واکنش متفاوت در بدن انسان و خفاش دارد: برای انسان بیماری و مرگ می‌آورد و برای خفاش ادامهٔ زندگی.

خفاش‌ها میلیون‌ها سال است که زندگی را با ویروس و به‌شکل طبیعی ادامه می‌دهند و یورش ویروس منجر به فرتوت شدن دستگاه تنفسی‌شان نمی‌شود. همین گروه پژوهشیِ ایرلندی در مقالهٔ دیگری در نشریهٔ طبیعت، زیست‌بوم و دگرگونی در سال ۲۰۱۹ توضیح دادند که چرا خفاش‌ها در برابر ویروس دستخوش ناتوانی، پیری و نابودی نمی‌شوند؟ در این مقاله می‌خوانیم خفاش‌ها در خود گونه‌ای «ژن حفاظتی» به وجود آورده‌اند که مانع تورم شش‌ها و مشکل تنفسی می‌شود. حال، راز این ایستادگی چیست؟ کارا بروک از دانشگاه برکلی آمریکا این راز را در «پرواز فعال» خفاش می‌بیند زیرا او در زمان پرواز خود سوخت‌وسازش را ۱۵ برابرِ زمان استراحت افزایش می‌دهد، حال آن‌که این نسبت در جوندگان ۷ برابر و انسان ۳ برابر است. این ساختار در بدن خفاش منجر به کاهش تنش می‌شود و عمر این جانور را طولانی‌تر می‌کند. بنابراین، ایستادگیِ سلولیِ آن‌ها نتیجهٔ نوع «پرواز» آن‌هاست. حال، نتیجهٔ دیگر این وضع ژنتیکیِ خفاش این است که ویروس موجود در بدن این حیوان سرسخت‌تر شده و زمانی که ویروس از راه خفاش به بدن انسان می‌رسد با قدرت عمل می‌کند و منجر به مرگ انسان می‌شود.

تعادل طبیعتْ شرط زندگی است. نظام تولید و اقتصادی پیوسته کسب سود حداکثر را مورد توجه قرار داده و به زیست‌بوم‌ها آسیب رسانده است، کیفیت هوا و اقلیم را ویران نموده و منجر به گرمایش زمین شده است. امروز، یک بار دیگر با تعرض ویروس کرونا نتایج این ویرانگری را می‌بینیم. انسان با ویرانیِ تعادل طبیعت یک بازندهٔ محض است. تعادل محیط زیست را نباید به هم زد. در طول تاریخ، ویروس‌های گوناگونی پدیدار شده‌اند ولی تشدید نابسامانی زیست‌محیطی خطر افزایش ویروس‌ها را بالا می‌برد. بنابراین، باید توجه داشت که در دنیای جهانی‌شدهٔ امروز به‌هم‌خوردگی محیط زیستِ خفاش‌ها و نزدیکیِ بیش‌ازپیش خفاش‌های آلوده به محیط انسانی خطر را به‌شدت در همه‌جا پخش می‌کند. وقتی انسان با جاده کشی و ساختمان‌سازی و ویلاسازی و قطع درختان بی‌شمار در مناطق جنگلی و گیاهی لانه‌های طبیعیِ خفاش را ویران می‌کند، تعادل زیست‌محیطی را بر هم می‌زند. زمانی که انسان به شکار خفاش‌ها می‌رود و آن‌ها را پراکنده می‌کند و یا خفاش‌های آلوده را به بازار غذایی می‌آورد و

مصرف می‌کند، نه‌تنها خفاش‌ها ویروس‌های حامل بیماری را به‌طور گسترده پخش می‌کنند بلکه چنین وضعیتی خفاش‌ها را در شرایطی قرار می‌دهد تا ویروس بیشتری از خود تولید کنند. از دید پژوهشگران، سیستم شکار و فروش حیوانات وحشی را باید مهار و ممنوع کرد. همچنین، باید شیوه و نوع زنجیرهٔ انتقال ویروس به انسان را نیز مورد پژوهش دقیق‌تری قرار داد. این پژوهش‌ها نیازمند همکاریِ نزدیکِ گروه‌های پژوهشیِ جهانی بودجهٔ کافی برای پروژه‌های مهم و میدان‌های پژوهشیِ لازم‌اند. درک سیستم دفاعی سازوارهٔ خفاش می‌تواند راه‌های جدیدی را برای رویارویی با ویروس‌های ناشناخته نمایان کند.

بدین ترتیب، نباید در پی کشتن خفاش بود بلکه باید فهمید چگونه این جانور ایستادگیِ خود در برابر ویروس را افزایش می‌دهد و همین نکته می‌تواند راه‌های جدیدی برای سلامتی انسان و حفظ او در برابر ویروس‌های ناشناخته باشد. هر عضوی از این طبیعت بزرگ دارای یک کارکرد معین است. ما باید همزیستی با طبیعت را پیشه کنیم زیرا خود جزوی از طبیعت هستیم. گسترش گازهای خطرناکی که به گرمایش زمین منجر می‌شوند، ویرانیِ جنگل و آلوده کردن آب‌ها که منجر به مرگ زندگی می‌شوند، تولید انبوهی که در تضاد با کیفیت سلامتی است و مصرف انرژی فسیلی در اقتصاد جهانی که آلودگی‌ها را دامن می‌زند از عوامل ویرانیِ جهان و زندگی هستند. ما دارای راه حل هستیم. باید از این دورِ ویرانگری خارج شد.

فلسفهٔ طبیعت و آینده را چگونه تعریف کنیم؟ فرانسیس بِیکن یکی از فیلسوفانی است که به‌طور جدی به طبیعت نگاه می‌کند و بر روش تجربیِ نوگرا تأکید می‌ورزد. او برآن است که شناخت ما از تجربه با طبیعت ناشی شده و ما تفسیر خود را بدان تحمیل می‌کنیم. برای او علوم طبیعی دربرگیرندهٔ ستاره‌شناسی، دانش اندازه‌گیری، شیمی، کشاورزی، پزشکی و علم تجربی است. بِیکن متأثر از ارسطو و ابن سینا بود. اسپینوزا بر این باور است که طبیعتْ جلوه‌ها و صفات گوناگونی دارد ولی این جلوه‌ها از یک هستی برمی‌خیزند. بر اساس دیدگاه کانت نیز طبیعت یعنی زندگی چیزها که بر پایهٔ قوانین جهان‌شمول تعیین شده‌اند. لوی اشتراوس نیز می‌نویسد طبیعتْ همهٔ آن چیزی است که به‌شکل زیستی به ما به ارث رسیده است. تمام فیلسوفان زیست‌بوم مانند هانری داوید، فلیکس گاتاری، آندره گورز، ژک الول، هانس ژونس، سرژ موسکویچی، ادگار مورن و دیگران بر اهمیت ساختاری

طبیعت اصرار ورزیده‌اند و یادآور مسئولیت انسان در حفظ طبیعت و زندگی انسانی شده‌اند. برخی بینش‌های فلسفی رازآلود و عرفان‌گرا هستند و در طبیعت به‌دنبال رازی آسمانی و قدسی هستند و این بینش‌ها متأثر از الهیات و متافیزیک‌اند و حتی گاه خود را «پسانوگرا» نیز می‌خوانند. برخی بینش‌های فلسفی دانش‌گرا هستند و بر خِردگرایی و مهار زندگی با مهارت و ریاضیات تأکید می‌ورزند. برخی دیگر از بینش‌های فلسفی خِردگرایی را نقد می‌کنند و به هماهنگی دانش‌ها و هوشمندی جمعیِ انسان و مناسبات اُرگانیک انسان و طبیعت معتقدند. در عرصهٔ ارزش‌های اخلاقی و حقوق بشر نیز این دو بینش همگام‌اند و آزادی‌خواهی و خودمختاری انسان از نتایج آن‌هاست.

در جامعهٔ ایران به‌دلیل استبدادگرایی و دین‌گرایی، آسیب‌دیدگی گسترده‌ای وجود دارد و مردمان بسیاری دستخوش ازخودبیگانگی و مسخ‌شدگی فرهنگی هستند. در این جامعه، منطق‌گرایی به دین‌گرایی مزمن و آسیب‌شناسانه آلوده است. از یک سو رسالت حاکمیت سیاسی در ترویج آخوندیسم و منحط‌ترین خرافه‌های قرآنی و شیعه‌گری است و از سوی دیگر توده‌های بسیاری در این جهان‌بینیِ مذهبی مصلوب شده‌اند و در میان قدرت و توده نیز نخبگان سیاسی و روشنفکریِ فراوانی هستند که گنداب دینی آن‌ها را آزار نمی‌دهد. در همین زمانهٔ کرونا می‌بینید که بازار خرافه به‌شدت رایج است و در شرایطی که امامزاده‌های دروغین و ورشکسته ناتوان از شفای مردم هستند، در محیط پزشکی مانند بیمارستان‌ها، غذای امام رضا و شلوار آیت‌الله خمینی به‌مثابه مقدسات عرضه می‌شود و کارشناسانِ حاضر نیز متأثر از روضه‌خوانی‌ها به گریه می‌افتند.

جامعهٔ ما نیازمند دانش و فلسفه و نقد دین است. خفاش ترسناک نیست. ما نه‌تنها باید شناخت علمیِ خفاش‌ها و ویروس‌ها و کل طبیعت داشته باشیم، ما نه تنها باید فلسفه و فرهنگ خردگرایی را رواج دهیم، بلکه باید دین اسلام و شیعه‌گری و خرافه‌های روزمره در ذهن مردم را به انتقاد کشاند و زمینهٔ استقلال روانی و فکری شهروندان را تقویت کرد و جهان‌بینیِ دینی را هرچه بیشتر در انزوا قرار داد. ما اگر می‌خواهیم دورهٔ کرونایی به نتایج مثبتی منجر شود، باید نقد دین را به‌طرزی بی‌سابقه به فرهنگ رایج تبدیل کنیم.

چالش‌های دوران کرونایی

جهان سخت درگیر ویروس همه‌گیر کروناست. این ویروس همه‌گیر تمام انسان‌های گیتی را به واکنش واداشته و پزشکان، سیاست‌مداران، دانشمندان، اقتصاددانان، جامعه‌شناسان، روان‌کاوان و روان‌پزشکان را به چالش بی‌مانندی کشانده است. در جامعه‌شناسی گفتاری وجود دارد دربارهٔ «دادهٔ کامل» که به‌معنای پدیده‌ای دارای پیچیدگی گسترده و همه‌جانبه است. امروز، واژهٔ «کرونا» همان دادهٔ کاملی است که جهانی از پدیده‌ها را در برابر ما می‌گشاید: ویروس‌های ناشناخته، سلامتی و بهداشت انسان‌ها، سیاست دولت‌ها، سامان درمانی کشوری و جهانی، ویرانگری زیست‌محیطی، اقتصاد جهانی‌شده، بستگی‌ها و پیوندهای تنگاتنگ انسان‌ها در جهان، دین و دانش و بیماری‌ها، الگوی مدیریت خانواده و جامعه، مدیریت جهانی کشورها، سازمان‌دهی کار و تولید و مصرف، همبستگی همهٔ انسان‌ها در برابر خطرهای فراگیر، بافت اجتماعی شکننده و روان‌های آسیب‌دیده، رابطهٔ انسان و طبیعت، مسئولیت نقش‌آفرینان، خودپرستی تندروانه و بسیاری پدیده‌های دیگر در همین کرونا جمع شده‌اند.

هم‌اکنون باید از یک سو شرایط تاریخیِ پیدایش ویروس کرونا را شناخت، آسیب‌ها را ارزیابیِ علمی کرد و پرسش‌هایِ زیر را مورد توجه قرار داد: عوامل آفریننده این بیماریِ همه‌گیر کدامند؟ چرا از چین آغاز شد؟ چگونه به کشورهای دیگر انتقال یافت؟ سیاست رویارویی با آن چگونه بود؟ کدام عوامل رشد تند آن را آسان کردند؟ کدام سیاست مؤثرترین راه رویارویی را سامان داد؟ از سوی دیگر باید به پیامدها و فرجام این دوران کرونایی نیز اندیشید و برای آینده طرح ریخت. این رویداد بحران‌زا چه نتایجی برای سیاست و اقتصاد و جامعه و فرهنگ و محیط زیست و دیپلماسی و انسان و اخلاق به وجود می‌آورد؟ آیا این رویداد تراژیک می‌تواند عادت‌های کهنه و خرافه‌های دینیِ مزمن و رفتارهای تربیتی و اجتماعی سرسخت را به عقب براند و منجر به زایشِ کردارهای تازه شود؟

ما با این بحران در پایان «جهانی شدن» اقتصاد نیستیم ولی مدیریت و تقسیم کار تولیدی و صنعتی شیوهٔ دیگری نیاز دارد. برای نمونه، اگر همهٔ جهان برای ماسک‌های بهداشتی و برخی داروها و آنتی‌بیوتیک‌ها به چین وابسته بماند، در تنش‌های خطرناک دیگر، آسیب‌های انسانی و زیان‌های کشوری چگونه

مهارپذیرند؟ این همه‌گیری در یورش خود به ساختار جمعیتی از افراد سالخورده و گروه‌های حساس اجتماع قربانیان زیادی می‌گیرد. حال، چگونه سیاست بهداشتی در کشورها را باید تنظیم کرد تا از سیاست «مالتوسی» به دور باشیم؟ با توجه به سرعت بحران‌های بعدی و آسیب‌های اجتماعی، چگونه دولت رفاه خود را باید دوباره تعریف کند؟ بی‌شک، اقتصاد بازار به بنیاد نیاز دارد ولی نقش دولت در اجتماع و اقتصاد چگونه دقیق‌تر می‌شود؟

از سال‌های هفتاد میلادی ربات‌ها و مهارت‌های خودکار و الکترونیک جای سازوکارهای مکانیکی را گرفتند و صنایع و تولید نوگرا شدند و سپس از سال‌های دو هزار میلادیِ به بعد با دانش سیستم‌های هوشمند و شبکهٔ جهانیِ اینترنت نیز یک دوران تاریخی تازه در دانش و فناوری و اندیشه‌ورزی و رفتارَ انسان آغاز شد. هم‌اکنون با ویروس همه‌گیرِ کرونا جهشی بزرگ در همین زمینه آغاز شده است. در بستر همین فناوری‌هایَ ساختاری، سازمان‌ها و بنگاه‌های اقتصادی، نهادهای پژوهشی و نهادهای آموزشی و دانشگاهی، نظام پیام‌رسانی و خبردهی و خبرگیری، نظام پزشکی و الگوی تشخیص بیماری و اقدامات درمانی، سیستم بازرگانی و شهرسازی، ارتباط میان انسان‌ها و تأثیرگذاری بر مغز، الگوی خانواده و پرورش فرزندان و رفتار و کردار جنسی و مناسبات عاطفی نیز در حال تجربهٔ دگرگونی‌های آشکار و پنهانی هستند. کرونا عامل شتاب در تاریخ است.

این‌گونه پدیده‌ها و دگرگونی‌ها به‌اَشکال گوناگون در تمام جوامع بشری خود را نشان می‌دهند ولی نگاه جامعه‌شناختی نیازمند شرف‌نگری است. همچنین، در برخی کشورها ویژگی‌های اساسیِ دیگری هم وجود دارد که باید مورد بررسی علمی قرار گیرند. برای نمونه، ایرانَ دارای حکومتی دینی و استبدادی و هوادار تبعیض سیاسی، دینی، اجتماعی و جنسیتی است. این حکومت ویرانگر منابع طبیعی است و عامل مهمی در افزایش گرمایش زمین به شمار می‌آید. این حکومت دارای ذاتی دینی است و به‌ناگزیر با گسترش شیعه‌گری و خرافه‌های قرآنی گرایش‌های خِردگرا و خودمختارانهٔ شهروندی را فلج و ویران و روند سکولار شدن در اجتماع را کند می‌کند. یورش کرونا به جامعهٔ ما از راه همین دستگاه حکومتی و دینی میسر می‌شود. قم، نماد شیعه‌گری، شهر شفادهنده و شهری که به بهشت راه دارد، به دروازهٔ ورود کرونا و ماشین مرگ در ایران تبدیل می‌شود.

ما در یک دورهٔ تاریخی جهانی‌شده قرار داریم. بینش ملی‌گرا و محلی‌گرا

نامناسب است و همکاری فشرده و پویای جهانی لازم است. ما باید با انسان‌شناسیِ کنونی انسان را تعریف کنیم. پرسش بزرگ فلسفی این دوران کدام است؟ رابطهٔ اقتصاد و زیست‌بوم چه باید باشد؟ این بحران دردناک در جهان و ایران همه را متأثر کرده و خواهد کرد. برخی تأثیرات زودگذر و برخی چه‌بسا پایدار باشند. قدرت سودپرستیِ تندروانه و قدرت عادت در جامعه میزان تأثیر را تعیین خواهند کرد. حال، چگونه جامعهٔ ما به دورهٔ کرونایی وارد شده و آسیب‌های ناشی از آن کدامند؟ قدرت سیاسی ترجیح می‌دهد مردم با کرونا کشته شوند تا شورش امکان‌پذیر نشود. کار شهروندان ایرانی در بستری از اضطراب چگونه می‌تواند به ایستادگی و زندگی بپردازد؟ آخوند و نواندیش دینی کدام رهابرد را برای دوری از فروریزی باورهای دینی به کار خواهند گرفت؟ شهروند ایرانی با خرافه‌های دینیِ هزارساله چه خواهد کرد؟ فیلسوف و جامعه‌شناس و روشنفکر چه نقد جدیدی دربارهٔ ازخودبیگانگی ارائه داده‌اند و کدام فرهنگ را در جامعه گسترش خواهند داد؟ اثرات اجتماعیِ این دوره بر جامعه و روان انسان چه خواهند بود؟ نخبگان ایرانی چه نگاهی به جهان کرونایی و پساکرونایی دارند؟

پشتیبانی از زندگی

در فرانسه، ویروس کرونا پس از دو مرحلهٔ گسترش وارد مرحلهٔ سوم شد و به‌تندی شمار زیادی به این بیماری مبتلا شده‌اند و شمار زیادی هم درگذشته‌اند. به‌دنبال بسته شدن مدارس و دانشگاه‌ها، دولت اعلان کرد تمام مراکز هنری و فرهنگی، تمام رستوران‌ها و کافه‌ها و هتل‌ها نیز باید بسته شوند. امروز، یکشنبه، ۱۵ مارس ۲۰۲۰، دور نخست انتخابات شهرداری‌هاست و افراد بدون کوچک‌ترین ازدحام و نفربه‌نفر وارد محل‌های رأی‌گیری شدند و همگی با مواد ضدعفونی‌کننده، چه پیش و چه پس از رأی‌دهی، دست‌های خود را پاک و با قلم خود دفتر انتخاباتی را امضا کردند. اعضای هر شعبهٔ انتخاباتی بدون دست زدن به کارت انتخاباتی و کارت ملی و فقط با نگاه به اسناد شهروندان را برای رأی دادن راهنمایی می‌کردند. امانوئل مکرون، رئیس‌جمهوری که به‌طور منظم دربارهٔ بیماری و سیاست دولتی در قبال آن ابراز نظر کرده، گفت این ویروس گذرنامه ندارد و همه‌جا می‌رود. بنابراین،

همکاری کارشناسان و مسئولان اروپا لازم است. او امروز به‌دنبال رأی خود در مورد انتخابات شهردارهای آینده، سیاست جدید دولت و محدودیت‌های اجتماعی و اقتصادی را اعلان کرد و سپس وزیر اقتصاد هم در پی دیدار با صاحبان شرکت‌های مواد خوراکی و فروشگاه‌های بزرگ غذایی مطرح کرد که سازمان‌دهی توزیع مواد خوراکی به‌شکل عادی ادامه یافته و کشور هیچ مشکلی ندارد و شهروندان نباید نگران کمبود مواد خوراکی باشند. بدین ترتیب، این تصمیم دولتی چه بسا منجر به بسته شدن رستوران‌ها شود. در این بخش اقتصادی، نزدیک‌به دو میلیون نفر از کارکنان بنگاه‌های خوراکی و هتل‌ها به‌صورت موقت بیکار شدند و البته این افراد با کمک‌های مالیِ دولتی زیر پوشش خواهند بود. روشن است که در جامعهٔ فرانسه یک هراس بزرگ وجود دارد ولی حضور مسئولان سیاسیِ درجه‌اول و نیز اطلاع‌رسانی منظم پزشکی و دولتی از التهاب جامعه می‌کاهد و اعتماد متقابل در جامعه وجود دارد. بیشتر مردم سیاست‌های دولتی را تائید می‌کنند و همه موافقند که اولویت کشور سلامتی و بهداشت مردم و نجات بخش حساس جمعیت از مرگ است. حال، در ایران خامنه‌ای مردم را به دعا خواندن تشویق می‌کند و نظریهٔ توطئهٔ جنگ باکتری را مطرح می‌کند، روحانی مخفی شده است و وزیر بهداشت به دروغ‌گویی ادامه می‌دهد. در ایران مردم ما رها شده‌اند، امکانات پزشکی لازم موجود نیست و فقط حساسیت و شانس و شعور خود مردم به یاری آن‌ها می‌آید.

کرونا و اسلام‌گرایان حاکم چه رابطه‌ای با یکدیگر دارند؟ ما با همه‌گیریِ یک بیماری خطرناک جهانی روبه‌رو هستیم. جهانی شدن اقتصاد و فعالیت‌های هواپیمایی و گردشگری جهانی و ارتباطات بی‌شمار میان انسان‌ها در کشورهای گوناگون، در شرایط تعرض یک بیماری خطرناک همهٔ انسان‌ها را آسیب‌پذیر کرده است. ویروس بیماری‌های شناخته‌شده و ناشناخته و بی‌واکسن با سرعت قربانی می‌گیرد. در گذشته، وبا و طاعون و آنفلونزای مرغی در عرصهٔ جغرافیای محدودی انسان‌ها را می‌کشت و امروز ویروس کرونا از چین آغاز و سپس با سرعت در دیگر کشورها پخش شد و شمار فزاینده‌ای از مردم جهان را به تنش کشانده و نابود می‌کند.

با این بیماری، در عرصهٔ اقتصادی نیز افت بورس جهانی و آغاز کاهش نرخ رشد جهانی ادامه خواهد یافت. چین یک کارخانهٔ جهانی است که با تمام

جهان ارتباط دارد و تعطیلی فعالیت یک‌سری از کارخانه‌ها در این کشور به‌شکل زنجیروار بر اقتصاد و تولید در جهان تأثیر مستقیم می‌گذارد. بخش مهمی از داروهای مورد استفاده در جهان در چین تولید می‌شود. ۲۵۰۰ بنگاه تولیدی دارو در چین برای مصرف دنیا فعالیت می‌کنند و با کاهش و یا تعطیلیِ این بنگاه‌ها جهان بر خود می‌لرزد. شمار کارخانه‌هایی که در چین قطعات خودرو تولید می‌کنند نقشی اساسی در صنعت خودروسازی فرانسه و آلمان دارند و بحران را حس می‌کنند. امروز فعالیت‌های خدمات گمرکی، فعالیت مسافربری و کالابری شرکت‌های هواپیمایی، ارتباط صنایع پلاستیک، تولیدکنندگان صنایع مواد غذایی، بازار صنایع لوکس و غیره در حالت بحرانی قرار گرفته‌اند و به‌سرعت با رکود روبه‌رو خواهند شد.

در لحظهٔ کنونی به‌خاطر مسئلهٔ سلامتی و بهداشت انسان‌ها، مدیریت اقتصادی جنبهٔ فرعی پیدا کرده و همهٔ کشورهایی که حس مسئولیت دارند در اقدام‌های پیشگیرانه و امکان‌سازی پزشکی و بهداشتی برای رویارویی با کرونا بسیج شده‌اند. پخش اخبار درست و علمی، تعیین مرکزهای درمانی مناسب برای مبارزه با کرونا، قرنطینه‌سازی لازم، آمادگی گروه‌های پرستاری و پزشکی، سازمان‌دهی حجم بزرگی از تولید ماسک، حضور کارشناسان در رسانه و مقاله‌های علمی در مطبوعات، ساختن بیمارستان با تجهیزات پزشکی در طی چند روز و تشدید تلاش آزمایشگاه‌ها برای کشف واکسن از نمونه تلاش‌های جهانی برای مهار این بیماری است.

در ایران چه می‌گذرد؟ شبکه‌های رسانه‌های دولتی به دروغ‌پردازی مشغول هستند. خطرناک بودن ویروس توسط مسئولال سیاسیِ حاکم نفی می‌شود. مشتی آخوند تبهکار در رسانه‌ها و شبکه‌ها مردم را به خرافه‌گریِ بی‌سابقه تشویق می‌کنند و مردم را وامی‌دارند تا به‌جای دانش و خِرد و مهارت، به فاطمه و مهدی و دین و دعا روی بیاورند. پنهانکاریِ مافیایی تشویش و نگرانی همهٔ مردم را به اوج رسانده است؛ از قم آغاز شد زیرا طلاب شیعهٔ چینی در قم تمرکز دارند و شرکت ماهان سپاه پاسداران بیماری را به همه‌جا می‌گستراند. حکومت اسلامی به‌خاطر عدم پخش خبرِ درست برای حفاظت جان انسان، خرافه‌پراکنیِ اسلامی جهت تحمیق مردم، تشویق مردم به زیارت امامان برای «شفا» و نیز عدمِ تدارک پزشکی مسئول گسترش واگیرند و نقش جنایتکارانه‌ای ایفا می‌کنند.

در ایران، در فرانسه و در جهان همه‌گیریِ کرونا به جنگ خود ادامه می‌دهد. چاره چیست؟ در رویارویی با کرونا، تنها دانش پزشکی، سیاست‌های مسئولانهٔ نهادهای بهداشت جهانی، سیاست‌های بهداشتی و پیشگیرانهٔ دولت‌ها و برخورد مسئولانهٔ شهروندان جهان چارهٔ کار است. دولت فرانسه برای رویارویی با بیماری همه‌گیرِ کرونا بسیج عمومی اعلان کرد: هر گونه رفت‌وآمد در خیابان فقط با کسب اجازه ممکن است، کارکنان شرکت‌ها فقط با کار مجازی از دور فعالیت خواهند داشت، دولت هیچ شرکتی را به حال خود رها نمی‌کند و متعهد می‌شود مبلغ ۳۰۰ میلیارد یورو برای بدهی بانکی و مالیات و هزینه‌های اصلی به شرکت‌ها کمک کند، کارکنان و کارگران در «بی‌کاری تکنیکی» قرار می‌گیرند و درآمدشان پابرجاست تا مورد آسیب اقتصادی قرار نگیرند. این بسیج عمومی دست‌کم دو هفته ادامه خواهد یافت.

چند نکتهٔ مهم را در نظر بگیریم:

نخست، باید از نظریهٔ توطئه پرهیز کرد. هواداران نظریهٔ توطئه چه می‌گویند؟ این‌که شماری در نقطه‌ای از جهان توطئه کرده‌اند تا رقبای سرمایه‌داری جهانی را در دشواری قرار دهند و یا این‌که دولتی به‌طرزی آگاهانه این واگیر را به وجود آورده تا واکنش‌های بعدیِ مردم را بررسی کند. این افسانه‌سازی‌های غیرمسئولانه به واقعیت ربطی ندارند. ویرانی‌های زیست‌محیطی، آلودگی‌های صنعتی، افزایش ویروس‌های جدید و جهش‌های ویروسی، نبود سیاست‌های بهداشتی درست، نظام تغذیهٔ آلوده در برخی نقاط جهان، خوردن موش و خفاش و غیره در برخی جوامع و نبود بودجه پژوهشی کافی برای پیشگیری‌های لازم از جمله عوامل تولید همه‌گیرهای خطرناک هستند. دوم، مدیریت سیاسی باید با مدیریت بهداشتی در همکاری تنگاتنگی به سر ببرد . در حال حاضر در اروپا و چین چنین‌چیزی در دستور کار است. در فرانسه، رئیس‌جمهور پیوسته با کارشناسان پزشکی تبادل نظر می‌کند و تصمیم سیاسی را متکی‌بر تشخیص علمی می‌گیرد؛ همچنین، دولت فرانسه اعلان کرده که اولویت اساسی سلامتی و نجات شهروندان است و تمام هزینه‌های مالی را می‌پذیرد. دولت اسلامیِ ایران در درماندگی و پریشانی و خرافه غوطه‌ور است و آخوندها با تبلیغاتِ خود تلاش می‌کنند تا با خرافه‌های اسلامی مردم را فلج و در کار پزشکان و پرستاران مداخله کنند. نهادهای بهداشتیِ جهانی باید به کارهای داخلی ایران وارد شوند و جلوِ گسترش فاجعه را بگیرند. سوم،

ما شهروندان جهان باید مسئولانه عمل کنیم: به مسائل و رهنمودهای بهداشتی کاملاً توجه کنیم، با ماسک حرکت کنیم، ارتباطات خود را محدود کنیم، روحیات همدیگر را تقویت کنیم، به دام مذهب و خرافه و آخوند و جزم‌اندیش دینی نیفتیم، در انتظار آسمان و الله و امام زمان نباشیم، به دام نظریه‌های توطئهٔ چپ‌های سرگشته و یا مذهبیون خرافاتی گرفتار نشویم، از شعارهای تهییجی و دروغین ضد سرمایه‌داری یا ضد آمریکایی پرهیز کنیم و بر این موضوع تأکید کنیم که ارزش انسان‌ها و سلامتی آن‌ها بالاتر از ارزش مالی است؛ ارزش‌های اخلاقی و همبستگی انسانی را گسترش دهیم، دارای انظباط بهداشتی باشیم، مقاله‌های علمی را منتشر کنیم، روحیهٔ خود را بالا نگاه داریم، در خانه‌هامان کار فرهنگی و هنری کنیم و کتاب بخوانیم. بشریت با دانش خود بر کرونا پیروز خواهد شد.

پرستاران، دژی در برابر کرونا

در برابر هجوم سنگین واگیر کرونا در آغاز سال ۲۰۲۰ در جهان، پرستاران در صف نخستِ جدال هستند و تاکنون شمار مهمی از آن‌ها بیمار شده و یا مرده‌اند. از این پس، ساعت هشت شب بسیاری از مردمانی که در قرنطینه خانگی قرار دارند، پنجره‌ها را باز می‌کنند و برای سپاس‌گزاری از پرستاران به‌مدت پنج دقیقه دست می‌زنند. این واکنش زیبا و انسانی به‌خاطر خدمات پرستاران است. آن‌ها در پی نجات انسان‌ها هستند و در این مسیر خطرهای زیادی متحمل می‌شوند. پرستاران در کنار پزشکان نقش بسیار مهمی در جامعه ایفا می‌کنند. این گروه اجتماعی با شرایط کاریِ بسیار سخت و حساسی درگیر هستند و اغلب با نگرانی و تنش روبه‌رویند است. پرستار دارای یک اخلاق کاری است و آن هم نجات بشریت است.

پیش از زادروز مسیح پرستاری وجود نداشت و خودِ خانواده‌ها از بیماران نگهداری می‌کردند. در سده‌های آغازین دورهٔ میلادی، مددکاران و کمک‌پزشک‌ها پدیدر شدند. در سده‌های میانه نیز صرفاً در چارچوب فعالیت کلیسا دخترانی برای کمک به راهبه‌ها و پشتیبانی از تنگ‌دستان وارد عمل شدند. در دورهٔ نوزایی گروه‌های پرستاری و خدمات بهداشتی شکل گرفتند. در سال ۱۶۳۳ در فرانسه در

بیمارستان سن پل برای نخستین بار دورهٔ کارآموزی پرستاری آغاز شد. در سال ۱۸۳۶ نیز نخستین مدرسهٔ پزشکی در فرانسه ساخته شد. دو جنگ جهانی و شمار زخمی‌ها و کشته‌ها نیاز به پرستاران را افزایش داد و، در نهایت، در دوران معاصر پرستاران به یک نیروی اجتماعی بزرگ تبدیل شدند. حرفهٔ پرستاران دگرگونی‌های بسیار زیادی به خود دیده و امروزه پرستاری هم یک تخصص است و هم یک ویژگی روان‌شناسانه. بیشتر پرستاران زن هستند و به گروه‌های تخصصیِ بی‌شماری تقسیم می‌شوند. در کلاس‌های درس من در دانشگاه کنام پاریس همیشه شمار قابل توجهی دانشجوی پرستاری وجود دارند که جامعه‌شناسی پزشکی می‌آموزند.

در ایران نیز نخستین بار در سال ۱۲۹۴ مبلّغان مذهبی در ارومیه مدرسهٔ پرستاری باز کردند و در سال ۱۲۹۵ نیز در تبریز آموزشگاه پرستاری باز شد. در سال ۱۳۳۷ دورهٔ کارشناسیِ پرستاری راه‌اندازی شد. در سال ۱۳۴۴ دورهٔ چهارسالهٔ پرستاری پدید آمد. در سال ۱۳۵۹ شاخهٔ پرستاری سامان‌دهی تازه‌ای پیدا کرد و در سال ۱۳۵۶ دانشکدهٔ پرستاری و مامایی به‌عنوان مرحلهٔ جدیدی در این حرفه آغاز به کار کرد. هم‌اکنون در ایران ۹۰۰۶۱ نفر پرستار لیسانسیه و یا با مدرک بالاتر از آن مشغول به کار هستند. میزان ۷۸ درصد کادر پرستاری را بانوان و ۲۲ درصد را آقایان تشکیل می‌دهند. افزون‌بر آن، ۵۳ درصد از کادر پرستاری به‌صورت استخدام رسمی و پیمانی، ۲۳ درصد در حال گذرندان دورهٔ طرح و تعهدات و، در نهایت، ۲۴ درصد دیگر هم به‌صورت شرکتی و قرارداد خرید خدمت مشغول خدمت هستند. در ایران ۹۵۴ بیمارستان وجود دارد که از میان آن‌ها ۵۷۰ بیمارستان دولتی‌اند. با توجه به معیار جهانی، ایران با کسر نیروی ۵۰ درصدیِ پرستار روبه‌رو است. حال آن‌که در فرانسه ۳۰۰۰ بیمارستان وجود دارد که از آن میان ۲۰۰۰ بیمارستان دولتی هستند.

آیا باید از دین انتقاد کرد؟

ولتر یک فیلسوف آزاده است. هرچند اگر او یک سیستم فلسفی نساخت، ولی فلسفه وی تأثیر عمده ای در اندیشه روشنگری دارد. کتاب «کاندید» او اندیشه لایب نیتس را مسخره می‌کند، بر اندیشه فیلسوف «آلن» تأثیر می‌گذارد، و برای

ترویج لیبرالیسم انگلیسی جان لاک تلاش می‌کند و بالاخره ولتر در طول زندگی خود با روسو درباره سیاست و وضعیت طبیعی گفتگو می‌کند.

ولتر فیلسوف نامدار می‌گوید: مادامی که متجاوزان و احمق‌ها وجود داشته باشند، مذاهب نیز وجود خواهند داشت. دین ما بدون شک مسخره ترین، پوچ ترین و خونخوارترین است که تاکنون جهان را آلوده کرده است. مسیحیت بدنام ترین خرافاتی است که تاکنون انسانها را گیج کرده و زمین را ویران کرده است. ولتر می‌افزاید: من با آنچه شما می‌گویید موافق نیستم، اما من تا سرحد مرگ می‌جنگم تا شما حق داشته باشید آن را بگویید.

انتقاد به دین از دوران کهن وجود داشته و شاید فلسفهٔ لذت‌گرایی نخستین شکل انتقاد از دین بوده است. دین همیشه ادعا داشته که دارندهٔ حقیقت مطلق است و پیوسته کوشیده تا انسان‌ها را در وابستگی ذهنی نگاه دارد یا جنگ‌های مذهبی به پاکرده است تا مسلط باشد. قربانی کردنِ انسان‌ها، جنگ‌های صلیبی، جنگ‌های مذهبی در فرانسه، تفتیش باورهای رومی، جریان‌های جهادیِ تروریستی و حکومت دینی در ایران بیان تمایل خشونت‌خواهی در دین است. فیلسوفان یونانی عقل‌گرایی را در برابر دین قرار دادند و دین‌داران تبعیت را در برابر خِرد و برخی نیز ادعا کردند که سقراط فیلسوف ارزش‌های اخلاقی را نابود کرده. در قرن هفدهم فیلسوف آلمانی، لایبنیتس به عدالت خدا باور دارد ولی اِسپینوزا تلاش می‌کند تا مردم را از تعصب و جزم‌گرایی برهاند. در قرن هیجدهم دانش‌نامه‌ای فیلسوف فرانسوی یعنی دیدرو شدیدترین انتقادها را به دستگاه کلیسای کاتولیک وارد می‌کند. وُلتر نیز ناباور نیست و به وجود یک آفریدگار ایمان دارد یعنی یک‌تاپرست است ولی انتقادهای بسیاری به کلیسا و دین و خرافات و مراسم و آداب مذهبی وارد می‌کند. دیوید هیوم نیز دارای باور مسیحی است ولی در برابر مفهوم معجزات می‌شورد. اسحاق نیوتن دین‌دار است ولی در برابر جزم‌اندیشیِ تثلیث مسیحیت موضع‌گیری می‌کند. فلسفهٔ اِمانوئل کانت، در اساس، انتقادی به دین است. لودویک فوئرباخ توهّمات ناشی از دین را به نقد می‌کشاند. شارل داروین بر پایهٔ تجربیات و کشفیات خود به نفی باور دینی می‌رسد. کارل مارکس به نقد دین می‌پردازد و می‌گوید دین افیون توده‌هاست. نیچه نقدی تند بر دین می‌کند و اعلان می‌کند خدا مرده است. زیگموند فروید انتقادی روانکاوانه از دین ارائه می‌دهد و می‌نویسد دین توهّمی بیش نیست. برتراند راسل هم به یک انتقاد همه‌جانبه از دین دست

می‌زند. اِستیوِن هاوکینگ اعلان می‌کند جهان خود را آفریده و پروردگاری در میان نیست. محمّد بن زکریای رازی کتاب‌هایی در نقد ادیان و دربارهٔ روش‌های شیادیِ پیامبران نوشته و به‌گفته ابوریحان بیرونی نیز نه‌تنها اسلام که تمامی مذهب‌ها را نقد و رد می‌کند. خیام با تردید و شک فلسفی خود اساس دین را متزلزل می‌کند و فریب دستگاه دین‌داران را برملا. میرزا فتحعلی آخوندزاده نقد فراوانی بر دین وارد می‌آورد و خود نیز بی‌دین بود. صادق هدایت پیوسته دین اسلام و دین‌داران مسلط و خرافات توده را مورد انتقاد شدید قرار داد.

من نیز ناباور هستم و فکر می‌کنم بدون دین هم می‌توان زندگی کرد، همان‌گونه که خودِ من بیش از نیم قرن این‌چنین زندگی کرده‌ام. برای چرخش کهکشان‌ها در پی توضیح علمی هستم، موفقیت یا عدم پیشرفت در زندگی را ناشی از خود انسان و محیط او می‌دانم و نگرانی‌ها و ترس در زندگی را با علت‌های زمینی و اجتماعی و روانی قابل توضیح می‌دانم. دین اسلام ایرانیان را منکوب کرده و اعتمادبه‌خودِ آن‌ها را در هم شکسته است. اسلام و شیعه‌گری عامل ازخودبیگانگی‌اند و ایرانیان زیان‌های سنگین و جبران‌ناپذیر از این دین دیده‌اند. اسلام ضد ارزش انسانی است و هوادار تبعیض دینی، سیاسی، قومی و جنسیتی است.

روان‌پریشی، استبداد و غارت

آیت‌الله خامنه‌ای یک مرتجع، مستبد، روان‌پریش، خرافه‌پرست و تبهکاری فاسد است. این واژه‌هایی که برای توصیف او به‌کار بردم سیاه‌نمایی نیستند، تک‌تک‌شان بیان‌گر احوال واقعی اوست و بدبختانه چنین فردی در قرن ۲۱ میلادی حاکم بر ایران ماست. خامنه‌ای چندی پیش دربارهٔ آمریکا گفته بود: «شما متهم هستید که خودتان این ویروس را ایجاد کرده‌اید.» او، که پیش‌تر اتهام حملهٔ زیستی با «ویروس منحوس» را علیه ایالات‌متحد مطرح کرده بود، در توضیح دلیل نپذیرفتن کمک واشنگتن گفته بود: «ممکن است دارویی را وارد کشور کنید که این ویروس را ماندگار کند. شاید کسی را وارد ایران کنید تا اطلاعات خود را از میزان اثرگذاری این ویروس تکمیل کنید.». همچنین، خامنه‌ای عنوان کرد جن و انس به ایران یورش برده‌اند و به‌دنبال او نیز آخوندهای بی‌شماری بر یورش جن را

تأکید کردند. در سخن‌رانی خود به‌مناسبت زادروز امام موهوم، مهدی، گفت: «شاید در تاریخ بشر کمتر دوره‌ای اتّفاق افتاده باشد که آحاد بشری چه نخبگان و چه بسیاری از مردم در همه جای عالم به قدر امروز احساس نیاز به یک منجی داشته باشند.» منظور او از منجی همان امامی است که با دجّال خواهد آمد.

در اسلام یکی از نشان‌های دوران ظهور خروج دجّال است. روایتی جعلی هم از محمد رسول‌الله در این زمینه موجود است: «أَیُّهَا النَّاسُ مَا بَعَثَ اللهُ نَبِیّاً إِلَّا وَ قَدْ أَنْذَرَ قَوْمَهُ الدَّجَّالَ؛» یعنی «ای مردم، خداوند هیچ پیامبری را مبعوث نکرد مگر اینکه قوم خویش را از فتنهٔ دجّال بر حذر داشته است.» ویژگی‌های فردی دجّال کدامند؟ علی، خلیفهٔ عرب و دشمن ایرانیان و امیرالمؤمنین شیعیان می‌فرماید: «او چشم راست ندارد و چشم دیگرش در پیشانی اوست و مانند ستاره صبح می‌درخشد چیزی در چشم اوست که گویی آمیخته به خون است؛ وی در یک قحطی سخت می‌آید و بر الاغ سفیدی سوار است.» حال این خامنه‌ای فرتوت و روان‌پریش خبر منجی را اعلان می‌کند.

در دوران واگیر کرونا و در شرایط فقر گسترده در جامعه، رهبر شیعیان جهان یعنی خامنه‌ای برای حفظ ثروت کلان خود و انحراف اذهانْ مردم خرافی را دعوت به پخش گوشت قربانی کرد: «[در ایران] ظرفیت‌های جدیدی کشف شد، پیدا شد، معلوم شد ظرفیت‌های بسیار زیادی در داخل نیروهای مسلح و همچنین بیرون نیروهای مسلح وجود دارد که این ظرفیت‌ها را ما نمی‌شناختیم ... مثلاً در سبزوار طرح هر محلّه یک قربانی شروع شده؛ اهل محل جمع می‌شوند یک گوسفند قربانی می‌کنند، به نیازمندان همان محل گوشت می‌دهند؛ این خیلی چیز لازم و مهم و کار جالبی است که این‌ها انجام می‌دهند برای اطعام نیازمندان.»

یادمان باشد که بودجهٔ نهادهای زیر نظر آیت‌الله خامنه‌ای در سال ۱۳۹۹ به تفکیک نوع فعالیت آن‌ها عبارتند از نهادهای مستقل حکومتی زیر ارادهٔ مستقیم رهبر (میلیارد تومان۸۴۰۴۶.۵۶۲)؛ نهادهای خیریه و اقتصادی (۲۴۶۲۷.۵۹ میلیارد تومان)؛ نهادهای فرهنگی و مذهبی (۵۱۰.۳۳ میلیارد تومان)؛ نهادهای نمایندگی رهبری در سازمان‌ها و امامان جمعه (۳۱۳۳.۸۵۲ میلیارد تومان)؛ نهادهای حوزوی و دانشگاهی وابسته‌به رهبری (۱۴۴۷.۱۱۵ میلیارد تومان) که در مجموع با جمع کل ۱۱۳۷۶۵.۴۴۹ تومان) برابر با یک‌چهارم کل بودجهٔ سال ۹۹ است. (منبع گویا)

آیت‌الله خامنه‌ای حتی برای صدور اجازه به دولت برای برداشت یک میلیارد یورویی از صندوق توسعهٔ ملی برای مبارزه با کرونا ۱۱ روز سکوت کرد در حالی که بارها مجلس با اجازهٔ خامنه‌ای از این صندوق بودجه به امور نظامی اختصاص داده است. آخرین مورد مبلغ ۲۰۰ میلیون یورویی بود که به‌سرعت، پس از کشته شدن قاسم سلیمانی، از سرمایهٔ صندوق توسعهٔ ملی به سپاه قدس اهدا شد. در سال ۱۳۹۶ نیز دوونیم میلیارد دلار به امور نظامی اختصاص یافت. ثروت کشور برای فاسدان و تروریسم و گسترش خرافه‌های شیعی‌گری و خرافه‌های قرآن به کار می‌رود و مردم در کرونا و خرافه و فلاکت غوطه‌ورند.

رسانه‌ها و دیپلماسی

رسانهٔ بی‌بی‌سی نگران آیندهٔ مرجعیت شیعه است. «پرگار» در برنامهٔ ۱۸ آوریل ۲۰۲۰ خود با عنوان «مرجعیت و آینده‌اش در ایران» گفت‌وگویی با شرکت مجتهد شیعه آقای محسن کدیور سامان داده است. هدف بی‌بی‌سی ارائهٔ چهره‌ای «مطبوع» و «علمی» از اسلام شیعه و میدان دادن به آقای کدیور است. آقای کدیور از «تقلید علمی» و «تخصص دینی» صحبت می‌کند. او بر این باور است که فقیه دارای مرجعیت است و مانند فیلسوف و پزشک و غیره تخصص خود را دارد و مرجعی برای مؤمنان به شمار می‌آید و دارای نفوذ است. از دید او، مرجعیت در عرصهٔ فقه است. برای کدیور فقاهت یعنی فرایض و مناسک دینی و امور مربوط‌به خانواده و آشامیدنی‌ها و آداب دینی است و، بنابراین، فقیه صاحب نظریهٔ علمی است. در پایان برنامه نیز گرداننده می‌گوید بهتر است در جامعه آیت‌الله‌هایی مانند کاشانی‌ها باشند تا فدائیان اسلام. به این ترتیب گردانندهٔ برنامه به‌طور نامستقیم می‌گوید با همین آیت‌الله‌ها باید کنار آمد. آنچه که بیان کردم چکیدهٔ پیام سیاسی بی‌بی‌سی است. این برنامه در چه زمانی اجرا می‌شود؟ در زمان کرونا، در زمان عریان‌ترین خرافه‌پرستی آیت‌الله‌های شیعه و خطرناک‌ترین شرایط بهداشتی ایران. در تمام این برنامه از همین مرجعیت شیعه کوچک‌ترین انتقادی نمی‌شود. هدف برنامه این است که بگوید جامعه نیازمند مرجع دینی است و آیت‌الله مرجع و مجتهد دارای تخصص ارزش‌های روحانی و معنوی و تخصص دین است و ایرانیان به

تقلید نیازمند هستند.

در واقع، دستگاه شیعه منبع اصلی خرافه در کشور ماست و خرافه‌گری یعنی انباشت موهومات ضد خِرد در ذهن مردم است. شیعه‌گری از زمان صفوی با کوشش مشترک سلطان و شیخ به پا شد و همین ما را از دموکراسی و نوگرایی و تمدن دور کرد. نفع جامعه در نقد پیگیر بر ضد آیت‌الله‌ها و نظام مرجعیت است، نفع جامعه در پس زدن یک طبقهٔ مرتجع و تاریک‌اندیش است، نفع جامعهٔ ما در انتقاد به اسلام و قرآن و خرافه‌های رایج در ذهن مردم و سنت جاری است. حال، در همین لحظه بی‌بی‌سی تلاش دارد تا مرجعیت «معقول» را تبلیغ کند. این مرجعیت در رأس حکومت فاسد و جنایتکار نشسته است و در تمام دستگاه‌های قضایی و اداری و آموزشی و مالی حاکمیت دارد و رفتن به‌سوی یک حکومت سکولار به سود ماست. ولی بی‌بی‌سی می‌گوید تند نروید و «متخصصین ایمان» بر سر کارند. صدای بی‌بی‌سی از دهان آقای کدیور بیرون می‌آید. آقای کدیور از برخی سیاست‌های حکومتی انتقاد می‌کند ولی خواهان استمرار سلطهٔ شیعه‌گری در ایران است. او مانند هر جزم‌اندیش اسلام‌گرا سرنوشت ما را در اسلام می‌بیند. سیاست خیرخواهانهٔ این افراد مورد پسند محافل دیپلماتیک است. رسانهٔ بی‌بی‌سی صدای یک دیپلماسی است و از این جهت کار حرفه‌ای آن تناقضی با جایگزین و جانشین «اسلام رحمانی» ندارد. در واقع، رسانهٔ بی‌بی‌سی و «رادیو فردا» همسویی‌های شگفت‌انگیزی با یکدیگر دارند.

عصر تردید

نویسنده معروف فرانسوی، ناتالی ساروت، کتابی دارد به‌نام «عصر بدگمانی»؛ حال، من نام این یادداشت را «عصر تردید» می‌گذارم. فیلسوف فرانسوی، ادگار مورن، در یک مصاحبهٔ تازه گفته برخی به ما می‌گویند از هم‌اکنون باید سال ۲۰۲۵ یا سال ۲۰۵۰ را واکاوی و پیش‌بینی کنیم، حال آن‌که مسئلهٔ ما این است که نمی‌توانیم همین سال ۲۰۲۰ را بفهمیم. منظور ادگار مورن پیچیدگی زمان ماست. چرا جهان نتوانست واگیر کرونا را پیش‌بینی کند؟ فردا چه خواهد شد؟

اغلب تلاش داریم تا به‌آسانی یک واکاویِ دقیق و علمی ارائه دهیم، حال آن‌که

شناخت ما بسیار ناچیز و شکننده است و آینده ناروشن و نگران‌کننده است. فردا، امنیت ما، سلامتی ما، فعالیت ما و بودن ما چگونه خواهد بود؟ سنک، فیلسوف باستانی بر این باور بود که «ما نمی‌دانیم فردا چه خواهد شد. با این حال، تخم می‌کاریم، سوار کشتی می‌شویم، جنگ می‌کنیم، ازدواج می‌کنیم و بچه‌دار می‌شویم. در تمام این موارد ابهام و تردید وجود دارد و نتیجهٔ کار روشن نیست ولی ما تصمیم می‌گیریم و اقدام می‌کنیم.» بدین ترتیب، ما استثنایی هستیم چون در عین تردید اقدام می‌کنیم و به زندگی ادامه می‌دهیم. امروز نیز به‌ناگهان در انبوهی از ناروشنی و شک و نادقیقی و ابهام غوطه‌ور شده‌ایم. فیلسوف فرانسوی، رنه دکارت، در «گفتار دربارهٔ روش» که به سال ۱۶۳۷ چاپ شد از «ایده‌های روشن و مشخص» برای راهیابی به «شناخت حقیقی» سخن راند. امروز نیز هر پدیدهٔ نامعینی یک جنبهٔ شک و اتفاق و پیش‌بینی‌ناپذیر به خود می‌گیرد. در شرایط کنونی، دورنمای ما ناروشن است. باید تلاش کرد تا محکم‌ترین احتمالات را تشخیص داد. از این پس ما در شرایط ناروشن و ناگهانی زندگی خواهیم کرد. آنچه نامطمئن است عینی و ذهنی است و این همان شرایط شگفت‌انگیز است.

حال، می‌توانیم بگوییم آنقدر موارد پرتردید وجود دارد که نمی‌توانیم تصمیم بگیریم. عدم تصمیم یعنی فلج بودن در زندگی. در طول تاریخ هیچگاه تصمیم‌ها بر پایه شناخت کامل نبوده است. درست است که شناخت کامل نداریم ولی شجاعت و اراده چه می‌شود؟ کردار ما یک شناخت و نیز یک اراده و درگیری با دشواری‌ها در اجتماع است. نیچه نیز در چنین گفت زرتشت در سال ۱۸۸۵ از «شادی شرایط نامطمئن» صحبت می‌کند و روان آدمی را برای ماجراهای نیامده باز می‌کند. انسان دارای یک «دانایی تراژیک» است؛ شاید چنین‌چیزی چندان قهرمانانه و شگفت‌انگیز نباشد ولی با دوام‌تر است و در بطن تردید ادامه می‌یابد و در زندگی و اندیشهٔ ما درهم‌تنیده است.

کیستیِ ایرانی

ایرانی بودن برابر با کیستیِ ایرانی، فرهنگ باستانی، اندیشهٔ ایرانشهری، اسطوره‌ها و آیین‌ها و زبان فارسی به‌عنوان پیونددهندهٔ ملت ایران است و دربرگیرنده همهٔ

گوناگونی‌های زبانی و فرهنگیِ همهٔ مردمانی است که در فضای ایران‌زمین با یکدیگر و گاه فرای مرزهای امروزی زیسته‌اند. این کیستی در طول تاریخ دگرگون شده و آسیب دیده و از خود پایداری نشان داده و انکشاف پیدا کرده است. بی‌شک، فیلسوف معاصر، جواد طباطبایی، یکی از نظریه‌پردازان اندیشهٔ ایرانشهری است. او در نوشتار خود یعنی «کجا ایستاده‌ایم؟» می‌گوید: «ایران به‌تعبیر گوبینو سنگ خارایی است که از باد و باران آسیب‌ها بر آن وارد می‌شود اما سنگ می‌ماند.» و «هویت همهٔ اقوام ایرانی به‌عنوان ملت واحد در عین کثرت آن مدیون زبان فارسی است و همهٔ ایرانیان، به‌رغم تنوع زبان‌ها و فرهنگ‌های محلی، در زبان فارسی و با زبان فارسی هویت باستانی خود را حفظ کرده‌اند.»؛ همچنین «ایران، با همهٔ تنوع قومی، زبانی و فرهنگی یک ملت است و یکی از کهن‌ترین کشورهایی است که ملت شده است». از نگاه او «فارسی زبان تکوین ملت ایران و تداوم ملی این ملت است.» و «اندیشهٔ دوران باستان ایران و بازپرداخت آن در دورهٔ اسلامی دارای ویژگی‌های خاصی است که شاهی آرمانی به‌عنوان مهم‌ترین نهاد در کانون آن قرار دارد و دیگر نهادها مانند جایگاه ویژهٔ وزیر، اجرای عدالت و ... حول محور آن نهاد اصلی سامان می‌یافتند. این نظام گفتاری را می‌توان اندیشهٔ سیاسی ایرانشهری نامید و به‌رغم همسانی‌هایی که برخی از عناصر آن با دو جریان دیگر، یعنی فلسفهٔ سیاسی و در مواردی شریعت‌نامه‌ها، دارند نظام گفتاریِ مستقلی است.»

روشن است که در ادبیات نوگرا مفهوم دولت ـ ملت متعلق‌به عصر نوگرایی است ولی ما نباید برخورد متعصبانه داشته باشیم. اگر دولت نوگرا با اتکا به سه قوهٔ قانونگذار و دادگستری و اجرایی، با رجوع به جغرافیای دربرگیرندهٔ یک جمعیت و با حضور سیاسی و اداری و نظامی قدرت سیاسی معنا می‌یابد؛ این مفهوم برای شاهنشاهی هخامنشیان صادق است. ملت ایران با وجود تمام دگرگونی‌های جغرافیایی دارای یک ادامهٔ کاریِ تاریخی است. از دوران باستان تا امروز ایرانیان و تمام مردمی که در این سرزمین گسترده زیسته‌اند با حافظه تاریخی و زبان و فرهنگ متنوع و یگانه‌ای زیسته‌اند. ایرانیت در همین تاریخ است.

بنابراین، اندیشهٔ ایرانشهری با ایرانی بودن پیوند خورده است و نوعی ادامهٔ کاریِ تاریخیِ ایرانیان و فرهنگ ایرانی است. این بحث تبلیغ ایدئولوژیک نیست یا شوینیسم نیست بلکه یک بحث تاریخی ـ علمی است. قصد ما نتیجه‌گیری

سیاسی نیست بلکه به خود پرداختن است، خودی که سیال است و عناصر خود را می‌سازد و ترمیم می‌کند. ایرانی کیست؟ آیین مِهر و مانی و زرتشت، نظام پادشاهی و سازمان‌دهی کشوری، شاهنامه فردوسی و شعر حافظ، فارابی و ابوعلی سینا و سهروردی و رازی، جشن‌های باستانی نوروز و مهرگان، معماری‌های پیش و پس از اسلام، نوشتارهای تاریخی بیهقی و ناصرخسرو، نوشتارهای طبری و غزالی، جنبش ابومسلم و بابک و جنبش شعوبیه، مضامین ایرانی انتقال‌یافته به مذهب شیعه، جنبش مشروطه، زبان فارسی و غیره اجزای این ایرانی بودن هستند. این مجموعه رنگارنگ و با نقش‌های گوناگون، تعریف‌کننده «انتولوژی»(۱) و هستی ایرانیان است. از دید فلسفی، هستی یک پدیدهٔ فلسفی است که از دیرباز فیلسوفانی مانند پارمنید و افلاتون و ارسطو دربارهٔ آن گفته‌اند و در عصر نوگرایی نیز اندیشمندانی مانند هایدگر و سارتر بدان پرداخته‌اند. هایدگر هستی را از جنبهٔ فراجسمی بیرون آورد و در یک روش پدیدارشناسانه معنای هستی را در موجودیت انسانی و در سرچشمهٔ زمان قرار داد. در عرصهٔ جامعه‌شناسی نیز انتولوژی به‌معنای یک کلیت اُرگانیک و سیال است که با خود رگه‌ها و گرایش‌های تاَریخی و فرهنگی پیونددهنده را در بردارد. انتولوژی معنادهندهٔ تاریخی اجتماعی و فرهنگی یک جمعیت و یک ملت است. این ساختْ تاریخی است و رویدادها بر این ساخت تأثیرگذارند و این تأثیرات می‌توانند منفی یا نیرودهنده باشند.

چرا بر کیستی ایرانیان تأکید می‌کنم؟ کسانی هستند که به‌نادرستی طرح کیستی را برابر با بزرگی‌خواهی و شوینیسم می‌دانند. کسان دیگری هستند که از کیستی یک عنصر ایدئولوژیکِ برتری‌خواهانه و مجزا می‌سازند و قصدشان بهره‌برداری سیاسیِ تهییجی است، حال آن‌که ملت‌های جهان دارای هویت خود هستند. کمونیست‌ها و اسلام‌گرایان و پوچ‌انگاران ایرانی کیستیِ ایرانی را نفی یا تحریف می‌کنند و آن را از تاریخ مردمان جدا می‌دانند. یک شهروَند ایرانی معتبر باید به‌طور جدی نسبت‌به آیین مِهر، کیش زرتشت، پادشاهی کورش، شاهنامه فردوسی، فلسفهٔ ابوعلی سینا، اندیشه رازی، جنبش‌های علیه استعمار عرب اسلامی، دستگاه صفویه، انقلاب مشروطه، امیرکبیر و رضاشاه و مصدق آگاه باشد. فیلسوفی که ابوعلی سینا و رازی را به‌طرز جدی نخوانده پا درهواست. سیاست‌مداری که دربارهٔ تاریخ هخامنشیان و یورش عرب و مغول و جنبش مشروطه و انقلاب اسلامی مطالعه نکرده سست و بی‌مایه است. پژوهشگر ادبی‌ای که از شاهنامه چیزی نمی‌داند قابل اعتماد نیست.

این پدیده‌ها با اجزای کیستیِ ما در پیوند هستند.
فردوسی می‌گوید: «توانا بود هر که دانا بود.» شاهنامه فردوسی تاریخ و اسطوره و هستیِ گذشتهٔ ماست. ما به‌اعتبار فرهنگ و زبان و شعر و تمدن گذشته در تاریخ مانده‌ایم. ریشهٔ فرهنگیِ یک ملت شخصیت‌بخش است، استواری‌دهنده است، عامل و انگیزه‌ای است برای این‌که بمانیم و بازهم پیش برویم و داناتر شویم. بسیاری از اقوامی که مورد هجوم اسلام عرب قرار گرفتند، با از دست دادن زبان و فرهنگ و دین خود هویت ویژه خود را از دست دادند و عرب شدند. ایرانیان با وجود خرابی‌های سنگین و زیان‌های بی‌شمار ناشی از اسلام ایرانی باقی ماندند. اسلام قرآنی و شیعه به ازخودبیگانگی ایرانیان منجر شد ولی ایرانی بودن پایان نگرفت زیرا آیین زرتشت و مانی و سیاست کورش و داریوش و شعر فردوسی و جشن نوروز و ... در خاطرهٔ تاریخی و فرهنگ باقی ماندند. شاهنامه فردوسی تاریخ ماست، احساس و اندیشهٔ ما را تقویت می‌کند و ما را تشویق می‌کند تا به‌اعتبار دانش و دانایی تواناتر بشویم. روشن است که ما در تاریخ نمی‌مانیم و می‌خواهیم پیش برویم.

ما باید از کیستی خود یک ارزیابی علمی داشته و ببینیم کدام‌یک از جنبه‌های کیستیِ خود را می‌توانیم دگرگون کنیم. ما می‌توانیم جنبهٔ خِردگرایی، نوگرایی، دانش‌خواهی، هنرگرایی و زیست‌بوم‌گرایی را در فرهنگ خود تقویت کنیم. ما می‌توانیم با تقدس‌گرایی و خرافه‌پرستی و شیعی‌گری آسیب‌شناسانه مبارزه کنیم. ما می‌توانیم با تجربه‌های جهانی تمدن خود را پربارتر کنیم.

Ontologie est un concept philosophique qui s'interroge sur la notion de «Etre». Les phiolosophes: Parménide, Platon, Aristote, Heidegger, Sartre.

سردار زشت‌کار

به‌دنبال ترور قاسم سلیمانی توسط آمریکایی‌ها، ملی‌گراییِ برخی از شخصیت‌های سیاسی و فرهنگی خارج از حکومت فعال شده و ما را به پشتیبانی از یک سردار زشت‌کار فرا می‌خواند. مسئله چیست؟ کشتار مردم توسط جمهوری اسلامی ادامه

دارد، مبارزهٔ ملت ایران نیز در جریان است و ترفندهای حکومتی نیز به‌شیوه‌های گوناگون به کار گرفته می‌شود. شمار ۱۷۶ نفر در سقوط هواپیما اوکرائینی توسط سپاه، ۸۰ نفر در تابوت‌گردانی قاسم سلیمانی و ۱۵۰۰ نفر از مبارزان در خیزش‌های آبان‌ماه نمونه‌هایی از نابودیِ انسان‌ها در این حکومت اسلامی است. جان انسان بزرگ‌ترین ارزش در جامعهٔ جهانی است و تمام منشورها و سیاست‌ها و فلسفه‌های مترقی بر این پایه مورد سنجش قرارمی گیرند. محترم‌ترین رژیم‌ها در جهان، حکومتی است که به جان انسان و سلامت انسان و آزادی انسان احترام می‌گذارد. رژیم‌های تبهکار مانند رژیم هیتلر و خامنه‌ای به انسان اهمیت نمی‌دهند. هیتلر انسان‌ها را به کوره آدم‌سوزی می‌ریخت و پل پوت انسان‌ها را قتل عام کرد. جمهوری اسلامی در چهل سال گذشته انسان‌ها را با چوبهٔ دار و تیرباران و نیز در اقدام‌های نظامی و بسیج ایدئولوژیک و توطئه‌گری و ناشایستی‌های بی‌شمار کشتار می‌کند. سراسر ایران تبدیل به قتل‌گاه شده است. کشتار مردم همیشه با تبلیغات دروغ همراه است تا مردم در نادانی باقی بمانند. شمار ۱۵۰۰ نفر را در خیابان‌ها کشتند و انواع تهمت‌ها را به دیگران زدند و هیچ‌گونه اقدامی برای شفاف‌سازی و اعلان کشته‌ها صورت نگرفت. در مراسم بدرقهٔ جسد قاسم سلیمانی ده‌ها نفر کشته شدند و هیچ توضیحی داده نشد. حکومت از همان آغاز می‌دانست که هواپیمای مسافربری در عملیات سپاه پاسداران سقوط کرده ولی سکوت کرد و دروغ گفت و زیر فشار مجبور به اعتراف شد. دروغ ادامه دارد زیرا سپاه اعلان کرده که تنها «یک نفر» مقصر سقوط بوده است. موشک‌های نظامی بر اساس یک سلسله‌مراتب نظامی رهبری می‌شوند حال چگونه است که فقط یک نظامی ساده مسئول این جنایت بوده است؟ در واقع، مسئول همه کشتارها آیت‌الله خامنه‌ای و کل حکومت است. بنابر قانون جمهوری اسلامی، فرماندهٔ کل قوا خامنه‌ای است و سپاه پاسداران زیر نظر او عمل می‌کند. به هر روی، انتظار نداشته باشیم که حکومت اسلامی خود را تصحیح کند و واقعیت را بگوید، انتظار نداشته باشیم که کشتار نکند و حافظ جان انسان‌ها باشد. یک رژیم آخوندی تبهکار و قرآنی و شیعه در ذات خود چنین است.

قاسم سلیمانی یک سردار جنایتکار بود و برای سیاست استعماری و تروریستی آخوندها نظامی‌گری می‌کرد و امروز اطلاعات دقیقی راجع‌به چراییِ مرگ او وجود ندارد و شاید این قتل با توافق خامنه‌ای بوده است تا راه برای پرسش

بازتر شود. ولی به احتمال زیاد آمریکایی‌ها او را ترور کرده اند. بهرحال این سردار و نظامی گری اش در خدمت منافع عالیه ملت ایران نبوده است. کجا مداخله حکومت در خاورمیانه مورد تائید مردم قرارگرفته است؟ مردم باید بدانند که این رژیم اصلاح‌پذیر نیست و فقط باید واژگون شود. این رژیم توطئه‌گر است و سقوط هواپیمای اکراینی عمدی بوده است. برخلاف محمود دولت آبادی و احسان شریعتی و عبدالکریم سروش، ما برای مرگ سلیمانی تروریست سوگواری نمی‌کنیم زیرا او در کشتار ایرانیان و بیدادگری در ایران نقش داشته است. او عضوی از باند جنایتکاران حاکم است.

آیت‌الله خمینی از همان فردای انقلاب مرتجعانهٔ ۵۷ صدور انقلاب اسلامی را اعلان کرد. او، که به جهان‌بینیِ قرآنی و شیعه وابسته است، خواهان استقرار جهانی بود که در آن تمدن و دموکراسی و آزادی بی‌معناست. جهانی که همه بندهٔ الله هستند و پیامبر اسلام و علی و فاطمه الگوی آن است. جهانی ترسناک و خشونت‌بار که به‌طور قطع با نوگرایی خداحافظی کرده است. کشته شدنِ قاسم سلیمانی در امتداد چنین خطی معنا پیدا می‌کند. چهل سال پیش، جمهوری اسلامی حزب‌الله لبنان را به وجود آورد و سپس بر نیمی از لبنان کنترل پیدا کرد، کمک مالی وسیع به حماس و همکاری این جریان ارتجاعی با حکومت، مداخله و حضور مستشاران و نظامیان رژیم در سوریه و ایجاد گروه‌های تروریستی فاطمیون، حضور پرقدرت رژیم در عراق و ایجاد شبکه‌های نظامی و غیرنظامی حشدالشعبی، کنترل حوثی‌ها در یمن، شبکه‌های شیعه و نظامی در بحرین و افغانستان و پاکستان و نیز شبکه‌های زیرزمینی در خاورمیانه و آفریقا و اروپا و غیره بیان‌گر وجود یک زیربنای نظامی و جاسوسی برای گسترش نفوذ حکومت آیت‌الله‌ها در خاورمیانه و جهان است. سپاه قدس و قاسم سلیمانی نیروی محوریِ این سیاست استعماری بوده و نیز سازمان‌دهِ بسیاری از قتل‌های سیاسی در خارج کشور است. این راهبرد هدف تأمین بقای رژیم و سلطه‌گری آن را تعقیب می‌کند. سیاست خارجی رژیم همیشه تنش‌آمیز و بحران‌زا و تروریستی بوده است. عدم ثبات منطقه نتیجهٔ جنگ آمریکا درعراق و به‌ویژه خرابکاری نظام‌مند چهل‌سالهٔ جمهوری اسلامی است. کشتن قاسم سلیمانی جزوی از کشمکش متقابل ایران و آمریکاست، همان‌گونه که حمله به سفارت آمریکا در بغداد توسط حشدالشعبی بازتابی از این درگیری است. مقصر اصلی جمهوری اسلامی است زیرا دشمنی با اسرائیل و حمله به عربستان و کشتن

برخی آمریکایی‌ها و ادامهٔ سیاست موشکی و ادامهٔ مخفیانهٔ فعالیت اتمی از دلایل وجود سیاست توطئه‌آمیز و ویران‌گر حکومت آخوندها و پاسداران است. سیاست خارجی رژیم هرگز مطابق منافع و مصالح ملی کشور ما نیست؛ این سیاست در خدمت منافع شیعه‌گری ارتجاعی و چیرگیِ آخوندهای آزمند است. همین حکومت در داخل سرکوبگر و فاسد است و در خارج تروریست و بحران‌زا. سقوط این رژیم بهترین راه حل برای ایران و منطقه است. به‌جای طرح‌های بزرگ اقتصادی و فرهنگی و زیست‌بوم‌گرا در منطقه، امروز کشور ما درگیر جنگ و جدال است. مسئول این وضع کیست؟ هر سال دست‌کم بیش از ۱۶٫۵ میلیارد دلار برای سوریه و عراق و لبنان خرج می‌شود. هزینهٔ حشد الشعبی با ۱۴۰ هزار نیرو و از آن میان حداقل ۱۰۰ هزار شیعه عراقی زیر نفوذ سپاه قدس توسط ایران پرداخت می‌شود.

در گزارشی در سایت گویا در دسامیر ۲۰۲۰ چنین می‌خوانیم:

یک مقام ارشد جنبش فلسطینی «حماس» در تقدیر از قاسم سلیمانی، فرمانده پیشین نیروی قدس سپاه پاسداران که در حمله پهپادی آمریکا کشته شد، جزئیاتی از تحویل ۲۲ میلیون دلار پول نقد به حماس در سفر هیئتی از این جنبش فلسطینی به تهران بیان کرد. محمود الزهار، وزیر خارجه پیشین و عضو ارشد کادر رهبری حماس، روز یکشنبه هفتم دی در گفت‌وگو با العالم، شبکه عرب‌زبان تلویزیون دولتی ایران، گفت: در دیدار سال ۲۰۰۶ با قاسم سلیمانی در تهران، «مشکل اساسی حقوق کارمندان و خدمات اجتماعی و کمک‌های دیگر» به مردم غزه را توضیح دادم و «حاج قاسم فوراً درخواست ما را پاسخ داد به‌گونه‌ای که روز بعد که پایان سفر بود، ۲۲ میلیون دلار در چمدان‌های فرودگاه (تهران) دیدم. آقای الزهار همچنین گفت قرار بود مبلغ بیش‌تری پرداخت شود اما هیئت حماس ۹ نفره بود و نمی‌توانستیم بیش از این حمل کنیم زیرا هر چمدان ۴۰ کیلوگرم گنجایش داشت. حسن نصرالله، دبیرکل حزب‌الله لبنان، در یک مصاحبه تلویزیونی گفت که قاسم سلیمانی در «پشت پرده و دور از انظار» علاوه بر تامین موشک و تجهیزات نظامی، کمک‌های مالی بزرگی از درآمد نفتی ایران انجام می‌داد و در یک نمونه بعد از تخریب ۲۰۰ هزار خانه در جنگ ۳۳ روزه تا یک سال هزینه‌ها و اجاره‌ها پرداخت کرد.

این هزینه‌های سنگین در زمانی پرداخت می‌شوند که دوسوم مردم ایران در فقر و یا فقر مطلق هستند. روشن است که آزادی و دموکراسی محصول مبارزهٔ

مردم ما و نیروهای دموکراتیک آن است. روشن است که ما هرگز به سیاست خارجی کشورها دل نمی‌بندیم. بنابراین، این رژیم هرچه زودتر باید واژگون شود و میزان این سرعت به گسترش مبارزهٔ مردمی و سامان‌یافتگی طیف‌های دموکرات و سکولار جامعه بستگی دارد. بحران داخلی رژیم زیادند و تشدید فشار جهانی این بحران را حادّ می‌کند. این وضعیت برای تغییر کافی نیست. باید مبارزه با حکومت قطعی باشد، باید تمام عافیت‌خواهیِ اصلاح‌خواهان و نیروهای هوادار رژیم را خنثی کرد و اندیشهٔ تغییر کل حکومتِ دینی را به میان جامعه برد.

دربارهٔ خدا

اگر خدا را در تعریفی کلی به هر گونه ایزدبانو یا ایزدی تعبیر کنیم که پدیده‌ای را آفریده، به صورتی که قوانین حاکم بر آن پدیده بر خودِ او حاکم نیست، قائل به آفرینش‌گرایی شده‌ایم. در دین یهود خدا به‌عنوان پدری توصیف می‌شود که آفریننده، زندگی‌بخش، قانون‌گذار و محافظ است. عیسی مسیح با قدرت کلامش و اِعمال اراده‌اش خوراک تولید کرد، مرده را زنده کرد و بیماران را شفا داد. کتاب مقدس در جاهای گوناگون تصدیق می‌کند که عیسی مسیح خدای آفریننده است. در اسلام نیز الله خدای یکتا و قادر متعال و تنها ایزد و آفریدگار گیتی است، از رگ شما به شما نزدیک‌تراست و سرنوشت همه‌چیز و انسان‌ها را تعیین کرده است. در برابری با خدا در ادیان ابراهیمی، الله «خالق و آفریننده» است. یادآوری کنیم که عرفان در تعریفی ویژه به مفهوم شناختی «رازگونه و نهانی» به خمیرمایهٔ جان توجه کرده و برای یافتن و پیوستن به حقیقت از راه «شهود»، عمل می‌کند. جهان واقعی همین کشف حقیقتِ درونی است.

اهورامزدا، اهورای خردمند، بزرگ‌ترین اهوراست. او آفرینندهٔ بزرگ است و به یاری اشه، جهان را هدایت می‌کند. خدای نیک‌سرشت در کیش زرتشتی اهورامزدا نام دارد که به‌معنی سرور دانا است. در متون بودایی تا جایی که بررسی شده هیچ‌گونه اشاره‌ای به شناسایی آفرینندهٔ جهان و یا پرستش آن مطلبی یادآوری نشده، و بودا نیز ادعای رسالت و پیامبری نکرده است. هندوان بر این باورند که ۳۳ خدا مظاهر گوناگون همان خدای یکتا هستند. در این‌باره در ریگ ودا آمده است

بر هر ثابت و جنبنده و نیز بر هر آن‌چه راه می‌رود و بر هر آن‌چه می‌پرد و بر تمام این آفرینش رنگارنگ تنها یک خدا فرمان‌روایی می‌کند.

خدای علم و دانش کیست؟ اِستیون هاوکینگ، کیهان‌شناس و فیزیک‌دان نظریِ برجستهٔ بریتانیایی، در اظهار نظری با قطعیت و یقین اعلان کرد که «خدایی وجود ندارد». این کیهان‌شناس نابغه در بخشی از مصاحبه با ال موندو گفت: «طبیعی است که پیش از درک دانش به آفرینش هستی به‌دست یک خداوندگار باور داشته باشیم اما اکنون و در این عصر، دانشْ توضیحی مجاب‌کننده‌تر در اختیار ما قرار می‌دهد.» او می‌گوید: «من خداناباور هستم. دین به معجزه باور دارد اما چنین رخدادهایی با علم ناسازگارند.» او دربارهٔ زندگی خود گفته است که حیات پس از مرگ یک «افسانه» است.

یهوه و روح‌القدس و الله و هر پروردگاری که در آسمان قرار دارد افسانه‌ای بیش نیست. زمین و کهکشان‌ها و زندگی عقلانی انسان‌ها برای چرخش خود به خدا و الله نیاز ندارد. ناتوانی انسان او را به خداباوری می‌کشاند. انسان با فرهنگ و متکی‌به خود و دانش برای زندگی به پروردگار نیازمند نیست. از میان پروردگاران، الله از همه شرورتر و خشن‌تر و نابردبارتر است. کسی که پیرو الله می‌شود بازنده‌ترین فرد در تاریخ است. همزیستی با الله انسان را برای همیشه از دانش و شعور علمی و مناسبات انسانی دور می‌کند.

بهترین اقتصاددانان فرانسه

درس امروز دانشگاه برای دانشجویانم دربارهٔ پیوند مکتب‌های اقتصادی و دیگر مکتب‌های علوم اجتماعی مانند جامعه‌شناسی بود. به این نکته اشاره کردم که در جامعه به‌دلیل پیچیدگی و ارتباط‌های درونی همهٔ رشته‌های فکری و علمی دارای تأثیر متقابل‌اند. آخرین دگرگونی‌های ستاره‌شناسی و یا فن‌آوری‌های دیجیتالی و یا هوش مصنوعی، رشته‌های جامعه‌شناسی و انسان‌شناسی و فلسفی را زیر تأثیر قرار داده‌اند. تمام پیشرفت‌های دانش و تجربهٔ انسانی برای فلسفه و جامعه‌شناسی و اقتصاد عرصه‌های جدیدی باز کرده‌اند و فاصلهٔ آن‌ها را از اصول جزمیِ دینی و ایدئولوژیک بیشتر کرده‌اند. اقتصاد و جامعه‌شناسی نیز همیشه دارای تأثیرِ متقابل

بوده‌اند. اقتصاد کلاسیک از اندیشه‌های جامعه‌شناسی دوران نوگرایی و معاصر جداناپذیر است. امروز نیز نظریه‌های اقتصادی با دیگر نظریه‌های علوم اجتماعی پیوند ژرفی دارند. در قرن بیستم بسیاری از اقتصاددانان فقط به تولید برای بازار می‌اندیشیدند و بر این باور بودند که دو عامل سرمایه و کار در یک رابطهٔ متعادل می‌توانند بازار مصرف را تنظیم کنند. آن‌ها فکر می‌کردند که سرمایه‌گذاری‌های همگانی و بودجهٔ دولتی نقش فرعی دارند و بازار پول و شگردهای نوگرا به‌خودیِ خود رشد اقتصادی را فراهم می‌کنند. به‌گفتهٔ آن‌ها بر پایهٔ این منطق، اقتصاد ملی با بازرگانی جهانی و زنجیرهٔ ارزش‌های جهانی به امتیازهای برجسته‌ای نسبت‌به اقتصادهای دیگر می‌رسد. بحران اقتصادی سال‌های ۳۰ میلادی و همچنین بحران ۲۰۰۸ شکنندگی و نارسایی الگوی اقتصادی را آشکار ساخت. این بحران‌ها نشان دادند که بافت اجتماعی به‌طرز شدیدی آسیب دیده و بحران مالی با قدرت ویرانگریِ زیادی عمل می‌کند. این تنش‌های سخت و انتقاد جامعه‌شناسانه اقتصادانان بسیاری را متأثر کرده و منجر به دگرگونیِ نظریه‌های اقتصادی شده. یکی از این دگرگونی‌ها بر سیستم توزیع و پیوند آن با تولید تأکید دارد. سیاست تولید بدون سیاست توزیع ثروت به بن‌بست می‌انجامد. بر این اساس، نسل جدیدی از اقتصادانان زاده شدند و پروژه‌های خود را در این راستا سامان دادند. به دانشجویانم گفتم که محصول این دگرگونی‌های فکری متقابل نظریه‌های جدید بخش مهمی از اقتصاددانان فرانسه است. در فرانسه نسل جدیدی از اقتصاددانان پدید آمده‌اند که نه‌تنها دردهای اجتماعی و پرسش‌های جامعه‌شناختی را در نظریهٔ خود جای داده‌اند بلکه دارای قدرت نظریِ نیرومندی هستند و جهان دانشگاهی به آن‌ها توجه دارد.

هر سال بهترین اقتصاددان جوان فرانسوی انتخاب می‌شود. از جمله معیارهای این انتخاب سن کمتر از ۴۱ سال و اثبات جنبهٔ عملگرایی و تأثیرگذاری نظریهٔ او در سیاست دولتی و یا بنگاه‌های بخش خصوصی است. در واقع، افزون‌بر کار دانشگاهی در حوزهٔ اقتصاد باید نشان داد که نظریهٔ مربوطه در آثار منتشرشده به مرحلهٔ تصمیم‌گیری رسیده است و به دیگر رشته‌های علوم اجتماعی نفوذ کرده است و با آن‌ها دارای ارتباط اُرگانیک است. تاکنون نامزدهای نظریه‌پردازی که برای این جایزهٔ معتبر توسط نهادهای «لوموند» و «حلقهٔ اقتصاددانان فرانسه» معرفی شده‌اند به شرح زیر هستند:

برونو امابل، انائیس بناسی کره، پی‌یر کاهوک، فلیپ مارتن، توماس پیکتی، پی‌یر سیریل هوتکور، داوید مارتیکور، استر دوفلو، ایلئس ژوئینی، تی‌یر مایار، اتین واسمر، پی‌یر اولیویه گورانشاس، یا الگان، توماس فیلیپون، اِمانوئل سائز، اگزاویه گابکس، هیپولیت دالبیس، اِمانوئل فرهی، اوگوستن لاندیه، پاسکالین دوپاس، کامیل لاندز، آنتوان بوزیو، گابرِیل زکمان و اِستفانی استانچوا. دو تن از این اقتصاددانان در حال حاضر بسیار معروف هستند: استر دوفلو که جایزه نوبل اقتصاد سال ۲۰۱۹ را همراه دو نفر اقتصادان دیگر یعنی آبیجیت بنرجی و میشائیل کرمر دریافت کرد. استر دوفلو زادهٔ ۱۹۷۲ است؛ درس خود را در مدرسهٔ عالی نرمال پاریس به پایان رساند و در «انستیتو ماساچوست تکنولوژی» آمریکا تدریس می‌کند. او دارای روشی تجربی است و نظریه‌های جدیدی دربارهٔ کاهش فقر در کتاب خود با عنوان اقتصاد خوب برای روزهای سخت مطرح کرده است. اقتصاددان دیگر توماس پیکتی است. او در سال ۱۹۷۱ در فرانسه زاده شده و دو اثر معروفش عبارتند از سرمایه در سدهٔ ۲۱ و سرمایه و ایدئولوژی. این کتاب‌ها درباره نقد تمرکز ثروت و توزیع و بررسی نقادانهٔ نظام مالیاتی‌اند. آثار پیکتی که در پشتیبانی از نظریهٔ نقش دولت رفاه و توزیع‌گر و ضرورت الگوی مالیاتی در جهان‌اند بسیار مورد توجه قرار گرفته‌اند.

باید یادآوری کرد که همهٔ این نظریه‌پردازها در دانشگاه‌های فرانسه و اروپا و آمریکا درس می‌دهند و برای پیشبرد پژوهش از بودجه‌های دولتی و خصوصی قابل توجهی برخوردارند. پیشبرد پژوهش دانشگاهیِ اقتصاد به تربیت و آموزش، فرهنگ‌سازی دانشگاهی، نهادهای پژوهشیِ جهانی، پیوند استوار پژوهشگران کشورهای صنعتی، کار میدانی برای بررسی، روش‌های جدید و گروه‌های کار و نیز بودجه و مهارت حرفه‌ای نیازمند است.

توماس پیکتی، سرمایه در سدهٔ ۲۱، انتشارات «سوی» پاریس ۲۰۱۳، سرمایه و ایدئولوژی، انتشارات سوی پاریس ۲۰۱۹.

Stefanie Stantcheva, Esther Duflo, Thomas Piketty, Philippe Martin, Agnès Bénassy-Quéré, Virgile Chassagnon, Xavier Jaravel, Eric Monnet, Bruno Amable, Pierre Cahuc, Philippe Martin, Pierre-Cyrille Hautcœur, David Martimort, Elyès Jouini, Thierry Mayer, Étienne Wasmer, David Thesmar, Pierre-Olivier Gourinchas,

Yann Algan, Thomas Philippon, Emmanuel Saez, Xavier Gabaix, Hippolyte d'Albis, Emmanuel Farhi, Augustin Landier, Pascaline Dupas, Camille Landais, Antoine Bozio, Gabriel Zucman, Stefanie Stantcheva, Isabelle Méjean, Thomas Breda, Mathieu Couttenier.

«اسلاموفیل»های ایرانی کیستند؟

«اسلاموفیل» کیست؟ واژهٔ «فیل» از ریشهٔ یونانی به‌معنای «دوستدار» و «هوادار» گرفته شده. در زمینهٔ سیاسی نیز اصطلاحی است که هواداری و جانبداری فرد از یک گروه، ملت و دولت را نشان می‌دهد. بنابراین، با «فیل» صفت مرکب می‌سازند: کسی است که دوستدار یک کشور است. البته این اصطلاح اغلب در زمینهٔ سیاسی معنای منفی به خود می‌گیرد و جهت طرد و بی‌اعتباری فرد به کار می‌رود. «آنگلوفیل» کسی است که هوادار انگلستان است و انگلیس‌دوست می‌باشد. «روسوفیل» هوادار روسیه و «ژرمنوفیل» هوادار آلمان است. باید افزود فردی که با این اصطلاح توصیف می‌شود به‌مثابه کسی است که زیر نفوذ فرهنگی و سیاسی فلان کشور درمی‌آید. چنین فردی خواهان گسترش نفوذ فرهنگیِ یک کشور در جامعه‌ای دیگر است.

ویژگی‌های اسلاموفیل کدامند؟ حال در عرصهٔ دینی این اصطلاح به‌معنای پشتیبانیِ مستقیم و نامستقیم یک فرد نامذهبی از یک دین است. هنگامی که روشنفکران و نویسندگان و سیاسیون نامسلمان یا خداناباور خواهان سیاست کنار آمدن با اسلام هستند و هر گونه انتقادِ صریح به اسلام را رد می‌کنند «اسلاموفیل» خوانده می‌شوند. این افراد به‌دلیل ملاحظات دوستی، سیاسی، احساسی و مصلحت‌خواهانه انتقاد به اسلام را ناوارد می‌دانند. البته این پشتیبانی و جانبداری دارای درجهٔ پررنگ و کم‌رنگی است. «اسلاموفیل» کسی است که آگاهانه در بحث اختلال به وجود می‌آورد و انتقاد به اصل اسلام و شیعه را برابر با یورش به فرد مسلمان قرار می‌دهد. افزون‌بر این، شخص اسلاموفیل از دید روان‌شناسی خواهان ابراز محبت به جهان اسلام و سنت دینی است و هر گونه انتقاد به اسلام را مساوی سیاست استعماری ارزیابی می‌کند. نقد علمی و تفسیرشناسانهٔ قرآن و نشان دادن خشونت و تبعیض در قرآن برای اسلاموفیل‌ها نابجا و حتی نوعی «نژادپرستی» است. آن‌ها گاه برای محکوم کردنِ منتقدان علمیِ اسلام از

واژهٔ «اسلام‌فوبی» بهره می‌برند. این اصطلاح برابر با «اسلام‌هراسی» است و در فرهنگ سیاسی چپ سنتی و اسلام‌گرایان «اسلام‌هراسان» نژادگرا هستند. کاربست این اصطلاح برای ترساندنِ منتقدان اسلام است. چپی‌ها و اسلام‌گرایان خواهان توقف انتقاد به اسلام هستند و برای نجات آن راهبرد ارعاب و تنش اندیشه و مغلطه‌کاری را دامن می‌زنند.

برای رویارویی با این راهبرد باید چند نکته را روشن کرد: نخست این‌که انتقاد به همهٔ ادیان و از جمله اسلام درست و لازم است و یک جامعهٔ آزاد این حق را برای شهروندان و فرهیختگان به‌رسمیت می‌شناسد. دوم این‌که اسلام در مضمون خود وحشت‌آفرین است زیرا بسیاری از آیات قرآن خواستار کشتار و سرکوب مخالفان است و نیز تاریخ اسلام از جنگ و کشتار و تخریب و جهاد تروریستی سرشار است. سوم این‌که انتقاد به اسلام و شیعه‌گری هرگز به‌معنای توهین به شهروندان مسلمان و حقوق انسانی آنان نیست. و چهارم این‌که کاربست واژهٔ «توهین» توسط اسلاموفیل‌های چپ و راست بیان‌گر به‌کارگیریِ تروریسم فکری و روانی در برابر آزاداندیشان است.

واکنش اسلاموفیل در برابر تروریست‌ها چگونه است؟ در زمان ترورهای گوناگون در فرانسه، بلژیک، آلمان، انگلستان و اسپانیا بحث‌های بسیاری پدید آمد. یکی از ویژگی‌های این دوران انتشار دیدگاهی ویژه دربارهٔ سرچشمهٔ ترورها بود. روشن است که تروریست‌ها از آسمان نیامده‌اند و ریشهٔ اجتماعی دارند. تروریست‌های اسلامی اغلب از خانواده‌ای با تبار مراکشی، تونسی و الجزایری هستند و در بسیاری موارد خانوادهٔ آنان دچار ازهم‌گسیختگی است و خود در محیط‌های قاچاق و دزدی و تبهکاری غوطه‌ورند. عدم موفقیت در مدرسه و بی‌کاری و دشواری‌های اقتصادی و نبود فرهنگ مترقی و ادبی از جمله ویژگی‌های این گروه اجتماعی است. با طرح همهٔ این موارد واکاوانه، اگر ما به ریشهٔ دینی و ایدئولوژیک و مسجدها و شبکه‌های ارتباطی اسلام‌گرایان توجه نکنیم، بحث دربارهٔ عوامل رشد تروریسم اسلامی کامل نمی‌شود. برای اسلاموفیل‌ها آنچه که اساس این تروریسم به شمار می‌آید بی‌عدالتی جامعهٔ غربی نسبت‌به مسلمانان است.

بدون شک در جامعهٔ غربی بی‌عدالتی وجود دارد، همان‌گونه که در همهٔ کشورهای جهان وجود؛ این بی‌عدالتی در غرب فقط در مورد بخشی از عرب‌تبارها

نیست. بی‌عدالتی اجتماعی برخی از شهروندان فرانسوی و آفریقایی و آسیایی مقیم فرانسه را نیز دربرمی‌گیرد ولی در همین جامعه خوشبختانه خانواده‌های غیرفرانسوی عرب‌تبار و آفریقایی‌تباری هستند که در موقعیت خوب و آبرومندانه‌ای قرار دارند و در شرایط شغلیِ معتبر به سر می‌برند و همانند دیگر شهروندان جایگاه با ارزش خود را دارند. اسلاموفیل‌ها سانسور می‌کنند و از این پدیده‌های واقعی صحبت نمی‌کنند. آن‌ها در پی سیاه‌نمایی در جامعه هستند و دیدگاه‌شان در این زمینه با اسلام‌گرایان مشترک است. بنابراین، باید توجه داشت که بخش بسیار کوچکی از مسلمانان از تروریسم پشتیبانی می‌کنند و یا خود در ترور شرکت دارند ولی بیشتر آن‌ها جزو شهروندان عادیِ این جامعه هستند. اسلاموفیل‌ها با درک محدود خود به‌طور نظام‌مند عامل اسلام و بغض و کینهٔ اسلام‌گرایان را در برابر تمدن و دموکراسی غربی نادیده می‌انگارند. اسلام یک ایدئولوژی سلطه‌خواه و تبعیض‌گراست و تروریسم اسلامی یک جریان ایدئولوژیک جهانی است که با پول و نفت و کینه‌جویی تغذیه می‌کند و خواهان خلافت جهانی است و در این مسیر جهادیسم تمام حیله و شگرد روان‌شناسانه و تبلیغاتی را برای تأثیرگذاری روی جوانان مسلمان به کار می‌گیرد. ما به تجربه دیده‌ایم که در میان تروریست‌ها افراد شاغل، مهندس و کارمند و کارگر و بیکار و تبهکار بوده‌اند و، بنابراین، نظریهٔ جبرگراییِ اجتماعی ـ اقتصادی در مورد همهٔ این افراد صادق نیست.

سرچشمهٔ دینیِ تروریسم کجاست؟ بسیاری از اسلاموفیل‌ها دارای رابطه‌ای عاطفی با اسلام هستند و تلاش می‌کنند این دین را از زیر انتقاد خارج کنند. طرح اسلام التهاب‌آفرین است؛ پس برای تلطیف اذهان باید اسلام را در یک گفتار همگانی پنهان کرد و یا آن را به‌عنوان یک «دین ستم‌دیده» نشان داد. ما این احساس را می‌توانیم در اَشکال گوناگونی ببینیم: مورد نخست: در فرانسه و در زمان ترور شهروندان، نخستین واکنش خودبه‌خودیِ اسلاموفیل‌ها حذف واژهٔ اسلام در گفت‌وگوهاست. آن‌ها در بحث‌ها و رسانه‌ها می‌گویند تروریسم محکوم است ولی هرگز سرچشمهٔ ایدئولوژیکِ ترور را به میان نمی‌کشند. آن‌ها همیشه در گفت‌وگوها از «تروریسم اسلامی» پرهیز می‌کنند و فقط واژهٔ تروریسم و گاه جهادیسم را به کار می‌برند. این افراد از دین یا مسیحیت حرف می‌زنند ولی از دین اسلام گفت‌وگو نمی‌کنند. برای آن‌ها حذف اسلام در گفتار مانع عذاب وجدان می‌شود. مورد دوم، در زمان ترور روزنامه‌نگاران نشریهٔ شارلی ابدو در

فرانسه توسط اسلام‌گرایان و اسلاموفیل‌ها این بحث را به راه انداختند که شارلی ابدو مسلمانان را تحریک کرده است و نباید به پیامبر اسلام اهانت کرد. مطلب چیست؟ شارلی ابدو یک روزنامهٔ طنز و منتقد تمام ادیان و جهان‌بینی‌هاست و کاریکاتورهای این نشریه با گزندگی بی‌مانندی تمام شخصیت‌های سیاسی و پیامبران و «مقدسات» عوام را به سخره می‌گیرد. بررسی تمامی مقالات طنز این نشریه نشان می‌دهد که ده درصد نشریه راجع‌به اسلام و دنیای اسلام و مساجد سلفی‌ها و داعش است و ۹۰ درصد آن دربارهٔ مسیحیت، یهودیت، جامعهٔ سیاسی فرانسه، شخصیت‌هایی مانند ترامپ و ماکرون و پوتین و افشای فساد در جامعه است. این نشریه هر شماره‌ای که دربارهٔ اسلام انتقادی طنزآمیز یا کاریکاتوری منتشر می‌کند با طوفان گستردهٔ انتقاد اسلام‌گرایان و چپ‌های اسلاموفیل روبه‌رو می‌شود. از چپ تندرو گرفته تا کمونیست‌های رسمی و برخی نهادهای «حقوق بشری» و انجمن‌های محلی یک‌صدا در برابر شارلی ابدو موضع می‌گیرند. این اسلاموفیل‌ها در مواردی که به مسیح و کلیسا و کشیش و شخصیت‌ها انتقاد می‌شود و کاریکاتور مسخره‌آمیز آن‌ها چاپ می‌شود هیچ اعتراضی ندارند و خاموشند ولی اعتراض و کنفرانس مطبوعاتی آن‌ها در مواردی است که اسلام به مسخرگی کشیده می‌شود. برای آن‌ها به طنز و مسخرگی کشاندنِ اسلام تحمل‌ناپذیر است زیرا حمله به محرومان شمرده می‌شود.

سرچشمهٔ اسلاموفیل‌ها چیست؟ بسیاری از آنان اهل خانواده‌های متوسط و مرفه و دارای امتیازات شغلی و اداری و سیاسی هستند. افزون‌بر این، بسیاری از نمایندگان فکری همان روشنفکران سال‌های هفتاد میلادی بودند که برای انقلاب سوسیالیستی و انقلاب جهان‌سومی مبارزه می‌کردند. این‌گونه روشنفکران و یا ادامه‌دهندگان این اندیشه در متن تجربیات شکست‌خوردهٔ سوسیالیستی و فروریزی آرمان‌شهر جهان‌سومی خلق‌ها در پی ساختن آرمان‌شهر دیگری هستند. وجود مهاجران و دین مهاجران یک کلیت برای ساختن این آرمان‌شهر به شمار می‌آید.

بخشی از آن‌ها از سازمان‌های چپ و روزنامه‌نگاران و روشنفکرانی هستند که غم پرولتاریای ازدست‌رفته‌شان آن‌ها را آزار می‌دهد و جهان‌بینیِ ضدامپریالیسم آن‌ها در جست‌وجوی تشخیص قربانیان و محرومان جامعه است تا از آن‌ها پشتیبانی کنند. در ناخودآگاه و واکاویِ سیاسی آن‌ها مسلمانان جزو محرومان

جهان هستند و دین‌شان عامل هستی‌دهندهٔ آن‌هاست و، بنابراین، تمام این کلیتْ مقدس و قابل دفاع است. روشن است که گفتار اسلاموفیل‌ها همیشه با صراحت همراه نیست. تمام ناخودآگاه آن‌ها و نظریه‌های پس‌رفته و امیدهای آرمان‌شهری آن‌ها به‌شکل خودکار این افراد را به دفاع یک‌جانبه از «امت مسلمان» می‌کشاند. در نظریه‌پردازی آن‌ها ظرافت‌های زیادی وجود دارد ولی حس هواداری از اسلام آن‌ها را به شتاب نظری می‌کشاند. زمانی که آن‌ها در پی نظریهٔ جدی‌تری هستند، عوامل جهان‌بینیِ اسلامی و قدرت ویرانگر دین بر روان از حوزهٔ واکاوی خارج می‌شوند. اسلام با نابودیِ خِرد نوگرا، با تقویت پَست‌ترین روحیه در افراد، با ایجاد مسخ‌شدگی و تعبد در اذهان، با نابودی توان و ظرفیت سازگاری با دیگر ملت‌ها و فرهنگ‌ها افراد را به بمب تبدیل می‌کند و این انسان‌های پریشان و گسیخته و حاشیه‌ای از جمله سربازان پیرو تروریسم مقدس هستند.

اسلاموفیل‌های ایرانی چگونه‌اند؟ در میان ایرانیان داخل و خارج از کشور اسلاموفیل‌ها بسیاری وجود دارند. دانشگاهیان، جامعه‌شناسان، اقتصادانان، روانکاوان، هنرمندان، مترجمان، سیاسیون و روزنامه‌نگاران بسیاری هستند که به درجات گوناگونْ اسلاموفیل هستند. این افراد با ریشه‌های فکری و روانی دین‌خویی و مقدسات اسلامیِ موجود در ناخودآگاه و واکنش‌های ایدئولوژیکِ توده‌ایستی به اسلاموفیل تبدیل می‌شوند. این اسلاموفیل‌ها پیوسته در رادیو و تلویزیون و تارنماهای برخط و شبکه‌های اجتماعی و انجمن‌ها و دانشگاه‌ها و نشست‌ها و انجمن‌ها حضور دارند و خواسته‌شان رویارویی با منتقدان اسلام است. این اسلاموفیل‌ها خود را موافق «گفت‌وگو و دموکراسی» معرفی می‌کنند ولی به سانسور منتقدین اسلام دست می‌زنند. آن‌ها علیه حکومت استبدادی و آخوندیسم صحبت می‌کنند و گاه از فلان خرافهٔ رایج نیز انتقاد می‌کنند ولی در مورد دین اسلام، قرآن، پیامبر، امامان، مذهب شیعه و تجاوز اسلام و قشون عرب به ایران زمین سکوت می‌کنند و این پدیده‌ها را به‌عنوان «باور مقدس و محترم» مردم معرفی می‌کنند. این مردم‌فریبیِ فکری و کرنش در برابر خرافه و باورهای زیان‌آور توده نزد روشنفکر اسلاموفیل یک خطرو آسیب بزرگ به شمار می‌آید.

اسلاموفیل‌های دانشگاهیِ ایرانی در فرانسه نیز بسیارند. هدف آنان به‌اصطلاح «معقول» کردن واکاویِ هاست و در این مسیر یکی از اهداف‌شان مبارزه با جداانگاری دین از سیاست است. آن‌ها می‌گویند جداانگاری دین از سیاست بر

پایهٔ الگوی فرانسه تند و نابجاست زیرا مسلمانان را نشان‌دار می‌کند، با انگشت نشان‌شان می‌دهد و مورد یورش قرار می‌دهد. اسلاموفیل‌های ایرانی حتی از «بنیادگرایی خداناباورانه» سخن می‌گویند و بدین ترتیب جداانگاری دین از سیاست را که نگهبان جامعه است و آزادی دین‌داری و ناباوری دینی را تضمین می‌کند همچون خطر بنیادگرایی معرفی می‌کنند. این افراد با سازشکاری با محافل اسلام‌گرا لب تیز حمله را متوجه آزاداندیشان و آزادمنش‌ها جامعه و دانشگاهیان منتقد اسلام می‌کنند. اسلاموفیل‌های ایرانیِ مقیم فرانسه در واکاویِ خود گاه از شبکه‌های بنیادگرا صحبت می‌کنند ولی همت اصلی آن‌ها در محکومیت جامعهٔ فرانسه است. آن‌ها برای مسلمانان خواهان یک‌سری امتیاز ویژهٔ «کمونوتاریستی» و برخلاف جداانگاری دین از سیاست خواهانند. قانون ۱۹۰۵ فرانسه به‌طور پیوسته توسط اسلام‌گرایان مورد یورش قرار می‌گیرد. بر اساس جداانگاری دین از سیاست مداخله در سیاست و آموزش و کشورداری ناممکن است ولی از آنجایی که اسلام دین سلطهٔ سیاسی و خلافت است، این قانون از نگاه اسلام‌گرایان در نهایت باید حذف شود. اسلام‌گرایان خواهان حجاب دختران در مدرسه‌اند، حال آن‌که قانون فرانسه این خواست را باطل اعلان کرد. اسلام‌گرایان خواهان گسترش حجاب کامل با چهرهٔ پوشیده در خیابان‌ها بودند، قانون فرانسه با این خواست مقابله کرد. پس قوانین متکی‌بر جداانگاری دین از سیاست مدافع شهروند و آزادی او هستند، حال آن‌که اسلاموفیل‌ها با اسلام‌گرایان در برابر جداانگاری دین از سیاست همسو عمل می‌کنند.

اسلاموفیل‌ها در سازمان‌های چپ و جمهوری‌خواه و لیبرال و ملی‌گرای ایرانی فراوانند. این افراد همکار و یاور نواندیشان اسلامی هستند و پیوسته با فراموشی خواست‌های فکری آزاداندیشانه در حال تعریف راهبرد ائتلاف مبارزاتی‌اند. آن‌ها در برابر جزم‌اندیشان اسلامی مانند عبدالکریم سروش و محسن کدیور و حسن یوسفی اشکوری کوتاه می‌آیند و سکوت می‌کنند و نمی‌خواهند آزردگیِ آن‌ها را موجب شوند. روشن است که در جامعهٔ متمدن با رفتار مؤدبانه و شکیبا بایَد زندگی کرد ولی مسئلهٔ اسلاموفیل‌ها کوتاه آمدن در برابر یک خطر بزرگ ایدئولوژیک یعنی دین اسلام است. البته اسلاموفیل‌ها اغلب فاقد دانش و بررسی جدی در مورد اسلام هستند و در اسارت وابستگی روان‌شناسانه و ازخودبیگانگی نسبت‌به اسلام غوطه‌ورند.

اسلاموفیل‌ها از خودبیگانه شده‌اند. یکی از نظریه‌های مشهور اسلاموفیل‌های دانشگاهی و سیاسی ایرانی این است که باید به مسائل اصلی جامعه پرداخت و مسئلهٔ نقد اسلام اصلاً اساسی نیست. گویا هجوم اسلام و ازخودبیگانگی و مسخ‌شدگیِ ذهن ایرانی و خرافات بزرگِ موجود در جامعه مسئله‌ای کاملاً حاشیه‌ای است. گویا ویرانیِ خردگرایی و فلسفه‌پروری توسط دین و هواداران حوزوی و فکلی دین فرعی است. گویا آسیب‌های روانی و رفتاری انسان ایرانی و امام‌پرستی و امامزاده‌پرستی او حاشیه‌ای است. گویا تودهٔ بزرگِ فرورفته در جمکران و غیبت مهدی فرعی است. گویا سیاست سرکوب و تحقیر زنان رابطه‌ای با قرآن ندارد. گویا ویرانیِ استعدادهای هنری و سینمایی و مجسمه‌سازی و نقاشی با انجماد و ممنوعیت دینی رابطه‌ای ندارد. گویا آزادی‌خواهی در اعماق رفتار روانی و اجتماعی ربطی به گسترش اندیشهٔ فلسفی و انتقاد از اسلام ندارد. گویا استبداد حاکم ربطی به اسلام ندارد. همین رژیم استبداد ولایت فقیهی به‌اعتبار این جهان‌بینیِ دینی بر سر کار آمد و احکام دینی را جاری کرد و پیروزی آن با پشتیبانی بیشترِ جامعهٔ سیاسی و انقلابی و روشنفکری میسر شد، حال گویا واکاوی و انتقاد از این آسیب بزرگ ربطی به اسلام و شیفتگی ذهنیت نخبگان این مملکت ندارد.

این اسلاموفیل‌ها دنباله‌روِ نواندیشان دینی هستند. آن‌ها به‌طور ضمنی هوادار «اسلام رحمانی» هستند و چنین‌چیزی جز باج دادن به اسلام چیز دیگری نیست. اسلام جهان‌بینی اسارت روان آدمی و استعمار ملت‌هاست. آیا این قضاوتی گزاف است؟ هرگز! آیات قرانی و روایات و احکام اسلامی و تاریخ اسلام از آغاز تاکنون بر این منطق استوار بوده‌اند. نظریهٔ اسلام رحمانی و نظریهٔ دروغ‌پردازان از شریعتی تا نواندیش دینیِ امروز برای بازتولید بردگیِ ماست. طرح «اسلام رحمانی» نیرنگی برای نجاتِ اسلام است. در جامعه افرادِ مطابق فرهنگ و هدف و منافع خود تفسیرهای ملایمی ارائه می‌کنند ولی اسلام قرآنی یک جهان‌بینیِ مرگبار است.

اسلاموفیل‌های ایرانی در داخل و خارج از کشور نقشی بسیار منفی در جامعهٔ ما بازی می‌کنند زیرا آن‌ها با آزادی اندیشه مبارزه می‌کنند و خواهان تعطیلیِ انتقاد علمی و با صراحت و شجاعانه در برابر دین اسلام هستند. هر جا که اسلاموفیل‌ها هستند باید نگاه و رفتار آن‌ها را به نقد کشید زیرا آن‌ها در راستای سلامت یک

جامعه حرکت نمی‌کنند. اسلام با حوزه‌ها و نواندیشان دینی قوت می‌یابد و تحکیم می‌شود و همین دین با کوتاه آمدن‌ها و ازخودبیگانگی اسلاموفیل‌ها به سلطهٔ خود ادامه می‌دهد. یکی از وظایف اساسی روشنفکریِ دوران کنونی انتقاد پیگیر از جهان‌بینیِ اسلام وشیعه‌گری است.

L'islamophilie est un néologisme pour décrire un engouement pour les valeurs de l'islam, généralement associé à une admiration de la religion islamique et le refus de la critique de l'Islam.

لیبرالیسم، نئولیبرالیسم و الگوی غارت اسلامی

لیبرالیسم مفهومی فلسفی، اقتصادی و سیاسی است. فلسفهٔ سیاسی جان لاک و مونتسکیو بر فرد و آزادی او و دولت نوگرا تأکید می‌کنند. لیبرالیسم اقتصادی با اتکا بر اندیشهٔ آدام اسمیت و ریکاردو و جان استوارت میل بر اقدام فردی و خصوصی تأکید می‌ورزند و به مالکیت خصوصی، رقابت اقتصادی و اقتصاد بازار باور دارند. لیبرالیسم سیاسی با افکار بنژامن کنستان و الکسی توکویل به‌معنای برابری اجتماعی و نظام انتخاباتی و بیان آزاد و حاکمیت مردم است. به‌گفتهٔ مونتسکیو این رژیم کم‌ترین رنج را برای طبیعت انسان به بار می‌آورد. لیبرالیسم سیاسی نفی استبداد و باور به اهمیت فرد، آزادی فرد، اقدام آزاد فرد در بازار، اصل شهروندی و دموکراسی است.

حال، نئولیبرالیسم چیست؟ برخی اقتصاددانان تمایز بین این دو مفهوم را نمی‌پذیرند. از دید من، لیبرالیسم در شکل سدهٔ هیجدهم و نوزدهم خود باقی نمانده است. در لیبرالیسم جنبه‌های جدید یا تغییریافته‌ای وجود دارد. نئولیبرالیسم با رشد بی‌سابقهٔ سرمایه‌داری و بازار جهانی و نظام جهانی به‌معنای پس زدن و کاهش امنیت اجتماعی و دولت رفاه و رفع همهٔ موانع برای تبدیل هر پدیده‌ای به کالا در بازار است. اندیشه‌های اقتصاددانانی مانند میلتون فریدمن و فردریش هایک پایهٔ همین دگرگونی بوده‌اند و اقتصاد جهانی با قدرت بی‌سابقهٔ شرکت‌های جهانی و عقب‌نشینی سیاست دولت‌ها در برابر اقتصاد قدرت نئولیبرالیسم را متجلی کرد. شخصیت‌هایی مانند دونالدریگان و مارگرت تاچر و نهادهایی مانند صندوق جهانیِ

پول و بانک جهانی مهیاکنندهٔ اوج‌گیری نئولیبرالیسم شدند. این الگوی اقتصادی انتقادهای بسیاری را هم برانگیخت. جامعه‌شناس فرانسوی، پی‌یر بوردیو، می‌گوید برنامهٔ نئولیبرال به تشدید شکاف میان اقتصاد و واقعیت‌های اجتماعی تمایل دارد و این الگو خواهان ویرانیِ نهادهای اجتماعی همگانی است. او می‌افزاید این الگو مخالف سندیکاها و انجمن‌ها و تعاونی‌هاست و منطق بازار را همه‌جا مستقر می‌کند.

یک سلسله از کنش‌گرای‌های نئولیبرالیست در تضاد با روح لیبرالیسم قرار می‌گیرند. امروزه شرکت‌ها حق دارند اقلیم جهانی را آلوده کنند و این حق در بورس جهانی خریدوفروش می‌شود. از دید برخی کارشناسان نئولیبرالیسم متمایل‌به نقض برخی اصول لیبرالیسم است. مفهوم رقابت که در لیبرالیسم یک اصل به شمار می‌آید در نئولیبرالیسم ناتوان شده زیرا با سازش نقش‌آفرینان شرایط نیمه‌انحصاری پدید می‌آید. نئولیبرالیسم بازار کار و کالا را جهانی کرده و همچنین در نفی و ویرانیِ محیط زیست نقش بسیار زیان‌باری بازی می‌کند. رئیس‌جمهور آمریکا قراردادِ جهانی محیط زیستی در مورد جلوگیری از افزایش گازهای کربنیک را نادیده انگاشته و خواهان تأمین منافع صنایع نفتی آمریکاست.

الگوی اقتصادی ایران در تناقض با لیبرالیسم است و به هیچ‌وجه با نئولیبرالیسم توضیح‌پذیر نیست. الگوی اقتصادیِ دولتیِ ایران متمرکز، رانتی و با ویژگی مداخله‌گری نظامی و بنیادهای دینی و سیستمِ تصمیم‌گیری ناشفاف و فاسد است. نئولیبرالیسم یک الگوی جهانی است ولی ادعای این‌که اقتصاد ایران نماد این الگوی جهانی یک ساده‌انگاری ایدئولوژیک است. زمانی گفته می‌شد که خصوصی‌سازی شرکت‌ها در ایران نشانگر اجرای سیاست صندوق جهانی و لیبرال کردنِ اقتصاد است، حال آن‌که ما متوجه شدیم که چنین‌چیزی یک سیاست «خصولتی» است و، در واقع، تقسیم غنائم بین جناح‌های هیأت حاکم است. افزایش قیمت بنزین به هیچ‌وجه به‌معنای سیاست شناورکردنِ قیمت و لیبرال‌سازیِ اقتصاد نیست. رژیم حاکم در شرایط کمبود ارز برای بودجهٔ دولتی تمام اهرم‌ها را به‌کار می‌گیرد تا پول جمع‌آوری کند. جمهوری اسلامی مجبور است تا یارانه‌های بی‌مقدار پخش کند زیرا نگران خیزش‌های آینده است. حکومت اسلامی هیچ برنامهٔ اقتصادی خاصی برای کشور ندارد و تنها در پی سپری کردنِ زمان و ادامهٔ چپاولگری است.

انسان، شیطان و فرشته

یک بار یکی از دانشجویانم از من پرسید معنای انسان از نگاه شما چیست؟ من هم در پاسخ به او گفتم عزرائیل و فرشته‌ای وجود ندارد ولی انسان هر دوِ آن‌هاست. گفتم انسان همان خداست که به همه‌چیز تواناست و، در ضمن، نماد ناتوانی مطلق و یا قدرت مطلق اسطوره‌وار هم هست. در اسطوره‌شناسیِ یهودیت، ابراهیم به‌فرمان یهوه و برای این‌که سرسپردگی خود را به او نشان بدهد قصد کشتن فرزند می‌کند. در اینجا ابراهیم در پیروی خود نماد خشونتی بی‌عاطفه و فرزند یک قربانی بی‌دفاع و ناتوان جلوه می‌کند. در دین مسیحیت، مسیح که معجزه می‌کند و شفا می‌دهد و روح‌القدس است مصلوب می‌شود، کسی که به آسمان می‌رود نمی‌تواند خود را از چوبهٔ دار برهاند.

در دنیای امروز ما، زن‌ومرد به یکدیگر می‌گویند «دوستت دارم و باز هم دوستت دارم» و سپس در یک عطش عاشقانه و جنسی در هم می‌پیچند و تمام هیجان و خیال و قدرت جنسی‌شان را به کار می‌گیرند تا این لحظه سرآغاز زایش یک نوزاد یا انسان دیگری باشد، حال آن‌که امروز در پیشرفته‌ترین بیمارستان‌ها، بدون کوچک‌ترین مناسبات جنسی و سخنی عاشقانه، قدرت فن‌آوری و دانش و شیشه‌های آزمایشگاهی نقش انسان خلاق را در مرحلهٔ اساسی و نخستین زندگی کنار می‌گذارد. در اجتماع، آدم‌ها آدم‌های دیگر را می‌سازند. مافیا افراد مافیایی یعنی تبهکار و آدم‌کُش و نوکر پدید می‌آورد، نظام اقتصادیِ مصرفی با قدرت تبلیغی بازاری و الگوریتم روان‌شناسانه رفتار و ناخودآگاه انسان را پیرو خودش می‌کند، اسلام‌گرایان با قدرت جادوییِ تبلیغات قرآنی و ایدئولوژیک انسان‌ها را به موجوداتی مفلوک و متعصب و آدم‌کُش تبدیل می‌کنند. همهٔ انسان‌ها متضاد و دوگانه‌اند و قدرت و خودپرستی و اطمینان‌به‌خود و شکنندگی و ناتوانی و حقارت را در خودشان دارند. البته همهٔ آن‌ها نقش یکسانی در جامعه ندارند و میزان زیان‌آوری‌شان نیز یکسان نیست. در جامعه و در بستر اختلافات اجتماعی و خانوادگی، افراد زیادی که خود را قوی و قلدر به شمار می‌آورند با روانی آلوده به خشم و کینه و ناتوانی افراد دیگری را به قتل می‌رسانند. افرادی که در مناسبات مهربان هستند بنابر منافع و شکنندگیِ خود می‌توانند پرکینه و بدجنس بشوند.

در عرصهٔ سیاست نیز آدم‌ها با تناقض‌های خود زندگی می‌کنند. رهبران آمریکا،

که نمایندگان یک قدرت بزرگ دموکراسی و فن‌آوری هستند، به طالبان کمک می‌کنند تا به قدرت برسند و سپس خود مورد هجوم بن لادن و تروریست‌های اسلامی قرار می‌گیرند. دیکتاتورهایی مانند برژنف و کاسترو که به‌شدت بیمار بودند در رأس حزب یگانه و مسلط سوار بودند و حکمروایی داشتند و هرگز وجود حزبی دیگر را تحمل نکردند. هیتلر که ماشین نظامی و ایدئولوژیک نازیسم را سامان می‌دهد و دنیا را به جنگ می‌کشاند و در آخرین لحظه در کنار همسرش، که سیانور می‌خورد، با یک گلوله خودکشی می‌کند. خامنه‌ای، که مستبد و نمایندهٔ امام زمان و ولی عصر است، با گذشت زمان سنگدل‌تر شده و کشتار صدها نفر در یک روز را برکتی برای ادامهٔ ولایت خودش می‌داند. او، که بسیار بیمار است، در تمام طول عمر دیکتاتوری‌اش حتی یک بار هم جرأت نکرده که در برابر یک روزنامه‌نگار به پرسش‌ها پاسخ دهد. همهٔ این‌ها آدم‌های گوناگونی هستند و از دید انسان‌شناسی و زیست‌شناسی یکسان‌اند ولی پیرامون و اطرافیان و جهان‌بینی‌ها و ادیان چیز دیگری از آن‌ها می‌سازند. آن‌هایی که با بدی و زشتی پرورش می‌یابند و ارزش‌های نیکوی همگانی را در خود منکوب می‌کنند به الگوی مطلق بدی تبدیل می‌شوند.

یک چهرهٔ برجسته در ادبیات فرانسه

یکی از چهره‌های برجستهٔ شعر و ادبیات فرانسه کریستیان بوبن است. او تاکنون شصت کتاب چاپ کرده و چندین جایزهٔ ادبی دریافت کرده است. او مهمان اصلی یک برنامهٔ ادبیِ تلویزیون فرانسه بود و در کنار او نیز یک فیلسوف، یک کارشناس اقلیم قطبی، یکَ موسیقی‌شناس، یک هنرپیشهٔ سینما و یک نقاش گِرد آمده بودند تا هر کدام نگاه و حس خود را دربارهٔ بوبن بازگو کنند. در واقع، این برنامه دیداری بود برای ستایش کار یک شاعر که نشان فرهنگ یک جامعهٔ نخبه‌گراست. اندره کنت اسپونویلِ فیلسوف اظهار داشت: «نخستین آشنایی من با بوبن کتاب هشتمین روز هفته بود. به خودم گفتم در هر هفته هفت روز وجود دارد و چرا بوبن از هشت روز صحبت می‌کند و، بعد، فهمیدم که هشتمین روز همان روز ازلی و جاودانه است و فراموش نکنیم که شاعر در دنیای حس قلبی گردش می‌کند و فیلسوف در عرصهٔ عقل.» کنت اسپونویل، فیلسوف آته ناباور و منطق‌گرا، از بوبن پرسید: «تو

باور دینی داری؟» و بوبن هم گفت: «مثل گذشته به دین باوری ندارم ولی هنوز یک چیزهایی در من وجود دارند.» او افزود: «من فکر می‌کنم خدا انسانی است که موجود است و از نگاه من دوستی بین انسان‌ها فراتر از عشق است زیرا در عشق طغیان وجود دارد در صورتی که در دوستی آرامش و گفت‌وگو و رابطه و خنده‌ست.» بوبن در ادامهٔ صحبت‌های خود گفت: «چهرهٔ یک اقتصاددان گرفته و نگران است و یا یک جامعه‌شناس عصبانی است ولی یک شاعر با شعر از فراز همهٔ امپراتوری‌ها و زندان‌ها و مرزها پرواز می‌کند.» در ادامه، توجه شما را به برخی از گفت‌آوردهای کریستیان بوبن جلب می‌کنم:

- زندگی با قلم می‌نویسد و مرگ آن را پاک می‌کند.

- راه رفتن در طبیعت مانند قدم زدن در کتاب‌خانه‌ای بزرگ است که هر کتابش جمله‌هایی اساسی در بردارد.

- نگاه کردن، شنیدن، دوست داشتن. زندگی مانند هدیهٔ بسته‌بندی‌شده‌ای است که هر صبحگاه گره نخ‌هایش را باز می‌کنم.

- عشق و اثرات آن اندازه‌پذیر نیستند. عشق بدون دلیل و بدون معیار می‌آید و به همین ترتیب نیز از ما دور می‌شود.

- دوست دارم کف دستانم را روی تنهٔ درخت فشار دهم. این کار را برای اثبات وجود درخت که شکی در آن نیست انجام نمی‌دهم بلکه می‌خواهم از زندگی خودم مطمئن شوم.

- ما در مناطق گوناگون سکونت نمی‌کنیم، ما حتی روی کرهٔ زمین هم زندگی نمی‌کنیم. خانهٔ ما قلب کسانی است که دوست‌شان داریم.

نوشتار کریستیان بوبن لحظه‌ای برای تنفس است. این‌همه وحشیگری در میهن ما و در جهان به افسردگی و ناامیدی دامن می‌زند. خواندن قطعه‌ای شعر و شنیدن قطعه‌ای موسیقی کلاسیک و گپ زدن دربارهٔ چیزهای دلپذیر زندگی لحظاتی برای تنفس و بازیافتن نیروی خود است.

زیان‌باری انقلاب اسلامی

چهلمین سالگرد انقلابِ زیان‌بارِ اسلامی است. معنای این انقلاب چیست و نتایج

آن چه بوده؟ جامعهٔ روشنفکری و سیاسی ایران در جست‌وجوی توضیح این چرخش تاریخی است و چه بسا ما نیازمند گذر تاریخ هستیم تا تاریکی‌ها بیشتر روشن شوند ولی گویا این انقلاب یک بازگشت ارتجاعی و انفجار گنداب‌های دینی و واپس‌گراییِ اجتماعی بود. انقلاب اسلامی ریشه در تاریخ تهاجم اسلام عرب داشت زیرا در این لحظه است که جهان‌بینیِ دینی وارد جغرافیا و ذهنیت ایرانی می‌شود. این ریشه با شیعه‌گریِ ساختهٔ دورانِ صفوی نیرومند شد، در سایهٔ استبدادهای گوناگونان سیاسی و آدم‌کُشان متدین گوناگون فربه شد، با شکست‌های حقارت‌بار کشور و نکبت و خرافات دینی و سقوط جامعهٔ دوران قاجار فربه‌تر شد، در بستری از نادانیِ عمومیِ جامعه با تبلیغات اسلامی آخوند و جزم‌اندیش دینی در سال‌های چهل به غول پنهان در جامعه تبدیل شد و در آستانهٔ سال ۱۳۵۷ به سیلاب چرکین و انفجار حقارت‌ها بدل شد و خمینیسم را به قدرت رساند.

معنای انقلاب چه بود؟ انقلاب مشروطه اعلان قانونگرایی کرد و در عصر پهلوی، با وجود استبداد، جامعه پل‌هایی ارتباطی با نوعی نوگراییِ مادی و اجتماعی برقرار کرد ولی امیال نیرومند جامعه به سوی ارتجاع دینی پیامبر کشش داشت. دانشگاه و مدرسه در برابر حوزه و مکتب برافراشته شدند ولی دین تمام ساختار ذهنی و عمومی جامعه را شکل داد. ناخودآگاهِ آلوده به شریعت قصد همزیستی با نوگرایی نداشت و اندیشهٔ خِردگرا در ناتوانی خود به شکست کشیده شد. کودتا در برابر دکتر مصدق و روحیهٔ دلسردِ ناشی از آن کار را دشوارتر کرد. خیزش فرومایگان و طاعون آخوندیسم در خرداد ۱۳۴۲ و دشمنی آن با آزادی زن و نوگرایی به‌طور آشکار حساب جامعه را روشن کرد. پس از تروریسم فدائیان اسلام، خمینیسم برای کسب قدرت خود را آماده می‌کرد. شیعه‌گری با الهام از خلافت پیامبر و علی، خلیفهٔ چهارم، در پی تصرف قدرت دینی بود. فدائیان اسلام و خمینی و آل احمد و شریعتی و مطهری به‌اَشکال گوناگون این میل به قدرت سیاسی دینی را نشان می‌دهند.

اندیشه‌های ملهم از فلسفه و ادبیات نوگرا و تمدن غربی زیر فشار انبوه شعار و سیاست دینی و لایه‌های سنگین دین‌خویی و تقدسگرایی نابودگر به حاشیه کشیده شد. نیروهای چپ و تندرو در دوگانگی فکری بودند: از یک سو خود را مارکسیست اعلان می‌کردند و هوادار از مارکس و لنین و کاسترو و چه گورا بودند و از سوی دیگر به دین توده احترام می‌گذاشتند و تلاش فکری و فلسفی را در

نقد اسلام فراموش کرده بودند و خود را آگاهانه و ناخودآگاهانه برای تأیید امام خمینی آماده می‌کردند. روشن است که گرایش‌های سیاسی به مبارزه با شاه ادامه می‌دادند ولی در همان زمان آخوندها را «مترقی» و «ضدامپریالیست» معرفی می‌کردند و در عرصهٔ مبارزه با خرافه و شیعه‌گری و اسلام و قرآن و آیت‌الله‌های قم سکوت پیشه کردند. بینش یک‌جانبهٔ دین‌خو و جهان‌سومی بر اندیشهٔ چپ چیره بود.

اسلام‌گرایان پیش از انقلاب و در زمان شاه ریشه دواندند. شاه به زیارت کعبه و امام رضا می‌رفت، در مدارس درس تعلیمات دینی را اجباری کرد، چاپ زرنگار قرآن سفارش داد، در سال ۱۳۴۵ مسجد دانشگاه تهران را گشود و به فعالان دینی اجازه داد تا در دانشگاه انجمن خود را برپا کنند. در این دوران کسی حق نداشت از اسلام انتقاد کند و همه دعوت شده بودند تا در حزب رستاخیز عضو بشوند ولی در همین دوران هم جزم‌اندیشان شیعه در حسینیهٔ ارشاد و مدارس دینی و روزنامه‌ها اسلام و شیعه را تبلیغ می‌کردند، در روزنامه‌ها مارکسیسم را نقد می‌کردند و غرب را می‌کوبیدند.

هنر و ادبیات نوگرا در دو دهه پیش از انقلاب و در لایهٔ روشنفکری زنده بودند ولی جوانان به‌طور گسترده به فرهنگ دینی و جهان‌بینیِ شیعه‌گری روی می‌آوردند. آثار شریعتی و گفتار خمینی هر گونه میل به آزادی را نابود و اعضای جامعه را شیفته و پریشان جهان‌بینی شیعه کردند. ساواک با شکنجه و کشتار به عصبانیت جامعه افزود و میل به دیدار امام زمان را افزایش داد. بیشتر روشنفکران و سیاسیون غیردینی دربارهٔ خرافه و دین سکوت کردند، بخشی به چریکیسم روی آوردند و سپس گام‌به‌گام پشت امام جای گرفتند. چریکیسم فاقد اندیشهٔ فلسفی بود و به اسطورهٔ سلاح معجزه‌آسا و تمایل‌به الگوی شوروی خلاصه می‌شد. ایرانِ این زمان جامعه‌ای متضاد ولی زیر سیطرهٔ دین است.

دیپلماسی غرب با مشغلهٔ شوروی و نفت و بیماری شاه از یک سال پیش از انقلاب با آخوندها وارد رایزنی شد و در نشست گوادلوپ ۱۴ تا ۱۷ دی‌ماه ۱۳۵۷ برنامهٔ انقلاب خمینیستی مورد تأیید قرار گرفت. تا یک سال پیش از انقلاب همه‌چیز جور و سامان‌دهی گردید. ژرفای ذهن و جامعه، دست‌های آشکار و پنهان، عوامل بومی و جهانی، نیرنگ آخوند و دیپلمات غربی راه انقلاب اسلامی را هموار کردند. تظاهرات گسترده همه جا را گرفت و قربانیان خیابانی با اسطوره‌سازی

دینی، انگیزه و ابزاری برای بازتولید تظاهرات بعدی شدند. دین در تکرار مراسم دینی تحکیم و این تکرار به راهبرد کسب قدرت تبدیل شد. مراسم سوگواری چهلم به سلسلهٔ بی‌پایان اعتراض‌های خیابانی تبدیل شد. در جامعه درد و رنج زیادی وجود بود و زشت‌کاریِ ناشی از فساد و شکنجهٔ ساواک منجر به خشم جامعه شده بود ولی این خشم با الگوی اثبات دموکراتیک همراه نبود. تظاهرات دینی عقلانیت را منکوب کرد و همه در یک هیجان فراگیرِ عمومی غرق شده بودند.

آیت‌الله‌ها راهبرد کسب قدرت را هدایت کردند و با تبهکاری و نیرنگ کشتار تظاهرکنندگان توسط نظامیان را به نردبان قدرت خود بدل کردند. آیت‌الله‌ها آتش‌سوزی سینما رکس آبادان در ۲۸ مرداد ۱۳۵۷ را سامان‌دهی کردند و ۴۰۰ نفر را زنده‌زنده کشتند و به‌دروغ رژیم شاه را متهم کردند. آخوندها کشته‌های «جمعهٔ سیاه» ۱۷ شهریور را ۴۰۰۰ نفر اعلان کردند، حال آن‌که شمار واقعی ۸۸ نفر بود. شیوه‌های گوبلزی و جنایتکارانه به‌شیوهٔ آخوندها تبدیل شد. آخوند همیشه دغلکار بود و هرگز نمی‌توانست دارای اخلاق اجتماعی باشد. اخلاق قرآن در تبعیض و خشونت و غنیمت‌گری و یغما تعریف می‌شود و آخوند حامل این «اخلاق» است.

شاه شتابان و دیرهنگام عقب‌نشینی می‌کرد و امتیاز می‌داد و دولت‌ها تغییر می‌کردند؛ در واپسین مهلت بختیار به رویارویی با موج سنگین خمینیستی اقدام کرد ولی کار از کار گذشته بود و جامعه فقط صدای یک نفر را می‌شنید. در ۱۶ شهریور ۱۳۵۷ بود که شعارهای تظاهرات چنین بودند: «حسین سرور ماست، خمینی رهبر ماست» و «استقلال، آزادی، جمهوری اسلامی» این شعارها معنای انقلاب را روشن کرده بودند. در ۲۳ دی‌ماه خمینی تشکیل شورای انقلاب اسلامی را اعلان کرد و روز بعد هم شاه ایران را ترک کرد و آیت‌الله خمینی در ۱۲ بهمن ۱۳۵۷ در نقش امام نجات‌دهنده وارد تهران شد. دولت موقت به نخست‌وزیری مهدی بازرگان در ۱۵ بهمن ۱۳۵۷ آغاز به کار کرد و در ۲۲ بهمن با اعلان بی‌طرفی ارتش انقلاب خمینیستی پیروز شد.

خدعه و نیرنگ آخوندها در بطن دین و تاریخی بود ولی دوباره خود را در پاریس و در کلام خمینی نشان داد و در گورستان بهشت زهرا هم خودنمایی کرد و چهل سال است که همچنان ادامه دارد. معنای انقلاب جز بازگشت قطعی به اسارت شیعه و سروری حسین چیز دیگری نبود. «سروری حسین» همان تأیید

ازخودبیگانگی و تسلیم تاریخی ما بود. مردم فریاد زدند ما خواهان تسلیم هستیم و این تسلیم جز استقرار قدرت اسلام برای طبقهٔ غارتگر و رانت‌خوار آخوندها چیز دیگری نمی‌توانست باشد. حکومت الهی اسلام و آخوند مرداب خونین ملت ایران بود. آنچه انقلاب اسلامی می‌خواست رجوع به گنداب‌های رساله‌ها و روایات برای حکومت الله و سقوط به پَست‌ترین الگوی اجتماعی بود. آنچه انقلاب اسلامی می‌خواست ضدیت با خِردگرایی فلسفی، نوگراییِ سیاسی و انسان آزاد بود.

آیا می‌شد جلوِ انقلاب را گرفت؟ این پرسش از دید جامعه‌شناسی و علم تاریخ منطقی نیست. انقلاب اسلامی رخ داد زیرا همهٔ عوامل برشمرده روی دادنِ آن را ناگزیر کردند. جامعه‌شناسی انقلاب را نمی‌آفریند بلکه آن را توضیح می‌دهد و امروزه یک پدیدهٔ چهل‌ساله در برابر ماست. هدف انقلاب مصلوب کردنِ جامعه در جهان‌بینیِ شیعه‌گری و تسلیم قطعی آن است ولی جامعهٔ ایران دارای پویاییِ منحصربه‌فردی است و واکنش‌های متضادی تولید کرده است. تأثیرپذیری از جامعهٔ جهانی و ایستادگیِ روانی و خواست‌های پیاپیِ جامعه شکست‌های فراوانی به قدرت دینی وارد آورده است. بر ما نیز آسیب‌های فراوانی وارد شده است و جامعه ازخودبیگانگیِ خود را تکرار می‌کند. روند کسب وجدان و آگاهی شهروندی و انسان آزاد روندی تاریخی است ولی آنچه مسلم است تقویت این روند با واکاویِ تاریخ، نقد هستیِ اسلامی، گرایش به دموکراسی، آزاد ذهنیِ فراگیر و همه‌جانبه و انتقاد از اوهام ایدئولوژیک و دینی میسر خواهد بود.

امواج جنبش اجتماعی و اختلاف نظر در میان روشنفکران

دوباره امواج اعتراضی در ایران به راه افتاده است. این بار خیزش علیه گرانی بنزین است. تحریم‌های آمریکا منجر به سقوط درآمد نفتی شده و دولت برای بودجه‌های خود، جز افزایش مالیات و حذف یارانه‌های مستقیم و نامستقیم راه دیگری ندارد، به‌ویژه آنکه هزینه‌های سنگین جنگ سوریه و کمک‌های مالی، نظامی و ایدئولوژیک به همهٔ جریان‌های سیاسیِ تروریستی و بنیادگرای شیعه در جهان ادامه دارد و پروژهٔ آشکار و پنهان اتمی و هزینه‌های سنگین آن بر دوش ملت سنگینی می‌کند ولی حکومتگران این طرح خطرناک را ادامه می‌دهند.

بودجهٔ سالانهٔ کشور ۴۵۰ هزار میلیارد تومان است. بر پایهٔ ارزیابی دولت ۱۵۰ هزار میلیارد تومان از محل درآمدهای مالیاتی است. شرکت‌های دولتی و بنیادهای مذهبی مانند آستان قدس مالیات نمی‌پردازند. بنابراین، بقیهٔ بودجهٔ کشور از راه ارزهای نفتی باید جبران شود. بودجهٔ تصویبی مجلس افزون‌بر جمع‌آوری مالیات‌ها، نیازمند ۳۰۰ میلیارد تومان دیگر است. در حالت عادی، درآمد نفتی سالانهٔ ایران ۶۰ میلیارد دلار معادل ۶۰۰ هزار میلیارد تومان است. این درآمد ناممکن است زیرا صادرات نفت ایران به ۳۰۰۰۰۰ بشکه کاهش یافته است. این حاکمان نه از فسادها و رانت‌بری‌های خود دست می‌کشند و نه به سیاست خانمان‌سوز منطقه‌ای خود پایان می‌دهند. بنابراین، رژیم فشار بر مردم تهی‌دست و طبقهٔ متوسط را تشدید می‌کند. افزایش سه‌برابریِ قیمت هر لتیر بنزین تصمیم مشترک حاکمان است تا با فشار بی‌سابقه بر اقشار اجتماعی و در شرایط نبود منبع کافی ارز خارجی، باز هم از سفرهٔ کوچک و ناچیز مردم بکاهند. بنزین برای بیشتر مردم یک ابزار اقتصادیِ لازم برای زندگی است. این گرانی بیشتر به کسانی تحمیل می‌شود که در فقر قرار دارند. روحانی، رئیس دولت، به‌تازگی اعلان کرد از ۲۵ میلیون خانوار ایرانی ۱۸ میلیون آن‌ها شرایط سخت و یا بسیار دشواری دارند و حکومت هم همچنان خواستار افزایش فشار بر همین لایه‌های اجتماعی است.

بدین ترتیب، فشار اقتصادی، گرانی، دروغ‌پردازی و سرکوبگری حکومتی مردم را به خشم درآورده است. جنبش‌های اجتماعی از علت یکسانی پیروی نمی‌کنند. آغاز و پایان جنبش‌های اجتماعی پیشگویی‌پذیر نیستند ولی هنگامی که این جنبش‌ها به حرکت می‌افتند، باید با انرژی خود به پشتیبانی از آن‌ها پرداخت. در حال حاضر، فصلْ فصل مبارزه و اعتراض در بسیاری از کشورهاست. این فضای مبارزاتی برای ایرانیان امیدبخش است ولی آیا جنبش با شعارهای سکولار به ایستادگی و جهش خود ادامه می‌دهد؟ ولی آیا نخبگان دموکرات جبههٔ مخالف آمادگی کسب قدرت را دارند؟

پس از یک هفته از دلاوری‌های مبارزان با حکومت استبدادیِ دینی در ایران و کشتار شمار زیادی توسط مأموران آدم‌کُش رژیم اسلامی، در پیِ یک فراخوان سیاسی شماری از ایرانیان در میدان سن میشل پاریس گرد آمدند. این گردهمایی اعتراض ایرانیان خارج به کشتار بیرحمانه و دستگیری ناعادلانه در شهرهای گوناگون ایران بود. بنابر برخی منابع، بیش از ۳۰۰ نفر توسط آدمکش‌های رژیم

کشته شدند. رژیم درهای شبکه‌ها را بست تا در سکوت و بی‌خبری آدم‌کُشی خود را به انجام برساند. آن‌چه که اصل و دلگرم‌کننده بود جنبش هزاران مبارز در خیابان‌های میهن ما بود. جنبش اعتراضی و سیاسی اخیر با شعارهای شفاف ضد این حکومت ولایت فقیهی چهل‌ساله شکل گرفت و به‌ناگزیر شرکت‌کنندگان از تمام مناطق ایران و با گرایش‌های گوناگون فکری انجام گرفت. هدف مردم ایران به‌شکلی متمرکز و همسو بر ضد رژیم بود. در این اعتراض‌ها، شعارهایی مانند «مرگ بر خامنه‌ای»، «مرگ بر دیکتاتور»، «نه غزه، نه لبنان، جانم فدای ایران»، «مرگ بر جمهوری اسلامی»، «رضا شاه، روحت شاد» و «نه قرآن، نه اسلام، جانم فدای ایران» بیان‌گر شخصیت عمومی جنبش است.

شوربختانه در خارج کشور همیشه روحیهٔ همسویی با یکدیگر و بردباری سیاسی وجود ندارد. در این گردهمایی، پرچم‌های گوناگونی مانند شمار زیادی از پرچم کردها، پرچم سه‌رنگ با ستارهٔ کمونیستی و پرچم‌هایی سه‌رنگ با واژهٔ «ایران» به لاتین در وسط آن وجود داشت ولی به‌محض این‌که چند نفر از شرکت‌کنندگان پرچم‌های سه‌رنگ ایران با شیر و خورشید را در دست گرفتند، شمار اندکی از کنشگران چپ و کُرد به اعتراض و هیاهو دست زدند و ایجاد تنش کردند. هیاهوکنندگان خود را صاحب تاریخ و قضاوت می‌دانستند و در پی اجرای حکم خود بودند. این تنش خوشبختانه به درگیری نینجامید ولی نشان می‌دهد که تمایل‌به استبداد در همین گروه مخالف حکومت هم موج می‌زند. یکی از آن‌ها می‌گفت: «من عمری با شاه مبارزه کرده‌ام و نباید این پرچم باشد.» من هم به او گفتم: «تو مگر قدرت تصمیم‌گیرنده هستی؟» گفت: «باید جلوِ هواداران شاه را گرفت.» من هم در پاسخ به او گفتم: «آیا جلوِ هواداران آغازین همین حکومت اسلامی مثل حزب توده و هوادارهای بنی‌صدر و اکثریتی‌ها را نباید گرفت؟» او هم گفت: «نباید پرچم شیر و خورشید شاهنشاهی باشد.» به او پاسخ دادم: «این پرچم از پیش از سلسلهٔ پهلوی وجود داشته.» گفت: «اینجا نباید صفوف را با هم قاطی کرد.» من هم گفتم: «کسانی که یک عمر هوادار استالین بودند و هنوز هم از الگوی استالین و دیکتاتوری کارگری هستند شما را آزار نمی‌دهد چون شما با خوی استبداد چپ هستید و بدبختانه برای شما استبداد چپ از استبداد دینی و استبداد راست خیلی خیلی بهتر است. استبدادْ استبداد است و ما دموکراسی و آزادی می‌خواهیم و گرایش‌های مخالف حاضر در اینجا حق مساوی دارند.»

نکتهٔ پایانی در اینجا این است که من جمهوری‌خواه هستم و فکر می‌کنم پرچم سه‌رنگ شیر و خورشید پرچم تاریخی ایران است.

در پایان تظاهرات با چند تن از دوستان به کافه رفتیم. در هنگام گپ‌وگفت بودیم که دوستی گفت گویا آیت‌الله سیستانی دربارهٔ مسائل اخیر ایران موضع‌گیری کرده است. من هم گفتم تجربهٔ چهل سال حکومت اسلامی نشان می‌دهد که همهٔ آخوندهای ایران و حتی آن‌هایی که در عراق هستند در گفتار و کردار هوادار ادامهٔ حکومت اسلام بوده‌اند و برخی از آن‌ها که کاملاً با ولایت فقیه موافق نیستند همیشه از نظام موجود فربه شده‌اند و یا از نادانی و خرافه‌پرستی مردم نان خورده‌اند و، بنابراین، اختلافات بین آخوندها نباید منجر به برانگیختن امید کاذب در جامعه شود. یکی از دوستان گفت: «آنچه اهمیت دارد برداشت‌های گوناگون از اسلام است؛ من به تو انتقاد دارم چون می‌گویی اسلام خشن است در صورتی که قرآن چیزی نیست و برداشت‌های اسلام مهم است و واقعیت دارد.» من هم گفتم این‌که شما می‌گویید قرآن مسئله‌ای نیست سراپا اشتباه است زیرا قرآن یک منشور الهام‌دهنده و قانون‌ساز برای جامعهٔ اسلامی است و، افزون‌بر آن، من یک کتاب چهارصد صفحه‌ای نوشته‌ام با عنوان بررسی تاریخی و هرمنوتیک و جامعه‌شناختی قرآن. لطف کنید آن را بخوانید و سپس انتقاد خودتان را مطرح کنید. شما نمی‌توانید با خواندن عنوان برخی از مقاله‌های من دست به نقد جدیِ اندیشه‌ام بزنید. بدون مطالعه، این‌گونه موضع‌گیری‌ها سطحی است. افزون‌بر این، شما کنشگر سیاسی و دارای پروژهٔ اتحاد سیاسی هستید در صورتی که من پیش از هر چیز یک دانشگاهی و روشنفکرم و ملاحظه‌کاری سیاسی و مصلحت‌گرایی و تمایل‌به ساخت‌وپاخت با نیروهای دینی را ندارم. من بر این باورم که جامعهٔ ما نیازمند کار دانشگاهی و تقدس‌زدایی است در صورتی که سیاسیون اهمیت آن را درک نمی‌کنند و همهٔ اندیشه را تنگ‌نظرانه و پیرو سیاست روز می‌خواهند.

به‌دنبال این کافه، برای شام نزد دوستانم رفتیم. شام فراوان و رنگارنگی آماده بود. پس از غذا، دربارهٔ موسیقی و ارکستر ایرانی و شعر «کوچه» فریدون مشیری و صدای بانو دریا دادور و آهنگ‌سازی مهرداد بران صحبت شد. پس از آن، برخی شعرهای محمدرضا فشاهی را با صدای احمد شیرازی شنیدیم و سپس مقاله‌ای محمدرضا نیکفر دربارهٔ اعدام‌های سال‌های شصت خوانده شد. این مقاله بحث تندی را در پی داشت. همگی با جنایتکاری حکومت موافق بودند و از نگاه آنان

حکومت اسلامی مسبب جنایات سیاسی بی‌شماری در کشور ما بوده است. بر اساس این مقاله، همهٔ اعدامی‌ها دموکرات و آزادی‌خواه بودند. آیا همهٔ اعدامی‌ها که قربانی رژیم بودند دموکرات و آزادی‌خواه بودند؟ در این بحث، نگاهی به فداکاری اعدامی‌ها داشتند و اقدام حکومت را نفی دگراندیشی می‌دانستند اما نگاه دیگری هم به این نکته داشتند که قربانی همیشه دموکرات و آزادی‌خواه نیست. بر اساس این دیدگاه، بسیاری از اعضای سازمان‌های سیاسی ایران در آن دوران شیفتهٔ رهبری یا جهان‌بینی خود و یا جهان‌بینی مجاهد و فدایی خودکامه بودند. البته این ذره‌ای از جنایتکاری حکومت اسلامی نمی‌کاهد ولی رقابت ایدئولوژیک و جدال سیاسی و نظامی غیردموکراتیک ارزش مثبتی هم نمی‌آفریند و کسی را آزادی‌خواه نمی‌کند. می‌توان قربانی بود و، در ضمن، استبداد را گسترش داد. زندان رفتن و یا قربانی شدن همیشه به‌معنای ترقی‌محوری و آزادی‌خواهیِ فرد قربانی نیست. روشن است که هر اقدام خودسرانهٔ یک رژیم بیدادگر قابلِ محکوم است ولی چه‌بسا فرد قربانی در عرصهٔ اندیشهٔ حامل الگوَی دیکتاتوری دیگری باشد. استبداد ساواک در زمان شاه برخی از سیاسیون را کشت ولی اِستالینیسم مورد پشتیبانیِ چپ‌ها سرچشمهٔ یک دیکتاتوری بزرگ بود. استبداد دینی سیاه آیت‌الله خمینی جان شمار زیادی از مجاهدین و کمونیست‌ها را گرفت ولی جهان‌بینیِ مجاهدین و هواداران اِستالین نیز خودکامه بود. کشتار وحشیانهٔ زندانیان سیاسی توسط آخوندها نفی حق حیات انسان‌ها و محکوم به جنایت بر ضد حقوق بشری است ولی جهان‌بینیِ مجاهدین و چپ سنتی جنایت‌پرور است.

ملاصدرا و «فلسفه اسلامی»

می گویند در ایران فلسفهٔ اسلامی یا حکمت اسلامی وجود دارد. حکمت آمیزه‌ای از دین و عرفان و واژهایی از فلسفه است و، بنابراین، حکمت با فلسفه یکی نیست. دین متکی‌بر اجزای جزمی و مقدس و وابسته‌به تعبد اعتقادی است. فلسفه به‌معنای دانایی و پرسشگری است و بر مقوله‌های انتزاعی و نیز تجربهٔ انسان و داده‌های علوم اجتماعی و دانش تجربی تکیه می‌کند. فلسفه تلاشی برای گونه‌ای پاسخ به مسائل انسان است و پیشنهادهای آن نه حقایقی یگانه و مطلقی بلکه

دیدگاه‌هایی زمینی و انسانی‌اند. فلسفه، آزادی واژه‌ها و مقوله‌ها و اندیشه‌هاست. بدین ترتیب، فلسفهٔ اسلامی یک کلاهبرداری نظری و سوداگری بی‌اخلاقی است.

الله در قرآن می‌گوید: «یَمْحُو اللهُ مَا یَشَاءُ وَیُثْبِتُ وَعِندَهُ أُمُّ الْکِتَابِ» یعنی «خداوند هرچه را بخواهد، محو و هرچه را بخواهد اثبات می‌کند.» (الرّعد/ ۳۹). «إِنَّ اللهَ عَلَی کُلِّ شَیْءٍ قَدِیرٌ.» یعنی «خداوند بر هر چیز تواناست.» (البقره/۲۰) قدرت انسان، متناهی و محدود است و قدرت حق تعالی نامتناهی و نامحدود. بنابراین، انسان در فضای دین جایگاهی در آفرینش اندیشه و طرح زندگی ندارد، حال آن‌که فلسفه برهم‌زنندهٔ اندیشه‌های راکد است، پرسش می‌کند، انسان را برمی‌انگیزد، دیدگاه تازه می‌آفریند، احکام کهنه را به پرسش می‌کشاند و رد می‌کند. اسلام فلسفه نمی‌آفریند و هیچ‌گونه استعدادی برای پرسشگری ندارد. فلسفهٔ اسلامی یعنی فلسفه‌ای که با اصل قرآن و اسلام سازش داشته باشد ناشدنی است. البته یک شخص مذهبی می‌تواند بر دانش و خلاقیت و تربیت خود به فلسفه روی بیاورد و فیلسوف شود ولی قرآن و جهان‌بینیِ اسلامی منکوب‌کنندهٔ اندیشهٔ فلسفی هستند. ابوعلی سینا یک فیلسوف است زیرا دیدگاه و نوشتار او به‌طور اساسی بر علوم تجربی مانند پزشکی، زیست‌شناسی، ریاضیات، ستاره‌شناسی، انسان‌شناسی و طبیعت استوار است حال آن‌که ملاصدرا یک حکیم اسلامی و عارفی شیعه است. در بینش او می‌توان با عناصر فلسفی برخورد ولی بنیاد اندیشهٔ او دین اسلام و شیعه‌گری و مهدویت است. از دید او، که یک «فیلسوف بزرگ» معرفی می‌شود، سه دنیا قابل تشخیص است: یکی دنیای مادّی ناسوت که همان طبیعت و جهان جسمانی است. دومی دنیای ملکوت که دنیای مثال و فرشته‌هاست و سومی هم دنیای لاهوت که فارغ از مادّه است و همان دنیای ربوبی و غیب است. لاهوت مشتق از الله است. از دید ملاصدرا این بینش همان حکمت الهی است و معطوف‌به جهانی فراسوی جهان محسوس است. این حکمت بر گذرا بودنِ جهان محسوس و ناسوت تأکید دارد. «جهان‌بینی فلسفی» ملاصدرا متوجه «واجب‌الوجود» و دارای خصلت عرفانی است.

ملاصدرا می‌نویسد:«مسئله وجود اساس فلسفه و دین‌شناسی و محور اصلی توحید و معاد است.» و «تا کسی نفهمد وجود چیست نمی‌تواند بفهمد به چه دلیل انسان پس از مرگ زنده می‌شود تا این‌که حساب کارهای خود را پس بدهد.»، «تا شخصی نفهمد وجود چیست نمی‌تواند استنباط کند به چه مناسبت پس از

پیغمبر اسلام و دوازده امام، یکی پس از دیگری برای اجرای احکام پیغمبر به امامت منصوب شدند.»

هانری کربن می‌گوید: «ملاصدرا آن چیزی از هستی را که در تمام موجودات هست و بدون آن هیچ موجودی به وجود نمی‌آید «نفس رحمانیه» نامیده ... باید گفت که تمام فیلسوفان شیعه از لحاظ مبدأ با یکدیگر موافق هستند، خواه اسم آن را وجود بگذارند و خواه خدا» (برگ ۳۵ تا ۳۷، کتاب ملاصدرا، هانری کربن، تهران، جاویدان ۱۳۶۱). بنابراین، مبدأ وجود است و آن وجود «نفس رحمانیه» که چیزی جز الله نیست.

جهان‌بینی ملاصدرا نمونه‌ای از بینش الهیاتی بوده که هیچ پیوندی با فلسفه ندارد. ملاصدرا را بنیانگذار «حکمت متعالیه» می‌دانند. گفتار ملاصدرا سراپا آغشته به دین است. مقوله‌های گفتاری او دینی عرفانی است و به همین خاطر جهان واقعی انسان‌ها برای او بی‌ارزش است. برای ملاصدرا تنها جهان لاهوت جهان حقیقی و ارزشمند است، حال آنکه جهان لاهوت او جز جهانی موهوم که از روانی پریشان ناشی شده چیز دیگری نیست. کار فلسفه خداپرستی و فرشته‌پرستی نیست بلکه تقویت دانایی انسان و پرداختن به زمین، انسان، آزادی، مسئولیت، فرد، تضادها و دورنمای بشریت در زمین است. کار فلسفه بهره‌گیری از دانش بشری در تمام عرصه‌ها و از جمله در زمینهٔ ستاره‌شناسی و زیست‌شناسی و انسان‌شناسی و فن‌آوری‌های نوگرا بوده تا اندیشه را نیرومند کند. فلسفه با اندیشه دربارهٔ زمین و طبیعت و انسان، به انسان خودمختاری و استقلال بیشتر می‌بخشد. خوار شمردن دنیا و آرزوی جبروت و لاهوت را داشتن ضد فلسفه است. علی، امام اول شیعه، در نهج‌البلاغه می‌گوید: «ای مردم، متاع دنیا همچون گیاهان خشکیده وباخیز است؛ بنابراین، از چنین چراگاهی دوری کنید.» ملاصدرا هم مانند علی ابن ابی طالب فکر می‌کند و این اندیشه جز نابودی چیز دیگری نیست زیرا در بطن خود خواهان مرگ است. صوفیگری و درویش‌گری و عرفانی‌گری جلوه‌های گوناگونی از دین‌گرایی است و این دین‌گرایی از قرآن و روایات منحط شیعه ناشی شده است. تمامی این باورها انسان را به‌سوی جهان موهوم و لاهوت می‌کشاند و او را نابود می‌کند و جهان را در دست نابکاران باقی می‌گذارد. فقر فلسفه در ایران یک واقعیت است.

گپ‌های روشن‌فکری

دیشب دربارهٔ کتابم یعنی نواندیشان دینی، روشن‌گری یا تاریک‌اندیشی بحثی ترتیب داده شده بود. پس از بحث با چند تن از دوستان به کافه کانون گوبلنِ پاریس رفتیم. از آغاز تا نیمه‌های شب با هم گپ زدیم. چه گفتیم؟ نقد قرآن و پژوهش‌های تازه، سرمایه‌داری و بی‌عدالتی‌ها و قدرت نوآوری فن‌آوری در الگوی سرمایه و چین امروز، سرکوب کُردهای سوریه توسط ارتش تُرک و راهبرد ترکیه، سوریه، ایران، روسیه و آمریکا، نواندیشان دینی و واپس‌گرایی آن‌ها، سقوط آموزش دانشگاهی در ایران، فدرالیسم قومی و خطر پاشیدگی و تمایل مبلغان آن به آمریکا و عربستان و اسرائیل، توده‌ای‌ها و ساواک، حقوق زنان در زمان شاه، سازمان‌های سیاسی مانند شورای مدیریت و مشروطه‌خواهان و اتحاد جمهوری‌خواهان و حزب چپ و ابهامات و انتقادات به آن‌ها، اعدام‌های سیاسیِ دوران اسلامی از مجاهدین و پیکار و کُردها و بلوچ، آموزش زبان مادری و انتقادَ به «آموزش به زبان مادری» و نکات دیگر از موضوع‌های گفتگوی ما بودند. از هر دری سخنی آمد و جالب هم بود. گوناگونی موضوع‌ها، اختلاف نظرها، خاطره‌ها، دوستی‌ها، تردیدها، پرسش‌ها، خنده‌ها و گاه عصبانیت‌ها همه با هم درآمیخته بودند. افزون‌بر آن‌ها، آشامیدن آبجو و آب معدنی و خوردن همبرگر و «کروک مادام» و سیب‌زمینی سرخ‌شده هم چاشنی حرف‌ها بود. درکنار میز ما عده‌ای از جوانان اهل اروپای شرقی هم بودند که بلندبلند حرف می‌زدند و می‌خندیدند. همزمان با صداهای ما، صدای آژیر آمبولانس‌های پلیس و اورژانس پزشکی هم ما را رها نمی‌کرد به‌طوری که مجبور بودیم گاه‌به‌گاه چند دقیقه گپ‌وگفت‌مان را قطع کنیم و دوباره حرف‌هامان را از سر بگیریم. یکی از ویژگی‌های کافه‌های پاریس، گپ‌های هنری و سیاسی و دوستانه و شورانگیز و محرمانه و عاشقانه درکنار آشامیدن یک فنجان قهوه و یا یک جام شراب است. ای کاش همین فضای آزاد در ایران ما هم میسر بود. گاه‌به‌گاه هنرمندان ایرانی از کافه نادریِ زمان شاه سخن می‌گویند. انسان همیشه با همین یادمانه‌ها زندگی می‌کند. البته در آنَ کافه نادری هم بیشتر گپ‌ها ادبی بود و فضای آزادی وجود نداشت. امیدوارم که ایجاد نمونهٔ کافه‌های پاریسی با پایان فصل دردناک جمهوری اسلامی در ایران میسر شود تا شهروند ایرانی بتواند بدون ترس هرچه دل تنگش می‌خواهد بگوید. گپ‌های خودبه‌خودی و دوستانه گاه بستر حرف‌های ناگفته می‌شوند و، افزون‌بر آن،

کسانی که در نشست‌های رسمی سکوت می‌کنند در اینجا به گفت‌وگو می‌پردازند.

در نظام استبدادی امکان رسمی تبادل نظر وجود ندارد. در دمکراسی پارلمانی نهادها و احزاب دمکراسی را ساختاری می‌کنند ولی در چارچوب قواعد رسمی شرکت شهروندانه همیشه نیرومند نیست. به این خاطر تقویت رژیم دمکرتیک از طریق مداخله دادن مستقیم شهروندان ممکن است. حال در درون اجتماع سازماندهی‌های غیرکلان وجود دارد که مناسبات عمومی کلان را در خود منعکس می‌کنند. در درون احزاب و سازمان‌ها و نیز در کنفرانس‌ها و سخنرانی‌های رسمی مکانیسم‌های محدود کننده روانشناسانه وجود دارد. باید همه راه‌ها را باز کرد و شرکت کنندگان را تشویق نمود. آنهایی که حرف نمی زنند خیلی حرف دارند.

کوروش و رفتار متمدنانه

کوروش از رهبران برجستهٔ جهان به‌شمار می‌آید زیرا او سیاست را با سرافرازی مردمان پیوند می‌داد. کوروش در حکومتداری خود به رواداری، آزادی مذهب، نفی بیگاری و رفاه مردم ارزش می‌نهد و مردم را از آشوب و ستم و خستگی رها می‌کند. او به کشورگشایی می‌پردازد ولی قصدش دلشادی و آرامش مردمان است. او به زبان‌های گوناگون برای مردمان گوناگونِ سرزمین پهناورش منشور می‌نویسد تا با همهٔ انسان‌ها به گویش خودشان سخن بگوید. کوروش بیان یک تمدن رفتاری و معنوی و مادّی است و قدرت سیاسی را برای نگهداری از چنین تمدنی می‌فهمد. زمانی اهمیت و تازگی سیاست او را می‌فهمیم که او را در آن بستر تاریخی ۲۵۰۰ سال پیش بیابیم.

به‌طور عمومی ما اغلب تمایل داریم دربارهٔ رویدادها و شخصیت‌های بزرگ بزرگ‌نمایی کنیم ولی باید اعتراف کرد که ما به تاریخ خود توجه لازم را نداشته‌ایم و دربارهٔ شخصیت کوروش کم‌کاری و اشتباه کرده‌ایم. توجه به تاریخ از سر ملی‌گراییِ جزم‌اندیشانه نیست بلکه تاریخ یک دانش است و هدفش نشان دادن واقعیت در بستر زمانی است. در ایران ما بسیاری از روشنفکران به‌دلایل گوناگون نسبت‌به کوروش بی‌مهری داشته‌اند. روشنفکران مارکسیست از طرح سلسله‌های پادشاهی مانند هخامنشیان و شاهان آن مانند کوروش هراسیده‌اند. جزم‌اندیشیِ ایدئولوژیک

آن‌ها نسبت‌به کوروش تولید نفرت می‌کرد. بیشتر سیاسیون ملی گرا دستخوش کوته‌نظر بودند و دربارهٔ کوروش سکوت می‌کردند. دین‌داران شیعه و نواندیشان دینی همیشه در شیفتگی خود نسبت‌به دین محمد و خرافات شیعه در برابر تاریخ باستان قرار گرفتند و به کوروش کینه ورزیده‌اند. جمهوری اسلامی نیز شرط هستی خود را در نفی کوروش و کینه به میراث او و سرکوب هواداران او می‌داند.

در ایران تاریخ‌نویسی علمی دربارهٔ کوروش چیزی ننوشت و این بی‌مایگی یک فرومایگی نسبت‌به یکی از شخصیت‌های تاریخیِ جهانی است. به غرب نگاه کنید که در آن دربارهٔ شخصیت‌های برجسته آثار بی‌شماری چاپ شده، کنفرانس‌ها و نشست‌های بی‌شماری برگزار شده، برنامه‌های گوناگون آموزشی برپا شده، خوانش‌های انتقادیِ تاریخی ترتیب داده شده، پژوهش‌های دانشگاهی انجام شده، کارشناسان جهانی معرفی شده‌اند و بودجه‌های کلانی به تصویب رسیده و بسیاری فعالیت‌های دیگر در نظر گرفته شده تا تاریخ فهمیده شود و شخصیت‌ها مورد تقدیر قرار گیرند. در ایران با تاریخ برخوردی ایدئولوژیک می‌شود و کوروش به فراموشی سپرده شده.

امروزه خوشبختانه به‌دنبال چهل سال نکبت جمهوری اسلامی ذهن بخشی از جامعه بازتر شده و مردم آگاه افزایش یافته‌اند. توجه به تاریخ باستان و نقش کوروش از یک سو و درک روزافزون فساد اسلام و ازخودبیگانگی مردم از سوی دیگر دوران تازه‌ای را در کشور ما گشوده است. روشن است که ما نمی‌خواهیم در تاریخ گذشته بمانیم ولی باید آن را بشناسیم و کمبودها و دستاوردهای آن را بررسی کنیم تا به آینده بهتر نگاه کنیم. یادمان باشد سیاست کوروش در همزیستی میان مردمان و مداراجویی در زمینهٔ باورها و جست‌وجوی شادی مردمان برای ایران و جهان یک میراث و پیام است.

جامعهٔ دینی

امروز جامعهٔ ایران یک جامعهٔ دینی است. قدرت سیاسی و قواعد حکومتی ولایت‌فقیهی و استبدادی هستند. کل قوانین کیفری و جزایی با احکام دین و فقه شیعه خو گرفته‌اند و در اختیار حکومت دینی‌اند. قانون آیین دادرسی کیفری

دارای ۵۷۰ مادّه است که با تأیید شورای نگهبان تعیین شده است. قوانین مدنی مربوط‌به خانواده و ازدواج و طلاق و ارث و غیره زیر سلطهٔ مستقیم اسلام و فقه امامیه‌اند. این قانون ۱۳۳۵ مادّه دارد و با فرهنگ اسلامی و واژه‌های عربی اسلامی خو گرفته است. در ایران نزدیک ۱۳هزار امامزاده وجود دارد و میلیون‌ها نفر در سراسر ایران به زیارت این مجهولان می‌روند. هر سال ۲۴ میلیون نفر به زیارت امام مشهد می‌روند. سالانه ۶۰۰۰۰۰ نفر ایرانی به حج می‌روند. در سال ۲۰ میلیون نفر به جمکران موهوم می‌روند و ۲۰ میلیون هم به زیارت فاطمه معصومه در قم می‌شتابند. در سال ۹۶ شمار مساجد ایران ۷۴هزار بوده است. این قوانین در خدمت جهان‌بینیِ دینی هستند و این زیارت‌ها فقط جهل و نادانی و نیز سنت‌های دینی را به نمایش می‌گذارند.

تمام این موارد نشان‌دهندهٔ چیرگیِ دین اسلام بر جامعه و ذهن انسان است. این موارد بیان سقوط روانی و فکریِ جامعه است و جامعهٔ ما در یک وضعیت پریشانی و تنش روانی قرار دارد. اسلام و قرآن فقط ویرانگر هستند. هیچ اندیشهٔ نوگرا و انسانی و صلح‌جویانه‌ای از این دین بیرون نمی‌آید. شناخت من نسبت‌به قرآن نشان می‌دهد که این کتاب هرگز راه درستی به شما پیشنهاد نخواهد کرد. دین اسلام و شیعه‌گری در تضاد با خِردگرایی هستند. حال، چیستیِ چیرگیِ دین محمدی در چیست؟ اسلام کیستیِ فردی و اندیشهٔ انسان را نابود می‌کند و او را به یک بنده درمی‌آورد. کسی که اسلام می‌آورد قدرت فکری خود را خنثی می‌کند و به یک فرد تسلیم و متعصب و دنباله‌رو تبدیل می‌شود. در این زمینه به رفتار سه گروه توجه کنید: نخست، مردم عوامی که در این مراسم کورکننده شرکت می‌کنند و دچار یک روان‌پریشیِ مرگ‌آور هستند و تمام ذهنیت و ناخودآگاه‌شان بسیار دینی است. آن‌ها کاملاً مسخ‌شده‌اند. دوم آن‌هایی هستند که کمی خود را از افراد عامه جدا می‌کنند و می‌گویند خرافاتی نیستند ولی در کردار خود به دین اسلام وفادار هستند. این افراد همهٔ خشونت‌ها و تبعیض‌های قرآن را توجیه می‌کنند تا اسلام را نجات دهند؛ آن‌ها تمایلی به اندیشهٔ انتقادی ندارند و مخالف نقد اسلام هستند. این افراد هم مسخ شده‌اند و از خودبیگانه هستند. سوم نخبگان سیاسی و روشنفکرانی هستند که خود را مذهبی تعریف نمی‌کنند ولی همهٔ تلاش‌شان رویارویی با سکولارها و ناباوران و منتقدان اسلام است. آن‌ها سکوت می‌کنند و از بحث دربارهٔ اسلام دوری می‌کنند و جسارت لازم را ندارند و اهمیت مبارزهٔ

فکری با اسلام به‌مثابه عامل نابودی را در خود نمی‌بینند. نخبگان سکولار باید به‌طرز مستقیم خواهان جدایی حکومت و تمام قوانین حکومتی از دین باشند. آن‌ها باید برای آزادی کامل به روشن‌فکر و هنرمند تضمین بدهند. در فردای تغییر قدرت، روشن‌فکران باید کاملاً آزاد باقی بمانند و بتوانند دین و قران و فقه و پیامبر و امام را به انتقاد بکشانند.

بیشتر کسانی که در ایران و خارج کشور می‌نویسند و نقش ایفا می‌کنند دارای ذهنیتی دینی و عرفانی هستند. دین خانوادگی و دین نهادهای آموزشی و دین موجود در ادبیات ایران و دین روزمره، بطور مدام انسان‌ها را دینی می‌کند. ذهنیت و ناخودآگاه کودک از همان ابتدا مورد تاثیر دینی قرار می‌گیرد و از نظر روانکاوانه آسیب دینی را در خود به هنجار اخلاقی تبدیل می‌کند. ذهن دینی کودک همچون یک ذهن بیمار است که همه کنش‌ها و بیشتر احساس‌ها مانند شادی و اندوه او را شکل می‌دهد. شاید در زندگی یک فرد بیشترین گریه هایش، گریه‌های دینی باشد. چنین انسانی اخلاق را به اخلاق دینی تبدیل نموده و همه جهان را برپایه دین خود مورد داوری قرار می‌دهد.

دربارهٔ قرآن و دیگر نوشته‌های اسلامی

آیا قرآن کتابی آسمانی است؟ خیر. این کتاب توسط بیش از سی کاتب نوشته شده و تنظیم آن تا دو سده یعنی تا زمان خلافت بنی‌عباس ادامه داشته است. قرآن کتابی التقاطی و خشونت‌بار و پر از موهومات است. آیا احادیث پیامبر معتبرند؟ خیر. این احادیث از صدوپنجاه سال تا سه قرن پس از درگذشت محمد نوشته شده‌اند و سرشار از جعلیات و گزافه‌گویی‌اند. آیا نهج‌البلاغه نوشتهٔ علی ابن ابی طالب است؟ هرگز! این کتاب در قرن چهارم توسط شخصی به‌نام سید رضی تهیه شده است و پر از باورهای ارتجاعی و موهومات است. آیا صحیفه سجادیه از زین العابدین علی ابن حسین و صحیفه مهدیه از امام دوازدهم معتبرند؟ هرگز! تمام این اسناد جعلی‌اند و کاتبان ناشناس به‌نام امامان معجول و مجهول این متون را نوشته‌اند. آیا کتاب اربعه، که کتاب مرجع شیعه و دارای ۴۱۲۶۳ روایت است، دارای اعتبار تاریخی و علمی است؟ هرگز! زیرا همهٔ این نوشته‌ها انبوه از متون

ساختگی و جعلی و پر از موهومات و خرافه‌پرستی‌اند. آیا بحارالأنوار مجلسی، که پایهٔ فقه شیعه به شمار می‌آید، دارای محتوای مثبتی است؟ این کتاب ۱۱۰ مجلدیِ مجلسی هم مانند تمام رسالات آخوندهای معروف سرشار از خرافه و موهومات ارتجاعی و ضد عقل است.

هیچ‌یک از کتاب‌های اسلامی و شیعه، که ستون فقرات دین را می‌سازند، از اعتبار تاریخی و علمی برخوردار نیستند و همه در خدمت تحمیق جامعه‌اند. ذهنی که گرفتار این آثار باشد ذهنی بیمار و ناتوان و مسخ‌شده است. توده‌های زیادی در ایران به این باورهای پوسیدهٔ دینی باور دارند و پیرو نظام خرافی هستند. عقل و اندیشهٔ آن‌ها به نابودی کشیده شده و آخوند و ملّا و طلبه بر روح آن‌ها چیره‌اند. شمار زیادی از سیاسیون غیر حکومتی و روشنفکران و تحصیل‌کرده‌های ایرانی به این باورها احترام می‌گذارند و یا دربارهٔ این گنداب مذهبی سکوت می‌کنند. خاموشی در برابر زشتی و احترام به گنداب دروغ و خرافهٔ اسلامی تهمت به شرافت انسانی و پشت کردن به عقلانیت است. در دین اسلام و مذهب شیعه‌گری هیچ‌گونه عنصر ترقی‌خواهانه‌ای وجود ندارد و آن‌چه نواندیشان دینی می‌گویند یک دروغ بزرگ است. ایرانیان باید به نقد بپردازند و دانش‌های تازه را بیاموزند و ارزش‌های حقوق بشری را درک کنند. آن‌ها باید به فرزندان خود فلسفه و هنر و ادبیات جهانی و دانش و زیست‌بوم و انسان‌گرایی را انتقال دهند.

ابعاد جعل در دین اسلام بسیار است. گفته می‌شود که پیامبر اسلام در سال الفیل در ۵۷۰ میلادی در مکه زاده شده است. بنابر پژوهش‌های تاریخی سال فیل بیست سال پیش از ۵۷۰ میلادی است. همچنین، مسلمانان می‌گویند که محمد در مکه، که یک شهر مهم و بازرگانی و محل تجمع قبایل برای مراسم دینی خود بوده، زاده شده است. پژوهش‌های تاریخی و باستان‌شناسیِ برخی پژوهش‌گران نشان می‌دهد که در آن زمان مکه‌ای وجود نداشته است. هیچ‌گونه نشان باستان‌شناسانه‌ای در مورد مکه وجود ندارد، حال آن‌که آثار باستان‌شناسانه در مورد مدینه موجود است. مسلمانان می‌گویند قرآن به زبان عربی نازل شده است. نخست این‌که کتابی از آسمان نازل نشده است و این حرف فقط یک افسانه است. دوم این‌که زبان عربی همراه با دستور زبان آن زمان موجود نبوده است و سوم این‌که در قرآن واژه‌های عبری و آرامی بسیار زیادند و بخش‌هایی از قرآن متعلق‌به پیش از اسلام است. دو واژهٔ «قرآن» و «الله» عربی نیستند. بت «اله» در

آیین‌ها و فرهنگ‌های پیش از اسلام وجود داشته است. بنابراین، سازندگان قرآن و اسلام این واژگان را از بیرون به داخل قرآن و اسلام وارد کرده‌اند. قرآن توسط ابن مجاهد در زمان خلیفه المقتدر عباسی تنظیم پایانی شده است. شیعه‌گری و فقه آن نیز سراپا جعل است. بسیاری از منابع جدی وجود مهدی، امام دوازدهم، را نفی می‌کنند و بسیاری از امامان را مجهول و جعلی می‌دانند. حال، چرا یک مجموعه جعل و دروغ‌های بزرگ اسلام به مذهب ایرانیان تبدیل می‌شود؟ چگونه یورش و تهاجم دزدان و استعمارگران عرب و مسلمان و راهزن و متجاوزان ایران‌زمین تبدیل به فتوحات مقدس می‌شوند و کتاب گنگ و خشونت‌بار قرآن به کتاب مقدس ایرانیان تبدیل می‌شود؟ ما از خود بیگانه شدیم و مسخ ما منجر به پذیرش دشمن شد. تمام آخوندها و نواندیشان دینی و روزنامه‌نگاران و وبلاگ‌نویسان اسلام‌گرا هوادار استعمار عرب هستند و حس میهن‌دوستیِ راستینی وجود ندارد. آن‌ها امت اسلام را بر ملت ایران برتر می‌دانند. نوگراییِ فرهنگی و حس میهن‌دوستی به آزادی‌خواهی نیازمند است تا قرآن و اسلام و شیعه‌گری را به انتقاد بکشاند و از آن‌ها جدا شود.

فلسفهٔ کانت و شوپنهاور

کانت فیلسوفی است که با اندیشه‌اش نه‌تنها فلسفهٔ آلمان بلکه کل فلسفه را با یک گردش بزرگ روبه‌رو می‌کند. کانت دانش را شگفت‌انگیز می‌داند. از دید او، دانش به داوری می‌پردازد و این داوری لازم و جهان‌شمول است. دانش قوانینی را کشف می‌کند که با تجربه هماهنگ است. پژوهش علمی پایان‌پذیری ندارد، علم پایان و نهایت نمی‌شناسد؛ کار عام همیشه باید ادامه یابد. فلسفهٔ کانت از شرایط انسانی صحبت می‌کند. فلسفه نه دین‌شناسی است و نه علم است. دین‌شناسی به اصول جزمی و پایان‌یافته متکی است، پرسشی در میان آن نیست و صرفاً اصولی قطعی را اعلان می‌کند و آن‌ها را با قدسیت می‌آراید. آرتور شوپنهاور، فیلسوف بورژوازی نوگرا، در کتاب معروف خود یعنی جهان همچون خواست و نمود دربارهٔ کانت می‌گوید او سبب ایجاد مهم‌ترین پیشرفت در طول تاریخ شده است و باید گفت کانت شگفت‌انگیز است. به‌روایت شوپنهاور، کانت بر آن بوده که چیستیِ پدیده به تجربهٔ ما در نمی‌آید

و، بنابراین، ما از راز هستی چیزی نمی‌فهمیم. زمان و مکان جنبه‌های این جهان تجربی‌اند و خارج از جهانْ بی‌معنا. از دید کانت، علم کلید فهم این جهان است. او هماهنگی خِردگرایی و تجربه‌گرایی را مطرح می‌کند و سرآغاز دوران طلاییِ فلسفهٔ آلمان است و به‌طور آشکار شوپنهاور نیز ادامهٔ کانت است.

شوپنهاور کسی است که اندیشهٔ شرق در هندوئیسم و آیین بودایی و فلسفهٔ غرب را به هم پیوند می‌زند. او بی‌پرده منکر وجود خدا می‌شود. هابز و هیوم نیز چه‌بسا منکر خدا بودند ولی آن‌ها در زمانی می‌زیستند که انکار خدا یک جُرم جنایی بود. شوپنهاور نفی خدا را نتیجهٔ فهم فلسفی می‌داند و بر این باور بود که جهان تجربی بدون معنا یا مقصود و، در نهایت، پوچ است. او دنیای حیوان‌ها را خشن و هراسناک می‌داند و پیوسته می‌گوید چنگ و دندان طبیعت خونین است. او دربارهٔ انسان‌ها نیز چنین باوری دارد و می‌گوید همه‌جا زور و ستم به چشم می‌خورد. از دید او، زندگی ما تراژدی بی‌معنایی است که به‌ناگزیر به مرگ و نیستی می‌انجامد. ما در سراسر زندگی خود در این جهان بردهٔ هوس خود هستیم. یک میل که سیراب شد به لذت‌جویی و خواهش دیگری می‌رسیم و همیشه ناخشنودیم. می‌توان گفت صِرف وجود انسان مایهٔ رنج و ناخشنودی است. او می‌نویسد: «مادام که ما خود را به خیل آرزوها و بیم و امید همراه با آن‌ها می‌سپریم، هیچ‌گاه به خوشی یا آرامش پایدار نمی‌رسیم.»

برخی شوپنهاور را فیلسوفی بدبین و اسیر یک جهان سیاه می‌دانند. باید گفت که شوپنهاور هنر را تنها راه دوری از سیاه‌چال و تاریکی می‌دانست. او موسیقی کلاسیک را گونه‌ای هنر برتر می‌داند. برای او زندگی نتیجهٔ یک اراده است ولی این زندگی با تاریکی و رنج همراه است و این سخن نتیجهٔ سفرهای او و کشف درد و زجر انسان‌هایی است که با آن‌ها دیدار می‌کند. او می‌گوید لذت‌ها محصول توهّمات زودگذر هستند و در ارتباط با آرامشی که با میل انسانی فروکش می‌کند. این لذت، در عین حال، یک لحظهٔ استراحت روان هم هست، استراحتی زودگذر زیرا این لذت با میل‌های جدید آشفته می‌شود. او می‌گوید دنیا با گرسنگی و عشق به حرکت درآمده است. انسان همانند ساعت کار می‌کند و در خود یک انرژی مرگ حمل می‌کند. او در پی همدردی است و خود با جهان از در همدردی درمی‌آید و با حیوان‌ها نیز همدردی ژرفی دارد و خواهان کاهش رنج آن‌هاست. شوپنهاور مخالف یهودیت بود و می‌گفت یهودیت زیادی خوش‌بین است. او هوادار

زندگی است ولی این زندگی تراژیک است. آثار افلاتون و کانت و نیز نوشتار برهمایی اوپانیشادها و آیین هندو تأثیر شگرفی بر فلسفهٔ شوپنهاور گذاشته‌اند.

تاثیر شوپنهاور بر هنرمندان و اندیشمندان پس از او نیز بسیار است. تولستوی، تورگینف، موپاسان، پروست، کُنراد، توماس مان و نیز فیلسوفانی مانند دِکارت، نیچه، ویتگنشتاین، کارل پوپر و دیگران از او تأثیر گرفته‌اند و آموخته‌اند. اندیشهٔ شوپنهاور در نزد چخوف و برنارد شاو و ساموئِل بِکِت و تی. اس. اِلیوت و ریلکه پررنگ است. زیگموند فروید در جایی می‌گوید شوپنهاور پدیدهٔ «واپس‌زدگی»، که شالوده نظریِ روان‌کاوی است، را پیش از او کشف کرده بود.

جنس اندیشهٔ او حاکی از بازتاب تنهایی‌اش در زندگی و مناسبات سخت او با زنان است. او گاه می‌گوید عشق یک دشمن است. شوپنهاور در رابطه با زن دستخوش روان‌پریشی و دارای نگاهی مردسالار و واپس‌گرا بود. همان‌گونه که ارسطو باور داشت زن فرمان‌بردار است و مرد نیز فرمان‌روا. [ارسطو، سیاست، ۱۲۵۴ ب و ۱۲۶۰ ب] شوپنهاور نیز بر این باور بود که زن برای فرمان‌برداری از مرد ساخته شده است. نکتهٔ دیگری که شوپنهاور بر روی آن انگشت می‌گذارد این است که زن نسبت‌به مرد شعور و درک و قدرت اندیشه‌ی کم‌تری دارد. او می‌نویسد: «این حقیقت که چیستی زن برای انقیاد و فرمان‌برداری ساخته شده با این واقعیت اثبات می‌شود که هر گاه زنی استقلال کامل می‌یابد، این وضعیت را تاب نمی‌آورد و بی‌درنگ خود را به مردی می‌چسباند تا وی را راهنمایی و آقایی کند چراکه زن نیازمند سرور و ارباب است.» (شوپنهاور، جهان و تأملات فیلسوف، ص ۷۵) وی می‌افزاید: «تنها جاذبه‌ی جنسی می‌تواند ذهن مرد را چنان کور و کدر کند که به‌سوی آن‌چه جنس لطیفش می‌خوانند کشیده شود؛ آن‌چه که جنس لطیف نام داده‌اند، شانه‌هایی باریک و میانی پهن و ساقی کوتاه است و تمامی راز زیبایی‌اش در پس همین جاذبه‌ی جنسی پنهان شده است ... زنان هیچ‌گونه استعداد حقیقی‌ای برای شعر و موسیقی و هنرهای زیبا ندارند و اگر هم ادعایی در این‌باره بکنند افسون و ریشخند و خودشیرینی‌ای بیش نیست. حتی باهوش‌ترینِ آن‌ها هم نتوانسته یک شاهکار و یک کار منحصربه‌فرد در هنرهای زیبا بیافرینند.» (شوپنهاور، جهان و تأملات فیلسوف، ص ۶۵)

اندیشمندان بزرگ همیشه بلندپرواز و خوش‌فکر نیستند و گاه قدرت و سقوط را در خود جمع کرده‌اند.

جداانگاری دین از سیاست در ایران

جداانگاری دین از سیاست در ایران یعنی چه؟ جداانگاری دین از سیاست به‌معنی جدایی دین اسلام و هر دینی از حکومت است. حکومت در ایران حکومت چیست؟ دستگاه سیاسی، قضایی، اداری، نظامی، آموزشی، نظام ولایت‌فقیهی و قانون اساسی اجزای تشکیل‌دهندهٔ حکومت در ایران‌اند. بنابراین، در آینده نهاد دین از حکومت باید جدا باشد. قانون اساسی نباید از دین رسمی و حاکم حرف بزند، قوانین مملکتی نباید بر پایهٔ قرآن و اسلام و فقه شیعه باشند، آیت‌الله‌ها و مدافعان دین نباید در رأس قدرت سیاسی و دیگر نهادهای مسئول کشوری باشند، دین نباید سرچشمهٔ الهام و معیار قانونگرایی و تصمیم‌های حکومتی باشد. حکومت بر پایهٔ استقلال سه قوهٔ قضایی و اجرایی و قانونگذار و نیز دموکراسی و جمع‌گراییِ سیاسی مدیریت خواهد شد. در حکومت سکولار برابری زن‌ومرد و همهٔ شهروندان متناسب با اعلامیهٔ حقوق بشر رعایت خواهد شد. در حکومت سکولار، نمایندگان مجلس جلسه را با «بسم الله و به نام خدا» آغاز نمی‌کنند، در حکومت سکولار پرچم کشور با الله تزیین نمی‌شود، در حکومت سکولار مدیران رادیووتلویزیون با برنامه‌ها دینی و معیارهای دینی مدیریت نمی‌کنند و برنامه‌های دینیِ رسانه‌ها باید بسیار محدود و با یک جمع‌گراییِ مذهبی همراه باشند.

جداانگاری دین از سیاست جنگ با دین نیست بلکه جلوگیری از مداخلهٔ دینی در کارهای مملکتی و تأمین آزادی دینی و نقد دینی است. تمام مذاهب در جامعه به زندگی خود ادامه خواهند داد و دولت امنیت دین‌داران را تضمین خواهد کرد و، افزون‌بر آن، قانون برای ناباوران فضای آزاد را تأمین می‌کند. در این حکومت آزادی نقد دین و پژوهش‌های دانشگاهی دربارهٔ دین رعایت می‌شود. در حکومت سکولار قدسیت دینی جایی ندارد و منبع فکری آن خِرد انسانی و تمام دستاوردهای دموکراتیک جهانی و تجربهٔ انسانی و علمی است. در حکومت سکولار تمام برنامه‌های درسی مدرسه و دانشگاه باید از معیارهای دینی به دور باشند؛ در برنامه‌های درسی باید تاریخ علمی ادیان گنجاند و نقش آن‌ها در جوامع توضیح داده شود. علم و تاریخ و جامعه خدمتگزار دین نیستند بلکه دین باید به‌مثابه یکی از اجزای فرهنگ جامعه مورد بررسی قرار گیرد. حکومت سکولار فقط بر پایهٔ شایستگی‌های حرفه‌ای و علمی افراد را در مقام و مسئولیت قرار خواهد داد.

آنچه بیان شد محورهای عمومیِ سیاست سکولار خواهد بود و، بی‌شک، برای اجرای آن‌ها دشواری‌ها و موانعِ بسیاری در سر راه خواهد بود. جداانگاری دین از سیاست بر پایهٔ تاریخ و جامعه و فرهنگ قرار دارد ولی پیشرفت آن با ارادهٔ سیاسی و یک کار بزرگ فرهنگی و آموزشی همراه است. دو عامل دشوار به‌شکل قاطعِ در سر راه خواهند بود: از یک سو آیت‌الله‌ها و دین‌داران ایدئولوژیک کاملاً ایستادگی خواهند کرد و از عادت و باور توده سوءاستفاده می‌کنند و از سوی دیگر سیاسیون فرصت‌خواه در سازش و مصلحت‌خواهی‌های خود همیشه آماده‌اند عقب‌نشینی کنند و در ناتوان‌سازیِ جداانگاری دین از سیاست بکوشند.

دانشگاه و الگوی ارزیابی

هر ساله در دانشگاه زمان داوریِ پایان‌نامهٔ دانشجویان و پذیریش آن‌ها برای سال‌های بالاتر انجام می‌گیرد. دو روز با همکاران خود در دانشگاه کنام پاریس مشغول این کار بودیم و خوشبختانه شمار پذیرش و موفقیت تحصیلی دانشجویان بالا بود. یک سال تلاش و تنش و دلهرهٔ دانشجو و حال انتظار نتایج تلاش یک‌ساله و امیدواری برای ایفای نقش جدید در جامعه‌ای که از رقابت و مسابقه سرشار است. دانشجویان ما خود را با دانشجویان آمریکا و ژاپن و انگلیس و کانادا مقایسه می‌کنند. امسال هم با اعلان نتایج، شمار زیادی خوشحال و شماری هم اندوه‌گین خواهند شد. پیروزی در آزمون و دفاع از پایان‌نامه آسان نیست ولی آن‌هایی که در یک دانشگاه معتبر انگیزه‌ای قوی دارند و از خود مایه می‌گذارند و به خواست‌های آموزشی استاد توجه دارند موفق می‌شوند. دانشجویان امسال من، هشتادوپنج درصد کم‌وبیش خوب بودند و ۱۵ درصدشان هم مردود شدند. من امسال هم در موفقیت مهندسان و مدیران و مسئولان جوان بسیار فراوانی شرکت داشتم و این باعث شادمانی و افتخار من است. درس‌های امسال من کدام بودند؟ از جمله واحدهای درسی امسال که من در دانشگاه‌های گوناگون تدریس کردم می‌توان به جامعه‌شناسی صنعتی، اقتصاد کار، جامعه‌شناسی و فن‌آوری‌های نوین، مدیریت نیروهای انسانی، جامعه‌شناسی سازمان‌ها و نهادهای تولیدی، زیست‌بوم و اقتصاد، جامعه‌شناسی و الگوی‌های باور دینی، نظریه‌های جامعه‌شناسی و اقتصاد

در سدهٔ بیستم، الگوهای اقتصاد خُرد یا غیر کلان و مدیریت پروژه‌های صنعتی اشاره کرد. هر دانشجو باید در طی یک سال ۱۵ تا ۲۰ واحد درسی از استادان گوناگون را بگذراند و در پروژه‌های خود موفق شود. در طی این یک سال در دانشگاه‌های گوناگون نزدیک ۷۰۰ دانشجو در کلاس‌های گوناگون من شرکت کردند. برای نمونه، یک واحد درسی مانند «جامعه‌شناسی صنعتی» برابر ۶۰ ساعت درسی است. بدین ترتیب، چندین گروه دانشجویی در یک کلاس یا آمفی‌تئاتر همین درس استاد را دنبال می‌گیرند و در پایان آزمون می‌دهند. پیروزی در واحدهای درسی و رساله‌ها و پروژه‌ها به پیروزیِ سالانه می‌انجامد. در پایان سال تحصیلی دانشجویان به ارزیابی رایانه‌ای از استاد و شیوه‌های آموزشی او می‌پردازند و سپس بخش اداری نتیجهٔ مربوط‌به هر استاد را در اختیارش قرار می‌دهد. من نیز مورد ارزیابی قرار گرفتم و ارزیابیِ دانشجویان دربارهٔ من به‌طرز بی‌مانندی مثبت بود. من در نمره دادن سختگیر هستم ولی بیشتر دانشجویان به کلاس‌های من علاقه‌مندند زیرا مطالب جدیدی یاد می‌گیرند و در پایان سال به اهمیت آن‌ها پی می‌برند و می‌بینند که فرهنگ‌شان نیز ارتقا یافته است. من در کلاس خود فقط مادّهٔ درسی را توضیح نمی‌دهم بلکه رابطهٔ آن را با اندیشه‌های فلسفی و جامعه‌شناختی و اقتصادی و زیست‌بوم هم نشان می‌دهم و دانشجویان را به اندیشیدن دعوت می‌کنم.

الگوی ارزیابی در دانشگاه غربی متکی‌بر معیارهای دانشگاهی، حرفه‌ای، نظری، روش‌شناسی، پیوستگی با بازار کار، دانش‌گرایی و نظام تطبیقی با دانشگاه‌های جهان است. حال در ایران چه می‌گذرد؟ روندهای انحطاطی در ایران در زمینهٔ گزینش استادان، دانش‌گریزی نظام دانشگاهی، فشارهای دینی، ممنوعیت برخی پژوهش‌ها، نبود الگوهای ارزیابی مقایسه‌ای، شکاف میان محتوای درس و خواست‌های اقتصاد، یورش مقوله‌های اسلامی در فضای دانشگاهی، شناخت محدود استادان، پایین بودن چاپ کتاب و پژوهش، سانسور دانشگاهی و دیگر سازه‌های کاهنده کیفیت دانشگاهی را به سقوط کشانده‌اند.

«شعر خوشه» و «شعر امروز»

شب‌های «شعر خوشه» یکی از رویدادهای فرهنگی و خاطره‌انگیز دوران پیش از

انقلاب اسلامی بود. مانند شمار زیادی از جوانان با اشتیاق من هم در آن شب‌ها شرکت کردم. امروز یکی از نزدیکان عزیزم عکس روی جلد هفته‌نامهٔ فردوسی را برایم فرستاد و گفت: «به عکس خودت نگاه کن.» من با کتی سیاه و پیراهنی سفید در میان جمعیت مشخصم. به عکس نگاهی می‌اندازم و تاریخ را مرور می‌کنم.

شب‌های هفتهٔ «شعر خوشه» از ۲۴ تا ۲۸ شهریورماه سال ۱۳۴۷ به‌مدت چهار شب در باشگاه شهرداری تهران برگزار شد. همزمان با برگزاری این شب شعر، نمایشنامهٔ چشم‌به‌راه گودو نوشتهٔ ساموئِل بِکِت به‌کارگردانی داوود رشیدی و با بازی او، پرویز کاردان، پرویز صیاد و سیروس افخمی به‌اجرا درآمد. منصوره حسینی و اردشیر محصص هم در طول برگزاری این شب شعر نمایشگاهی از آثار نقاشی و کاریکاتور خود را ارائه کرده بودند. در این مراسم پس از دو شعر از نیما یوشیج و فروغ فرخزاد ۱۱۵ شاعر شعرهایی خواندند. نام شاعران آن شب‌ها به شرح پایین است:

اسماعیل خویی، محمدعلی سپانلو، اسماعیل شاهرودی (آینده)، صالح وحدت، شهرام شاهرختاش، کیومرث منشی‌زاده، سیروس مشفقی، محمدتقی کریمیان، احمدرضا احمدی، احمد اللهیاری، منصور اوجی، محمدرضا فشاهی، اکبر ذوالقرنین، غلام‌حسین سالمی، محسن الهامی، پروانه مهیمن، اسماعیل نوری‌علاء، پرتو نوری‌علاء، نادر نادرپور، سیاوش مطهری، منوچهر آتشی، م. آزاد، ابوالقاسم ایرانی، حسن بایرامی، نصرت‌الله رحمانی، کاظم کریمیان، جواد شجاعی‌فرد، محمود کیانوش، محمدجواد محبت، فریدون مشیری، رقیه کاویانی، مهدی اخوان ثالث، منصور برمکی، عزت‌الله زنگنه، حسن شهپری، عبدالله کوثری، ف.ا.نیسان، ارونگ خضرایی، عبدالجواد محبی، رضا براهنی، عبدالعلی دستغیب، یدالله رؤیایی، کاظم سادات اشکوری، سیروس شمیسا، احمد شاملو، جواد مجابی، مهدی معدنیان، اصغر واقدی، امیر شوشتری، ا. نیستانی، حمید مصدق، اورج، پرویز کریمی، م. خزه، محسن کریمی، محمدرضا شفیعی کدکنی، م. طاهر نوکنده، مهوش مساعد، حسن کرمی، م.امجدی، صمد تحویل‌داری، هوشنگ چالنگی، مهین مهریار، علی باباچاهی، حسن هنرمندی، عدنان غریفی، محمد آذری، جعفر حمیدی، هوشنگ گلشیری، عظیم خلیلی، فریده فرجام، رضا خسروی، ژیلا مساعد، هوشنگ آزادی‌ور، ایرج جنتی عطایی، بهروز ونداديان، پرویز خضرایی، عنایت‌الله نجدی سمیعی، مجید فروتن، هوشنگ ایرانی، رامی، منوچهر لمعه، م. بهنود، محمد

کریم‌زاده، مشکیان، طاهره صفارزاده، احیا اشراقی، محمد حقوقی، ج. پیمان، سهراب سپهری، احمد جلیلی، پرویز صالحی، ا. فرجام، نازلی امیرقاسمی، حفیظ الله بریری، کامیار شاپور، منصور ملکی، رضا قلاجوری، صفورا نیری، م. موید، ا. همام، مهشید درگهی، احمد بهشتی، منصور اوجی، نادر شهرام، احمد خزاعی، نظام رکنی، داوود رمزی، عمران صلاحی، عبدالرسول حامدی، هرمز شهدادی، ژوزف بهنامی و جلال سرفراز.

امروز عده‌ای از این شاعران جهان ما را ترک کرده‌اند ولی مُرده و زنده همگی خاطرهٔ زیبایی به جا گذاشته‌اند. حال، این پرسش می‌ماند که پس از نیم‌سده چه میراث پایداری از این شاعران باقی مانده است؟ کدام شعر وارد ادبیات جامعه و نظام آموزشی شده است؟ شمار بسیاری از این شاعران در تاریخ گم شدند زیرا شعر آن‌ها ماندنی نبود و برخی ماندند؛ هرچند، در جمهوری اسلامی همهٔ شاعران به بایگانی سپرده شدند. حال، پرسشی دیگر: طی این چهل سال در ایران کدام شاعر به درخشش رسیده است؟ ستارهٔ شعر خاموش است.

بسیاری از شاعرانی که در زمان پهلوی شاعر بودند فراموش شدند. شاعر در شعر خود باید جاودان بماند.

دربارهٔ دروغ

دروغ چیست؟ ایده یا واقعیتی را که وارونه نشان دهیم دروغ نام دارد. دین دروغ می‌گوید زیرا می‌گوید قرآن آسمانی است در صورتی که قرآن کتابی زمینی است. دین می‌گوید محمد ماه را به دو نیم کرده در صورتی که چنین‌چیزی واقعیت ندارد. دین می‌گوید امام زمان زنده است و خواهد آمد در صورتی که این یک افسانه‌سازی است. می‌گویند اسلامْ دین صلح است در صورتی که از جنگ‌های محمد و جنگ‌ها و تجاوزات عمر و تجاوز خلافتَ امویان تا استعمار عثمانی تُرک و تصرف قدرت آخوندها در ایران و القاعده و طالبان و داعش و همه‌وهمه چیزی جز خشونت‌خواهی وجود ندارد.

ایدئولوژی نیز دروغ می‌گوید زیرا هیتلر می‌گفت ژرمن‌ها نژاد برتر هستند و یهودی‌ها بی‌فرهنگ در صورتی که هر دو مطلب دروغ بود. اِستالین می‌گفت

سوسیالیسم او بهترین نظام جهان است و مخالفان او بیمار روانی‌اند در صورتی که نظام ایدئولوژیک او سرکوبگر و دروغ بود.

قدرت سیاسی نیز دروغ می‌گوید زیرا حکومت ادعا دارد که جامعه الهی است و مردم در خوشبختی به سر می‌برند و در جامعهٔ دینی ارزش‌های اخلاقیِ پسندیده‌ای حاکم است در صورتی که این گفته‌ها بیان یک نظام مردم‌فریب و دروغ‌گو هستند و جامعهٔ ایران در فساد و بی‌عدالتی و استبداد است.

همهٔ انسان‌ها به‌خاطر قدرت و سود خود دروغ می‌گویند. دروغ گفتن گاه به‌خاطر احساس گناه است، گاه به‌خاطر مصلحت است و در بیشتر موارد به‌خاطر منافع اقصادی، ایدئولوژیک، سیاسی، دینی، حرفه‌ای و اجتماعی است. انسان دروغ می‌گوید زیرا سود فردی ایجاب می‌کند که حقیقت پوشانده شود. دروغ اشتباه نیست بلکه اقدام ارادی برای پوشاندن است. می‌توان گاه از دروغ ناارادی حرف زد. هدف دروغ‌گویی انتقال یک خبر نادرست برای گول زدن است. در بسیاری از جوامع دروغ را سرزنش می‌کنند و غیراخلاقی نشانش می‌دهند ولی می‌گویند ضروری است و باید دروغ گفت تا روزگارت بگذرد و جنگ‌وجدال پیش نیاید. در چنین فضایی مناسبات اجتماعی بر پایهٔ لازم دانستن دروغ دروغ‌گویی عمومیت پیدا می‌کند و فساد گسترده می‌شود و از قدرت سیاسی تا مدیران اداری و اقتصادی تا افراد در پایهٔ اجتماع در دروغ فرو می‌روند.

برخی لذتی در دروغ گفتن می‌بینند، برخی دیگر به‌خاطر شرم و حیا دروغ می‌گویند، برخی از سر احترام دروغ می‌گویند و برخی برای خودخواهی و منافع شخصی و خانوادگی و جاه‌طلبی. در میان مخالف حکومتِ دیروز و امروز نیز دروغ‌گویی همیشه رایج بوده است. شاه می‌گفت ما به‌سوی تمدن بزرگ می‌رویم و مردم در رفاه هستند و اختناق نیست و مخالفان او می‌گفتند شاه نوکر آمریکاست، ۱۰۰۰۰۰ زندانی سیاسی وجود دارد و رژیم او فاشیستی است. هم شاه برای قدرت خود دروغ می‌گفت و هم مخالفان او سیاه‌نمایی می‌کردند و دروغ‌های شگفت‌انگیزی پخش می‌کردند.

بنابر دید برخی روان‌شناسان دروغ نگفتن محال است زیرا حتی اگر بخواهیم دروغ نگوییم محدودیت زبان نمی‌گذارد که همهٔ مطالب را ادا کنیم و افزون‌بر آن دروغ‌گویی از کودکی آغاز می‌شود. جامعه‌شناسان دروغ را یکی از پایه‌های ساختار اجتماعی و یک عامل ناگزیر می‌بینند. از دید آن‌ها دروغ ساختاری است

زیرا خودخواهی و تمایل‌به فریب دیگری و نیز خودشیرینی و چاپلوسی در نزد انسان‌ها همیشه وجود دارد. گاه انسان‌ها برای قهرمان شدن و شکست حریف و سود کلان خود دروغ را به یک راهبرد تبدیل می‌کنند و فساد و سقوط اخلاق به هیچ‌وجه برای‌شان مهم نیست. در این حالت ما با یک دروغ‌گویی بیمارگونه و آسیب‌شناسانه روبه‌رو هستیم. دروغ ویران‌کننده است. تربیت و فرهنگ و قانون و شناساندن الگوی‌های انسانی مثبت و آزادی مطبوعات از عوامل مثبت مبارزه با دروغ هستند.

مناسبات اجتماعی

دیدار دوستان روشنفکر ایرانی یک لحظه دیدار صمیمانه و شادمان در زمان کنونی و برای فردا یک یادمانه و خاطرهٔ روزگار پیشین است. مناسبات اجتماعی کوچک ما در خاطره می‌ماند. ما امروز تفاوت‌هایی داریم چراکه دیدگاه و حرفه و زندگی ما گوناگون است. دوستان می‌دانند که من دارای دیدگاه صریحی در نقد قرآن و اسلام و اسلام‌گرایان نواندیش هستم، حال آن‌که دوستان زاویه‌دید دیگری دارند. افزون‌بر این، من محیط زیست را الگوی جهانی می‌دانم که باید رابطه جدید میان انسان و جانور و طبیعت برقرار کند.

از آنجا که رابطه اجتماعی پایه و اساس زندگی مشترک است، از این رو مفهوم اصلی جامعه شناسی است. بنابراین، ایده پردازی این مفهوم در کارهای تحقیقاتی تجربی و ساختن نظریه ای از جامعه پیرامون آن، ضروری است. هدف ارائه چنین مفهوم سازی تلاش برای درک رابطه اجتماعی عمیق و عمومی است. همین مناسبات منش انسان و فرهنگ انسان و نوع جامعه را تعریف می‌کند. جنبه‌های مختلف روابط اجتماعی یعنی نمادها، اشکال ارتباطی، ساختارها، کنش ها، واکنش ها، فرهنگ ها، جنبه عاطفی، کینه ورزی، عشق، رقابت‌ها و غیره مسائل اساسی در تئوری جامعه شناختی بشمار می‌آیند.

مفهوم «جامعه» با مفهوم مدرن دولت/ملت پیوند دارد همچنانکه با فرآیندهای جهانی سازی نیز ارتباط برقرار می‌کند. افزون بر آن، جامعه هم خانواده و هم بنگاه تولیدی است و هم فرقه و تشکل سیاسی و فرهنگی و هم شکل ناپایدار جمعی

مانند گردهمایی شماری برای گپ زدن در یک کافه، صورتهای گوناگون جامعه هستند. در تمام این پدیده‌ها مناسبات اجتماعب و انسانی فعال اند و تاثر گزار در بافت جامعه می‌باشند.

زندگی و مناسبات اجتماعی به مواضع فکری و سیاسی محدود نمی‌شود. معنای زندگی بسیار گسترده است و چیزهای فراوانی وجود دارند که انسان‌ها را به هم پیوند می‌دهند. در گذشته اختلاف در موضع‌گیری سیاسی منجر به گسست روابط می‌شد. خوشبختانه این روحیه در نزد بسیاری دگرگون شده است. البته در زمینهٔ سیاسی و فکری ما دارای خطوط مشترکی مانند دموکراسی و جمهوری‌خواهی و جداانگاری دین از سیاست هستیم. دیدار دوستان یک لذت هم به شمار می‌آید. هر بار و در هر دیدار دلمان می‌خواهد گپی بزنیم و شوخی کنیم و نکاتی را در موافقت یا مخالفت هم بیان کنیم. اهمیت دیدارها را نباید فراموش کرد زیرا دیدار یا ما را نزدیک‌تر می‌کند یا اجازه می‌دهد تا تفاوت‌ها بهتر فهمیده شوند، حال آن‌که دوری‌ها بدگمانی‌ها و بدی‌ها را درشت و یا یادمانه و فراموشی را تقویت می‌کند. تا زمانی که زنده‌ایم می‌توانیم با یک گپ و آبجو و قصهٔ شادی‌آور و یک شوخی روحیه‌مان را باز کنیم تا تنوع در تجربه و خاطره‌ها هم بیشتر شود. هر کدام از ما با محدودیت‌های زندگی روزمره روبه‌رو هستیم. انسان نیازمند تنوع و آفرینش است. یادمانه به این معنا نیست که افسوس زمان ازدست‌رفته را بخوریم. انسان از تناقض میان امکانات محدود و آرزوی یک زندگی پربار رنج می‌برد و این خود یادمانه‌آفرین است. گفتن این‌که «آه! ای کاش می‌توانستم آن کار را هم انجام دهم» نشان‌دهندهٔ یک حسرت یادمانه‌محور است.

باید دیدارها را ادامه داد و این دیدارها برای طرح گفت‌وگوی فلسفی و هنری و سیاسی و اجتماعی و نیز برای طرح‌های مشترک جالب است. بسیاری از نسل ما چه‌بسا نتوانند به ایران برگردند زیرا هیولای ستمگر همچنان بر تخت نشسته است. افزون‌بر این، تا ده سال دیگر که می‌داند چه مانده و چه کسی رفته است؟ بنابراین، همیشه دلمان شور ایران را می‌زند و آرزو داریم تا حکومت زشتی پایان پذیرد و به سفر در همهٔ خاک ایران اقدام کنیم. ولی در اینجا فلج نیستیم و هر کس مطابق سلیقه‌اش تلاش خود را در جامعه ادامه می‌دهد. من زندگی را دوست دارم، دوستانم را دوست دارم، تلاش را دوست دارم و شقایق‌ها را نیز دوست دارم و گفتهٔ شاعر را تکرار می‌کنم که تا شقایق هست زندگی باید کرد. در جامعه می‌توان

انگیزه زندگی را افزایش داد. هنگامیکه با هم هستیم و چهره دیگری را می‌بینیم بقول ایمانوئل لویناس زندگی مان معنادار می‌شود.

آموزش «به زبان مادری»

در درون گروه‌های مخالف حکومت سیاسی ایران حتی در مورد زبان هم نوعی سردرگمی وجود دارد. سخن دربارهٔ زبان را نباید به ابزاری برای توافق سیاسی بدل کرد و بر پایهٔ آن امتیازدهی را در دستور کار قرار داد. در متن بیانیهٔ «شورای مدیریت گذار» آمده است: «رفع هر گونه تبعیض و به‌رسمیت شناختن حقوق سیاسی، اجتماعی و فرهنگی گروه‌های قومیِ ایران، به‌رسمیت شناختن حق آموزش به زبان مادری در کنار زبان فارسی»

در نظریهٔ بالا چند نکتهٔ نادرست وجود دارد:

نخست این‌که مقولهٔ قومی را باید روشن کرد. از دید جامعه‌شناختی و قوم‌شناسی در ایران به‌طور گسترده قبایل و خانواده‌های قومی که بر پایهٔ خویشاوندی تعریف می‌شد از بین رفته‌اند. امتزاج میان آذری و تهرانی و کُرد و اصفهانی و شیرازی و ... بسیار گسترده است. سیاست رضا شاه و سپس اقتصاد و سیاست و دین و امتزاج خانوادگی جنبهٔ قبیلگی و خویشاوندی را به‌طور گسترده‌ای پاک کرده است. دوم این‌که حقوق سیاسی همهٔ مردمان ایران توسط حکومت اسلامی ولایت‌فقیهی نقض شده و سرکوب سیاسی متوجه همهٔ ملت ایران و گرایش‌های سیاسیِ مخالف رژیم است. زندانیان سیاسی و اعدام‌های سیاسی در چهل سال گذشته از همهٔ بخش‌های مردم بوده است. در سال‌های گذشته شمار اعدام کُردها بسیار بالا بوده ولی در کل دورهٔ اسلامی بیشترین اعدام‌ها از میان مجاهدین و پیکاری‌ها بوده است. سرکوب هنرمندان و کنشگران حقوق بشر و زیست‌محیطی در کل جامعه صورت گرفته است. رفع تبعیض سیاسی محدود به این یا آن بخش جامعه نیست. سوم این‌که حقوق اجتماعی نابرابر و فشار اقتصادی در همه‌جای ایران رایج است. شهروندان بلوچ در فقر سیاهی قرار دارند و همین فقر در لایه‌هایی از جمعیت در تهران و بنادر و کرمان و خوزستان نیز وجود دارد. بر اساس آمار، آذربایجان و کردستان در کلیت خود از مناطق گرفتار فقر مطلق نیستند هرچند که در این استان‌ها هم

لایه‌های بسیار فقیری وجود دارند. بنابراین، بی‌عدالتی ناشی از سیاست طبقهٔ آخوند و رؤسای حکومتی و نظامی به کل جامعه تحمیل شده است. رفع تبعیض اجتماعی در کل جامعه باید صورت بگیرد. چهارم این‌که در عرصهٔ فرهنگی مردم ایران از میراث مشترک بزرگی برخوردارند. سنت‌های مردمی و فرهنگ باستانی مانند نوروز در همه‌جای ایران جشن گرفته می‌شوند. بخشی از فرهنگ دینی میان اهل سنت و شیعیان مشترک است. فرهنگ نوگرا «ایرانی‌شده» در شهرها و شهرستان‌ها جاری است. در تمام این چهل سال حکومت تلاش کرده تا فرهنگ شیعه رسمی و تبلیغات دولتی و حوزوی را به همه تحمیل کند. رفع ستم فرهنگی و هنری و رفع تبعیض دینی و آیینی خواست همهٔ مردم ایران است و پنجم این‌که زبان فارسی میراث همهٔ مردم ایران است و زبان ملی پیونددهندهٔ سراسر کشور است. این موقعیت محصول تاریخ است و کسانی که در شکوفایی آن کوشیده‌اند از همهٔ بخش‌های جمعیتی ایران‌اند. نویسنده و شاعر و هنرمند و زبان‌شناس و ترانه‌سرا و خواننده که به زبان فارسی خدمت کرده‌اند از تمام مردم ایران بوده‌اند و در این زمینه آذری و کُرد نیز نقش پررنگی داشته‌اند. آنچه مسلم است این است که در کشوری مانند ایران که زبان‌ها و گویش‌های بی‌شماری در آن وجود دارد باید همگیِ آن‌ها آزاد باشند و تمام بسترها برای ابراز زبان مادری و گسترش آن‌ها فراهم شود. بنابراین، آموزش زبان و همهٔ گویش‌ها باید مورد احترام قرار گیرد ولی آموزش و تدریس به زبان مادری مسئلهٔ متفاوتی است. غنای زبان و نیرومندی این زبان به‌اعتبار همهٔ ادبیات و شعر و ظریف بودنِ است که به‌کمک زبان فارسی به وجود آمده است. بنابراین، در شرایط کنونی مواد درسی برای دانشجو اگر به «زبان مادری» باشد، دانشجویان از غنای زبانی و گسترهٔ واژگانی فارسی محروم خواهند شد. برای نمونه، اگر دانشجوی آذری به‌جای خواندن شاهنامه فردوسی کتاب دَدَه قورقود را بخواند از غنای فارسی محروم خواهد بود. در آن صورت، دانشجوی کُرد و بلوچ چه کند؟ دانشجوی شهروند عرب خوزستانی چه کند؟ دانشجوی گیلکی چه کند؟ در ایران کنونی زبان فارسی نقش ملی دارد و در طول تاریخ قدرتمند شده است و این تناقضی با آموزش «زبان‌های مادری» و گسترش آن‌ها نخواهد داشت.

جنگل آمازون

در این دنیا چقدر انسان‌ها به سرنوشت جنگل آمازون حساسیت دارند؟ طی سال میلادی ۲۰۲۰ شمار ۷۳۰۰۰ بار نقاط گوناگونِ جنگل آمازون را به آتش کشیده‌اند. چرا؟ بیشتر این آتش‌سوزی‌ها توسط جنگل‌خوران و شرکت‌های صنعتی به‌پاشده‌اند تا جنگل نابوده شود و زمینهٔ کشت انبوه صنعتی به وجود آید. آن‌ها زیر پوشش سیاسی رئیس‌جمهوری برزیل، بولسونارو، پناه گرفته‌اند و یا با انفعال دولت کنونی برزیل تشویق می‌شوند. رئیس‌جمهور کنونی برزیل فردی است که افسوس دیکتاتورهای نظامی پیشین را می‌خورد، از جنبهٔ سیاسی با ترامپ همسوست و هر دو جزو ویران‌گرترین مسئولان سیاسی در زمینهٔ زیست‌محیطی هستند. ویرانیِ روزافزون و گستردهٔ جنگل آمازون واکنش گروه کشورهای «ژ۷» را به وجود آورد و سازمان ملل نیز خواهان مداخلهٔ جدی برای رویارویی با آتش‌سوزی شد. آمازون پنج‌ونیم میلیون کیلومتر مساحت دارد و تاکنون ۱۷ درصد پوشش جنگلی‌اش نابود شده است.

۹ کشور این جنگل را بین خود تقسیم می‌کنند و البته بیشتر مساحت آمازونی جزو خاک برزیل است. آمازون «شُش سبز» جهان است که به انسان اجازه تنفس می‌دهد. این جنگل دارای «گونه‌گونی زیستی» گیاهی و جانوریِ بسیار گسترده و نیز منابع فلزی همچون مس و منگنز و طلای فراوان است. جنگل آمازون ۵۰ درصد اکسیژن کرهٔ زمین را تهیه می‌کند. تبهکاران جنگل و دزدان چوب و زمین و سرمایه‌داران صنعت و کشت با بی‌رحمی تمام به جان این جنگل افتاده‌اند و برای منافع مافیایی خود آتش‌سوزی به پا می‌کنند. آمازون متعلق به بشریت و سلامت زمین و انسان‌ها به آمازون وابسته است. اگر روند ویرانی به همین آهنگ کنونی ادامه یابد تا سال ۲۰۵۰ چیزی حدود ۴۰ درصد آمازون نابود خواهد شد.

جامعهٔ جهانی باید از زیست‌بوم جنگل آمازون نگهداری کند. زندگی ما وابسته‌به سلامت طبیعت است. ویرانی دست کم ۲۵ درصد از جنگل‌های ایران توسط حکومت اسلامی طی چهل سالَ گذشته نیز آسیبی مرگبار به تمام جامعهٔ ایران زده است. افراد آزمند و سیاسیون فاسد و جامعهٔ پرمصرف و فاقد اخلاق طبیعت‌گرا بر ضد طبیعت عمل می‌کنند، برای خود ویلاسازی می‌کنند، جاده کشی می‌کنند، مرکزهای نظامی به پا می‌کنند و درختان را برای فروش چوب قطع

می‌کنند. فرزندان ما و پدران و مادران آن‌ها چقدر به سلامتی جنگل‌ها حساسیت دارند؟ نخبگان سیاسی و فرهنگی ما چقدر از فاجعهٔ زیست‌محیطی آگاهی دارند؟

جامعه‌شناس خداناباور

من یک جامعه‌شناس خداناباور هستم و زندگی‌ام سرشار از آرامش و امید است. در آغاز، مانند بسیاری از ایرانیان، که در خانواده‌ای مذهبی به دنیا می‌آیند، به‌ناگزیر مسلمان بودم. در دبیرستان تمایل دینی و نیز نیم‌نگاهی به مارکسیسم داشتم ولی با خروج از ایران در دههٔ هفتاد میلادی و ادامه تحصیل دانشگاهی در سوربن به‌طور قطع به نقد دین پرداختم و مانند بسیاری از جوانان آن دوره به نظریهٔ مارکس علاقه‌مند شدم. پس از یک دوره تجربهٔ مارکسیستی به حقوق بشر و دمکراسی و زیست‌بوم گرایش پیدا کردم. امروز، دورهٔ بزرگی است که با این اندیشه اکولوژیکی زیست می‌کنم و در ناباوری خود استوار هستم. پژوهش‌های من در زمینه‌های جامعه‌شناسی، فلسفه، اقتصاد، دانش تجربی، زیست‌بوم، دین‌شناسی و نیز فعالیت تدریس در دانشگاه‌های فرانسه به من آموختند که باور دینی و ایمان به خدا ناشی از نادانی است. دین می‌خواهد این‌گونه وانمود کند که جهان معنوی است و پاسخگوی همهٔ پرسش‌ها و آرام‌کنندهٔ همهٔ دردهاست. این ادعا یک دروغ بزرگ است. انسان ناباوری همچون من که از هستی آگاه است دارای ارزش‌های انسانی بی‌شماری‌ست، ارزش‌های بزرگی مانند حقوق برابر انسان‌ها، زیست‌بوم، دانش‌آموزی، آزادی انتقاد، دوستداری فلسفه و جامعه‌شناسی، دوستی‌های پایدار، مهربانی، علاقه به خانواده، عشق به تدریس برای دانشجویان، تولید فکری، آزادی و دموکراسی، پرهیزکاری اجتماعی و اخلاقی، امید به زندگی، هنر سینما و ادبیات و غیره همیشه انگیزه‌های مرا تقویت می‌کنند.

من نیازمند خدا نیستم و پدیده‌ای که وجود ندارد نمی‌تواند چیزی را در زندگی من تغییر دهد. برخی در سوءتفاهم و توهّم قرار دارند و فکر می‌کنند خدایی وجود دارد و به آن‌ها کمک خواهد کرد. این افراد به توانایی خود و دانش و تجربه بشری هیچ اهمیتی نمی‌دهند. من عطش آموختن دارم و از استواری روانی خود خرسندم. قدرت من در ارزش‌های من است. توانایی روانی مانع نگرانی‌ها و اضطراب‌های

زندگی نیست ولی منبع مقاومت، ارزش‌های معنوی و فرهنگی، توان اندیشه و نگارش، پروژه‌های روشنفکری و نیز پیوند با کسانی است که دوستشان دارید. هیچ خدایی به من آرامش نخواهد داد و برعکس خدایان سرچشمهٔ مزاحمت، آزار، تبعیض و اقتدارگرایی هستند. من در بی‌خدایی از تعادل روانشناسانه برخوردار هستم و احساس می‌کنم که آزادی من بسیار گسترده است.

اسپینوزا گفت خدا همان طبیعت است، مارکس ناباور بود، نیچه گفت خدا مرده است، برتراند راسل ناباور بود، لوک فری به خدا معتقد نیست، آندره کنت اسپونویل طرفدار آتئیسم است، آلن فیلسوف ناباور بود، لوئی آلتوسر اعتقاد به خدا نداشت. به این نام‌ها، دهها نام دیگر را می‌توان افزود: هابرماس، توماس هابز، داوید هیوم، مارسل گوشه، دنیس دیدرو، ژیل دولوز، آلبر کامو، ژان پل سارتر، اگوست کنت، جان استوارت میل، روبرت میسرایی، ارنست رونان، آرتور شوپنهاور، ارنست بلوخ، ژرژ باتای، و شماری انبوهی از اندیشمندان به خدا باور ندارند. ما ناباوران بی‌شماریم. اکثر دانشگاهیان و روشنفکران فرانسه و آلمان و آمریکا و انگلستان و بلژیک و کانادا و سوئیس و غیره ناباور هستند و به دین و خدایی اعتقاد ندارند. ولی آیا در دانشگاه‌های ایران اینچنین است؟ محیط دانشگاهی ایران مذهب زده است. بسیاری از دانشگاهیان ایران شیعه هستند و رازبقای آنها در دانشگاه همان مذهب اشان می‌باشد. استبداد دینی اجازه نمی‌دهد شفافیت باشد و عقب ماندگی فکری را تقویت می‌کند.

زندگی خروس و انسان

در سپتامبر ۲۰۱۹ در یکی از دادگاه‌های فرانسه یک خروس برنده شد. نزدیک یک سال است که در روستایی در فرانسه به‌نام سن پی یر اولرون جمعی از خانواده‌ها در همسایگی حیاطی که خروس آن هر روز صبح می‌خواند متحد شدند تا بر ضد خروس به دادگاه شکایت کنند. وکلای آنها در دادگاه خواستار قطع شدن «قوقولی قوقو»ی خروس شدند که نامش «موریس» است. پس از ماه‌ها کشمکش و جدال میان وکیل خروس و وکلای خانواده‌های ناراضی، در پایان دادگاه رأی داد که خروس، یا همان موریس، می‌تواند به خواندن «قوقولی قوقو»

ادامه دهد. افزون‌بر این، رئیس دادگاه خانواده‌های ناراضی را محکوم کرد تا هزار یورو به‌عنوان خسارت به خروس بدهند.

تصمیم دادگاه بیان‌گر پیروزی حقوق پرندگان و جانوران است. کسانی که روحیهٔ شهری دارند می‌خواهند روستا و تمام زندگی روستایی پیرو آن‌ها شوند. هم‌اکنون حتی پروندهٔ دیگری در جریان است که یک‌سری خانواده بر ضد قورباغه‌های باغچهٔ همسایه شکایت کرده‌اند. قورباغه‌ها شب‌هنگام یا موقع جفت‌گیری، به‌ویژه از ماه فوریه تا ژوئیه، سروصدای زیاد به پا می‌کنند و با هم می‌خوانند و این آهنگ مشترک شماری از خفاش‌ها و حشرات را جذب می‌کند. آهنگ قورباغه‌ها گاه تا یک کیلومتری نیز شنیده می‌شود. حال، شاکیان خواسته‌اند تا قورباغه‌ها از حوضچهٔ خانهٔ همسایه بیرون انداخته شوند و آواز جمعی آن‌ها قطع شود. امیدوارم دادگاه داوری مناسبی برای جانوران داشته باشد. هواداران حیوانات امیدوارند که قورباغه‌ها هم مثل خروس برنده شوند. نظام صنعتی در بسیاری از نقاط جهان طبیعت را فرسوده کرده و حتی آن را به نابودی کشانده، حال آن‌که ما بدون طبیعت نابود می‌شویم. خوشبختانه هنوز خروس و قورباغه و زنبور و پروانه و کفش‌دوزک‌هایی هستند تا به ما یادآوری کنند که انسان به آن‌ها نیازمند است زیرا زندگی انسان به زندگی آن‌ها پیوند خورده است.

روستاها و مناطق طبیعی دارای یک اکوسیستم می‌باشند یعنی زندگی جانور و پرنده و درخت دارای یک پیوند ارگانیک درونی است. طبیعت بطرز طبیعی عناصر خود را می‌سازد و در کنار هم قرار میدهد. صدای خروس و صدا قورباغه اجزای طبیعت هستند. حال برخی می‌خواهند این صداها خاموش شود و طبیعت خاصیت خود را از دست بدهد.

قربانی دین

دختر آبی، سحر خدایاری، توسط جمهوری اسلامی کشته شد. بانوی ۲۹ساله، که دارای کارشناسی مترجمی زبان انگلیسی بود و علاقهٔ بسیار فراوانی به فوتبال داشت، در ورزشگاه دستگیر و پس از چند روز حبس موقت به دادگاه احضار شد. نگرانی او از دادگاه اسلامی و اعتراض او به محرومیت از دیدار ورزشگاه

منجر به خودکشی و آتش سوزی او شد. سحر خودش را آتش زد زیرا این نظام همهٔ آرزوهای زنان و دختران را نابود کرده است. قرآن و اسلام و آخوند و نظام ولایت‌فقیهی با هم متحدند تا هر گونه آزادی‌خواهی و حق‌خواهیِ زنان سرکوب شود. زنان باید در تمام زمینه‌ها از حقوق برابر با مردان و تمام شهروندان جهان برخوردار باشند ولی جمهوری اسلامی روزگار سیاهی برای زنان به وجود آورده است. رژیم اسلامی برای زنان یک رژیم تبعیض‌آمیز است. در این رژیم زنان به‌عنوان یک انسان به شمار نمی‌آیند. آخوندهای آزمند و فاسد و شکمباره سخت به قدرت چسبیده‌اند و تمام ارتجاع اعتقادی خود را به کار می‌گیرند تا کاخ اسلام و خرافات آن باقی بماند. از این رژیم برای زنان چه حاصلی است؟

اجبار در حجاب اسلامی، محرومیت از آزادی بیان، محرومیت از امتیازهای اجتماعی و اقتصادی و سیاسی، جلوگیری از ارتقا در جامعه و سیاست، چندهمسری و محرومیت از ارث برابر، ازدواج اجباری برای دختران خردسال، اسیدپاشی، زندگی حسرت‌بار و خودکشی زنان و غیره میراث این حکومت دینی برای زنان است. تمام جناح‌های حکومتی مانند اصولگرا و اصلاح‌خواه در بازتولید این حکومت ضد زن شریک هستند. تمام نواندیشان دینی با نظریه‌های خود دربارهٔ «دموکراسی» و «اسلام رحمانی» و نیز با سکوت خود در برابر انبوهی از روایت‌های پوسیدهٔ ضد خِرد جزو هواداران این نظام دینی هستند. افزون‌بر این، کسانی که نظریهٔ «فمینیسم اسلامی» را مطرح کردند و حجاب اسلامی را برای حضور در اجتماع «گامی مثبت» می‌دانند هم از هواداران اسارت اسلامی هستند. در پایان، مشاطه‌گری حکومت توسط جزم‌اندیشانی چون آزاده کیان و فریبا عادل‌خواه را باید یادآوری کرد. در آزاده کیان در مصاحبه‌ای با بی‌بی‌سی دربارهٔ خودسوزی سحر خدایاری گفت: «مخالفت با یک نورم (منظور ممنوعیت رفتن به ورزشگاه) می‌تواند به‌معنای مخالفت علیه نظام نباشد» این‌گونه موضع‌گیری‌ها فقط از جانب «لابی‌های حکومتی» اعلان می‌شوند. گویا چهل سال جباریت حکومت اسلامی واقعیت ندارد، گویا محرومیت و سرکوب زنان توسط رژیم از ذهنی‌گریِ مخالفان حکومت ناشی می‌شود. سیاست محرومیت از ورزشگاه از سیاست حجاب اسلامی، از سیاست قانونگذاری اسلامی ضد زن، از سیاست اسیدپاشی، از سیاست پدرسالاری دینی، از سیاست اسلامی که در قدرت است جدا نیست. احتیاط آزاده کیان ناشی از دقت بیان نیست. او می‌خواهد از «زیاده‌روی در قضاوت» نسبت‌به جمهوری اسلامی جلوگیری کند. جمهوری اسلامی

دوستان گوناگونی دارد ولی ما می‌دانیم که تمامیت این رژیم جز ویران‌گری و فساد و ضدیت با حقوق زن چیز دیگری نیست.

حقوق بشر

از دید جامعه‌شناسی تبعیض را چگونه تعریف کنیم؟ تبعیض روند یا اقدامی است که یک فرد یا یک گروه اجتماعی با معیار سرچشمهٔ اجتماعی، قومی، مذهبی، جنسیتی، سلامتی و ثروت اقتصادی به حاشیه رانده شده و مورد طرد اجتماعی قرار می‌گیرد. این تبعیض گاه در عرصهٔ حقوقی و قانونی و گاه در عرصهٔ اجرای اجتماعی خودش را نشان می‌دهد. این تبعیض به‌ویژه در مورد اقلیت‌های اجتماعی، فرهنگی، زنان و دختران، افراد ناتوان، افراد سالخورده، زنان و مردان همجنس‌گرا، مهاجران و غیره خودش را نشان می‌دهد. تبعیض به‌معنی جداسازی و ایجاد سلسله‌مراتب ارزشی است. کنش تبعیض‌گرایانه با انسان‌ها به‌شکلی نابرابر و ناعادلانه رفتار می‌کند. سیاست تبعیض‌گرا به‌وِیژه در سال‌های پنجاه میلادی در آمریکا در قبال سیاهان به‌شدت فعال بود و به‌طرزی آشکار جنبهٔ نژادگرایانه داشت.

اعلامیهٔ جهانیِ حقوق بشر، که در ۱۰ دسامبر ۱۹۴۸ تصویب شد، و همچنین پیمان‌نامهٔ رُم، که «اتحادیه اروپا» بر آن متکی است، تبعیض‌گرایی را محکوم کرده‌اند و برابری حقوقی انسان‌ها را تبلیغ می‌کنند ولی، شوربختانه، تبعیض در همهٔ کشورها رایج است. در برخی شرایط قانون از دید حقوقی تبعیض را محکوم می‌کند و گاه تبعیض شکل قانونی دارد. برای نمونه، رژیم آفریقای جنوبی در سال‌های ۱۹۴۸ تا ۱۹۹۱ یک نظام تبعیض‌گرای نژادی است و تبعیض جزو قانون حکومتیِ آن است و سیاهان به‌شکل قانونی باید محروم باشند. با توجه به تجربهٔ نازیسم و جنایت علیه بشریت و با توجه به رشد مواضع حقوق بشری و مبارزات ضد نژادی در سال ۱۹۶۵ قوانین تبعیض‌گرا در آمریکا ممنوع شد و رژیم آفریقای جنوبی نیز در سال ۱۹۹۱ برافتاد. در فرانسه، قانونْ تبعیض را منفی و برخلاف منافع اجتماع می‌داند ولی از دید عملی سیاست دولت و بنگاه‌های تولیدی در قبال الجزایری‌های مقیم فرانسه سیاست تبعیض‌گرایانه اِعمال کرده‌اند. در فرانسه، به

هنگام استخدام از دید قانونی در بنگاه‌های تولیدی هیچ فرد یا گروهی بر دیگری امتیاز ندارد ولی در مدیریت شرکت‌ها سیاست‌های تبعیض‌گرا موجود است. در ایران، حکومت در عرصه‌های گسترده دارای سیاست تبعیض‌گراست. این تبعیض هم قانونی است و همه در کردار پررنگ است. زنان از تبعیض حکومتی و دینی و مردسالاری رنج می‌برند، اقلیت‌های دینی مانند بهایی‌ها و مسیحی‌ها و یهودی‌ها و اهل سنت به‌شدت مورد تبعیض‌گرایی و سرکوب حکومتی هستند. سیاست حکومتی نسبت‌به افغان‌های مهاجر تبعیض‌گرایانه و حتی نژادگرایانه است. در جامعهٔ ایران در قبال هموطنان عرب‌زبان رفتار تبعیض‌گرایانه و نیز نژادپرستانه وجود دارد. در عرصهٔ سیاسی هم همهٔ کسانی که «خودی» و شیعه نیستند از حقوق خود محرومند. نظام دانشگاهی و اداری از شدت تبعیض بیمار است زیرا همیشه «خودی‌ها» همهٔ امتیازها را در تصاحب خود دارند. در جامعه‌ای که کودکان از آموزش و کاربست گویش مادری محروم هستند، آسیب‌شناسیِ تبعیض و زورگوییِ سلطه‌خواهِ فرادست‌گرا بر آن چیره است. تبعیض‌گرایی تعادُل جامعه را به هم زده و نیروهای جامعه را نابود می‌کند. با قانون، با بهبود فرهنگ، با رشد نهادهای حقوق بشری، با آموزش انسانگرا، با نقد احکام قرآنی و اسلامی و با برچیدن حکومت‌هایی مانند جمهوری اسلامی تبعیض‌گرایی عقب‌نشینی خواهد کرد.

موسیقی و جنگ

یک روز از کلاس دانشگاه که بیرون آمدم، دوستی زنگ زد و گفت اگر بین ایران و آمریکا جنگ شود چه کنیم؟ در حالی که در راهروها راه می‌رفتم گفتم باید از جنگ دور شد. گفتم زمانی که شیپور جنگ نواخته شود، مرگ و سیاهی به خانه می‌آید و نادانی و جنایت مقدس می‌شود. جنگ انسان را به وحشی‌گری و پَستی می‌کشاند و همه‌چیز را ویران می‌کند. چه کسانی این جنگ را می‌آفرینند؟ حاکمان ما و حاکمان آن‌ها. آیا برای جلوگیری از جنگ ناتوانیم؟ بله تا زمانی که صدای ما بلند نیست، لذت جنگ‌جویی آن‌ها زیاد است.

چه خوب می‌شد اگر همه به موسیقی گوش می‌دادیم، کتاب می‌خواندیم و با شمارش تعداد درختان روی زمین سرگرم می‌شدیم و آن‌چنان که می‌خواستیم

زندگی می‌کردیم. آیا صدای ترومپت کریس بوتی، هنرمند آمریکایی، را شنیده‌اید؟ می‌دانید گونهٔ نخستینِ ترومپت را از چوب خیزران و سپس از شاخ حیوانات می‌ساختند و یونانیان فلزیِ آن را ساختند و مصری‌ها از آن برای جنگ استفاده می‌کردند. حال، امروزه از ساز ترومپت دیگر به‌عنوان شیپور جنگ استفاده نمی‌شود و برعکس به‌عنوان ساز در موسیقی کلاسیک در موسیقی جاز و در آهنگ‌های عاشقانه به کار می‌رود. به قطعه‌های «امپرسیون» ترومپت کریس بوتی گوش کنید، نه یک بار که ده یا صد بار و روان خود را به صدای دلنواز و یادمانه‌گرا و عاشقانهٔ آن بسپارید. قطعه‌های مشترک ترومپت کریس بوتی و ویولن کارولین کامبل و یا ویولن لوسیا میکارلی را گوش کنید و آرامش خود را بازیابید. صدا و پیانوِ نات کینگ کول را گوش کنید، پیانوِ کاتیا بونیاتیشویلی هنگامیکه شوپن، راکمانینوف و چایکوفسکی می‌نوازد را گوش کنید. انیو موریکونه را فراموش نکنید، موسیقی او فیلم‌ها را دوچندان زیباتر می‌کند. موسیقی کلاسیک با منطق و خرد و احساس و عواطف درآمیخته است. حال اگر فضای موسیقی را ترک کنید و دوباره پنجره را باز کنید و به درون شبکه‌های اجتماعی و رسانه‌ها سرک بکشید، صدای تبلیغات جنگ می‌آید. جنگی که تبهکاران و دیوانگان در وسوسهٔ آن روز و شب می‌گذرانند. ما چه می‌توانیم بکنیم؟ همگی می‌توانیم بگوییم که از چنین جنگی نفرت داریم و می‌خواهیم آرامش داشته باشیم و زندگی کنیم.

البته زمانی که در شبکه‌های اجتماعی شیپور جنگ نواخته نمی شود بازار دروغ و جعل و تئوری توطئه داغ است. ما کنترل و دقت همه جانبه نداریم و گاه خود قربانی می‌شویم. ما هیجان زده می‌شویم و هوش عادی را از دست می‌دهیم. وقتی هیجان ما بر ما غلبه می‌کند عقل و خرد ما منهدم می‌شود.

هنرمند اینجا و آنجا

در ۲۵ سپتامبر ۲۰۱۹، دیداری با شماری از هنرمندان در تبعید دست داد تا هر کس نگاه خود را دربارهٔ کارش ارائه دهد. هنرمندان از نقاط جغرافیایی و پهنه‌های هنریِ گوناگون بودند. زهرا امیرابراهیمی، حمیدرضا جاودان، مسعود جاهد، هادی خرسندی، آرش سبحانی، شهلا شفیق، سرور کسمایی، ابراهیم مکی، مهدی موسوی،

شاهین نجفی، مانا نیستانی، مصطفی هروی، همگی از هنر، از ویژگی شخصیتی خود و از اختلاف نظرها گفتند. گفت‌وگوی میان هنرمندان روی صحنه و یا با حاضرین، گاه تند و پرشور، گاه همراه با پیش‌داوری‌ها، گاه از زندگی در ایران و خارج، گاه از ریخت و درون‌مایه در هنر، گاه از زبان و سیاست و گاه از رمان و شعر بود. کسی با طرح خود از غم و سختی سخن گفت، کسی یک شخص دیگر را برای نامه‌ای به ترامپ محکوم کرد، دیگری یورش سیاسی را با سکوت پاسخ داد، دیگری نیز بر آن بود که شعر بیهوده است و ملت به‌دلیل همین شعر سقوط کرده است، شخص دیگری نیز در واکنش به او گفت شعر تاریخ و زبان و جامعه‌شناسی و دین است و باید نقد علمی داشت و از برخورد یک‌جانبه پرهیز کرد. سپس دیگری گفت با هوش مصنوعی همهٔ انسان‌ها زیر کنترل قرار خواهند گرفت و این‌چنین وانمود کرد که از این پس، دموکراسی و آزادی بی‌معناست و همه بَرده خواهند بود و دیگری نیز در واکنش به او گفت این جبرگرایی بی‌معناست. یکی گفت تئاتر با دشواری و غریبی در جامعه روبه‌رو بوده است، یکی از جدال برای فراگیری زبانی تازه در هجرت گفت. دیگری از دور شدن از مردمی گفت که آنها مایهٔ کار هنری‌اش هستند و شخصی دیگر از تئاتر پوچی و راز خلاقانهٔ آن سخن گفت. کسی یاد آوری کرد که چگونه «مفسد فی‌الارض و امت اسلامی» وارد زبان فارسی شد. یکی در فیلمش با یک پاروی کوچک می‌خواست موج‌های بی‌کران دریا را پس زند. هیچ‌یک از هنرمندان دیگری را نمی‌پذیرفت و همهٔ نگاه‌ها جلوه‌ای از آب‌های شکسته‌درباد بود.

خاطرهٔ خوبی بود زیرا احساس‌ها همه در یک نقطه متمرکز بودند. در پایان، نوبت گفت‌وگوی‌های یواشکی و دوستانه و قول‌وقرارهای جدید و لبخندهای معنادار بود. افرادی در مورد برخی بحث‌ها برافروخته بودند و افرادی از دیدار یاران خوشحال بودند. این دیدار، لحظه و گوشه‌ای از دنیای ایرانیان مقیم پاریس بود. واقعاً این زندگی اجتماعیِ مهاجرین با زندگی هنرمندان در داخل کشورَمان چه تفاوتی داشت؟ آیا ما با دو گروه‌بندی جامعه‌شناختیِ گوناگون روبه‌رو هستیم؟ ما محصول یک دوران هستیم و داغ دوران را بر تن داریم. فکر می‌کنم درون‌مایهٔ بحث و نگاه‌های گوناگون و فضای اندیشه‌ها و تندی‌ها و مهربانی‌های آدم‌ها با آنچه در داخل اتفاق می‌افتد یکی است. تفاوت در نبود استبداد و آزادی واژه‌ها بود، تفاوت در وجود نوعی یادمانهٔ پنهان و آشکار بود و این آرزو که همین گفت‌وگوها در کافه نادری و خانهٔ هنرمندان تهران و تبریز و بندر انزلی و شیراز و سنندج و چابهار و شمیران و دربند

نیز گفته شود. پاریس برای ایرانیان با شعرهای محمد جلالی چیمه (م. سحر)، با موسیقی مهرداد بران، با صدای دریا دادور، با نقاشی نستور رخشانی (خاور)، با مینیاتور عباس معیری، با مینیاتور مرتضی رفیعی، با تئاتر منوچهر نامور آزاد، با نمایشنامه‌نویسی محسن یلفانی، و دیگران گره خورده است. ایرانیان، صادق هدایت، غلامحسین ساعدی، رضا دانشور را در حافظه هنری خود زنده نگه داشته‌اند.

ایران‌دوستی

چرا ایران را دوست داریم؟ این کشور را به این دلیل دوست می‌داریم که کشور ماست یا چون دارای یک کیفیت است؟ به‌گفتهٔ پاسکالِ فیلسوف هر شخصی را به‌خاطر این‌که کیفیت شخصیتیِ خود را دارد دوست می‌داریم. پاسکال می‌پرسد این «من» چه کسی هست؟ اگر رنه دِکارت می‌گوید «من می‌اندیشم، پس هستم.» و به این ترتیب او آغاز هستی را اعلان می‌کند، پاسکال هم کیستیِ شخصی را مورد پرسش قرار می‌دهد. از دید او انسان خالی نیست بلکه حتی می‌تواند خدا باشد. ایران از زمان کهن وجود داشته ولی در طول تاریخ دگرگون شده است. این سرزمین یگانه نبوده است و در هر عصری از جنبهٔ سیاسی، انسان‌شناسانه، اقتصادی، دینی و فرهنگی دگرگون شده. کیستیِ ایران یا چگونگی هستی‌اش هم دستخوش دگرگونی قرار گرفته. حال، آیا ایرانَ خالی بوده است؟ در این ایران، آیین مِهر و زرتشت و مزدک و مانی و اسطوره‌ها وجود داشته و اسکندر و مغول و عرب و تُرک بر آن تاخته‌اند. در این ایران کوروش، داریوش، انوشیروان، شاه عباس، نادر شاه، فتحعلی شاه، رضاشاه و آیت‌الله خمینی حاکم بوده‌اند و بزرگی‌ها و بیدادگری‌ها در کنار هم بوده‌اند. در این ایران سهروردی، ابوعلی سینا، خیام، فردوسی، مولوی، حافظ، مجلسی، کلینی، آل احمد، شاملو و دیگران نوشته‌اند و روح ملت را با بزرگ‌منشی و شایستگی و یا پَستی و فرومایگی آبیاری کرده‌اند. در این ایران زنان‌ومردانی بوده‌اند که برای روشنایی و آزادی تلاش کرده‌اند و یا جامعه را به سیاهیِ بیشتری کشانده‌اند. ما دچار تناقض بوده‌ایم. حال، پاسکال می‌پرسد: «من کیستم؟» به‌عبارت دیگر، ایران در تاریخ وجود دارد ولی چگونگی هستیِ آن را باید بررسی کرد. مونتسکیو در نامه‌های ایرانی نوشته: «چطور می‌توان ایرانی بود؟» به‌عبارت دیگر، ما چگونه بوده‌ایم و چگونه هستیم و چگونه می‌خواهیم باشیم؟

به‌اعتبار پیشامدهای روزگار و ویژگی‌های خود یک کیستیِ سیال داشته‌ایم. حال، چگونه می‌توانیم بر کیستیِ امروز و آیندهٔ خود تأثیرگذار باشیم؟ ملت ما در تاریخ حضور داشته است ولی این حضور با نیکی، بدی، پَستی و بلندی همراه بوده است. درماندگی‌ها و پریشان‌فکری‌های ما بسیار بوده‌اند. کیستی ما با چندگانگی معنا یافته است، همان‌گونه که تاریخ همهٔ ملت‌ها اینچنین بوده. چندگانگی خود محصول تاریخ خودِ ماست و، حال، این پرسش مطرح است که امروز و آینده چگونه می‌خواهیم باشیم؟ رویدادها و عواملی وجود دارند که از اختیار ما خارج هستند ولی ما آن‌ها را متحمل می‌شویم. با این حال، از آنجا که تأثیرگذار هستیم، چگونه می‌خواهیم تأثیرگذاری‌مان را جهت بدهیم؟ گوته می‌گوید: «مونتسکیو در نامه‌های ایرانی با ترغیب شایسته‌ترین احساسات ملّت فرانسه را به مبرم‌ترین و خطرناک‌ترین وظایف خود آگاه کرد.» ما چگونه می‌خواهیم باشیم؟ بخش گسترده‌ای از جامعه مشتاق است که حکومت دینیِ فعلی به پایان برسد ولی ما خواستار کدام الگوی حکومتی هستیم؟ قدرت سیاسیِ متکی‌بر آزادی و دموکراسی و جمع‌گرایی خواست بخش مهمی از جامعه است ولی این خواست کافی نیست. جایگاه زیست‌بوم در اقتصاد و سیاست و فرهنگ ما چه خواهد بود؟ با قرآن، اسلام، شیعه‌گری و فشار زیان‌آور جهان‌بینیِ روانی و فرهنگی آن چه کنیم؟ برای نوگراییِ فلسفی و فکری در جامعه خود چه باید کرد؟ چارهٔ بهبود ادبیات و شعر در بستر ادبیّات جهان چیست؟ جایگاه ایران در دانش و فن‌آوریِ فردا چگونه تأمین می‌شود؟ با واپس‌گراییِ فکری و دین‌خویی در میان روشنفکران و نخبگان جامعه چه کنیم؟ تمدن ایرانی با کدام ویژگی‌های برجسته تعریف خواهد شد؟ چگونه یکپارچگی سرزمینی با عدالت و بهروزی و همدلی همهٔ ایرانیان تأمین خواهد شد؟ ما در پنجاه سال آینده چگونه خواهیم بود و هستی‌مان در یک صد سال بعد چگونه تعریف خواهد شد؟ به‌گفتهٔ گوته مبرم‌ترین و خطرناک‌ترین وظایف ما کدامند؟ از امروز کدام احساس و اندیشهٔ شایسته را تشویق کنیم؟ کیفیت ایرانی که برای آینده دوست داریم چیست؟

زیست‌بوم و فرهنگ

آیا محیط زیست مسئلهٔ جامعهٔ ماست؟ برای خیلی از ایرانیان بحران محیط زیست معنایی ندارد و، در واقع، آن‌ها فاقد فرهنگ زیست‌محیطی هستند و در

زندگی روزمره غوطه‌ورند. افسوس برای جامعهٔ ما که فاقد فرهنگ زیس‌بوم است. آیا گرمایش زمین یک افسانه است؟ برای بسیاری از مردم جهان و بیشتر مسئولان سیاسی جهان همه‌چیز در این‌باره بزرگ‌نمایی شده است. شوربختانه، این دیدگاه درست نیست و اندیشمندان و دانشمندان تأکید دارند که گرمایش زمین واقعیت دارد و بالا آمدن سطح آب‌ها، ذوب شدن یخچال‌های طبیعی و یخ‌های قطبی، به‌هم‌خوردگی فصل‌ها و تولید محصولات کشاورزی، تشدید سیلاب‌ها و طوفان‌ها، افزایش بیماری‌ها در مناطق دیگر زمین، مهاجرت‌های زیست‌محیطیِ انسان‌ها، افزایش بیماری‌های ناشی از آلودگی و غیره نشان همین افزایش گرمایَ روزافزون‌اند. ارادهٔ سیاسی و اقتصادی قدرتمند برای توقف این بحران فزاینده بسیار مهم است. جهت دادن بیشترِ سرمایه‌گذاری‌ها به‌سوی انرژی‌های پاک گام‌های استوار زیست‌بوم شدنی است. به سرانجام رسیدن چنین‌چیزی به ارادهٔ سیاسی و فرهنگ زیست‌بوم بستگی دارد. ما آدم‌های مصرف‌کننده با عادت‌های خودکارِ مولدگرا و بَدَوی برای درک زیست‌بوم آماده نیستیم. حتی آنجایی هم که دربارهٔ بحران زیست‌بوم سخن می‌گوییم کردار واقعی و رفتار روزمره‌مان برخلاف آن عمل می‌کند. چگونه عادت همیشگی را تغییر دهیم؟ کار ساده‌ای نیست. عادت ما در روان‌شناسی، عاطفه و ناخودآگاه ما ریشه دارد. تغییر عادت به تاریخ و قانون و فرهنگ‌سازی و پایش اجتماعی و آموزش بستگی دارد. ما باید بتوانیم فرهنگ خود را تغییر دهیم و این شیوهٔ زیستن است.

به یاد دارم یک روز در دانشگاه داشتم دربارهٔ جامعه‌شناسی فرهنگ و فرهنگ جوانان صحبت می‌کردم. توضیح دادم که فرهنگ «کولتور» از دیِد واژگانی به‌معنای ساختن و حفظ و آموزش دیدن است. از دید درون‌مایه، فرهنگ مجموع جنبه‌های معنوی، مادّی، روشنفکری و عاطفی جامعه را دربرمی‌گیرد. به‌گفتهٔ دیگر، فرهنگ دربرگیرندهٔ هنرها، ادبیات، فلسفه، شیوه زندگی، حقوق انسانی، نظام ارزشی، سنت‌ها و باورهای دینی است. در فرهنگ عناصر پویا و بازدارنده وجود دارند که همه‌جا دارای ترکیب و عملکرد یگانه‌ای نیستند. دین اسلام خودسانسوری روانی و تقدس‌گراییِ ناعقلانی را رشد می‌دهد و محدودکنندهٔ پویش هنری است و گسترش فرهنگی با این دین دستخوش خودویرانگری است. به دانشجویانم گفتم دیپلم شما می‌تواند جلوه‌ای از فرهنگ شما باشد ولی برابر و هم‌وزن فرهنگ نیست. گفتم مهندس بودن به‌معنای چیرگی بر یک مهارت است و این به‌مفهوم بار

فرهنگی و دانایی نیست. ما دارای مهندسینی هستیم که دانش و نوگرایی اقتصادی را سامان می‌دهند و مهندسینی داریم که سازمان‌دهندهٔ مرگ‌اند. یک سیاست‌مدار به راهبرد و اهداف سیاسی و مدیریت حکومتی توجه دارد و این همیشه با شعور فرهنگی همراه نیست. بوریس جانسون، نخست‌وزیر فعلیِ انگلستان، یک مردم‌فریب دروغ‌گو و فاقد شعور فرهنگی است. جهان‌بینیِ مردم‌فریب او رفتار و بیان او را به ابتذال و پَستی می‌کشاند. جهان‌بینیِ کوته‌بینانه و شوینیستی مارین لوپن در فرانسه تمام اندوخته‌های فرهنگی او را به نابودی می‌کشاند زیرا دروغ‌گویی را در نزد او تولید و تقویت می‌کند. بنابراین، در یک فرهنگ باید عوامل مستعد شکوفایی را از عناصر منفیِ خفه‌کننده بازشناخت و روندهای روان‌شناسانهٔ رکود را به نقد کشید.

زمانی که جامعه به ادبیات و رمان نوگرا، فلسفه، هنر و بازدید نمایشگاه و موزه علاقه‌ای ندارد با روندهای رکود و محافظه‌کاری درگیر می‌شود؛ زمانی که جامعه به خرافات دینی علاقه پیدا کند و الهام و آرامش و لذت خودش را در دنیای اوهام و روایات خرافاتی و ناعلمی ببیند با ویرانیِ روان عقل‌گرا، مدرنیتهٔ اجتماعی، رفتارهای مسئولانه و گرایش به زندگی روبه‌رو می‌شود. فرهنگ نتیجهٔ فعالیت فکری است و اندیشه می‌تواند اخلاق غیردینی را تولید و تبلیغ کند. این اخلاق سکولار مخالف مرگ و تباهی است و رو به سوی انسان و جامعه و طبیعت دارد. بنابراین، ما باید فرهنگ را گسترش بدهیم و دگرگون کنیم. جوانان باید آلبر کامو و کلمان روسه و اِستیون پینکر و توماس پیکتی، تاریخ و جغرافیا و تاریخ علمی ادیان را بخوانند و با ادبیات جهان آشنا باشند، جوانان باید با حقوق انسانی و طبیعت آشنایی پیدا کنند، جوانان باید به نقد دین و ایدئولوژی بپردازند و سیاست پسندیدهٔ آزادی‌خواه را تجربه کنند، جوانان باید از بحران زیست‌بوم آگاه شوند و این آگاهی را در فهم و در کردار و رفتار اجتماعی خود نشان بدهند.

دربارهٔ ایدئولوژی

ایدئولوژی چیست؟ جریان ایدئولوژیک چه ویژگی‌هایی دارد؟ گفتمان ایدئولوژیک کدام است؟ واژهٔ «ایده» به‌معنای تصور یا محصول ذهن و برداشتی درونی از بیرون است. از زمان افلاتون تا هگل و جان لاک و دیوید هیوم و مارکس و لوئی آلتوسر

در این‌باره نوشته‌اند. ایدئولوژی ترکیبی از «ایده» یا تصور و «لوژی» به‌معنای شناسایی است. ایدئولوژی به‌شکلی در برابر پرسشگری فلسفی و خردگراییِ نقادانه قرار می‌گیرد.

در حال حاضر ایدئولوژی کاربردها و معانیِ گوناگونی دارد:

نخست، ایدئولوژی به‌مثابه یک کل سامان‌مندِ باورهای آرمانی و ثابت سیاسی و اجتماعی برای جامعه که از یک نظام فکری، فلسفی، مذهبی و ارزشیِ خاصی پیروی می‌کند. حزب‌های سیاسی اغلب به چنین اصلی متکی هستند بدونِ آن‌که از شکل‌های دیگر ایدئولوژی دور باشند. سازمان‌های مردم‌فریب بر این پایه حرکت می‌کنند و چه بسا همراه با کیش شخصیت هستند. دوم، ایدئولوژی به‌مثابه یک مجموعه از دستورات اجراپذیر در برابر یک بینش فکری و خِردمندانه تعریف می‌شود. در اینجا ایدئولوژی همچون یک دستگاه جزم‌اندیش یا نظامی خشک و مقدس‌گونه عرضه می‌شود. برخی دین‌ها مانند اسلام به‌شکل ایدئولوژیک عمل می‌کنند. سوم، ایدئولوژی همچون یک فکر انحرافیِ کاذب و ناواقعی تعریف می‌شود. برای نمونه، «آگاهیِ» انسان از نظام سرمایه‌داری چیست؟ نظریهٔ مارکسیستی بر آن است که انسان از خود بیگانه است و از واقعیت الگوی سرمایه آگاه نیست. انسان‌ها بر اساس ایدئولوژی بورژوایی عمل می‌کنند و خود نمی‌دانند که این آگاهی دروغین است و، چهارم، ایدئولوژی به‌مثابه یک نظام نظری و اعتقادی کم‌وبیش آگاهانه‌ست. باورهای فرد به‌شکل آگاهانه و ناآگاهانه گِرد می‌آید و یک مجموعهٔ رفتاری و واکنشی را سامان می‌دهد. این شکل از ایدئولوژی آمیزه‌ای از الگوهای پیشین است.

حال، با توجه به آنچه گفته شد در شرایط ایران ایدئولوژی چگونه بازتاب می‌شود؟ جریان‌های دینیِ شیعه و نواندیشان شیعه در ایدئولوژی قرار دارند و خود فعالانه فکر کاذب و دورَغ‌پرداز و مسیح‌وار را در جامعه تولید و پخش می‌کنند. جریان‌های مارکسیست و اِستالینیست بر یک اصل ثابتِ جزمی پیش می‌روند و فاقد نرمش‌پذیریِ روشنفکری و دریافت پدیده‌های تازه هستند. جریان‌های سلطنتی در یک باور تقدس‌گرا و خشک قرار می‌گیرند و فاقد نقد نظام پادشاهی هستند و با مخالفان به‌شکلی هیجانی برخورد می‌کنند. جریان‌های ملی‌گرای شووینیستی به یک ایدهٔ کاذب و اسطوره‌ای چنگ می‌زنند و خواهان واپس‌نشینیِ جامعه هستند. جریان‌های فدرالیست تجزیه‌خواه به ساخت اصل ذهنی و شوینیستی می‌پردازند

و خود را به‌شکل کاذب حامل رسالت رهایی‌بخش می‌دانند. جریان‌های ملی‌گرا در الگوهای پیشین درجا می‌زنند و فاقد نرمش‌پذیری مورد نیاز نوگرایی پروژهٔ خود هستند. جریان‌های جمهوری‌خواه و پای‌بند به جداانگاری دین از سیاست و میان پاره‌های ایدئولوژیک و گرایش‌های نوگرا در نوسان هستند. مانده‌های ذهنی، آنها را بسوی این یا آن ایدئولوژی میکشاند. ایدئولوژی مجاهدین نیز یک دکترین نظامی فرقه ای دینی است که افراد را به دنیای کوچک و خفقانی وابسته می‌سازد.

یکی از دردهای خطرناک ما ایرانی‌ها ایدئولوژگرایی ماست. ما سریع درها را بر ذهن خود می‌بندیم، جزمگرا می‌شویم و از کاوش می‌گریزیم. راحت طلبی، تنبلی، کلی بافی، ابهام گرایی، اسطوره گرایی، از ویژگی‌های ذهن ماست. چنین ذهنی با اسلام و مارکسیسم گره می‌خورد و روشنفکر ایرانی را شکل می‌دهد. تمایل مارکسیست‌های مذهب گرا در حزب توده و جریانهای چریک‌های فدایی به ایدئولوژی ضدامپریالیستی طرفدار خمینی تبدیل می‌شود. تمایل شیعه گری ضدغربی شریعتی‌ها و آل احمدها به ایدئولوژی شیعه رهایی بخش تبدیل می‌شود. نواندیشان دینی مانند سروش‌ها و کدیورها با جعلیات اسلام رحمانی و یا «نوآوری» هایشان در باره «آخرین دین»، یک ایدئولوژی شیک عرضه نمودند تا شیفتگان خود را مرعوب کرده تا آنها گنداب اسلام را بهتر هضم نمایند. آخرین «نوآوری» سروش پس از رویاهای رسولانه، اقتدارگرایی و خشونت مطلوب محمد برای قدرت سیاسی اسلام است. این «نوآوری ها» این توهم را بوجود می‌آورد که آنها با جهان مدرن همسو هستند و ایدئولوگ‌های فریبکار پیامبران جهان کنونی می‌باشند.

علی دشتی

علی دشتی، که در هشتادوچهار سالگی و در ۱۳۶۰ درگذشت، یکی از چهرهای برجستهٔ سیاسی، ادبی و فکریِ دوران پهلوی بود. او پس از انقلاب اسلامی دستگیر و زندانی و به‌اتهام نگارش کتاب بیست‌وسه سال به اعدام محکوم شد. سرانجام پس از تحمل توهین و شکنجه به بیمارستان انتقال یافت و در شرایط رنجوری و بیماری حادّ در بیمارستان جم درگذشت. دشتی در آغاز جوانی طلبه

بود ولی تمایل به آزادی او را دگرگون کرد. او دو بار به‌خاطر انتقاد به رضاشاه به زندان افتاد و، در ضمن، نمایندهٔ مجلس نیز بود. او در دوران پهلوی دوم هم وارد مجلس سنا شد و تبعید آیت‌الله خمینی از سوی اسدالله عَلَم و شاه را مورد انتقاد قرار داد زیرا آن شیوه را مناسب نمی‌دانست. دشتی به سیاست امیرعباس هویدا نیز انتقاد کرد و، در پایان و در سال‌های پایانیِ دوران شاه، از سیاست کناره گرفت.

علی دشتی بیش از چهل اثر از خود بر جای گذاشت. نوشته‌ها و ترجمه‌های او بازتاب اندیشه‌اش در بررسی مسائل اجتماعی و باورهای مذهبی و سیاسی است و نگرش او به تاریخ، ادبیات و عرفان ایرانی را نشان می‌دهند. او سه داستان نوشت و بیش از ۱۰ نوشته در پژوهش و نقد ادبی به نگارش درآورد. از جمله پژوهش‌های او باید از «نقشی از حافظ»، «سیری در دیوان شمس»، «دمی با خیام»، «قلمرو سعدی»، «تصویری از ناصر خسرو» یاد کرد. زمینهٔ پژوهشیِ دیگر او دین اسلام و گسترش خِرداندیشی بود. او پیش از سال ۱۳۵۳ کتاب بیست‌وسه سال را در بیروت چاپ کرد. از دشتی تخت پولاد در سال ۱۳۵۴، جبر و اختیار در سال ۱۳۵۰، ابلیس در کسوت عرفان در سال ۱۳۵۳، در دیار صوفیان در سال ۱۳۶۳، عقلا برخلاف عقل در سال ۱۳۵۴ نیز چاپ شدند. وی پس از انقلاب اسلامی نیز کتابی با عنوان عوامل سقوط و در این کتاب پادشاه پهلوی را مورد انتقاد قرار داد.

یکی ار کارهای ماندگار و باارزش علی دشتی کتاب بیست‌وسه سال است که دربارهٔ کودکی و پیامبری محمد نوشته شده. او با اتکا بر پژوهش‌های علمی در غرب به واکاویِ زندگی و ادعای پیامبری و آیات قرآنی می‌پردازد و تاریخ و افسانه و خرافات اسلام و قرآن را بررسی می‌کند. پس از کتاب‌های مکتوبات میرزا فتحعلی آخوندزاده، سه مکتوب میرزا آقاخان کرمانی و نیز شیعه‌گری احمد کسروی و برخی کتاب‌های دیگر، کتاب بیست‌وسه سال دشتی از نگاه نقد به اسلام در جامعهٔ ما دارای اهمیت شایانی است. این کتاب بدون تعصب با اتکا بر پژوهش‌های غربی قرآن و اسلام را به نقدی بی‌طرفانه می‌کشاند و به‌ناگزیر اساس این دین را عریان می‌کند. هدف دشتی از نگارش این کتاب گسترش عقلانیت و مبارزه با باورهای فلج‌کنندهٔ اسلام بود. در زمان شاه این کتاب نمی‌توانست در ایران چاپ شود زیرا شاه خود هوادار اسلام بود و روحانیت مرتجع همه‌جا آمادهٔ تعرض،

ترور و سانسور بود. در تمام دوران جمهوری اسلامی نیز تمام هواداران اسلام مانند نواندشان دینی و روزنامه‌نگاران اسلامی و جزم‌اندیش‌ها و عوامل جمهوری اسلامی بر این کتاب تاختند. این کتاب تجلی جسارت روشنفکری و عقلانیت بوده و هست. سعیدی سیرجانی از هواداران علی دشتی بود. بهرام چوبینه نیز این کتاب را با یک پیش‌گفتار واکاوانه چاپ کرد. اگر ایرانیان پیش از انقلاب چنین کتابی را خوانده بودند و می‌فهمیدند، به سیاهچال انقلاب اسلامی فرو نمی‌افتادند.

آیندهٔ اروپا

نتایج انتخابات اروپا برای فرانسه در ۲۵ ماه مه ۲۰۱۹ پایان یافت. جناح راست تندور مارین لوپن دارای ۲۳ درصد، حزب مکرون ۲۲ درصد، حزب محیط زیستی‌ها ۱۳ درصد، چپ عوام‌گرا و حزب سوسیالیست هر یک ۶٫۶ درصد و حزب کمونیست ۲٫۳ درصد و راست سنتی ۸٫۴ درصد. راست تندرو با تمایل ضد اروپایی در رأس احزاب قرار می‌گیرد، حزب ماکرون در برابر دشواری‌های دولتی و تعرض جلیقه‌زردها می‌ایستد، حزب محیط زیستی‌ها برای نخستین با به نیروی سیاسی سوم فرانسه تبدیل می‌شود. این پیشرفت زیست‌محیطی بیان رشد افکار زیست‌محیطی در میان شهروندان فرانسه است. البته همین پیشرفت در آلمان و بلژیک و برخی کشورهای دیگر نیز دیده می‌شود. حال، باید کل نتایج اروپایی را واکاوی کرد و راهبرد ۵ سال آیندهٔ اروپا را مورد بررسی قرار داد. از نتایج نخستینِ انتخابات اروپا به هم خوردن تناسب قوا و از اکثریت افتادن جناح قوی سوسیال‌دموکرات‌ها و راست سنتی است. در مجلس جدید اروپا وزنهٔ محیط زیستی‌ها به‌طرز چشمگیری افزایش می‌یابد.

انتخابات اروپا روز یکشنبه برگزار می‌شود تا ۷۵۱ نماینده برای مجلس اروپا تعیین شوند. در میان نمایندگان سهم فرانسه ۷۹ نماینده است. این تعداد نماینده مجلس ۲۸ کشور و ۵۱۲ میلیون جمعیت را نمایندگی می‌کنند. گرایش‌های اصلی مجلس تاکنون سوسیال‌دموکرات‌ها، راست سنتی، محافظه‌کاران، محیط زیستی‌ها، جناح راست تندرو و عوام‌گرایان بوده‌اند. در انتخابات یکشنبه این احتمال وجود دارد تا راست تندرو و عوام‌گرایان به یکی از نیروهای نیرومند تبدیل شوند.

این احتمال خطرات بسیاری برای اروپا به همراه دارد و مجلس آینده را با مشکلات و ناتوانی‌های جدی روبه‌رو خواهد کرد. ما به اروپای نیرومند نیازمندیم: اروپای دموکراتیک و زیست‌محیطی که بتواند در برابر قطب‌های جهانی مانند آمریکا، چین، روسیه، هند و برزیل وزنهٔ سیاسی و دیپلماتیک و اقتصادی باشد. من همیشه به دانشجویانم می‌گویم ساختار اروپا با وجود همهٔ دشواری‌ها لازم و ضروری و تضمینی برای صلح در اروپا و گسترش اقتصاد و علم و فرهنگ مشترک است. دانشجویان گاه با تردید به اروپا نگاه می‌کنند ولی به آن‌ها یادآور می‌شوم که پس از جنگ جهانی دوم عامل اصلی که مانع جنگ شد همین اتحادیهٔ اروپا و همین همبستگی و آشنایی متقابل مردمان و همکاری دولت‌ها بود. پوياییِ اروپا، کار مشترک نمایندگان و همکاری دولت‌ها سطح عمومی کشورها را بالاَ برده است. پیشرفت صنعتی و اقتصادی، قوانین سطح بالای زیست‌محیطی، تقسیم بودجه برای مناطق فقیر اروپا و نیز کشاورزان، تبادل فعال دانشجویان،هماهنگی دیپلماتیک اروپایی برای صلح جهانی و تخصیص بودجه برای پژوهش‌های علمی مشترک از جمله نتایج مثبت سیاست اروپایی و مجلس اروپا هستند. البته اروپا دستخوش ناتوانی در برابر گروه‌های اقتصادی جهانی است و هماهنگی محکمی در سیاست‌های اجتماعی متناسب ندارد. برای نمونه، دستمزد حداقل یگانه در کل اروپا موجود نیست. یک نکتهٔ اساسی دیگر که دال بر ناتوانی اروپا است قدرت‌یابی جناح راست تندرو و محافظه‌کاران اروپایی است. این جریان‌ها گرایش‌های ملی‌گرایانه و مردم‌فریب دارند و مخالف ادامهٔ کاری اروپا هستند و از پشتیبانیِ عوام‌گرایان آمریکایی مانند اِستیو بانون، مشاور پیشین ترامپ، و وِلادیمیر پوتین برخوردارند.

پس از دوزخ

پیام ویرژیل برای ما چیست؟ ویرژیل یا پوبلیوس ورگیلیوس مارو، شاعر کلاسیک روم باستان، است که پیش از زایش مسیح می‌زیسته است. او شاعر «ترانه‌های روستایی» و «سرودهای شبانی» و شعرهای حماسی انئید است. وی در نگارش شعرهای حماسی‌اش از «ایلیاد» و «اُدیسه» هومر تأثیر گرفته است و به‌نوبهٔ خود

بر دانته و به‌ویژه در پرداخت دوزخ و برزخ در کمدی الهی تأثیرگذار بوده. یکی از فصل‌های کتاب انئید سقوط به دوزخ است. انئید در دوزخ از سیبیل می‌خواهد تا او را نزد پدرش، که ساکن دوزخ است، ببرد. پس از دیدار پدر به محله‌های گوناگون دوزخ می‌رود. او در دوزخ رومولوس، بنیان‌گذار امپراتوری روم، را می‌بیند و سپس با جانشینان او دیدار می‌کند. امپراتورهای بزرگی مانند بروتوس، پمپه، ژول سزار، و سرانجام اوگوست در دوزخ هستند. این امپراتورها زمانی که روی زمین زندگی می‌کردند هوادار جنگ و قدرت بودند. انئید با خود می‌اندیشد که باید در این لحظه کار سترگی انجام شود. او با طرح بنیان‌گذاریِ یک امپراتوری نیرومند در دوزخ و با حضور این شخصیت‌های برجسته روبه‌رو می‌شود اما بر آن است تا صلح را در دستور کار این نظام دولتی قرار دهد: استقرار یک امپراتوری قدرتمند و صلح‌خواه در دوزخ. انئید پس از طرح این اندیشه از دوزخ بیرون می‌رود و به روی زمین برمی‌گردد. او پس از بازگشت درمی‌یابد که اهالی زمین در حال تدارک جنگ هستند.

آی دوست من، ای رهگذر، ای شهروند؛ کاش پیش از رفتن به دوزخ به فکر آرامش باشیم. کاش در همین زمین بتوانیم تأثیر خوب بگذاریم. کاش به فکر نجات زمین باشیم، کاش از تمایل به جنگ و توطئه دور بمانیم. دوزخ‌های زمینیِ بی‌شماری خارج از توان و خواست ما وجود دارند. بسیاری از انسان‌ها به خشونت علاقه‌مند هستند و آن را از حس چیره‌گراییِ خود دور نمی‌دانند. همچنین، جهان‌بینی‌ها، ادیان و سیاست‌های کینه‌توزانهٔ بی‌شماری وجود دارند که انسان‌ها را بر این پایه پرورش می‌دهند، حال آن‌که ما می‌توانیم تأثیر خوبی به جا بگذاریم. حماسه‌سراییِ فردوسیِ هزارساله برای همیشه می‌ماند، شکسپیر و بتهوون ستون برجستهٔ هنر باقی می‌مانند، کوشندگان محیط زیست نیز تأثیر مثبتی بر جهان می‌گذارند، زنبورهای عسل زندگی گیاه و جانوران و انسان را هستی می‌بخشند، جنگل‌های کهن‌سال به بشریت اجازه می‌دهند نفس بکشد و نمیرد، زکریا رازی و لوئی پاستور به‌خاطر خدمت‌شان جاوانه باقی خواهند ماند ولی همهٔ انسان‌ها فردوسی و پاستور نخواهند شد ولی شاید بتوانند کار هستی‌بخش زنبور عسلِ را انجام دهند. ما در این دنیا می‌توانیم مستبد و قاچاقچی و آخوند و فاسد و آدم‌کُش نباشیم، می‌توانیم برای انسان‌گرایی و آزادی کامل اندیشه و آرامش انسانی و شادی و خِردگرایی تلاش کنیم، می‌توانیم هیزم‌بیار دوزخ نباشیم.

اسلام و دموکراسی

اسلام با دموکراسی و آزادی هرگز خوانایی ندارد. قرآن سراپا بر پایهٔ تبعیض و خشونت و دگرکشی استوار است و تمام تاریخ اسلام از جنگ و خلافت و ولایت فقیه لبریز است. حال، برخی می‌گویند در زمان صدر اسلام دموکراسی وجود نداشت. یادمان باشد ایدهٔ دموکراسی از تمدن یونان می‌آید و نخستین اندیشهٔ حاکی از آن به ۲۵۰۰ سال پیش برمی‌گردد. اسلام‌گرایان دیگری نیز می‌گویند می‌توان میان اسلام و دموکراسی پل زد. این گفته نیز کاملاً نادرست است. در اروپای سدهٔ هیجدهم اندیشهٔ دموکراسی به‌سوی دولت‌های دموکراتیک پیش رفت. الگوی چندحزبی، وجود سه قوهٔ مستقل مجریه و قانونگذار و قضایی، نظام شهروندی، انتخابات آزاد و آزادی مطبوعات از نشان‌های دموکراسی‌اند. بی‌شک، دموکراسی نیز کامل نیست ولی بهترین رژیم سیاسیِ ممکن است.

حال، آیا دین‌دار و بی‌دین می‌توانند هوادار و پایبند به دموکراسی باشند؟ بله، آشکارا الگوی دموکراسی به هر شهروندی با هر باوری اجازه می‌دهد تا در زندگی اجتماعی و سیاسی مداخله کند. قدرت سیاسی نباید پیرو دین باشد. حال، زمانی که اسلام‌گرایان از خوانایی اسلام و دموکراسی صحبت می‌کنند دروغ می‌گویند. چرا؟ اگر اسلام را پیش از هرِ چیز قرآن بدانیم، هرگز دموکراسی با قرآن خوانایی ندارد. محتوای این کتاب عربی محصول یک جامعهٔ خشونت‌بار و کهنه‌گراست، جامعه‌ای قبیله‌ای که فاقد بردباری اجتماعی است، در زیر هدایت قرآن امت‌پرست و تعبدگرا به سر می‌برد. انسان‌های اسلام‌گرا نمی‌توانند به دموکراسی باور داشته باشند زیرا الگوی فکری آن‌ها خلافت محمد و علی است و آن‌ها فقط در پی فرصت استقرار حکومت الهی و امامت و حکومت شیعهٔ رحمانی هستند. این افراد اهل خدعه هم هستند و آنجایی که تناسب قوای مناسب فراهم نباشد سکوت می‌کنند و وا پس می‌نشینند. البته اسلام‌گرایان بی‌شماری هستند که از مزایای زندگی در غرب سوءاستفاده می‌کنند ولی اندیشه‌های منحط اسلام و قرآن را گسترش می‌دهند و برای شما آیات تکراری می‌آورند تا حقانیت خود و دین‌شان را ثابت کنند. اگر آن‌ها مخالف جمهوری اسلامی باشند هم باز از وفاداران یک جهان‌بینیِ پوسیده هستند. لشگر وبلاگ‌نویس مذهبی و روزنامه‌نگار و نواندیش دینی و سیاست‌مدار اسلامی کماکان از انقلاب اسلامی و شخصیت‌های خطرناکی مانند پیامبر اسلام و امام علی

دفاع می‌کنند و منبع‌ومأخذ می‌آورند. این بیان وابستگی روانی و ایدئولوژیک و سیاسیِ آن‌ها به یک جهان‌بینیِ خطرناک و مخالف دموکراسی است. کسی نمی‌تواند هوادارِ دموکراسی و آزادی باشد و، در عین حال، در پشتیبانی از جنگ‌های محمد و خلافت علی بکوشد، کسی نمی‌تواند دموکراسی‌گرا و آزادی‌خواه باشد و همزمان از کشتار «کفار و منافق و مرتد و مشرک» پشتیبانی کند. کسی نمی‌تواند از آزادی دفاع کند و، در عین حال، قرآن را شریعت سیاسی خود بداند.

رضا شاه

با رضا شاه جفا شد؟ انقلاب فرانسه با تصرف باستیل در ۱۴ ژوئیه ۱۷۸۹ آغاز شد. لوئی شانزدهم از مشاوران خود پرسید: «آیا این یک شورش است؟» در پاسخ به او گفتند: «نه، این یک انقلاب است.» در ژانویهٔ ۱۷۹۳ دادگاهی برای محکومیت شاه تشکیل شد و در ۲۰ ژانویه در میدان کنکورد پاریس با گیوتین سر پادشاه را از تن جدا کردند. این اعدام پایان دوران پادشاهی در فرانسه بود ولی در طول تاریخ به‌مثابه عملی ناشی از هیجان احساساتی، انقلابی و ناعقلانی به شمار آمد و مورّخان و سیاست‌مداران بی‌شماری آن را نقد کردند. محمدرضا شاه از ۱۵ شهریور ۱۳۲۰ تا ۲۲ بهمن ۱۳۵۷ حکومت کرد. در این دوران، رویدادهای مهمی رخ دادند: سوءقصد به جان شاه، دولت دکتر مصدق و کودتا در برابر آن، انقلاب سفید و اصلاحات ارضی و رأی زنان، قیام آخوندها در خرداد ۱۳۴۲ در برابر اصلاحات و حقوق زنان، جشن ۲۵۰۰ساله در تخت جمشید، برقراری حزب رستاخیز، شکنجه‌های ساواک، رشد و رونق اقتصادی، رشد اسلام‌گرایان، رشد جریان‌های چریکی و تروریسم سیاسی، استبداد فردی شاه، بحران سیاسی و پایانی رژیم و گفتهٔ مشهور محمدرضا شاه یعنی «من نیز پیام انقلاب شما ملت ایران را شنیدم.» ولی این شعار و گزینش بختیار در هنگامه‌ای مطرح شدند که جامعه‌ای کور و هیجان‌زده پشت خمینی ایستاده و شعار زشت «حکومت اسلامی» همه‌جا را گرفته و عقل‌ها را از کار انداخته بود. اکثریت چپ‌ها و ملیون با ارتجاع دینی ساخته بودند و فکری فرای خمینیسم نداشتند. شاه رفت و خمینی بر قدرت نشست.

اما رضا شاه چه کرد؟ دوران قاجاریه دوران شکست‌های نظامی ـ سیاسی

پی‌درپی و دوران بدبختی، ناآگاهی، بیماری، خرافه، گندیدگی و هرج‌ومرج کشوری بود. رضاخان در ۳ اسفند ۱۲۹۹ با نیروهای قزاق به تهران رسید و سپس به‌عنوان وزیر جنگ تمام مشاوران انگلیس را از ایران اخراج کرد و نخست‌وزیر احمد شاه شد. رضا پهلوی در ۲۵ آذر ۱۳۰۴ با تصمیم مجلس قدرت پادشاهی را به دست گرفت. نوگراییِ ایران پروژهٔ بزرگ رضا شاه بود و برای انجام آن به شخصیت‌هایی چون محمدعلیِ فروغی، تیمورتاش، اسعد بختیار، تقی زاده و علی‌اکبر داور تکیه کرد. ساختن راه آهن سراسری، مدرسهٔ نظام و قانون نظام و ارتش نوین، ایجاد وزارت بهداشت، واکسیناسیون، کلاه و کت‌وشلوار نوین، دادگستری و ناتوانیِ قدرت روحانیت، اعزام دانشجو به خارج و تربیت مسئولان اداری، شهرسازی، ایجاد دانشگاه تهران، مبارزه با حجاب اسلامی، ایجاد کارخانه‌های جدید مانند هواپیماسازی شهباز، پل‌سازی و راه‌سازی بدون سرمایهٔ خارجی، کشف و حفاری در تخت جمشید، ایجاد بانکداری، لغو کاپیتولاسیون، ایجاد فرهنگستان، برپایی جشن هزارهٔ فردوسی و ساختن آرامگاه حافظ و سعدی و تغییر نام کشور از پرشیا به ایران از جمله پروژه‌های رضا شاه بود. او پس از یک دوران بزرگ قدرت سیاسی را از قدرت دینی جدا می‌کند. نهادسازی‌ها و سامان دادن کشور ادامه تلاش مشروطه بطرز دیگر است. رضاشاه مقاومتی سازنده در مقابل ارتجاع دینی بود.

رضا شاه به‌ویژه در دوران پایانِ پادشاهی خود اعتماد زیادی به نزدیکانش نمی‌کرد و گرایش استبدادی خود را بر ضد روزنامه‌ها و برخی شخصیت‌های ادبی و سیاسی تشدید کرد و شاعری همچون محمد فرخی یزدی نیز در همین گیرودار کشته شد. دوران بغرنج جنگ جهانی و اشغال ایران توسط انگلیس و شوروی و مداخله و توطئهٔ این دو کشور به حذف رضاشاه از صحنهٔ ایران انجامید. رضا شاه در ۲۵ شهریور به‌اجبار استعفای خود را اعلان می‌کند، به هند فرستاده می‌شود و سپس به جزیرهٔ موریس و در پایان به ژوهانسبوگ انتقال می‌یابد و در ۴ مرداد ۱۳۲۳ بر اثر بیماری از دنیا می‌رود. پس از مدتی، در اردیبهشت ۱۳۲۹ پیکر او به ایران انتقال یافت و در شهر ری، شاه عبدالعظیم و در یک آرامگاه بلندبالا، به خاک سپرده شد. با پیروزی انقلاب اسلامی زیر نظر آیت‌الله خلخالی آرامگاه او با بولدوزر و دینامیت ویران شد. رضاشاه گفته بود من برای سربلندی ایران این کارها را کردم. اما شگفتا که با رضا شاه جفا شد! رجوع به تاریخ به دور از کوته‌بینی‌های سیاسی و ایدئولوژیک و واکنش‌های هیجانی یک ضرورت است.

هیجان یا خِردگرایی

جامعهٔ هیجانی فرصت اندیشیدن نمی‌دهد. ایران و جهان در التهاب و تب تند رویدادها قرار دارند. اگر یک روز به اخبار گوش نکنید بی‌شمار رویداد بزرگ و عجیب رخ می‌دهد و شما احساس می‌کنید که از همه‌چیز جا مانده‌اید و رابطه‌تان با جهان قطع شده است. خبرهای مهم پیاپی اعلان می‌شوند و دنیا تغییر می‌کند و شما می‌خواهید در جریان رویدادها باشید و خود را هر جا که هستید به رسانه‌ها و شبه‌های اجتماعی می‌رسانید. به‌ظاهر همهٔ خبرها مهم‌اند و به همین خاطر دوباره خود را به روند انبوه خبرها می‌سپارید و با هیجان‌های بیشتری درگیر می‌شوید؛ حرص بیشتر، زمان بیشتر، رجوع بیشتر به رسانه‌ها برای این‌که در باغ باشیم ولی سیراب نمی‌شویم و حسرت‌ها و کمبودها بر جا می‌مانند. ما در یک تضاد پیچیده فرورفته‌ایم. به خود می‌گوییم مسئولیت من آگاهی است ولی سِیر تند رویدادها و انواع اخبار و تفسیر و واکاوی ما را از این سوی رینگ به آن سوی رینگ می‌اندازد. هیجان، نگرانی، ترس، عصبانیت، تحریک، ناهشیاری و قضاوت تند ما را از اندیشیدن بازمی‌دارند. ما همواره حس می‌کنیم که بر جهان و پیرامون خود چیره‌ایم ولی این صرفاً یک توهّم و خودفریبی است. اندیشیدن به مواد خام نیاز دارد ولی به‌معنای بلعیدن خبر نیست. اندیشیدن به ژرفا رفتن است، مفاهیم را دریافتن و پیوندها را بازیافتن است. البته همان‌گونه که گلوریا اوریژی، جامعه‌شناس فرانسوی، می‌گوید هیجان‌ها هم بسیج می‌کنند و هم نابود، هم کور می‌کنند و هم به شورش درمی‌آورند و اگر در گذشته فکر می‌کردیم عقل اهرم ماست و نقش‌آفرینان اقتصاد و سیاست عقلانی عمل می‌کنند و مهارت‌ها به یاری ما می‌آیند، امروزه این یقین به سختی و دشواری افتاده و ترس از آینده بر ما سلطه یافته است. (هیجان‌های اجتماعی، انتشارات پوف، ۲۰۱۹ پاریس)

امروز مردم‌فریبی بیدار شده، کینه‌ها سرریز کرده‌اند و نیاز به همبستگی و روح بدگمانی ما را فراگرفته است. واژه‌ها نمی‌توانند حال ما را به‌درستی بیان کنند، سنت فلسفی همیشه نافذ نیست، علوم انسانی مانند جامعه‌شناسی و روان‌شناسی از درک احساسات جدید ما عقب افتاده‌اند. در این شرایط، یک پرسش جامعه‌شناسانه دربارهٔ سرچشمهٔ هیجان پدید می‌آید. هیجان به ناخودآگاه متصل است. از دید روان‌کاوی، ما هیجان را کنترل نمی‌کنم و خود قربانی هیجان و منبع پنهان و آشکار

آن هستیم. حال، زمانی که از فرد گذر می‌کنیم و به جامعه می‌رسیم، جامعه نیز هیجان‌زده است. رفتارهای گروهی با پریشانی، گسیختگی و نگرانی همراه هستند. هیجان و حس ما در چه فضایی شکل می‌گیرند؟ تبلیغ ایدئولوژیک حکومتی، افسانه‌سازی جامعه، صدای جنگ، تهدید ترامپ، رجزخوانی سپاه، سقوط پول، فلاکت مردم، بحران زیست‌بوم جهان، اعتصاب کارگر و معلم، بازی چندگانهٔ پکن، نیرنگ مسکو، بی‌سامانی سیل‌زدگان، صدای جان بولتون و مجاهدین، ترورهای اسلامی و راست تندرو، فشار شبکه‌های اجتماعی، حرکت ناو جنگی آمریکا به‌سوی خلیج فارس، مرگ یک پدر، هنر ممنوع، آخوند انگل، خرافات شیعه، سانسور کتاب، پراکندگی سکولاردموکرات‌ها، حضور مزدوران عرب در ایران، بازی‌های آمریکا و روسیه و اروپا، آیندهٔ ایران، دلهره از ادامهٔ قدرت سیاسیِ فعلی، مرگ هواداران محیط زیست، نابودی ثروت‌های زیست‌محیطی، نفت و فسادِ و قدرت، وطن‌فروشان سیاستکار، زنان سیلی‌خورده، جوانان نگران و اسلامی که طاعون ماست. تمامی این عوامل بر احساس و هیجان ما اثر می‌گذارند ولی معنای این رویدادها چیست؟ اندیشه گرهٔ مرکزی را چگونه تعریف می‌کند؟ ملت‌هایی در طول تاریخ برای همیشه نابود شدند. حال، سرنوشت ما چه خواهد شد؟ من از خِردگرایی ناامید نیستم ولی خِردگرایی کلاسیک کافی نیست. فلسفهٔ دِکارت لازم است ولی کافی نیست. هرچه زمان می‌گذرد هیجان‌ها آشفته‌تر می‌شوند ولی ما نیازمند اندیشهٔ قدرتمندتر هستیم تا پیچیدگی‌ها را کمی بهتر درک کنیم. امتیاز برتری یک ملت در هوشیاری و قدرت اندیشه نخبگانش است. چگونه اندیشهٔ خود را پرورش و گسترش دهیم؟

محیط زیستِ بحرانی

طی چهل سال بیش از سی درصد منابع طبیعی ایران نابود شد. دریاچه ها، رودها، جنگل ها، مرغزارها، آب ها، دنیای وحش، با ویرانگری بیسابقه ای دچار شدند و نسل‌های آینده با نگرانی‌ها و اضطراب بزرگی زندگی خواهند کرد. چالش زیستبومگرایی یک چالش بنیادی و محوری در ایران است. در این زمینه جنبش سیاسی اپوزیسیون ایران کاملن عقب مانده است و همان درکی از طبیعت دارد

که حکومت موجود دارد. اقتصاد و فرهنگ و سیاست پیشنهادی آنان همان بینش حاکمان است زیرا چالش زیستبومگرایی در بینش آنان غایب است.

محیط زیست ایران در شرایط بسیار نابسامانی قرار دارد و هر پیشامد ناگوار طبیعی شرایط را بدتر می‌کند. اشاره کنیم به یک رویداد طبیعی تا عمق بی لیاقتی حکومت روشن شود. سیلاب‌های در شمال ایران در گام نخست ناشی از تشکیل بادهای بسیار سهمگینی بوده‌اند که گاه با عرض سه تا چهارهزار کیلومتر پیش رفته‌اند و از روی اقیانوس به شرق و از جمله ایران حرکت کرده‌اند. این بادها رطوبت اقیانوس را انتقال می‌دهند و با سرد شدن‌شان معیان ایجاد می‌شود و ابرها شکل می‌گیرند و بارش باران آغاز می‌شود. البته افزایش گرمایش زمین در این زمینه به‌طور مستقیم دخالت دارد و رویدادهای ناگوار را شدت بخشیده است. حال، برای توضیح آنچه در ایران گذشت فقط نمی‌توان از وضع اقلیم جهانی صحبت کرد. یک پیشامد طبیعی در ایران به فاجعه تبدیل می‌شود زیرا حاکمان در ایران توانایی پیشگیری لازم برای رویارویی با بحران را ندارند و خود سرچشمهٔ بحران هستند. مدیران حکومتی افراد شایسته‌ای نیستند و ویرانیِ محیط زیست یک ویژگیِ طبیعی این نظام است. در تیر ماه ۱۳۹۹ وضعیت اقلیمیِ منجر به بارش زیاد شد به‌نحوی که در استان گلستان بارش در ۲۴ ساعت معادل شصت درصد بارش سالانه بوده است. البته چنین‌چیزی طبیعی است ولی بی‌خانمانی و ویرانی خانه و روستا و شهر نتیجهٔ بی‌کفایتی حاکمان است. چه باید کرد؟ در این شرایطَ و در کوتاه‌مدت، کمک‌های سریع امدادی و تأمین سرپناه و کمک‌های پزشکی و روان‌شناسانه از اهمیت بالایی برخوردارند. کمک به افراد سالمند و کودکان و دیگر افراد و نیز نجات حیوان‌ها از نابودی دارای اهمیت‌اند. در گام دوم، برنامهٔ سریع بازسازی و تعمیر خانه و کاشانه و محل کار افراد بسیار مهم است. درماندگی و فشار و تنگنای روانی و اجتماعی آزاردهنده است. جلوگیری از ویرانی جنگل‌ها و موانع طبیعی، پاکسازی رودها و کانال‌ها و نهرها، تحکیم سدبندها، مدیریت آماری کمی و کیفی محیط زیستی و نیز خبررسانی دقیق به مردم و نهادها باید در دستور کار قرار گیرد. در گام سوم، بینش شهرسازی و مسکن‌سازی باید دگرگون بشود و درک زیست‌بوم باید محور کار قرار گیرد. خانوادهٔ بی‌چیزان و تهی‌دستان بیشترین آسیب را می‌خورند و قدرت بازسازی ندارند. بنابراین، حضور دولتی و نهادها و تنظیم بودجهٔ دولتی بسیار کلیدی است. در جمهوری اسلامی، هیچ‌چیزی

به‌درستی کار نمی‌کند و در تمام تراژدی‌های طبیعی در ایران حکومتیان عمدتاً بی‌کفایت بوده‌اند و به وظایف خود عمل نکرده‌اند. افزون‌بر آن، دزدی و چپاول کمک‌ها و بی‌سروسامانی برنامه‌ها و نبود سرمایه گذاری باعث شده تا مردم آواره و آسیب‌دیده در فلاکت باقی بمانند.

جشن‌های ایرانی و کیستی

آخوندها می‌خواستند جشن «چهارشنبه‌سوری» و «نوروز» را ریشه‌کن و خفه کنند زیرا این رسوم را ترویج «شعائر مجوس» می‌دانستند. در واقع، اسلام بنابر چیستیِ انحصاری‌اش از همان آغاز خواهان چیرگی بر سرزمین مغلوب‌شدگان، بدنِ اسیران و روان تسلیم‌شدگان بوده. تجاوز به سرزمین ایرانیان سرآغاز روند اسارت روان ایرانیان بود. فروریزی قدرت پادشاهی ساسانی، سرآغاز ازخودبیگانگی فرهنگی و روانی ایرانی شد. ایرانیان به اسلام باختند و طی سده‌های پیاپی به خمودگی و پریشان‌حالی دچار شدند. اسلام خشن با تمام پستی‌هایش در ذهن و تربیت و رفتار ما نشست و ناآگاهیِ شیعه‌گری ما را فراگرفت. بی‌شک، فرهنگ پیش از اسلام ایرانیان با سنت طَبیعی و افسانه و تاریخ شاهان و جشن‌های مردمی و نیز با دین‌گرایی همزاد بود ولی تحمیل اسلام و سقوط ناشی از آن ما را به قعر تاریکی فرستاد. ما تنها در سیاست شکست نخوردیم بلکه در روان و ناخودآگاه خود نیز تسلیم شدیم و دشمنان خود را بر دوش و در قلب خود جای دادیم. کیستیِ تاریخی، که پیوسته دگرگون می‌شود، این بار با جراحت دردناک و خونینی مشخَص شد و این جراحت یک داغ بزرگ اسلامی بر رفتار و بینش ما گذاشت. ما به‌اجبار مسلمان شدیم و در پَستی اجتماعی و فرهنگی غلتیدیم.

اما این فروافتادن نمی‌توانست مطلق باشد، نمی‌توانست همهٔ گذشته غیراسلامی و پوياییِ زندگی را نابود کند. به جشن نوروز نگاه کنید، جشنی با دیرینه‌ای هزاران‌ساله، جشنی با پیوند آشکار و نامرئی برای شادمانی و زنده بودن، جشنی با حس آرامش و صلح، جشنی با پیوند در طبیعت، جشنی که انسان‌ها را به خنده و شادی می‌کشاند. این جشن طبیعی در برابر سنت گریه و اندوه و پستیِ شیعه‌گری و رسوم شهادت‌خواهی و ماه‌های رمضان و محرم آن قرار می‌گیرد. فرومایگان

اسلام‌گرا مانند امامان شیعه، کلینی، مجلسی، شریعتی، مطهری، خمینی، خامنه‌ای، جنتی و دیگران با روایات خودساخته و تهدید و خدعه و دروغ تلاش کردند تا سنت مردمی مانند مهرگان و چهارشنبه‌سوری و نوروز را تخطئه کنند و با نفرت و بی‌تفاوتی و توهین به دست فراموشی بسپرند اما خوشبختانه اسلام‌گرایان پیروز نشدند زیرا این جشن‌های هزاران‌ساله با درون ما، با حس ما، با خاطرهٔ ما و با افسانه و قصه‌های مادران‌وپدران ما درهم آمیخته‌اند. کیستیِ ما زخمی است ولی این جشن‌ها در آن باقی مانده‌اند. افزون‌بر آن، جامعه با پویایی و نوآوری‌های شگفت‌آور خود هر ساله بهتر از سال پیش این جشن‌ها را ادامه می‌دهد و پربارتر می‌کند.

زندگی و مرگ و خویشاوندی روانی با دین

در گورستان به هنگام خاکساری، شمار زیادی از ایرانیان حاضر بودند. در این دوران شاید حضور و دیدار مستقیم در نشست‌ها کم شده ولی هنگام از دست رفتن یک عزیز فرصت دیدار فراهم می‌شود. سال‌ها سپری می‌شوند و باز دوستانی دیگر ما را ترک می‌کنند و روشن است که روزی هم نوبت ما می‌شود. پس از مرگ، بدن ما به اجزای ریز و مواد شیمیایی تبدیل می‌شود و آن‌ها هم به چرخش خود در جهان بی‌پایان ادامه می‌دهند. آنچه که در بدن ماست از آنچه که در کرهٔ زمین و ماه و خورشید و تمامی کهکشان‌ها وجود دارد جدا نیست. سفر آدمی به‌شکل دیگری ادامه خواهد یافت. از هم جدا می‌شویم و چه بسا دیدارها به نوعی دیگر در کهکشان‌ها ادامه می‌یابند. حال، اینجا و روی این زمینی که هستیم دیدارهایی رخ می‌دهند که لذت‌بخش‌اند. لحظه‌هایی کوتاه و صمیمی که به خاطره‌های زیبایی تبدیل می‌شوند. دیدار یک مترجم، یک هنرمند، یک روانکاو، یک پزشک، یک اقتصاددان، یک روزنامه نگار، یک جامعه‌شناس و غیره، به‌عبارت دیگر، دوستانی چند که به یکدیگر احترام می‌گذارند و این خود خاطره‌انگیز می‌شود. در مناسبات دوستانه گاه کدورت‌ها و اختلاف‌ها بن بست بوجود می‌آورند و به جدایی منجر می‌گردد. وجود اختلاف طبیعی است ولی آنچه مهم است آلوده نکردن روابط انسان، با بدخواهی و دروغ و چاپلوسی است. بیان اختلاف نظر با صداقت و بدون

نیرنگ، بسیار پسندیده است. من کسانی را که پنهانکارانه علیه کسان دیگر بدگوئی می‌کنند دوست ندارم. شفافیت در مناسبات انسانی، آزادمنشی در روابط، بیان آشکار نظر و صمیمیت در دوستی ها، مورد پسند هستند. تنگ نظری و حسادت و بدجنسی، رفتار مورد نکوهش هستند.

این بار فرصتی یافتم که عزیزانی چون داریوش آشوری و فریدون خاوند را دوباره ببینم. داریوش آشوری را همه می‌شناسند. ترجمهٔ چنین گفت زرتشت فردریک نیچه توسط آشوری و نیز تلاش او در زمینهٔ زبان فارسی در زبان باز و انتشار کتاب‌هایی مانند ما و نوگرایی و پرسه‌ها و پرسش‌ها از جمله کارهایی هستند که در فرهنگ‌سازی تأثیر داشته‌اند. از جمله همکاری مشترکی که ما دو نفر با هم داشته‌ایم کنفرانسی دربارهٔ صادق هدایت بود. گاه‌به‌گاه فرصتی پیش آمده تا باهم گپ بزنیم و شرابی بنوشیم و درددل کنیم. داریوش آشوری مانند همیشه این بار هم به من گفت: «جلال، دوباره نواندیشان دینی را به نقد کشیدی.» منظورش این بود که هم‌سلیقه نیستیم و من هم گفتم: «داریوش جان، برای نفس کشیدن در فضای روشنفکری ایران و مدرنیته، این کار لازم است».

فریدون خاوند اقتصاددان است. خاوند، که استاد دانشگاه در پاریس بوده، از دوران بازنشستگی خود و دوران استراحت در جزایر آرام یونان می‌گفت. او به‌طور فعال دربارهٔ اقتصاد ایران در رسانه‌های شنیداری و دیداری خارج گفت‌وگو و برنامه دارد. او یکی از هواداران اقتصاد بازار است و به‌درستی به نقد اقتصاد ایران و اقتصاد سوسیالیستی می‌پردازد. او بارها به‌دنبال چاپ مقالات انتقادی من دربارهٔ چپ سنتی و شخصیت‌هایی مانند فیدل کاسترو از من پشتیبانی کرده و بسیار مهربانانه از من در نقد دین حرف زده و در همین دیدار گفت: «من کار تو در نقد اسلام را می‌فهمم، فکر تو در تلاش نوعی نوگرایی برای ایران است.»

ما روشنفکران گوناگون هستیم و هر کس در زمینه ویژه ای تلاش می‌کند. ما در زندگی خود اشتباه کرده ایم و امروز می‌توانیم اشتباه خود را بهتر نقد کنیم. یکی از اشتباه‌های سنگین روشنفکران ایرانی عدم نقد به دین اسلام بوده و می‌باشد. این اشتباه تکرار عادات سکوت در برابر اسلام است. در باره دین پرسش نمی شود و گویا تیره بختی و عقب ماندگی چیزی طبیعی است. ما انسان اسلامی شده ایم و به این خاطر پرسش نداریم و آنچه هست را طبیعی می‌یابیم. هنجارهای درون ذهنی ما با هنجار تعبدی اسلامی همسان شده و بنابراین در هویت کنونی خود لم

داده و ناراحت نیستیم. ما محصول کلینی‌ها و مجلسی‌ها و شاهان صفوی و قاجار هستیم، ما نتیجه بت سازی‌های اسلامی آل احمدها و شریعتی‌ها هستیم، ما نتیجه روایت‌های امامان و افسانه‌های عاشورا و امام دوازدهم هستیم، ما نتیجه تلفیق مارکسیسم و اسلام و ایدئولوژی امپریالیسم و شیعه گری و عرفانگرایی ادبیات خود و هانری کربن غربی هستیم، ما نتیجه جعلیات مرتجعانه مانند «روحانیت مترقی» و «جنبش ضدامپریالیستی» ۱۵ خرداد ۱۳۴۲ خمینی و معجزه ضدامپریالیستی و رهایی بخش امام خمینی در ۱۳۵۷ هستیم، ما نتیجه نادانی و جهالت خود هستیم.

ما خویشاوندی فکری و روانی با فرهنگ اسلامی داریم و با انحطاط خو کرده ایم، ما درون ازخودبیگانگی خویشتن آرامش داریم. این ازخودبیگانگی یک واگیری فراگیر است. روزنامه نگاران در رسانه هایی مانند رادیو بین المللی فرانسه، بی بی سی، صدای آمریکا، رادیو فردا، ایران انترناسیونال، رسانه کلمه و دیگر رسانه‌ها تقویت کننده این خویشاوندی هستند. روشنفکران و دانشگاهیان فراوانی در خارج همین وابستگی به اسلام را زمینه سازی و نگهداری می‌کنند. سیاستمداران پرشماری برای آسودگی خاطر خود و گفتمان استراتژیک سیاسی، با اسلام صلح کرده اند.

ما نوعی مرگ زدگی داریم. باید از این گورستان بیرون بیائیم. من بارها به خود گفته ام در زندگی از دوستی‌های صمیمانه لذت می‌برم و همیشه به خود میگویم تا هنگامی که نرفته ام، از زندگی خود باید بهره ببرم و تا آنجا که بتوانم تلاش فکری در نقد دین را ادامه دهم. آلبرکامو در افسانه سیزیف می‌گفت آگاهی و اعتراض ما تضمین کننده نفی زشتی است.

جلیقه‌زردها، جنبش اجتماعی گیج

جلیقه‌زردها برای چندمین بار پاریس را در ۲۰۱۹/۰۳/۱۷ با خشونت و کینهٔ خود مجروح کردند. آتش زدن و ویرانیِ رستوران و بانک و کیوسک روزنامه‌فروشی و ایستگاه اتوبوس و فروشگاه خسارَات اقتصادی و اجتماعی بزرگی به وجود آورد. این خشونت گردشگران را فراری داد، به صاحبان کار زیان سنگینی وارد آورد، شهروندان را عصبانی کرد و به حیثیت پاریس و فرانسه آسیب زد. جلیقه‌زردها

کیستند؟ آن‌ها حامل یک جنبش متعلق‌به حزب مردم و چپ تندرو و فاشیستی و راست تندرو و فاشیستی و آنتیسمیت ضد یهود هستند. روشن است که برخی خواسته‌های آنان مانندقدرت خرید و فشار مالیاتی مسائلی واقعی‌اند ولی این خواست‌ها برای جلیقه‌زردها دیگر مطرح نیست و یا کاملاً فرعی است. آن‌ها به دموکراسی پارلمانی کینه دارند و خواهان اقتدارگریزی و دیکتاتوری حزب مردم هستند. ویژگی حزب مردم مورد نظر آن‌ها با ضدیت با نمایندگان سیاسی و پارلمان و رئیس‌جمهور تجلی می‌یابد و با طرح دفاع از «خلق» مشخص می‌شود. در تظاهرات خشونت‌بار دیروز، کل آن‌ها در فرانسه ۳۲هزار نفر بودند ولی گویی ۶۶ میلیون فرانسوی را به گروگان گرفته بودند. «خلق» کیست؟ آیا خشونت به افراد مشروعیت و حقانیت می‌بخشد؟ انتخاب رئیس‌جمهور در فرانسه با هر میزان رأی و با هر ائتلاف سیاسی دارای مشروعیت است. هر گونه انتقاد به نظام سیاسی و ریاست‌جمهوری نفی حقانیت رئیس‌جمهور و پارلمان نیست زیرا حقانیت در نظام دموکراسی از راه رأی تعیین می‌شود. این گروهک‌های خشونتگر هیچ وزنهٔ اجتماعیِ جدی‌ای ندارند و قدرت آن‌ها در رفتار خشن و شبکه‌های اجتماعی آن‌هاست.

ویژگی این جنبش کدامست؟ جنبشی خشن و مردم‌فریب و دروغ‌پرداز، جنبشی ملهم از برخی لایه‌های اجتماعی میان‌شهری و لایه‌های بیکار و حاشیه‌ای و عناصر بریده از خانواده، جنبشی ضد مسائل زیست‌محیطی و خودخواهانه، جنبشی یهودستیز و توطئه‌گرا، جنبشی دموکراسی‌ستیز و ضد حقوق بشر، جنبشی افسونگر برای لایهٔ کوچکی از جوانان و افرادی با فرهنگی پایین و عامیانه، جنبشی که جلوهٔ کوچکی از مردم‌فریبیِ جهانی است. بیشتر روشنفکران و دانشگاهیان فرانسه این جنبش را نقد کرده‌اند و آن را به زیان دموکراسی می‌دانند. در محیط فرانسه حزب لوپن از بخش راست آن پشتیبانی می‌کند، حزب کمونیست و حزب مردم ملانشون و برخی شخصیت‌های چپ‌گرا نیز از بخش چپ نمای این جنبش پشتیبانی می‌کنند. میان چپ‌گرایان ایرانی نیز چپ‌های مارکسیستی از جلیقه‌زردها پشتیبانی می‌کنند زیرا آن‌ها همیشه ایدئولوژیک بوده‌اند و بر این باورند که برای سرنگونی سرمایه‌داری این پشتیبانی لازم است. بخشی از اسلام‌گرایان ایرانی نیز از جلیقه‌زردها پشتیبانی می‌کنند زیرا برای آن‌ها بسیج در برابر تمدن غربی یک وظیفهٔ مقدس است. کار ما نقد علمی تمام جنبش‌ها و قدرت‌هاست و روشن است که دفاع هیجانی و ایدئولوژیک خطا و نادرست است.

کتاب‌خوانی در ایران

در ایران با وجود ۵ میلیون دانشجو و ده‌ها میلیون دانش‌آموخته در چهل سال گذشته، خرید کتاب در سبد خرید خانوار ایرانی جایگاه ویژه‌ایی ندارد. بر اساس خبر روزنامه‌ها، اگر روزگاری چاپ کتابی با ۲ هزار نسخه در برابر جمعیت هشتاد میلیونی ایران شگفت‌انگیز بود، اکنون بسیاری از ناشران به‌دلیل گرانی هزینه‌های چاپ کتاب و استقبال کم مردم از بازار نشر، شمارگان بسیاری از کتاب‌ها را به ۲۰۰ تا ۵۰۰ نسخه کاهش داده‌اند. این بدان معناست که کتابی هرچند ارزشمند و خواندنی به‌ازای هر ۱۶ هزار نفر تنها در یک نسخه چاپ می‌شود. حس و تجربهٔ من این است که در خارج از کشور نیز خرید کتاب از جانب ایرانیان بسیار بسیار ضعیف است. نزد ایرانیانِ در خارج خرید کتاب به یک تربیت و رفتار اجتماعی تبدیل نشده است. افراد تحصیل‌کردهٔ اهل کتاب بسیار اندک هستند و آن‌ها برای پول دادن جهت خرید کتاب رغبتی ندارند. ای کاش ایرانیان بیشتر کتاب می‌خواندند!

چند نکته دربارهٔ فرانسه: در این کشور کتابی که ۲۰ یورو به فروش می‌رسد به هزینه‌های زیر تقسیم می‌شود: کتاب‌فروش ۶٫۶۰ یورو برمی‌دارد، توزیع‌کننده ۴٫۴۰ یورو، ناشر ۳٫۵۰ تا ۵ یورو، چاپ‌چی ۲ یورو، دولت ۱ یورو و بالأخره نویسنده هم ۱٫۶۰ تا ۲٫۴۰ یورو. هر سال، نزدیک ۵۰۰۰ دست‌نوشته از جانب نویسندگان جوان جهت چاپ به ناشران فرستاده می‌شوند که فقط بین ۵۰۰ تا ۶۰۰ رمان جدید چاپ می‌شود. در سال گذشته در فرانسه، ۱۲۰ میلیون رمان به فروش رفته است. یعنی به‌طور متوسط هر فرانسوی ۲ رمان خوانده است. در این کشور شمارگان برخی رمان‌ها به ۳۰۰ هزار هم نسخه می‌رسد. بر اساس یک همه‌پرسی، ۹۰ درصد فرانسویان کتاب می‌خوانند و ۳۰ درصد آن‌ها ادعا دارند که کتاب زیاد می‌خوانند. میزان ۷۰ درصد کتاب‌خوان‌ها کتاب خود را از کتاب‌فروشی‌ها می‌خرند و بقیه به کتاب‌خانه‌ها می‌روند. محل مطالعه مورد علاقهٔ فرانسوی‌ها در خانه و کافه‌هاست و ۳۰ درصد آن‌ها علاقمند هستند تا در مترو و اتوبوس کتاب بخوانند.

در ایرانِ هشتادمیلیونی شمار کتاب‌خانه‌ها به بیش از ۳۳۴۶ در سراسر کشور می‌رسد. در فرانسهٔ شصت‌وشش‌میلیونی این شمار بیش از ۷۰۰۰ ارزیابی شده. شمارگان کتاب در ایران کمتر از هزار نسخه است حال آن‌که میزان میانگین آن

در فرانسه به شش‌هزار نسخه می‌رسد. بعضی رمان‌ها در فرانسه با شمارگان یک میلیون چاپ می‌شوند. یکی از برنامه‌های ادبیِ تلویزیون فرانسه «کتاب‌فروشی بزرگ» نام دارد که هر بار با شرکت چند نویسنده برای معرفی کتاب‌های تازه‌شان اجرا می‌شود. نزدیک به چهارصد هزار بیننده این برنامهٔ ادبی را نگاه می‌کنند. بدین ترتیب، می‌توان گفت به‌طور کلی میزان کتاب‌خوان در کشور ما پایین است. چرا شمار کتاب‌خوان ایرانی کم است؟ دلایل گوناگونی را باید مورد بررسی قرار داد: دشواری‌های اقتصادی مردم، نبود تربیت لازم برای خواندن، سانسور و خفقان، فقدان سیاست تشویقی، نبود آموزگاران و استادان تشویق‌کننده، کمبود کتاب‌خانهٔ در دسترس، محیط خانوادگی نامناسب، غرق بودن در فرهنگ مصرفیِ روزمره، وجود انبوه خرافه‌گرایی، دلبستگی به کارهای تکراری، نبود نمایشگاه و جشن کتاب کافی، فعال نبودن شهرداری‌ها، ذهنیت تنبل، کوته‌بینی و خساست برای خرید کتاب و غیره از جمله عوامل کندکنندهٔ کتابخوانی هستند.

یک نکته دیگر را باید در نظر داشت. در ایران چاپ کتاب دینی مانند متن‌های دعا و افسانه امامان و رساله‌های مذهبی و قرآن و نهج البلاغه و احکام اسلامی، بخش مهم کتاب‌های چاپ را تشکیل می‌دهد. روشن است این کتاب‌ها از یارانه کلان دولتی و حوزوی برخوردارند و افزون برآن، این یاوه گوئی‌های دینی بمثابه تولید فرهنگی بشمار نمی آید.

از نظر موضوعی بیشترین تعداد کتاب‌ها مربوط به موضوع دین با ۱۷۰ هزار و ۳۸۶ عنوان و کمترین تعداد مربوط به موضوع کلیات با ۲۵ هزار و ۵۶۵ عنوان است. اما این رقم در سال ۱۳۹۳ مربوط به کتاب‌های علوم کاربردی بوده و پس از آن کودک و نوجوان است و کتاب‌های دین سومین رتبه را به خود اختصاص داده‌اند و در این راستا کمترین تعداد کتاب‌های منتشر شده مربوط به کلیات، زبان و هنر است. مقایسه این آمارها نشان می‌دهد که درصد افزایش کتاب‌های دینی در مقایسه دو سال پیش تر بیش از ۲۵ درصد افزایش یافته است، که به نظر می‌رسد رقم بالایی است.

نشریه همشهری می‌نویسد اگرچه تعداد عنوان کتاب‌ها در سال ۱۳۹۷، حدود ۱۰۱ هزار عنوان، حدود ۱/۳ درصد بیش از سال گذشته با ۹۹،۶۰۴ عنوان بوده است، اما افزایش قیمت کاغذ و مشکلات ناشی از تورم و تحریم‌ها موجب کاهش قابل توجه مجموع شمارگان کتاب‌ها از ۱۴۴،۶۳۶،۵۰۴ نسخه در سال ۱۳۹۶ به

۱۳۹.۳۹۳.۹۷۴ نسخه در سال ۱۳۹۷، یعنی کاهش ۳/۶ درصدی شده است. در سال ۱۳۹۷، از نظر موضوعی کتاب‌های کمک‌درسی و آموزشی با ۱۹ ٪، ادبیات با ۱۷ ٪ و کودک و نوجوان با ۱۵ ٪ و این سه موضوع در مجموع ۵۱ ٪ از کتاب‌های سال ۹۷ را تشکیل می‌دهد. همچنین تعداد عناوین سال ۱۳۹۷، در حوزهٔ فلسفه و روانشناسی ۱۸ ٪، ادبیات ۱۶ ٪، زبان ۹ ٪، تاریخ و جغرافیا ۵ ٪ و علوم طبیعی و ریاضیات ۱ ٪ نسبت به سال ۱۳۹۶ افزایش داشته، اما در سایر حوزه‌ها، برابر یا کمتر بوده است.(۱۶ اردیبهشت ۱۳۹۸).

کتاب خواندن به‌معنای گشایش فکری و روانی است و کسانی که در این مسیر قرار می‌گیرند استعداد و رؤیا و تصور و فکر خود را شکوفا می‌کنند. مردم بدون فرهنگ زود می‌میرند. آن‌ها که با فرهنگ هستند می‌آفرینند و از خود اثر باقی می‌گذارند به‌خوبی می‌دانند که کتاب یک راه برجسته برای فرهنگ‌سازی است. کتاب آشنایی با دیگری و آشنایی با تمدن‌هاست. ما با خواندن کتاب کیستیِ خود را دگرگون و سیّالیت روشن‌فکرانهٔ خود را تقویت می‌کنیم. کتاب‌خوانی یکَ سفر بزرگ است. شناخت جوامع، اخلاقیات و شیوهٔ زندگی مردمان دور و نزدیک و درک علوم انسانی و تجربی و تاریخ هستی آدمی با کتاب شدنی است. از کتاب داستان برای کودکان تا رمان‌های سرنوشت‌ساز و نظریه‌های ستاره‌شناسی، جامعه‌شناسی، فلسفی، تاریخی و هنری همراهان خوب ما هستند. باید به کتاب‌فروشی رفت و فضای آن را از نزدیک حس کرد. باید کتاب‌ها را لمس کرد، ورق زد، فصل‌هاشان را نگاه کرد، پیش‌درآمدشان را خواند و کتاب دلخواه را خرید. ما باید مردمان بافرهنگی باشیم و فرهنگ ارثی نیست بلکه دریافت و آموخته می‌شود و بر رفتار ما اثر می‌گذارد.

نظریه‌های گوناگون دربارهٔ دموکراسی

دموکراسی در آتن در دو هزار و پانصد سال پیش پدید آمد. در آن زمان گفت‌وگو و بحث آزاد در آگورا و تصمیم ناشی از آن نشان دموکراسی بود. این درک از دموکراسی هرگز نمی‌توانست بینشی قطعی باشد و در طول تاریخ پدیدهٔ دموکراسی با تناقض‌ها و ناتوانی‌های فراوانی همراه بوده و امروز هم در جهان

درک یگانه‌ای از آن وجود ندارد و اندیشمندان، جامعه‌شناسان و فیلسوفان در کشورهای گوناگون پیوسته نوآوری‌های خود را برای گسترش فکر دموکراسی مطرح کرده‌اند. واقعیت دموکراسی در کشورهای دموکراتیک و پارلمانی امروز نیز بسیار متفاوت است. برای نمونه، دموکراسی انگلستان دربرگیرندهٔ همهٔ احزاب سیاسی است و ملکه نیز نماد این کشور است. در فرانسه پادشاه وجود ندارد و نظام ریاست‌جمهوری قدرت فراوانی به شخص رئیس‌جمهور می‌دهد ولی، در هر صورت، در این کشورها همان‌گونه که منتسکیو هم مطرح کرده بود سه قوای اجرائیه و قانونگذار و دادگستری مستقل از یکدیگر عمل می‌کنند. هر زمانی که در این مناسبات سوءاستفاده وجود داشته باشد، قدرت چهارم که همانا رسانه‌ها هستند با تفحص و گزارش و انتقاد اقدام می‌کند. در دموکراسی هم امکان فساد وجود دارد ولی در درونش توان تصحیح بالاست. در الگوی‌هایی مانند جمهوری اسلامی فسادْ ساختاری است و هیچ‌گونه شفافیتی درش وجود ندارد زیرا الگوی سیاسی خودکامه است. بینش مارکسیستی دموکراسی را رد و الگوی حزب پرولتاریا و «قدرت خلق» را مطرح می‌کند. این بینشْ دموکراسی جمع‌گرا و پارلمانی را «بورژوایی و مردم‌فریب» معرفی می‌کند. در واقع، چپ‌های مارکسیست ایرانی فقط به الگوی غربی انتقاد حادّ می‌کنند و الگوی خود را عریان بیان نمی‌کنند. در واقع، آنان به «دیکتاتوری خوب» باور دارند، همان الگویی که قدرت اِستالین و مائو و کاسترو نمونه‌های تاریخی‌اش هستند.

جامعه‌شناس فرانسوی، ریموند آرون، می‌گوید: «رژیم دموکراسی، با وجود تمام کاستی‌هایش، بهترین رژیم سیاسی در تاریخ و در جهان است». بحث دربارهٔ دموکراسی باز است و چنین خواهد ماند. دموکراسی ارثی نیست و خود یک روند آموزشی است و همیشه با تناقض‌های درونی روبه‌رو خواهد بود. دموکراسی مستلزم جمع‌گراییِ حزب‌های سیاسی متضاد و آزادی گفتار است و به‌عنوان یک تجربهٔ انسانیِ پیوسته در حال انکشاف است. کیفیت دموکراسی به میزان آگاهی و تربیت در جامعه به احزاب با فرهنگ و دموکراتیک، کیفیت شخصیت نخبگان سیاسی، قدرت انتقادی مدام رسانه‌ها و نیز تناسب قوای سیاسی موجود در جامعه بستگی دارد. با این وجود، بسیاری از اندیشمندان از بحران دموکراسی حرف می‌زنند. به‌تازگی، کتابی به‌نام خلق علیه دموکراسی از استاد آمریکایی دانشگاه هاروارد یعنی یاشا مونک چاپ شده. در این کتاب، نویسنده رابطهٔ

شبکه‌های اجتماعیِ اینترنتی با دموکراسی را واکاوی می‌کند. ژیل فنشلستن، اندیشمند فرانسوی، دموکراسی را سست و در «حالت گازی» ارزیابی می‌کند. لوران بووت نیز بی‌توجهی به خواست اقلیت‌های فرهنگی را معضل امروزی به شمار می‌آورد. نیکولا باورز، اندیشمند فرانسوی، در کتاب خود با عنوان خشونت و هیجان می‌نویسد: «در زمانه‌ای که دموکراسی در خطر است، به سرگشتگی مردم توجه شود و با اتکا به الگوی گسترش اقتصادی پایدار و یک قرارداد اجتماعی جمع‌گرا و یک نظام مطمئن با نظم و آزادی فردی به نیازهای آنان پاسخ داده شود.» او می‌افزاید: «این شهروندانِ ملت‌های آزاد هستند که تصمیم‌گیرندهٔ تداوم دموکراسی یا شکست آن در سدهٔ بیست‌ویکم خواهند بود و یادمان باشد که دو خطر مرگبار ما را تعقیب می‌کند: یکی عوام‌گرایی و دیگری تعصب مذهبی ـ اسلامی». مارک لازارِ جامعه‌شناس هم می‌گوید: «روشن است که دموکراسی در خطر است ولی باید به مسئوولیت پژوهشگران و اندیشمندان اندیشید. پی‌یرهانری تاوالو، فیلسوف فرانسوی، در اثر تازهٔ خود یعنی چگونه باید بر مردمی شاه‌منش حکومت کرد؟ می‌گوید: «ما در بحران دموکراسی هستیم و یکی از مسائل مرکزی چگونگیِ حکم‌رانی بر مردمی است که خود را شاه می‌دانند. به نظر می‌آید که ما به ناتوانی قدرت دولتی و نیز تمایل به اقتدارگرایی گرفتاریم. حال، چه کنیم که آزادی مردمان و کارآرایی قدرت سیاسی با یکدیگر آشتی کنند؟»

آقای سروش، خمینی و انقلاب فرهنگی اسلامی

هذیان‌گوییِ دکتر عبدالکریم سروش یک بار دیگر نشان می‌دهد که آخوندها و نواندیشان دینی متحدند و منافع مشترک آن‌ها پشتیبانی از اسلام و ضدیت با آزادی است. آقای خمینی به‌دنبال تصرف قدرت هواداران خود را در مقام‌های مهم قرار داد تا دیکتاتوری دینی خود را بر جامعه چیره کند و آقای سروش در رأس کارزار «انقلاب فرهنگی اسلامی» قرار گرفت تا فاشیسم اسلامی بر دانشگاه و مدارس چیره شود. سروش این محبت و خدمت خمینی به خویش را هرگز فراموش نکرد. سروش نه‌تنها از دید عاطفی بلکه از دید فکری و ارزشی هم شیفتهٔ دیدگاه‌ها و رفتار و گیراییِ شخصیِ خمینی باقی ماند. چهل سال گذشت و کشور

ایران یکی از سیاه‌ترین استبدادها را تجربه کرد و امروز آقای سروش با دریدگی به ستایش خمینی می‌پردازد تا به آزادی‌خواهان آسیب بزند.

دکتر سروش در کالیفرنیا در سال ۲۰۱۹ به‌مناسبت چهلمین سالگرد انقلاب اسلامی می‌گوید: «اگر هیچ اختیاری نداشته باشیم جز این‌که بین شاه و آقای خمینی یکی را انتخاب کنیم بنده صددرصد آقای خمینی را انتخاب می‌کنم. خمینی باسوادترین رهبر این کشور بود از ایام اولیه حکومت هخامنشیان تا روزگار حاضر هیچ‌کس به لحاظ علمی به پای او نمی‌رسید. چرا؟ برای این‌که اولاً فقیه درجه اولی بود، عرفان هم خوانده بود، فلسفه هم خوانده بود. شاه قبل از آقای خمینی که بود؟ یک جوان بیست ساله که از سوئیس بلند شده بود آمده بود ایران ... سوادی نداشت ... حداکثر یک دیپلم داشت. آن دیپلم را هم من خبر ندارم. اصلاً جای مقایسه نیست ... نه‌فقط ایران، شما سراغ پادشاهان انگلستان و فرانسه بروید، این‌ها آدم‌های بافکری نبودند. در تاریخ ما آقای خمینی واقعاً یک نمونه‌ی بی‌نظیر بود در مقام حکومتداری. خمینی مرد شجاعی بود.» سروش در سال ۲۰۱۷ گفته بود: «خمینی و یارانش بدون تردید خادمان این مملکت بودند و با شهامت و شرافت به داد مردم بی‌پناه رسیدند و ما باید قدرشان را بدانیم و ادامه‌دهندهٔ راه درست آن‌ها باشیم و دربارهٔ تاریخ معاصر به شایعات توجه نکنیم و حقایق را از حقایق‌دانان بشنویم.»

با توجه به گفتهٔ سروش، چند نکته را یادآوری کنیم:

نخست، پس از چهل سال کشتار هزاران نفر و سرکوب بی‌رحمانهٔ مخالفان آقای سروش صددرصد خمینی را انتخاب می‌کند زیرا خمینی باسوادترین و علمی‌ترین رهبر بوده است. آقای سروش سواد و دانش خمینی در وادیِ تاریخ، روان‌شناسی، جامعه‌شناسی، اقتصاد، فیزیک، زیست‌شناسی، فلسفهٔ یونان و غرب، زبان‌شناسی، پزشکی و غیره چه بوده است؟ آقای سروش می‌گوید در زمینهٔ فقه خمینی اول بود. سروش، این فیلسوف اسلامی، شعور تشخیص را ندارد که فقه و مذهبْ علم و دانش نیستند بلکه فقط خرافه و جزم‌اندیشیِ دینی‌اند که به پشیزی نمی‌ارزند و فقط برای انسان زیان‌بارند. افزون‌بر آن، در مقایسه با عارفان بزرگ مانند مولوی و حافظ و کارشناسان برجستهٔ عرفان هم خمینی فاقد ارزش است و حتی فلسفه هم در نزد خمینی همان «تئوزوفی» ملاصدرا بود که پیش از هر چیز جز دین‌گرایی چیز دیگری نیست.

دوم این‌که آقای سروش از بی‌نظیری و شجاعت خمینی در مقام حکومتداری حرف می‌زند. آقای خمینی و یارانش دست‌کم یک سال پیش از انقلاب اسلامی مشغول معامله با بخشی از غرب بودند؛ ضمناً، ستیزجویی با همسایگان و دیپلماسی جهان شجاعت نیست. تحریک تروریسم و گروگان‌گیری دیپلمات آمریکایی در سفارت تهران و فتوا بر ضد سلمان رشدی شجاعت نیست بلکه تبهکاری و بی‌خِردی است زیرا بازنده کسی جز ملت و کشور ما نبوده است. خمینی در نوع خود بی‌مانند است زیرا جلاد برجسته‌ای است، جهادخواه است، آدمکُش است و تمام آخوندهای ناشایست و چپاولگر را بر مملکت ما مسلط کرد.

سوم این‌که آقای خمینی و آقای سروش خادمان اسلام و خانوادهٔ قریش هستند و هواداران مسخ و ازخودبیگانگی تاریخی ما. پشتیبانیِ سروش از خمینی جلاد و خرافه‌پرست در راستای منافع ایدئولوژیک خود اوست. این افراد دوست آزادی و دموکراسی نیستند بلکه خواهان خواریِ ملت ایران و سقوط فرهنگی ما هستند. آقای سروش دستخوش پریشان‌حالی و مازوخیسم و دیگرآزاری است. او می‌داند که شهروندان آگاه ما به‌طور گسترده بر ضد حکومت اسلامی و آیت‌الله خمینی هستند، او می‌داند که افراد آگاه از اسلام محمدی فاصله می‌گیرند و نمادهای این دین مانند خمینی را به دور می‌افکنند ولی آقای سروش تصمیم گرفته است تا بازهم خاک به چشم ملت بپاشد. رسم همهٔ اسلام‌گرایان چنین است.

الگوی کشاورزیِ فرانسه

نمایشگاه کشاورزی پاریس، که دارای دیرینگیِ زیادی است، یک دیدار بزرگ برای کشاورزان و دامداران و تعاونی‌های فراوان و بنگاه‌های مواد غذایی و تولیدکنندگان ماشین‌های کشاورزی به شمار می‌آید. این نمایشگاه از سال ۱۸۴۳ آغاز به کار کرده و هر ساله نزدیک یک میلیون نفر از آن دیدن می‌کنند. رقابت و مسابقه و انتقال تجربه و خبرگیری برای افراد حرفه‌ای و نیز خبررسانی به شهروندان از اهداف این نمایشگاه است. در این نمایشگاه نزدیک‌به ۱۵۰۰ غرفه سازمان‌دهی شده و تمام رشته‌های کشاورزی و دامی و غذایی حاضر هستند: دامپروری و تمام فعالیت‌های آن هم با حضور ۳۷۰ نژاد حیوانی، کشاورزی و

تمام محصولات و تکنیک‌های آن، صنعت و هنر غذایی و نوآوری‌های غذایی در فرانسه، تمام خدمات و نهادهای مربوط‌به کشاورزی و سیستم‌های تولیدی طبیعی و غیرشیمیایی. نمایشگاه، در عمل، حالت یک باغ‌وحش را دارد و در آن همهٔ جانوران پیدا می‌شوند. این نمایشگاه همانند یک باغ بزرگ و کشت‌زار آموزشی است. شما می‌توانید شیر گاو بدوشید، در «کافه عسل» زندگی زنبور و محصول آن را بررسی کنید، به تماشای مسابقه گربه‌ها بنشینید، جایزهٔ بهترین گاو شیرده را تماشا کنید، با آرد نان خوب بپزید، کشت پنبه و یا چیدن پشم گوسفند تا جا دادن آن در بالش‌های نرم را ببینید، دستگاه نوین و بزرگ درو ِ گندم و آرد شدن گندم را از نزدیک ببینید، بهترین ژامبون و پنیر و شراب را بچشید و شاهد مسابقهٔ کشاورزان برای بهترین گندم و جو را باشید. ضمناً، این نمایشگاه میدان رایزنی‌های اقتصادی هم هست. پشت درهای بسته و کنار میزهای شراب و پنیر، نمایندگان بازرگانی به چک‌وچانه‌زنی مشغولند. نمایندگان شرکت‌های غذایی با تولیدکنندگان گوشت و شیر و گندم و پنیر و شراب و آبجو مشغول گفت‌وگو هستند تا بهترین مواد با کمترین قیمت خریداری شود. همه از نبض بازار می‌گویند و بسیاری تمایل دارند تا مواد شیمیایی را در تولید و کشت خود کاهش دهند و به محیط زیست آسیب نزنند. مشتریان امروزه، به‌شکلی روزافزون از مصرف محصولات صنعتی که با مواد شیمیایی تهیه شده‌اند دوری و بر شمار هواداران محیط زیست افزوده می‌شود.

باید یادآوری کرد که فرانسه نخستین کشور در تولید محصولات کشاورزی و صنایع غذایی در اروپا و سومین کشور در جهان است. نزدیک ۵۴ درصد زمین‌های فرانسه به کشاورزی اختصاص داده شده است. فقط ۴ درصد جمعیت فرانسه در بخش کشاورزی فعال است ولی این کشور به‌دلیل دستگاه‌های نوین و تولید بزرگ صنعتی و تعاونی‌های فراوان مقام مهمی در تولید کشاورزی جهانی دارد. درآمد سالانهٔ فرانسه ۷۲ میلیارد یورو است. لازم به یادآوری است که گستردگیِ زمین‌های کشاورزی در ایران ۱۲ درصد است و بخش کشاورزی سهم بسیار کوچکی در تولید ناخالص داخلی ایران دارد. صادرات کشور هلند در زمینهٔ کشاورزی و دامپروری معادل کل صادرات نفتی سالانهٔ ایران است. کل تولید سالانهٔ گندم در ایران ۱۴ میلیون تُن است، حال آن‌که تولید سالانهٔ گندم فرانسه ۳۸ میلیون تُن ارزیابی شده است.

کشاورزی در فرانسه مورد پشتیبانیِ سیاست‌مداران است. رئیس‌جمهور فرانسه

هر سال یک روز را به دیدار نمایشگاه اختصاص می‌دهد. همهٔ احزاب سیاسی به دیدار کشاورزان حاضر در نمایشگاه می‌آیند. همهٔ روزنامه‌ها و رسانه‌ها گزارش تهیه می‌کنند و مردم به فعالیت کشاورزان علاقه دارند. اگر کشاورزی فرانسه جایگاه برجسته‌ای دارد تنها به‌خاطر اقدامات مدیریتی و کنترل‌کننده‌ای است که صورت می‌گیرند. نمایشگاه کشاورزی لحظهٔ پراهمیتی است و انگیزهٔ قدرتمندی برای کشاورزان به شمار می‌آید. ایران یکی از نخستین سرزمین‌های بشری است که در آن کشاورزی پدید آمد ولی امروز کشور ما وابسته‌به واردات محصولات کشاورزی است. حاکمان اسلامیِ فاسد و ناشایست و نظام اداری ناکارامد و بحران محیط زیستی و آب کمر کشاورزی ایران را شکسته است.

شجاعت اندیشیدن و جامعه‌شناسی

هانا آرنت می‌گوید اندیشیدن خطرناک است. آرنت ما را از فکر کردن نمی‌هراساند بلکه حرف او به‌معنای داشتنِ شجاعت است. باید واقعیت ژرف و چه‌بسا هولناک و دلخراش را دریافت و از مسئولیت خود آگاه شد. اندیشه در تکرار نمی‌ماند، کشف می‌کند، به ما آسیب می‌زند و چیزهایی را که ما نمی‌خواهیم ببینیم بر ما عریان می‌کند. اندیشیدن کار هر کسی نیست. نگاه کنید به لایه‌های اجتماعی: نخست، جمعیت نودوپنج درصدی موضوع مورد مطالعهٔ جامعه‌شناسی است ولی خود از درک ژرف و شناخت نظریهٔ ساختارساز محرومند. آن‌ها غرق در زندگی روزمره‌اند و اندیشیدن در کارشان نیست. دوم، لایه‌های تحصیل‌کرده که مسائل ژرف‌تر را می‌فهمد ولی حوصله و زمان کافی برای پرداخت فکری ندارد. سوم، گروه‌بندی بسیار کوچکی که اهل نظریه و نقّادی و شناخت نظریه‌های ساختاری است. جامعه‌شناسی دو گروه نخست را واکاوی می‌کند ولی با گروه سوم تکامل می‌یابد.

جامعه‌شناسی دارای زمان سنگین و پرسش‌کننده است. در بسیاری از جوامع، اندیشهٔ جامعه‌شناسی بسیار ناتوان است زیرا ساختار اندیشهٔ غیردانشگاهی منش تربیتیِ ساده‌لوحانهٔ نخبگان، سانسور دانشگاهی و دولتی و دینی و نیز رفتار دین‌خویانه منجر به قدرت نظری نمی‌شوند. یکی از ویژگی‌های کشورهای پیشرفته ایجاد نظریه‌های تخصصی در زمینهٔ علوم تجربی و علوم انسانی است. دانشگاه‌ها

و مراکز علمی و برنامه‌های دانشگاهی محل طرح و بررسی این علوم‌اند، چیزی که پیشرفت اندیشه را هرچه بیشتر و دقیق‌تر و آثار بزرگ اندیشهٔ بشری را ژرف‌تر می‌کند. در زمینهٔ جامعه‌شناسی، کشورهای مکتب‌ساز آلمان، فرانسه، آمریکا و انگلیس هستند. این کشورها با قدرت دانشگاهی و وجهه و اعتبار خود پژوهشگران دیگر کشورها را به‌سوی خود جلب می‌کنند و با یک بستر تاریخیِ غنی زمینه‌ساز مکتب‌های جدید هستند. بنابراین، جامعه‌شناسی با نیرومندی خود ساختاری نظری و دانشگاهی می‌سازد و به تمام پدیده‌های اجتماعی پرتو می‌افکند تا اندیشه و خِرد را فعال کند.

یکی از دانشجویانم از من پرسید: «جامعه‌شناسی به چه کاری می‌آید؟» من هم در پاسخ به او گفتم: «جامعه‌شناسی اندیشه‌ای است که به درد فکر کردن می‌خورد. جامعه‌شناسی مجموعه‌ای از مکتب‌های نظری است که با تدوین مقوله‌ها و روش‌ها برای شناخت و فهمیدن به کار می‌آید. درک جامعه و رفتار انسانی و عملکرد گروه‌بندی‌های انسانی به مقولهٔ نظری و درگیری اندیشمندانه و تجربه و آزمایش نیازمند است. البته ما برای اندیشیدن به تمام رشته‌های فکری نیازمندیم. روان‌کاوی، روان‌شناسی، انسان‌شناسی، تاریخ، اقتصاد و فلسفه همگی اندیشه‌پرور هستند و جامعه‌شناسی نیز ساختار روانی و قدرت درک را تدارک می‌بیند.» هر پدیده‌ای که در جامعه مشاهده می‌شود، قابل درک و فهم نیست. فهم یک پدیدهٔ اجتماعی و فهم رفتار انسانی ساده نیست. درک پیچیدگی انسانی، نیازمند اندیشه و نظریه است. آنچه در جامعه و نزد انسان دیده می‌شود با فهم پیچیدگی‌ها یکی نیست. اختلاف میان دو فرد با اختلاف دو فرد انسانی یکی نیست بلکه چه‌بسا اختلاف دو جهان‌بینی و دو دین، تجلی اختلاف دو قدرت سیاسی و دو مافیا و فرهنگ باشد. اندیشیدن به‌معنای یک قضاوت است که توسط فعالیت روشنفکری مغز انجام می‌پذیرد، به‌معنای گذر از سطح به ژرفا، درک رابطه‌ها، فعال کردن تمام شناخت‌های انباشت، و فراتر رفتن از آستان احساس و هیجان. پس هر کسی نمی‌تواند اندیشه کند و پدیده‌ها را بفهمد. جُرج برنارد شاو در جایی می‌گوید: «دو درصد از مردم می‌اندیشند، سه درصد فکر می‌کنند و نودوپنج در صد حاضرند بمیرند اما فکر نکنند.»

امید به زندگی در جامعه‌شناسی

انسان به‌اعتبار گسترش بهداشت و واکسن رایگان و پیشرفت علم پزشکی دارای امید به زندگیِ فزاینده‌ای است. امید به زندگی در ایرانِ پیش انقلاب ۵۴ سال بود و هم‌اکنون برایِ زنان ۷۴ سال و برای مردها ۷۲ سال است. امید به زندگی در فرانسه، کانادا و استرالیا نزدیک‌به ۸۵ سال است. در بیشتر کشورهای افریقایی چیزی میان میان ۴۰ تا ۶۰ سال است. بنابراین، مرگ به عقب رانده شده است؛ هرچند که آهنگ آن در جوامع گوناگون متفاوت است. انسان بیش از پیش به مسائل سلامتی و تندرستی پی برده و با پیشگیری‌های پزشکی عمر خود را افزایش داده.

امروزه انسان می‌تواند روی سیستم ژنتیک خودش کار و کاستی‌های آن را تصحیح کند و دست به افزایش طول عمرش بزند. البته با افزایش کیفیت در مواد غذایی و بهبود محیط زیست نیز عمر انسانی را می‌توان درازتر نمود. بنابراین هم بلحاظ علم و هم بلحاظ بهبود الگوی غذایی و زیست محیطی انسان بیشتر زندگی خواهد کرد. تفاوت امید به زندگی در ایران نسبت به فرانسه ۱۲ سال است. متوسط زندگی در ایران کوتاه‌تر است زیرا محیط زیست ایران آسیب فراوان دیده و اثرات منفی آن سلامتی انسانی را شکننده ساخته است و بعلاوه کیفیت مواد خوراکی هم پائین است زیرا مواد ارگانیک و طبیعی بشدت کم است و مواد شیمیایی زیان‌آور در کشاورزی پرمصرف است. مسئولیت این وضع بعهده کیست؟ مسئولان سیاسی حاکم و مدیران اقتصادی حاضر از جمله عوامل تخریب کیفیت زندگی هستند. این مسئولان حق ایرانیان را تباه می‌کنند و شهروندان ما نمیتوانند دارای همان امتیازی برای زندگی باشند که شهروند فرانسوی و کانادایی دارد.

حال زمانی که برای بخشی از جهان امروز زندگی طولانی‌تر امکان پذیراست و چه بسا امید به زندگی در یک دهه دیگر به ۱۰۰ سال برسد ما با شرایط تازه‌ای روبرو خواهیم بود. پیشرفت پزشکی ژنتیکی و زندگی طولانی‌تر چند پرسش اساسی تولید می‌کند. در عرصه فلسفی ایا با بلندتر شدن عمر انسان معنای زندگی تغییر خواهد کرد؟ آیا زندگی انسان بهتر شده و با خوشبختی بیشتر همراه خواهد شد؟ در عرصه جامعه‌شناسی افزایش جمعیت چه نتایجی خواهد داشت؟ مدیریت جامعه در زمینه آموزش و مسکن و شهرسازی و فرهنگ و بهداشت چه ویژگی باید داشته باشد؟ در عرصه اقتصادی و اکولوژیکی، تولید و محیط زیست چگونه

باید تنظیم گردد و مدیریت شود؟ درست است که کیفیت تولید و حفظ محیط زیست، کیفیت زندگی را بالا می‌برد. ولی مدیران اقتصاد همیشه بر پایه تعادل و عدالت رفتار نمی‌کنند و انسان با زیاده روی خود منابع طبیعی را هدر می‌دهد. سیاست‌مداران با کیفیت کسانی خواهند بود که قادرند چالش‌های بالا را بفهمند و متناسب با آن، سیاست بلندپروازانه و مسئولانه در پیش بگیرند.

نژادپرستی یهودی‌ستیزانه و جنبش جلیقه‌زردها

بر اساس آمار دولتی در سال ۲۰۱۸ نسبت‌به سال گذشته میزان ۶۹ درصد رفتار و اقدامات یهودی‌ستیزانه در فرانسه افزایش یافته است. در هفته‌های گذشته و همزمان با جنبش جلیقه‌زردها میزان رفتار و عمل نژادگرایانه و یهودستیز بازهم بیشتر شده است. برای نمونه، همانند زمان هیتلر روی ویترین مغازهٔ یک یهودی نوشته بودند «اینجا یهودی است». روی پوستر بانوی بزرگ سیاست فرانسه، سیمون وی، نیز با رنگ زرد نشان صلیب شکستهٔ نازیسم را کشیدند. برخی تظاهرکنندگان جلیقه‌زرد بارها شعار دادند که یهودی‌ها زیادی هستند و باید به تل آویو برگردند. هفت سال پیش یک باند تبهکار برای پول اقدام به گروگان‌گیری کرد و یک جوان یهودی را به‌خاطر یهودی بودنش زیر شکنجه کشت. پس از این واقعه، در محل جنایت او یک درخت زیتون برای صلح کاشته شد و همین چند روز پیش افرادی ناشناس همین درخت را هم از ریشه درآوردند و به‌جای آن صلیب شکسته ترسیم کردند. امروز در ادامهٔ همین‌گونه تجاوزات نژادی در هنگام تظاهرات جلیقه‌زردها شماری از آن‌ها آلن فینکل کروت، فیلسوف و جامعه‌شناس فرانسوی، را محاصره کردند و شعارهای نژادیِ ننگینی بر ضد او سر دادند. تظاهرکنندگان با خشم و فریاد می‌گفتند: «برو گم شو!» و «به اسرائیل برگرد.» به‌دنبال این تعرض یهودی‌ستیز هم رئیس‌جمهور و برخی دیگر از شخصیت‌های مسئول این حمله را محکوم کردند.

گرایش یهودی‌ستیز در فرانسه پیشینهٔ درازی دارد. کلیسا در گذشته و سیاست مارشال پتن در زمان جنگ و نیروگیری راستِ تندرو «جبههٔ ملی» خانوادهٔ لوپن نمونه‌هایی از تمایل یهودی‌ستیزی در فرانسه است. این تمایل یهودی‌ستیزی در اروپا یک واقعیت است و بخشی از جنبش جلیقه‌زردها مستقیم و نامستقیم دارای

چنین تمایلی است. البته بهانه‌هایی هم وجود دارند که به این گرایش فرصت لازم را می‌دهند تا کثافت تبلیغاتی خود را توجیه کند. این جنبش جلیقه‌زرد از همان آغاز دارای رگه‌های قوی مردم‌فریب و راست تندرو بود و بسیاری از جامعه‌شناسان و فیلسوفان و روشنفکران هم به انتقاد رفتار و شعار جلیقه‌زردها پرداختند و آلن فینکل کروت نیز از همان آغاز منتقد این جنبش بود.

بهانهٔ دیگر مسئلهٔ دولت اسرائیل است. گذشته از جناح راست تندرو بخشی از چپ‌ها نیز به شخصیت‌هایی مانند آلن فینکل کروت از زاویهٔ دیگری تعرض سیاسی می‌کنند زیرا از موضع او دربارهٔ اسرائیل خوش‌شان نمی‌آید. در این زمینه باید گفت بخشی از روشنفکران فرانسوی یهودی‌تبار از دولت اسرائیل پشتیبانی می‌کنند و نقدی بر سیاست دولت اسرائیل در قبال فلسطینی‌ها وارد نمی‌آورند. من فکر می‌کنم سیاست دولت اسرائیل در مورد سرزمین‌های فلسطینی‌ها استعماری است و در این منطقه بر اساس مصوبات سازمان ملل باید از وجود دو دولت اسرائیل و فلسطین پشتیبانی کرد ولی همهٔ افراد این موضع را نمی‌پذیرند. برای بخشی از چپ‌های فرانسوی و ایرانی موضع افرادی مانند فینکل کروت دربارهٔ دولت اسرائیل همچون یک «جنایت» است و با آن خشم و فحاشی هیجانی برخورد می‌کنند.

در کل، میلیون‌ها یهودی توسط نازیسم نابود شدند و این جنایت علیه بشریت درد همهٔ بشریت است. یهودی تنها قربانی تاریخ نیست و قربانیان دیگری هم در تاریخ بوده‌اند ولی گرایش نازیسم خواهان نابودی یهودی بوده و امروزه حرکات یهودی‌ستیز و توهین به یهودی و یهودکشی دارای همان چیستیِ پَست است. بخشی از جلیقه‌زردها حامل ایدهٔ عدالت هستند ولی بخشی دیگرشان حامل ویروس خشونت و تندروی و نژادگرایی‌اند. ارزش‌های ما باید پشتیبانی از انسان‌گرایی و آزادی باشد. هر گونه کینه بر ضد مردم و جنایت در حق انسان‌ها نشان سقوط به منجلاب است.

زمینهٔ برآمد انقلاب اسلامی

امروز چهلمین سالگرد انقلاب اسلامی است. معنای این انقلاب چیست؟ انقلاب اسلامی ریشه در تاریخ یورش اسلام عرب داشت. این ریشه با شیعه‌گری

ساختهٔ دوران صفوی استحکام یافت، با شکست‌های حقارت‌بار کشور و نکبت و خرافات دینی و سقوط جامعهٔ دوران قاجار فربه‌تر شد و در آستانهٔ ۱۳۵۷ به سیلاب چرکین و انفجار حقارت‌ها تبدیل شد و خمینیسم را به قدرت رساند. معنای انقلاب چه بود؟ انقلاب مشروطه اعلان قانونگرایی کرد و عصر پهلوی، با وجود گرایش استبداد، پل‌های ارتباطی با نوعی نوگرایی را برقرار کرد ولی امیال نیرومند جامعه به‌سوی ارتجاع دینی پیامبر کشش داشت. ناخودآگاهِ آلوده به شریعت قصد همزیستی با نوگرایی نداشت و اندیشهٔ خِردگرا در ناتوانی خود به شکست کشیده شد. خیزش فرومایگان و طاعون آخوندیسم در خرداد ۱۳۴۲ و دشمنی آن با آزادی زن و نوگرایی به‌طور قطعی حساب جامعه را روشن کرد. آن‌چه انقلاب می‌خواست رجوع به گنداب‌های رساله‌ها و روایات برای حکومت الله و سقوط به پَست‌ترین الگوی اجتماعی بود. پیش از انقلاب، آثار شریعتی و گفتار خمینی هر گونه میل به آزادی را نابود و اعضای جامعه را شیفته و پریشان ایدئولوژی شیعه کردند. ساواک با شکنجه و کشتار به عصبانیت جامعه افزود و میل به دیدار امام زمان را افزایش داد. روشنفکران و سیاسیون غیردینی گام‌به‌گام پشت امام جای گرفتند. دیپلماسی غرب از یک سال پیش از انقلاب با آخوندها وارد رایزنی شد و در نشست گوادلوپ ۱۴ تا ۱۷ دی‌ماه ۱۳۵۷ برنامهٔ انقلاب خمینیستی مورد تأیید قرار گرفت.

در طی یک سال پیش از انقلاب همه‌چیز جور و سامان‌دهی شد. تظاهرات گسترده همه‌جا را گرفت و قربانیان خیابانی با اسطوره‌سازی دینی انگیزه و وسیلهٔ بازتولید تظاهرات بعدی شدند. درجامعه درد و رنج بود ولی تظاهرات دینی عقلانیت را منکوب کرد. آیت‌الله‌ها راهبرد کسب قدرت را هدایت و با تبهکاری و نیرنگ کشتار تظاهرکنندگان توسط نظامیان را نردبان قدرت کردند. آن‌ها آتش‌سوزی سینما رکس آبادان را در ۲۸ مرداد ۱۳۵۷ سامان‌دهی کردند و ۴۰۰ نفر را زنده‌زنده کشتند و به‌دروغ رژیم را متهم کردند. آخوندها کشته‌های جمعهٔ سیاه ۱۷ شهریور را ۴۰۰۰ نفر اعلان کردند، حال آن‌که شمار آن‌ها ۸۸ نفر بود. خدعه و نیرنگ آخوندها در بطن دین و تاریخی بود ولی در پاریس هم خود را دوباره در کلام خمینی و در بهشت زهرا هم به نمایش گذاشت و چهل سال نیز ادامه دارد. در ۱۶ شهریور ۱۳۵۷ بود که شعارهای تظاهرات چنین بودند: «حسین سرور ماست، خمینی رهبر ماست» و «استقلال، آزادی، جمهوری اسلامی». این

شعارها معنای انقلاب را روشن کرده بودند. معنای انقلاب جز بازگشت قطعی به اسارت شیعه و سروری حسین همچون ازخودبیگانگی ما و نیز جز استقرار قدرت اسلام برای طبقهٔ غارتگر و رانت‌خوار آخوندها، چیز دیگری نمی‌توانست باشد. حکومت اللهی اسلام و آخوند، مرداب خونین ملت ایران است.

اسلام‌هراسی و اسلام‌خواهی

شبی سر میز غذا در یک مهمانی با دو تن از سیاسیون چپ سنتی دربارهٔ اسلام بحثی درگرفت. آن‌ها به من انتقاد داشتند که چرا بر ضد اسلام و پیامبر و قرآن انتقاد می‌نویسم و آسیب‌شناسیِ «بچه‌بازی» در اسلام را واکاوی کرده‌ام و، در پایان، آنها به این نتیجه رسیدند کهَ چون من از اسلام انتقاد می‌کنم، پس «اسلام‌هراس» هستم. این بحث شاید یک ساعت به درازا کشید و تلاش این دو نفر فعال چپ در پشتیبانی از اسلام شگفت‌انگیز بود. آن‌ها هر دو خودشان را مارکسیست معرفی می‌کردند و منظورشان این بود که در ایران دشمن فقط رژیم سرمایه‌داری است و نباید به دین توده انتقاد کرد. این‌همه تلاش برای حفظ یک جهان‌بینیِ استعماری از جانب دو مارکسیست شگفت‌انگیز بود. من در تجربه دیده ام کَه چپ‌های اسلاموفیل گاه بیشتر از اسلامگرایان انرژی می‌گذارند تا از دین محمد دفاع شود. این افراد فکر می‌کنند که با حربه «اسلام هراسی» می‌توانند یک شخصیت آگاه را خاموش کنند و افزون برآن من یکبار دیگر اعلام میکنم که هراس از اسلام که منشا خشونت و تروریسم است، امری عادی است. اسلام نوازش نیست بلکه منبع تولید وحشت است. مردمان جامعه غربی از اسلام گرایان و مدافعان متعصب و تروریست اسلامی ترس دارند زیرا این دسته‌های جنایتکار در پی تخریب تمدن و مردمان غیرمومن غیر مسلمان هستند. پیام اسلام در جهان پیام غزوات و فناتیسم است و این دین بیشترین گروه‌های تروریستی جهان را آبیاری می‌کند. بنابراین من از اسلام نمی ترسم زیرا نیرومندم و دارای اندیشه مبارزه پیگیر علیه آن هستم. ولی مردمان بسیاری وجود دارند که از اسلامگرایان در وحشت زندگی می‌کنند و ما باید اسلام را بعنوان یک ایدئولوژی جنایی محکوم کنیم و امنیت شهروندان جهان را تامین کنیم. سلمان رشدی سالیان درازی است که در شرایط نیمه مخفی زندگی

می‌کند و کشتار روزنامه نگاران شارلی ابدو نمونه ای از وحشت آفرینی اسلام است. کشتارهای پیامبر اسلام و علی ابن ابی طالب تا امروز ادامه دارد و شخص من نیز همچون طعمه ای دلخواه برای تروریست‌های اسلامی هستم.

من در طول سالیان متمادی بر اسلام و قرآن نقد و پژوهش نوشته‌ام زیرا این دین و فرهنگ قرآنی یکی از عوامل سقوط و ازخودبیگانگی جامعهٔ ما بوده است. خوشبختانه افراد بیش از پیش به چنین‌چیزی توجه می‌کنند و زشتی‌ها و بن‌بست ناشی از این دین را درمی یابند. اسلام، نابودیِ فلسفه و اندیشه است و در چیستیِ خود یک جهان‌بینیِ استعماری است. در تأیید این کار، بسیاری از دوستان ایرانی بارها و بارها مرا مورد محبت قرار داده و همسوییِ فکری خود را نشان داده‌اند. اگر اسلام در ایران ما پُرزور است به این خاطر است که روشنفکران و سیاسیون بی‌شماری کوتاه آمده و خاموش بوده‌اند و یا از خود بیگانه شده‌اند، دین‌خو و بی‌سواد بوده و با جهان‌بینیِ اسلامی سازشکار بوده‌اند. من این افراد مدافع را پیوسته به‌عنوان اسلاموفیل یا جانبداران اسلام به انتقاد کشیده‌ام. اسلام فقط یک حکومت اسلامی نیست بلکه تاریخ، فرهنگ، آداب، سنت و ذهنیتی با این پدیدهٔ منفی در هم آمیخته و ما باید به کار پژوهشی، فرهنگی و تربیتی خود ادامه دهیم و خِردورزی و روحیهٔ انتقادی و آزادمنشی را تقویت کنیم.

گفت‌وگو با دو فعال سیاسی به یک جدال تبدیل شد؛ از سوی آنها، برای پشتیبانی از اسلام و حفظ خرافات و منش‌های زشت اسلامی و از سوی من، انتقاد از اسلام و تأکید بر این‌که کار دانشگاهی و علمیِ روشنفکری نمی‌تواند با جهان اسلامگرایی در سازش باشد. آنها چپ هایی هستند که خدمتگذار استعمار اسلامی هستند. ما باید مطمئن باشیم که روشن‌گری در مورد دین در میان ایرانیان داخل و خارج در حال رشد است و دوران آغاز فروریزیِ ذهنیت کهنه‌گرا و دین‌خو مانند ذهنیت دو مهمان چپ‌گرای دیشب فرا رسیده است.

چاوِزیسم و واپس‌گراییِ فکری

آیا چاوِزیسم و الگوی چیره بر ایران ما شبیه هستند؟ بررسی قدرت سیاسی و جامعه‌شناسی سیاسی از حاکمان ما را به فهم قدرت و بحران سیاسی و اجتماعی

نزدیک می‌کند. برای نمونه، هوگو چاوز بیش از بیست سال بر ونزوئلا حکومت کرد و از انقلاب سوسیالیستی خود سخن راند و پس از او نیز مادورو، مریدش، به قدرت رسید. این کشور بزرگ‌ترین مخزن نفت در جهان را دارد و پس از آن باید از عربستان و ایران و عراق و کویت صحبت کرد. پول نفت برای ونزوئلا به بودجهٔ نظامی و کمک مالی به بخشی از جامعه و فساد در جامعه و گذشت بیش از ۲۵ سال بدون هیچ‌گونه سرمایه‌گذاری منجر شد و حتی صنایع نفتی برای استخراج هم از سرمایه‌گذاری محروم شدند و پالایشگاهای نفتی یکی پس از دیگری سقوط کردند و بسته شدند و تولید نفت خام هم با سقوط روبه‌رو شد. در تمام این دوران کشوری که بنزین و گازوئیل ونزوئلا را تهیه می‌کرد آمریکا بود. شرکت‌های آمریکایی در کشور خود مواد نفت خام را به بنزین تبدیل و به ونزوئلا وارد می‌کردند. چاوزیسم برای دریافت پشتیبانیِ مردم و فریب آن‌ها بخشی از درآمد نفتی را میان تودهٔ مردم پخش کرد ولی چیزی صرف اقتصاد و صنعت سرمایه‌گذاری نکرد. امروز مردم ونزوئلا در آستانهٔ قحطی قرار گرفته‌اند و اعتراض مردمی اوج گرفته است. روشن است که امریکا در پی تحکیم فرادستیِ خود از رهبر گروه مخالفان پشتیبانی می‌کند ولی این در دیپلماسی همهٔ دولت‌ها وجود دارد و از ارزش جنبش دموکراسی‌خواهیِ مردم ونزوئلا در جامعه نمی‌کاهد.

اگر به‌خوبی توجه کنیم خواهیم دید که سیاستِ نفتی و اقتصادی جمهوری اسلامی به سیاست چاوزیسم نزدیک است. بهره‌گیری از پول نفت برای فساد و بودجهٔ نیروهای نظامی و مداخلهٔ نظامی و جاسوسی در سوریه، عراق، افغانستان و یمن و نابودی خودِ ایران ویژگیِ اصلی سیاست حکومتی است. عوام‌گراییِ چاوزی و مادورایی با اسلام‌گرایی خامنه‌ای هم‌بستر و همسوست. حال، همین رژیم مردم‌فریب مادورو مورد پشتیبانیِ ژان لوک ملانشون فرانسوی و بخشی از چپ‌های ایران قرار دارد. گندیدگی این رژیم و استبدادش نفس جامعه را گرفته است ولی چپ‌های ساده‌لوح و ایدئولوژی‌زده با بهانهٔ مخالفت با ترامپ و آمریکا از حکومت مادورو پشتیبانی می‌کنند. واپس‌گرایی ایدئولوژیک ذهن شاخ‌ودُم ندارد. چپ‌های ایدئولوژی‌زده به‌جای درس گرفتن اَز سقوط شوروی و ورشکستگی اقتصاد ایرانْ پریشان و شیفته مادورو هستند. این افراد همان افراد یادمانه‌گرای اِستالینسم و مائوئیسم و کاستریسم و گواریسم هستند و اگر روزی به قدرت برسند الگوی اقتصادی اِستالینی و چاوزی را اجرا خواهند کرد. ملانشون و بخشی از چپ ایرانی از واپس‌گرایان تاریخ هستند.

زنان فیلسوف و زن در دین

سه فیلسوف زن در تاریخ اندیشهٔ معاصر نقش قاطعی داشته‌اند: سیمون ویل ۱۹۰۹-۱۹۴۵، هانا آرنت ۱۹۰۶-۱۹۷۵ و سیمون دوبووار ۱۹۰۸-۱۹۸۶. سیمون ویل با آثاری مهمی چون تفکر دربارهٔ عوامل آزادی و محرومیت اجتماعی و ریشه دواندن به نقد کار جسمانیِ کارگران و اگوی تیلوریسم به‌مثابه یک نظم کشندهٔ روح انسانی نگاه می‌کند. او در کارخانه کار می‌کند تا شرایط طاقت‌فرسای کارخانه را بفهمد و به تدریس فلسفه می‌پردازد و رنج انسان و زشتی هیتلریسم او را در شورش همیشگی نگه می‌دارد. هانا آرنت خودکامگیِ اِستالینی وهیتلری را به انتقاد نظری می‌کشاند و به‌طرزی شگرف مفاهیم فلسفی و فرهنگی را گسترش می‌دهد. آرنت به‌شیوهٔ فلاسفهٔ سیاسی کلاسیک در پی فهم تجربهٔ سیاسی انسان و جایگاه سیاست در زندگی انسان است. از دید آرنت، تجربهٔ سیاسی تجربه‌ای است مستقل که باید در خودش شناخته شود اما در این عصر در علوم اجتماعی رایج مسخ شده است. سیمون دوبووار با آثاری چون همه می‌میرند و جنس دوم موجب بیداری زنان شده و نشان می‌دهد که اسارت زن از جنس او نیست بلکه ناشی از اجتماع و تاریخ است. سیمون دوبووار خود را هستی‌گرا و فمینیست تعریف می‌کرد. کتاب جنس دوم به مانیفست فمینیسم در جهان می‌ماند.

شوربختانه فرهنگ مردسالار و دینیِ یهودیت و کلیسایی و اسلامی همیشه وسیلهٔ سرکوب زنان و مانع شکوفایی و مسئولیت‌پذیری آن‌ها بوده است. زنان در عرصهٔ علمی، فلسفی، هنری، رمان‌نویسی، نقاشی و نیز سیاسی نشان داده‌اند که دارای خلاقیت و نوآوری و شایستگی بوده‌اند و هیچ‌چیزی کمتر از مردان ندارند. در جامعهٔ ما با حکومت اسلام و آخوند و قرآن زنان در بدترین شرایط قرار دارند و نظام دینی مانع ارتقای آن‌ها تا بالاترین جایگاه ممکن در کشورند. هواداری از اسلام و شیعه‌گری به‌معنای تداوم تأیید بندگی زن است. فقط در خارج از فرهنگ و احکام اسلامی و قرآن می‌توان به پیشرفت اجتماعی و سیاسی زن رسید. گفته‌هایی مانند «بهشت زیر پای مادران است» فقط برای اسارت زن و حذف او از سیاست و اجتماع و جایگاه علمی و فرهنگی است.

وجود زنان فیلسوف و برجستهٔ بی‌شمار در عرصهٔ دانش، ادبیات، سیاست، تجربه و پروژه‌های فنی نشان‌دهندهٔ توانایی و برابری زن‌ومرد است. نظام‌های دینی

و کهنه‌گرای مردسالار مردان را برتر از زنان می‌دانند و نقش و سهم آنان را در جامعه محدود می‌کنند. یک از عرصه‌های چالش برابری نقد دین و روان‌شناسی دینی است.

بحران جهانی و پایان یک جهان؟

نظم جهانی در بحران است. روبرت کاگان، اندیشمند سیاسیِ آمریکایی، در تازه‌ترین کتابش دربارهٔ بازگشت بی‌نظمی در جهان برآن است که ما با پایان نظم جهانی روبه‌رو هستیم و دونالد ترامپ یکی از گورکنان این نظم است. از دید او، جهان پس از جنگ جهانی دوم بر پایهٔ نظم لیبرال مستقر شد و این نظم با محور قدرت بزرگِ آمریکایی شکل گرفت. این نظم به پیشرفت بزرگی در زمینهٔ اقتصادی و فن‌آوری رسید. این الگو متکی‌بر جهان‌گرایی بود. گرچه ما هنوز در این الگوی جهانی قرار داریم ولی سیاست ترامپ که خودخواهانه است مطابق نظم جهانی لیبرالی نیست. از دید روبرت کاگان آمریکای ترامپ به یک «اَبَرقدرت بی‌سروپا» تبدیل شده است و این الگوی آشوب و بحران‌برانگیز است در صورتی که از دید او انتخاب نظم در سطح جهانی به الگوی جهان‌گرایی و انزواگرا محدود نمی‌شود. الگوی «چندجانبه» نیز یک الگوی مطلوب در مناسبات جهانی است. آمریکا فکر می‌کند کشوری است که توسط آب‌های دو اقیانوس از اروپا و از آسیا جدا می‌شود و حتی اگر جهان از هم بپاشد آمریکا در امنیت است، حال آن‌که این یک توهّم است. تجربه‌های سیاسی و اقتصادی بارها در تاریخ نشان داده که آمریکا نمی‌تواند خود را از بقیه دنیا جدا نگه دارد و به گوشه‌نشینی بپردازد. در دو جنگ جهانی آمریکا حاضر بود، در سازمان‌دهی بازرگانی جهانی آمریکا نقش محوری داشت، در برابر سیاست‌های شوروی آمریکا در جهان فعال بود و دیپلماسی اروپا همیشه با دیپلماسی آمریکا گره خورده و آمیخته بدان بود. برای روبرت کاگان سیاست ترامپ یک سیاست انزواطلب و خودخواهانه است و خود ترامپ یک پدیدهٔ روان‌شناسانه و تندروانهٔ حادّ است. همه‌چیز گِرد شحص ترامپ می‌گردد. این وضع با منافع آمریکا خوانایی ندارد زیرا جهان‌بینیِ ترامپ ایدئولوژی یک بخش از جمعیت آمریکاست.

ما هنگامی‌که به روند سیاست آمریکا در جهان نگاه می‌کنیم شاهد روند نوعی کناره‌گیری هستیم، انگار که آمریکا خسته است و این کشور از نقش خود خارج می‌شود. فرانسیس فوکویاما «پایان تاریخ» را اعلام کرد و از نظر او حوادث برخلاف آمریکا اتفاق می‌افتند و دیگر کاری نمی‌شود انجام داد و سرنوشت ترسیم شده است. حال اگر به کارنامه آمریکا نگاه کنیم شکست آمریکا در ویتنام به شکست آمریکا در افغانستان و افتضاح مداخله آمریکا در عراق منجر شد و این روند محتوم یک سراشیبی است. اعلام سیاست ترامپ برای جداکردن و دوری از اروپای لیبرال نقطه حساس تاریخی است. در ۱۹۴۵ آمریکا در قدرت‌گیری اروپای دموکراسی طلب سهم عظیم داشت و امروز دوری آمریکا با بحران‌های ناسیونالیستی توام خواهد شد. در سال ۲۰۰۸ تعداد نظامیان آمریکا در کل خاورمیانه به ۱۹۱۰۰۰ نفر میرسید و سال ۲۰۱۸ این تعداد به ۱۸۷۰۰ نفر افت کرد. در همین دوره شمار نظامیان آمریکا در اروپا به ۶۵ هزار می‌رسید و امروز هم همین تعداد باقی مانده‌اند. حال، اگر سیاست ترامپ تکان شدیدی در تناسب قوای اروپای به وجود آورد نتیجه چه خواهد شد؟ آیا روسیه متمایل نخواهد شد تا جای خالی را پر کند؟ آمریکا از سوریه بیرون می‌رود زیرا جنگ سوریه برای آمریکایی‌ها نفع زیادی نخواهد داشت و روسیه و ایران برندگان این جنگ خواهند بود. هنگامی که پوتین شبه‌جزیره کریمه و مناطقی در شرق اوکراین را در سال ۲۰۱۴ تصرف کرد، غرب هیچ کاری نتوانست انجام دهد. ترامپ در مورد اروپا می‌گوید ما هزینهٔ سنگینی را تحمل می‌کنیم و بودجهٔ چتر پیمان نظامی ناتو به‌طور گسترده توسط آمریکا تأمین می‌شود. ترامپ نمی‌خواهد به دیگران پول و بودجه بدهد، حال آن‌که از دید او آنچه ارجحیت دارد منافع آمریکاست. ترامپ می‌خواهد سیاست آمریکا در رأس باشد و دیگران پیرو منافع آمریکا باشند. البته سیاست فرادستی‌خواهانهٔ سنتی آمریکا این هدف را با همکاری متحدان و پیمان‌های رسمی در نظم جهانی تأمین می‌کرد ولی امروز ترامپ تأمین این منافع را با نفی و طرد متحدان جست‌وجو می‌کند. ترامپ حامل مردم‌فریبیِ کوته‌بینانه‌ای است که به‌طور مشخص فقط منافع گروهی از آمریکاییان را در نظر دارد. این مردم‌فریبیِ ترامپی نظم جهانی لیبرالِ رایج را مانع هدف خود می‌داند.

جهان چندقطبی شده است؛ مردم‌فریبی‌های گوناگونی وارد صحنه شده‌اند، نظام لیبرال با تناقضات جدیدی روبه‌روست و تنش‌های بزرگی در راهند. جهان ما نیازمند یک نظام معتدل متکی‌بر همزیستی مسالمت‌آمیز و احترام به محیط زیست است.

قرن بیستم، سدهٔ انقلاب‌ها

یک سدهٔ گذشته سرشار از انقلاب و کودتا و جنبش بوده. جنگ جهانی نخست با بیست میلیون قربانی از ۱۹۱۴ تا ۱۹۱۸، انقلاب لنینیستی اکتبر ۱۹۱۷، جنگ جهانی دوم با بیش از ۶۰ میلیون قربانی و با کشتار شش میلیون یهودی از ۱۹۳۹ تا ۱۹۴۵، انقلاب مائویستی چین در ۱۹۴۹، انقلاب اندونزی در سال ۱۹۴۹، انقلاب ویتنام در ۱۹۵۴، انقلاب الجزایر در ۱۹۶۲، انقلاب لیبی به رهبری قذافی در ۱۹۶۹، انقلاب کوبا به رهبری فیدل کاسترو در ۱۹۵۹، انقلاب در کنگو در سال ۱۹۶۸، انقلاب گینه در سال ۱۹۶۸، انقلاب ماه مِه فرانسه در ۱۹۶۸، انقلاب اریتره بر ضد اتیوپی در سال ۱۹۹۱، انقلاب میخک‌ها در پرتغال در ۱۹۷۴، انقلاب خمرهای سرخ کامبوج در ۱۹۷۴، انقلاب در برابر نظامیان در یونان در سال ۱۹۷۴، انقلاب انگولا در سال ۱۹۷۵، انفلاب نیکاراگوئه در ۱۹۷۹، انقلاب اسلامی در ایران در سال ۱۹۷۹، انقلاب لائوس در سال ۱۹۷۵، انقلاب فیلیپین در ۱۹۸۶، سقوط صدام حسین در ۱۹۹۱، تصرف قدرت در افغانستانِ توسط طالبان در ۱۹۹۶، انقلاب چاوز در ونزوئلا در سال ۱۹۹۸، انقلاب یا سقوط رژیم‌های سوسیالیستی اروپای شرقی مانند بلغارستان و چکسلواکی و آلمان شرقی و رومانی از ۱۹۸۹ تا سال ۱۹۹۱، انقلاب نارنجی در اوکراین در سال ۲۰۰۴، انقلاب‌های بهار عربی در تونس و مصر و لیبی و سوریه و یمن در سال ۲۰۱۱، انقلاب بورکینافاسو در سال ۲۰۱۴، جنگ و قدرت داعش در سال ۲۰۱۴ و صدها رویداد سیاه‌وسفید و قهوه‌ای و سرخ دیگر.

چگونه یک سدهٔ گذشته را بفهمیم؟ یک چرخش اساسی در تاریخ بشری؟ یک سده از بزرگ‌ترین خشونتهای بشری؟ یک سده تکان‌های شدید اجتماعی و سیاسی برای زندگی نوعی دیگر؟ یک سدهٔ سرشار از جنایتکارترین رژیم‌های سیاسی؟ یک سده از آزمایش‌های بزرگ سیاسی در مدیریت جامعه انسانی؟ یک سده از وحشیگری و تبهکاری در برابر حقوق انسان‌ها؟ یک سده از دین و خرافه و کینه‌جویی و خودفریبی؟ یک سده برای ویرانگری در محیط زیست؟ یک سده برای آموزش جهت جلوگیری از بدی‌ها و زشتی‌های انسان‌ها؟ یک سده برای رشد غول‌آسای اقتصاد و فن‌آوری و تبدیل جهان به یک خانه متمرکز کوچک پر تضاد و شکننده؟ یک سده از توسعهٔ گستردهٔ ادبیات و درهم‌آمیختگی فرهنگ‌ها؟

یک سده از پیشرفت‌های علمی شگفت‌انگیز و درک پایان نظام خورشیدی تا چهار میلیارد سال دیگر؟ یک سدهٔ دیگر برای این‌که بازهم به اندیشیدن ادامه دهیم و دارای آرزو و رؤیا باشیم؟ یک سدهٔ دیگر تا در میان تیره‌بختی‌ها به روشنایی‌های بزرگ و کوچک امید ببندیم؟

هر یک از رویدادهای سیاسی و اجتماعی این یک سدهٔ گذشته انسان‌هایی را خوشحال و خوشبخت کرد و انسان‌های دیگری را به مرگ و تباهی محکوم. از سدهٔ هجدهم به این سو، انسان نوگرا بر آن بود تا آزاد و خودمختار باشد ولی آیا تجربهٔ سدهٔ گذشته ما را به این هدف نزدیک کرد؟ ارزیابی از جهان سدهٔ گذشته بسیار دشوار است ولی فکر می‌کنم انسان به پایان نرسیده و می‌تواند هنوز که هنوز است بازیگر صحنه باشد.

عوام‌گرایان جهان و تعریف خلق

آزادی‌خواهی در جهانْ محور ما است. در ونزوئلا نیکولا مادورو رئیس حکومت در بحران سقوط قرار گرفته است. با مرگ هوگو چاوز دیکتاتور مردم‌فریب و یار احمدی‌نژاد، مادورو که راننده اتوبوس و سندیکالیت بود به قدرت رسید و جامعه را به‌سوی تباهی اقتصادی، اجتماعی و سیاسی بیشتر سقوط داد. مادورو با تقلب در آخرین انتخابات قدرت را حفظ کرد ولی با مخالفت مجلس و «خوان گیدو» طرف شد و ریاست‌جمهوری‌اش مورد تأیید قانونی قرار نگرفت. زورآزمایی ادامه دارد. آمریکا به پشتیبانی از خوان گیدو پرداخت و روسیه و کرهٔ شمالی‌و جمهوری اسلامی و اردوغان ترکیه از مادورو پشتیبانی می‌کنند.

من از آزادی‌خواهان همهٔ کشورها پشتیبانی می‌کنم و مخالف سیاست فرادستی‌خواهی کشورها و مخالف عوام‌گرایان راست و چپ مانند ترامپ، بولسونارو، ویکتور اوربان، ژان لوک ملانشون، مارین لوپن، سالوینی و استیوبانون هستم. حال، بدبختانه در میان ایرانیان کسانی هستند که جانب مادورو را گرفته‌اند و او را در مقابل آمریکا تطهیر می‌کنند. این افراد چپ سنتی هنوز در یادمانهٔ خودکامه‌گرای پیشین هستند و به همین خاطر از فیدل کاسترو و هوگو چاوز و ملانشون و مادورو پشتیبانی می‌کنند. در بینش این افراد آزادی و دموکراسی

بی‌معناست و آن‌ها پیش از هر چیز پیرو ایدئولوژی هستند و به همین خاطر از دیکتاتورهای چپ و عوام‌گرا پشتیبانی می‌کنند. در میان ایرانیان، افراد راستی نیز وجود دارند که معجزه را در سیاست عوام‌گرایانهٔ راست و ملی‌گرایانه می‌بینند.

تمام رژیم‌های اِستالینی، هیتلری، خمینیستی، کاستریستی، مائوئیستی، ترامپیستی، اوربانیستی و چاوزیستی متکی‌بر دروغ و مردم‌فریبی و ایدئولوژی هستند. آزادی برای این سیاسیون مشروط است و فقط برای جناح خودشان است. سنگ محک ما در این دنیا آزادی و دموکراسی است. خلق‌گرایی یک نیرنگ تاریخی برای خفه کردن آزادی است. خلق یا همان «پوپل» در زبان فرانسوی یک مفهوم نادقیق و غیرعلمی است. آیا خلق به‌معنای مردم آست؟ آیا خلق به‌معنای قشر زحمتکش و کارگر و دهقان است؟ آیا خلق به‌معنای ملت است؟ هر یک از این عوام‌گراها تعریف خود را به وجود می‌آورد و تعریف دیگر را رد می‌کند. معیار عوام‌گراها ایدئولوژیک و خودپسندانه است. یک فرد عوام‌گرا تعریفی شخصی از خلق و نمایندهٔ خلق ارائه می‌دهد. این نظر فقط نظر آن فرد است و هیچ ربطی به واژه‌شناسی علمی و مفهوم جامعه‌شناختی دانشگاهی ندارد.

جمعیت زمین

در سال ۲۰۵۰ جمعیت زمین از هفت و نیم میلیارد به ۱۰ میلیارد نفر خواهد رسید. آیا زمین می‌تواند به ۱۰ میلیارد نفر غذا بدهد. در حال حاضر، ۸۲۰ میلیون نفر در جهان از بی‌غذایی یا سوءتغذیه رنج می‌برند. بیش از دو میلیارد و چهار صد میلیون نفر به‌خاطر پرمصرفی به بیماری‌هایی چون بیماری قند و گرفتگی عروق و بیماری قلبی دچار هستند. تولید کنونیِ مواد غذایی و کشاورزی عامل اصلی ویرانیِ محیط زیست است. سی درصد گازهای گلخانه‌ای ناشی از همین صنعت است. همین فعالیت کشاورزی چهل درصد زمین‌های جهان را دربرگرفته و بیش از ۷۰ درصد آب شیرین مصرفی را مورد استفاده قرار می‌دهد و میزان زیادی از مواد سمّی را به کار می‌برد. حال، پرسش پژوهشگران این است که آیا زمین توانایی فراهم کردنِ غذا با کمیت و کیفیت لازم را دارد؟ بر پایهٔ دیدگاه کارشناسان، زمین توانایی لازم برای دادن ۲۵۰۰ کالری به هر فرد را خواهد داشت. انسان روزانه به ۵۰۰ گرم

میوه و سبزیجات، ۱۲۵ گرم پروتئین، ۳۰ گرم گوشت قرمز و ماهی و گوشت سفید نیاز دارد. پژوهشگران بر این باورند که برای تغذیهٔ سالم انسان‌ها باید تولید میوه و سبزی و گندم را دو برابر کرد و مصرف گوشت قرمز و قند را پنجاه درصد کاهش داد. برای نمونه، یک آمریکایی باید میزان گوشت قرمز مصرفی‌اش را شش برابر کمتر کند، حال آن‌که بخش دیگری از جمعیت جهان نیازمند گوشت بیشتری است.

باید تعادل در مصرف پدید بیاید. در چنین حالتی زیست‌بوم جهانی می‌تواند مواد غذایی لازم را فراهم کند و در روند افزایش گازهای گلخانه‌ای مانند گاز متان و اکسید نیترو تأثیر بگذارد و افزایش آن‌ها را تا اندازه‌ای محدود کند. افزون‌بر آن، این تعادل، ۱۳ میلیون زمین‌های زیر کشت را حفظ می‌کند و آب‌های ذخیرهٔ زیرزمینی را ویران نمی‌کند. برای جمعیت ۱۰میلیاردی در آیندهٔ نزدیک باید فشار روی طبیعت را کاست و از آلودگی و نابودی طبیعت جلوگیری کرد. باید از کاربست مواد شیمیاییِ سمّی در کشت کاست و گونه‌گونی و گوناگونیِ طبیعت را حفظ کرد. در عرصهٔ کِشاورزی هم باید یک انقلاب جدید رخ بدهد تا این فعالیت تولیدی خودش را سالم‌سازی کند، باید کیفیت مواد را افزایش و کشاورزی پایدار و غیرشیمیایی را رشد داد، باید سلامتی انسان‌ها را با مواد غذایی خوب تقویت کرد واز افزایش گرمایش زمین جلوگیری به عمل آورد. بدبختانه صاحبان صنایع برای سودجویی بیشتر تقلب می‌کنند و انواع مواد شیمیایی را در صنایع غذایی به کار می‌برند و انسان‌ها را بیمار می‌کنند. غذاهایی که به‌شکل کنسرو در قوطی‌های فلزی در بازار عرضه می‌شوند خطر سرطان را به‌میزان ۱۲ درصد افزایش می‌دهند. بنگاه‌های صنایع غذایی با لابی‌ها و شیوه‌های بازاریابی و پنهانکاری برای سود بیشتر جامعه را بیمار می‌کنند و نفس زمین را می‌گیرند.

نقش پیامبر اسلام در ناخودآگاه جنسی مسلمان

محمد ۲۵ ساله بود که با خدیجه، دختر خویلد، ازدواج کرد. پس از مرگ خدیجه دوران چندهمسریِ پیامبر اسلام آغاز شد. دومین زن پیامبر سوده، دختر زمعه، بود. سومین زن او عایشه، دختر ابوبکر، بود که سنش در زمان ازدواج بین شش تا نُه سال اعلان شده است. چهارمین زن حفصه، دختر عمربن خطاب، بود. پنجمین

زن او زینب، دختر خزیمه، بود. ششمینِ آنها ام سلمه، دختر ابوامیه، بود. هفتمین زینب، دختر جحش، بود. هشتمین جویریه، دختر حارث رئیس قبیلهٔ بنی مصطلق و جزو غنائم جنگی، بود. نهمین زن پیامبر اسلام رمله، دختر ابوسفیان، بود. دهمین زن او صفیه، دختر حیی بن اخطب یهودی، بود. یازدهمینِ آنها میمونه، دختر حارث و خواهرزن ابوسفیان، بود. دوازدهمین زن او نیز ماریه، دختر شمعون قبطیه و نیز کنیز محمد، بود. سیزدهمین زن او نیز ریحانه، از اسرای بنی قریظه و سهم محمد از غنائم، بود. افزون‌بر زنان یاد شده، گفته می‌شود که فاطمه دختر سریح، هند دختر یزید، اسماء دختر سیاء، زینب دختر یزید، هبله دختر قیس، اسماء دختر نعمان و فاطمه دختر ضحاک نیز جزو همسران محمد، پیامبر اسلام، بوده‌اند.

الله در قرآن اعلان می‌کند که رسول او دارای امتیازهای گوناگونی است و زنان باید در خدمت نیاز و خواست محمد باشند:

یک: محمد می‌تواند بیش از ۴ زن عقدی داشته باشد. (قرآن، آیهٔ ۵۰، سورهٔ احزاب)

دو: محمد می‌تواند هر زن مؤمنی که خود را بدون مهریه و شهود به او ببخشد به عقد خود درآورد. (قرآن آیهٔ ۵۰، سورهٔ احزاب)

سه: محمد نوبت همخوابگی با زنانش را به هر نحوی که صلاح بداند می‌تواند تنظیم و یا مقدم و مؤخر کند. (قرآن، آیهٔ ۵۱، سورهٔ احزاب)

چهار: زنان محمد از نوبت همخوابگی که رسول برای آنان قائل می‌شود نباید محزون باشند. (قرآن، آیهٔ ۵۱، سورهٔ احزاب)

پنج: پس از درگذشت محمد کسی نمی‌تواند با زنان رسول ازدواج کند. (قرآن، آیهٔ ۵۳، سورهٔ احزاب) شش: زنان محمد باید در خانه‌هاشان بنشینند و مانند روزگار جاهلیت آرایش و خودآرایی نکنند. (قرآن، آیهٔ ۳۳، سورهٔ احزاب)

هفت: هر کس از زنان محمد اقدام به کار زشت آشکاری کند عذابش دوچندان خواهد بود. (قرآن آیهٔ ۳۰، سورهٔ احزاب)

هشت: محمد نسبت‌به دیگر مؤمنان برتری خواهد داشت. (قرآن، آیهٔ ۶، سورهٔ احزاب)

نُه: محمد می‌تواند با دختران عمو، عمه، دایی و خاله‌اش که با پیامبر از وطن خود هجرت کردند ازدواج کند. (قرآن، آیهٔ ۵۰، سورهٔ احزاب)

ده: هر کس از زنان محمد، الله و پیامبرش فرمان برد و کار شایسته کند، پاداشش را دوچندان می‌دهیم. (قرآن، آیهٔ ۳۱، سورهٔ احزاب)

یازده: محمد از رعایت عدالت و شناخت حق تساوی برای زنان خود معاف است. (قرآن، آیهٔ ۵۱، سورهٔ احزاب)

دوازده: زنان محمد از آن‌چه به ایشان بخشیده می‌شود (نفقه) باید خشنود باشند. (قرآن، آیهٔ ۵۱، سورهٔ احزاب)

سیزده: هر گاه کسی از زنان محمد متاعی درخواست می‌کند باید از پشت پرده با آنان صحبت کند. (قرآن، آیهٔ ۵۳، سورهٔ احزاب)

این امتیازخواهی و انحصارجوییِ جنسیِ پیامبر اسلام ناشی از چیست؟ مردسالاری، زن‌بارگی، بی‌اخلاقی، بچه‌بازی، عقده‌های جنسی، وصلت سیاسی، غنیمت‌جوییِ جنگی و پَست‌انگاریِ زن. قرآن می‌گوید: «نِسَاؤُكُمْ حَرْثٌ لَّكُمْ فَأْتُواْ حَرْثَكُمْ أَنَى شِئْتُمْ وَ قَدِّمُواْ لِأَنفُسِكُمْ وَ اتَّقُواْ اللهَ وَ اعْلَمُواْ أَنَّكُم مُّلَاقُوهُ وَ بَشِّرِ الْمُؤْمِنِين» (البقره، آیهٔ ۲۲۳) یعنی زنان شما کشت‌زار شما هستند پس از هر جا [هر وقت] که خواهید به کشتزار خود [در] آیید و آن‌ها را برای خودتان مقدم دارید و از خدا پروا کنید و بدانید که او را دیدار خواهید کرد و مؤمنان را [به این دیدار] مژده ده.»

پیامبر اسلام یک الگوی جنسی برای فرد و جامعهٔ مسلمان است. ایدئولوژی اسلام رابطهٔ جنسی است و جزم‌اندیشان سنتی و نوگرای اسلامی در عقده‌های بیمارگونهٔ جنسی فلج هستند. این آسیب‌شناسیِ جنسی ذهنیت اسلامی را پدید آورده و ناخودآگاهِ اسلامیِ فرد را تعیین می‌کند. مرد اسلامی از یک سو با خودفریبی از معنویت و اخلاق حرف می‌زند و به غرب می‌تازد و از سوی دیگر خود در زیاده‌خواهی و خیالات جنسی‌اش غوطه‌ور است. شکل‌گیری این زیاده‌رویِ تندروانه نتیجهٔ تاریخ دینی و بینش قرآنی و فرهنگ رایج مردانه است. این انحراف جنسی و تمایل به تجاوز با نفی ارزش انسانی و برابرانهٔ زن همراه است.

تروریست‌های اسلامی و دشمنان جامعه باز

دشمنان جامعه باز کیستند؟ مخالفان دمکراسی از بیرون و بویژه از داخل رژیم پارلمانی تعرض می‌کنند. تروریست اسلامی میدان عملکرد جهانی دارند و از این کشور به کشور دیگر حرکت می‌کنند و اسحله صادر می‌کنند و سازماندهی می‌کنند. ولی بسیاری از اسلامگرایان در داخل جامعه علیه نظم سیاسی مبارزه می‌کنند و

توطئه می‌ریزند. بنیادگرایان سلافیست و فناتیک و جهادگرا در نهادهای گوناگون حاضرند و روی بدنه جامعه و روی احزاب فشار وارد می‌کنند و جامعه را با تبلیغات ایدئولوژیکی مسموم می‌کنند. همه آنها علیه نظام دمکراسی فعالانه تبلیغ می‌کنند و آنرا بعنوان نظام «امپریالیستی و استعماری» معرفی می‌کنند تا اعتماد مردم شهروند شکسته شود. جناح نظامی آنها در دو بخش، علنی و مخفی، فعال هستند و پیوسته در پی ضربه زدن به نظام دمکراتیک هستند.

سال ۲۰۱۵ دو تروریست مسلمان «کواشی»ها ۱۲ تن از مسئولان هفته نامه طنز شارلی ابدو را در پاریس با مسلسل کشتند. آن‌ها هنگام فرار فریاد زدند: «انتقام پیامبر را گرفتیم.» در همان روز یک تروریست مسلمان دیگر، کولیبالی، ۵ نفر دیگر را کشت. از میان این ۵ نفر ۳ نفر یهودی بودند و تروریست مسلمان به آن‌ها اعلان کرد: «شما چون یهودی هستید کشته می‌شوید.». کشتار علیه مطبوعات و کشتار علیه یهودیان معنا داراست. آزادی مطبوعات و آزادی انتقاد پایه دمکراسی است و اسلام با این اصل مخالف است. هیتلر یهودیان بسیاری را کشت، پیامبر اسلام و علی ابن ابی طالب یهودیان زیادی را کشتند و در قرآن فرمان یهودکشی صادر شده است. در دنیای امروز اسلام‌گرایان با قصد خفه کردن طنز و آزادی بیان و هنر آزاد و سرکوب روزنامه‌نگاران آزاد به کشتار دست زدند. اسلام با جهان مدرن انطباق ندارد. اسلام‌گرایان با تمدن و دموکراسی و اندیشهٔ آزاد و نقد خرافات اسلامی مخالف هستند و خواهان پیروزی اسلام در غرب و خلافت اسلامی‌اند. ایجاد هرج‌ومرج و جنگ داخلی راهبرد اسلام‌گرایان برای ویرانیِ تمدن غربی است.

اسلامگرایان دشمنان جامعه دمکراتیک و باز هستند. اما در این دشمنی آنها تنها نیستند. در فرانسهٔ امروز بخشی از جناح راست تندرو، افراد با تمایلات فاشیستی و تندروانِ اقتدارگرای چپ، همان هدفی را دنبال می‌کنند که اسلام‌گرایان. هر یک از این گروه‌ها خواهان ویرانیِ دموکراسی پارلمانی هستند، یکی برای استقرار اسلام و دیگری برای برقراری نظام اقتدارگرایانه عوام‌گرایانهٔ چپ و راست تلاش می‌کنند. کارل پوپر می‌گوید: «دموکراسی دشمنان فراوانی دارد. دشمنانی که خود را نمایندهٔ واقعی مردم می‌دانند، مدعی‌اند که حق به جانب آن‌هاست و خود را دارای حقیقت مطلق می‌پندارند. دشمنانی کور و با کینه و دارای قدرت ویران‌گریِ فراوان، دشمنانی که می‌توانند بخشی از جمعیت را با عوام‌فریبی به دنبال خود

بکشانند. آن‌ها از کمبودها و نارسایی‌های جامعهٔ موجود آغاز می‌کنند تا کل جامعه را نفی و خشم کور شماری را در برابر نظام دموکراسی تحریک کنند.»

امروز جریان عوام‌گرایانهٔ ملانشون و لوپن همسو و در برابر دموکراسی فعالیت می‌کند. هیتلر با انتخابات به قدرت رسید و سپس همه احزاب را درهم شکست. خانم لوپن قابل اعتماد نیست و بینش او با مهاجرت ستیزی و یهودستیزی پنهانی توام است. اشخاص هم حزبی او هرجا در فرانسه به شهرداری دست یافتند بودجه فرهنگ را کاهش دادند و فعالیت انجمن‌ها را محدود ساختند. آقای ملانشون به همه احزاب نقد تند نموده و آنها را فاسد و یا متمایل به فساد معرفی می‌کند. حال آنکه در درون حزب او انتخابات وجود ندارد و شخص او خود را لیدر معرفی نموده و معتقد است که جریان او یک «جریان جنبشی» بوده و بنابراین به انتخابات نیاز نداشته و خود او رهبر طبیعی است. افزون بر آن ملانشون در باره لائیسیته خود را «مدافع» آن می‌داند. ولی در کردار هر زمانی که تجاوزگری و خلافکاری اسلامیست‌ها مطرح است، او سکوت می‌کند و دوستان حزبی اش در انتخابات شهرداری‌ها در شهرهای گوناگون با اسلامگرایان استراتژی ائتلافی دارند.

جامعهٔ آگاه باید به مبارزهٔ فکری و سیاسی خود با اسلام و بنیادگرایی اسلامی، عوام‌گرایی و دشمنان دموکراسی ادامه دهد. ساده لوحی خواهد بود که همه نیروهای سیاسی را دوست دمکراسی قلمداد کنیم. افراد و نیروهایی هستند که در پی سوء استفاده از مناسبات دمکراتیک هستند. آگاهی و قانون و روحیه نقد و قلم آزاد، وسیله دفاعی ما می‌باشند.

اِستیون پینکر و زندگی ما

نوهٔ پنج ساله‌ام از من یک طرح کشید و بالایش نوشت: باباجون. رنگ‌های شاد طرح مرا جوان کرده و خوش‌بینی مرا تقویت کرده بودند. البته من آدم خوش‌بینی هستم و گرفتار افسردگی نیستم و زندگی را دوست دارم. در بسیاری از اوقات چیزهای کوچک هم زندگی را معنادار و شاد می‌کنند و حرف‌ها و خنده‌های یک کودک هم به شما شادابی می‌بخشند. ما پیوسته امیدهایی داریم و برای خودمان طرح‌های بزرگ‌وکوچک تدارک می‌بینیم. چنین‌چیزی به ما نیرو می‌دهد زیرا

هنگامی که به کاری و چیزی امید می‌بندید، نیروی نوآوری افزایش می‌یابد. همیشه در زندگی دشواری‌ها و سختی‌ها در انتظار ما هستند ولی هنگامی که به چیزی دلبسته‌ایم و نیروی خود را برای چیزی که دوست داریم آماده کرده‌ایم، بار و فشار سختی‌ها ما را ویران نمی‌کند. در این دنیا وضع چگونه است؟ بعضی‌ها بر این باورند که جهان بیمار است و فاسدان و تبهکاران بر مسند هستند و همه‌چیز ناامیدکننده است. آن‌ها می‌گویند در دموکراسی‌ها بی‌عدالتی و بدبختی موج می‌زند و آزادی یک سراب است، جهان رو به نابودی است و تمدن به سقوط نزدیک می‌شود. آیا این نگاه تصویر درستی از جهان می‌دهد؟

دلم می‌خواهد کتاب‌های اِستیون پینکر، روان‌شناس و فیلسوف کانادایی ـ آمریکایی، را به شما پیشنهاد کنم. او می‌گوید: «در این جهان، پیشرفت و ترقی به‌مثابه یک واقعیت و به‌طور ملموس وجود دارد.» از دید او، نگاه بدبینی در نزد روشنفکران و بسیاری از افراد ناشی از خبرهای یک‌جانبه و مکرری است که رسانه‌ها در همه‌جا پخش می‌کنند و ذهن انسان حساسیت سریع و بیشتری به پیشامدهای غم‌انگیز و ناخوشایند نشان می‌دهد. اقدام‌های تروریستی، سقوط یک هواپیما، قتل و خودکشی افراد، پیشامدی دردناک برای کودکان، یک زلزله و سونامی، رنج انبوه گرسنگان، یک جنگ منطقه‌ای و غیره توسط تمام رسانه‌ها و کوچه و خیابان تکرار می‌شوند و نتیجهٔ آن افسردگی روانی و رشد بدبینی است. روشن است که این پدیدها را نمی‌توان کتمان کرد و واقعیت این است که استبداد و تعصب و بحران زیست‌بوم و خشونت و بردگی بخشی از ناهنجاری جهان ما هستند ولی در همین جهان انسان بر بسیاری از بیماری‌های مرگبار چیره شده است، پیشرفت پزشکی هر لحظه جان میلیون‌ها نفر را نجات می‌دهد، ادبیات و تئاتر و موزه در دسترس انسان‌های بی‌شماری قرار گرفته، رشد اقتصادی فقر مطلق را در جهان محدودتر کرده، قطار و هواپیما و خودروها مردمان جهان را به گردش کشانده، شمار کشورهای دموکراتیک افزایش یافته، تکنولوژی‌های نوین در خدمت بشریت قرار گرفته، موسیقی و هنر جهانی‌تر شده است، اخبار در تمام جهان در گردش است، شمار مدرسه و دانشگاه افزایش یافته و بی‌سوادی به‌شکل انبوه در جهان واپس نشسته؛ در یک کلام، وضع دنیا نسبت‌به یک هزار پیش، یک سد سال پیش و حتی پنجاه سال پیش بهتر شده است. ما برای گسترش عقلانیت و تربیت انسان‌گرایانه، رویارویی با گرمایش زمین، همزیستی، برای گسترش

فرهنگ، برای آزادی، باید به تلاش خود ادامه دهیم ولی یادمان باشد که جهان در حال پس‌رفت نیست بلکه ترقی و پیشرفت در دنیا ادامه دارد. اگر افسردگی و بدبینی بر ما چیره شوند، بخش مهمی از زندگی را نخواهیم دید. کتاب سهم فرشته‌وار در انسان نوشتهٔ اِستیون پینکر، چاپ پاریس «ارن» در سال ۲۰۱۷ نوشتهٔ زیبایی است که ما را یاری می‌کند.

کوبیسم

اگر روزی به پاریس آمدید، به دیدن مرکز فرهنگی ژُرژ پمپیدو بروید. در این مرکز یک کتابخانهٔ بسیار بزرگ و نمایشگاه هنرهای نوگرا وجود دارد و درش برنامه‌های سینمایی و ادبی برگزار و برنامه‌های آموزشی گوناگونی سازمان‌دهی می‌شود و، در یک کلام، این مرکز یک شاهراه نفوذ و تلاش فرهنگی در پاریس است. من پیوسته به این مرکز می‌روم و بار آخر هم به دیدن نمایشگاه نقاشی کوبیسم در مرکز پمپیدو رفتم.

آغاز سدهٔ بیستم میلادی سرآغاز مکتب کوبیسم است. چهرهای برجسته این مکتب پیکاسو، براک، لژه، دولونه و پیکابیا هستند. مکتب کلاسیک در نقاشی تصویر را مانند اجسام و طبیعت می‌کشید. در پایان سدهٔ نوزدهم میلادی، مکتب دریافت‌گری زاده شد و که هنرمند در آن حس خودش از پدیده‌ها و طبیعت را به تابلوِ نقاشی انتقال می‌دهد. در این مکتب واقعیت به نقطه‌ها و لکه‌های ریز و مبهم و تصاویر بریده و شکسته و نقطه‌چین تبدیل می‌شود. کوبیسم واقعیت را دگرگون می‌کند، خطوط چهره و اندام را به هم می‌ریزد و، در پایان، واقعیت را به خصوط هندسی تبدیل و محو و ناپدید می‌کند. کوبیسم این حس را به ما انتقال می‌دهد که واقعیت چیزی به‌هم‌ریخته و جابه‌جاشده است و، در نهایت، در حس روزمرهٔ واقعیت به خطوط هندسی و ابهام در مفاهیم و ترکیب رنگ‌ها تبدیل می‌شود. تاریخ هنر نقاشی تاریخ تغییر ریخت و شکل و تاریخ معنا دادن است. کوبیسم کاملاً از ریخت‌های پیشین در مکتب‌های دیگر گسست پیدا می‌کند و در سدهٔ بیستم در بطن جنگ و مهارت و صنعت، انتزاع‌سازی واقعیت به واقعیت تبدیل می‌شود. در یک تابلوِ کوبیست دو چهرهٔ زن و گیتار آن‌چنان درهم فرو می‌روند که دیگر از این دو

چهره چیزی باقی نمی‌ماند. معنای زندگی در کوبیسم چیست؟

در عرصهٔ هنری درک مشترکی وجود نخواهد داشت ولی مهم خلاقیت هنری و آزادی در هنر است. دیدار از یک نمایشگاه نقاشی لحظهٔ زیبایی است تا ذهن و روان آدمی به گردش بپردازد و از قواعد و هنجارهای همیشگی فاصله بگیرد. ما در زندگی عادی اسیر می‌شویم و همان کارهای همیشگی را تکرار می‌کنیم، حال آنکه ورود به یک نمایشگاه ما را از یک دنیای تکراری جدا و به میان کهکشان‌های جدید پرتاب می‌کند. مردم بافرهنگ کسانی هستند که به فرهنگ و ادبیات و هنر و موزه توجه دارند. هنگامی که به موزه و نمایشگاه می‌روید، به جامعه‌شناسی بازدیدکنندگان توجه کنید. از کدام ملیت‌ها در میان بازدیدکنندگان بیشترند؟ جمعیت از کدام گروه‌های سنی و جنسیتی ترکیب شده است؟ ایرانیان چگونه‌اند؟

آرزوهای من

من هر سال جدید به دانشجویانم می‌گویم: «سال نو خجسته باد!» به آن‌ها می‌گویم: «آرزوهای من برای سال جدید چنین‌اند: هوشیاری و تلاش بیشتر برای زیست‌بوم، سلامتی و بهداشت برای همه، آزادی و دموکراسی برای همهٔ مردم، ادامهٔ مبارزه با تعصب‌گرایی و تروریسم اسلامی، ادامهٔ مبارزه با عوام‌گرایی چپ و راست، خوشی و شادمانی برای همه، عدالت اجتماعی، ساقط شدن جمهوری اسلامی در ایران، افزایش فرهنگ و ادبیات در تربیت مردم، انتقاد روشنفکری و فرهنگی کاملاً آزاد، جهانی آرام و در صلح، گسترش دانش‌های تازه در جامعه، گسترش انسان‌گرایی، نقد فزایندهٔ اسلام و قرآن در جامعه، عشق بیشتر در زندگی، دوستی‌های پایدارتر و صادقانه و سفر به دور جهان.»

از یکی از دانشجویان پرسیدم: «آرزوی شما چیست؟» گفت: «گرفتن مدرک مهندسی و دستمزد خوب ماهیانه.» من هم به او گفتم: «برای دیگران چه آرزویی دارید؟» گفت: «امیدوارم مزاحم کار من نشوند.» گفتم: «مگر بدی و دشواری‌ها فقط به دیگران مربوط می‌شود؟» گفت: «بله، اغلب.» من هم در پاسخ به او گفتم: «شما احتمالاً به خطاهای خود آگاه نیستی. جهانی که امروز فراهم شده نتیجهٔ

تلاش همهٔ بشریت است و شما از آن سود می‌برید. ما پیوسته با جهان خود دادوستد داریم. حال، فکر کنیم ما به این جهان چه چیزی عرضه خواهیم کرد. شما برای جهان دانش و تخصص و فرهنگ تولید می‌کنید؟ شما برای جهان رنج بیشتر می‌آورید یا به آرامش جهان کمک خواهی کرد؟ موفقیت و خواهش شخصی شما به یک جهان بستگی دارد. جنگ و قحطی و یک بیماری واگیر جهانی به‌آسانی آرامش و زندگی شما را بر هم می‌ریزند. بی‌شک ما باید زندگی را دوست داشته باشیم ولی تلاش کنیم که زندگی برای دیگران دوست داشتنی باقی بماند.»

سپس یکی از دانشجویان از من پرسید:«شما به خدا اعتقاد دارید؟ اگر ما باورنداشته باشیم افق آرزوهای ما تنگ است». گفتم:«در تمام مواردی که در گفتگوی خود مطرح می‌کنیم، کدام یک به وجود یک خدا نیازمند است؟ خوشبختی انسان به درک شما و انتظار شما و شرایطی که در آن بسر می‌بریم بستگی دارد. خوشبختی توهم نسبت به آسمان نیست، خوشبختی حالت آرام و مطبوع برای وجود شماست و آرامش درونی و روانی شماست. اگر این فکر را داشته باشید که جهنم پاداش احتمالی پس از مرگ است، در زندگی فقط در عذاب روحی هستید و ترس و نگرانی شما را مچاله می‌کند و آرامش خاطر را از شما می‌رباید. انسان بدون خدا به پیشرفت علمی و پزشکی رسیده است، انسان بدون مداخله خدا به دمکراسی رسیده است. انسان بدون وجود خدا به جنگ پرداخته و طبیعت را تخریب کرده است. البته جنگ هایی نیز با نام خدا انجام گرفته ولی در اساس این انسان است که جنگ را خواسته است و برافروخته است. خدایی وجود ندارد که بتواند مداخله کند. قدرت انسان در ایجاد بدی و خوبی بسیار است. آرزوهای ما، به ما و همین دنیا بستگی دارد. آرزوهای ما به فرهنگ و دانش ما و به زمین و آدمیان وابسته است. برخی آرزوها شاید هرگز قابل تحقق نباشند ولی آرزو داشتن یک موتور و یک انگیزه است.»

جهان به خدا نیاز ندارد

چهارسد هزار سال پیش از زادروز مسیح، بشر آتش را مهار می‌کند. سد هزار سال پیش از این زادروز مسیح، هوموساپین مردگان خود را طی مراسمی به خاک

می‌سپرند. ۳۴۰۰ سال پیش از زادروز مسیح سومری‌ها خط کوفی را پدید آوردند. دوران تمدن و فراعنه در مصر به سه هزار سال پیش از زادروز مسیح برمی‌گردد. طی دو هزار تا هزار سال پیش از زادروز مسیح، تمدن بابلی‌ها و آشوریان در میان‌رودان و میسن در یونان پدیدار می‌شوند. زرتشت ۱۲۰۰ سال پیش از زادروز مسیح گاتاها را سرود. اصلاح دین زرتشتی هشت‌سد سال پیش از زادروز مسیح انجام شد. «ایلیاد و اودیسه» هومر پیش از زادروز مسیح نگاشته شد. ۶۰۰ سال پیش از زادروز مسیح، دوران یونان باستان و پس از آن تمدن روم آغاز شدند و در هند بودائیسم پدید آمد. سال ۳۲۲ پیش از زادروز مسیح سال مرگ ارسطوست. کتاب مقدس عبری، که «تنخ» نامیده می‌شود و بنیاد دینی و فرهنگ یهودی است، در فاصلهٔ بین سدهٔ یکم پیش تا سدهٔ دوم پس از زادروز مسیح تنظیم شد. سال صفر میلادی آغاز تقویم مسیحی است. سال ۶ یا ۷ میلادی نیز احتمالاً سالگرد زادروز مسیح است. تصلیب او نیز یا در سال ۳۰ یا ۳۳ میلادی روی داده. در سال ۶۵ انجیل مارک نوشته می‌شود. سال‌های ۸۰ تا ۱۱۰ انجیل ژان تنظیم می‌شود. سال ۳۹۲ تئودوز دین مسیحی را به دین رسمی امپراتوری روم تبدیل می‌کند. سال‌های ۶۱۲ آغاز ادعای پیامبری محمد در مکه است. سال ۶۲۲ سال هجرت از مکه به مدینه به شمار می‌آید. سال ۶۳۲ سال مرگ محمد است. سال‌های ۶۳۴ تا ۶۴۴ دوران عمر خلیفهٔ دوم و جنگ‌های استعماری اسلام و هجوم به همسایگان و اشغال ایران‌زمین است. در سال‌های ۶۴۴ تا ۶۵۶ دوران خلافت عثمان و «سوزاندن» نسخه‌های گوناگون قرآن و «ایجاد» مصحف عثمانی قرآن است. سال‌های ۶۸۵ تا ۷۰۵ خلافت عبدالمالک است که در این دوران نسخه‌ای از قرآن تنظیم می‌شود و اسلام خود را به‌مثابه یک دین مجزا از یهودیت و مسیحیت اعلان می‌کند. سپس قرآن در زمان عباسیان کامل‌تر می‌شود. در این سفر طولانی خدا کجاست؟ در طول این تاریخ دراز رویدادها پیش می‌آیند و خدایی وجود ندارد. در طول این تاریخ انسان‌هایی که دین را می‌سازند اعلان می‌کنند خدا موجود است. آن‌ها گفته بودند خدا جهان را آفریده است ولی هر چقدر پیش آمدیم دانش نشان داد که جهان برای هستی خود به خدا نیازی ندارد.

انسان خدا را می‌آفریند و خود شیفته مخلوق خود می‌شود. سپس از هنگامیکه انسان به گفته کانت به بلوغ خود می‌رسد، علیه خدا می‌شورد و بالاخره نیچه اعلام میکند خدا مرده است. علیرغم این سفر طولانی انسان‌های فراوانی وجود دارند که

می‌گویند خدا وجود دارد. در واقع آنها برای زندگی خود فکر می‌کنند که به خدا نیاز دارند، ولی جهان برای گردش خود به خدا نیاز ندارد.

زندگی آفریقایی ما

بخشی از زندگی سیاسیِ من فعالیت به‌عنوان معاون شهردار بود. زیست‌بوم‌گرا بودم و در انتخابات پیروز شدیم. در چارچوب همین مسئولیت بود که پروژهٔ همکاری با کشورهای دیگر تعریف شد. در سال ۲۰۰۳ بهمراه گروهی برای بازگشایی یک زایشگاه کوچک به آفریقا، کشور مالی، رفتیم. از چندی پیش در چارچوب همکاری‌های انسان‌دوستانه میان فرانسه و مالی تصمیم گرفتیم یک درمانگاه کوچک برای زنان با پذیرش تمام هزینه‌ها ساخته شود. این پروژه برای چهار روستای بزرگ مشکلات زایمان را حل کرده، معیارهای بهداشتی و پزشکی را رعایت کرده، وسایل پزشکی و داروهای لازم از فرانسه را تأمین کرده و آموزش حرفه‌ای برای پرستاران را تدارک می‌بینند. از آن زمان میزان مرگ‌ومیر نوزادان کاهش یافته و ظرفیت درمانگاه افزایش یافته است. در زمان تدارک و گشایش این زایشگاه کوچک جمعیت و مسئولان محلی جشن بزرگی در میدان روستا تدارک دیدند و پس از شام تا نزدیکی صبح همه رقصیدند و گپ زدند. هنگام رفتن از پاریس با ۱۰ چرخ خیاطی مدل قدیمی ولی سالم حرکت کردیم و در آنجا یک انجمن زنان به وجود آمد که موجبات پدیداریِ آتلیه‌ای برای مددکاری به‌منظور تهیهٔ پوشاک اهالی را هم فراهم کرد. شوق بسیاری هر چهار روستا را فرا گرفته بود. شهردار روستا مرتب با ما عکس می‌گرفت تا از آن‌ها برای کارزار انتخاباتی مجلس و نامزدیِ خود بهره ببرد.

ما در منطقهٔ «سگو»، که در شمال شرقی پایتخت یعنی «باماکو» است و به حاشیهٔ کویر نزدیک است، مستقر بودیم. آب‌وهوای خشک، زمینی با درختان کم و گَوَن‌پوش، پوششی از ساک‌های پلاستیکی بادآورده روی درختان نیمه‌خشک، گوسفندان لاغر با معده‌های سرشار از پلاستیک، بچه‌های اغلب پابرهنه، مکتب‌خانهٔ قرآنی با پول عربستان، مردمان خندان و با امید. شب در کوچه و جاده یک چراغ هم روشن نبود ولی در تاریکی همه همدیگر را می‌شناختند و با یکدیگر

حرف می‌زدند و راه می‌رفتند و زندگی ادامه داشت. زندگی نوع دیگری بود. یک بار در پایتخت با ادارهٔ مرکزی قرار داشتیم ولی در نیمهٔ راه لاستیک اتوبوس آتش گرفت. چهار ساعت طول کشید تا لاستیک عوض شود و سپس به راننده گفتم قرار ما سوخته. راننده به من گفت: «تا زمانی که خورشید در آسمان است، دیر نمی‌رسیم.» آنجا بود که فهمیدم همه‌جا یک تعریف مشخص برای زمان نداریم. درک از زمان به فرهنگ و تمدن و فن‌آوری و اقتصاد و سنت مردمان بستگی دارد. در آفریقا زمان کش می‌آید ولی در پاریس و نیویورک و لندن و تهران زمان به‌تندی می‌گذرد و تنش و فشار پخش می‌کند. در اینجا لحظه‌ها به‌طرز دقیقی شمارش می‌شوند و در آنجا حتی با دیرکرد نیمه‌روزه هم قرار سر جایش باقی می‌ماند. یک روز کنار رودخانه «نیجر» رفتیم و پس از این‌که چند ماهی صید کردیم، سروکلهٔ یک سوسمار پیدا شد و همه با سرعت گریختیم. زندگی آفریقایی ما رنگ‌وبوی دیگری داشت.

تضادهای جنبش جلیقه‌زردها در فرانسه

جنبش جلیقه‌زردها در فرانسه با اعتراض به گرانی گازوئیل و بنزین شکل گرفت. بخشی از لایه‌های اجتماعی که زیر فشار اقتصادی قرار دارند و قدرت خریدشان کاهش یافته به گرانی و عدم توزیع متعادل ثروت اعتراض کردند و جنبش در سراسر فرانسه به راه افتاد. پس از گذشت یک ماه، ویژگی‌های برجستهٔ این جنبش کدامند؟ ۱- این جنبش دارای رگه‌های عوام‌گرایانه پررنگ است زیرا به‌عنوان نمونه خواهان حذف مالیات به‌طور عمومی است. ۲- این جنبش تا به امروز فاقد رهبری خود است و همین بیان حرکت اقتدارگرایانه و دموکراسی‌ستیزی‌است. ۳- این جنبش بر ضد تمام احزاب و سندیکاهاست و نظام متکی‌بر نهادهای دموکراتیک را رد می‌کند. ۴- این جنبش متمایل‌به خشونت و خرابکاری است و در زمان تظاهرات شنبه‌ها میدان جدال و جنگ بر ضد قوای انتظامی تنها تجلی ارادهٔ آن‌هاست. ۵- جریان‌هایی که در خشونت جلیقه‌زردها شرکت کرده‌اند عبارتند از راست تندروِ نزدیک‌به مارین لوپن، چپ تندروِ فاشیسم‌گرا و بخشی از جلیقه‌زردهای نامتشکل. ۶- در شنبهٔ گذشته، چهار صد نفر دستگیر شدند و

شمار زیادی به دادگاه رفتند و به غرامت پولی و یا زندان محکوم شدند. محکومین همگی دارای فعالیت شغلی مانند راننده کامیون و کارشناس شرکت واحد و کارگر شرکت فولاد و کارمند اداری و کارشناس کارخانه و پرستار و بازنشسته پلیس و غیره بودند و دستمزد ماهیانه‌ای میان ۱۲۰۰ تا ۳۵۰۰ یورو داشتند. ۷- گرایش برجستهٔ آن‌ها ایجاد خشونت و ویرانی و هرج‌ومرج است. آن‌ها به نهادها اعتمادی ندارند و خواهان نمایش قدرت هستند و این نمایش را با خشونت فیزیکی و و ایجاد آتش‌سوزی عملی می‌کنند. ۸- این جنبش علاقه‌ای به زیست‌بوم ندارد و خودپرستی پررنگی در آن نمایان است. ۹- این افراد به دموکراسی باور مستحکم ندارند و حتی بر این باورند که قدرت سیاسی آسیب‌زاست. ۱۰- خشونت این افراد بر ضد موزه هنری و ساختمان‌های دولتی و اقتصاد و بازار و مأموران انتظامی و بسیار کور و سوداگرانه بوده است.

جنبش جلیقه‌زردها در فرانسه فروکش کامل نکرده ولی قدرت خود را از دست داده است. در یک ماه و نیم پیش شمار آن‌ها در تظاهرات ۳۰۰,۰۰۰ بود و امروز به ۲۰,۰۰۰ نفر رسیده است. دو هفته پیش رئیس‌جمهور اِمانول مکرون اعلان کرد ۱۰ میلیارد یورو به کم‌درآمدها و بازنشستگان اختصاص می‌یابد. پس از آن، بخش مهمی از جلیقه‌زردها صحنه را ترک کردند ولی هنوز روح جلیقه‌زرد قوی است. امروز پس از یک ماه و نیم، نکات زیر دارای اهمیتی اساسی است:

یک: اعتراض لایه‌های پایینیِ جامعه به ناتوانی قدرت خرید درست بوده و می‌توان با نظام مالیاتی تقسیم ثروت را با اعتدال بیشتر اجرا کرد و از شکاف‌ها کاست. دموکراسی همیشه با کاستی روبه‌روست و مرتب باید تصحیح شود ولی با وجود این ناتوانی به‌گفتهٔ ریموند آرون رژیم دموکراسی میان همهٔ رژیم‌ها بهترین نظام است.

دو: این جنبش هرگز نتوانست خشونت کور را محکوم کند و بخش بزرگی از جلیقه‌زردها خودشان خشونت‌گرا بوده و پیوسته ضد هر گونه سازمان‌دهی دموکراتیک رفتار کرده‌اند. این ناشی از ویژگی عوام‌گرایانه، ایدئولوژیک و تندروانهٔ این جنبش است.

سه: جریان‌های راست و چپ تندروِ مخالف دموکراسی پارلمانی در میان جلیقه‌زردها دارای نفوذ بسیاری هستند و شعارهای آنان برای استعفای مکرون و نفی پارلمان بیان‌گر عوام‌گراییِ مردم‌فریبانه و نامسئولانهٔ آنان است.

چهار: این جنبش تمایل زیادی به نیروهای سیاسی موجود ندارد و بر این باور است که «همه فاسد هستند.» ولی برعکس نیروهای چپ با فرصت‌خواهی در پی سربازگیری هستند تا از «چهرهٔ جلیقه‌زرد» برای انتخابات اروپا بهره ببرند. جریان ملانشون، حزب کمونیست و حزب مارین لوپن در حال یارگیری در این بازار سیاسی هستند.

پنج: امروز روشن است که این جنبش خواهان تصحیح دموکراسی نیست بلکه خواهان نابودی آن است. به همین دلیل، جلیقه‌زردها نمی‌خواهند یک حزب مستقل و رهبر مشخصِ دموکراتیک داشته باشند. آن‌ها هر کدام خود را نمایندهٔ «خلق» معرفی می‌کنند. به‌گفتهٔ آلبر کامو: «مواظب باشید هنگامی که دموکراسی بیمار می‌شود، فاشیسم برای احوال‌پرسی به بالین او می‌آید ولی این کار برای گرفتن خبر خوب نیست.»

شش: همیشه وجود توده در یک جنبش بیان ترقی‌خواهی نیست. پشت هیتلر هم تودهٔ آلمانی گِرد آمد و پشت آیت‌الله خمینی هم تودهٔ پابرهنه جمع شد. توده‌پرستی یک بیماری عوام‌گرایانهٔ چپ و خطرناک است. قطب‌نمایای ما آزادی و دموکراسی و جمع‌گرایی و زیست‌بوم و احترام به نهادهای دموکراتیک است. روشن است که روح انتقادی کلید آزادی‌خواهی است.

شب چلّه

ایرانیان جشن‌های فراوانی دارند که خاستگاه‌شان در طبیعت است. جشن شب یَلدا یا چلّه یکی از کهن‌ترین جشن‌های ایرانیان است. یلدا برگرفته از سریانی به‌معنای زایش است. یلدا را شب زایش خورشید (مِهر) نامیده‌اند. شب یلدا را شب میلاد خدای خورشید، عدالت، پیمان و جنگ هم می‌دانند. مردم روزگاران دور، در هنگام فعالیت کشاورزی، با فصل‌ها و تضادهای طبیعی خوی داشتند و بر اثر تجربه و گذشت زمان توانستند کارهای خود را با گردش خورشید و تغییر فصل‌ها و بلندی و کوتاهی روز و شب و حرکت و قرار ستارگان سامان دهند. شب یلدا که به‌عنوان یکی از شب‌های مقدس در ایران باستان مطرح بوده به‌صورت رسمی در تقویم ایرانیان باستان از پنج سده پیش از زادروز مسیح در زمان داریوش یکم

به تقویم رسمی ایرانیان باستان راه یافت. در باور مردمان تاریکی نمایندهٔ اهریمن بود و چون در طولانی‌ترین شب سال، تاریکی اهریمنی بیشتر می‌پاید مردمان آتش می‌افروختند تا بدی دور شود و در شب یلدا انار و هندوانه می‌خوردند تا با سرخی آن به یاد خورشید باشند. پیام شب یلدا در کنارهم بودن و شادمانه شب را سپری کردن است، پیام یلدا دوستی و همدلی برای ایستادگی در برابر بدی و زشتی است. بیشتر جشن‌های رایج در زمان کنونی در ایران، «جشن‌های» ناخوشایند دینی‌اند. جشن‌های اسلامی و شیعه بر پایهٔ دروغ و بدی و مسخ زدگی بنیان یافته‌اند. جشن‌های پیامبر و امامان بر پایهٔ مسخ ما استوار شده است. از جشن دروغ و پَستی بیرون بیاییم و به جشن خورشید و طبیعت وارد شویم.

اصلاح‌طلبان اسلامی و حکومت

اصلاح‌طلبانی مانند آقای تاج‌زاده خدمتگزار فاشیسم اسلامیِ حاکم هستند. چرا می‌گویم فاشیسم اسلامی؟ زیرا ولایت فقیه یک استبداد فردیِ دینی است که بقای خود را در سرکوب مطلق آزادی ممکن می‌داند، به برتری ایدئولوژی شیعه و شیعیان باور دارد و نظامی تبعیض‌گراست. روشن که نمی‌خواهم بگویم فاشیسم اسلامی همچون فاشیسم موسولینی است. فاشیسم رژیمی خودکامه و تبعیض‌گراست و حکومت ایران نیز چنین است. اصلاح‌طلبی چون تاج‌زاده آرایشگر و مداح چنین حکومتی است. او چندی پیش در یک مصاحبه اعلان کرد که انقلاب اسلامی در ایران در مقایسه با انقلاب اکتبر روسیه بسیار ملایم بوده و «مجموعه اعدام‌هایی که ما کردیم پانصد نفر هم‌نمی‌شود. به‌علاوه، در جریان ۸۸ فقط ۲۰۰ نفر کشته شدند.» در تفسیر موضع تاج‌زاده چه باید گفت؟نخست این‌که «پانصد نفر اعدامی» در ایران دروغ است. منابع گوناگون شمار اعدام‌ها در ایران را از زمان انقلاب تا امروز بیش از پنج هزار نفر ارزیابی کرده‌اند. حال، چرا تاج‌زاده جنایت را کم‌رنگ می‌کند و دروغ می‌گوید؟ چرا رژیم مورد پشتیبانیِ او دست پژوهش‌گران را باز نمی گذارد تا با اسناد و مدارک و بررسی عملکرد نیروهای سپاهی و بسیجی آمار دقیق را منتشر کنند؟ این اصلاح‌طلب چرا جنایت‌های چهل‌ساله را تحریف می‌کند و وارونه نشان می‌دهد؟ اصلاح‌طلبان حیات سیاسی و اجتماعی‌شان در گروِ بقای

ولایت فقیه است.دوم این‌که تاج زاده می‌گوید: «در جنبش سبز فقط ۲۰۰ نفر کشته شدند.» به واژهٔ «فقط» در بیان او توجه کردید؟ به‌معنای دیگر، کشتار ۲۰۰ شهروند ایرانی که می‌گویند: «رأی من کجاست؟» جنایت به شمار نمی‌شود. در خلال یک جنبش اعتراضیِ مسالمت‌آمیز بر ضد تقلب خامنه‌ای و احمدی‌نژاد، برای تاج‌زاده جان آدمی ارزش ندارد و او انتظار دارد که شمار قربانیان خیلی بیشتر باشد. ولی به‌اعتبار «لطف» حاکمان اسلامی فقط ۲۰۰ کشته می‌شود. کسی که چاپلوس می‌شود، روحیهٔ آزادگی را در خود کشته است.

آقای تاج‌زاده، شرم‌تان باد! پشتیبانی از حقوق بشرْ جان و حقوق هر انسان است. شما اصلاح‌طلبان یار دیکتاتورها و جنایتکاران حاکم هستید. می‌دانم که شما زندانی همین رژیم بوده‌اید ولی این مانع دریوزگی شما در برابر مستبد حاکم نیست. نباید هرگز به شما و افراد مانند شما هرگز اعتماد کرد. شما چهل است که در خدمت قدرت سیاسیِ حاکم هستید و پروژهٔ سیاسی‌تان تداوم همین دیکتاتوری اسلامی و پوشاندن تمامِ جنایات نظام آیت‌الله خامنه‌ای است. اصلاح‌طلبی واقعی از نگاه جامعه‌شناسی به‌معنای تغییرات ژرف و دگرگونی در سیاست و اقتصاد و فرهنگ و مدیریت کشوری است. در ایران، اصلاح‌طلبی یعنی برچیدن نظام ولایت فقیه و بیرون آوردن اقتصاد از کنترل سپاه و نهادهای وابسته‌به ولایت فقیه. اصلاح‌طلبان ایران اصلاح نمی‌خواهند بلکه به‌دنبال جایی در درون همین ساختار و در کنار ولایت فقیه هستند.

اندیشه‌ورزی و فلسفه‌ورزی

پیش‌تر گفت‌وگویی با یکی از دوستان دین‌دار دربارهٔ خدا داشتم. او به من گفت: «برای زندگی از خدا نیرو می‌گیرد.» من هم از او پرسیدم: «چه نیرویی؟» او گفت: «انگیزهٔ نیرو می‌دهد.» گفتم: «چگونه خدا در زندگی تو مداخله می‌کند؟» گفت: «او همیشه حاضر است.» پرسیدم: «این خدا در تخیل و احساس توست یا در زندگی‌ات نقش سرنوشت‌سازی دارد؟» او هم پاسخ داد: «در هر دو.» و سپس از من پرسید: «تو چگونه فکر می‌کنی؟» گفتم: «خدا در معادلات فکری و زندگی روزمرهٔ من جایی ندارد. افزون‌بر این، من برای زندگی کردن نیازمند خدا نیستم.

انسان در طول تاریخ با زشتی و سختی و مرگ همراه بوده و در این لحظات به فکر خدا بوده، در لحظهٔ شادمانی با زمین و مردم درمی‌آمیزد و در چنین لحظه‌ای خدا محو و یا کم‌سو می‌شود ولی در لحظهٔ دردناک و مرگ خدا با قدرت وارد ذهن و احساس و زندگی می‌شود. ضمناً، ازدید آخرت‌شناسی دینی هم خدا با قدرت در ذهن انسان عمل می‌کند. حال، در جامعه‌ای پای‌بند به جداانگاریِ دین از سیاست که انسان‌هایش بیش از پیش به عقلانیت فردی و زمینی رسیده‌اند و انسان ارادهٔ خود را بر ارادهٔ سوار کرده خدا وا پس نشسته. همهٔ مردمان این‌گونه به ناباوری نمی‌رسند و روان‌شناسی انسان‌ها گوناگون است ولی هستند کسانی که جاذبهٔ خدایی دیگر در آن‌ها کارساز نیست. در نظام خورشیدی تمام سیاره‌ها در مدارهای دور و نزدیک به جاذبهٔ خورشید وابسته‌اند ولی در زندگی سیاره‌هایی هستند که با انرژی جدید «خودساخته» به نظام و کهکشان دیگری می‌گرایند. نظام فلسفه و اندیشه‌ورزی و هنرپروری و اندیشهٔ انتقادی نظام دیگری است که بر ستون خداپرستی لرزه می‌اندازد و انسانِ بی‌باک را از خدا دور می‌کند.» این انسان به نیرو و انگیزه در زندگی نیازمند است ولی این خاستگاه نیرو و انگیزه دیگر خدا نیست. در چنین ذهنی خدافرا خوانده نمی‌شود، خدا آرامش‌بخش نیست و توانایی خودش را از دست داده است. این انسان به سرچشمهٔ انرژیِ دیگری دست یافته است. اندیشه‌ورزی و فلسفه‌ورزی و استقلال نظری و روانی و بهره‌گیری عقلانی از تمام امکانات دانش و منابع روی زمین قاعدهٔ کار این انسان است. عشق و معنویت و عاطفه و احساس در چنین فردی زنده است ولی سرچشمه یا هدف آن‌ها آسمان و خدا و یک نیروی موهوم نیست. مسئولیت و اخلاق و آرمان‌خواهی در چنین فردی یک واقعیت است ولی این مسئولیت و اخلاق و آرمان‌خواهی از وجدان شخصی برمی‌آید و به زمین و طبیعت و موجودات آن توجه دارد. به‌گفتهٔ لوک فری، فیلسوف فرانسوی: «ما نه در زمان پایان ارزش‌های فداکارانه بلکه، به‌معنای درست واژه، در زمان انسانی‌سازیِ ارزش‌های فداکارانه، زمان حرکت از مفهوم دینی فداکاری به این ایده که فداکاری فقط از طرف و برای خود بشریت لازم است زندگی می‌کنیم.»

دین اسلام و فلسفه

دین اسلام با فلسفه همجنس و همساز نیست. اسلام به انحصار جزم‌اندیش تمایل و باور دارد، حال آن‌که فلسفه به آزادی اندیشه و گفتمان فعال و پروژه‌های فکری گوناگون می‌پردازد و در هر پرسش خود در پی دانایی و حقیقت است. دین بسته ولی فلسفه باز است. بدین خاطر، اسلام‌گرایان با فلسفه میانهٔ خوشی ندارند و یا زمانی که ناتوان از نفی آن هستند در تلاشند تا فلسفه را از آزاداندیشی و خِردگرایی تهی و آن را پیرو دین کنند. برای اسلام‌گرایان فلسفهٔ اسلامی از علوم اسلامی است که به تفسیر و توجیه متافیزیک اسلامی می‌پردازد. از فلسفهٔ اسلامی با عنوان «فقه اکبر» یا «حکمت» نیز یاد می‌شود. هانری کربن فلسفهٔ اسلامی را فلسفه‌ای تعریف می‌کند که «تکوین و صورت‌های گوناگونش به‌طور اساسی با امر دینی و معنوی اسلام پیوند یافته و مؤید این نکته است که اسلام چنان‌که به‌نادرستی گفته‌اند بیان دقیق و اساسی خود را در فقه پیدا نمی‌کند.» هانری کربن به‌عنوان کارشناس غربی اسلام تلاش دارد تا عرفان و دین را شاداب کند، حال آن‌که جامعهٔ ما نیازمند تقویت عقلانیت و نقد دین است.

غزالی از آن دسته افرادی بود که بر دوری مسلمانان از خِردگرایی و نفی فلسفه تأثیر بسیار گذاشت. او پرداخت به فلسفه را مایهٔ ناتوانیِ ایمان می‌دانست. غزالی کتاب تهافت الفلاسفه را در نقد اندیشهٔ ارسطویی نوشت. شماری از دانشمندان شیعه تدریس و مطالعهٔ فلسفه را بنابر حدیثی از حسن عسکری در مورد آخرالزمان حرام می‌دانند. این حدیث می‌گوید: «... دانشمندان آن‌ها (آخرالزمان) بدترین آفریدهٔ خدا بر روی زمین هستند چون‌که به فلسفه و تصوف (عرفان) میل دارند و به خدا قسم که آن‌ها اهل کجی و بیراهه‌اند؛ آن‌ها در محبت مخالفین ما بزرگ‌نمایی و شیعیان و دوستان ما را گمراه می‌کنند.»

فیلسوفان اسلامی پیش از هر چیز فقهای دینی هستند و در عرفان ذوب شده‌اند. برخی از عارفان به فلسفه علاقه داشتند ولی افرادی به‌شدت مذهبی هستند. در مکتب اصفهان، شیخ بهایی و میرفندرسکی عرفان را در رأس قرار داده و عقل‌باوری را به حاشیه می‌رانند. ملاصدرای شیرازی، هرچند که مورد آزار فقهای سنتی قرار گرفت و به روستایی در اطراف قم تبعید شد، ولی جهان بینی او فقهی و حوزوی است. در برخی نگاه‌ها ملاصدرا بزرگ‌ترین فیلسوف اسلام

در قرن یازدهم هجری نامیده شده است. شایگان به‌نقل از هانری کربن می‌گوید ملاصدرا زمینهٔ ایجاد یک رستاخیز فلسفی و نوزایش فکریِ بی‌مانندی را در ایرانِ قرن شانزدهم میلادی فراهم کرد.

در واقع، ملاصدرا مباحث عرفانی را به‌شکلی فلسفی مطرح کرد ولی ساختار اندیشه‌اش دینی و فقهی است. او به تنها حقیقت یعنی وجود حضرت حق باور داشت و می‌گفت خداوند «آشکارکنندهٔ موجودات از کمین وجود و دنیای هستی است. علمِ کشفی، تابش همین نور به قلب عارف است.» افزون‌بر این، از دید ملاصدرا آیهٔ سی‌وپنجم سورهٔ نور نیز همان نور محمدی است. نور مورد نظر ملاصدرا از اندیشه و خِرد نمی‌آید بلکه نتیجهٔ توهّمات دینی و احساسات عرفانی است. او می‌نویسد: «بدان که نخستین درجه از درجات سِیر و رفتن به‌سوی حق عبارت است از خروج از تنگنای جهان و گور بشری و رهایی از گرد و غبار هیئات نفسانی.» در نگاه ملاصدرا، سِیر حرکت انسانی در درگیری اندیشه با جهان، کشف طبیعت و تضادهای اجتماعی نیست بلکه در نفس درونی است که به نور قرآنی توجه دارد. ما در تاریخ به فلسفه اتکا نکردیم بلکه سلطهٔ اسلام و فقه شیعه ذهنیت‌مان را فلج و اندیشه‌مان را بیمار کرده. دین اندیشیدن را خفه می‌کند.

«علوم اسلامی» چه مقوله‌ای است؟

آیت‌الله‌ها و جزم‌اندیشان اسلامی دارای مهارت ویژه‌ای در جعل‌اند. در این دستگاه دست‌کاریِ مقوله‌ها، واژه‌ها از محتوا خالی می‌شوند و درون‌مایه‌های اسلامی در شکلی متفاوت و با پوششی جدید عرضه می‌شوند. یکی از مقوله‌هایی که جعل شده واژهٔ «علم» است. علم چیست؟ علم یا دانش مجموعه شناخت و مطالعاتی است که دارای ارزش جهان‌شمول و یک موضوع و روشی است که متکی‌بر مشاهدات بی‌طرفانهٔ آزمایش‌پذیر و همراه با استدلال دقیق است. روش‌های علمی به ما امکان می‌دهند تا جهان را بشناسیم و از همین رو جزم‌گرا نیستند. دانشْ باز و در پی کشف است و نتایجش با واقعیت سنجش‌پذیر است. در طول تاریخ، این شناخت پایهٔ گسترش مهارت‌ها و فن‌آوری‌های گوناگون بوده و تأثیرات گسترده‌ای بر جامعه گذاشته. فرانسیس بیکن برآن است که شناخت علمی متکی‌بر اصول زیر

است: نخست، مشاهده و آزمایش و کنترل. دوم، نظریه‌پردازی و ارائهٔ فرضیه. سوم، بازتولید و قابلیت پیش‌بینی‌پذیری. چهارم، نتیجه و محصول عینی. به‌گفتهٔ کارل پوپر علم فرضیه‌هایی ارائه می‌دهد که با داده‌های عینی ارزیابی می‌شوند، حال آن‌که دیدگاه‌های دین بازرسی‌پذیر نیستند. جدال و دوگانگی دین و علم همیشگی است.

حال، واژهٔ علم در نزد اسلام‌گرایان همان معنایی را ندارد که ما نزد اندیشمندان و دانشگاهیان و دانشمندان سراغ داریم. واژهٔ علم در نزد اسلام‌گرایان به‌معنای توضیح و انتخاب و سلیقه در خدمت یک نتیجه‌گیری دینی است. این واژه در نظام دینی فاقد کیفیت آزمایشی و تجربهٔ عینی و نقد است. به‌عنوان نمونه، علوم در جهان اسلام به تولید نظریه‌ای گفته می‌شود که موضوعات آن در راستای توجیه و تحکیم دین است. از جمله نظریه‌هایی که مسلمان‌ها بدان پرداخته و آثاری را چاپ ساخته‌اند می‌توان به چند نمونهٔ شاخص اشاره کرد: علم تجوید یا نیکوخوانیِ قرآن، علم تفسیر، علم حدیث، علم کلام نقلی، علم فقه، علم اخلاق نقلی، علم عرفان نظری و عملی. حال، از دید شما علم تجوید یا نیکوخوانیِ قرآن دارای کدام روش‌شناسیِ علمی و منطقی را در خود جای داده؟ آیا علمِ تفسیر قرآن متکی‌بر روش تفسیرشناسی و انتقادی است؟ فقه شیعه، که سرشار از جعل و دروغ و روایات ساختگی است، چگونه می‌تواند علم باشد؟ عرفان، که در پی تهذیب و پالایش نفس است، چگونه می‌تواند با دانش همطراز باشد؟

نمونهٔ دیگر، عنوان اخلاق نقلی به مجموعه‌ای از تألیفات و تصنیفات اطلاق می‌شود که عهده‌دار گِردآوری روایات اخلاقی و حداکثر دسته‌بندی آن‌هاست. کتاب‌هایی مانند غررالحکم عبدالواحد آمدی و مصادقه الاخوان شیخ صدوق از برجسته‌ترین نمونه‌های قدیمی این مجموعه به شمار می‌روند. برای نمونه، شیخ صدوق روایات گوناگونی دربارهٔ نشان‌های ظهور امام مهدی می‌آورد. حال، شیخ صدوق که یک آخوند جاعل زمان خود یعنی قرن ۴ هجری قمری است، با روایات جعلی دربارهٔ امام زمان کدام دانش را ارائه کرده است؟ او می‌گوید روایتی که از غیرمعصوم نقل شده باشد حجیت ندارد و قابل اعتماد نیست. حال، شما بپرسید معصوم کیست و چرا پیوند خانوادگی با بنی هاشم ملاک «حجیت» است؟

ما با دو درک متضاد روبه‌رو هستیم: دانش از تجربه و آزمایش و استدلال و مقایسه و روش انتقادی می‌گوید و علم اخلاق شیعه از معصومیت سخن می‌راند تا اعتبار برقرار باشد. واژهٔ «علم» در دستگاه جعل دینی از محتوا خالی شده

و خِردستیز است. بنابراین، باید دقت داشته باشیم که جزم‌اندیشان شیعه مانند آیت‌الله‌ها و نواندیشان دینی پیوسته واژه‌ها را دست‌کاری می‌کنند و به آن‌ها مضمون دیگری می‌چسبانند. اصطلاح «علوم اسلامی» بی‌پایه است و در خدمت ایجاد آشوب فکری است. اسلام‌گرایان هر جا از علم صحبت می‌کنند منظورشان دین انتخاب‌شدهٔ خودشان است.

اتحاد آخوند و نواندیش دینی

تیره‌بختیِ ایرانیان در داشتن یک هیأت حاکم تبهکار و فاسدی است که، در عین حال، نادان و خرافه‌فروش هم هستند. البته این هیأت حاکم توسط الله فرستاده نشده‌اند بلکه محصول تاریخ و اجتماع و نتیجهٔ پشتیبانی حاکمان سیاسی و باور ژرف مردم به آخوندها هستند. پس از تجاوز اسلام به ایران‌زمین، قدرت سیاسی صفویه شیعه‌گری را بر منبر و ذهن‌ها حاکم کرد و باندهای آخوندهای حوزه‌ها با رساله‌های عملیهٔ عقل‌ستیز به جنگ با روان ایرانی پرداختند. آخوندها با جعلیات شیعه و فتواها و تفسیرها و احکام اجتهادی ذهن ایرانی را اسیر کردند. قدرت‌های سیاسی با کمک آخوند و خرافات به کنترل جامعه پرداخت و طبقهٔ آخوند به امتیازگیری و تحمیق توده ادامه داد. آخوندهای بزرگ مانند آیت‌الله‌ها، با عنوان «مراجع تقلید» با گرفتن خمس و زکات به بسیج آخوند و ملا و طلبه اقدام کردند و با ورود به زندگی خصوصی و ذهنیت ناتوان افراد جامعه را به اسارت گرفتند. آخوندها خو را «نمایندگان الله» و «روحانی» و «مقدس» معرفی کردند. ایدئولوژی قرآنی دینی متکی‌بر قداست الله و معصومیت امامان و لشگر سیدها و مراکز حوزوی و ماشین خرافه‌گرایی، تقلید و خفت و حقارت انسان را همچون یک «شایستگی» نشان دادند. تقلید از آخوند جاعل به هنجار جامعه تبدیل شد و همهٔ توده‌ها خود را به آخور الهیات این یا آن آخوند مرجع تقلید وابسته کردند. این سرسپردگی به قاعده‌ای طبیعی تبدیل شد و همه از هم می‌پرسیدند: «تو از کدام آیت‌الله تقلید می‌کنی؟» بدین ترتیب، جامعه حس و فکر خود را از دست داد و در انتظار قیامت و بهشت به دریوزگی روانی روی آورد.

در تاریخ ایران قدرت‌های سیاسی به تبلیغ احترام دین و آخوندیسم پرداختند و

خیل عظیم سیاسیون حاکم و حتی گروه‌های مخالف آیت‌الله را مظهر قدسیت نشان دادند. تقلید و بردگی روانی به رفتار طبیعی تبدیل شد و همهٔ سیاسیون در برابر این واقعیت کرنش کردند. در این تلاش بی‌سابقه اتحاد آخوند و نواندیش دینی در حفظ خرافات شیعه لازم بود. از یک سو آیت‌الله‌ها به‌مثابه مراجع تقلید قدرت را به دست گرفتند و از سوی دیگر نواندیشان دینی به‌عنوان تلطیف‌کنندگان اسلام در جست‌وجوی پخش و نگهداری ایدئولوژی خرافات دینی برآمدند. آیت‌الله‌ها خرافه‌پرست و خرافه‌ساز هستند و علاوه بر خرافه‌های امامان و رسول خدا خود نیز تفسیر و فتوا تولید می‌کنند تا دگرگونی‌های جدید از کنترل اسلام خارج نشود. نواندیشان نیرنگ‌باز با نقشی دیگر به‌شکلی ظریف به بقای اسلام و شیعه‌گری کمک رساندند. طی چهل سال گذشته نواندیشانی مانند آقایان سروش و شبستری و اشکوری و دیگران با وجود «نوگرایی» حاشیه‌ای هیچ انتقاد جدی و مستندی از روایات محمد و امامان و آیت‌الله‌های بزرگ و رساله‌های آنان ارائه نکردند. نواندیشان تمام گنداب‌های آخوندها را پنهان کردند. یادآوری فتوای موجود در رسالهٔ تحریرالوسیله آیت‌الله خمینی لازم است. آیت‌الله بزرگ اسلام، روح‌الله خمینی، در آن نوشته: «کسی که زوجه‌ای کمتر از نُه سال دارد دخول او برای وی جایز نیست ... اما سایر کام‌گیری‌ها از قبیل لمس به شهوت و آغوش گرفتن و تفخیذ اشکال ندارد هرچند شیرخواره باشد.» این حکم جنایتکارانه و تجاوزکارانه بر ضد کودکان اگر برای بخش مهمی از جامعهٔ ایران پنهان بود و مخفی باقی ماند ولی نمی‌توانست برای نواندیشان پنهان باقی بماند. نواندیشان از حرف‌های حوزوی و رساله‌های آیت‌الله‌ها با خبرند ولی چرا سکوت کردند؟ می‌دانیم از چند دهه پیش این فتوای جنایتکارانه به‌طور گسترده افشا شده ولی چرا نواندیشان بازهم سکوت می‌کنند؟ چرا آن‌ها آیت‌الله خمینی را محکوم نمی‌کنند؟ ما انتظاری از آخوند و نواندیش نداریم. طبیعت آن‌ها در پشتیبانی و حفظ استعمار اسلام و تمام جنایت‌های اسلامی و گنداب‌های فاجعه‌آور در اسلام و شیعه است. در عرصهٔ حقوق بشر و حقوق کودکان و حقوق زنان نیز خط اسلام و قرآنْ ستم‌گری است. تمام فتواهای آخوندها ناشی از نادانیِ آن‌هاست. توده‌های دنباله‌روِ مراجع تقلید اسیران آخوند و دین هستند. نسبت‌به اسلام و آخوند و نواندیش متوهم نباشید، آن‌ها در برابر آزادی ایستاده‌اند و خواهان نابودیِ اندیشه‌اند.

«بوعلام صنصال» نویسندۀ الجزایری

در نوامبر ۲۰۱۸ دیداری با بوعلام صنصال، نویسندۀ الجزایری‌تبار و زادۀ سال ۱۹۴۹ شکل گرفت. بیشتر نوشته‌های او در الجزایر ممنوع است ولی رمان‌های او در اروپا و به‌ویژه فرانسه و آلمان با شمارگان بالا چاپ می‌شوند و او مورد استقبال گستردۀ شهروندان و شخصیت‌های دانشگاهی و رسانه‌های غربی قرار گرفته. وی تاکنون هشت رمان چاپ کرده که از آن میان باید از ۲۰۸۴ آخر زمان و قطار ارلینگن یا دگرگونی خدا یاد کرد. البته او چند اثر نظریِ واکاوانه هم مانند صلحی غیرممکن در اطراف مدیترانه و حکم‌رانی به‌نام الله: اسلامی‌سازی و عطش قدرت در دنیای عرب نیز چاپ کرده است. یکی از محورهای داستانی و کار نظریِ او به تصویر کشاندن بیماری خطرناک اسلام و نقد اسلام‌گرایی و رشد آن در جهان است. دیشب در گپی دوستانه به او گفتم میان روشنفکران ایرانی و دنیای عرب رابطۀ فعالی وجود ندارد و جای گفت‌وگو میان روشنفکر ایرانی و روشنفکر عربِ منتقد اسلام خالی است. او نیز در تأیید حرف من گفت به‌ویژه آن‌که ما درد مشترکی داریم و آن هم زندگی در دنیای اسلام است. با هم قرار گذاشتیم بیشتر همدیگر را ببینیم. در واقع، بوعلام صنصال هنرمند بااستعداد و نوآوری است و افرادی مانند او در دنیای عرب واقعاً کم‌یاب هستند. بیشتر روشنفکران و هنرمندان عرب پشتیبان اسلام هستند و به اصول قرآنی ایمان دارند و وقتی می‌گویند پای‌بند به جداانگاریِ دین از سیاست و کمونیست هستند ولی باز هم مِهر اسلام را در دل دارند. دنیای روشن‌فکری ما یک گامی پیش‌تر است و شمار افراد منتقد اسلام هم بیش از پیش افزایش می‌یابند. میان ایرانیان، هنرمند و روشنفکر محتاط و فرصت‌خواه و کرنشگر در برابر اسلام فراوانند ولی خوشبختانه به‌تازگی شمار دانشگاهی و روشنفکر و هنرمند خداناباور و مخالف اسلام گسترش یافته و آن‌ها اسلام را یک عامل تحجر و واپس‌گرا و نابودکنندۀ انسان آزاد می‌دانند.

در برابر اسلامی‌سازیِ جهان باید با متحدین خود همکاری کنیم. طاعون اسلام یک پدیدۀ رشدیابندۀ جهانی است و نیروهای مخالف آن هم پراکنده هستند. تمدن و دموکراسی غربی یکی از ستون‌های ایستادگی در برابر اسلام‌گرایی است ولی در دل این تمدن هم ناتوانی و نااستواری و سردرگمی و تزلزل فراوان است. فعالان اسلاموفیل یعنی کسانی که روی خوش به اسلام نشان می‌دهند و با آن

خواهان ائتلاف هستند فراوانند. کار ما دشوار است. اسلام‌گرایان با پول جهانی و بانک‌ها و نفت خود را سازمان‌دهی می‌کنند، حال آن‌که نیروهای روشن‌فکری مخالف اسلام با قلم و گفت‌وگو و تلاش برخی رسانه‌های کم‌دامنه فعالیت خود را به پیش می‌برند. به هر روی، اسلام‌گرایان خواهان تحمیل یک جنگ علیه تمدن و آزادی هستند و ما راه دیگری جز یک مبارزه هوشمندانه و پیگیر و خستگی‌ناپذیر و همسو با یاران خود نداریم.

فلسفه و زندگی

یکی از فیلسوفان معاصر فرانسه، لوک فری، دربارهٔ رابطهٔ فلسفه و زندگی می‌نویسد: «فلسفه تنها در پی معنای زندگی است. من چهل سال سپری کردم تا این تعریف را پیدا کنم و این برایم بسیار مهم است. نظریه‌ای که من از آن پشتیبانی می‌کنم این است که تمام فلسفه‌های بزرگ جهان بدون استثنا و حتی فلسفه‌های مادّه‌باور اصل رهایی هستند. تنها تفاوت با دین در نبودن خداست. دین قول می‌دهد که ما توسط کس دیگری نجات پیدا می‌کنیم. ما می‌خواهیم از یک بدبختی و یا خطر نجات پیدا کنیم. چیزی که بیش ازهر چیز در ما ترس می‌آفریند مرگ است. هدفی که فلسفه دارد چیرگی بر ترس و رها شدن از آن است. به‌طور کوتاه باید بگویم ما در زندگی دارای دو تیره‌بختی هستیم: گذشته و آینده. اگر ما گذشته‌ای شادمان داشته باشیم، به یادمانهٔ آن فکر می‌کنیم و اگر گذشتهٔ ما با تیره‌بختی همراه باشد، ما خود را سرزنش می‌کنیم. ما برای فرار از گذشته به‌سوی آینده جهت‌گیری می‌کنیم و برای خود پروژه در نظر می‌گیرم و این ما را مشغول می‌کند. گذشته و آینده مانع از آن می‌شوند که در تنها چیزی که ارزش دارد یعنی حال حاضر زندگی کنیم. زمان حاضر، این تنها چیزی است که به‌طور واقعی وجود دارد و ما پیوسته به‌خاطر یادمانه و امید به آینده آن را از دست می‌دهیم.

لوک فری حق دارد که روی زمان حال تأکید کند زیرا زمان کنونی دربرگیرندهٔ مناسبات ما با جهان و رابطه با انسان‌ها و چیزهاست و زندگی ما در عشق و تلاش و انسان‌شناسیِ بی‌میانجی است. دیدار دریا و طبیعت و پرسه زدن و خواندن و سفر و گپ دوستانه و لذت‌های روزمره و درگیری در اندیشه و انتقاد در ما انرژی تولید

می‌کند و ما را از مرگ اجتماعی می‌رهاند ولی از دید جامعه‌شناسی شخصیت‌های امروز از تاریخ خود می‌آیند و گاه امید دارند که در زندگی خاموش یا بی‌معنا و تهی و ابلهانه تغییری به وجود آورند. آن‌ها از گذشته می‌آیند و جایگاهی و چیزی در آینده می‌خواهند. در این حالت، انگیزهٔ آن‌ها پویا می‌شود و بازیگری پویای آغازین تحریک می‌شود. معنای زندگی در چیزی است که وجود دارد و انسان آن را ساخته است ولی این معنا با طرح‌های ما متلاطم می‌شود.

اسلام‌گرایان اصلاح‌طلب در برابر صادق هدایت

صادق هدایت جزو نادر هنرمندان و روشنفکران ایرانی است که با نوآوری در عرصهٔ داستان‌نویسی و با شجاعت در مبارزه با خرافات شیعه و انتقاد از دین اسلام در تاریخ ما جایگاه ویژه‌ای دارد. مبارزهٔ او با آخوندیسم و باورهای گندیدهٔ شیعه چراغی در دل یک جامعهٔ استبدادزده و آلوده به دین بود. او در آثاری مانند توپ مرواری، «علویه خانم»، «حاجی آقا»، «افسانه آفرینش» و «کاروان اسلام» به نقد مناسبات کهنه و آسیب‌های ناشی از اسلام پرداخت و نشان داد که نباید به اسلام امید بست و برعکس این دین را باید عامل نابودی دانست. تمام محافل آخوندی و نواندیشان دینی و روزنامه‌نگاران اسلام‌گرا همیشه صادق هدایت را مورد حملات خود قرار داده‌اند و او را نماد بدی معرفی نموده‌اند. بهروز افخمی، فیلمساز اصلاح‌طلب در جمهوری اسلامی، در روزهای اخیر به صادق هدایت حملهٔ دشمنانه‌ای کرده و گفته هدایت «همجنس‌گرا» بوده و از زن‌ها بدش می‌آمده و اگر همجنس‌گرایی هدایت را در نظر بگیریم تمام دید ما دگرگون می‌شود. در این یورش موزیانه چند نکته قابل توجه است: نخست این‌که در فرهنگ واپس‌گرای اسلامی همجنس‌گرا به‌معنای «بچه‌باز و همجنس‌باز» است. در این باور دینی این صفت به‌معنای نابودیِ اخلاقی به شمار می‌آید، حال آن‌که در جامعهٔ نوگرا همجنس‌گرایی یکی از واقعیت‌های اجتماعی است و این افراد مانند شهروندان دیگر دارای حقوق اجتماعیِ برابر هستند. من نمی‌دانم هدایت دارای کدام گرایش جنسی بوده است و این کوَچک‌ترین اهمیتی ندارد و کاملاً خصوصی است ولی می‌دانم هنرمندان بی‌شماری در جهان همجنس‌گرا بوده‌اند و جزو افراد برجسته یا نابغهٔ جامعه بشری

به شمار می‌آیند. در ذهن اسلامی «همجنس‌گرایی» صادق هدایت فرصتی برای یورش به او و هنر و اندیشهٔ اوست. اسلام‌گرایان کینهٔ ژرفی نسبت‌به منتقدان اسلام دارند و در تلاشند تا ذهنیت واپس‌گرا و ارتجاعی جامعه در برابر هنرمند نقاد بشورد. دوم این‌که این فیلم‌ساز اصلاح‌طلب چرا خفه‌خون گرفته و تبهکارانی مانند قاری قرآن و دوست آیت‌الله خامنه‌ای، سعید طوسی، را افشا نمی‌کند؟ تجاوز به کودکان و کودک‌آزاری توسط اسلام‌گرایان برای اصلاح‌طلب و اصول‌گرا و حکومتی‌ها قابل چشم‌پوشی هستند ولی دروغ و جعل بر ضد هنرمند و روشنفکر منتقد دین ثواب دارد.

صادق هدایت چراغی در تاریکی جامعه، آتشفشانی بر ضد خرافهٔ دینی و شخصیت‌های زشتکار پاچه‌ورمالیدهٔ مسلمان و درخشش فرهنگ زرتشت در برابر شیعه‌گری بود. هدایت همیشه آخوند را نشان ارتجاع و فساد می‌دانست. او در «حاجی آقا» خطاب‌به حاجی آقاهای اسلام‌زده می‌نویسد:«هفتاد سال است که مردم را گول زدی، چاپیدی، بریششان خندیدی، آن وقت پول‌های دزدی را برده‌ای کلاه شرعی سرش بگذاری، دور سنگ سیاه لی‌لی کردی، هفتاد ریگ انداختی و گوسفند کشتی ... از صبح زود مثل عنکبوت تار می‌تنی، دزدها و گردنه‌گیرها و قاچاق‌ها را به‌سوی خودت می‌کشی، کارت کلاه‌برداری و شیادی است.» از نگاه هدایت، در فرهنگ شیعه آدم‌ها پَست و بدبو می‌شوند. بی‌سبب نیست که اصلاح‌طلب شیعه به هدایت یورش می‌برد.

حق تعیین سرنوشت «خلق‌ها»

حق تعیین سرنوشت خلق‌ها پروژه‌ای برای تجزیهٔ ایران است. آیا ما نیازمند تغییر قدرت سیاسی در ایران هستیم؟ بله، زیرا قدرت سیاسی دینی کنونی در تناقض با دموکراسی و جداانگاری دین از سیاست و عامل تبعیض فرهنگی و دینی و قومی در جامعه است. قدرت سیاسی آینده باید نامتمرکز و دموکراتیک و پای‌بند به جداانگاری دین از سیاست باشد. در شرایط خاص ایران تمرکززدایی از راه قدرت تصمیم‌گیریِ واقعی استانی و شهری اجراشدنی است. مفهوم فدرالیسم در ادبیات سیاسی گروه‌های مخالف ایرانی با بار جدایی‌خواهی و قوم‌گرایی مشخص می‌شود. این مفهوم با واقعیت تاریخی و فرهنگی وحساسیت شرایط ایران هیچ

انطباقی ندارد و جز پریشانی فکری ـ سیاسی نتیجهٔ دیگری ندارد. در چند سال گذشته، برخی عناصر و جریان‌ها از حق تعیین سرنوشت صحبت کرده‌اند و به‌ویژه این حق را برای آذری و کُرد و بلوچ و عرب در نظر دارند. این اشخاص هر گونه حرکت مشترک و ائتلاف سیاسی را مشروط‌به پذیرش این حق جدایی می‌دانند. به‌تازگی ده گروه سیاسی فراخوان مشترک امضا کرده‌اند و در این فراخوان اعلام می‌کنند که «همزیستی ملیت‌های فارس، تُرک، کُرد، عرب، بلوچ، ترکمن و دیگر مجموعه‌های زبانی و اقلیت‌های مذهبی و فرهنگی» مشروط‌به آن است که «اولاً هویت و حقوق ملی - دموکراتیک این مردمان پذیرفته و حق تعیین سرنوشت‌شان به‌رسمیت شناخته شود» و نیز «سیستم سیاسی و اداری فدرال» برقرار شود.

خواست حق تعیین سرنوشت یعنی یک قوم و یا سیاسیون آن قوم هر وقت خود خواستند و برخلاف منافع ملی می‌توانند از ایران جدا شوند و جغرافیای جداشده را به کشور جدید تبدیل کنند. نظریهٔ حق سرنوشت در ایران در تناقض با تاریخ همزیستی همهٔ اقوام ایرانی است. خاستگاه این نظریه تجزیهٔ کشوری چندگانه است: نخست، افراد ملی‌گرای شوینیستِ قوم‌گرای کُرد و آذری. دوم، محافل و اشخاص وابسته‌به دیپلماسی منطقه‌ای و جهانی. سوم، هواداران چپِ استالینیستی و لنینی با نظریات وحدت‌ستیزِ ملی. چهارم، افراد دنباله‌رو و احساسی که از پشت پرده خبر ندارند و یا افرادی که به‌خاطر شدت خوش‌بینی خود از واکاویِ ژرف و دقیق دور هستند.

موافقان این نظریه به دموکراسی و حقوق شهروندی باور استواری ندارند و خوشبختانه فاقد وزنهٔ اجتماعی‌اند. زیان آن‌ها در عرصه ایجاد پریشان‌فکری است. مبارزهٔ فکری در نقد مفاهیمی مانند فدرالیسم و حق تعیین سرنوشت ضروری است و کتاب‌هایی مانند نقدی بر فدرالیسم از محمدرضا خوبروی پاک یاری‌رسان ماست.

نخبگان کشور

نخبگان کشور ما چه کسانی هستند؟ نخبه توده نیست، خلق نیست، طبقه نیست. نخبگان عناصر برجستهٔ یک کشورند. در تمام کشورها متناسب با تاریخ و فرهنگ و رشد جامعه و دوری و نزدیکی به دموکراسی و تجربهٔ زندگی افراد نخبه وجود

دارد. در تعریف نخبه صفت مترقی و دموکرات معیار جامعه‌شناختیِ دقیقی نیست. نخبه کسی است که با دانش و با قدرت تصمیم‌گیری است، نخبه کَسی است که نوآور و مدیر سیاست است، نخبه تصمیم‌گیرنده در کارهای برجستهٔ اقتصاد و سیاست است، نخبه فرهنگ‌ساز و نظریه‌پرداز است، دورنگر و آینده‌پرور است، سازمان‌ده و جهت‌دهندهٔ کارهاست، سازنده یا حتی ویران‌گر است، آرمان‌گراست، راه خیزش را نشان می‌دهد، قدرت واکاوی و دریافت راز و ابهام دارد، یک سر و گردن از اعضای توده بالاتر است و دموکراسی‌آور و یا استبدادپرور است. دونالد ترامپ، اِمانوئل مکرون، آنجِلا مرکل، ولادیمیر پوتین از نخبگان سیاست جهانی هستند. رَهبران شرکت‌های گوگل، آمازون، فیس‌بوک از نخبگان اقتصاد جهانی سرمایه‌داری هستند. نخبگان ادبیات جهانی نیز آن‌هایی هستند که جایزهٔ ادبی نوبل یا جایزه‌های برجسته را از آن خود می‌کنند و مغز و تصور و احساس آدمیان را متأثر می‌کنند. رهبران عوام‌گرای جهان از نخبگان هستند البته آن‌ها شخصیت منفی هستند ولی تأثیرگذار می‌باشند. در این جهان ما دارای نخبگان برجسته در عرصه زیست‌شناسی، فیزیک، انفورماتیک، شیمی، فلسفه، جامعه‌شناسی، ریاضیات و اقتصاد هستیم. یکی از معیارهای پیشرفت جامعه شمار نخبگان و کیفیت آن‌هاست.

حال، نخبگان ما کیستند و کجایند؟ نخبگان در رأس نظام سیاسی امروزی ایران کیستند؟ تمام کسانی که سازمان‌دهی و پایداری این نظام را فراهم کرده‌اند و با مهندسی خود رژیم را در بحران‌های حادّ نجات داده‌اند نخبگان حکومتی هستند. نیروهای مخالف حکومت ایران در دِاخل و خارج نیز دارای افراد نخبه‌اند. همیشه ماندلاها و لخ والساها و ژنرل دو گل‌ها و مصدق‌ها و رضاشاه‌ها و امیرکبیرها و دارای نقش مثبت و ترقی‌خواهانه در جامعه زیاد نیستند. همچنین، نخبگان همیشه از شخصیت‌های بزرگ و باوزنه تشکیل نشده‌اند. تاریخ و محیط و تربیت و وضع جهانی و پیشامدها در پیدایش نخبگان نقش ایفا می‌کنند. بنابراین، کیفیت جامعه و مرحلهٔ تاریخی آن تا اندازهٔ زیادی کیفیت نخبگان را مشخص می‌کند. روشن است که کیفیت نخبگان گاه از سطح تقاضاهای جامعه فراتر و فراخ‌تر است. واقعیت نخبگان هر کشور متناسب با تاریخ و سطح پیشرفت آن کشور است ولی نخبگان کاردان و هنرمند و بااراده خود از دیوار تاریخ بالا می‌روند. نخبگان سیاسیِ نیروهای مخالف حکومت ایران کیستند؟ نخبگان برجستهٔ دانشگاهی و علمی اَیران کیستند؟ نخبگان علمی و فن‌آوریِ ایران کجایند؟ این نخبگان واقعیت

دارند. باید به آن‌ها راه داد تا شکوفاتر شوند، باید چهره‌ها را به نمایش گذاشت تا آشکارتر شوند. نخبگان باید بر ترس خود غلبه کنند و شخصیت‌شان را بسازند. شاید مطلوب‌ترین نخبه کسی است که شهامت دارد، آرمان‌گراست، عطر آزادی را پخش می‌کند، دانش را در سراسر ایران می‌پراکند، از دین و استبداد نمی‌هراسد، به تاریخ نگاه می‌اندازد و آینده را ترسیم می‌کند.

جداانگاری دین از سیاست

در ایران جداانگاری دین از سیاست را چگونه تعریف کنیم؟ جداانگاری دین از سیاست یعنی چه؟ جداانگاری دین از سیاست یک روند تاریخی و فرهنگی و جامعه‌شناسانه است که انسان را از آسمان جدا می‌کند و او را به‌سوی خودمختاری و استقلال شخصیتی حرکت می‌دهد. پس از سده‌های و سرآغاز دورهٔ نوزایی و روشن‌گری، انسان نوگرا زاده می‌شود، انسانی که منبع اصلی‌اش عقل و تجربهٔ زمینی است.

جداانگاری دین از سیاست چیست؟ در سال ۱۹۰۵ در فرانسه قانون جداانگاری دین از سیاست تصویب شد و بر اساس آن حکومت و کلیسا از هم جدا شدند. قدرت سیاسی در فرانسه اعلان کرد که آموزش‌وپرورش وظیفهٔ دولت است و کلیسا در آموزش عمومی نباید مداخله کند و نیز کشیشان حقوق دولتی نخواهند داشت و خود کلیسا عهده‌دار آن خواهد بود. در فرانسه و در ۲۰۰۴ قانون جدیدی تصویب شد مبنی بر این‌که دختران دبستان و کالج و دبیرستان نباید حجاب داشته باشند ولی حجاب در دانشگاه و در جامعه آزاد است.

حال، در ایران وقتی از جداانگاری دین از سیاست حرف می‌زنیم، منظور چیست و کدام شعار درست است؟ جدایی دین از حکومت؟ جدایی دین از دولت؟ جدایی دین از سیاست؟ حکومت برابر کل ساختار سیاسی یعنی ولایت فقیه و سه نهاد اجرایی و قانون‌گذار و قوهٔ قضایی است و ارتش و سپاه نیز جزو حکومت هستند. بنابراین، دین باید از تمام این ساختار جدا باشد و قدرت سیاسی بعدی باید در تمام تصمیم‌گیری‌های خود از معیار اسلام و احکام اسلامی و مذهب شیعه دوری گزینند. دولت برابر کابینه یا دولت (روحانی) است و این دولت همان قوهٔ

اجرائیه است. در اینجا جدایی از دین اسلام به‌معنای جدایی همهٔ تصمیم‌های دولتی و وزیران از معیارها و احکام اسلامی است. بالأخره جدایی دین از سیاست باید به‌معنای جدایی سیاست‌های گوناگون دولتی و حکومتی از معیارها و احکام دینی باشد. سیاست آموزش‌وپرورش، بهداشت، محیط زیست، بین‌الملل، دانشگاه، اقتصاد و صنعتی، سیاست خانواده، ارث‌ومیراث، اداری، جزایی و غیره باید جدا از معیارها و احکام اسلامی باشد. بنابراین، جدایی دین از حکومت فراگیر است و ابهام و سوءتفاهم را محدود می‌کند.

محمدرضا نیکفر در نشستی در پاریس گفت جدایی حکومت از دین نادرست است و باید از جدایی از شیعه‌گری حرف زد. از دید من، این نظریه ناقص و مبهم و اشتباه است. در ایران، اسلام و فقه شیعه یک کلیت جداناپذیر را تشکیل می‌دهند. در قانون اساسی جمهوری اسلامی، قرآن و اسلام و شیعه به‌مثابه یک مجموعه قابل اتکا آمده است. در ایران، رجوع به قرآن و روایت پیامبر و فقه یک الگوی عملیِ همیشگی است، حال آن‌که ما خواهان عقل‌گرایی و اصول حقوق بشر و تجربه‌های دموکراتیک جهانی هستیم تا مدیریت سیاسی در ایران نوگرا و عادلانه و انسانی باشد. ما خواهان جدایی از دین اسلام و فقه شیعه و یا هر دین دیگری در ایران هستیم. بنابراین، وقتی می‌گوییم جدایی از دین اسلام منظورمان جدایی قدرت سیاسی از قرآن و روایات پیامبر و فقه شیعه است. البته آقای نیکفر دیدگاه روشنی برای تقویت جداانگاری دین از سیاست در ایران ندارد، حال آن‌که ما نیازمند دیدی روشن هستیم و باید از همهٔ نخبگان سیاسی و فرهنگی بخواهیم تا جدایی قدرت سیاسی از دین اسلام و فقه شیعه را درخواست کنند.

چرا کشتار یهودیان ادامه دارد؟

کشتار یهودیان چگونه قابل فهم است؟ در سپتامبر ۲۰۱۸ یک آمریکایی یازده یهودی را در کنیسه کشت. این گونه کشتارهای جهت‌دار بر ضد یهودیان اتفاقی نیستند و پیوسته تکرار می‌شوند. طی دو سال گذشته، شمار زیادی یهودی در فرانسه و اروپا کشته شده‌اند. این کینه از کجا می‌آید؟ در میان کاتولیک‌های سنتی، که معتقدند مسیح توسط یهودی‌ها کشته شده، تمایل یهودی‌ستیزی بسیار قوی است. در جهان‌بینیِ نازیسم

نیز یهودی باید بمیرد زیرا او به یک «ویروس خطرناک» می‌ماند. در قرآن، یهودیان خائن معرفی شده‌اند و قابل اعتماد نیستند. قرآن می گوید: «لَتَجِدَنَّ أَشَدَّ النَّاسِ عَداوَةً لِلَّذینَ آمَنُوا الْیهُودَ وَ الَّذینَ أَشْرَکُوا. (سورهٔ مائده، آیهٔ ۸۲.) یعنی «به‌طور مسلّم (ای پیامبر) دشمن‌ترین مردم نسبت‌به مؤمنان را یهود و مشرکان خواهی یافت.» افزون‌بر آن، کشتار یهودیان در سنت پیامبر اسلام یک واقعیت تاریخی است. در کشورهای مسلمان و از جمله ایران روحیهٔ یهودی‌ستیزِ پررنگی موجود است و کوچه و بازار از متلک و گفتار یهودی‌ستیز فراوان است. در جهان‌بینیِ راست تندروِ اروپا و آمریکایی نیز یهودی یک توطئه‌گر معرفی می‌شود. در کشورهایِ اروپای شرقی مانند لهستان و مجارستان هم گرایش یهودی‌ستیزی نیرومند است. هواداران حکومت مارشال پتن در ویشی، که در فرانسه با هیتلر سازش کردند، گرایش یهودی‌ستیزِ پررنگی داشتند و یهودیان را با قطار به اردوگاه‌های آدم‌سوزی می‌فرستادند. گرایش یهودستیزی در کل اروپا ادامه دارد. برخی چپ‌ها که خود را «ضد صهیونیست» و هوادار «آرمان مردم فلسطین» می‌دانند، هم یهودی‌ستیز هستند. این چپ‌ها، که مدام با فلسطینیان همدردی می‌کنند، اغلب منافع و مصالح ایران را فراموش کرده‌اند. موضع‌گیری موافقِ فلسطین این افراد چپ تا هواداری از مرتجعین حزب‌الله لبنان و حماس فلسطینی پیش می‌رود و این به‌ناگیز با سیاست جمهوری اسلام نیز همسوست.

بی‌شک، سیاست استعماری دولت اسرائیل در مناطق فلسطینی و مانع‌تراشی برای رویارویی با ایجاد یک دولت فلسطینی قابل انتقاد است. اسرائیلی‌ها و فلسطینی‌ها باید هر کدام دولت خود را داشته باشند. وضعیت اختلاف و جنگ در خاور میانه در عمل موجب رشد جریان‌های اسلام‌گرا در سرزمین‌های فلسطینی شده و این در تضاد با سیاست صلح است. این وضع بحرانی همیشه مورد استفادهٔ رژیم‌های عرب و جمهوری اسلامی قرار گرفته تا به خود مشروعیت بخشند و مردم مسلمان را بر ضد یهودیان برانگیزند. ولی پرسش اساسی در اینجا دربارهٔ ریشهٔ کینه بر ضد یهودیان است. چرا یک آمریکایی نژادگرا یهودی‌ها را در محل نیایش به مسلسل می‌بندد؟ چرا یهودی‌کُشی در دستور آدم‌کُشان نژادگرای اروپایی و تروریست‌های اسلامی قرار می‌گیرد؟ بی‌شک، ما باید رابطهٔ این جنایت‌ها را با جهان‌بینی‌های یهودستیز واکاوی می‌کنیم. یهودستیزان همیشه ثروت و سرمایه‌های بانکیِ یهودی را «خاستگاه بحران» جهان معرفی می‌کنند. آن‌ها همیشه «بینی گنده» یهودی‌ها و خساست‌شان را مطرح می‌کنند. همهٔ این تبلیغات بیان‌گر ناآگاهی

مُبلّغان آن‌هاست. همچنین، در تمام جهان و در میان همهٔ مردم جهان، این ویژگی‌ها را می‌توان پیدا کرد. این تبلیغات ابلهانه بازتاب‌کنندهٔ یک نژادپرستی بیمار و گندیده است. جهان‌بینیِ اسلامی و کاتولیکی متعصبانه و هیتلری و عوام‌گرای راست تندرو سرچشمهٔ بدآموزی بر ضد یهودیان است. در تمام حوزه‌های شیعه و اسلامی و مغزهای معیوب اسلام‌گرایان، ضدیت با یهود یک لذت بیمارگونه است. کینهٔ خمینی و احمدی نژادها نسبت‌به یهودیان را از یاد نبریم.

در میان همهٔ مردمان جهان، یهودی‌ها نقش مثبتی برای پیشرفت بشریت ایفا کرده‌اند. آن‌ها خلق برتر نیستند ولی کارشان پشتوانهٔ پیشرفت آن‌هاست. کارل مارکس، زیگموند فروید، هانا آرنت، فرانتس کافکا، گوستاو مالر، باروخ اِسپینوزا، لوسین فروید، استیون اشپیلبرگ، هاریسون فورد، سیمون سینوره، ناتلی پورتمن، آلبرت اینشتن، هربرت سیمون، جوزِف استیگلیس، ژُرژ شارپاک، فیلیپ رات، ابن میمون، اِمانوئل لویناس، ژَک دریدا و صدها اندیشمند و هنرمند یهودی‌تبار دیگر برای جامعهٔ بشری تلاش کرده‌اند. نبوغ برجستهٔ یهودی‌ها از ژن آن‌ها نیست بلکه از تلاش سخت‌سرانه و تربیت خانوادگی و همت فردی و جدیت کاری و قدرت یادگیری‌شان سرچشمه گرفته. تربیت و آموزش یهودیان پایهٔ پیشرفت آن‌ها را ساخته و آن‌ها در جامعه‌ای که هستند هوشیارانه تمام امکانات مطلوب را برای موفقیت به کار می‌گیرند. یهودستیزان نژادگرا و اسلامی فقط درماندگان تاریخ هستند و تنها ابزارشان کینه‌جویی و آسیب‌رسانی به یهودیان است.

زندگی و خوش‌بینی

آیا می‌توان در زندگی خوش‌بین بود؟ می‌توان گفت دنیای امروز بهتر از دنیای دیروز است و فرزندان و نوه‌های امروز ما بهتر از کودکان دیروز و کودکان سال‌ها و سده‌های پیش زندگی می‌کنند. این گفته به این معنا نیست که زندگی کنونی خوب است بلکه به این معناست که بشریت پیشرفت کرده. با وجود جنگ‌های جهانی و استعمار و فقر و تعصب، دنیای ما گسترش یافته و امکانات فرهنگی و علمی رشد پیدا کرده‌اند و دموکراسی و ارزش‌های آزادی‌خواهی بیشتر شده. با این وجود، آینده تاریک است. ویرانیِ زیست‌بوم جهان،آز قدرتمندان جهان، خطر رشد اسلام و دیگر

خرافات، توطئه‌های جنگی، رشد عوام‌گرایی و حجم بی‌کران نادانی جامعهٔ بشری را به نابودی سوق می‌دهد. تجربه‌های انسانی نشان داده که، در طول تاریخ، نسل‌ها و هوشمندان و نخبگان و افراد آگاه با اقدامات مساعد و مثبت و شجاعانه و زیرکانه جامعه را از خطر نابودی نجات داده‌اند. حال، آیا در آینده نیز چنین خواهد شد؟ ما نمی‌توانیم پیش‌گویی کنیم، فقط می‌توانیم با آگاهی روزافزون و دانش اخلاق‌گرا و نخبگان هوشمند امیدوارم باشیم که به نابودی کشیده نشویم. مسئولیت و آگاهی و شجاعت انسان است که می‌تواند تضمینی برای آیندهٔ بهتر باشد. جزم‌گراییِ خاصی وجود ندارد زیرا دنیا در تناسب قوای گوناگون می‌چرخد و پیشامد و ضرورت‌ها با عمل انسان درمی‌آمیزند. بر پایهٔ نظریهٔ فرگشت داروین، در دگرگونیِ زندگی از شکل حیوانی به شکل انسانی هم قانون زیست‌شناسیِ تغییر گونه و هم کلیهٔ پیشامدها نقش اساسی داشته‌اند. در جامعه‌شناسی، همهٔ این پدیده‌ها عمل می‌کنند و نیز منافع سیّال و لذت‌های گوناگون و آرزوهای متضاد و احساس مسئولیت و گرایش به نابودی نزد انسان‌ها و در تصمیم آن‌ها مداخله می‌کنند. کارل مارکس از گونه‌ای جزم‌گرایی تاریخ و اجتماعی صحبت می‌کرد و رفتن به‌سوی کمونیسم را ناگزیر می‌دانست. ماده‌باوریِ تاریخی قوانین اجتماعی را به استاندارد تبدیل می‌کند. بر پایهٔ این نظریه، در پایان تاریخ، جامعهٔ کمونیستی لبخند می‌زند. برخلاف این نظریه باید در نظر داشت که حرکت پویای جامعه و کنش‌ها و واکنش‌ها شرایط نو و جدیدی را تولید می‌کنند. در نبود یک طرح پیش‌ساخته، انسان می‌تواند دستخوش سردرگمی و آشفتگی بشود ولی این حالت اجازه می‌دهد که در توهّم و جهان‌بینیِ کاذب فرو نرویم. آینده روشن نیست و آشفتگی وجود دارد اما آگاهی و ارادهٔ جسورانهٔ انسان نقش‌آفرین است. خوش‌بینی هم همین است. فیلم «چهارصد ضربه» از فرانسوا تروفو را به یاد آورید. پسر جوانی که زندگی‌اش از پیشامدهای تلخ و دروغ و و دلسردی لبریز است ولی به تلاش خود ادامه می‌دهد و در پایان فیلم به‌سوی دریا می‌دود.

کودکان تروریسم

با کودکان تروریسم چه باید کرد؟ پس از شکست نظامی داعش در سوریه، تخمین زده می‌شود در منطقهٔ نزدیک‌به دمشق و در مرز شمالی با ترکیه بیش از ۱۰هزار نفر

داعشی وجود دارند که کماکان به تروریسم اسلامی وفادارند. در میان این جمعیت، خانواده‌هایی هستند که از اروپا و از جمله فرانسه برای جهاد به آنجا رفته‌اند. پس از شکست نظامی، شماری خواهان بازگشت هستند. از چندی پیش مطرح شده مادرانی که ملیت فرانسوی دارند و یا در فرانسه بوده‌اند با فرزندان چندماهه تا شش سال خود می‌خواهند به فرانسه بازگردند. چند تن از زنان داعشی که ادعای پشیمانی دارند با پشتیبانیِ برخی محافل حقوق بشری این خواست را از راه وکلای خود برای دولت فرانسه فرستاده‌اند. پس از چند ماه بررسی، دولت اعلان کرد که می‌توان ۱۵۰ کودک را به فرانسه بازگرداند ولی مادران آن‌ها حق ندارند به فرانسه بیایند زیرا درگیر کار تروریستی بوده‌اند و همان‌جا توسط دادگاه‌های کُرد و عراقی باید محاکمه شوند. حال، چه باید کرد؟ دست‌کم سه دیدگاه وجود دارد: دیدگاه نخست اقلیتی را مطرح می‌کند که مادران و کودکان باید بتوانند با هم برگردند زیرا جداسازی آن‌ها مشکلات روحیِ جدیدی برای کودکان تولید خواهد کرد و به همه باید امکان جدیدی برای زندگیِ عادی داد. دیدگاه دوم می‌گوید بسیاری از فرانسویان مخالف بازگشت مادران و کودکان هستند. آن‌ها بر این باورند که مادران و پدران آگاهانه برای جهاد به سوریه رفتند و نباید به فرانسه برگردند و نیز بازگشت کودکان یک خطر تروریستی در آینده است و هر یک می‌توانند به بمبی تبدیل شوند. دیدگاه سوم دیدگاه گروه‌هایی از فرانسویان هستند که می‌گویند پدران و مادران داعشی نباید به فرانسه بیایند ولی کودکان را باید پذیرفت زیرا از پدرومادری فرانسوی به دنیا آمده‌اند و کودکان هیچ‌گونه مسئولیتی نداشته‌اند. البته روان و تربیت آن‌ها از فضای داعشی و آموزش دینی تروریستی آن‌ها آسیب دیده و به همین خاطر بازگشت آن‌ها با کار فرهنگی و روان‌شناسانهٔ مهمی باید همراه باشد. افزون‌بر آن، زنان داعشی می‌توانند تقیه کنند و دروغ بگویند و دوباره با طرح تروریستی وارد فرانسه شوند.

جامعهٔ فرانسه در یک ترس ژرف به سر می‌برد. البته این ترس در چهره‌ها آشکار دیده نمی‌شود ولی به‌شکل یک اضطراب و نگرانی ژرفِ درونی عمل می‌کند. این ترس بی‌پایه نیست زیرا ترورهای مکرر در فرانسه روان جامعه را متأثر کرده و جامعه بهای سنگینی پرداخته است. کشتار زن و مرد و کودک توسط تروریست‌های اسلامی بر بدن جامعه یک داغ بزرگ باقی گذاشته است. جامعه این زخم‌ها را نمی‌تواند فراموش کند ولی، در ضمن، کمر خم نمی‌کند و

افسرده نیست. امروز در همهٔ مراکز تجاری نگهبان ایستاده است و ساک‌ها را کنترل می‌کنند، در کودکستان و مدارس ابتدایی اقدام‌هایی صورت گرفته تا خطر تروریستی علیه کودکان کم شود، در متروهای شهری گاه‌به‌گاه اخطار داده می‌شود و خواستار هوشیاری کامل نسبت‌به بسته‌بندی‌های مشکوک یا رها می‌شوند، در ورودی اغلب دانشگاه‌ها نیروی انتظامی و یا سیستم‌های خودکارِ کنترل‌کننده نصب شده است، تمام ساختمان‌های دولتی و موزه‌ها و مراکز فرهنگی دارای سیستم حفاظتیِ ضدتروریستی وجود دارد. مسئلهٔ امنیت یک نکتهٔ اساسی است. جامعه برای حِفظ خود به سازمان‌دهی دست می‌زند ولی می‌داند که ضربه‌پذیر است. البته همهٔ عملیات‌های تروریستی اسلامی نیستند ولی بیشتر تروریست‌ها اسلام‌گرا هستند و در همین سرزمین رشد کرده‌اند. حال، جامعه می‌پرسد وقتی ۱۵۰ کودک که تبلیغات اسلامی را شاهد بوده‌اند و حتی تمرین جهادی داشته‌اند پس از بازگشت به فرانسه قدرت تربیت تصحیحی‌شان چقدر خواهد بود؟ آیا فعالیت تربیتیِ پای‌بند به جداانگاری دین از سیاست بر ذهن زخمی و ناتوان و متأثر از اسلَام و در فضای ذهنی اسلامی آن‌ها موفقیت خواهد داشت؟ جامعهٔ فرانسه می‌تواند کودکان را بپذیرد و شانس جدیدی در جهان دموکراسی به آن‌ها بدهد ولی کار فرهنگی برای ایجاد ساختار روانی نااسلامی و یا دست‌کم روحیهٔ وفادار به حقوق بشر کار بسیار دشواری خواهد بود. ذهن و روان کودک با ناخودآگاهی سرشار از بغض‌ها و عقده‌ها و کمبودها و احساس‌های یادمانه‌گون متمایل‌به دین چه خواهد کرد؟

طنز: نشان آزادی

هفته‌نامهٔ شارلی ابدو، طنزنامهٔ گزنده، نشان آزادی بیان در فرانسه است. این‌که شما از کارهای این هفته‌نامه خوش‌تان بیاید یا نه جنبهٔ فرعی ماجراست. مطلب اصلی ادامهٔ کار این طنزنامه در فضای سیاسی و اجتماعی و فرهنگی است. بیش از یک میلیون این هفته‌نامه را می‌خوانند. هر هفته نوشته‌ها و پیکرهای گوناگونی در برگ‌های آن پیش‌داشت می‌شود. این نمایش جلوه‌ای از زنده بودن جامعه است.

به‌تازگی، کاریکاتوریست فرانسوی شارلی ابدو صفحه نخستِ خود را به عوام‌گرای چپ فرانسوی یعنی ژان لوک ملانشون، اختصاص داد. این رهبر

سیاسی پیوسته می‌خواهد نشان دهد که مانند دیگر رهبران نیست و پاک و پاکیزه است. هفته‌نامهٔ انتقادی نمی‌تواند به ادعا بسنده کند و به این خاطر به پژوهش دست می‌زند. به‌دنبال بازرسی مراکز حزبی ملانشون به‌دستور دادگاه، اسناد حسابداری او زیر کنترل قرار گرفت. همچنین، روزنامه‌نگاران یکی از رسانه‌های دولتی فرانسه، به‌طور مستقل به پژوهش ادامه دادند و به این نتیجه رسیدند که بخشی از هزینه‌ها ساختگی بوده‌اند زیرا مبلغ‌ها ناواقعی و غلوآمیزند. ملانشون مانند همیشه به روزنامه‌نگاران یورش برد و از هواداران خود خواست تا زندگی روزنامه‌نگاران را به‌گند بکشند. همهٔ عوام‌گرایان بر ضد روزنامه‌نگاران مستقل هستند و عوام‌فریبی شگرد همیشگی آن‌هاست. در طرح این فکاهی، ملانشون و روح قاتل روزنامه‌نگار سعودی در هم فرو رفته‌اند و ملانشون با کارد و چنگال در پی قطعه‌قطعه کردن روزنامه‌نگار است.

در یک شمارهٔ دیگر، فکاهی دیگری دربارهٔ طارق رمضان، تئوریسین جزم‌اندیش اسلام‌گرای معروف، است. او به اتهام تجاوز به چند زن دستگیر و در زندان است. پیش از دستگیری، او در همهٔ رسانه‌ها مرتب در پی تبلیغ اسلام و انتقاد به تمدن و دموکراسی غربی بود و می‌گفت غرب رو به نابودی است. به‌دنبال افشاگری چند زن و اعلان شکایت به دادگاه، او توسط دادستانی متهم به تجاوز به زنان شد. البته دادگاه او را در زندان نگه داشت تا پژوهش‌ها کامل شوند. در طول این مدت، طارق رمضان پیوسته اعلان کرد که زنان شاکی دروغ می‌گویند ولی بالأخره اخیراً در برابر قاضی او گفت با زنان شاکی ارتباط جنسی داشته است. اسلام‌گرای دروغ‌گو به شکست خود اعتراف می‌کند زیرا بیش از ۴۰۰ پیامک تلفنی بین او و زنان شاکی ردوبدل شده بود و پلیس آن‌ها را گردآوری کرده است. البته دادگاه رسمی هنوز آغاز نشده است. این اسلام‌گرا سالیان سال مورد پذیرش بخشی از روزنامه‌نگاران و حتی شماری از روشن‌فکران چپ بود. او از دیرباز رهبر فکری و نواندیش مسلمانان و کنش‌گران اسلامی بوده و، با وجود این افتضاح، پشتیبانی از او ادامه یافت. همهٔ اسلام‌گرایان تبلیغ می‌کردند و می‌کنند که غرب بر ضد رمضان توطئه کرده است. در طرح این فکاهی شارلی ابدو، رمضان با آلت مردانه‌اش دارد می‌گوید: «من ششمین رکن اسلام هستم.»

واکاوی سورهٔ «الفاتحه»

واکاویِ قرآن از جانب «علمای اسلام» ابزاری است تا آن‌چه که می‌خواهند و مطابق با زمان حاضر از زبان دین جاری کنند، حال آن‌که «واکاوی» فقط برداشت شخصی است و از زمان حقیقی و تاریخی بیرون است. با روش تفسیرشناسی می‌توانیم به درون‌مایهٔ قرآن نزدیک شویم ولی پژوهش و کشف تازه دوباره ما را در برابر پرسش‌های تازه قرار می‌دهد. این قاعده در مورد تمام اسناد و کتاب‌های کهن صادق است. یک آیه یک «ابژه» تاریخی است که در دل خود یهودیت و مسیحیت و بسترهای فرهنگی و سنت‌های عبادی خاور میانه و فرمان‌های خلفای عرب و سلیقه‌های کاتبان را در بردارد.

نخستین سورهٔ قرآن «الفاتحه» است. البته معلوم نیست چرا کاتبان این سورهٔ کوتاه را در آغاز قرآن قرار داده‌اند زیرا سوره‌های قرآن از بلندترین آغاز و به سوره‌های بسیار کوچک می‌رسند. باید افزود ترتیب سوره‌ها از سورهٔ بلند به کوچک متکی‌بر تاریخ تنظیم سوره‌ها نیست. این ترتیب و سازمان‌دهی سوره‌ها ناشی از ارادهٔ الهی نیست بلکه به‌اعتبار تصمیم کاتبان قرآن بوده است. بنابر دیدگاه برخی مورخان، قرآن به احتمال زیاد توسط کاتب کوفی یعنی «آسیم»، که در سال ۷۴۴ درگذشته، تنظیم شده و در نسخهٔ‌چاپی قرآن در ۱۹۲۴ در مصر به‌عنوان قرآن رسمی معرفی شده. سورهٔ «الفاتحه» آیهٔ الهی نیست بلکه نیایشی است که الله را خطاب قرار می‌دهد. از آنجا که قرآن در دوران خلفا و در یک دورهٔ طولانی آرایش یافته و دارای پیام سیاسی و نظامی و تبلیغاتی و دینی و هدف مشخص برای خدمت به خلفای عرب است. «الفاتحه» نه‌تنها تأکید بر پیروی الله است بلکه جهت‌دهندهٔ امت هم هست. انتخاب این سوره در آغاز قرآن چه‌بسا برای بسیج سیاسی و همدلی پیروان بوده و پیام تعبد به الله و ضدیت با ادیان دیگر را به‌شکلی کوتاه بازگو می‌کند. چند نکتهٔ مهم در واکاوی «الفاتحه»: نخست، در اینجا مطلب اصلی برای ما تشخیص گویندهٔ سوره است. خطاب‌کننده کیست؟ این سوره چنین آغاز می‌شود: «ستایش خدایی را که پروردگار جهانیان است.» خطاب این آیه از موضع الهی و جایگاه الله ناشی نمی‌شود بلکه خطاب به الله و حاکی نیایش و ستایش اوست. این خدا نیست که کلام خود را جاری می‌کند بلکه کلام نیایشی دربارهٔ خداست. می‌توان گفت سِیر حرکت پیام عمودی و از بالا به پایین نیست بلکه از پایین به‌سمت آسمان است. پیام از آسمان

نازل نشده بلکه در آن نیازمندان به‌سوی الله روی آورده‌اند. دوم این‌که این سوره در ادامه می‌گوید: «پروردگارا، تنها تو را می‌پرستیم و از تو یاری می‌جوییم و بس. تو ما را به راه راست هدایت فرما.» این طرز گفتار لحن و فرمان خدایی قادر نیست بلکه صرفاً ستایش او و تقاضا از اوست. طرز بیان این سوره کمک از خداست تا الله بندگانش را هدایت کند و آن‌ها را از دو راه خطرناک نجات دهد. سوم این‌که این دو راه خطرناک کدامند؟ راه نخست «راه کسانی که بر آن‌ها خشم فرمودی.» به‌عبارت دیگر، منظور از این راه همان راه یهودیان است که به موسی پشت کردند و خشم موسی و یهوه همیشه متوجه آن‌هاست. در بسیاری از سوره‌های قرآن، ضدیت با یهود موج می‌زند. قرآن خواهان حفظ این روحیهٔ دشمنانه بر ضد یهودیان است. حال، راه بعدی کدامست؟ این راه انحرافی راه «گمراهان عالم» یعنی نصارا یا مسیحیان است که به راه گمراهی کشیده شده‌اند. چهارم این‌که قصد قرآن از همان آغاز ایجاد یک خط دشمنی با یهودیت و مسیحیت است. هر روز هر مسلمانی این پیام را بارها تکرار می‌کند. البته بسیاری از مسلمانان فاقد فهم این سوره هستند ولی جزم‌اندیشان اسلامی این مطلب را می‌دانند و تداوم ضدیت با دو دین دیگر برای آن‌ها لذت‌بخش است. اسلام دین کینه‌جو و انتقام‌جویی است و هرگز به بردباری باوری ندارد. بنابراین، خطاب‌کننده در این سوره همه را به کرنش در برابر الله می‌طلبد و این تسلیم پیوسته با دشمنی با یهود و مسیحی همراه است.

عوام‌گرایی در عمل

عوام‌گرایی (پوپولیسم) یک خط انحراف از دموکراسی است. عوام‌گرایِ چپ با گفتمانی هیجانی بر ذهن جوانان اثر می‌گذارد ولی رفته‌رفته شکسته می‌شود و انسان‌ها از مستی بیرون می‌آیند. دیروز کمونیسم‌پرستی و امروز در فرانسه ملانشون‌پرستی؟ در جهان عوام‌گرایان چپ و راست در حال رشد بی‌سابقه‌ای هستند. رهبر عوام‌گرایان چپِ فرانسه، ژان لوک ملانشون، مورد تعقیب قانونی است و مأموران دادگاه و پلیسِ قضایی فرانسه دیروز به مرکز حزب او رفتند تا با ضبط اسناد پروندهٔ خود را تکمیل کنند. بر اساس قانون فرانسه، حزب و فردی که از دید دادگستری متهم است مورد بازرسی قرار می‌گیرد. ماجرا چیست؟ در

فرانسه، همهٔ هزینه‌های مالیِ انتخابات کنترل می‌شود و همهٔ احزاب مورد بازرسی مالی قرار می‌گیرند. بر پایهٔ گزارش دولتی، حساب‌های ملانشون در مورد بودجهٔ انتخاباتی‌اش مورد تأیید کامل قرار نگرفته و مبلغ ۶۰۰۰۰۰ یورو نامعلوم است. آیا یک فساد مالی مطرح است؟ افزون‌بر آن، پروندهٔ ملانشون در مورد همکاران پارلمان اروپایی حزبش، که گویا در کارزار انتخابات ریاست‌جمهوری فرانسه به کار گرفته شده بودند، مورد بررسی قرار گرفته‌اند. از دید قانونی، هر انتخاباتی منطق خود را دارد و هیچ حزبی حساب‌ها و کارمندان خود را در کارزارهای سیاسی گوناگون نباید مخلوط بکند. چنین‌چیزی یک پنهان‌کاری تلقی می‌شود و می‌تواند از دید قانونی شغل یا دروغین باشد. در فرانسه، برخی احزاب در این زمینه پیش‌تر محکوم شده‌اند. ملانشون در زمان بازرسی با خشونت رفتار کرد و اعتراض داشت که چرا مأموران بی‌خبر به مراکز حزبش رفته‌اند. بر پایهٔ قانون فرانسه، دادگاه با فرمان قاضی حق دارد بدون اطلاع پیشین وارد خانه و دفتر شود تا داده‌ها را جمع کند و مانع تخریب آثار جرم شود. چنین‌چیزی کاملاً قانونی است و فرد متهم در زمان مداخله و حضور مسئولان قضایی نباید در برابر مأموران دادگاه و پلیس به رفتار تهاجمی و توهین‌آمیز دست زند زیرا چنین کاری برخلاف قانون است. دادگاه مستقل است و پژوهش‌های میدانی بارها در مورد پرسنل سیاسی فرانسه رخ داده؛ همچون پروندهٔ مارین لوپن، رهبر عوام‌گرای راستِ تندرو.

ملانشون که فردی بسیار خودخواه است به خود اجازه می‌دهد که به همهٔ افراد در رسانه‌ها بی‌احترامی کند و به روزنامه‌نگاران ناسزا بگوید و تهدید کند. این فرد عوام‌گرا از دروغ گفتن و غلو کردن هراسی ندارد. او نمونهٔ بدآموزی برای جوانان است زیرا گرایش ژاکوبنی تندی دارد و با یک الگوی تبلیغاتی پررنگ بر ضد جمهوری و اروپا تبلیغ می‌کند. او خود را پاک می‌داند و همهٔ احزاب دیگر را فاسد و اجزای نظام معرفی می‌کند. وی هوادار چاوِز و رهبر جانی فعلیِ کشور قحطی‌زدهٔ ونزوئلاست و در زمان انتخابات هم الوی سیاسی چاوِز را تبلیغ و از فیدل کاسترو پشتیبانی می‌کرد. او می‌گوید هوادار جداانگاری دین از سیاست است ولی هر جا که از اسلام صحبت می‌شود سکوت می‌کند و افراد حزب او در برخی شهرهای فرانسه با اسلام‌گراها هم متحد شده‌اند.

حال، این فرد که با عوام‌گراییِ خود در زمان انتخابات فرانسه رأی بالایی آورد در حال از دست دادن پایه‌های خود است ولی کماکان کعبهٔ امال چپ‌روهای

تندورست. تندروان چپ و از جمله چپ‌های ایرانیِ متوهّم، که با احساس و هیجان زندگی می‌کنند، از فریادهای او و یورش در برابر روزنامه‌نگاران خوش‌شان می‌آید. او ناطق مهار و پلمیست نمونه است ولی این هنرنمایی در کنار شخصیت سلطه‌گر او و دیدگاه‌های بی‌پایه‌اش ارزش مثبتی به شمار نمی‌آید. عوام‌گرایی یک جریان ایدئولوژیک است که خود را تنها پشتیبان مردم نشان می‌دهد و از توده یک «گلّه» می‌سازد. رفتار هواداران ملانشون مانند فعالان کمونیست قدیمی و هواداران راست تندروست. برای این افراد ملانشون قهرمان در برابر «لیبرالیسم جهانی و شرکت‌های جهان‌خوار» است. در واقع، این یک باور ایدئولوژیک تبلیغاتی است. در فرانسه دربارهٔ خطاها و باندبازی‌ها و حقه‌بازی‌های ملانشون و نزدیکانش بسیار گفته‌اند. ما باید در انتظار تصمیم دادگاه در مورد پول‌های ناشفاف و شغل‌های معمابرانگیز این جریان عوام‌گرایانه باشیم.

بودجهٔ نهادهای مذهبی در ایران

جداانگاری دین از سیاست و بودجهٔ نهادهای مذهبی در ایران دو پدیدهٔ متضاد هستند. در بودجهٔ سال ۱۳۹۷ بیش از ۳۰۰۰ میلیارد تومان سهم نهادهایی چون مرکز خدمات حوزه‌های علمیه، شورای هماهنگی تبلیغات اسلامی، سازمان تبلیغات اسلامی، جامعه المصطفی و دیگر نهادها شد. برای این‌که اهمیت این

بودجه برخی نهادهای مذهبی و فرهنگی در سال ۹۹

@mardomsalari1 مردم سالاری

	نام نهاد	میزان بودجه در سال ۹۹
۱	سازمان صدا و سیما	۱۷۴۵ میلیارد تومان
۲	مرکز خدمات حوزه‌های علمیه	۷۹۹ میلیارد تومان
۳	سازمان تبلیغات اسلامی	۵۱۴ میلیارد تومان
۴	شورای عالی حوزه‌های علمیه	۳۴۵ میلیارد تومان
۵	جامعه المصطفی العالمیه	۳۰۸ میلیارد تومان
۶	سازمان فرهنگ و ارتباطات اسلامی	۲۳۰ میلیارد تومان
۷	شورای سیاست‌گذاری حوزه‌های علمیه خواهران	۱۹۲ میلیارد تومان
۸	دفتر تبلیغات اسلامی حوزه علمیه قم	۱۵۰ میلیارد تومان
۹	شورای برنامه‌ریزی مدیریت حوزه‌های علمیه خراسان	۸۵ میلیارد تومان
۱۰	سازمان اوقاف و امور خیریه	۵۳/۹ میلیارد تومان
۱۱	شورای هماهنگی تبلیغات اسلامی	۴۴ میلیارد تومان
۱۲	مجمع جهانی اهل بیت	۴۰ میلیارد تومان
۱۳	مجمع جهانی تقریب مذاهب	۳۲ میلیارد تومان

بودجه و امتیازگیری نهادهای مذهبی فهمیده شود، بدانید که کل بودجهٔ سالانهٔ محیط زیست ۲۷۴ میلیارد تومان است. حال به بودجه برخی نهادهای مذهبی با فرهنگب دینی سال ۱۳۹۹ توجه کنید. این بودجهٔ کلان مذهبی در اختیار ماشین ایدئولوژیک اسلام و آیت‌الله‌ها قرار دارد تا کل جمعیت ایران زیر کنترل دین قرار داشته باشد. درواقع، درآمدهای آخوندها و کل هزینهٔ فعالیت‌های مذهبی تأمین می‌شود تا حاکمیت دینی تداوم یابد. تمام آخوندها و مبلّغان اسلامی از این راه به رفاه مادّی خود دسترسی دارند و قطع این بودجه به‌معنای قطع درآمد آخوندها و تبلیغات اسلامی است. آخوندها و تمام طلابی که در حوزه‌های فقهی هستند و رقمی نزدیک به چهارصد هزار نفر می‌شوند یک طبقه انگل را تشکیل داده که در تولید ثروت و خدمات و تدوین افکار و اندیشه و دانش شرکت نداشته و فقط تولید کننده خرافات است. طی چهل سال، بخشی از ثروت کشور به حوزه‌ها و مبلّغان سراسر کشور داده می‌شود تا وابستگی و اسارت روانی و ایدئولوژیک مردم ادامه یابد. حکومت اسلامی این بودجهٔ کلان را از جیب مردم برمی‌دارد که بین نهادها و اشخاص فعال دینی پخش می‌شود.

حال، بر اساس قانون جداانگاری دین از سیاست دین از حکومت باید جدا باشد و هیچ نهاد مذهبی و هیچ کارمند دینی از بودجهٔ دولتی بهره‌ای نخواهد داشت. پرسش اینجاست: فردای تغییر نظام سیاسی در ایران، نیروهای سیاسی هوادار جداانگاری دین از سیاست با این نهادهای دینی موجود چه باید بکنند؟ به بیان دیگر، مسئولان حکومت پای‌بند به جداانگاری دین از سیاست باید بودجه‌های نهادهای دینی را قطع بکنند یا نه؟ آیا کارکنان این نهادها و کسانی که از امتیازهای مالی برخوردارند، باید از درآمد خود محروم بشوند یا نه؟ در حال حاضر، جمعیت پرشماری از بودجهٔ دینی سود می‌برند و زندگی‌شان بدان وابسته است. حکومت کنونی ایران دینی است و پول دولتی را برای دین اسلام پخش می‌کند. حال، فردای حکومت اسلامی، حکومت پای‌بند به جداانگاری دین از سیاست چه خواهد کرد؟ برای نمونه، این بودجه می‌تواند برای محیط زیست، آموزش‌وپرورش، آبادی بلوچستان، رفاه قربانیان زمین‌لرزهٔ کرمانشاه، کاهش فقر در جامعه، گسترش فعالیت‌های علمی و غیره به کار گرفته شود. خوب است همهٔ نیروهای معتقد به حکومت پای‌بند به جداانگاری دین از سیاست به این پرسش اساسی پاسخ دهند و مسئولیت و تعهد خود را مشخص کنند. روشن است که این کار ساده‌ای نیست و

تمام بازندگان راحت نخواهند نشست ولی نخبگان سیاسی پای‌بند به جداانگاری دین از سیاست چگونه می‌خواهند اصول و راهبرد خود را تعریف کنند؟

نگرش زیگموند فروید

موفق شدم به نمایشگاه زیگموند فروید در موزهٔ ژودائیسم یهود در پاریس بروم، نمایشگاهی برای یادآوری یک دستاورد فکری اساسی در تاریخ بشری و قدردانی از یک دانشمند. زیگموند فروید در سال ۱۸۵۶ زاده شد و ۱۹۳۹ درگذشت. فروید پایه‌گذار روان‌کاوی است. گفتمان روان‌کاوانهٔ فروید دربرگیرندهٔ مفاهیم بنیادی زیر است: روش‌های بالینی، آسیب‌شناسی روانی، عقدهٔ ادیپ، زیست‌مایه یا لیبیدو، اروس یا منبع غرایز زندگی، عشق یا اشتیاق و ژوئیسانس، تن‌کارشناسی عصبی، ناخودآگاه، «من، او، فراخود یا سوپر ایگو»، رؤیا، یورش‌های عصبی، لطیفه و اشتباه لپی و ناخودآگاه، ساختارهای دفاع روانی، عقده‌های جنسی، انرژی جنسی، مازوخیسم، سادیسم، توتم و تابو، روان‌شناسی فراموشی، افسردگی، تمدن و ملالت‌های آن، موسی و یکتاپرستی، کشش‌های زندگی و مرگ، تعصب، نظریهٔ وسوسه، اضطراب، لذت‌های پس‌رفته، روان‌درمانی، رفتاری‌های جنسی، بیماری‌های روانی، کاربرد تداعی آزاد، رابطهٔ جنسی و ناخودآگاه، احساس و هیجان ناشی از ناخودآگاه، خودشیفتگی، وجدان، خشونت، سرخوردگی، دلسردی، فرهنگ، توهّم و خیال.

این واژگان فرویدی در خدمت فهم روان‌کاوی‌اند، رشته‌ای که به شناسایی پدیده‌های «نامعمولی» یا روانی در نزد افراد دست می‌زند. روان‌کاوی در جست‌وجوی درک دهلیزها و پیچیدگی‌های ناخودآگاه انسانی است تا انسان بهتر فهمیده شود. رشتهٔ روان‌کاوی نوعی کالبدشکافی اعصاب یا «نوروپاتولوژی» است. فروید روان‌کاوی را با کشف نشان‌ها و نمودهای یک روان در رنج و درد پی‌ریزی کرد. کتاب معروف واکاوی خواب، که در سال ۱۹۰۰ چاپ شد، بیان‌گر یک دانش جدید است؛ هرچند سوءتفاهم و سوءتعبیر از مفاهیم فرویدی بسیار است و با وجود انتقادهای گوناگون به نظریهٔ فروید، می‌توان گفت روان‌کاوی همچون یک رشتهٔ علمی و دانشگاهی در جهان مطرح است. فرویدیسم در تکوین

خود از پزشکی و جانورشناسی و نظریهٔ داروین بهرهٔ فراوان گرفت و پس از تکوین گسترش یافت و به شاخه‌های تخصصی پایه‌ای تقسیم شد. امروز می‌توان گفت که شاخه‌های کاربردی روان‌کاوی در واکاوی رفتار جنسی و اجتماعی، در زمینهٔ تربیتی و جنایی، در عرصهٔ روان‌شناسی صنعتی و ارگونومی، در جامعه‌شناسی سازمانی و شغلی و در ارتباط با دین و سیاست وجود دارد. افزون‌بر این نکته‌ها، باید گفت فرویدیسم با اندیشه‌های گوناگون در عرصهٔ فلسفی، روان‌شناسی، جامعه‌شناسی، انسان‌شناسی و فمینیسم تلفیق یافته است. روان‌کاوی کلیدی برای درک دنیای انسانی است و به‌طور مسلم این علم به‌تنهایی کافی نیست ولی حتماً لازم است.

سرجو لئونه کارگردان بزرگ سینما در نمایشگاه پاریس

سرجو لئونه یکی از کارگردانان نوآورِ سینمای جهان است. او در سال ۱۹۲۹ در شهر رم زاده شد و در ۱۹۸۹ نیز در رم درگذشت. او مخترع وِسترن اسپاگتی بود؛ از وِسترن آمریکاییِ جان وین و جنگ با سرخپوست‌ها بیرون آمد و وِسترن را به داستان‌–های معتبر، صحنه‌های خیره‌کننده، انفجار باروت، چهره‌های بسیار بزرگ در اکران سینما و موسیقی آهنگ‌ساز بزرگ یعنی انیو موریکونه متکی کرد. وِسترن او یک هنر سینمایی سترگ است. شخصیت‌های فیلم وِسترن او اغلب گرگ‌های تنهایی هستند که با لباس کثیف و رفتاری مجرمانه و خشن و مبهم ظاهر می‌شوند. آن‌ها برای یک پاره زندگی آدم‌های دیگر را با تپانچه می‌کُشند و پوچ‌گراییِ وجودی خود را مورد پرسش قرار می‌دهند. از جمله فیلم‌های وِسترن برجستهٔ او باید از «یک مشت دلار»، «به‌خاطر چند دلار بیشتر»، «خوب، بد، زشت» و «روزی روزگاری در غرب» یادکرد. شاهکار دیگری از فیلم‌سازی سرجو لئونه فیلم «روزی روزگاری در آمریکا» است. این فیلم سفر در روان یک مرد کهنسال به دوره‌های زندگی گوناگون از جمله دوران جوانی و کودکی‌اش است. داستان از گانگسترهای محله‌های یهودی‌نشین نیویورک آغاز می‌شود و با نگاهی یادمانه‌گرا به‌معمای انسانی می‌پردازد. نقش خاطره در زندگی و هستی انسان چیست؟ موسیقیِ زیبای انیو موریکونه و چهرهٔ رازآلود رابرت دِنیرو ما را با رمز دوران گوناگون آشنا می‌کند. بازیگران برجستهٔ

فیلم‌های او جیمزکابرن، کلودیا کاردینال، فرانک برانا، بنیتو استفانلی، چارلز برانسون، هنری فوندا، روبرت دونیرو و کلینت ایستوود همگی بازی‌های درخشانی ارائه و تاریخ سینما را متأثر کردند. هنگامی که به دیدن فیلم سرجولئونه می‌روید، مطمئن باشید که در شما چیزی همیشگی شکل خواهد گرفت. هنر سینما روان شما را آبیاری می‌کند، تکان می‌دهد و به افق‌های دوردست می‌کشاند.

اسلام و تربیت نوگرایانهٔ نوجوانان در فرانسه

اسلام ضد تربیت نوگرایانهٔ نوجوانان است. وزارت آموزش‌وپرورش فرانسه گزارش تازه‌ای دربارهٔ تخلفات در زمینهٔ جداانگاری دین از سیاست در مدارس ابتدایی چاپ کرد. در این گزارش آمده است که ۱۰۰۰ دانش‌آموز طی سال ۲۰۱۸ رفتار مذهبی ناقض جداانگاری دین از سیاست داشته‌اند. برای نمونه، زمانی که آموزگار درس موسیقی می‌دهد، خردسالانی هستند که گوش‌های خود را می‌گیرند تا صدای موسقی را نشنوند. پسران خردسالانی هستند که با دختران هم‌سن خود دست نمی‌دهند زیرا این کار را حرام می‌دانند. برخی خردسالان پسر مخالف نشستن در کنار خردسالان دختر هستند چون آن‌ها «محرم» نیستند. در همین گزارش آمده است که برخی دختران جوان تلاش می‌کنند تا در مدرسهٔ ابتدایی حجاب اسلامی بر سر کنند. چه باید کرد؟

در فرانسه و در سال ۱۹۰۵، قانون جداانگاری دین از سیاست تصویب شد و بر اساس آن جدایی دین از حکومت اعلان شد. با رشد اسلام‌گرایی و تشدید بحران ناشی از اسلام، دولت فرانسه طرح جدیدی به مجلس برد و این طرح به‌عنوان قانون ۲۰۰۴ علیه حجاب تصویب شد. محل اجرای این قانون فقط در مدارس ابتدایی و کالج و دبیرستان است. در چهارچوب این قانون، دختران مسلمان باید از حجاب در مدرسه خودداری کنند، پسران یهودی باید کلاه کیپای خود را کنار بگذارند و نوجوانان مسیحی هم از آویختن گردن‌بند با صلیب بزرگ دوری کنند. هدف قانون این بود که جنگ مذهبی به داخل مدرسه کشیده نشود. همچنین، کودکان هنوز به شرایط سنی خودمختاری نرسیده‌اند و برای پیشبرد درس خود توسط مدرسهٔ دولتی و قانون جداانگاری دین از سیاست حفاظت

می‌شوند. با وجود فشارهای بی‌شمار سازمان‌های اسلامی برای لغو این قانون و پشتیبانیِ بخش مهمی از چپ‌های فرانسه از حجاب، خوشتختانه دولت محکم ایستاد. اسلام‌گرایان کوتاه نمی‌آیند و در پی تَرَک انداختن بر ساختار تمدن غرب هستند. این کودکان جوان که در هنگام موسیقی گوش خود را می‌گیرند و حرام و حلال می‌کنند، همان دست‌پرورده‌های محافل و خانواده‌های اسلام‌گرای بنیادگرا هستند. در برابر هجوم ایدئولوژیک مستمر اسلام نباید کوتاه آمد. ارتقای آموزش و فرهنگ و انتقاد از کنش‌ها و رفتارهای خرافی و متعصب در جامعه باید ادامه یابد.

فدرالیسم قوم‌گرا

فدرالیسم قوم‌گرا یک خطر است. کشورهای صنعتی و سرمایه‌داری با تشکیل دولت ـ ملت و نهادینه شدن شهروندی در حقوق و روان و تربیت انسان‌ها رفته‌رفته ساختار خود را دگرگون کردند و ویژگی رفتار قومی و قبیله‌ای و خانوادگی را از دست دادند. تمام کشورهای آفریقایی که فاقد توسعهٔ اقتصادی و اجتماعی نوگرا بودند این ویژگی کهنه را به‌شکلی پررنگ در خود نگه داشتند. تمام کشورهایی که به زور ایدئولوژیک به شوروی و بلوک شرق وابسته بودند در فردای فروریزی دیوار برلین از هم پاشیده شدند. ایجاد جمهوری‌های آسیای مرکزی و تجزیهٔ فدراسیون یوگوسلاوی نتیجهٔ همین واکنش بود. در ایران، ما فاقد توسعهٔ اقتصادی گسترده بوده‌ایم و گاه تعلقات قومی پررنگ بوده‌اند ولی به‌خاطر تسلسل تاریخی فرهنگی و زبانی و هم‌زیستی در کیستیِ ایرانی بخش‌های گوناگون جمعیت ایران در کنار هم به زندگی خود ادامه داده‌اند. پادشاهان ایران از کورش و داریوش تا نادرشاه و شاهان صفویه و شاهان قاجار و شاهان پهلوی و بالأخره تا حکم‌رانان جمهوری اسلامی، با وجود برخی ویژگی‌های قومی، بر کلیت ایران حکومت کرده‌اند. روشن است که پهنای سرزمین ایران در طول تاریخ تغییر کرده و حتی برخی جمعیت‌ها در داخل ایران جابه‌جا شدند ولی هیچ‌یک از تیره‌ها و اقوام ملت ایران با فشار و جبر به یکدیگر وابسته نشدند. تاریخ ما سرشار از ستم‌گری شاهان و حکم‌رانان بوده ولی ما فاقد کشتارها و جنگ‌های قومی بوده‌ایم. استان‌هایی مانند کردستان و بلوچستان و غیره از رونق اقتصادی برابری برخوردار نبوده‌اند و همیشه فرصت

بهره‌گیری و توسعهٔ فرهنگ و زبان مادری را نداشته‌اند ولی همهٔ آن‌ها با دیگران در تاریخ مشترکی زیسته‌اند و در زبان فارسی همزیستی فرهنگی داشته‌اند.

حال، نظریه‌هایی موجودند که حاکی از فدرالیسم هستند و آن را بر پایهٔ قوم و قبیله و خانوادهٔ ایلیاتی قرار می‌دهند. این فدرالیسم نه متکی‌بر تقسیم مسئولیت شهروندانه و وظایف استانی و امر تمرکززدایی بلکه متکی‌بر ویژگی قومی و جدایی‌خواهی است. این نظریه‌ها با ویژگی‌های زیر مشخص می‌شوند: نفی تاریخ همزیستیِ تمام ایرانیان، نفی دگرگونی‌های اجتماعی و آمیختگی خانوادگی و حرفه‌ای و روانی در ایران امروز، نفی شرکت مشترک در کارهای بازرگانی و اقتصادی، نفی رشد حالات و رفتارهای شهروندانه، بهره‌گیری از تبلیغات بر ضد زبان فارسی، طرح اندیشه‌های واپس‌گرا و متناسب با دوره‌های فئودالی و عشیرتی، بهره‌گیری از برچسب‌های ایدئولوژیک و احساسیِ غلوانگیز و باور به اندیشه‌های عقیدتی ـ سیاسیِ کوته‌بینانه. این نظریه‌ها گاه با پشتیبانیِ برخی قدرت‌های منطقه‌ای جهت فروپاشاندن یک‌پارچگی سرزمینی است. البته سیاست تبعیض دوران پهلوی و جنایات جمهوری اسلامی و تبعیض‌های دینی و قومی و فرهنگی و جنسیتی نیز همیشه فرصتی برای رشد این اندیشه‌های کوته‌بینانه و تجزیه‌خواهانه بوده. برخی پان تُرکیست‌ها تبلیغ می‌کنند که زیر ستم بوده و هستند. حال، اگر به تاریخ ایران نگاه کنیم تیره‌های گوناگون تُرک از غزنویان و سلجوقیان و صفویان و قاجاریان در رأس حکومت مرکزی بوده‌اند و بخش مهمی از سران لشگری و کشوری زمان پهلوی و جمهوری اسلامی آذری بوده‌اند. همچنین، در تمام این دوران آذری‌ها در اعتلای زبان فارسی و ادبیات و پیشبرد جنبش‌های ملی نقش اساسی داشته‌اند. کُردها سهمی بسیار مهمی در تقویت زبان و ادبیات فارسی ایفا کرده‌اند. برخی خوزستان را «عربستان ایران» گویند، حال آن‌که واژهٔ خوزستان در سنگ‌نبشته‌های مربوط‌به دوهزار و پانصد سال پیش آمده و به‌معنای سرزمین خوزها (هوزها) است. در تمام دوران باستان و نزد تاریخ‌دانان معتبر نام خوزستان آمده است. به‌لحاظ نفوذ قوی مردم عرب‌زبانِ مهاجر به جنوب غربی این استان (به‌ویژه مهاجرت قبایل بنی‌کعب و بنی‌لام) از سدهٔ ۱۶ تا ۱۹ میلادی نام عربستان از زمان صفویه مورد استفاده قرار گرفت تا این‌که در زمان رضاشاه پهلوی دوباره نام خوزستان جایگزین شد که خط پایانی بر آرزوهای تجزیه‌خواهانهٔ شیخ خزعل، رئیس قبیلهٔ کعب، بود. شیخ خزعل به‌خاطر «خدمات»

گوناگون دارای نشان شوالیهٔ امپراتوری بریتانیا بود.

در یک حکومت پای‌بند به جداانگاری دین از سیاست و دموکراتیک و نامتمرکز الگوهای سیاسی و فرهنگی موجود باید تصحیح شود و برابری شهروندی در تمام ایران رعایت شود. همهٔ فرهنگ‌ها و زبان‌ها مانند آذری و کُردی و بلوچی و غیره باید شکوفا شوند و انسان‌ها باید آزاد باشند تا دین و سنت‌ها و آداب قومی خود را ادامه یا گسترش دهند. دموکراسی در تمامیت ارضی ایران در هماهنگی با زبان ملی ما، زبان فارسی، و زبان‌های اقوام گوناگون مردم ایران است. ما در طول تاریخ نیازمند یکدیگر بوده‌ایم و آینده نیز با تلاش مشترک سامان می‌پذیرد. ایران را نباید بر اساس طایفه‌گرایی و یا شوینیسم کوته‌بینانه واکاوی و مدیریت کرد، ایران را با بلندپروازی سیاسی و مسئولیت برای یکپارچگی نگریست. جمهوری اسلامی با قطعیت باید پایان یابد و دین اسلام نیز باید با قطعیت از حکومت و سیاست دور شود. آیندهٔ ایران در جمهوری پای‌بند به جداانگاریِ دین از سیاست و قدرت سیاسی نامتمرکز و حقوق شهروندی برابر و تمدن گرایی باز باید رو به‌سوی جهان ترسیم شود.

معنای زندگی چیست؟

معنای زندگی چیست؟ این پرسش بسیار دیرینه در فلسفه برای فهم زندگی بوده است و همین پرسش همیشه بیان نگرش جست‌وجوگرِ جامعه‌شناسی برای درک جوامع بشری به شمار می‌آید. اگر در یک تقسیم‌بندیِ ساده برای پاسخ به این پرسش خدا را وارد این مبحث بکنیم، دو گونه دیدگاه خواهیم داشت. معنای زندگی با وجود خدا و معنای زندگی با نبودن خدا متفاوت خواهد بود. خداناباوران برای فهم معنای زندگی به پیش‌شرط نیاز ندارند. آن‌ها خدا را نقطهٔ آغازین هستی‌دهنده نمی‌دانند و پرسش را از انسان آغاز می‌کنند. برای آن‌ها معنای زندگی باید ساخته و تعریف شود و تمام زندگی انسان همان لحظهٔ ساختن و تعریف است. ارسطو می‌گوید ما همان چیزی هستیم که خود انجام می‌دهیم. نیچه نیز بر این باور است که طرح پیش‌ساخته‌ای وجود ندارد و هیچ‌چیزی در حالت مطلق معنا ندارد. تنها چیز با ارزش این است که زندگی کنیم و از زندگی لذت ببریم. سارتر نیز می‌گوید

زندگی معنای ذاتی ندارد ولی این خودِ هستی است که معنای چیزها را می‌سازد.

معنای زندگی به فرد و شخصیت و محیط و فرهنگ و آرزو و آرمان او بستگی دارد. پس از مرگ، زندگی پایان می‌پذیرد ولی هستی به سفرش در طبیعت و دنیا و کهکشان ادامه خواهد داد. انسان به‌طور شخصی و یا گروهی معنای زندگی را تعریف می‌کند، این تعریف گاه بیهوده و دلسردکننده و پیش‌پاافتاده و گاه با آرمان‌ها و عشق‌ها و ارزش‌های بسیار بزرگ همراه است. به‌طور مسلم، شخصیت‌ها گوناگونند و توانایی‌های متفاوتی دارند ولی جامعهٔ متعادل می‌تواند به آن‌ها نیرو دهد تا آن‌ها معنای زندگی خود را بهتر تعریف کنند و یا آن را بسازند.

برای دین‌باوران خداباور نیازی به جست‌وجوی تعریف معنای زندگی نیست زیرا خدا خود این معنا را به آن‌ها داده است. مسیحیان از زمان عیسی مسیح تا امروز باید خود را به‌سوی خدا ارتقا دهند. در آموزش مسیح آمده: «خدا انسان شد تا انسان به خدا تبدیل شود. بنابراین، این دنیا یک آزمایش دردناک برای انسان است تا انسان شایستگی صعود را به دست آورد. برای رسیدن به خدا باید از رنج رد شد. ویتگنشتاین می‌گوید باور به خدا به‌معنای این است که زندگی دارای معناست. برای خداباوران معنای زندگی به اصل فرازمینی یعنی خدا برمی‌گردد. بدین ترتیب، تمام کارهای ما معنای خود را از قیامت و پس از مرگ می‌گیرند. زندگی جاودانه و یا رستاخیز پس از مرگ است و معنای زندگی واقعی آنجاست. در اسلام، دنیای زمینی حاضر پَست است و دنیای واقعی دنیای پس از قیامت است. انسان در این دنیا آلوده به گناه و تباهی است و چنان‌چه از شخصیت خود چشم‌پوشی کند و به آرزو و لذت خود پشت کند و در خدمت الله درآید، به رستگاری و بهشت حوریان نزدیک می‌شود. در این دنیا باید گریه کرد و بر خود لرزید زیرا گناه همه‌جا را فرا گرفته و انسان پیوسته در خطر لغزش و خلاف‌کاری قرار دارد. سرکشی نفس تهدید به دوزخ را افزایش می‌دهد و تنها امید انسان در این گرفتاری روانی بخشش الله و راه یافتن به بهشت است. معنای زندگی فرد مسلمان پیرو ارادهٔ مطلق الله است.

با توجه به دو دیدگاه بالا، ما با دو الگوی رفتار جامعه‌شناختی روبه‌رو هستیم. رفتار پویا و متحرک برای ساختن زندگی، نوآوری و زیستنی همراه با لذت و آزادی انسان که ویژگی اصلی جامعهٔ نادینی است. رفتار پیرو آسمان و روان پیرو تقدیر خدایی که ویژگی اصلی جامعهٔ دینی است. علاقهٔ من به جامعه‌ای است که در آن

انسان در تعریف معنای زندگی در انتظار خدا نمی‌ماند. این مطلبی بود که در جریان یکی از کلاس‌های درس خود در دانشگاه برای دانشجویان به‌طور مفصل باز کردم.

ادامهٔ تروریسم دولتی در خارج کشور

فرانسه تروریسم شیعهٔ حکومتی ایران را محکوم کرد. چندی پسش دولت فرانسه اعلان کرد به‌دنبال پژوهش‌های پلیس فرانسه و بلژیک، رژیم ایران در پی تدارکات تروریستی بر ضد مجاهدین بوده است. بر این اساس، فرانسه تصمیم گرفت تا دارایی‌های وزارت اطلاعات ایران و دو نفر ایرانی مقیم بلژیک تا شش ماه راکد و بلوکه باقی بماند. این تصمیم شامل اسدالله اسدی، دیپلمات ایرانی و مقیم آلمان، و سعید هشامی مقدم و همچنین مسئولان وزارت اطلاعات ایران می‌شود. دولت فرانسه تصمیم مشابه دیگری در قبال «مرکز زهرا در فرانسه» نیز گرفت. این مرکز یکی از مراکز فعال شیعه در اروپاست و دولت فرانسه اقدام خود بر ضد آن‌ها را عملیات پیشگیرانه در برابر تروریسم معرفی کرده است. این مراکز و سازمان‌ها در فعالیت خود به تبلیغ برای جهاد دست می‌زنند و مُبلّغ سازمان فلسطینی حماس یا حزب‌الله لبنان هستند و از امکانات مالی و عملیاتی جمهوری اسلامی برخوردارند.

این رویداد چند نکته را مورد توجه قرار می‌دهد: نخست این‌که جمهوری اسلامی یک رژیم تروریستی است و تروریسم دولتی خود را از فردای انقلاب اسلامی به کار گرفته و شمار زیادی از شخصیت‌های مخالف حکومت ایران را کُشت و این روش تروریستی پیوسته ادامه داشته. شیوهٔ حکومت پس از دور نخست ترورها و زیر فشار جهانی ترور افراد را در غرب کاهش داد ولی در دوران اخیر رژیم در زمینه‌های فعال بوده: اول آنکه نابودی فیزیکی افراد نیروهای مخالف حکومت و سازماندهی این نیروها در خارج. دوم این‌که اقدام فرانسه هشداری به حکومت ایران است. درست است که اروپا در کنار ایران از قرارداد برجام پشتیبانی می‌کند ولی به‌شکل فعال مواظب حرکات آیت‌الله‌های تهران هم هست. فرانسه نشان داد که، با وجود نزدیکی دیپلماتیک، به حکومت ایران اعتماد ندارد و حاضر است با سرعت بر ضد سیاست تروریستی تهران عمل کند. سوم این‌که کل هیأت حاکمِ ایران مسئول ادامهٔ تروریسم در خارج کشور است. درست

است که مراکز معینی در درون رژیم طرح‌های تروریستی را آماده می‌کنند ولی همهٔ جناح‌های حکومتی تروریسم اسلامی شیعه را مورد پشتیبانی قرار می‌دهند و اصلاح‌طلبان داخل کشور آگاهانه چشم خود را بسته‌اند و یار و دلسوز جمهوری اسلامی هستند. جاسوسی علیه اپوزیسیون، ترور شخصیت ها، آدم ربایی فعالان و توطئه‌های سیاسی و جنسی و نمایشی علیه اپوزیسیون ادامه خواهد داشت.

هنر شارل آزناوور

شارل آزناوور در نود و چهار سالگی درگذشت. او خوانندهٔ ترانه‌های «عاشقانه»، «جوانی هدررفته»، «رؤیای گم‌گشته»، «لحظات تنهایی در دنیای شلوغ»، «دوستان ازدست‌رفته» و «آرزوهای روزهای بهتر» بود. آزناوور ارمنی‌تبار بود. خانواده‌اش از جنایت تُرک‌ها بر ضد ارامنه گریختند و به فرانسه آمدند و در همین کشور ریشه دواندند. او با تلاشی شگرف در این جامعه کار کرد، با خواننده‌های بزرگ کلاسیک مانند ژُرژ براسانس، لئوفره و ادیت پیاف همدوش و همکار شد. او دارای تحصیلات بالایی نبود ولی فردی خودساخته بود و مانند یک شاعر واژه‌ها را در کنارهم می‌گذاشت تا ترانهٔ زیبایی بیافریند. یک روز، آزناوور به ژان کوکتو می‌گوید: «می‌خواهم خوب ترانه بنویسم. چه کنم؟» ژان کوکتو هم بیست و پنج کتاب ادبی به او معرفی کرد که بخواند و او نیز همهٔ این کتاب‌ها را می‌خواند. او بیش از ۱۲۰۰ آهنگ در هفت زبان گوناگون آفریده و در ۹۴ کشور کنسرت اجرا کرده. وی به‌موازات کار خوانندگی، تصنیف‌سرا و هنرپیشه سینما هم بود. او در یکی از ترانه‌هایش می‌گوید: «دست مرا بگیر و به انتهای زمین ببر، مرا به کشور شگفتی‌ها ببر، گویا در خورشید درد فلاکت کمتر است.» آزناوور اهل عشق و دیدار در میخانه‌هایی بود که در آنجا برای دختران زیبا قصه بگوید و آدم‌های مسخره و زشت را با طنز به ریشخند بگیرد.

او یکی از هنرمندان استوار ترانه‌سازی در فرانسه بود، صدای گرم و رفتار تئاتری‌اش در هنگام خواندن او را دلچسب می‌کرد. او برای نسل‌های گوناگون فرانسه یک هنرمند خاطره‌انگیز بود. آزناوور وی می‌گفت در آغاز کارش افراد گوناگونی به او می‌گفتند: «شارل، قیافهٔ تو خوشگل نیست، صدایت ناخوشایند

است و بهتر است بروی حسابدار یک شرکت بشوی.» او با شنیدن این حرف‌ها مصمم می‌شود که خود را بسازد و به یک هنرمند جهانی تبدیل شود. قصهٔ او قصهٔ مهاجرت و تلاش است، قصهٔ مهاجری است که می‌خواهد بالا برود، جایگاهی در آفتاب داشته باشد و شایستگی‌اش را اثبات کند. این قصه برای همه ما جالب و دلنواز است.

استبداد دیروز و جداانگاری دین از سیاست امروز

این جنبش فکری و سیاسی خواهان پایان دادن به جمهوری اسلامی و جدایی دین اسلام از قدرت سیاسی و از نظام حکومتی و خواهان دموکراسی پارلمانی و جمهوری است. هرچند می‌توان تفاوتی میان دو مفهوم جداانگاری دین از سیاست ارائه کرد ولی آن‌چه در این جنبش دموکراتیک مطرح است همان بیرون راندن دین از حکومت و نظام تصمیم‌گیری کشوری است. دین نباید در سیاست و اقتصاد و آموزش و دیپلماسی حکومت دخالت کند. البته فعالیت و انتخاب دین از جانب شهروندان در جامعه آزاد است، همان‌گونه که انتخاب فلسفی و فرهنگی خداناباوران ولی بحث اینجا رد حاکمیت دین‌داران در جامعه است. در قدرت سیاسی پای‌بند به جداانگاری دین از سیاست انتخاب مدیران سیاسی و اداری نه بر پایهٔ دینی و قومی و نژادی بلکه بر اساس شایستگی‌سالاری خواهد بود. امروز، سیاسیون پای‌بند به جداانگاری دین از سیاست و دموکرات پراکنده هستند و باید به‌عنوان بخشی از نیروهای دموکراتیک مخالف حکومت متحد شوند تا تأثیر پررنگی بر جامعه بگذارند. زمینهٔ اجتماعی برای پروژه قدرت پای‌بند به جداانگاری دین از سیاست و دموکراتیک موجود است، حال سیاسیون دارای این اندیشه با شخصیت‌های برجستهٔ خود و سیاست رسانه‌ای فعال باید برنامه‌شان را ارائه بدهند و شورای هماهنگی برای مدیران دوران گذار را تدارک ببینند.

چند وقت پیش، به‌دعوت کنگرهٔ پای‌بند به جداانگاریِ دین از سیاستِ دموکرات‌ها به شهر فرانکفورت در آلمان رفتم. فضای سازنده و جالبی بود و بیشتر شرکت‌کنندگان شوق تنظیم اصول برنامه و نزدیکی بیشتر و وحدت را داشتند. سخن‌رانی من دربارهٔ ضرورت نظام و جداانگاریِ دین از سیاستِ، نقد

اسلام به‌مثابه یک ضرورت روشن‌فکری و واکاوی بحران جهانی محیط زیست و محورهای یک سیاست زیست‌بوم‌گرایانه برای حکومت پای‌بند به جداانگاریِ دین از سیاستِ در فردای فروپاشی جمهوری اسلامی بود.

برگزاری این نشست در همان سالنی بود که کنگرهٔ کنفدراسیون جهانی دانشجویان ایرانی در دههٔ هفتاد میلادی سازمان‌دهی می‌شد. سالن با خاطرهٔ مبارزهٔ دانشجویی برای آزادی و با خاطرهٔ آرزوها و اشتباه‌ها همراه بود. امروز چهل سال پس از به قدرت رسیدن حکومت اسلامی، جوانان و نسل‌های باتجربه و سالخورده به این می‌اندیشند که چگونه باید به عمر این رژیم دینی پایان داد. افراد شرکت‌کننده مشتاق تغییر سریع قدرت هستند تا حکومتی عادی بر سرکار آید.

یکی از خاطرات خوشی که من از این کنگره در ذهنم ثبت شده ابراز محبت بسیاری از دوستان نسبت‌به مقاله‌های من در نقد اسلام و قرآن بود. این افراد مرا تشویق می‌کردند تا در نوشته‌های خود به نقد قرآن و اسلام ادامه دهم. این خواست نقد بیان خوشنودی آن‌ها از نقد دین برای دگرگونی جامعه و ذهن انسان بود. بسیاری از سیاسیون از نقد اسلام می‌هراسند، حال آن‌که شمار روزافزونی از شهروندان و فرهیختگان و هنرمندان خواهان ادامهٔ بررسی انتقادی دین و فقه شیعه هستند.

در خارج کشور و در همین سالن دانشجویان دوران پهلوی مخالف سانسور ساواک و استبداد بودند و امروز در همان سالن مخالفان خواهان پایان دادن به حکومت دینی و استقرار جداانگاری دین از سیاست هستند. دیروز با یک موضع تندروانه و کور کل دوران پهلوی طرد می‌شد و واقع‌گرایی سیاسی خاموش بود و هواداری از روحانیون یک‌جانبه انجام می‌گرفت و امروز بابت همان اشتباه‌های دیروز هزینهٔ سنگینی می‌پردازیم.

نقش اصلاح‌طلبان و نواندیشان دینی در خارج کشور

جمهوری اسلامی الگوی سیاسی خودکامه است و به‌ناگزیر گروه‌بندی‌های بسیاری را زیر فشار قرار می‌دهد تا بر آن‌ها چیره شود. بخشی از نواندیشان و اصلاح‌طلبان با وجود تمایل خود به فضای اسلامی ایران فشار را تحمل نمی‌کنند و به خارج

می‌آیند. در بین این افراد، روزنامه‌نگار و مفسر ریز و درشت بسیارند. بخشی از این روزنامه‌نگاران و مفسران در رسانه‌های مهمی مانند بی‌بی‌سی، صدای آمریکا، رادیو فردا، رادیو زمانه جمع شده‌اند و دارای رانت رسانه‌ای هستند و تارنماهایی مانند میهن و زیتون نیز کاملاً در اختیار آن‌هاست. جزم‌اندیش‌های برجستهٔ آن‌ها مانند آقایان عبدالکریم سروش، محسن کدیور، یوسفی اشکوری، علی‌جانی، بازرگان، دباغ، مهاجرانی و دیگران در محافل دانشگاهی و نزد مدیران رسانه‌ها و سیاست‌مداران و بخشی از روشنفکران نفوذ مهمی دارند. این افراد نزد دیپلمات‌های غربی و محافل سیاسی و اداری غربی دارای شخصیت‌های واسطه‌ای هستند و می‌دانند در ذهنیت و محاسبهٔ آنان برای قدرت سیاسی فردا جایگاه ویژه‌ای دارند.

اهداف این افراد چیست؟ نخست، هدف آن‌ها پشتیبانی از اسلام شیعه و تبلیغ ایدئولوژی اسلامی در نزد ایرانیان خارج از کشور است. هدف تبلیغ اسلام در تمام عرصه‌ها مانند سیاست و آموزش و خانوادگی و مراسم مرگ و مناسک عزاداری و عید قربان و عید غدیر و غیره ادامه دارد. دوم، این افراد در پی ایجاد و تقویت روند لابی‌گری و پارتی‌بازی اجتماعی و شبکه‌های نفوذ سیاسی و نظری هستند تا هرچه بیشتر افکار اسلام «رحمانی» پخش شود و اشخاص نامذهبی زیر نفوذ آنان قرار گیرند. سوم، این افراد خواهان احیای اسلام در قلب تمدن غربی «مسیحی» به‌منظور تسلط جهانی است. آن‌ها در پی نشان دادن «حقانیت» شیعه‌گری هستند و با اتکا به شخصیت‌های معروف مانند هانری کربن در پی تسخیر مواضع مستحکم در مبارزهٔ رقابت‌جویانه جهانی در برابر سنی‌ها هستند. چهارم، این افراد با وجود اختلاف‌های درونی در اجتماع خود را متحد و یک‌پارچه نشان می‌دهند و خواهان برقراری و تحکیم «جهان‌شمولیِ» خود هستند. آن‌ها اهل تقیه و مخفی‌گری هستند و در برابر حریفان و مخالفانِ خویش از اختلاف‌های خود حرفی نمی‌زنند. پنجم، این افراد دارای پول و منابع مالی و امکانات تکنیکی فراوان هستند و تکنیسین‌های آن‌ها بسیار فعال می‌باشند. ششم، این افراد خواهان کسب قدرت سیاسی پس از آیت‌الله خامنه‌ای هستند و الگوی حکومتی آن‌ها اتکا به اسلام خواهد داشت زیرا آن‌ها پیوسته می‌گویند در یک جامعهٔ مسلمان در هدایت دولت از اسلام نمی‌شود گذشت. هفتم، این افراد با اصلاح‌طلبان گوناگون در ایران روابط خانوادگی و دوستی و سیاسی و مالی دارند و بیشتر از آن‌ها

پشتیبانی می‌کنند. از جانب آنان انتقاد از اصلاح‌طلب داخلی بسیار کم‌سو ولی پشتیبانیِ آشکار و پنهان از آن‌ها مداوم است. هشتم، هدف آن‌ها تضعیف دقت و هوشیاری شخصیت‌های پای‌بند به جداانگاری دین از سیاست و در خارج از کشور است و به این لحاظ پیام‌های زیرکانه و ابراز دوستی‌ها برای خلع سلاح آرام آن‌هاست. نهم، این نواندیشان دینی و روزنامه‌نگاران دگرگونی‌خواه و اصَلاح‌طلب شخصیت‌های پای‌بند به جداانگاری دین از سیاستِ فعال را یک خطر عمده می‌دانند. به این خاطر آن‌ها در مورد انتقادهای روشنفکران پای‌بند به جداانگاری دین از سیاست و منتقدان اسلام و قرآن سکوت می‌کنند ولی به‌شکل مخفیانه حمله‌های سنگین خود را متوجه انتقادگران پای‌بند به جداانگاری دین از سیاست می‌کنند. دهم، هدف این نواندیشان و جزم‌گرایان اسلامی، حفظ پراکندگی روشنفکران و فرهیختگان نادینی و پای‌بند به جداانگاری دین از سیاستِ حاضر در غرب است. البته تلاش همسو میان روشنفکران پای‌بند به جداانگاری دین از سیاست بسیار کم‌رنگ است و این واقعیت بهترین فرصت برای گسترش نفوذ اسلام‌گرایان نواندیش است.

دربارهٔ شیعه‌گری و خِرد مصلوب

برای درک امروز خود، نگاهی به تاریخ شیعه‌گری بیندازیم.

حسین ابن علی، قهرمان ایرانیان است؟ سنت شیعه‌گری تاریخ ایران را آلوده به جعل کشانده است. خاندان بنی هاشم یعنی پیامبر اسلام و خانوادهٔ علی از قبیلهٔ قریش بوده است. در میان قریش میان خانوادهٔ بنی هاشم و دیگران خانواده‌ها پیوسته جدال بوده است و تمام اختلاف‌های آنان بر سر قدرت، هیچ رابطه‌ای با ایرانیان و فرهنگ آن‌ها نداشته‌اند. شخصیت‌های واقعی/جعلی این خانواده‌ها از غارتگران و نظامیان و هواداران استعمار عرب بودند و همگی در پی نفی قطعی فرهنگ و زبان و کیستیِ ایرانیان و سرزمین آنان بوده‌اند. حال، شیعه‌گری در یک روند پیچیده و متضاد همچون یک پدیدهٔ بسیار سنگین در هستی ایرانی تأثیر گذاشته و تمام مراسم مذهبی، سیاست‌های دینی حکومتی، رفتارهای روزمرهٔ مردم و سکوت روشنفکران در تقویت آن به کار رفته‌اند. شیعه‌گری سقوط فرهنگی

ماست و ما این سقوط را ما در خود تکرار می‌کنیم.

نکته هایی را که در اینجا مطرح می‌کنم متکی‌بر منابع اسلامی و غربی‌اند. در این‌گونه گزارش‌ها امکان نارسایی و چه بسا وارونگی نیز وجود دارد. دربارهٔ تاریخ اسلام برای بهره‌برداری از منابع اسلامی باید با احتیاط کامل رفتار کرد. در منابع اسلامی، اشتباه و جعل و دست‌کاری و سندنویسی فراوان است. برای نمونه، روایت‌های شیعه سراپا آغشته به جعل‌اند. تاریخ‌دان بررسی همهٔ سندهای اسلامی را باید با مطالعهٔ کتاب‌ها، سندهای نااسلامی، پژوهش‌های باستان‌شناسی، گزارش‌های تاریخی، واکاوی‌های جامعه‌شناختی و پژوهش زبان‌شناسی کامل کند.

پس از درگذشت پیامبر اسلام در سال ۶۳۲ میلادی، بحران جانشینی به وجود آمد و بسیاری از سران قبایل وارد جدال شدند و یا از مدینه گریختند. بالأخره ابوبکر، یکی از نخستین همراهان محمد، به‌عنوان خلیفه برگزیده شد. وی به بنی امیه، که قبیلهٔ مهمی در مکه بود، نقش برجسته‌ای در تسخیر سوریه داد. پس از خلافت عمر و عثمان، علی منصوب شد. علی پس از چهار سال خلافت ترور شد. معاویه قدرت را به دست گرفت، خلافت بنی امیه را در سال ۶۶۱ بنیان گذاشت و دمشق را به‌عنوان پایتخت تعیین کرد. امویان که بودند؟ بنی امیه خود یکی از قبایل قریش بود. دربارهٔ ریشهٔ این قوم باید گفت که اصل‌ونسب آن‌ها نیز همچون پیامبر اسلام به مردی به‌نام عبدالمناف از طایفهٔ قریش می‌رسد. از دو پسر عبدالمناف یکی به‌نام هاشم جد خاندان هاشمی و پیامبر اسلام بود و دیگری عبدالشمس پدر امیه که جد خاندان بنی امیه بود.

در واقع، بسیاری از سران قریش مخالف جانشینی علی بودند. این مخالفت به قطبی شدن درگیریِ نهان بین بنی امیه و بنی هاشم و جنگ داخلی منجر شد. به‌دنبال چند جنگ، علیِ به‌دست مخالفان خود، خوارج، کشته می‌شود. معاویه که در جدال با امپراتوری روم شرقی دمشق را تسخیر کرده بود، از سوی هوادارانش در سوریه مورد ستایش قرار گرفته و در سال ۶۵۹ یا ۶۶۰ میلادی به‌عنوان خلیفه به‌رسمیت شناخته می‌شود و خلافت اموی آغاز می‌شود. امویان در زمان خلافت‌شان سرزمین‌های بسیاری را به چنگ آوردند و به استعمار عرب افزودند و بارها شورش‌های ایرانیان را سرکوب کردند؛ سرانجام ابومسلم سردار ایرانی آنان را سرنگون کرد و خاندان عباسیان که شاخه‌ای از خانوادهٔ هاشمی (فرزندان عباس عموی علی و فرزند ابو طالب) خلافت را از آن خود کردند. میان خانوادهٔ

علی و معاویه اختلاف برای کسب قدرت ادامه می‌یابد. حسن، فرزند علی، اقتدار خلیفهٔ اموی را به‌رسمیت می‌شناسد. هنگامی که معاویه در سال ۶۸۰ درگذشت، پسرش یزید جانشین او شد.

معاویه یکی از کاتبان و از یاران نزدیک محمد پیامبر اسلام بود و از دبیران محمد به شمار می‌رفت. همچنین وی به‌مدت نوزده سال و سه ماه خلیفهٔ مسلمین بود و برخلاف ادعای روحانیون شیعه، که وی را خلیفهٔ غیرقانونی می‌نامند، به‌وسیلهٔ حکمیت و با خشنودی علی به خلافت رسید. وی نخستین کسی بود که خلافت را در خانواده‌اش موروثی کرد. (رجوع کنید به تاریخ طبری، کتاب ۴، صفحهٔ ۱۳۰۳) وصیت معاویه بن ابوسفیان به یزید پسرش چه بود؟ معاویه گفت حسین‌بن‌علی که مردی است کم‌خطر اما نسبتی بزرگ دارد و نزدیکی با محمد چنان‌چه می‌بینم مردم عراق او را به قیام وادار می‌کنند اگر به او دست‌یافتی گذشت کن که اگر من باشم گذشت می‌کنم. پس از فوت معاویه، ولید حاکم مدینه نماینده نزد امام حسین فرستاد تا که با یزید «بیعت» کند. (طبری)

در روایت آمده است حسین به دارالعماره و نزد ولید بن عتبه رفت و گفت: «کسی چون من پنهانی بیعت نمی‌کند. فردا چون مردم را جمع کردی من نیز خواهم آمد و با یزید بیعت می‌کنم.» چون شب فرارسید و هوا تاریک شد، امام حسین به همراه دو خواهرش زینب و ام کلثوم و برادرانش ابوبکر و جعفر و عباس و خانواده‌اش پنهانی به مکه گریختند. (تاریخ طبری، کتاب ۷، صفحهٔ ۲۹۰۹) (اخبار الطوال ، صفحهٔ ۲۷۶) پس از آن‌که امام حسین از مدینه به مکه گریخت مردم کوفه و فرستادگان‌شان نزد امام حسین آمدند که ما مردم کوفه خویشتن را برای تو نگه داشته‌ایم و با ولایت‌داران به نماز جمعه حاضر نمی‌شویم، نزد ما آی. امام حسین مسلم بن عقیل را پیش خواند و گفت: «به کوفه برو و در مورد آن‌چه به من نوشته‌اند بنگر تا اگر درست بود به‌سوی آن‌ها رویم.» (تاریخ طبری، کتاب ۷، صفحهٔ ۲۹۱۶)

بدین ترتیب خاندان علی برای حکومت خود را آماده نگه داشته بود. همچنین، جانشینی ارثی توسط بسیاری از قبایل و سران آن‌ها پذیرفته نشده و از جمله حسین، فرزند دوم علی، با چنین‌چیزی مخالفت می‌کند. فرزند دوم علی، حسین که در پی قدرت است به‌سمت کوفه حرکت کرده تا هواداران خود را گرد آورد اما او در کربلا توسط ارتش بنی امیه کشته می‌شود.

بنی امیه در درگیری خانوادگی قریش خانوادهٔ علی را بر ضد خود بسیج کرد و از سوی دیگر امویان به سرزمین‌های مستعمره فشار بیش از اندازه وارد آورد و نسبت‌به ایرانیان اجحاف و ستم‌گری خود را به اوج رساندند. پس از مرگ یزید، مختار ثقفی حامی علی هواداران خاندان علی در عراق و موالی‌های ایرانی را با شعار خون‌خواهی حسین گرد خود جمع می‌کند. بنابر گزارش اخبارالطوال، هوادارانِ ایرانی مختار در آغاز ۲۰ هزار نفر بودند و حتی به ۴۰ هزار نفر هم رسیدند به گونه‌ای که صدای صحبت فارسی در بین سپاهیان او شنیده می‌شد. از جمله ایرادهایی که اشراف‌زادگان کوفی به مختار می‌گرفتند، سوار کردن ایرانیان بر گردن‌هاشان و سهیم کردن آنان از غنائم جنگی بود. اشراف خرده می‌گرفتند که او با شجاعت عرب ولی با کینهٔ عجم با ما می‌جنگد. (مفتخری، ص ۸۵-۸۶)

با نگاهی به این تاریخ عرب متوجه می‌شویم که دعواهای خاندان علی و خاندان معاویه بر سر تقسیم و تسخیر قدرت و ثروت بوده است و این جدال نقطهٔ آغازین تاریخ شیعه شده. این جدال هیچ پیوندی با ایران‌زمین و فرهنگ و سرنوشت ایرانیان ندارد ولی روند رویدادهای استعمار عربی ـ اسلامی منجر به سوءاستفاده از ایرانیان «موالی» شده و سپس جعل و اسطوره‌سازی و تصرف هویتی ایرانیان را از فرهنگ خود دور و شیعه‌گری را به کیستی ما تبدیل کرده. تداخل عناصر دینی و فرهنگی متقابل یک کیستی را فراهم می‌کند که از خاستگاه ایرانی فاصلهٔ بسیاری دارد. چهره‌های عرب و منافع دشمنان ایران‌زمین برای ما «خودی» و فرهنگ ایرانی مصلوب می‌شود. در طول تاریخ، جاعلان فتنه‌گر و آزمند و دروغ‌گو مردم ما را به تودهٔ اسیر و نادان و خرافی تبدیل و نخبگان آن را در نابودی خِردگرایی و توطئهٔ فرهنگ‌کُشی شریک می‌کنند.

محمدعلی امیرمعزی و کریستیان ژامبه با اتکا بر طرح هانری کربن در تقسیم‌بندی تاریخ شیعه به چهار مرحله می‌نویسند: «دورهٔ نخست با پیدایش هواداران علی و برآمد «حزب» او تا غیبت امام دوازدهم (۳۲۹ هجری برابر ۹۴۰ میلادی) ادامه می‌یابد. دورهٔ دوم از زمان غیبت تا قرن ۷ هجری و ۱۳ میلادی طول می‌کشد و در این دوره شمار زیادی از علوم دینی و فلسفی و حقوقی نوشته می‌شوند. دورهٔ سوم از سقوط بغداد توسط مغول از زمان عباسیان یعنی سدهٔ ۱۰ هجری آغاز و تا سدهٔ ۱۶ میلادی ادامه دارد و نیز این دوران با ادبیات شیعی و آغاز سیاست دینی دستگاه صفویه مشخص می‌شود. دورهٔ چهارم با استقرار شیعه در حکومت

و پیدایش شیعه سیاسی در دوران جدید مشخص می‌شود. (رجوع شود به شیعه چیست؟، انتشارات سرف، چاپ ۲۰۱۴ پاریس) این تقسیم‌بندی تاریخی برای ما سودمند است ولی باید افزود که از زمان ایجاد حکومت اسلامی در ایران ما در مرحلهٔ پنجم قرار می‌گیریم زیرا جهان‌بینی شیعه به‌طور کامل در سیاست و قوانین کشوری و آموزش رسمی جاری می‌شود. نکتهٔ اساسی دیگر این‌که این مرحله‌بندی تاریخی برای الگوی محوری ما به هیچ‌وجه کامل نیست و توضیح‌دهنده شیعه‌گری به‌مثابه یک پدیدهٔ ایدئولوژیک اسارت‌بار و نفی‌کنندهٔ کیستیِ ایرانی نیست. پرسش اساسی ما چگونگی تبدیل انسان ایرانی به انسان شیعی اَست. ما در این تاریخ باید پیچیدگی استحالهٔ ایرانی به شیعه را دریابیم. ما در جست‌وجوی فهم تغییر انسان‌شناسانه و روان‌کاوانه و جامعه‌شناختی انسان ایرانی به انسان مسخ‌شده شیعه هستیم.

شیعه‌گری سدی در برابر خِردگرایی است.

ماه محرم یک ماه شکنجهٔ روانی و سادیسم و مازوخیسم شیعه است زیرا در مراسمی مانند عاشورا دیگرآزاری و خودآزاری به اوج می‌رسد. در چنین ماه ناخوشایندی تمام باورهای جعلی و افسانه‌ای مانند داستان شهادت حسین در کربلا به‌مثابه حقیقت عرضه می‌شوند و ایرانیان بی‌شماری روان دگرگون خود در زشت‌ترین حالت‌ها به نمایش می‌گذارند. کورش و منشور او که ارزش‌های ما در لایه‌های زمانی دور هستند فراموش شده‌اند و حسین ابن علی و روایت شیعه جای آن‌ها را گرفته‌اند. در این ذهن آسیب‌دیده، کدام حافظه و آموزش از لایه‌های فرهنگی هخامنشیان باقی مانده است؟ ادبیات ما و قهرمانان ما در شاهنامه فردوسی هستند ولی در ذهن آسیب‌دیده جز رگه‌های ناتوان و گنگ چیز چشمگیری نمانده است. قهرمانان ایرانیان کسانی هستند که در برابر تجاوز اعراب و مغول و دیگر مهاجمان ایستادگی کردند ولی این شخصیت‌ها در حافظهٔ روان‌پریش وجود ندارند. در اسطوره و تاریخ، رستم و آرش و رستم فرخزاد و بابک و یعقوب لیث و امیرکبیر و مصدق و دیگران قهرمان ایرانیان‌اند ولی محمد و علی و حسن و حسین و فاطمه و مهدی از بنی هاشم، که از دشمنان فرهنگی و

آیینی هستند، جایگاه آنان را تسخیر کرده‌اند.

به چند روشن‌سازی تاریخی دربارهٔ درگیری عرب‌ها گوش فرا دهیم:

دعواهای قبیله‌ها و خانواده‌های عرب و تناقض منافع خانواده‌های آن‌ها در یک شعبده‌بازی تاریخی تبدیل شد به «تاریخ» مردمی که از فرهنگ خود دور شدند. حسین نماد استعمار عربی تبدیل شد به اسطوره‌ای که میلیون‌ها انسان ایرانی را به پَست‌ترین رفتار می‌کشاند. شاید برای برخی میان امام حسین و سهراب در شاهنامه رابطه‌ای باشد، شاید برای کسانی میان امام دوازدهم در شیعه‌گری و سوشیانت منجی در دین زرتشت نشان مشترکی باشد. به نظر می‌رسد عناصری از فرهنگ ایرانی و از فرجام‌شناسی زرتشتی یعنی نجات‌دهنده و سوشیانت به شیعه‌گری انتقال یافته است. این پدیده در بسیاری از فرهنگ‌های خاورمیانه مانند یهودیت و مسیحیت نیز وجود داشته و محور چرخهٔ هزاره‌ای برای نو شدن جهان بوده است. حال، هنگامی که به هدف و مضمون و محتوای اسطوره‌ای توجه می‌شود و در واکاویِ قیاسی درمی‌یابیم مهدی در شیعه و منجی در فرهنگ ایرانی بسیار متفاوت است. در درگیری‌های خانوادگی و قبیله‌ای عرب‌ها حسین کشته شد ولی سپس در روند تاریخی اسطورهٔ حسین افسانه‌ای ساختگی برای ادامهٔ استعمار فرهنگی و روانی است. امام مهدی نماد تبدیل چرخهٔ هزاره‌ای به کیستیِ عربی است و این انتظار با تبدیل باور همهٔ بشریت به تنها باور مجاز یعنی شیعه‌گَری است. «عدل» مورد نظر امام موعود با خون و شقاوت همراه است زیرا همه به شیعه نمی گروند و آن‌ها باید کشته شوند. بنابر برخی روایات، پس از ظهور منجی، جهان به‌مدت چهل روز در نوعی ابهام و سردرگمی قرار می‌گیرد و پس از این مدت دوران قیامت فرا می‌رسد، حال آن‌که در دین زرتشتی، سوشیانت آیندهٔ خوب و صلح‌آمیز را نمایندگی می‌کند. در چرخهٔ مهدی‌گری، جهان با اقتدارگرایی و تسلیم و خون‌ریزی و قیامت پایان می‌پذیرد. شیعه‌گری از همان آغاز تجلی اختلاف خانوادگی و سیاسی عرب است و برخی جنبش‌های ایرانی آن را فربه و پرچم خود کردند. شیعه‌گری تمایلی سیاسی است که خود را با نمادهای دینی می‌آراید و الله و زمین را به هم وصل می‌کند و مهدی موعود را وعده می‌دهد تا ذهنیت جامعه را در کنترل تام خود قرار دهد. برخلاف هانری کربن که در کتاب اسلام ایرانی شیعه‌گری را در مجزا کردن قدرت سیاسی و روحانی معنوی توانا می‌داند باید گفت که شیعه‌گری از همان آغاز این دو پدیده را در هم آمیخته و

فضای عقل‌گرایی و عرفی‌گرایی جامعه را منکوب می‌کند. خاندان علی خواهان خلافت و امامت است. حسن با معاویه صلح کرد و از خلافت درگذشت ولی حسین بنابر روایت شیعه از جانب برادرش امام حسن امامت را به عهده داشت و پس از مرگ معاویه و تصرف قدرت توسط یزید امام حسین خلافت را نیز می‌خواهد. درهم آمیختن سیاست و دین یک عنصر همیشگی در شیعه است. اصل ماجرای عاشورا بر پایهٔ درگیری برای قدرت سیاسی و خلافت‌گری است و این الگو در ذهن شیعیان همیشه زنده بوده است. آن‌ها «حسین مظلوم» را می‌سازند تا خود را برای قیام و تصرف قدرت آماده کنند. در شیعه‌گری یک گرایش نیست بلکه «هفتاد دو فرقه» وجود دارد و هر کدام ویژگی خود را دارد ولی گرایش مهم شیعه به‌سوی تصرف قدرت سیاسی و پشتیبانی از قدرت سیاسی بوده است.

تمام کاتبان و تفسیرنویسان و تاریخ‌نویسان اسلامی و آخوندهای شیعه و اصلاح‌طلبان دینی این رویدادهای بنی هاشم را به دروغ‌هایی پرداخته‌شده تبدیل و بر ملت ما تحمیل کرده‌اند. مسخ و جعل تاریخ برای اثبات عرب‌زدگی خودشان و پشتیبانی از ایدئولوژی زشت خود بوده است و قصه‌های آنان مانند ماجرای ابولهب و معاویه و یزید و علی و فاطمه و حسین و غیره داستان ایرانیان نیست. حسین و حسن و علی دشمنان ایرانیان بودند و با آن‌ها جنگ کردند. اسلام‌گرایان در طول تاریخ با شگردهای گوناگون روایت جعلی را رایج و این دین تبعیض‌گرا را به ما تحمیل کرده‌اند. اسلام و شیعه‌گری در ایران محصول تجاوز و عملکرد حکومتی و سازمان‌دهی و بودجهٔ سنگین است. افزون‌بر آن، دین در کنش و رفتار تکراری مردم و اجرای آداب به دین جامعه تبدیل می‌شود. عزاداری و افسانهٔ دینی ابزار تحکیم دین در ذهن و بازتولید دین‌خویی در جامعه است و شیعه‌گری پیوسته از این وسیله بهره جسته است. قرآن به‌تنهایی نمی‌توانست به اسلام توده‌ها تبدیل شود. اگر در کنار قرآن هزاران کتاب روایت ساخته نمی‌شد، اگر هزاران مسجد و منبر برپا نمی‌شد، اگر بی‌شمار ملا و مداح و مفسر دینی بسیج نمی‌شدند، اگر میلیون‌ها آش نذری پخش نمی‌شد، اگر میلیون‌ها انسان در حرم‌های امامان مانند دیوانگان و پریشان‌حالان شمع روشن نمی‌کردند و به ناله نمی‌پرداختند، اگر سلطان‌ها و فرمان‌روایان بی‌شمار برای حسن و حسین و مهدی پول نمی‌ریختند، اگر میلیون‌ها آخوند پَست و بی‌سواد در خانه و بر سر قبر روضه نمی‌خواندند، اگر میلیاردها دروغ و روایت جعلی و قصهٔ احمقانه برای مردم تکرار نمی‌شد،

اگر توده‌های بی‌شمار برای حسین زنجیر و سینه نمی‌زدند و سر خود را با قمه نمی‌شکافتند، اگر میلیون‌ها انسان بی‌سواد و خرافه‌پرست در جامعه تولید نمی‌شد و اگر هزاران سیاست‌مدار فرصت‌جو و روشنفکران اسلاموفیل و روزنامه‌نگار اسلام‌پرست از «دین مقدس توده» هواداری نمی‌کردند و دست به دروغ‌گویی نمی‌زدند، اسلام به این اسلامِ امروز بدل نمی‌شد.

آغاز عزاداری حسینی سَوگ خانوادهٔ بنی هاشم بود. در تاریخ شیعه، به هنگام کشته شدن حسینِ اهل کوفه عزاداری به پا شد و مختار ابو عبید ثقفی در کوفه مشوق سوگواریِ برای خاندان علی بود. در دوران ۹۳۲ تا ۱۰۵۵ میلادی، آل بویه عزاداری را گسترش داد. از زمان صفویه حاکمان کارزار بزرگ مراسم عزاداری شیعه را به راه انداختند. در زمان قاجاریه، استفاده از اسب و طبل و علم و کتل گسترش یافت. در دوران پهلوی دوم، این کارزار دینی با دسته‌های وسیع زنجیرزنی و سینه‌زنی ادامه یافت و بالأخره در زمان جمهوری اسلامی مراسم و عزاداری شیعه‌گری با تمام امکانات دولتی و نیمه‌دولتی و توسط مردم متعصب عامی و بیش از هر زمان دیگری فربه شد. فرهنگ دینی با آداب دسته‌جمعی و هیجانی و احساسی بر ذهن و ناخودآگاه مردم به‌طرز شگرفی تأثیر می‌گذارد و ساختارساز است. کارزار همیشگیِ دینی و عزاداری با شگردهای گوناگون اجرا می‌شود و ذهن را از دو جنبهٔ روانی و تبلیغاتی «محاصره» می‌کند: منبر برای خطبه، رساله‌های مرجع‌های تقلید، حسینیهٔ ارشاد، احکام حوزه، مسجد، طبل و سنج، سینه‌زنی، غذای امام حسین و آش زهرا، مقالات اصلاح‌طلبان، روضه‌خوانی رئیس‌جمهور در محرم و رمضان، توزیع قیمه‌پلو و پیتزای نذری، کبود کردن و جراحت انداختن بر پشت و سینهٔ مسلمان با زنجیر و قمه، روضه‌خوانی در خانه و سر قبر، نماز و روزه، اذان‌های روزانه، مراسم دینی در مدرسه و اداره و بنگاه‌های اقتصادی، ترویج قرآن و روایت‌های امامان در رسانه‌های دولتی، تبلیغ حج و زیارت کربلا، تبلیغ حرم امام رضا و معصومه، وجود ۱۴۰۰۰ امامزاده، آموزش‌های مذهبی و عرفانی و درویش مسلکی در همه‌جا مهارت‌های تأثیرگذاری بر روان ایرانیان ازخودبیگانه بوده است.

دین اسلام‌خواهان افزایش فرومایگی روانیِ انسان‌ها است و شیعه‌گری چیزی جز بسترسازی برای جذب عوامل ویران‌گر روانی نیست. برای نمونه، ماه رمضان ماه دروغ‌گویی و تزویر است. ماه محرم یکی از لحظه‌های ویران‌گر در تاریخ ایران است.

این ماه به‌عنوان اوج «ارزش معنوی» و فداکاری در راه دین معرفی می‌شود، حال آن‌که تمرکز زشت‌کاری و دروغ‌گویی و پلیدی و خواری ارزش انسانی در این ماه به اوج می‌رسد. هدف برگزاری مراسم ماه محرم جز اسارت روانی با جهان‌بینیِ قرآنی و خواریِ انسان چیز دیگری نیست. انسان محرم یک انسان مسخ‌شدهٔ قربانی است، انسان از خودبیگانه‌ای که با انسان نوگرا پیوندی ندارد. شیعه‌گری فاقد عنصر مترقی و خِردمندانه است. تمام حکمای شیعه مانند ملاصدرای شیرازی، میرداماد، علی شریعتی، محمد حسین طباطبایی، آیت‌الله خمینی و دیگران مروج دین و خرافه‌های شیعه‌گری بوده‌اند. نتیجهٔ کار این حکما جلوگیری از ورود به تمدن و نوگرایی بوده است. در شرایط ناتوانی گفتمان فرهنگی پای‌بند به جداانگاری دین از سیاست، مردم خرافه‌پسند و فاقد اخلاق نوگراییِ عقلانی نمی‌توانند ایستادگی کنند و، بنابراین، تمام روان خود را در اختیار ساختارهای تأثیرگذار قرار می‌دهند. در این هنگامه، خِردگرایی و خودمختاری شخصیتی آسیب دیده‌اند و واکنش‌های هیجانی و عاطفی دینی برکیستی و شناس‌مان چیرگی دارند.

ایدئولوژی مرگ چیست؟

مرگ پیشامدی برای ایست زندگی انسان است. در زندگی، همه‌چیز جمع شده است و زندگی سرشار از نوآوری و توانایی و فعالیت انسان‌هاست. در زندگی، عناصر ویران‌گر هم وجود دارند ولی نیرومندیِ زایش چیرگی دارد، حال آن‌که ایدئولوژی مرگ ستایش عوامل ویرانی و پشت کردن به جهان و زندگی است. ایدئولوژی شهادت، تروریسم اسلامی، ایدئولوژی عاشورایی از شکل‌های گوناگون ایدئولوژی مرگ هستند. این ایدئولوژی همراه با تعصبات و عقده‌ها و لذت مرگ‌خواهی همراه است. این ایدئولوژی به خوشبختی پس از مرگ نیاز دارد. به این خاطر، پوچ‌انگار و زندگی‌ستیز است.

هر جامعه‌ای نیازمند شادی و جشن است ولی مذهب شیعه این جهان یعنی دنیا را پَست می‌داند. جهان‌بینی شیعه و حکومت اسلامی مبلغ اندوه و ماتم و گریه است و وابستگی روانی مردم به اندوه و سوگ را پایهٔ قدرت خود در جامعه می‌داند. ماه رمضان ماه ریاضت و شلاق برای روان و بدن است و ماه محرم نیز

ماه خفت و تحقیر این‌دو. شیعه‌گری شادی و فرهنگ را مصلوب می‌کند و مبلغ ایدئولوژی مرگ است. شیعه‌گری از آیین مِهر پیروی نمی‌کند بلکه پَست‌ترین رفتار انسانی را نوازش می‌دهد و خواهان جامعه‌ای افسرده و اندوه‌بار است. در ایران، تعطیلات رسمی ۲۷ روز است. از میان این روزها، چهار روز نوروز، یک روز سیزده بدر و یک روز نیز روز ملی شدن نفت است. «چهار روز انقلابی» مربوط‌به جمهوری اسلامی، مرگ خمینی، ۱۵ خرداد و پیروزی انقلاب اسلامی است. تعداد ۱۷ روز تعطیلات مذهبی است و این روزها عبارتند از: تاسوعا، عاشورا، اربعین، مرگ محمد، مرگ حسن مجتبی، مرگ امام رضا، مرگ حسن بن علی عسکری، زادروز محمد، زادروز جعفر صادق، مرگ فاطمه، تولد علی ابن ابی طالب، مبعث، تولد حجت بن الحسن، مرگ علی، عید فطر، عید قربان، عید غدیر، مرگ جعفر صادق.

در این روزشماری، روزهای نوروزی متعلق‌به فرهنگ و تاریخ ماست و با وجود تمام شگردها و خرافات و جنگ آخوندها، این روزهای نوروزی باقی مانده‌اند؛ هرچند، رژیم با تمام قوا می‌کوشد شادمانی و رنگ و بوی خوش نوروز را نابود و یا دست‌کم سست و کم‌رنگ کند. نوروز به‌اعتبار فرهنگ مردمی و یادآوری فرهنگیان و نخبگان با شعور زنده است. در تقویم حکومتی، روزهای «انقلابی» روزهای شادی نیستند، روزهای آسایش نیستند بلکه روزهای اجبار و جدال و اندوه ناشی از سلطهٔ خمینی و انقلاب مرتجعانه اسلامی‌اند. این روزها برای رقص و موسیقی و شادمانی نیستند بلکه روزهای حقنهٔ جهان‌بینیِ شیعه و ستایش قدرت سیاسی اسلامی‌اند. بالأخره در این تقویم، روزهای مذهبی که سنگین‌ترین بخش آن به شمار می‌آیند فقط‌وفقط برای گریه و اندوه و تحمیل خرافه و نابودسازی استقلال ذهن و ناتوان کردنِ شعور انسانی است. باورهای نابودگرِ اسلام و خرافه‌های شیعی‌گری در طول تاریخ ما تولیدکنندهٔ ازخودبیگانگی و مسخ فرهنگی‌اند و حکومت اسلامی با برپایی سنت‌های مذهبی و تبلیغ مرگ و زادروز امامان در جست‌وجوی اسارت روانی بیشترِ جامعه است. جهان‌بینیِ شیعه جهان‌بینیِ مرگ و شهادت است. این جهان‌بینیِ مذهبی در تضاد با شادمانی روانیِ آدمی است و فقط با تبلیغ مرگ و خرافه و سلطه بر احساس و ناخودآگاه مردم تداوم خود را میسر می‌داند. در سنت کهن ایرانیان، شادی و جشن و شخصیت‌های مثبت و قهرمانان اساطیری در هم آمیخته‌اند ولی

این ویژگی زیبا زیر فشار اسلام و آخوند و نواندیش اسلامی ناتوان شده است. روانی که به جشن و خوشی و فعالیت شادمانه نپردازد به خستگی و افسردگی می‌گراید. برای کشف شادمانی و تربیت روان‌شناسانه مثبت و متمایل‌به زندگی باید از اسلام و شیعه‌گری و تقویم مذهبی و حکومت اسلامی دور شد، باید وارد دنیایی شویم که زندگی در آن می‌خندد.

روشنفکران و فرهیختگان نباید در برابر خرافه و جعل سر خم کنند، آن‌ها باید آگاه کننده باشند و بگویند که حسین قهرمان ایرانیان نیست، مهدی نجات‌دهنده و الله نگهدارشان نیست. راه درست فقط انتقاد از این دین و مذهب شیعه‌گری و قرآن است. آزادی ما در نفی این دین آزادی‌ستیز است. سیاست‌مداران و روشنفکرانی که از داستان حسین پشتیبانی می‌کنند و این افسانهٔ جعلی را مقدس کرده‌اند در کردار و اندیشه خواهان تداوم وابستگی‌به دین اسلام هستند. روشنفکران اسلاموفیل یا اسلام خواه در کنار نواندیشان دینی، تقویت‌کنندگان بردگیِ روانی هستند. اسلام و شیعه‌گری کیش و رسم برای اسارت است.

ارزش‌های معنوی جامعه کدامند؟

ارزش‌های معنوی جامعه کدامند؟ ما در ایران شاهد فروریزی باورهای دینی هستیم. جنایت مستمر حکومتی و عریانیِ فساد نمایندگان سیاسی و حوزوی اسلام و شیعه بیش از گذشته ایمان مردم را سست کرده‌اند. بخشی از جامعه دوری خود از حکومت دینی و اسلام رسمی را به‌معنای پایان باور به اسلام نمی‌داند و پیوسته گوشزد می‌کند که «اسلام» آن‌ها از اسلام حکومتگران متفاوت است. البته پیداست که آن‌ها دستخوش باوری دروغین‌اند زیرا قرآن همه یکی است و فقه شیعه هم مورد احترام و اِجرای حکومت‌گران و توده باورمند است. پیامبر اسلام هم مخالفان خود را می‌کُشت و آن‌ها را به دوزخ حواله می‌داد و حکومت‌گران کنونی نیز مخالفان خود را همیشه شکنجه و کشتار کرده‌اند. حال، چرا بسیاری اسلام خود را از اسلام حکومت جدا می‌کنند؟ شاید آن‌ها از این می‌هراسند که کنار زدن اسلام بیان‌گر سقوط ارزش‌ها و پوچی در جامعه است. آن‌ها دلهره دارند که با از بین رفتن اسلام و شیعه، زندگی‌شان نابود شود و هیچ معنویتی برای‌شان

باقی نمی‌ماند. در ذهن آن‌ها، اسلام در برابر معنویت است. این باور توهّمی بیش نیست و این‌گونه افراد در دروغ دینی غوطه‌ور هستند. آن‌ها تبلیغات اسلامی را به‌مثابه واقعیت می‌پندارند.

معنویتی که اسلام از آن حرف می‌زند کدام است؟ ایمان به الله، روز قیامت، بهشت و دوزخ، اجرای نماز و روزه، سر بریدن گوسفند در عید قربان، زیارت‌نامه‌خوانی، عزاداری حسین، انتظار کشیدن امام زمان، احترام به احکام قرآنی، چندهمسری برای مرد و پیامبر اسلام، توحید، پیروی از پیامبر و خانواده‌اش، جنگ با مرتد و کافر و مشرک، حرام کردن گوشت خوک، اجرای حج، زیارت قبور امامان، تقیه، جن و پری، برتری مرد بر زن، ارث نیمۀ زن نسبت‌به مرد، ناقص بودن زن، قصاص، خمس و زکات و صدقه دادن و غیره از جمله عناصر معنویت اسلامی‌اند. ذهنی که از معنویت اسلامی حرف می‌زند، در بند خرافات و موهومات است. معنویت اسلام مجموعه‌ای از باورهای پَست و پایین و فاقد کمال انسانی است. در قرآن، تبعیض و کشتار جزو احکام الهی است و اسلام فاقد ارزش‌های برابرخواه برای انسان‌هاست.

ارزش‌های معنوی کدامند؟ احترام به حقوق بشر، احترام به حقوق طبیعت، برابری حقوقی زن‌ومرد، ارتقای فرهنگ و ادبیات و هنر، همیاری با مردمان جهان برای دموکراسی، همبستگی برای عدالت در جهان و ایران، باور به آزادی کامل و آزادی نقد، باور به عشق، باور به زیست‌بوم‌گرایی، احترام به شرافت انسانی، مبارزه با تعصب دینی، باور به دوستی، فلسفۀ دوستی، آزادی همۀ زندانیان سیاسی، علاقه به خانواده و فرزندان، فراگیری موسیقی کلاسیک، عدم باور به خرافه‌های اسلامی و شیعه‌گری، مسئولیت فرد در جامعه، آزادی سلیقۀ افراد در زندگی شخصی و اجتماعی، عدم آزار حیوانات، کمک‌های انسان‌دوستانه، تربیت فرزندان در احترام به زنان، حقوق طبیعت، علاقه به نوروز، آموختن از فردوسی، منشور کورش بزرگ و غیره از جمله ارزش‌های مورد احترام ما هستند. همین ارزش‌ها به شهادت تاریخ بهترین ارزش‌های بشری و انسان مترقی‌اند. ما باید برای گسترش این ارزش‌ها و شناساندن آن به نسل‌های دیگر بکوشیم. «معنویت» اسلامی خِردستیز است و برابرشماری از خرافه‌پرستی است. به وا پس کشاندن این معنویت دروغین به سود جامعۀ انسانی است. اگر این باورهای خرافی و کهنه از ذهن مردمان خارج شود بسیار خوب است زیرا از این پس راه باز می‌شود تا اندیشه‌های مترقی و تازه و ارزش‌های انسانی و پیشرو در ذهن افراد جا باز کند. بنابراین،

واپس‌نشینی و سستیِ «معنویت» اسلامی جای نگرانی ندارد و برعکس خرافه را کاهش می‌دهد. درکِ این تغییر در جامعه آسان نیست زیرا ذهن خرافه‌پرست به آن عادت کرده است و افزون‌بر آن، ارزش‌های مترقی که در بالا برشمردم باور محکم اجتماع نیست. جدایی از کهنگی برای ذهن واپس‌گرا ایجاد ترس می‌کند. به‌کار آموزشی و فرهنگی درازمدت بیندیشیم. فرهیختگان و آموزگاران و استادان با قدرت و با سرعت ارزش‌های مثبت و انسانی را باید در جامعه بگسترند و از دلهرهٔ بی‌مورد جلوگیری به عمل آورند.زمانی که آگاهی و شناخت با ماست، ما در رویارویی با خرافه‌ها نیرومند هستیم.

«ازخودبیگانگی» چگونه تعریف‌پذیر است؟

آیا ما در جامعهٔ کنونی، دچار «ازخودبیگانگی» هستیم و مسخ شده‌ایم؟ پدیدهٔ «ازخودبیگانگی» مقوله‌ای فلسفی، جامعه‌شناختی، روان‌کاوانه و روان‌شناختی است. کارل مارکس در «دست‌نوشته‌های ۱۸۴۴» مقولهٔ «ازخودبیگانگی» را مطرح می‌کند. مارکس این پدیده را نتیجهٔ جداییِ تولیدکننده از محصول کارش دانسته و کالا یا محصول جداشده از صاحبش در بازار به گردش درمی‌آید. او «ازخودبیگانگی» را همچون یک تجربه می‌داند که انسان به‌سببش قدرت تصاحب خود را از دست می‌دهد و از هستی خویشتن جدا می‌شود. در واقع، فعالیت انسانی به رنج و نیرو به ناتوانی تبدیل می‌شود و خلاقیت اخته می‌شود. کار کارگر به عامل نفی خود تبدیل می‌شود زیرا او را از بدن و روان خود جدا می‌کند و آدمی از انسانیت و هستی کامل خود دور می‌شود. کار در جامعهٔ سرمایه‌داری به عامل نفی خود و ازخودبیگانگی فرد منجر می‌شود. پرسش مارکس این است که چگونه می‌توان از ازخودبیگانگی بیرون آمد؟ او می‌گوید کار را باید دوباره تعریف کرد و آن را بازآفرید.

پی‌یر ژوزف پرودون، که در ۱۸۳۷ درگذشت، در کتاب مالکیت چیست؟ می‌نویسد: «هر شکل از اقتدار که ناشی از دولت و کلیسا و سرمایه است را باید نابود کرد.» پرودون نیز می‌گوید: «مالکیت دزدی است و به این ترتیب طبقهٔ حاکم را مورد انتقاد قرار می‌داد.» از دید او، اقتدارگریزی یک پروژهٔ سازنده برای

جامعه مطرح کرده و به نظم بدون دولت اعتقاد دارد تا در آن فرد از مسخ‌زدگی بیرون آید و اختیار و خودمختاری کامل خود را به دست آورد. افراد در یک نظام مشترک و انجمنی و شورایی گرد می‌آیند و به‌طرز دموکراتیک تصمیم می‌گیرند و فعالیت را بین خود تقسیم می‌کنند. چکیدهٔ سخن پرودون نوعی یا «خودمدیریتی» است که با اشتراک و تعهد متقابل همراه است. پُل لافارگ در کتاب خود با عنوان کار نکردن یک حق است در سال ۱۸۸۰ خواهان راززدایی از کار شده. او فکر می‌کند که کار یک دیوانگی و بدسگالی است که توسط مذهبیون و حاکمان به یک جزم مقدس تبدیل شده است. از دیدگاه او زمانی که خدا می‌میرد، «کار» را پدید می‌آورند تا انسان زیر سلطه بماند. با مرگ خدا، کارگران و دیگر اعضای جامعه شیفته و مسخ کار شدند و بورژوازی از این بهره برد تا به ثروت‌اندوزی ادامه دهد. برای لافارگ، کار بندگی است و همچون یک اعتیاد ارادی می‌ماند. از دید او، باید از کار رهایی جُست و آزاد زیست و به همین خاطر در روز فقط باید سه ساعت کار کرد. چگونه می‌توان به این هدف رسید؟ از نگاه لافارگ، باید ماشین و ربات را جایگزین انسان کرد. او می‌گوید: «سستی و تنبلی و کار نکردن اجازه می‌دهد تا انسان از لذت‌های موجود در زمین بهره ببرد، از عشق و تمایلات جنسی سیراب شود و زندگی‌اش پر از شوخی و خنده شود.»

دربارهٔ ازخودبیگانگی و کار و نیز جایگاه آن در زندگی شخصی و اجتماعی بسیار نوشته‌اند. از جمله اندیشمندان گوناگون می‌توان به جامعه‌شناس آمریکایی، جِرمی ریفکین، جامعه‌شناس فرانسوی، دومنیک مدا، جامعه‌شناس فرانسوی، ونسان دوگولژاک، فیلسوف فرانسوی، آندره گورز، جامعه‌شناس فرانسوی، آلن تورن، و بسیاری دیگر اشاره کرد که دربارهٔ بحران کار و دگرگونی‌های ساختاری کار و معنای آن در قرن بیستم و بیست‌ویکم نوشته‌اند. همهٔ آن‌ها توافق دارند که کار در الگوی «فوردیستی و تیلوری» کماکان عامل ازخودبیگانه‌کنندهٔ انسان است و امروزه مقولهٔ کار نه‌تنها عامل ازخودبیگانگی است بلکه دیگر ارزش اصلی به شمار نمی‌آید و نقش محوریِ خود را در جامعه از دست داده است.

از نگاه فلسفی، پدیدهٔ ازخودبیگانگی گسست انسان از کلیت و توانایی انسانی است. انسان تک‌بُعدی یا تک‌ساحتی که پیرو الگوی اقتصادیِ کنونی است، انسان مصرف‌گرا که خوشبختی را در مصرف می‌بیند، انسان مکانیکی که نمی‌تواند اندیشه و فهم تولید کند، انسان برده که خیال می‌کند آزاد است، انسان جداافتاده از کلیت

جهان و معنای آن و انسان کوته‌اندیشِ متعصب که شیفتهٔ بت است نشان‌هایی از همان انسان مسخ‌شده و ازخودبیگانه است. ازخودبیگانگی در طول تاریخ وجود داشته است. درک‌های گوناگونی در این زمینه ثبت شده. برای هگل، فیلسوف آلمانی، ازخودبیگانگی یک روند فراتاریخی است، حال آن‌که از دید مارکس این پدیده مشروط‌به دورهٔ تاریخیِ سرمایه‌داری است. از نگاه هگل، ازخوبیگانکی به روح بستگی دارد و بی‌زمان است در صورتی که مارکس این پدیده را به تاریخ و زمان پیوند می‌زند. در سدهٔ نوزدهم، کارل مارکس از انسان «ازخودبیگانه» در مناسبات تولیدی سرمایه‌داری و تسلط ماشینیسم سخن می‌گفت و بیگانه شدن انسان نسبت به کار را تجلی این بیگانگی ارزیابی می‌کند. از نظر مارکس و نیز از نظر هگل، بیگانگی یعنی از دست دادن کلیت که بی‌آن انسان دیگر انسان نیست. ازخودبیگانگی به‌معنای از ریشه کنده شدن فرد، سردرگمی او، ازخودباختگی، بیگانگی و گم کردن گوهر خویش است.

آرنولد هاوزر، مورخ بزرگ لهستانی، برآن است که: «پدیدهٔ ازخودبیگانگی پدیدهٔ انسان‌هایی است که ناگهان حس می‌کنند گویی از آن چیزهای آشنایی که پیش از این معنا و مقصودی به‌زندگانی‌شان می‌دادند جدا و پرت افتاده‌اند. شاید آنان پیش‌تر مقهور حاکمان جبار بوده‌اند اما اکنون خود را مقهور نیروهایی می‌بینند که از آن‌ها بیگانه‌اند.»

ما امروز از انسان «ازخودبیگانه» در مناسبات با دین و انهدام قدرت خِردگرایی و خاموش بودن شخصیت خودمختار نوگرا صحبت می‌کنیم. ما امروز ازخودبیگانگی را برابر بیگانه شدن ایرانیان نسبت‌به فرهنگ و تمدن خود ارزیابی می‌کنیم. آرامش دوستدار در ادبیات خود از مقوله «دین خوئی» صحبت می‌کند من فکر می‌کنم این مقوله درست است ولی اصطلاح «ازخودبیگانگی» عمیق تر بوده و وضع ما را دقیقیر نشان می‌دهد.

شیعه‌گری به بردگی روانی منجر می‌شود

انسان ایرانشهری کجاست؟ لایه‌های آیین مِهر و مانی و زرتشتی و هخامنشیان و ساسانیان و فردوسی و رستم و سهراب در شخصیت انسان امروزی کجاست؟

نقش اسطوره‌ها و افسانه‌های پیشین در قصه‌ها و داستان‌های کنونی ما کجاست؟ چه کسانی تاریخ ما را نوشتند و دستبردهای تاریخی کدامند؟ انسان ایرانی در طول تاریخ حرکت کرده ولی آسیب‌های کیستی و شناس‌مان تاریخی او چگونه درک پذیرند؟ پوچ‌گرایان به ما خواهند گفت «ملی‌گرایی» ناپسند است. ما می‌گوییم ما خواهان درک درست تاریخ هستیم و خواهان نقد ازخودبیگانگی مذهبی کنونی خودیم. جلال آل احمد ازخودبیگانگی را ناشی از تمدن غرب می‌دانست و کیستی خود را در «شرق اسلامی» می‌دید و ما ازخودبیگانگی انسان ایرانی را ناشی از اسلام و شیعه‌گری می‌دانیم و می‌گوییم باید به درمان آسیب‌های چرک‌آلودِ فرهنگ و روان خود بپردازیم.

شیعه‌گری یکی از ارتجاعی‌ترین و خرافی‌ترین مذهب‌هاست زیرا این مذهب متکی‌بر روایت‌های جعلی و احکام خِردستیز است. این مذهب فاقد دانایی است و ترویج‌کنندهٔ بندگی و سرسپردگی نسبت‌به الله و پیامبر و امامان است. مذهب شیعه در آغاز برای پشتیبانی از خاندان پیامبر و قدرت‌پرستی امامان زاده شد، سپس توسط کلینی‌ها و مجلسی‌ها ساخته شد و به‌دست زورمندان تاریخ و سیاست پایدار شد. ایرانیان بیگانه از خویش شده‌اند زیرا جهان‌بینیِ عربی خِردستیز را بر ذهنیت خود چیره کرده‌اند. تمام آخوندها و ملی‌مذهبی‌ها و نواندیشان دینی در برابر خِردگرایی مبارزه می‌کنند زیرا آنان مبلغ شیعه‌گری مرتجع هستند و تمام نوشتارها و گفتارهای آنان حکم دینی و فقه شیعه را برتر از خِرد و دانش می‌دانند.

ابوالعلی معری، شاعر و فیلسوف بزرگ عرب که در ۹۷۳ میلادی درگذشت، می‌گوید: «فکر نکن که چیزهایی که پیامبران می‌گویند واقعی است. آن‌ها این چیزها را جعل کرده‌اند. مردم در آرامش بودند تا این‌که آن‌ها (پیامبران) آمدند و زندگی را ویران کردند. کتاب‌های دینی مشتی قصه هستند که هر کسی در هر زمانی می‌تواند مانند آن‌ها را بنویسد.» و «مردم دنیا به دو بخش تقسیم می‌شوند. آن‌هایی که مغز دارند و دین ندارند و آن‌هایی که دین دارند و مغز ندارند.» صدای معری صدای حقیقت است و همان‌گونه که می‌دانیم زکریای رازی پزشک و شیمی‌دان و فیلسوف بزرگ ایرانی نیز گفته بود پیامبران شیّادند. در طول تاریخ، زورمندان و دسیسه‌چینان و فرصت‌خواهان خودباخته تلاش کردند تا صدای این بزرگان خفه شود. رمالان و شعبده‌بازان و آخوندها و نواندیشان دینی پیروز شدند.

اسلام بر ما تاخت و اندیشه‌گری را ویران و یا فلج کرد. این مذهب توانایی

فکری را به‌شدت ویران کرد. پیامبر اسلام و امامان و کاتبان و جزم‌اندیشان اسلامی جعل و دروغ و افسانه را بافتند تا توده اسیر در نادانی باقی بماند. تاریخ ما جعل شد و فرهنگی واپس‌گرا و اقتدارگرا بر ذهن‌ها غلبه یافت. روایت‌گران و آخوندها همه‌چیز را وارونه جلوه دادند و سلطان و حاکم و نخبه و روشنفکر و سیاست‌مدار مردم را به دین «مقدس» فرا خواندند. اسلام ویران‌گر و شیعه‌گری عقل‌شکن و سرکوب خون‌آلود، «ارادهٔ الهی» معرفی شدند و انسان ایرانی به انسانی حقیر تبدیل شد.

ایرانیان زیادی حسین امام سوم را «سلطان قلب» و «سرور» خود کردند و جنایت او و پدرانش را فراموش کردند. ایرانیان دشمن را در درون خود جای دادند و چنین‌چیزی را خیلی «طبیعی» جلوه دادند ولی ضدیت تاریخی و ایدئولوژیک این خانواده با ایرانیان پیوسته عریان بوده است. دربارهٔ حسین بن علی، در تاریخ طبری می‌خوانیم: «رابطهٔ وی با ایرانیان: حضور در جنگ طبرستان، یکی از فرماندهان اعراب در کشتار وحشیانه و ناجوانمردانهٔ گرگان» بوده است. (کتاب ۵، برگ ۲۱۱۶) علامه مجلسی در بحارالانوار روایتی از شیخ صدوق دربارهٔ دشمنی حسین با ایرانیان می‌آورد می‌آورد؛ او فقیه بزرگ شیعه و زادهٔ ۳۰۶ خورشیدی بوده و در ۳۸۱ خورشیدی در شهر ری می‌میرد. همین روایت را شیخ عباس قمی، مفسر بزرگ شیعه (مرگ در بهمن ۱۳۱۹)، چنین بازگو کرده است:«ما از تبار قریش هستیم و هواخواهان ما عرب و دشمنان ما ایرانی‌ها هستند. روشن است که هر عربی از هر ایرانی بهتر و بالاتر و هر ایرانی از دشمنان ما هم بدتر است. ایرانی‌ها را باید دستگیر کرد و به مدینه آورد، زنان‌شان را به فروش رسانید و مردان‌شان را به بردگی و غلامی اعراب گماشت.» (حسین بن علی، امام سوم شیعیان، سفینه البحار و مدینه الاحکام و الآثار نوشتهٔ حاج شیخ عباس قمی، صفحهٔ ۱۶۴، چاپ دو جلدی سنگی)

حال، جای پرسش است که چرا ایرانی شیعه از کیستیِ خود جدا شده و به جبههٔ دشمنان خود پیوسته و دشمن را مونس جان خود می‌داند؟ چرا علی و حسین و مهدی اسطورهٔ مقدس فرد ایرانی شده‌اند و چرا او در انتظار مهدی است تا جهان را به خون بکشد؟ این باور از هر گونه خِردگرایی و احترام به شخصیت انسانی به دور است. دین‌خویی، ساده‌لوحی، زودباوری، تمایل‌به پستی و ترس از حقیقت شرایط ذهنی مساعدی فراهم کرده تا انسان «ازخودبیگانه» بردگی را

«طبیعی» نشان دهد. ذهن و ناخودآگاه ایرانی در روندی پیچیده از کیستیِ فرهنگی خود بریده شد، به پارگی انسان‌شناسانه و خودفراموشی آسیب‌شناسانه گرفتار شد و در بحران پر درد و پنهانی فرو رفت.

برتراند راسل می‌گوید: «کسانی که نمی خواهند به باورهاشان شک کنند متعصب هستند، کسانی که نمی‌خواهند، احمق هستند و کسانی که می‌ترسند، بردگان هستند.» شیعه‌گری نسل‌هایی را پرورش می‌دهد که متعصب و احمق و ترسو و، در نتیجه، برده‌اند. فروغ فرخزاد می‌گوید: «وقتی دنیا به فکر تسخیر فضا بود، ما به این می‌اندیشیدیم که انگشترعقیق در کدام انگشت ثواب بیشتری دارد. این جغرافیا نیست که جهان سومی بودن را تعیین می‌کند، آدم‌ها هستند که آن را می‌سازند.» شما به بحث آخوندها و حاجی‌ها و متعصب‌های شیعه توجه کنید و به دست‌ها و چهرهٔ آنها نگاه کنید تا حقیقت فروغ فرخزاد را به‌روشنی دریابید. چنین باورهایی به نظام ارزشی مسلمان و شیعه تبدیل می‌شود و شما درمی‌یابید که مردم انبوهی همین حرف را با قدرت تکرار می‌کنند و آن را در سطح یک پدیدهٔ مقدس بالا می‌برند. توده‌های نادان در جهان فراوانند و اسلام نیز به‌نوبهٔ خود در تولید تودهٔ نادان نقش پررنگی دارد. بسیاری از ادیان افراد را ساده‌اندیش و سطحی و متعصب و قشری به بار می‌آورند زیرا آن‌ها به انسان آگاه و منتقد نیاز ندارند. شیعه‌گری هم چنین کارکردی دارد. باورهای دینی باید ساده و ابلهانه و مرموز باشند تا بیشترین تعداد مردمان را دور خود گرد بیاورند. چون این توده متعصب است و فکر می‌کند حقیقت را در دست دارد، به جمعیت خطرناک تبدیل می‌شود. برتراند راسل می‌نویسد: «این‌که همه دیدگاهی را می‌پذیرند دلیلی بر درست بودنش نیست؛ در حقیقت با توجه به نادانی اکثریت نوعِ بشر امکان نادرست بودن دیدگاهی که همگان آن را می‌پذیرند بیشتر است.»

هنگامی که محتوای یک دیدگاه واپس‌گرا و ابلهانه است، شمار بیشتری را جذب می‌تواند جذب کند. این اشخاص کوته‌اندیش و زودباور در اجتماع نیز بردگانی هستند که فقط صدای مذهب و خرافه‌های خود را می‌شنوند. همین انسان‌ها دارای مرجع تقلید هستند و، به‌گفتهٔ دیگر، قلاده بار خود را به آخوند سپرده‌اند. آن‌ها شیعه‌گری استعمارگر را گوهر درونی خود کرده‌اند. ما برای هموارسازی گسترش خِردگرایی و خلاقیت اندیشه باید از نقد دین و قرآن و شیعه‌گری بگذریم و باورهای دیرینه و مقدس را به انتقاد بکشانیم. اسلام‌گرایی،

ملی‌گراییِ مذهب‌گرا، کمونیسم دین‌خو، روشنفکری کوته‌بین دین‌پرور و سیاست فرصت‌خواه دین‌مدار از جلوه‌های گوناگون ایدئولوژی دینی هستند که راه ما را به‌سوی نوگراییِ منتقدانه می‌بندند. کار نقد قرآن و جهان‌بینیِ شیعه‌گری آغاز شده است و ما بی پروا باید به این کار ادامه دهیم.

جلال ایجادی، نواندیشان دینی، روشنگری یا تاریک‌اندیشی، نشر مهری، لندن، ۲۰۱۹

جلال ایجادی، بررسی تاریخی، هرمنوتیک و جامعه‌شناختی قرآن، نشر مهری، لندن، ۲۰۱۹

Henry Corbin En islam iranien: aspects spirituels et philosophiques, 2e éd., Gallimard, 1978, 4 vol. Le tome I est consacré au chiisme duodécimain,

Mohammad Ali Amir-Moezzi, Qu’est-ce que le shî’isme? (avec Christian Jambet), Paris, éd. Fayard, coll. «Histoire de la pensée», 2004

Christian Jambet, Qu'est-ce que la philosophie islamique?, Paris, Gallimard, coll. Folio essais, Paris, 2011.

James Hastings, Encyclopedia of Religion and Ethics, Part 2, page 190. Kessinger Publishing

Maalouf, Amin (1984). The Crusades Through Arab Eyes. Schocken Books

L’Encyclopédie de l’Islam, publiée en 1913, complétée en 2005, comporte 13volumes.

دیدار با سلمان رشدی

سلمان رشدی، نویسندهٔ هندی‌تبارِ انگلیسی، در سال ۱۹۴۷ در بمبئی زاده شد. او با چاپ آیه‌های شیطانی در ۱۴ فوریه ۱۹۸۹ بر اساس فتوای آیت‌الله خمینی به مرگ محکوم می‌شود و پس از آن یک دوران برجسته از زندگی خود را به‌طور مخفی گذراند. تمام تروریست‌های اسلام‌گرای جهان در جست‌وجوی کشتار او بودند ولی او هرگز کوتاه نیامد و به فعالیت در انجمن جهانی قلم و شرکت در کنفرانس‌ها و چاپ رمان‌های خود ادامه داد. کتاب‌هایی که تاکنون به فارسی از او ترجمه شده‌اند بچه‌های نیمه‌شب و آیه‌های شیطانی هستند. تازه‌ترین رمان او

گرفته است. این تعداد ۶۵ مورد کمتر از اعدام‌های مواد مخدر در سال ۲۰۱۶ بوده است.

– ۲۴۰ مورد از اعدام‌ها (یعنی ۴۶٪) به اتهام قتل عمد صورت گرفته است. این تعداد ۹۸ مورد بیشتر از اعدام‌های قتل عمد سال ۲۰۱۶ بوده است.

– ۳۱ اعدام در ملأ عام صورت گرفته است.

– دست‌کم ۵ کودک–مجرم در بین اعدام‌شدگان وجود دارند.

– دست‌کم ۱۰ زن در این سال اعدام شده‌اند.

– احکام ۲۵۴ مورد از اعدام‌های سال ۲۰۱۷ (یعنی ۴۹٪) توسط دادگاه‌های انقلاب صادر شده بود.

– ۲۲۱ نفر از کسانی که با اتهام قتل عمد به اعدام محکوم شده بودند توسط خانواده قربانیان بخشیده شدند. خانواده به‌خاطر کرامت خودشان بخشیدند ولی حکومت اسلام‌گرایان همیشه پشتیبان خشونت و انتقام‌گیری است. اعدام برای همیشه باید از جوامع انسانی برچیده شود.

فقر اندیشه و گرمایش زمین

هر ساله در ۲۲ آوریل به‌مناسبت روز جهانی گرمایش زمین ابتکارهای گوناگونی سازمان‌دهی می‌شود. در بسیاری از شهرهای جهان و همچنین در همهٔ شهرهای فرانسه مردم حساس و آگاه از مسائل زیست‌محیطی به خیابان آمدند تا جهان هوشیارتر شود و سیاست‌مداران آگاه‌تر شوند و عمل کنند. بر روی تابلوِ تظاهرکنندگان نوشته شده بود: «زمین خانهٔ مشترک ماست»، «فعالیت هسته‌ای و کود شیمیایی و سوخت دیزل باید حذف شود» همه باید بدانند که گرمایش زمین و ویرانی‌های ناشی از آن یک مسئلهٔ فرعی نیست بلکه بسیار اساسی است. تمام زندگی اجتماعی و اقتصادی انسان‌ها و سلامتی‌شان به وضعیت اقلیمی بستگی دارد. سیاست‌مداران و مدیران اقتصادی بی‌شماری وجود دارند که این نکته را نمی‌فهمند. سیاست‌مداران حاکم بر ایران ویران‌گر محیط زیست هستند. شمار زیادی از سیاست‌مداران احزاب مخالف ایران هم مانند حاکمان ایران فکر می‌کنند و دارای بینشی منفی و ویران‌گر در رویارویی با محیط زیست هستند.

چپ‌های سنتی تنها به الگوی دولتی و تولید فکر می‌کنند، ملی‌گرایان هنوز در الگوی مصدقی مانده‌اند، لیبرال‌ها فقط به بازار و سود به‌عنوان تنها قانون اقتصاد فکر می‌کنند، افراد پای‌بند به جداانگاری دین از سیاست گاه به بازار، گاه به الگوی دولتی، گاه به اقتصاد دولت رفاه و گاه به اصلاحات «کینزی» می‌اندیشند و دیگران هم دیدگاه مشخصی در این زمینه ندارند. این شرایط یعنی فقر اندیشهٔ زیست‌بوم‌گرا و بی‌توجهی به گرمایش زمین و آسیب‌های سنگین آن.

در ارزیابی طبیعت و رابطهٔ آن با انسان از ۱۵۰ سال پیش به این سو بسیار نوشته‌اند، در واکاویِ بحران زیست‌بوم‌گرا از ۶۰ سال به این سو نیز واکاوی‌های زیادی ارائه شده، از سی سال پیش تا امروز کنفرانس‌های جهانیِ بزرگی برگزار شده و سازمان ملل مصوبه امضا کرده است و جنبش‌های زیستِ‌بوم‌گرا جهانی شده‌اند و برخی دولت‌ها به سیاست‌های اصلاحیِ زیست‌بوم‌گرا دست زده‌اند. احزابِ مخالف حکومت ایران چه شناخت و تعهدی در این زمینه دارند؟ آن‌ها صرفاً می‌گویند باید به طبیعت دقت کرد. این حرف بی‌معناست. اگر ما درک زیست‌بوم‌گرایانه‌ای از رابطهٔ طبیعت و انسان و اقتصاد نداشته باشیم، اگر به زیست‌بوم جنگل‌ها و خاک و آب دقت کافی نداشته باشیم و اگر از سیستم سوختی فسیلی بیرون نیاییم و تمام الگوی تولیدی را دگرگون نکنیم، کار پایه‌ایِ خاصی انجام نداده‌ایم.

کسانی هستند که مانند پنجاه سال پیش از اقتصاد دولتی و سوسیالیستی حرف می‌زنند، کسانی هستند که مانند زمان مصدق از اهمیت نفت حرف می‌زنند، کسانی هستند که در پی ساختمان‌های بلند و شهرهای پر از خودرو و فضای پر از تبلیغات مصرفی‌اند، کسانی هستند که هرگز به تغییر اساسی محتوای آموزشی مدرسه و دانشگاه نیندیشه‌اند، کسانی هستند که برنامهٔ اقتصادی خود را فقط به بازار مصرفی محدود می‌کنند و بسیاری کسان دیگری هم با اندیشه‌های همیشگی باقی مانده‌اند. روشن است که این‌گونه افراد دچار فقر اندیشهٔ زیست‌بوم‌گرایی هستند و به‌ناگزیر دارای اندیشه‌ای بسته‌اند. جهان تغییر کرده، الگوهای تازه مطرح شده‌اند، پس همهٔ برنامه‌ها و طرح‌های سیاسی و اجتماعی و اقتصادی و فرهنگی باید تغییر کنند.

دانشجویان و ارزش‌های آنان

دورهٔ تدریس دانشگاهی آغاز شد. برنامهٔ درس‌های من در زمینهٔ جامعه‌شناسی، پیوند اقتصاد و زیست‌بوم و نظام‌های مدیریتی خواهد بود. صدها دانشجو با امید و آرزو به کلاس‌هایم خواهند آمد. آرزوهای آنان چیست و چه ارزش‌هایی در زندگی دارند؟ دیروز از چند دانشجو همین دو موضوع را جویا شدم. یکی گفت: «دلم می‌خواهد التهاب در دنیا کاهش یابد و موقعیت شغلی خوبی داشته باشم.» یکی دیگر گفت: «امیدوارم مدیریت بخش نیروهای انسانی در یک شرکت بزرگ را به عهده بگیرم و بهترین روش‌های مدیریتی را به کار بگیرم چون کارمندان آسوده‌خاطر کارآیی بیشتری دارند.» یکی دیگر گفت: «ارزش‌های من برابری و برادری و جمهوریت و جداانگاری دین از سیاست است و فکر می‌کنم ما در خطر تعصب در جامعه هستیم.» یکی دیگر گفت: «دوست دارم ثروتمند بشوم و آن موقع خاستگاه خود را فراموش نمی‌کنم و به آفریقا و نهادهای بشردوستانه و زیست‌محیطی کمک مالی خواهم کرد.» یکی دیگر هم گفت: «امیدوارم در آزمون‌ها قبول شوم چون حجم کار زیاد و نگران‌کننده است ولی با گرفتن مدرکم به کشورهای دیگر خواهم رفت.»

این گفته‌ها جلوه‌هایی از اندیشه‌ها و وضع روان‌شناسی جوانان فرانسه است. چند نکته دربارهٔ گفت‌وگو با جوانان: نخست، شرایط عمومی به آن‌ها امید می‌دهد که خوش‌بین باشند و برای خود پروژه‌ای ترسیم کنند. آن‌ها افسرده و دلسرد نیستند، روحیه‌شان منفی نیست، به آیندهٔ خود چشم دارند. دوم، این‌که آن‌ها ایدئولوژی‌خواه نیستند و فکر می‌کنند در همین الگوی اقتصادی موجود هم می‌توانند موفق شوند. آن‌ها انقلاب نمی‌خواهند و چه بسا مفهوم انقلاب و دگرگونی تندروانه در ذهن و تخیل آن‌ها بی‌معنا باشد. سوم این‌که آن‌ها می‌خواهند جزو بهترین‌ها باشند زیرا می‌دانند که در رقابت جهانی با دانشجویان کشورهای پیشرفته هستند و آینده یعنی ارتقا و بلندپروازی برای مسئولیت‌های جدید. چهارم این‌که آن‌ها ثروت و رفاه را با انسان دوستی درهم می‌آمیزند و از بینشی که «درویشی» را «تقوا» نشان می‌دهد به دور هستند. پنجم این‌که شمار روزافزونی از آن‌ها به محیط زیست علاقه‌مند هستند. آن‌ها دارای شناخت ژرفی در این زمینه نیستند ولی حس می‌کنند که این یک چالش بزرگ در برابر جامعه است. ششم این‌که

برای فرانسه ارزش‌هایی مانند برابری و برادری و جمهوریت ارزش‌هایی هستند که در بالای ورودی همهٔ ساختمان‌های دولتی و نهادهای مهم کشور به چشم می‌خورد. البته این ارزش‌ها همیشه در جامعه با واقعیت روزمره هماهنگ نیستند ولی آرمان‌هایی هستند که جامعه را همسو می‌کنند و جوانان به این شعارها توجه دارند. هفتم این‌که بسیاری از فرانسویان و همچنین جوانان به جداانگاری دین از سیاست علاقه دارند زیرا این شعار را عاملی برای امنیت خود می‌دانند. هواداران تعصب و تروریسم اسلامی همیشه با این شعار مبارزه می‌کنند ولی فرانسوی‌ها جداانگاری دین از سیاست را حافظ خود می‌دانند. هشتم این‌که دورهٔ دانشجویی همطراز یک سرمایه‌گذاری بزرگِ نیرو و زمان است و این سرمایه‌گذاری با خطر عدم موفقیت همراه است. بنابراین، دانشجویی که از صبح زود به دانشگاه می‌آید و تا عصر در کلاس است، نگران نتیجهٔ کار خود است. البته این نگرانی می‌تواند ناشی از میزان سرمایه‌گذاری یا شرایط خانوادگی و وضع سلامتی دانشجو هم باشد. نهم این‌که دانشجویان خود را برای مدیریت جامعه آماده می‌کنند زیرا می‌دانند که معیار اصلی پیشرفت آن‌ها در جامعه شایستگی‌سالاری است و جامعه بدون مدیر به‌سوی ویرانی می‌رود. دهم این‌که دانشجویان آمیزه‌ای از فرانسویان و افرادی با تبار عربی و آفریقایی و آسیایی هستند. این آمیزهٔ اجتماعی حاضر در هر کلاس دانشجو را با جامعه‌شناسی جهانی جوانان آشنا می‌کند و نیز بسیاری از دانشجویان خارجی را از امکان‌های آموزشی نوگرا و پیشرفته یک کشور صنعتی برخوردار می‌کند. در فرانسه، ۳۰۰۰۰۰ دانشجوی خارجی وجود دارند و بسیاری از آن‌ها پس از پایان تحصیل همین‌جا می‌مانند. به هر روی، ثروتی مانند نیروی جوانان درس‌خوانده یک پدیدهٔ کلیدی در موفقیت ملت‌هاست. در ایران ما چهار میلیون دانشجو وجود دارند و در فرصتی دیگر دربارهٔ آن‌ها می‌نویسم.

با قرآن چه کنیم؟

با قرآن چه باید کرد؟ قرآن کتابی است که در طی دویست سال در زمان محمد و پس از محمد تنظیم شد و محصول کار ترکیبی از دین یهود و نیایش‌های نصارا و احکام ناشی از جنگ‌های پیامبر اسلام و سیاست‌های خلفای عرب است. قرآن

کتاب احکام تعبدی و تاریخ شبه‌جزیرهٔ عربستان و بخشی از اقوام جغرافیای یک گوشهٔ کوچک از جهان است که با برده‌داری و خشونت و تبعیض زیسته‌اند. این دین فاقد فلسفه و بردباری است و نفی حقوق بشر است. قرآن کتاب مقدسی نیست، یک کتاب عادی است که در سطح فرهنگیِ بسیار پایینی قرار دارد و حتی از دید زبانی هم بسیار مغشوش و آشفته است. حال، این کتاب در طول تاریخ به‌دنبال تجاوز عرب توسط قدرت‌مداران و حکام و فقها و آخوندها و جزم‌اندیشان مسلمان، به جامعهٔ ما و به ذهن ایرانیان تحمیل شد و به باور عامیانه تبدیل شد. سیاست و قوانین و سنت‌ها و رسوم در جامعه بر پایهٔ این دین خشونت‌بار و نابردبار پرداخته شدند و این مجموعه به‌عنوان ابزاری برای کنترل جامعه و روان و ذهن انسان‌ها مورد استفاده قرار گرفت. ایرانیان دستخوش یک مسخ دردناک شدند و به فرهنگ خود تا حدودی پشت کردند. فرهنگ میترایی و اوستایی و اساطیری به کنار رفت و قرآن و شیعه‌گری و خرافات بر ذهن و رفتار ایرانی سوار شد و پَس‌روی فرهنگی آغاز شد. البته فرهنگ دیرینه و ادبیات شعری فارسی در برابر اسلام ایستادگی کردند و با تأثیرپذیری از دین دوگانگی در خود پدید آوردند. ولی، به هر روی، جامعه تاریخی و فرهنگی ایران با اسلام بازنده بود.

حال، با قرآن چه باید کرد؟ ما باید قرآن را در تمام ابعاد مورد انتقاد قرار دهیم زیرا یکی از عوامل نابودیِ ما همین باور قرآنی است. اگر فلسفه پیش نرفته، قرآن مانع آن بوده است. اگر نابردباری نسبت‌به کیش‌های دیگر موجود است، عامل خشونت همین قرآن است. اگر امروز آخوندها بر کشور حکومت می‌کنند یک عامل اساسی همان ایمان‌های دینی به قرآن و شیعه‌گری است. یکی از عوامل بیماری جامعهٔ ایران همین احکام قرآنی است که در حکومت و ذهن مردم قرار دارد. عوامل واپس‌گرایی چندگانه‌اند و برای نمونه استبداد و هجوم‌های بیگانه و واپس‌گرایی اجتماعی و اقتصادی و کشتار مخالفان و نیز دین اسلام از این‌گونه عوامل هستند. پس، با انتقاد از عوامل واپس‌گرایی و دین اسلام را به پیش راند.

قرآن مقدس نیست و فقط اسلام‌گرایان و افراد ناآگاه چنین ادعایی دارند. همچنین، روشنفکران فرصت‌جو و بی‌دانش و سیاست‌مداران گزافه‌گو نیز چنین می‌گویند. پس دانشگاهیان منتقد کار انتقادی خود را دربارهٔ قرآن و اسلام را باید ادامه دهند و من نیز به‌نوبهٔ خود این نقد را ادامه می‌دهم. نویسندگان و هنرمندان باید آزادی روحیهٔ خود را بر ضد خرافه‌پرستی حفظ کنند. افراد آگاه تمامی

خرافه‌های امام زمانی و امام‌گرایی را باید مورد انتقاد قرار دهند. باید فرهنگ خود را با فرهنگ‌های نوگرای جهان و نظریه‌های فلسفی، جامعه‌شناختی، تاریخی، زیستی و علمی بیش از گذشته پیوند زد. باید توجه کرد که کشورهای مسلمان به فقر، دیکتاتوری، تعصب، تروریسم، تقدس‌گرایی دینی و واپس‌گرایی علمی دچارند و این در پیوند با ساختار ذهنیِ دینی است. باید از این دین بیرون رفت، باید این حقیقت را گفت که ماندگاری در اسلام جز واپس‌گرایی و درماندگی خِرد نتیجهٔ دیگری ندارد. حکومت ایران اسلامی است، قوانین ایران اسلامی و فقهی‌اند، مناسبات اجتماعی مردمان آغشته‌به اسلام‌زدگی‌اند؛ بنابراین، ما باید در نقد بی‌باک باشیم. روشن است که باور دینی در ژرفای رفتار و ذهن آدمی ریشه دارد و یک پدیدهٔ بسیار ریشه‌دار است ولی حرف من در اینجا با فرهیختگان است. افراد آگاه و روشنفکران آزاد و فرهیختگان ایرانی نباید توسط اسلام و قرآن فلج باقی بمانند. جامعه به یک فرهنگ‌سازی بزرگ نیازمند است و این فرهنگ‌سازی با انتقاد به دین و قرآن گره خورده است.

با قرآن چه باید کرد؟

قرآن در عرصه روانشناسی و روانکاوی مردمان چگونه عمل کرده و می‌کند؟

قرآن در عرصه فرهنگی و رفتاری چگونه تاثیر می‌گذارد؟

قرآن چگونه در طول تاریخ عرب بوجود آمد؟

قرآن با چند خدایی (الله، رحمان، رب، شیطان، جن، انس، ...) ساختاری آن چگونه قابل تحلیل است؟

قرآن با میراث یهودیت و نصارایی و باورهای چند خدایی محلی و استعمار خلفای عرب چگونه ساخته شد؟

قرآن در نزد ایرانیان چگونه جایگزین اوستا شد؟

قرآن چگونه در مقدس سازی پدیده‌ها عمل کرده است؟

نیروهای مخالف در ایران

مخالفت با سیاست‌ها و اهداف گوناگون معنا می‌یابد. مخالفت داشتن بیان ارزش خاصی نیست بلکه فقط یک رابطهٔ متفاوت و متضاد را بازتاب می‌کند. نیروهای

مخالف جمهوری اسلامی دربرگیرندهٔ همهٔ احزاب و گروه‌ها و شخصیت‌هایی هستند که در برابر حکومت قرار می‌گیرند و درجهٔ مخالفت آن‌ها از اصلاح تا انقلاب را دربردارد. نگاه سیاسی و نظام ارزشی افراد این نیروها را به خوب، بد و یا مترقی و ارتجاعی تقسیم می‌کند.

کجاست همت نیروهای مخالف برای پایان دادن به نظام حکومتی موجود در ایران؟ نیروهای مخالف ایران دربرگیرندهٔ این طیف‌ها هستند: پادشاهی، چپ‌های مارکسیستی، احزاب کردستانی، مجاهدین، مذهبی‌ها و اصلاح‌طلبان دینیِ برون‌حکومتی، جمهوری‌خواهان پای‌بند به جداانگاریِ دین از سیاست و سوسیال‌دموکرات. هر یک از این طیف‌ها دارای گرایش‌ها و گروه‌های گوناگونی هستند. بر اساس شرایط جامعه و برای پایان دادن به این حکومت دینی دیکتاتوری باید یک اتحاد ملی بر اساس مصالح ملت ایران صورت گیرد. این اتحاد ائتلاقی به‌معنای «همه با هم» آیت‌الله خمینی نیست. اتحاد روی حداقل سیاسی مانند حکومت پای‌بند به جداانگاریِ دین از سیاست و تمامیت ارضی و حقوق بشر و انتخابات آزاد برای کنار نهادن حکومت دینی استبدادی. همهٔ حزب‌ها و گروه‌ها در تمام برنامه‌های شنیداری و دیداری و نوشتاری خواست‌های خود را تبلیغ کنند. در گام نخست، این تلاش برای اتحاد ملی با همهٔ این طیف‌های متضاد میسر نیست. واقعیت این است که یک طیف به‌تنهایی نمی‌تواند به ایجاد تناسب قوای لازم برای تغییر دست بزند. پس باید به‌شکل انبوه‌تری اقدام کرد و طیف‌های نزدیک با یکدیگر برای ائتلاف و گردهمایی جمع شوند. افزون‌بر آن، در میان این طیف‌ها تمایل‌های دیکتاتوری‌مآب و نظامی‌گرا و پشتیبانان اسلام‌گرا فراوانند و سیاست اینان با جمهوری‌خواهیِ پای‌بند به جداانگاریِ دین از سیاست و دموکراسی‌خواهی خوانایی ندارد. پس چه باید کرد؟ باید شفاف عمل کرد و خواهان جدایی دین از حکومت و سیاست شد. نباید این نکته را نادیده انگاشت که همهٔ نیروهای مخالف دموکرات نیستند. هر طیفی که با طیف دیگر نزدیکی دارد باید مناسبات فشرده‌ای برقرار کند. شرایط پیچیده‌ای است و تنها نقش‌آفرینان خود می‌توانند راه عملی پیدا کنند.

در دوران کنونی، آیا هر یک از طیف‌ها در گام نخست نباید خود را سامان‌دهی کند؟ برای نمونه، طیف جمهوری‌خواهان پای‌بند به جداانگاریِ دین از سیاست و سوسیال‌دموکرات خود دربرگیرندهٔ ده گروه و خانوادهٔ سیاسی است. خب چرا این گروه‌ها در درون این طیف متحد نمی‌شوند؟ علت چیست؟ بی‌اعتمادی؟

خودپرستی و کیش شخصیت؟ نبود اعتقاد به ضرورت اتحاد ملی؟ ترس ناشی از شکست‌های پیشین؟ نبود شجاعت و شفافیت برای طرح اختلاف‌ها؟ دلسردی و ناامیدی و افسردگیِ رهبران؟ نبود نخبگان گیرا و قوی؟ فرو رفتن در خرده‌کاری‌های زیان‌آور؟ عدم تشخیص محور سیاسی برای پایان دادن به رژیم اسلامی؟ نبود روابط محترمانه و سازنده برای درک مسائل امروز؟ بی‌ارادگی برای همکاری و همدردی؟ نرمش‌ناپذیریِ مناسب در روابط انسانی؟ نبود توافق حداقلی؟ نبود برنامهٔ حکومتی؟

روشن است که عوامل روان‌شناختی و روان‌کاوانه در رفتار انسان‌ها عمل می‌کنند و انسان‌ها هرگز یگانه نخواهند بود ولی در عرصهٔ سیاست نخبگان باید دارای اراده و یک دیدگاه راهبردی باشند. در میان نخبگان سیاسیِ ایرانیِ نیروهای مخالف شخصیت‌های برجسته فراوانند ولی گویا آن‌ها به توانایی خویش توجهی ندارند و فوریت زمانه را درک نکرده‌اند. حکومت اسلامی باید برود و ماندن آن جز گسترش سرطان در جامعه معنای دیگری ندارد. نیروهای مخالف ایران دارای مردان و زنان فرهیخته‌ای هستند که می‌توانند قدرت سیاسی را در راستای منافع مردم به کار گیرند. ناتوانی عملی امروز به‌معنای بن‌بست قطعی نیست. باید گره‌گشایی کرد و این گره‌گشایی به همدلی و تبادل نظر نیازمند است. جامعهٔ ایران در حال سقوط است، محیط زیست ایران رو به نابودی است، وطن‌فروشان در حال چپاول و ستم‌گری هستند و دین اسلام نفس‌ها را گرفته است. در نیروهای مخالف دموکراتیک تاکنون کارهای مثبتی صورت گرفته است ولی کافی نبوده‌اند. نخبگان دلسوز و مخالف این نظام استبدادی می‌توانند تلاش‌های خود را گسترش دهند و از همین امروز با دل و جان مصمم‌تر شوند. نخبگان داخل و خارج می‌توانند از همین لحظه تلفن‌ها و پیام‌ها و ملاقات‌ها و گپ‌ها و کنفرانس‌ها و میزگردهای خود را فوری و فعالانه در خدمت تغییر سیاسی قرار دهند. شهروندی می‌گفت: «در انتظار نباشید. گام نخست را بردارید.»

نواندیش دینی، خرافه و نادانی

عبدالکریم سروش کاشف آسمان چهارم است. به‌طور اتفاقی به یکی از سخن‌رانی‌های آقای سروش دربارهٔ عیسی مسیح گوش دادم. بحث او چنین بود:

«قرآن برآن است که خدا مسیح را به آسمان برد و این باور مسلمانان است.» او افزود: «در ادبیات مسیحی، تفسیرهای تازه‌ای از مرگ مسیح وجود دارد و برخی از آنان گویند که مسیح با روح و بدن فیزیکی به آسمان‌ها رفته است.» سروش سپس می‌گوید: «البته در گذشته آسمان‌ها چیز دیگری پنداشته می‌شدند.» او می‌گوید: «آسمان‌ها موجودات زنده بودند. خورشید در قبل حجم انبوه گازی امروزی نبود و بسیار محترم و مقدس بود.» از دید سروش، سیاره‌ها جان داشته‌اند و عیسی به آسمان رفته و این یعنی عیسی به بهترین جای آسمان شتافته. پس از دید سروش نباید فکر کرد که عیسی به صحرا و بیابان آسمان‌ها رفته بلکه جای او در بهترین جا بوده و آن هم آسمان چهارم. بالأخره سروش می‌گوید: «عیسی به چرخ چهارم رفت.» در نگاه سروش، شمس تبریزی در فلک چهارم بوده و او با عیسی در همان‌جاست. این سخن‌رانی در ۲۲ دسامبر ۲۰۱۶ در یوتوب قرار گرفته و تاکنون ۶۲ هزار نفر بازدید کننده داشته است و شمار زیادی یادداشت گذاشته‌اند که کاملاً آغشته به بی‌سوادی و شیعه‌گری و سروش‌پرستی‌اند.

در ستاره‌شناسی کهن و در نزد بابلی‌ها این باور رایج بود که آسمان دارای سامانی است که با هفت ستارهٔ ثابت مشخص می‌شود. این هفت ستاره عبارتند از خورشید، ماه، مریخ، زهره، عطارد، مشتری و زحل. برای توضیح حرکت هر یک از آن‌ها اصطلاح «آسمان» به کار می‌رفته است. همین باور به یونان انتقال پیدا کرده و تا زمان نیکلا کُپرنیک، که در سال ۱۵۴۳ درمی‌گذرد، ادامه پیدا یافته. در عرفان یهود و مسیحیت، همین باور وجود دارد و در قرآن هم، که به باور یهودی متکی است، همین اصطلاح آمده است. قرآن در پنج آیه با عبارت «سَبْعَ سَمَاوَات» (بقره/ ۲۹؛ فصلت/۱۲؛ ملک/ ۳؛ نوح/۱۵؛ طلاق/۱۲) و در دو آیه به‌صورتً «السَّماوَاتُ السَّبْعُ» (اسراء/۴۴؛ مومنون/۸۶) آشکارا از آسمان‌های هفت‌گانه سخن گفته است. بر اساس آیات سوره‌های «اسرا» و «النجم» و نیز باور رایج، مسلمانان به معراج یا سیر شبانهٔ پیامبر اسلام باور دارند و می‌گویند او سوار بر «براق» از مسجدالحرام مکه تا مسجدالاقصی فلسطین پرواز کرده و از آنجا به آسمان هفتم عروج کرده و سپس در مسجدالاقصی فرود آمده. در این افسانهٔ دینی، گفته می‌شود که محمد با جبرائیل بالا می‌رود در آسمان اول فرشته‌ای به‌نام اسماعیل را می‌بیند، در آسمان دوم با عیسی و یحیی دیدار می‌کند، در آسمان سوم یوسف را می‌بیند، در آسمان چهارم با ادریس گفت‌وگو می‌کند، در آسمان

پنجم هارون را می‌بیند، در آسمان ششم جبرائیل موسی را به محمد معرفی می‌کند و در آسمان هفتم هم ابراهیم، که بر کرسی نشسته، خود را به محمد معرفی می‌کند.

این باور دینی در اسلام همان باور رایج در آن زمان گذشته بوده و فاقد ارزش علمی است. این باور به‌نوبهٔ خود در ادبیات ایران و اندیشهٔ عامیانه رخنه کرده است. باور به معراج یک افسانهٔ مذهبی و خرافی است و باور به هفت آسمان گرچه در آغاز توضیحی برای ستاره‌شناسان بابلی به شمار می‌آمده ولی پس از آن به افسانه‌های دینی تبدیل شده است. در دنیای نوگرا، ما می‌دانیم که شناخت علمی ستاره‌شناسی دربار ستارگان پس از کُپرنیک با دگرگونیِ شگرفی همراه بوده است. امروز، نظریهٔ بیگ بَنگ جهانی با درهم‌آمیزیِ میلیاردها منظومهٔ خورشیدی و کهکشان در برابر ما گشوده و از انکشاف مدام جهان حرف می‌زند. بنابراین، هفت آسمان بی‌پایه و اساس است و، افزون‌بر آن، هفت «ستاره» در نزد بابلیان نیز نادرست است زیرا جز خورشید باقیِ سیاره‌های نامبرده ستاره نیستند و روشنایی ندارند.

حال، ببینید چگونه آقای سروش در چنگال خرافه‌ها غوطه‌ور است. او نه‌تنها خود را فیلسوف معرفی می‌کند و نواندیش شیعیان است بلکه در عرصهٔ فیزیک هم مداخله می‌کند و تشخیص می‌دهد که فلک یا آسمان چهارم جای باصفایی است و عیسی و شمس هم به آنجا رفته‌اند. البته آقای سروش حتی افسانهٔ باور شیعی را هم خوب نمی‌داند و در زمینهٔ علمی حرف او جز ناآگاهی و بی‌سوادی چیز دیگری نیست. ولی خوب است آقای سروش این آسمان چهارم، که باصفا و بهترین است، را دقیق‌تر کنند و بگویند منظور ایشان کدام‌یکی است؟ خورشید، عطارد، زهره، مریخ، مشتری، زحل و یا ماه؟ کدام‌یک آسمان چهارم است؟ پریشان‌گویی آقای سروش دربارهٔ آسمان‌ها به‌عنوان «موجود زنده» یعنی چه؟ منظور او از باصفا بودن آسمان چهارم چیست؟ در پی پاسخ علمی از جانب آقای سروش نباشید. او کماکان همان خرافه‌پسند و خرافه‌پراکن است. شگفت‌انگیز این‌که این نواندیش خرافه و نادان توسط شمار زیادی مورد تمجید و ستایش قرار می‌گیرد. بت‌پرستان شیعه در پی ایشان روان هستند. عقب واپس‌گرایی در جامعهٔ ما، مسخ اندیشه و روانی شیعیان، بیهوشی و واپس‌گراییِ بسیاری از روشنفکران عافیت‌خواه و سیاسیون فرصت‌جو میدان را برای رقصِ نادانی و بی‌خِردی باز کرده است.

تراژدی آموزش نوجوانان ایرانی

آموزش نوجوانان ایرانی یک تراژدی است. آموزش نوجوانان هر کشور یک از عوامل اساسی پیشرفت و دانش و خِردپروری است. اگر این آموزش نوین و پویا باشد، جامعه پیشرفت می‌کند و زمانی که آموزش نوجوانان فاجعه‌بار باشد جز به هدر رفتن نیروی نوجوانان و نیروی انسانی کشور نتیجهٔ دیگری حاصل نمی‌شود. نظام آموزشی ایران را با نظام آموزشی آمریکا و فرانسه و چین و سوئد و آلمان و انگلستان و ژاپن و کانادا و سوئیس مقایسه کنید. در کلاس‌های درسِ ایران چه می‌گذرد و محتوای آموزشی چیست؟ کیفیت زبانی و ادبیاتیِ مدارس کدام است؟ کیفیت آموزگاران چیست؟ کیفیت روش‌های آموزشی چگونه است؟ تاریخ و فرهنگ ایران‌زمین چگونه آموزش داده می‌شود؟ دین و شیعه‌گری و خرافه‌های مذهبی چه نقشی در آموزش جوانان دارد؟

بر اساس آمار دولتی، ۶۱ هزار و ۳۴۶ مدرسهٔ ابتدایی، ۲۳ هزار و ۷۹ مدرسهٔ دورهٔ متوسطهٔ اول، ۲۱ هزار و ۱۸۶ مدرسهٔ دورهٔ متوسطهٔ دوم و یک‌هزار و ۵۶۰ مدرسهٔ آموزش‌وپرورش استثنایی در کشور وجود دارد. همچنین، شمار کلی مدارسی که دورهٔ پیش‌دبستانی در آن‌ها برگزار می‌شود ۲۱ هزار و ۷۰۲ اعلان شده. بر اساس آمار سال ۱۳۹۶، ۱۲ میلیون و ۶۲۴ هزار و ۲۵۷ نفر دانش‌آموز در مدارس کشور ثبت‌نام کرده‌اند. نزدیک‌به ۱۳ میلیون نوجوان در نظام اسلامی از تمام امکانات آموزش نوین و چه‌بسا حداقلی برخوردار نیستند. نوجوانان بااستعداد فراوانند و آموزگاران دلسوز و نوآور نیز کم نیستند ولی محرومیت و بی‌عدالتی و کهنگی بینش آموزشی در عرصهٔ کشور بیداد می‌کند. دستگاه حکومت شیعه در پی آن است تا نوجوانان را قربانی کند و آن‌ها را به سربازان امام زمان و افراد مطیع قدرت حاکم تبدیل کند. نظام آموزشی در پی آن است که نوجوانان را به افراد خرافه‌باور و کودن تبدیل کند. «نخستین و مهم‌ترین موضوعی که باید به بچه‌ها در اصول اعتقادی آموزش دهیم اصل حقیقیِ توحید است. از ۳سالگی باید به بچه‌ها آموزش بدهیم که خدا کیست و کجاست و برای رضایت او چه کارهایی باید انجام دهیم.» همچنین، «قانون پوشش را از راه عروسک به فرزندتان بیاموزید؛ فرقی نمی‌کند پسر باشد و یا دختر.» و یا «شما باید به بچه‌ها یاد بدهید که هنگام نماز رو به قبله بایستند. برای این کار به زبان ساده به فرزندتان

توضیح دهید که خدا همه‌جا خانه دارد.» و یا «برای آموزش شکرگزاری از خدا برای حواس پنج‌گانه‌ای که به ما داده است می‌توانید چشم کودک را با پارچه‌ای ببندید و به او بگویید: «ببین اگر خداوند به تو چشم نداده بود، الان نمی‌توانستی چیزی را ببینی و همه‌چیز برایت تاریک بود. پس باید به‌خاطر این‌که خداوند به تو چشم داده از او تشکر کنی.» یک سایت حکومتی به‌نام «پارس» فاشیسم آموزشی را این‌چنین ترویج می‌دهد.

می‌بینید که گنداب اسلامی چگونه پخش می‌شود. در نظام‌های پای‌بند به جداانگاریِ دین از سیاست دین از آموزش جداست و نوجوانان در چهارچوب برنامهٔ درسی خود آموزش دینی و قرآن‌خوانی یا خواندنِ کتاب‌های دینیِ دیگر و شرعیات ندارند. ذهن نوجوان از همان آغاز با استدلال و روش علمی و تجربه و آموزه‌های تجربی و دانش طبیعی و تکنیک و زبان آماده می‌شود. کتاب‌های درسی توسط کارشناسان علمی تنظیم شده و آموزش زبان و آموزش موسیقی و آموزش مهارت و آموزش ارزش‌های اجتماعی و آموزش ورزشی و آموزش هنری و آموزش زیست‌محیطی پایهٔ تربیت نوجوانان است. در الگوی حکومتی در ایران، هدف آموزش تبدیل نوجوانان به افراد دین‌خو و دانش‌ستیز است. البته در موارد گوناگون، محیط خانوادگی و فرهنگی کودک و شخصیت کودک و عوامل آموزشی غیررسمی شمار بسیاری از نوجوانان را از سقوط نجات می‌دهند ولی نباید این نکته را ندید بگیریم که، در مقیاس جهانی، جوانان ما بازنده‌اند و امتیازات بی‌شماری را از دست می‌دهند. جامعه‌ای که نیروی جوانان خود را با آموزش خِردمندانه و نوین پرورش نمی‌دهد رو به نابودی می‌رود.

اتحاد اصلاح‌طلبان و اصول‌گرایان برای نظام

اصلاح‌طلبان دشمن آزادی هستند. من بارها نوشته‌ام که اصلاح‌طلبان و اصول‌گرایان و بیت خامنه‌ای متحد یکدیگر هستند و اختلاف آن‌ها فرعی و درون‌خانوادگی است. ما خواهان جمهوری پای‌بند به جداانگاریِ دین از سیاست و دموکراسی هستیم و آن‌ها هوادار نظام اسلامی و استبداد دینی. چند روز پیش آقای عیسی سحرخیز، روزنامه‌نگار اصلاح‌طلب به نیروهای مخالف حکومت

ایران یورش برد و با شیوه‌ای زشت بر ضد آن‌ها در فیس‌بوک خود چنین نوشت:

«گروهی از رهبران برانداز که با شعار تکراری «اصلاح‌طلب، اصول‌گرا، دیگه تمومه ماجرا» مردم را به کوچه و خیابان کشاندند، حالا باید پاسخ‌گو باشند ... این جماعت خارج‌نشین و تک‌بلندگوهای داخلی‌شان که به امید رسیدن به قدرت بی‌هیچ تعهدی کنار گود نشسته‌اند و از دور شعار می‌دهند که «لنگش کن»، ... بگویند که اشتباه کردیم و از کردهٔ خود پشیمانیم ... آن‌ها که بازیچهٔ مطامع بین‌المللی ... بگویند چه پاسخی برای خون‌های ریخته در خیابان و اموال تخریب‌شده و از همه مهم‌تر امیدهای پرکشیده از دل‌های جوانان این مرزوبوم دارند! ... تنها دستاورد اعتراض‌های خیابانیِ اخیر تهران و چند شهرستان یک شهید و ده‌ها بازداشتی بوده است که خانواده‌های بسیاری از آن‌ها در جریان سیاست‌های ضد حقوق بشریِ حاکمیت حتی نمی‌دانند که فرزندان‌شان کجا هستند و چه سرنوشتی خواهند داشت. درست است که نارضایتی به اوج خود رسیده، حاکمیت از کم‌ترین میزان مقبولیت برخوردار است و دولت روحانی در شرایط «حاکمیت دوگانه» کم‌تر توانسته پاسخ‌گوی خواسته‌های مردم باشد اما در این برهه‌ی حساس باید توجه داشت که اعتراض‌های خیابانیِ کور، پراکنده، بی‌تشکیلات و بی‌رهبری بی‌سرانجام است و اغلب انرژی‌کش و ناامیدی‌افزا.»

این توهین و دروغ منجر به واکنش‌های گوناگونی از جمله انتشارانتقادهایی به نوشتهٔ آقای سحرخیز شد. من نیز چندی پیش در فیس‌بوک آقای سحرخیز مطلبی نوشتم و دلم می‌خواهد چند نکته را یادآوری کنم. من در نگاه خود و در این تجربهٔ چهل‌ساله، نقش اصلاح‌طلبان را منفی تلقی می‌کنم زیرا سیاست و رفتار آن‌ها همیشه کُندکنندهٔ مبارزه برای آزادی و نفی حکومت اسلامی بوده است. اصلاح‌طلبان خواهان سهم خود در قدرت هستند و مسئلهٔ آن‌ها آزادی و دموکراسی نیست. آن‌ها جابه‌جایی و امتیاز در همین قدرت را می‌خواهند و بسیاری‌شان دروغ می‌گویند و قهرمان پنهان‌کاری و رایزنی‌های پشت پرده هستند. آن‌ها خود را آزادی‌خواه معرفی می‌کنند و حتی از جمع‌گرایی حرف می‌زنند ولی چنین‌چیزی واقعیت ندارد. برای نمونه، من چندین بار به تاربرگ‌های اصلاح‌طلب «میهن» و «زیتون» نامه داده و یا مقاله فرستاده‌ام ولی آن‌ها حتی پاسخ مرا هم ندادند و این بیان‌گر بی‌اخلاقیِ رفتار آنان است. من دچار توهّم نیستم و این تاربرگ اصلاح‌طلبْ فرقه‌ای و یک‌جانبه و اسلام‌زده است. من یک روشن‌فکر

منتقد اسلام و قرآن هستم و از دید من یکی از پایه‌های سقوط فرهنگ و سرزمین ما همین اسلام است ولی اگر تاربرگی می‌گوید هوادار آزادی و جمع‌گرایی است باید نظر مخالف را پخش کند. نخیر، این تاربرگ‌های اصلاح‌طلبی و رسانه‌های رانت‌ده به اصلاح‌طلبان در رأی و رفتار آزاد نیستند. از اصلاح‌طلب انتظار آزادی نباید داشت. نیروهای مخالف حکومت ایران در خارج کشور گسترده و گوناگون‌اند. همهٔ آن‌ها از یک چیز رنج می‌برند و آن هم نبود آزادی در ایران است. من از نیروهای مخالف حکومتِ پای‌بند به جداانگاریِ دین از سیاست و دموکرات برای آزادی در ایران و مخالفت با حکومت اهریمنیِ خامنه‌ای پشتیبانی می‌کنم. من نمی‌گویم که خط مشی همه خوب است؛ نیروهای مخالف حکومتِ ناپسند هم وجود دارد. من می‌گویم این نیروها قربانی چهل سال سرکوب هستند.

حال، آقای سحرخیز جای علت و معلول را عوض کرده و در مقالهٔ خود به نیروهای مخالف حکومت یورش می‌برد ولی چرا او به ولایت فقیه و دزدی‌های آیت‌الله‌ها و سیستم دروغین انتخابات و ویرانیِ محیط زیست اعتراضی ندارد؟ آقای سحرخیز، پاسخ دهید: چرا نهاد زشت ولایت فقیه و بیت خامنه‌ای و پول‌های رفته به کیسهٔ باندهای حاکم و تروریست‌های حزب‌الله لبنان و دیگر دسته‌ها شما را آزار نمی‌دهد؟ من مخالف خشونت و چلبی‌سازی هستم ولی با افتخار خواهان واژگونی این نظام فاسد هم هستم. شما، آقای سحرخیز چه می‌گویید؟ چهل سال رژیم شکنجه و آدم‌کُشی کرده و امروز آقای سحرخیز نیروهای مخالف حکومت را مسبب کشته‌ها می‌داند. آقای سحرخیز، جوانان ما توسط حزب‌الله و پاسدار و شکنجه‌گران حکومتی کشته شده‌اند. آیا شما دستخوش فراموشی شده‌اید؟ نخیر، شما منفعت دارید تا این جنایات دیده نشود و این چشم‌پوشی برای روزنامه‌نگار یعنی پشت کردن به اخلاق و آزادی. چهل سال حکومت اصول‌گرا و اصلاح‌طلب و واپسین دولت آن‌ها، دولت روحانی، به شکست رسیده‌اند. با وجود این شکست، اصلاح‌طلبان به فریب جامعه مشغولند. من به این اصلاح‌طلبان هیچ امیدی ندارم و هم‌صدا با مبارزین داخل می‌گویم: «اصلاح‌طلب، اصول‌گرا، دیگه تمومه ماجرا.» توهّمی بزرگ شکسته شده. راه برای جمهوریِ پای‌بند به جداانگاریِ دین از سیاست هموارتر شده است. دیگر به اصلاح‌طلب امیدی نیست چراکه اصلاح‌طلب نشان غرور بیمارگونه و دروغ‌گویی و برای پشتیبانی از الگوی سیاسیِ موجود و پشتیبانی از نظام اسلامی و آیت‌الله خامنه‌ای است.

سینما مرگ را به فراموشی می‌سپرد

هنر فیلم از روان ما حرف می‌زند. کدام فیلم برای شما خاطره‌آفرین بوده و یا فکر می‌کنید اثربخش و زیبا بوده است؟ هنگامی که بسیار جوان بودم، در دهۀ چهل خورشیدی فیلم‌هایی مانند «تاراس بولبا»، «ده فرمان»، «بن هور»، «اسپارتاکوس»، «فریاد نیمه‌شب»، «گنج قارون» و «قیصر» بر ذهنم اثر گذاشتند. سپس فیلم‌هایی مانند «آگراندیسمان و شب و کسوف» از آنتونیونی و «زیبای روز» از لوئیس بونوئل و «پنجه طلایی» از مجموعۀ جیمز باند تأثیرگذار بودند. در دهۀ پنجاه، گرایش و احساس اجتماعی و سیاسی من پرورده شد. فیلم‌های سرگئی آیزنشتان مانند «ایوان مخوف» و «اعتصاب» و «رزم ناوپوتمکین» یا فیلم‌هایی مانند «دزد دوچرخه»، «خوشه‌های خشم»، «زنده باد زاپاتا!» و فیلم‌های ژان لوک گودار مانند «از نفس افتاده» و «تحقیر» و نیز فیلم «دکتر ژیواگو» از دیوید لین، «بربادرفته» از ویکتور فلمینگ و «هشت و نیم» و «ساتریکورن» از فدریکو فلینی در شکل‌گیری ذهن من کارساز بودند. در طی چهل سال گذشته، فیلم‌های فراوانی دیده‌ام و کِیف کرده‌ام و همه در باز شدن احساس و ذهن من نقش داشته‌اند. فیلم‌های اِستَنلی کوبریک مانند «اُدیسه فضایی ۲۰۰۱»، «پرتقال کوکی»، «غلاف تمام‌فلزی»، «درخشش» و فیلم‌های «پدرخوانده» از فرانسیس فورد کاپولا، فیلم‌های مارتین اسکورسیزی مانند «راننده تاکسی»، «نیویورک نیویورک»، «آخرین وسوسۀ مسیح»، «عصر معصومیت»، «ازدست‌رفتگان»، «روزی روزگاری در آمریکا» و نیز فیلم «خوب، بد، زشت» با موسیقی انیو موریکونه از سرجو لئونه و نیز فیلم «تسخیرنشدگان» از بریان دوپالما، فیلم «میسیون» از رولاند جوفه، «پرواز برفراز آشیانۀ فاخته» از میلوس فرمن، «لارنس عربستان» از داوید لین، فیلم «فرانتز» از فرانسوا اوزون و ده‌ها فیلم زیبای دیگر را با علاقه دیده‌ام و هر بار از مکتب‌های فیلم بهره برده‌ام. فیلم‌هایی از بیضایی و فرهادی و کیارستمی به این فهرست می‌افزایم. به‌تازگی یک فیلم زیبا از کارگران تُرک، نوری بیگه سیلان، با نام «درخت گلابی‌های وحشی» را دیدم. فیلمی از آروزها و امیدهای بربادرفته جوانان در جامعه‌ای سنتی و دینی که روان انسان‌ها را سرکوب می‌کند و ویران‌کنندۀ هستی و امید آدم‌هاست.

هر یک از این فیلم‌ها در شکل‌گیری فکری و ساختار روانی و ناخودآگاه تأثیرگذار بوده است. تمایل به اسطوره و قهرمانی‌ها، گرایش به انقلاب و شورش،

بینش فلسفی و جامعه‌شناسانه، تمایل به زیبایی و عشق، روزنه‌های درونی احساس و شادی و گرایش به آزادی بی‌پایان از این فیلم‌ها تأثیر پذیرفته‌اند. فیلم‌ها آفرینش هنرمندانه و چیزی بین واقعیت و آرزوهای دست‌نیافتنی هستند. فیلم‌ها دنیای خیالی موازی با دنیای همیشگی هستند و ما را دعوت می‌کنند که به دنیای آرمان‌گرایانه و رازدار و تاریک و روشن آن‌ها برویم. هر فیلم خوبی ما را تکان می‌دهد، احساس و اندیشهٔ ما را به حرکت درمی‌آورد و توان ما را برای افق‌هایِ دیگر تقویت می‌کند. شوپنهاور می‌گوید: «در زندگی چیزهایی وجود دارند که به ما اجازه می‌دهند از مرگ رهایی یابیم.» از دی من، سینمای خوب یکی از چیزهاست که به ما هیجان و انگیزهٔ اندیشیدن می‌بخشد و با شادمانی یا با خشم به تمایل ما برای زندگی می‌افزاید. فیلم‌ها از روان ما حرف می‌زنند و روان ما را می‌سازند.

اصلاح و اصلاح‌خواهی در اسلام

آیا اصلاح‌خواهی در اسلام شدنی است؟ در دورهٔ آغازین قرن شانزده، در سال ۱۵۱۷، مارتین لوتر با چاپ اصول ۹۵ مادّه یک گسست بزرگ در مسیحیت به وجود آورد. او بر ضد کلیسا و انحصار آن در ثروت و تفسیر انجیل اقدام کرد. او بر آن بود که دین‌گرایان برای درک پیام مسیح به کشیشان نیاز ندارند و بخشش گناه انسان‌ها به رابطهٔ مستقیم‌شان با خدا بستگی دارد. مارتین لوتر انجیل را ترجمه کرد و گفت انجیل را باید خودِ افراد متدین بخوانند. بدین ترتیب، انقلابی بر ضد کلیسا آغاز شد. این رویداد در دوران نوزایی و در بستر رشد انسان‌گرایی و ترجمهٔ کتاب‌های یونانی و دگرگونی‌های روحی و فکری در اروپا شورشی بر ضد قدرت کلیسایی دامن زد. گسست از اقتدار کلیسا، خودمختاری و مسئولیت فردی را در قلب دگرگونیِ فکری و اجتماعی قرار می‌دهد و موجب رشد جداانگاری دین از سیاست می‌شود. نفی خوانش انحصاری کلیسا و نقادی بنیادگرایی آن و بازخوانی متن مقدس ذهن‌ها را تکان داد و اصلاح کلیسا رویدادهای بزرگی را موجب شد.

در ایران از زمان صفویه، آخوندها فقه شیعه و خوانش رسمی قران را از آن خود کردند. شیعه‌گری با اتحاد آخوند و دربار شکل قطعی به خودش گرفت. در ایرانِ سال‌های ۱۳۴۰ و ۵۰ خورشیدی گرایش‌های نوگرایانه در جامعه بروز کردند.

نهادسازی اداری و اقتصادی و نیز گسترش فرهنگ غربی در جامعه اسلام‌گرایان را بیدار کرد. کتاب‌های بازرگان و سپس مطهری و به‌دنبال آن به میدان آمدن علی شریعتی این توهّم را دامن زد که گویا هواداران اصلاح دین کار را خود را آغاز کرده‌اند. کار از حوزه به دانشگاه و حسینیهٔ ارشاد کشیده شد. در واقع، جزم‌اندیشان جدید خواهان اصلاح دین نبودند بلکه تدارک یک یورش سیاسی برای کسب قدرت را هدف گرفته بودند. آن‌ها به انتقاد از دستگاه روحانیت نپرداختند بلکه خوانش قرآن را با گفتمان ایدئولوژیک شیعه‌گرای جدید پیوند زدند. شریعتی به برخی مراسم شیعه ایراد گرفت ولی خواهان استحکام شیعه‌گری ایدئولوژیک بود. او با پشتیبانیِ رژیم شاه و ساواک در حسینیهٔ ارشاد به فعالیت پرداخت، به تولید ایدئولوژی شیعه در برابر ایدئولوژی کمونیستی اقدام کرد و از ابوذر و فاطمه بت ایدئولوژیک ساخت. در دوران انقلاب اسلامی و پس از آن نیز نواندیشان دینی مانند عبدالکریم سروش و محسن کدیور به ایدئولوژی‌سازی و درهم‌آمیزیِ شیعه و عرفان و نوگرایی اقدام کردند. سروش با پشتیبانی خمینی در پی انقلاب ایدئولوژیک دانشگاه بود و تا خروج خود به چاپ کارهای تبلیغی اسلامی خود ادامه داد. سروش در آخرین مواضع خود گفت قرآن رؤیای پیامبر اسلام است. بدین ترتیب، او با افسانه‌سازی غیرعلمی در جست‌وجوی تحکیم اسلام برآمد.

در طول این چهل سال، این نواندیشان دینی کوچک‌ترین انتقادی به‌طور مستقیم و کتبی بر ضد فقه شیعه و رساله‌های آخوندها مطرح نکردند. آن‌ها امام‌گرایی و مهدی‌گرایی را دست نخورده گذاشتند. از جانب این نواندیشان، هیچ سوره و آیه‌ای به‌طرز واکاوانه و علمی مورد بررسی و انتقاد قرار نگرفته و هر چه نوشتند و گفتند در تأیید و توجیه دین بوده. در این سال‌ها، شمار فراوانی از افراد خود را نواندیش دینی معرفی کرده‌اند و تمام تلاش خود را وقف رویارویی در دورن قدرت سیاسی کردند تا امتیاز بیشتری کسب کنند. نواندیشان دینی هرگز نمی‌توانند یک خوانش انتقادی از قرآن و آثار کلینی‌ها و مجلسی‌ها و آیت‌الله‌های حوزوی پدید آورند. به‌معنای دیگر، این افراد ناتوان از ایجاد یک اصلاح دینی واقعی بودند. اصلاح در قرآن یعنی انتقاد و رد بیشتر آیه‌های قرآنی زیرا این آیه‌ها آغشته به خشونت و تبعیض و دروغ هستند. من در تجربه و در پژوهش‌های خود به این نتیجه رسیده‌ام که اصلاح در قرآن و اسلام ناشدنی است و تنها راه اصولی نقد قطعی متن قرآن و اسلام است. انتظار «معجزه‌ای» نیست و تنها راه‌وروش درست، نقد تفسیرشناسانهٔ

قرآن و برملاکردنِ چیستیِ تبعیض‌گرای قرآن است. اصلاح واقعی عبارت از نقد و رد قرآن و گسترشِ خِردگرایی و فلسفه و جامعه‌شناسی دین در جامعه است.

البته تئوریزه کردن و عملی شدن «ولایت فقیه» نوعی «نوآوری» و نوعی اصلاح در سنت دین اسلام است. ولی روشن است این رفرم‌ها تنوعی در بازار فراورده‌های اسلامی است و هرگز با ترقی خواهی و اندیشه فلسفی مدرن و آزاد اندیشی ربطی ندارد.

چه‌کسی خواهان آزادی است؟

چه‌کسی خواهان آزادی است؟ فرد تبهکاری که پس از سال‌ها زندان بالأخره بیرون می‌آید آزاد شده است. برده‌ای که در تصاحب برده‌دار است به‌دنبال فرار آزاد می‌شود. نظامیان آمریکایی که در جنگ دوم از اسارت آلمانی گریختند آزاد شدند. ویتنامی‌هایی که آمریکایی‌ها را شکست دادند آزاد شدند. آخوند و چریکی که از زندان شاه درآمدند آزاد شدند. زنی که از بدرفتاری و کتک زدن مرد خود را از شوهرش جدا می‌کند آزاد شده است. گروگان‌های سفارت آمریکا پس از یک سال و نیم آزاد شدند. مائو چین را از سلطهٔ ژاپنی‌ها و چیانکایچک آزاد کرد. اِستالین شوروی را از اشغال آلمان‌ها آزاد کرد.

آزادی مقوله‌ای است که امکان عمل و حرکت را به انسان می‌دهد. آزادی در مقابله با حبس و زندانی می‌باشد. آیا این آزادی حرکت به‌معنای آزادی کامل است؟ این آزادی می‌تواند یک جابه‌جایی باشد بدون آن‌که در ماهیت شرایط زیستی تغییری اساسی به وجود آورد. فرد تبهکار و نظامی و برده و اِستالین و چریک و مائو و آخوند و دیگران هر یک می‌توانند الگوی اسارت دیگری باشند. آزادی فرد به‌معنای آزادی‌خواهی برای دیگری نیست. کمونیست‌ها در انتقاد به سرمایه گفتند که این الگوی بردگی روحی و ازخودبیگانگی افراد را به وجود آورده است ولی خود کمونیست‌ها در سازمان‌های خود و در جایگزین کشوری خود جز الگوی اسارت‌بار و ازخودبیگانگی کار دیگری نکردند. اسلام‌گرایان خواهان رهایی از طاغوت و غرب‌گرایی شدند ولی خود زندان‌بان و جنایت‌پیشه شدند.

اسارت روحی افراد و سرکوب فیزیکی و فکری نتیجهٔ عملکرد الگوهای سیاسی و ایدئولوژیک و دینی خاصی هستند که خواهان آزاد شدن انسان‌اند. کدام الگو به اسارت منجر نمی‌شود؟ از دید فلسفهٔ روشن‌گری و منطق‌گرایی انسان آزاد کسی است که دارای خودمختاری، روش عقلانی و ارادهٔ تصمیم‌گیری است. در اعلامیهٔ حقوق بشر آمده است: «آزادی عبارت از قدرت انجام هر کاری است که به دیگری زیان نمی‌رساند.» به‌بیان دیگر، این اصل آزادی را در چهارچوب قانون تعیین می‌کند زیرا سپس گفته می‌شود که آزادی گفتار و آزادی کردار نباید مخل نظم اجتماعی و اخلاق عمومی باشد. به‌گفتهٔ جان استوارت میل، آزادی افراد در آن جایی متوقف می‌شود که آزادی دیگران آغاز می‌شود. این تعریف حقوقی از آزادی است ولی اینجا هم این پرسش مطرح است که آیا آزادی حقوقی تمام آزادی است؟ چه تفاوتی میان آزادی صوری و آزادی حقیقی وجود دارد؟ چه تفاوتی میان آزادی حقوقی و آزادی کامل در عرصهٔ هنر و اندیشه وجود دارد؟ بحث در این زمینه فراوان است. آزادی مدنی، آزادی در کیش، آزادی عقاید، آزادی در نقد، آزادی اقتصادی، آزادی سیاسی و آزادی انسان در برابر تمام قدرت‌های زمینی و آسمانی، باید به بحث مداوم ما درآید. برخورد ساده‌انگارانه کافی نیست، پشتیبانی از آزادی همیشه روشن و شفاف نیست. اگر تمایل به آزادی وجود دارد، منظور کدام آزادی است؟

راه‌یابی ادبیات غرب به ایران

در دهه‌های چهل و پنجاه خورشیدی، ادبیات غرب به‌طرزی بی‌سابقه به ایران راه پیدا کرد. دنیای روشن‌فکری ایران در ترجمه و تفسیر کتاب‌های ادبیات غرب بسیار فعال بود. آشنایی با مکتب‌های هنری و نویسندگی و فلسفی در دستور کار قرار گرفته بود و آثار ترجمه در روزنامه‌ها و نشریه‌های ادبی مانند مجله سخن، خوشه، فردوسی، اندیشه و هنر، راهنمای کتاب و کتاب هفته معرفی می‌شدند. نویسندگان بسیاری مانند اِرنست هِمینگوِی، سامرست موآم، جیمز جویس، ولادیمیر ناباکوف، آنتوان چخوف، برتولت برشت، فریدریش هولدرلین، مارسل پروست، آندره موروا، دی اچ لاورنس، بالزاک، زولا، ناتالی ساروت، ادگار آلن‌پو، آلبرکامو، ژان پل

سارتر، ویرجینیاولف، ساموئل بکت، داستایوسکی، آلن روب‌گریه، ویلیام فاکنر، آندره ژید، امیل زولا، ژان ژاک روسو و دیگران به فارسی ترجمه می‌شوند و مورد بحث روشن‌فکران قرار می‌گیرند. روشن‌فکران ادبیات ایران مانند گوهر مراد (غلام‌حسین ساعدی)، احمد شاملو، آل احمد، رضا براهنی، مصطفی رحیمی، بهرام صادقی، محمدعلی سپانلو، یدالله رؤیایی، سیروس طاهباز، سمندریان، نعلبندیان، محمدعلی اسلامی ندوشن، سیاوش کسرایی، نادرپور و دیگران با عکس و نوشته و مصاحبه همه‌جا حاضر بودند. بسیاری خود را هستی‌گرا و مارکسیست، دادائیست و فراواقع‌گرا و از این‌دست تعریف می‌کردند و بسیاری از مسئولیت و تعهد روشن‌فکران صحبت می‌کردند. فضای روشن‌فکری قوی بود، شب‌های شعر «گوته» و «خوشه» برگزار می‌شد، کافه نادری پاتوق شاعر و نویسنده بود، تئاتر و سینمای غرب مطرح بود، انتشارات گوناگون کتاب‌های تازه را در پیشخان‌ها به نمایش می‌گذاشتند و خوانندگان علاقه‌مند کتاب‌ها را می‌خریدند و ورق می‌زدند.

همهٔ این فعالیت‌ها در دل جامعه است و به‌طور منطقی باید روی رفتار انسانی تأثیر بگذارد. این فضا یک چیز مهم را نشان می‌دهد و آن گرایش به فرهنگ غرب و نوگرایی و مفاهیمی همچون تمدن معاصر و آزادی است. به‌ظاهر، این بخش از جامعه می‌خواهد در همسویی با دنیای ادبیات و فرهنگ غرب و دموکراسی نفس بکشد. حال، پرسش اینجاست که چرا این دوران فرهنگی فعال به انقلاب اسلامی منجر می‌شود؟ عوامل برانگیختن این انقلاب زیادند ولی تأثیر این دنیای روشن‌فکری چگونه خود را حفظ کرده و در لحظهٔ انقلاب نشان می‌دهد؟ چرا این سنت ادبیاتی و غرب‌گرایی در موج و فضای خمینیستی محو می‌شود؟ چرا در حرکت واژگون‌خواهی، ما دیگر عطش و شادابیِ این ادبیات را نمی‌بینیم؟ روشن‌فکران و جوانانی که در این جنبش فرهنگی درگیر بودند در لحظهٔ انقلاب چه شدند؟ خفگی عمومی جامعه چگونه درک‌پذیر است؟

این روزها، برای خیلی‌ها دوران تعطیلات تابستانی فرا رسیده است و دل‌مان می‌خواهد در کنار تفریح و سفر و استراحت، چند کتاب خوب هم بخوانیم. کتاب‌های خوب زیادند ولی، به هر حال، برای کسانی که کتاب‌خوانی را آغاز می‌کنند و یا کسانی که حرفه‌ای هستند، کتاب‌های کلاسیک همیشه دلپذیر است. در زمینهٔ شعر «هوای تازه» شاملو و «گل‌های رنج» از شارل بودلر برای لحظه‌های تنهایی و عاطفی بسیار جالب‌اند. در زمینهٔ داستان و رمان هم کتاب‌های زیر را

می‌توان با احساسی دلپذیر و عاطفی خواند: بیگانه و طاعون از آلبر کامو، بینوایان از ویکتور هوگو، مادام بوواری از گوستاو فلوبر، سفر به انتهای شب از لوئی فردینان سِلین، بل آمی از گی دوموپاسان، سرخ و سیاه از استاندال، انسان وحشی و شور زندگی از امیل زولا، بوف کور از صادق هدایت، تنگسیر از صادق چوبک، عزاداران بَیَل از غلامحسین ساعدی، شازده احتجاب از هوشنگ گلشیری، کلیدر از محمود دولت‌آبادی، ثریا در اغما از اسماعیل فصیح، جنایت و مکافات از داستایفسکی، عقاید یک دلقک از هاینریش بُل، لولیتا از ولادیمیرنابوکوف، صد سال تنهایی از گابریل گارسیا مارکز و عشق هرگز نمی‌میرد (بلندی‌های بادگیر) از امیلی برونته.

این کتاب‌ها نمونه‌ای از داستان‌هایی هستند که ما را از لحظهٔ کنونی و پیرامون‌مان دور می‌کنند و ما را وارد فضای سرگرم‌کننده و رازآلود و دوستی و کینه و عشق و تردید انسان‌هایی قرار می‌کنند که زندگی دیگری را تجربه کرده‌اند. کتاب دنیایی موازی دنیای ما به وجود می‌آورد. در زندگی ما همه‌چیز وجود دارد: امید، افسوس، بدی، خوبی، ناکامی، عشق، خیانت، اسطوره، پلیدی، شادی، اندوه، احساس پرواز و یا سقوط. چه‌بسا نتوان از فشار سختی‌ها و نامرادی‌ها جلوگیری کرد ولی می‌توان در خود و در خاطره‌های خود و در حس دیگرانی که با تو هستند تکیه‌گاهی جُست. مهربانی‌های کوچک، یک نگاه دوستانه و یک احوال‌پرسیِ صمیمانه نور کوچکی می‌افشاند و در همین لحظه چیزی در دل تو گرم می‌شود. حال، افزون‌بر این یاوریِ خودآفریده، برای این‌که نیروی قلبی خود را تقویت کنیم باید خود را به دنیای هنر و کتاب بسپریم. لحظات خیال‌انگیز، تصور چیزهای دور، احساس رازآلود، تخیلی فرای محدودیت‌ها و اندیشهٔ سیّال ناشی از کتاب دلگرمی تازه‌ای می‌آفرینند. هنر دنیای دیگری است که ما می‌توانیم در آن قدم بزنیم و احساسی مطبوع و همگون با گل و گیاه و پرنده و آب را حس کنیم. به یک گل زیبا نگاه کنید، به‌سرعت شیفته‌اش می‌شوید. حال، خود را به دست یک رمان خوب و افسانه‌ای جذاب بسپرید، شیفتگی روان شما را نوازش می‌کند.

کتاب‌های علوم اجتماعی و علوم تجربی تنگنای فکری ما را می‌شکند. ما کم میدانیم و عطش برای کتاب خوانی گرایش خوبی است. اثرهای تاثیر گذار بسیارند:

ویلیام فاکنر کتاب گور به گور

فرانتس کافکا کتاب محاکمه

کتاب انسان خردمند یووال نوح هراری

کتاب انسان خداگونه یووال نوح هراری

کتاب روانشناسی عزت نفس ناتانیل براندن

کتاب تئوری انتخاب ویلیام گلسر

کتاب هنر عشق ورزیدن اریک فروم

کتاب مسئله اسپینوزا اروین یالوم

کتاب دروغگویی روی مبل اروین یالوم

کتاب هنر شفاف اندیشیدن رولف دوبلی

کتاب مامان و معنی زندگی اروین یالوم

کتاب هنر خوب زیستن رولف دوبلی

کتاب در باب حکمت زندگی شوپنهاور

کتاب راز فال ورق یوستین گوردر

کتاب بار هستی میلان کوندرا

کتاب جنس دوم سیمون دوبوار

کتاب تسلی بخشی‌های فلسفه آلن دوباتن

کتاب بینوایان ویکتور هوگو

کتاب کلود ولگرد ویکتور هوگو

کتاب خانواده تیبو روژه مارتن دوگار

کتاب جنگ و صلح تولستوی

کتاب ارباب و بنده تولستوی

کتاب طرف خانه سوان مارسل پروست

کتاب دن کیشوت سروانتس

کتاب کوری ژوزه ساراماگو

کتاب ژرمینال امیل زولا

کتاب وجدان زنو ایتالو اسووو

کتاب دختر سروان پوشکین

کتاب برادران کارامازوف داستایفسکی

کتاب جنایت و مکافات داستایفسکی

کتاب ۱۹۸۴ جورج اورول

کتاب فونتامارا اینیاتسیو سیلونه

کتاب نان و شراب اینیاتسیو سیلونه
کتاب دانه زیر برف اینیاتسیو سیلونه
کتاب شغل پدرسرژ شالاندون
کتاب رنج‌های ورتر جوان گوته
کتاب خدایان تشنه‌اند آناتول فرانس
کتاب ظلمت در نیمروز آرتور کوستلر

سه انقلاب بزرگ در تاریخ بشری

سه انقلاب بزرگ در تاریخ بشری روی داده است.

انقلاب نخست: در آغاز، انسان‌ها حرف‌ها و گفت‌وگوی خود را به‌شکل شفاهی انجام می‌دانند ولی از پنج هزار سال پیش در خاور میانه و چین برای نخستین بار انسان گفتار خود را روی چیزی مانند سنگ، خشت، پاپیروس و یا پوست گاو و گوسفند نگاشت. در اینجا صدای انسانی با چیز مادّی در هم می‌آمیزد و نوشتار، چه با الفبا چه با نقش و طرح، به ساختار درمی‌آید و از نتایج بزرگ آن رویدادی مانند لوح سنگی حمورابی است که ۱۷۵۰ تا ۱۷۹۲ سال پیش از زادروز مسیح در بابل به وجود آمد. در طول این روند تازه، با تمرکز دولت و پیدایش شهرها و چاپ سکه و رشد بازرگانی و گسترش دانش و سنت یگانه‌پرستی در دین زرتشت و موسی و پیدایش تمدن ایران و یونان و نوشتارهای فلسفی و خطی آن، تاریخ فصل بزرگی پدید آمد.

انقلاب دوم: دوران نوزایی و اختراع چاپ. گوتنبرگ در ۱۴۵۰ میلادی خاستگاه این انقلاب است. چاپ انقلاب دانستن را به ابعاد بی‌سابقه‌ای گسترش می‌دهد. البته چاپ در قرن نهم با چینی‌ها آغاز شد ولی در غرب ۲۶ حرف الفبای رومی بهترین و آسان‌ترین شکل نوشتاری چاپی را فراهم آورد. برای نمونه، انجیل در دست شمار معدودی بود و جز افراد کلیسا کسی از انجیل چیزی نمی‌دانست. این انحصار جز تمرکز قدرت در دستگاه کلیسا معنای دیگری نمی‌توانست داشته باشد. هنگامی که انجیل ترجمه شد و به میزان بسیار گسترده‌ای به چاپ رسید، قدرت از کلیسا بیرون آمد. لوتر گفت: «هر انسانی با انجیلی در دست، یک پاپ است.» به‌اعتبار چاپ انجیل انسان می‌تواند به‌طور مستقیم با خدا ارتباط داشته

باشد. با این انقلاب تکنیکیِ چاپ، دانش و شناخت با هزینهٔ محدود در یک جامعهٔ بزرگ پخش می‌شود. چاپ به رشد دانش در تمام زمینه‌های علمی و تجربی و علوم انسانی و دگرگونیِ تکنیکی منجر می‌شود. مدیریت جدید اقتصاد سرمایه‌داری با کتاب‌های و نوشته‌های خود به تربیت فنی میلیون‌ها انسان می‌پردازد و سیاست‌های تدوین‌شده و کتاب‌های فنی از یک قاره به قارهٔ دیگر حرکت می‌کنند.

انقلاب سوم: این انقلاب از پنجاه سال پیش با سیستم رایانه‌ای آغاز و با نظام جهانی اینترنتی و دیجیتال شکل می‌گیرد. در این نظام جدید، گفت‌وگو و شناخت انسان و انتقال دانش بر پایهٔ تسلط بر ابزار اینترنتی و هوش مصنوعی میسر است. در هر خانه، هر دستگاه رایانه همانند چند کتاب‌خانهٔ بزرگ عمل می‌کند. این نظام جدید با سرعتی شگفت‌انگیز تمام داده‌ها و اطلاعات را به سراسر دنیا انتقال می‌دهد. خبر رویدادها و بحران‌ها در تمام عرصه‌های اقتصادی، علمی، اجتماعی، سیاسی، زیست‌بوم و دینی در چند لحظه در دسترس شهروندان جهان قرار می‌گیرد. کنترل این فن‌آوری و سرعت در کار شرط پیروزی است. کسانی که می‌خواهند تماشاگر باشند یا فاقد سرعت عمل و سرعت فراگیری هستند از این نظام به حاشیه پرتاب و قربانی می‌شوند. حجم، سرعت و منابع فراوان خبری و واکنش سریع به خبر قدرت فکری انسانی را برای واکاوی و ژرف‌اندیشی محدود می‌کند. خبرها به پول تبدیل می‌شوند و به‌سرعت از حقیقت به دروغ و از دروغ به حقیقت در نوسان هستند. این انقلابْ انقلاب دانش است. فرد و جامعه و کشوری که در تجربه خود فاقد این انقلاب هستند قربانی خواهند شد. دسترسی به نظام جهانی خبر همیشه به امنیت شما منجر نمی‌شود ولی ما راه دیگری جز ورود به این انقلاب را نداریم. در دنیای شگفت‌انگیزی به سر می‌بریم زیرا ارزش‌ها و رفتارها در حال جابه‌جایی‌اند و این دگرگونی برای بخش بزرگی از جهان به‌معنای سقوط است. دنیای ما تغییر می‌کند و طبیعی است که نگاه و ارزش‌های ما نیز همین‌طور. دنیای ما از دل دنیای دیگر بیرون می‌آید و ما شاهد یک نوزاییِ دیگر هستیم.

ایدئولوژی چیست؟

جریان ایدئولوژیک چه ویژگی‌هایی دارد؟ گفتمان ایدئولوژیک کدام است؟ واژهٔ «ایده» به‌معنای یک «تصور» است، چیزی که محصول ذهن است، برداشتی درونی

از بیرون. از زمان افلاتون تا هگل و جان لاک و دیوید هیوم و کارل مارکس و لوئی آلتوسر در این‌باره بسیار نوشته‌اند. این واژه از نگاه شناخت شناسی مارکس تعبیری منفی بشمار می‌آید. برپایه این تعبیر ایدئولوژی نوعی آگاهی کاذب و غیرواقعی است که رفتار انسان را جهت می‌دهد. البته این آگاهی دروغین است و انسان آن را در ناخودآگاه خویش وارد ساخته و به آن باور دارد. ایدئولوژی آمیزه‌ای از «ایده» یا تصور و «لوژی» به‌معنای «شناسایی» است. ایدئولوژی به‌شکلی در برابر پرسش‌گری فلسفی و خِردگرایی نقّاد جای می‌گیرد.

در حال حاضر، ایدئولوژی کاربردها و معناهای گوناگونی دارد:

نخست، ایدئولوژی به‌مثابه یک کل سامان‌مند باورهای آرمانی و ثابت سیاسی و اجتماعی برای جامعه به شمار می‌آید که از یک نظام فکری، فلسفی، مذهبی و ارزشی خاص پیروی می‌کند. حزب‌های سیاسی اغلب به چنین اصلی متکی هستند بدون آن‌که از شکل‌های دیگرِ ایدئولوژی دور باشند. سازمان‌های عوام‌گرا بر این پایه حرکت می‌کنند و چه‌بسا همراه با کیش شخصیت هستند.

دوم، ایدئولوژی به‌مثابه یک مجموعه از دستورات اجراپذیر در برابر یک بینش فکری و خِردمندانه تعریف می‌شود. در اینجا نیز ایدئولوژی همچون یک دستگاه جزمی یا نظامیِ خشک و مقدس‌گونه عرضه می‌شود. برخی دین‌ها مانند اسلام به‌شکل ایدئولوژیک عمل می‌کنند.

سوم، ایدئولوژی همچون یک اندیشهٔ انحرافیِ کاذب ناواقعی تعریف می‌شود. برای نمونه، «آگاهیِ» انسان از نظام سرمایه‌داری چیست؟ نظریهٔ مارکسیستی برآن است که انسان از خود بیگانه است و به واقعیت الگوی سرمایه آگاه نیست. انسان‌ها بر اساس ایدئولوژی بورژوایی عمل می‌کنند و خود نمی‌دانند که این آگاهی دروغین است.

چهارم، ایدئولوژی به‌مثابه یک نظام نظری و اعتقادی کم‌وبیش آگاهانه است. باورهای فرد به‌شکل آگاهانه و ناآگاهانه گِرد می‌آیند و یک مجموعهٔ رفتاری و واکنشی را سامان می‌دهند. این شکل از ایدئولوژی آمیزه‌ای از الگوهای پیشین است.

حال، با توجه به آن‌چه گفته شد ایدئولوژی در شرایط ایران چگونه بازتاب می‌شود؟ جریان‌های دینی شیعه و نواندیشان شیعی در ایدئولوژی جای می‌گیرند و فعالانه اندیشهٔ کاذب و دورغ‌پردازانهٔ خود را در جامعه تولید و پخش می‌کنند.

جریان‌های مارکسیستی و اِستالینیستی از یک اصل ثابت جزمی آغاز به حرکت می‌کنند و فاقد نرمش‌پذیریِ روشن‌فکری و دریافت پدیده‌های تازه هستند. جریان‌های سلطنتی نیز در یک باور تقدس‌گرا و خشک قرار دارند و فاقد نیروی انتقاد از نظام پادشاهی هستند و هیجان‌زده با مخالفان برخورد می‌کنند. جریان‌های ملی‌گرای شووینیستی هم به یک دیدگاه کاذب و اسطوره‌ای چنگ می‌زنند و خواهان وا پس راندنِ جامعه هستند. جریان‌های فدرالِ تجزیه‌خواه به ساخت همین ایدئولوژی می‌پردازند، به اصل ذهنی و شوینیستی می‌پردازند و به‌شکل کاذب خود را حامل رسالت رهایی‌بخش می‌دانند. جریان‌های ملی‌گرا نیز در الگوهای پیشین درجا می‌زنند و نرمش‌پذیریِ لازم برای نوگراسازیِ پروژهٔ خود را ندارند. جریان‌های جمهوری‌خواه و پای‌بند به جداانگاریِ دین از سیاست نیز در میان پاره‌های ایدئولوژیک و گرایش‌های نوگرایانه در نوسان هستند.

حال بیافزائیم ایدئولوژی، مستقل از چارچوب تاریخی آن، به عنوان یک سیستم فکری منسجم و طبیعی در نظر گرفته می‌شود. با این حال، به گفته ژرژ کانگوئلم، این ایدئولوگ‌های مثبت گرایان آوانگارد، لیبرال ها، ضد الهیات و ضد متافیزیک‌ها بودند و می‌خواستند افسانه‌ها و تاریکی را از بین ببرند. آنها به بناپارت به عنوان ادامه دهنده انقلاب فرانسه اعتقاد داشتند. این ناپلئون اول بود که چهره آنها را به نام رئالیسم سیاسی و اجتماعی تغییر داد و آنها را به عنوان متافیزیسین با اندیشه توخالی محکوم کرد.

ایدئولوژی یک سیستم ایده از پیش تعریف شده است، چنین سیستم هایی که ایدئولوژیک تلقی می‌شوند، در زمینه‌های سیاسی، اجتماعی، اقتصادی، فرهنگی و مذهبی وجود دارند. ایدئولوژی بیشتر وقت‌ها بعد فرهنگی یک نهاد اجتماعی یا یک سیستم قدرت است. ایدئولوژی توسط اقتدار، با تلقین (آموزش) یا به طور نامحسوس در زندگی روزمره (خانواده، رسانه) تحمیل می‌شود. یک ایدئولوژی، همه گیر است. اما به طور کلی برای کسانی که در آن ایدئولوژی اشتراک دارند، نامرئی است، زیرا این ایدئولوژی اساس شیوه دیدن جهان است.

گیوم بورل، تاریخ یک ایدئولوژی، پاریس، آرمانشهر، ۲۰۱۵
ژان پیر فای، قرن ایدئولوژی ها، پاریس، آرماند کالین ۱۹۹۶، جیبی آگورا، ۲۰۰۲

ایزابل گارو، ایدئولوژی یا اندیشه ای نهفته، پاریس، لا فابریک، ۲۰۰۹
آندره گورز، ایدئولوژی اجتماعی خودرو [بایگانی]، ۱۹۷۳
فرانسوا-برنارد هویگه و پیر باربس، La Soft-ideologie ، d. رابرت لافونت، ۱۹۸۷
François-Bernard Huyghe، هنر جنگ ایدئولوژیک، لو سرف، ۲۰۱۹
کارل مارکس با همکاری فریدریش انگلس، ایدئولوژی آلمان، ۱۸۴۵-۱۸۴۶
ریژیس دبره، نقد عقل سیاسی، پاریس، گالیمار، ۱۹۸۱

حاج سیدجوادی و ما

علی‌اصغر حاج سیدجوادی در گورستان مونپارناس پاریس در تیر ماه ۱۳۹۷ به خاک سپرده شد. او نویسنده و روشن‌فکر و روزنامه‌نگار بود. وی از منتقدان رژیم شاه و از بنیان‌گذاران کانون نویسندگان ایران بود. سه مجموعه مقاله‌ی «از اعماق»، «ارزیابی ارزش‌ها» و «بحران ارزش‌ها» از نوشته‌های با ارزش او هستند. حاج سیدجوادی به‌خاطر اندیشه‌های ضد استبدادی‌اش از سویِ حکومت شاه ممنوع‌القلم شد. او در زمان ۱۳۵۷، از انقلاب اسلامی پشتیبانی کرد و به گفته‌های خمینی و وعده‌های فریبکارانهٔ او باور داشت. او پس از این‌که به اشتباه خود پی برد، در ۱۶ بهمن سال ۱۳۵۹ در مقاله‌ای در اعتراض به بازداشت فرزند آیت الله طالقانی از «صدای پای فاشیسم» صحبت کرد و در باره گروگان گیری ۵۲ دیپلومات آمریکایی مقاله با عنوان «این معامله از اصل باطل است» را منتشر نمود.

پدرش یک مجتهد بود و بظاهر حاج سیدجوادی در هیچ جریان سیاسی عضو نشد. در باره دوستان او باید از طاهراحمدزاده، حبیب الله پیمان، عبدالکریم لاهیجی، ناصر کاتوزیان، نام برد. شاید گرایش او را بتوان نزدیک به نهضت آزادی ارزیابی نمود. در اردیبهشت ۱۳۵۸ حاج سیدجوادی نایب رئیس کمیته اجرایی دفاع از آزادی و حقوق بشر به ریاست مهدی بازرگان نخست وزیر دولت موقت شد.

او در سال ۱۳۶۰ مجبور به ترک ایران شد. حاج سیدجوادی مانند بسیاری

از روشن‌فکران ایران دستخوش تناقض بود. او فرد شجاعی بود و بارها به رژیم پهلوی انتقاد نوشت، هرچند که در آغاز شیفتهٔ خمینی بود ولی تا لحظهٔ مرگ حکومت ولایت فقیهی را به انتقاد کشید. مواضعش دربارهٔ فلسطینی‌ها یک پشتیبانیِ یک‌جانبه بود و او اعلام میکرد که حماس سازمان تروریستی نیست و باید از آن دفاع کرد. این موضع نادرست نمی توانست مورد انتقاد قرار نگیرد. یکبار من به او گوشزد کردم و او گفت در این مورد ما اختلاف نظر داریم.

روشن‌فکران هیچ‌گاه با یکدیگر موافق نیستند و همیشه با قدرت سیاسی مخالف‌اند. در زمان پهلوی بیشتر روشنفکران در داخل و خارج کشور مخالف شاه بودند و جنایت ساواک و استبداد فردی شاه یکی از موانع نزدیکی روشنفکران به حکومت پهلوی بود. در همان زمان بیشتر روشنفکران در داخل و خارج از خمینی حمایت میکردند و او را مظهر مبارزه با امپریالیسم و استبداد معرفی میکردند. شیفتگی روشنفکران به خمینی به این خاطر بود که آنها درک عمیقی نسبت به آزادی و دمکراسی نداشتند و ایدئولوژی زده بودند. حاج سیدجوادی نمونه ای از این شمار بود. او روحیه آزاده داشت ولی شیفته آیت الله خمینی بود و پس از آن، حامی آیت الله طالقانی شد. ویژگی ذهنیت صیقل نخورده و گنگ. دفاع از حماس که یک جریان اسلامیستی و نژادپرستانه و ضدحقوق بشر است، جلوه دیگری از ساختار روانی و فکری ساده لوحانه و ضدغربی است. همدردی با حقوق فلسطینی‌ها برای داشتن دولت خود و انتقاد بر سیاست دولت اسرائیل نباید به دفاع از یک جریان ارتجاعی اسلامی منجر بشود.

مکتب فلسفی و جامعه‌شناختی فرانکفورت

مکتب فرانکفورت با تلاش ماکس هورکهایمر در دانشگاه فرانکفورت پدید آمد و با چهره‌های برجسته‌ای همچون تئودور آدورنو، هربرت مارکوزه و والتر بنیامین و یورگن هابرماس و اریک فروم در جهان مطرح شد. این مکتب انتقادی که از مارکسیسم متاثر بود دارای نگاه انتقادی از جامعه و فلسفه‌های گوناگون است و هدف نهایی آن بررسی نقّادانه دقیق چیستیِ جامعهٔ سرمایه‌داری است. آن‌ها از اصل انقلاب مارکس دست کشیده بودند و تَنها خواهان انتقاد بودند. عرصه‌های

انتقادی برجستهٔ این مکتب عبارتند از: یک) انتقاد از نظریهٔ مارکسیستی. دوم) انتقاد از اثبات‌گرایی. سوم) انتقاد از جامعه‌شناسی. چهارم) انتقاد از جامعهٔ نوگرا. نظریهٔ انتقادی به‌ویژه باور گروهی از نئومارکسیست‌های آلمانی این مکتب است که از نظریهٔ مارکسیستی به‌ویژه از گرایش آن به جبرگرایی اقتصادی خشنود نبودند. این نظریهٔ انتقادی روابط قدرت در چهارچوب پدیده‌های فرهنگی را به نقد می‌کشد و فصل جدیدی در اندیشه‌های فلسفی به وجود می‌آورد.

همهٔ اندیشمندان مکتب فرانکفورت در دو مفهوم درهم‌تنیده هم‌اندیشه هستند: ازخودبیگانگی و جسم‌وارگی. از خودبیگانگی همان «وضع عمومی غریبگیِ انسان» است: احساس این‌که شما عملاً صاحب چیزی که به‌ظاهر به شما تعلق دارد نیستید. یکی از نظریه‌های اصلی مارکس آن بود که، در نظام سرمایه‌داری، کارگرانِ مزدبگیرْ که در روند خلاقیت تولیدی هستند از خود بیگانه می‌شوند. این ازخودبیگانگی به قالب جسم‌وارگی درمی‌آید.

در نظام اقتصادی سرمایه‌داری، ویژگی اُبژه‌ها، سوژه‌ها و روابط اجتماعی همگی به شیوهٔ ویژه‌ای جسم‌واره یا شبه‌جسمی می‌شوند. جسم‌وارگی یعنی به‌گونه‌ای با چیزهای نامستقل برخورد کنیم که انگار مستقل‌اند. جسم‌وارگی شکلی خاصِ ازخودبیگانگی است. به نظر می‌رسد از دید مارکس در سرمایه جسم‌وارگی نیروی کار گاه‌به‌گاه و برای افراد استثمارشده‌ترین کارگران مزدبگیر رُخ می‌دهد ولی نگرش مکتب فرانکفورت آن بود که چنین‌چیزی را نوعی وضعیت اجتماعی فراگیر و گریزناپذیر بدانیم. از نگاه مکتب فرانکفورت، همهٔ ما بدین شیوه از خود بیگانه می‌شویم. ما «جسم‌واره‌کنندگان چندپاره» هستیم و شگفتی در اینجاست که راه این سوءبرداشت دوجانبه است: از آنجا که افراد و ویژگی‌هاشان را جسم می‌پنداریم، معمولاً به اجسام عاملیّت فردی نسبت می‌دهیم که امیدها و ترس‌ها و رؤیاهامان را بر آن‌ها فرافکنی کنیم. صحبت از «ضمیر ناخودآگاه جمعی» است و این سرچشمهٔ دیدگاه‌های متمایز مکتب فرانکفورت را پیش می‌کشد: روان‌تحلیلگری فرویدی. گاهی این مکتب را پیوند مارکسیسم و فرویدیسم می‌دانند. به‌گفتهٔ این مکتب، در نظام سرمایه‌داری می‌توانیم چیزهایی که خودِ جسم‌وارگی را روی‌شان فرافکنی کرده‌ایم همچون ضمیر ناخودآگاه جمعی تفسیر کنیم.

در پایان سال دانشگاهی برای دانشجویانم طی دو ساعت از مکتب فلسفی و جامعه‌شناختی فرانکفورت، مکتب ترکیبی جامعه‌شناختی و روان‌کاوی لاکانیسم،

مکتب جامعه‌شناسی ساختارگرا، مکتب راهبردی و مکتب جامعه‌شناسی هویتی صحبت کردم. به آن‌ها گفتم دو ساعت بعدی به پرسش و پاسخ و گفت‌وگوی باز اختصاص دارد. یکی از دانشجویان گفت: «اگر جامعه‌شناسی به تنظیم اندیشه و رشد شناخت از نقش‌آفرینان اجتماعی و ساختارهای پایه‌ای و کنش‌ها و واکنش‌ها منجر می‌شود، پس جای احساس و هیجان انسانی کجاست؟» من هم به او گفتم: «احساس و هیجان جزو داده‌های مقدماتی زندگی فردی و جمعی‌اند. افزون‌بر این، این پدیدهٔ روانی نقش مهمی در کنش و واکنش افراد دارد و انسان‌ها با وجود رفتار خِردمند و منطقی با انگیزهٔ احساسی و هیجانی خود عمل می‌کنند و آن را در محاسبات خود در نظر می‌گیرند. بنابراین، احساس و هیجان در میدان تحلیلی جامعه‌شناسی قرار دارند.» دانشجوی دیگری پرسید: «آیا جامعه‌شناسی از دانش‌های دیگر مستقل است؟» پاسخ دادم: «جامعه‌شناسی در اندیشهٔ یونان کهن مستقل نبود، از دوران نوگرایی تا میانهٔ سدهٔ بیستم مستقل شد و امروز جامعه‌شناسی برای تولید شناخت علمی و «نظام‌مند» نیازمند تمامی عرصه‌های علوم انسانی و دانش و فن‌آوریِ نوگراست.» سپس دانشجوی دیگری گفت: «چرا دین در جامعهٔ نوگرا در حال رشد است؟» گفتم: «همان عواملی که به دین هستی بخشیده‌اند در جامعهٔ انسانی نوگرا وجود دارند. البته بخش کوچکی از جمعیت جهان به دین نیازی ندارد و از آن انتظاری ندارد و خود را رها از دین می‌داند ولی بخش اصلی جمعیت در برابر نگرانی‌ها و رازها و ناتوانی‌ها و احساس تنهایی به دین نیاز دارند. افزون‌بر آن، ما در نظام جهانیِ پیچیده و دلهره‌انگیزی هستیم که در آن فرهنگ جایگاه بسیار کوچکی دارد.» دانشجوی دیگری گفت: «آیا رابطه‌ای میان زیست‌بوم و جامعه‌شناسی وجود دارد؟» من هم گفتم: «یک زیست‌بوم ویران زندگی انسان را به‌طور جدی به خطر می‌اندازد. زندگی عبارت است از نفس کشیدن، آب‌وهوای سالم داشتن، رابطهٔ معقول و آشتی‌خواهانه میان انسان و طبیعت برقرارکردن و هماهنگی عناصر زیست‌بوم. چنین شرایطی به انسان اجازه می‌دهد تا به ارزش‌ها بیندیشد، با انسان‌های دیگر زندگی کند، درعشق خوشحال باشد، ثروت را تقسیم کند و پروژه داشته باشد. شکوفایی یا ویرانیِ محیط زیست مسئلهٔ جامعه‌شناسی است زیرا هستی و نیستی انسان به آن مربوطَ است.» یک دانشجوی دیگر گفت: «نقش شادی در جامعه‌شناسی چیست؟» گفتم: «چرا برخی انسان‌ها و جوامع افسرده و برخی دیگر سرحال هستند؟ این پرسش جامعه‌شناسانه است. افزون‌بر آن، جامعه‌شناسی به‌مثابه روند دانش‌آموزی

باید به شما حس مطبوع بدهد و شما را شادمان کند. جامعه‌شناسی عبوس و بدبین شما را به ستوه می‌آورد، حال آن‌که جامعه‌شناسی روشنایی‌بخش که تلاشی برای پاسخ به پرسش‌هاست، روان و ذهن شما را باز می‌کند و شادی‌آور است.» در پایان، به همه گفتم اگر آموزشی به شما شادی نمی‌دهد رهایش کنید و بروید پی چیزی که به شما احساس آرامش و شادی و لذت می‌دهد.

ساموئل بِکِت و ادموند هوسرل

در این دنیای شلوغ، دنیای اندیشه به کار خود ادامه می‌دهد. دو کتاب برجسته در فرانسه چاپ شد: یکی ترجمهٔ کتاب نامه‌ها از ساموئل بِکِت از انگلیسی به فرانسه که دربرگیرندهٔ پانزده‌هزار نامه در ۹۶۰ برگ است. این نامه‌ها متعلق‌به سال‌های ۱۹۶۶ تا ۱۹۸۹ میلادی هستند و پر از اندیشه و خاطره. در واقع، نمایش‌نامه‌ها و داستان‌های بِکِت قطور نیستند و گفت‌وگوی نمایشی و پاسخ قهرمانان کتاب‌هایش خیلی کوتاه هستند و گاه فقط سکوت جای گفت‌وگو می‌نشیند ولی اشتهای بِکِت برای گپ زدن و نامه‌نگاری زیاد است. در نمایش‌نامهٔ «در انتظار گودو»، گفت‌وگوهای چند شخصیت حاشیه‌ای، زمان را با جمله‌های کوتاه می‌کشند. زبان موجز نمایش‌نامه و داستان در این کتاب خاطرات به زبان پرگفت‌وگو و پرخاطره تبدیل می‌شود. بِکِت در این نامه‌ها از لحظات خبرساز خود مانند جایزهٔ نوبل و نیز دوران سالخوردگی صحبت می‌کند. او جایزهٔ نوبل را دوست نداشت و موقعی که کمیتهٔ نوبل جایزهٔ او را اعلان کرد، بِکِت در تونس در حال آب‌تنی بود. به‌محض اعلان خبر، او خود را از نگاه‌ها پنهان می‌کند و از مسئولان هتل محل اقامت می‌خواهد تا به روزنامه‌نگاران بگویند که او در هتل نیست. او در این نامه‌ها گاه به دوستانش با صراحت می‌گوید: «از من دور شوید.» زیرا او از چاپلوسی بدش می‌آید و گاه با برخی دیگر مانند شاعر و نویسنده فرانسوی، روبرت پنژه، دنیای صمیمی و یگانه‌ای دارد. این مجموعه نامه‌ها روزهای پیری بِکِت را یادآور می‌شود. من یک بار بِکِت را در پاریس دیدم، زمانی که برخی انگشتان دستش از آرتروز خم شده بودند و او برای خواندن روزنامه عینک خود را به صفحهٔ روزنامه می‌چسباند. با قامت کشیده‌اش استوار راه می‌رفت. چشم‌هایش تیز، پیشانی‌اش پر از چین و چهره‌اش بی‌لبخند بود.

کتاب دیگر ترجمهٔ اندیشه‌های راهنما برای یک پدیدارشناسی ناب و یک فلسفهٔ پدیدارشناسانه نوشتهٔ ادموند هوسرل از آلمانی به زبان فرانسه در ۷۱۶ برگ است. هوسرل بین سال‌های ۱۸۵۹ تا ۱۹۳۸ زندگی کرد و زمانی که این اثرش چاپ شد، محافل دانشگاهی آن را به‌مثابه اثری بزرگ و مکتب‌ساز فلسفی ارزیابی کردند. هوسرل در این اثر مهم اثبات‌گرایی را به نقد کشید. او می‌گوید این جریان فلسفی شناخت را به شناخت تجربی محدود می‌کند و قلمرو شناخت را فقط به قلمرو آگاهی انسانی نسبت می‌دهد. او بر این باور بود که تقسیم «اُبژه» و «سوژه» را باید کنار گذاشت و فقط به جست‌وجوی «پدیده» پرداخت. از دید او، این تقسیم‌بندی در عمل منجر به جدایی «علوم تجربی» و «علوم انسانی» شده است و در این حالت فلسفه قربانی این جدایی است. برای او «پدیده» با امر ظاهری یکی نیست بلکه برعکس «پدیده» به‌معنای واقعیت نهایی و جوهری است و این همان چیزی است که فلسفه باید در پی‌اش باشد. پیش‌تر از آن‌که پدیدارشناسی به فلسفهٔ ادموند هوسرل نسبت داده شود، فیلسوفانی چون هگل یکی از مهم‌ترین کتاب خود را پدیدارشناسی روح می‌نامد. از یاد نبریم که هایدگر، اوژن فنک، ژان پُل سارتر و مرلو پونتی خود را هوادار انقلاب فلسفی و پدیدارشناسی می‌دانستند.

بدبختانه در ایران به‌علت سیاست سانسور نامه‌های بِکت نمی‌توانند چاپ شوند و ترجمهٔ کتاب هوسرل به فارسی نیز چه‌بسا به این زودی‌ها در دستور کار مترجمان قرار نگیرد. انقلاب فرهنگی در ایران به چاپ ترجمهٔ آثار برجسته و اثرگذار به فارسی نیازمند است.

هنر چیست؟

هنر توان و مهارت آفرینش زیبایی است، مجموعه‌ای از آفرینش یا فرایندهای ساخت انسان است که برای لذت فردی، هنری و یا برای اثرگذاری بر عواطف و احساسات و هوش انسانی یا برای انتقال یک معنا یا مفهوم به وجود آمده است. مرلو پونتی می‌گوید هنر به این اکتفا نمی‌کند که از طبیعت تقلید کند. با این وجود هنر به طبیعت بی‌اعتنا نیست بلکه به ریشه می‌رود. در هنر نقاشیِ پُل سزان رنگ‌ها بازتاب رنگ‌های طبیعت نیستند بلکه در رنگ او مغز ما و جهانَ با یکدیگر دیدار

می‌کنند. هنرمند احساس دارد و در پی آن است تا شخصیت ویژه‌ای در چهرهٔ چیزها و مواد طبیعت به دست آورد. البته این آفرینندگی هنری فقط ارادی نیست و برخلاف تولیدهای دیگر انسانی اقدام آفرینش هنری بیرون از میدان آگاهی است و به انسان اجازه می‌دهد تا با دنیای معنوی و زمان بی‌پایان و جهان‌شمول پیوند یابد. انسان فرای واقعیت می‌رود و زیبایی می‌آفریند و حتی به‌قول نیچه هنر اجازه می‌دهد جنبه‌های زشت طبیعت انسان پنهان و یا زیبا شوند. تئودور آدورنو می‌گوید هر اثر هنری یک معماست زیرا اثرهای هنری در همان زمان که چیزی را می‌گویند چیز دیگری را در خود پنهان نگه داشته‌اند. موسیقی هم دارای هنجار و روش است و، بنابراین، هم عریان و شفاف است و هم دربرگیرندهٔ یک معما و راز. به‌گفتهٔ هایدگر هنر تنها از گذشته نمی‌گوید بلکه خود سرآغاز و آفرینش جهان است.

جامعهٔ بدون هنر یک جامعهٔ بدون روح است. جامعه نیازمند اعتلای هنری و فرهنگی است و این اعتلای نه‌تنها به‌معنای تولید و خلاقیت عملی است بلکه مستلزم شناخت و نظریه هم هست. جامعه باید دارای فضای تشویقی و امکان‌ساز برای هنرمندان باشد تا فعالیت هنری گسترش یابد و هرچه بیشتر در دسترس شهروندان قرار گیرد. اگرچه هنر در بسیاری موارد نخبه‌پرور است ولی یک سیاست فرهنگی بااستعداد می‌تواند دامنهٔ فعالیت هنری را گسترش و نسل‌های بیشتری را آموزش هنری دهد. افزون‌بر آن، شناخت نظریه‌های هنر و فرهنگ برای هنرمند اساسی است. هر هنرمندی دست‌کم در عرصهٔ هنری خود باید مکتب‌های گوناگون را بشناسد. رمان‌نویس اگر نظریهٔ طبیعت‌گرایی و واقع‌گرایی و رمان نوگرا و غیره را نشناسد، ایراد دارد. یک نقاش باید مکتب‌های گوناگون هنری جهانی را بشناسد و ارزیابی نظری داشته باشد. نمایش‌نامه‌نویس باید مکتب نمایشی و نظریه‌پردازان تئاتر و مباحث دربارهٔ تئاتر را بشناسد. موسیقی‌دان نمی‌تواند مکتب‌های موسیقی کلاسیک و دستگاه‌های موسیقی ایرانی را نشناسد و از فلسفهٔ موسیقی برکنار بماند. ضروری است تا در تمام این زمینه‌ها نظریات فیلسوفان و جامعه‌شناسان و روان‌کاوان را بشناسیم و دیدگاه روشن‌فکران و منتقدان هنری را دنبال کنیم. واقعیت این است که با وجود کار هنری، که بنابر تعریفش باز و حساس است، هنرمند در چهارچوب کار هنری‌اش محدود مانده باشد. یک هنرمند باید به‌سوی شناخت گسترده تمایل داشته باشد. جامعهٔ ما کار نظری و فرهنگ‌ساز کمی انجام داده است. همهٔ هنرمندان ما در گذشته و اکنون به کار نظری علاقه ندارند. ما باید

خود را با منتقدان دنیای غرب مقایسه کنیم. کتاب‌ها و نشریات تخصصی و اسناد مسند و شرکت در کنفرانس‌های جهانی باید برای ما چیزی طبیعی و روزمره باشند و باید نوشت و بازهم نوشت. باید از جهان آموخت و هنر زبانی جهانی دارد. هنر یک هنرمند زمانی که در زبان جهانی احساس می‌شود از منطق محدود بومی بیرون آمده. سینمای ایران جهانی شده ولی در عرصه‌های دیگر فاصله‌ها بسیارند.

الگوی انسان در فلسفهٔ سارتر

ژان پُل سارتر می‌نویسد: «از دید من، هستی‌گرایی خداناباور بسیار منطقی است. بر اساس چنین‌چیزی، اگر خدا وجود نداشته باشد دست‌کم یک هستی وجود دارد که موجودیتش پیش از گوهر واقعیت دارد. یک هستی وجود دارد پیش از آن‌که مقوله‌ای وجود داشته باشد و این هستی انسان است و یا همان‌گونه که هایدگر می‌گوید واقعیت انسانی است. این‌که گفته می‌شود موجودیت پیش از گوهر وجود دارد یعنی چه؟ معنای آن این است که انسان پیش از هر چیز هست و وجود دارد، دیدارپذیر است، در جهان ظاهر شده است و سپس خود را تعریف می‌کند. انسانی که هستی‌گرایی را می‌فهمد اگر تعریف‌پذیر نباشد، هیچ و بی‌معنا است. طبیعت انسان وجود ندارد زیرا خدایی برای فهم آن نیست.» (هستی‌گرایی همان انسان‌گرایی است، ۱۹۴۵) بنا به باور سارتر، هستی یا موجودیت مقدم بر گوهر انسان است. گوهر به‌معنای پدیدهٔ بیرون از هستی و ویژگی «ناب» جدا از موجودیت ناشدنی است. انسان هست و بر پایهٔ این هستی ویژگی می‌یابد.

آرمان‌گرایی گوهر انسانی را از واقعیت او جدا و آن را چیزی خالص و مستقل از مادیت موجودیت تعریف می‌کند. برای نمونه، گفته می‌شود انسان در گوهر خویش پاک است و خطاکار نیست و پس از آن به انحراف و بدی روی می‌آورد. دین می‌گوید خدا هستی مطلق است و همه‌چیز از او ناشی می‌شود پس هستی انسان در ارادهٔ خداست. بر پایهٔ این بینش دینی، «انسان مخلوق» از همان آغاز گناهکار است زیرا نافرمانی کرده، از بهشت رانده و به زمین پرتاب شده. در هر دو دیدگاه، گوهر «خوب» و «بد» پیش از واقعیت تاریخی و اجتماعی تعیین شده است.

آن‌چه که سارتر می‌گوید قابل اتکاست ولی به‌نظر کافی و پوشا نیست. برای فهم انسان باید به دستاوردهای انسان‌شناسی، سنگواره‌شناسی، داروینیسم، ژنتیک و عصب‌شناسی توجه کرد. تعریف سارتر تمایل به واقعیت انسان است ولی این واقعیت هنوز مشخص و تاریخی و انسان‌شناسانه نیست. هستی‌گرایی سارتر در نیمهٔ راه می‌ایستد. در جامعه، گاه این تمایل وجود دارد که به افراد «الگوی انسان شدن» داده شود تا آن‌ها بر اساس این الگوی «ناب» در اجتماع رفتار کنند ولی انسان به‌عنوان الگوی «ناب» کجاست و چگونه تعریف می‌شود؟ مولوی می‌گفت از دیو و دد ملولم و انسانم آرزوست. این یک گرایش عرفانی است. منظور چیست؟ کدام الگوی انسانی باید راهنمای انسان باشد؟ اگر بنا بر دیدگاه برخی فلاسفه، بگوییم انسان کسی است که با عقل رفتار می‌کند پاسخ کافی نیست. اگر بگوییم انسان کسی است که آزاد است هم پاسخ کافی نخواهد بود. برعکس، نیچه می‌گوید: «انسان طنابی آویخته میان حیوان و «اَبَرانسان» است، طنابی بر فراز یک پرتگاه است.» تعریف فلسفی یکی از تعریف‌ها است ولی کافی نیست. هوسرل نیز می‌گوید: «هر چهرهٔ معنوی انسانی بر پایهٔ طبیعت خود در چهارچوب تاریخ جهانی قرار دارد. این روند، انسانیت را همچون یک زندگی یگانه که دربرگیرندهٔ انسان‌ها و مردمانی با ویژگی‌های مشخص معنوی است نشان می‌دهد. بشریت اَشکال فراوانی از انسانیت و فرهنگ را دربرمی‌گیرد و همه با انتقال‌های نامحسوس در یکدیگر درآمیخته می‌شوند.» هوسرل دیدگاه را باز می‌کند. بحث دربارهٔ تعریف انسان باز است و اگر به پهنهٔ تاریخ و جوامع و فرهنگ‌ها روی آوریم الگوی «ناب» انسانی هرگز دست‌یافتنی نیست.

دانشگاه و ساختن آینده

در پایان هر سال دانشگاهی زمان توزیع مدارک تحصیلی جامعه‌شناسی و مدیریت پروژه و مدیریت اقتصادی و رشته‌های مهندسی و غیره است. دانشجویان پس از تلاش‌های فراوان منتظر این لحظه هستند تا مدرک خود را دریافت کنند. آن‌ها بسیار شادمان هستند زیرا مرحلهٔ تازه‌ای از زندگی‌شان آغاز می‌شود. از برخی پرسیدم: «مدرک دانشگاهیِ کنونی تا چند ماه دیگر و چه تأثیری بر زندگی

شما دارد؟» یکی گفت: «با مدارک کنونی رئیس یک بخش بیمارستان خواهم شد.» یکی دیگر گفت: «در یک ادارهٔ دولتی امکان ریاست برایم باز می‌شود.» آن‌یکی گفت: «در مؤسسهٔ ملی پژوهش انسان‌شناسی می‌توانم مسئولیتی برای خودم دست‌وپا کنم.» یکی دیگر گفت: «می‌توانم در شرکت خودروسازی رنو مسئول پروژه بشوم.» آن‌یکی گفت: «حالا می‌توانم مدیر توسعهٔ فعالیت بازرگانی یک شرکت داروسازیِ فرانسوی در آمریکای لاتین بشوم.» یکی دیگر گفت: «در یک شرکت مهم، مسئول مدیریت توسعهٔ پایدار خواهم شد.» این‌یکی گفت: «مدیر نیروی انسانی یک شرکت مهم می‌شوم.» و یکی دیگر هم گفت: «مسئول یک بخش اداری وزارت دادگستری فرانسه خواهم شد.»

این حرف‌ها فقط آرزوی خام آن‌ها نبود بلکه نتیجهٔ رایزنی‌های اولیه‌شان با شرکت‌ها و نهادهای گوناگون و بیان‌گر شرایط شغلی جدیدشان بود. برای ما استادان چه پاداشی بهتر از این موفقیت می‌تواند وجود داشته باشد که ببینیم دانشجویان به‌دنبال پنج سال تلاش موفق شده‌اند و خوش‌بینانه و واقع‌نگرانه دورنمای حرفه‌ای جالبی در انتظارشان است. می‌دانم در کشور من شمار زیادی دانشجو پس از پایان تحصیل وارد دورهٔ بی‌کاری می‌شوند و یا از ناچاری از کشور بیرون می‌زنند چون نظام سیاسی ـ دینی نیروهای انسانی را تباه می‌کند و ثروت میهن ما را به چپاول می‌برد ولی در این کُرهٔ خاکی نسل‌های جدید مسئولیت‌های اقتصادی و اجتماعی و فرهنگی و زیست‌محیطی را با بالندگی به عهده می‌گیرند.

در گفتار کوتاهی به دانشجویانم گفتم خیلی طبیعی است که با مدرک خود در پی رفاه مالی و موقعیت خوب حرفه‌ای هستید ولی ما در دنیایی هستیم که دستخوش فساد و دروغ و جنگ و تعصب مذهبی و استبداد و ویرانیِ محیط زیست است و شما مسئول بهبود این شرایط دلخراش هم هستید. به‌دنبالِ توزیع مدارک دانشجویان، دانشگاه مهمانیِ خوبی برای دانشجویان و همکاران اداری ما سامان داده بود: انواع مواد خوراکی برای مزه و شیرینی‌های گوناگون و بطری‌های شامپاین و شراب و آب معدنی. در پایان، چند دانشجو از همکاران اداری و همچنین از استادان سپاس‌گزاری کردند. یکی گفت: «آقای ایجادی، هر بار که با شما کلاس داشتیم می‌دانستیم که مطالب ارزنده‌ای یاد می‌گیریم و روحیه‌مان شاد می‌شود.» یکی دیگر هم گفت: «شما همیشه با احترام، با شفافیت و با پوششی زیبا در برابر ما ظاهر می‌شدید و همیشه می‌گفتید: جوانان، باید کتاب خواند!» در پاسخ

به او گفتم: «در طی سال بسیاری از شما دستخوش تنش بودید و خوشبختانه الان دیگر آسوده هستید و بدانید موفقیت شما موفقیت ما هم هست.»

صنعت خبرسازی و شایعه‌سازی و مسخ انسان

خبرسازان حکومت می‌کنند. افشاگری اسنودن دربارهٔ ارتش آمریکا، قدرت‌گیری ترامپ و راهبرد خبرسازی، دزدی ۵۵هزار صفحه سند و نیز ۵۵هزار پروندهٔ دیگر که بر روی ۱۸۳ لوح فشرده توسط مأموران موساد در ایران، راهبرد جعل خبر و خبرسازی و بمباران خبری توسط جمهوری اسلامی دربارهٔ پروندهٔ اتمی و احتمال کودتا و بازی اصلاح‌طلبان، خامنه‌ای و بدل او میرطاهر و بسیاری از وقایع دیگر نشان‌دهنده چیست؟ نخست این‌که، با وجود حجم سرسام‌آور خبر، جامعه و جهان از اخبار درست به دور است. دوم این‌که خبرسازان جنگ و سیاست و «نظم» جهانی را مدیریت می‌کنند. سوم این‌که شهروندان جهان و ایران در یک گنگی و مسخ‌زدگی قراردارند. چهارم این‌که اخبار حقیقت‌جو شکننده است و مرتب به‌شکل بی‌اعتبار اعلان می‌شود. و نکتهٔ پایانی این‌که حقیقت یک ارزش نایافتنی است. از تمام موارد بالا چه نتیجه‌ای می‌توان گرفت؟

چگونه خبرسازی‌های جعلی به خبر رسمی و سیاست اجرایی تبدیل می‌شوند؟ چگونه قدرت سیاسی و سازمان‌های جاسوسی‌اش صنعت خبرسازی و شایعه‌پراکنی را با آخرین مهارت‌های علمی سازمان‌دهی می‌کنند؟ چگونه روزنامه‌نگاران اخبار و شایعات را تنظیم و ارزش‌گذاری می‌کنند و با تکرار خود خبرهای انتخابی را به حقیقتی بزرگ تبدیل می‌کنند؟ یادتان هست که جورج بوش پسر، رئیس‌جمهور آمریکا، و کالین پاول، وزیر امور خارجهٔ وی، جنگ عراق را به راه انداختند، درحالی که می‌دانستند عراق سلاح هسته‌ای و شیمیایی یا زیستیِ پنهان‌شده‌ای ندارد و خطری برای امنیت ملی آمریکا به شمار نمی‌آید. یادتان هست که اِستالین نیز برای سلطه‌گری خود همهٔ احزاب کمونیست جهان را برای «پشتیبانی از سوسیالیسم» تحریک و به خود وابسته کرد تا «جنبش رهایی‌بخش» به وجود آورد؟ یادتان هست که مائو نیز برای پاک کردن جامعه از بورژوازی «انقلاب فرهنگی» به پا کرد؟ یادتان هست که هیتلر برای «نژاد پاک» ژرمن‌ها،

«نژاد پَست» یهودی را قتل عام کرد؟ یادتان هست که چگونه اسلام با خشونت و دروغ به جامعه تحمیل شد و همه گفتند اسلام راه نجات انسان است؟ یادمان باشد این‌گونه ماشین‌های خبرساز فقط در قامت دولت‌ها نیستند، هر حزب و گروه و فرد و رسانه‌ای می‌تواند به سهم خودش این تولید ایدئولوژیکی و تبلیغاتی را سازمان‌دهی کند. در جامعه، همیشه افرادی هستند که به‌شکل آگاه و ناآگاه همین جعلیات را روزانه تکرار می‌کنند و اندیشهٔ انتقادی شایسته و هوشمندی نیز در پی وارسی نیست. حجم بزرگی از گنداب‌های جعل و دورغ در ذهن فرو می‌نشیند و به‌طور روزافزون اسارت فکری محکم‌تر می‌شود.

کتاب ۱۹۸۴ جورج اورول یادتان هست؟ این رمان تخیلی در سال ۱۹۴۹ نوشته شد. نویسنده در این کتاب آینده‌ای را برای جامعه به تصویر می‌کشد که در آن ویژگی‌هایی همچون تنفر نسبت‌به «دشمن» و علاقهٔ شدید نسبت‌به «برادر بزرگ»، که یک مستبد فرهمند است، باوری همگانی است. در این جامعه، گناه‌کاران اعدام و آزادی‌های فردی پایمال می‌شوند، جاسوسی و چاپلوسی رایج است، یک چشم بزرگ همهٔ خانه‌ها را کنترل می‌کند و مردم باور دارند که هیچ‌چیزی به‌جز سخنان حزب درست نیست. در پایان، با وجود ایستادگیِ بسیار همه می‌پذیرند که حقیقتی به‌جز آنچه حزب می‌گوید وجود ندارد و هر چیزی از جمله عشق و انسانیت و آزادی نمی‌تواند حقیقت داشته باشد. آیا انقلاب بر ضد اسارت فکری و روحی شدنی است؟

فیلسوفان چه کسانی هستند؟

برخی فکر می‌کنند که فلسفهٔ غرب به اندیشهٔ بزرگانی مانند ارسطو به‌مثابه قدرت پیش‌کسوت فلسفه، هگل به‌مثابه نمایندهٔ برجستهٔ آرمان‌گراییِ فلسفی، کانت به‌مثابه نمایندهٔ برزگ خِردگرایی، دکارت به‌مثابه مبتکر منطق‌گرایی، نیچه به‌مثابه منتقد اخلاق و آرمان‌گرایی و هایدگر به‌مثابه فیلسوف پسانوگرایی محدود است؛ این دیدگاه اشتباه است. اندیشهٔ فلسفی متوقف نشده بلکه یک دنیای گسترده و پیچیده است و از دیدگاه و زاویه نگرش بسیار گوناگونی تشکیل شده است. برای نمونه، در فرانسه: گاستون باشلر، ژان پُل سارتر، آلبر کامو، ولادیمیر یاکله ویچ، میشل

فوکو، لوئی آلتوسر، اِمانوئل لویناس، لوی اشتراوس، ژیل دولوز، پی‌یر بوردیو، مرلو پونتی، ژَک دریدا، گی دوبورد، پل ریکور، ، اتین بالیبار، پی‌یر ماشوره، کورنیلیوس کاستوریادیس، رونه ژیرار، ادگار مورن، فرانسوا ژولین، کلمان روسه، ژاک رانسیه، میشل سر، دومینیک مدا، کنت اسپونویل، برونو لاتور، مونیک کنت اسپربر، آلن بادیو، مارسل گوشه، میشل اونفری، الیزابت دوفونته، لوک فری، مارسل کونش، ساراکوفمن و ده‌ها فیلسوف دیگر اندیشه‌های فلسفی را تنومند کرده‌اند. پرسمان‌ها و پرسش‌های آنان بسیار گوناگون است. نوگرایی و منطق‌گرایی، نقد منطق‌گراییِ قرن هجدهم، کمونیسم و بن‌بست، فلسفه و هوش مصنوعی، حقوق بشر و حقوق حیوانات، ناممکن بودن واقعیت، جداانگاری دین از سیاست و دموکراسی، جامعهٔ مصرفی و جامعهٔ حاوی ارزش‌های معنوی، اخلاق در دوران معاصر، دین و جامعه، مسیحیت‌گرایی و مارکسیسم، بن‌بست جامعهٔ کار، سقوط غرب و سرآغاز دوران جدید، زیست‌بوم و الگوی ساختاری، روان و ناخودآگاه و جهش عملکردی مغز، فلسفه و روان‌کاوی، ادبیات و فلسفه، ریاضیات و زمان و زیبایی‌شناسی از جمله پرسش‌ها و موضوعات فلسفهٔ معاصرند.

فلسفه چیست؟ ارسطو می‌گفت فلسفه دانش حقیقت است. تمام پرسش‌های اساسی که انسان دربارهٔ خود و زندگی و هستی مطرح می‌کند پرسش‌های فلسفی هستند. پرسش دربارهٔ متافیزیک، معنای هستی، اخلاق، دین، زیبایی‌شناسی، عقل، عشق، هدف زندگی، آزادی، مسئولیت، احساس، خشونت، خوشبختی، لذت و غیره در عرصهٔ فلسفی جای می‌گیرند. پس فلسفه پرسش و گفت‌وگو و دیالکتیک اندیشه است، فلسفه تلاش خِردگرا برای دانستن و تعریف یک دیدگاه است.

در واقع، فیلسوف از خود گرایش خاصی نشان می‌دهد ولی بنابر تعریفْ فیلسوف خوب جزم‌اندیش نیست. در دین فرد در میدان ممنوعیت‌ها رفت‌وآمد می‌کند. در فلسفه، میدان اصلی میدان پرسش‌هاست. باید دربارهٔ همهٔ پدیده‌ها اندیشید، استدلال آورد، بررسی و انتقاد کرد؛ باید دربارهٔ تکامل خِرد و عقل‌های گوناگون، دین، حکمای ایران مانند سهروردی و ابن سینا و دیگران و رابطه‌شان با اندیشیدن فلسفی و تناقضات آن‌ها، فیزیک و زیست‌شناسی، فلسفهٔ یونان، فلسفه در ایران و هند و چین، روان‌کاوی فروید و فلسفه، فلسفه در قرن هجدهم، آرمان‌گرایی و مادّه‌باوری و خِردگرایی، تاریخ و بسیاری مطالب دیگر مطالعه کرد و همگی را موشکافانه و کاوش‌گرایانه شکافت. تاریخ اندیشه‌ها و باورها و ادیان یکی از

زمینه‌های پژوهشیِ برخی فیلسوفان است. هیچ موضوع ممنوعی وجود ندارد. متانت برای آموزش و فهم دیدگاه‌ها و پدیده‌ها یک اصل است. برخی با غروری ناپسند می‌پندارند که فلسفه به درک و دانسته‌های کم آن‌ها محدود می‌شود. این افراد آقامعلم‌های جالبی نیستند زیرا جزم‌اندیش هستند و درهای اندیشه و کاووش را بسته‌اند. در جامعه، افراد هستندی که دربارهٔ فلسفه چیزهایی می‌دانند ولی این افراد فیلسوف یا کارشناس فلسفه نیستند و آثار فلسفیِ زیادی نخوانده‌اند. کسانی هستند که حکم صادر می‌کنند و خواهان فرادستی و فاقدِ ظرفیت کافی برای شنیدن هستند. رفتار این‌گونه افراد فلسفه‌ستیز است. فیلسوف کسی است که مفاهیم را تولید می‌کند و از ارائه حکم قطعی می‌پرهیزد و دارای روحیهٔ پرسش‌گری است و از خودپرستی به ایده‌پرستی و نقد روشن‌فکرانهٔ متین رسیده است.

به مغز اجازه دهیم تا متنوع زندگی کند

فضای شلوغ و هیجانیِ رویدادها چون برگی است که در تلاطم موج گیر افتاده است. شتاب لحظه، احِساس سبُک، زمان ناپایدار، نگرانی روانی، دلتنگی‌های ناگفته و همه‌چیز درهم و در این فضاست. گاه در خیابان‌های شلوغ هستید و همه‌چیز می‌چرخد و نگاه به‌دنبال همه‌چیز می‌دود و شیفته می‌شود ولی سپس همین موج می‌خوابد. گاه آدم‌های زیادی وارد زندگی شما می‌شوند و سپس همگی از میان می‌روند. اخبار ایران را می‌شنوید و تمام رویدادهای زننده و نگران‌کننده و رازآمیز و گنگ به ذهن شما خطور می‌کنند و وقتی هم که اخبار شبکه‌ها را مرور می‌کنید،خبر پشت خبر، تصویر پس از تصویر، از یک شبکه به شبکهٔ دیگر چیزی جز نفی یکی توسط دیگری نخواهد بود. در ذهن آدمی، انباشت داده‌ها ظاهر جدی دارد ولی، در اصل، شکننده و میراست. باورها مرتب فرو می‌ریزند. اشتیاق روانی ما را معطوف‌به چیزی معین و چهره‌ای خاص می‌کند ولی ما باز هم نمی‌فهمیم که در سطح قرار داریم و با راز و ابهام زندگی می‌کنیم و دوربین‌های ما همه چیز را نمی‌گیرند. این لحظات جلوه‌ای از زندگی بسیاری از انسان‌هاست. میلیاردها انسان آمدند و رفتند و باز هم خواهند آمد و زندگی‌شان چیزی جز یک هیاهو و گنگیِ کوچک نخواهد بود. کدام زندگی از خود نشان استواری باقی گذاشته

است؟ زندگی مؤثر بسیار کم‌یاب است.

رمان حیوان روبه‌مرگ از فیلیپ رات را دوباره می‌خوانم؛ راوی می‌گوید ما اغلب در پرگویی به سر می‌بریم و مطلبی را مطرح می‌کنیم که مورد نظرمان نیست، از همه‌چیز می‌گوییم ولی منظورمان چیز دیگری است که گفته نشده است. برای نمونه، از داستان کافکا و نقاشی ولاسکز حرف می‌زنیم ولی این گفتارها لعابی بیش نیستند و منظورمان نیاز تن‌کامانه است. ما به ظاهر آدم‌ها و چیزها خیره می‌شویم و جذب‌شان می‌شویم. ما برای چیزی که می‌خواهیم وضوح نداریم و همیشه در سطح و نیمهٔ راه می‌مانیم. ما در ابهام و مرداب و سوءتفاهم به سر می‌بریم و، در ضمن، گاه خواهان بیرون‌روی از اسارت و تسلیم هم هستیم، اسارتی که آن را خوب نمی‌شناسیم.

ولی چگونه از این همه پرتگاه و هیاهو و ابهام و اسارتی که فیلیپ رات از آن حرف می‌زند بیرون بیاییم؟ ما گاه باید موسیقی کلاسیک گوش دهیم. من زمانی موسیقی باخ را دوست نداشتم و آن را مذهبی حس می‌کردم و چند بار دیگر گوش دادم و حس خود را باز گذاشتم و چیز دیگری یافتم. موسیقی راکمانینوف بر روان انسان فرود می‌آید و با گنگی‌های هستی در هم می‌آمیزد و سپس یک حس جدید می‌آفریند. باید به مغز اجازه دهیم که متنوع زندگی کند، با احساس و عاطفه و خِرد فعال عمل کند. باید روان خود را تکان دهیم تا در زندان چند نفر و چند حرف گرفتار نشود و به رفتارهای تقلیدی و تکراری عادت نکند.

میراث خمینیسم در آفریقا چیست؟

گسترش جهان‌بینیِ جمهوری اسلامی و جریان‌های سیاسی و تروریستی شیعه، محور برجستهٔ دیپلماسیِ سیاسی رژیم در آفریقاست. نمونهٔ مشخص این سرمایه‌گذاری ایجاد احزاب شیعه‌گرا در نیجریه است.

شیخ ابراهیم یعقوب زکزاکی بنیان‌گذار «جنبش اسلامی در نیجریه» است. این فرد در سال ۱۹۵۳ در «زاریا-کادونا» زاده شده است. او پس از چند سال آموزش عربی مدرکی در اقتصاد می‌گیرد و در دانشگاه «احمدو بلو» در چهارچوب یک سازمان دانشجویی اسلامی فعالیت می‌کند. شیخ زکزاکی در سال ۱۹۸۰ میلادی به ایران می‌رود و با آیت‌الله خمینی دیدار می‌کند. در همان سال، زیر تأثیر انقلاب

خمینی، حزب «جنبش اسلامی» را راه می‌اندازد و فعالیت سیاسی و سپس نظامی بر ضد دولت نیجریه را آغاز می‌کند. اوج درگیری این جریان با قوای دولتی در روزهای ۱۲ تا ۱۴ دسامبر ۲۰۱۵ رخ می‌دهد و ۲۰۰ نفر از پیروان شیخ دستگیر می‌شوند. بر اساس گزارش سازمان عفو بین‌الملل در آوریل ۲۰۱۶، ۳۴۷ تن از اعضای جنبش اسلامی نیجریه در یک گور مشترک در نزدیکی «ماندو» انداخته می‌شوند. نیجریه دارای جمعیتی ۱۸۰میلیونی است که بیشترشان مسیحی هستند و در شمال این کشور یک اقلیت اهل سنت هم وجود دارد. در این کشور، شمار شیعیان به اعتبار فعالیت شیعه‌سازی این جریان سیاسی بیش از ۸ میلیون تخمین زده می‌شود. این جریان سیاسی و دینی شیعه خود را هوادار جمهوری اسلامی و ولایت فقیه و آیت‌الله‌های ایرانی می‌داند و دارای فعالیت مشترک و همکاری با حزب‌الله لبنان است. این جریان همزمان با کار سیاسی و نظامی مشغول بسیج توده از راه مدرسه‌سازی دینی و پخش پول و پشتیبانی از «مستضعفان» بوده و خود را «حزب‌الله» نیجریه معرفی می‌کند. همچنین، این حزب شیعه در نیجریه یک مجموعه گسترده از سازمان‌های گوناگون پدید آورده است. از آن جمله می‌توان دو سازمان شیعه به نام‌های «حیدر» و «اهل بیت» وجود دارند که وظیفه‌شان پخش و تبلیغ جهان‌بینیِ اسلامی شیعه در نیجریه و منطقهٔ پیرامون این کشور در آفریقاست. گفته می‌شود که این حزب عملاً همچون یک دولت در درون قلمرو حکومت مرکزی عمل می‌کند. این جریان بیش از ۳۰۰۰ نفر نظامی دارد و نام نیروی نظامی‌اش «ارتش مهدی» است. این جریان دارای مسجد و بیمارستان و مدرسه و مرکز تجاری است و بین جوانان بورس پخش می‌کند و کارزار مسافرت حج راه می‌اندازد. این جریان پس از جریان بوکوحرام که زیرشاخهٔ القاعده و داعش است، دومین جریان بزرگ اسلامی در این کشور به شمار می‌آید.

از آنجا که خمینیسم خواهان صدور انقلاب بود، بی‌درنگ بودجهٔ کلانی در اختیار این گروه و دیگر گروه‌های دینی و تروریستی و خیریه قرار می‌گیرد. البته این سیاست با آماده کردن طلاب آفریقایی و غیره در حوزه‌ها صورت می‌گیرد. سیاست حکومت خامنه‌ای پخش پولی گسترده برای ایجاد شبکه‌های حمایتی و ایجاد مزاحمت و بحران و تروریسم در سطح جهانی است. پول کلان ملت ایران برای پخش جهان‌بینیِ شیعه و گسترش شبکه‌های نفوذی و تروریستی است. ایجاد حزب‌الله لبنان توسط حکومت اسلامی نخستین تشکل ساخته و پرداخته است ولی

این‌گونه اقدامات طی چهل سال ادامه داشته. بنابر اخبار، در سوریه و عراق بیش از ۱۵ گروه وابسته به جمهوری اسلامی پدید آمده است.

مرگ یک نویسندهٔ بزرگ: فیلیپ رات

اگر از میان نویسندگان بزرگ آمریکایی از ویلیام فاکنر با رمان‌های خشم و هیاهو و نخل‌های وحشی، ارنست همینگوی با رمان پیرمرد و دریا و برف‌های کلیمانجارو، تنسی ویلیامز با اتوبوسی به‌نام هوس و گربه روی شیروانی داغ نام می‌برید، یادتان باشد که فیلیپ رات را باید به فهرست آن‌ها بیفزایید. او در سال ۱۹۳۳ در یک خانوادهٔ یهودی‌تبار زاده شد و ۲۲ ماه مه ۲۰۱۸ در نیویورک درگذشت. این نویسندهٔ آمریکایی با ۳۱ رمان برندهٔ جوایز «پولیتزر» و «جایزه ملی کتاب آمریکا» و «جایزه من بوکر بین‌المللی» و سه جایزهٔ «پن» و جایزه «مدیسیس» شد و بسیاری از نویسندگان جهان او را شایستهٔ جایزهٔ نوبل می‌دانستند. نخستین کتاب داستانی او یعنی نیویورک در سال ۱۹۵۸ چاپ شد و داستانی که او را مشهور کرد خداحافظ، کلومبوس بود.

نخستین رمان‌های فیلیپ رات دربارهٔ جامعهٔ یهودیان نیوجرسی بودند. او در این کارهای هوشمندانه مرز میان شرح حال خصوصی و داستان تخیلی را برهم ریخت تا جنبه‌های واقعیت را مخدوش کند و این روش در شاهکار او به‌نام ضد زندگی به اوج می‌رسد. او رفته‌رفته دامنهٔ موضوع خود را گسترش داد: در رمان عملیات شیلوک به پرداخت تنش و تناقضات شرایط یهودی‌ها در اسرائیل، در رمان پاستورال آمریکایی به انحرافات تروریستی، در رمان من با یک کمونیست ازدواج کرده‌ام به زیان ناشی از مک‌کارتیسم و در رمان لکه به تنزه‌خواهیِ سرکوب‌گرانه می‌پردازد.

فیلیپ رات با کابوس نازیسم در آمریکا زندگی می‌کرد و با رمان توطئه علیه آمریکا، برخلاف افکار عمومی، امکان وقوع فاشیسم را در کشورش مطرح کرد. او به این خیال‌پردازی می‌پردازد که اگر در سال ۱۹۴۰ آمریکا با هیتلر وحدت کرده بود، چه پیشامدهایی روی می‌داد. رمان او بیش از یک کتاب سیاسی ـ تخیلی است؛ او حس می‌کند دموکراسی آمریکایی از درون تهی می‌شد. رمان فیلیپ رات این احتمال را مطرح می‌کند که در ژوئن ۱۹۴۰، فرانکلن دولانو روزولت،

رئیس‌جمهور دموکرات که خود را برای سومین بار در انتخابات نامزد کرده بود، شکست می‌خورد و به‌جایش شارل لیندبرگ، نامزد حزب جمهوری‌خواه پیروز می‌شود، خلبانی که قهرمان ملی، یهودی‌ستیزِ شناخته شده و هوادار رژیم نازی‌ها بود. فیلیپ رات بیشتر در پی آن است که یکَ گذشتهٔ مجازی بیافریند. او در برابر تابلویی که ترسیم می‌کند به آمریکای امروز، آمریکایی که در خود فرو رفته و دولتش بر اساس دروغ عمل می‌کند، می‌اندیشد. او با کتاب توطئه علیه آمریکا گام دیگری برای نشان دادن دردهای درونیِ آمریکا برمی‌دارد. رات در این رمان حیوان کثیفی را که در درون خود دارد وهرِ آن می‌تواند بیدار شود را به نمایش می‌گذارد و اعتماد ساده‌لوحانهٔ انسان را برملا می‌کند.

او در رمان زندگی یک مرد از ازدواج نخست و شکست آن حرف می‌زند و می‌گوید این ازدواج اتحادی همسو با یک فاجعه بود. او در رمان تئاتر سابات از لیبیدوِ ۶۴ سالگی‌اش حرف می‌زند و بر سر گور معشوقه‌اش تمایل جنسی‌اش را ارضاَ می‌کند. در رمان خروج هیولا، قهرمان داستان مرد هفتادساله‌ای است که عمل جراحی پروستات منجر به ناتوانی جنسی‌اش می‌شود، در حالی که او عاشق یک زن زیبای سی‌ساله است. یک ناامیدی شادمانه، یک غم سنگین وجود قهرمان داستان را پر می‌کند. برگ‌های این کتاب از توصیف بیماری و میل جنسی و سالخوردگی زودرس و نیز لحظات سبک زندگی سرشار است. فیلیپ رات یک رمان‌نویس نابغه بود. یکی از ویژگی‌های رمان‌های او نمایش رگه‌های تیره در هستی و زندگی انسان است. نقدی بی‌رحمانه از مناسبات اجتماعی و گنداب‌ها. رات در تاریکی چشمان خود را خوب باز کرده است تا بدی‌ها را ببیند، همان زشتی‌هایی که خیلی از آدم‌ها نمی‌خواهند یا نمی‌توانند ببینند.

فروپاشی حکومت اسلامی: تجزیهٔ ایران؟

برخی از شخصیت‌های اصلاح‌طلب مانند صادق زیباکلام در همه‌جا می‌گویند و هشدار می‌دهند که مبارزه‌ای که هدف حذف نظام دینی حاکم را دارد نابجاست و تنها آن اقدامی درست است که رژیم را مجبور کند تا ذره‌ذره و یا به‌قول آن‌ها «اپسیلون اپسیلون» عقب‌نشینی کند. آن‌ها می‌گویند همین که عناصر هوادار احمدی‌نژاد در

مجلس نباشند خود یک پیروزی است. اصلاح‌طلبان در دورهٔ اخیر به‌شدت علیه جنبش موضع گرفته و حتی گفته‌اند که برای حفظ نظام اسلحه به دست می گیرند. مسئله اینجاست که چهل سال حرکات اپسیلونی زیاد بوده ولی ساختار دینی و ایدئولوژیک و رانتی تغییری نیافته است. وجود همین نظام ولایت فقیه آسیب‌های فراوانی بر پیکر ملت ما وارد آورده است. خاستگاه تیره‌روزی همهٔ ایرانیان همین رژیم است. همهٔ بخش‌های ملت ایران با وجود سرچشمهٔ قومیِ متفاوت نتیجهٔ تاریخ ایران هستند. همزیستی مردمان ایران مصنوعی و نتیجهٔ استعمار نیست. آذری و تهرانی و بلوچ و کُرد و گیلک و خوزستانی و کرمانی و مشهدی و غیره محصول یک همزیستی تاریخی و سیاسی و اجتماعی هستند و در این مسیر طولانی با شادی‌ها و رنج‌ها و سختی‌ها و جشن‌ها و آرزوهای مشترک زندگی کرده‌اند. وجود عناصر بسیار معدود شوینیستی مدعی تجزیه که از طرف ترکیه و اسرائیل و عربستان سعودی پشتیبانیِ مالی می‌شوند، به آن‌ها حقانیت و مشروعیت قومی و منطقه‌ای و کشوری نمی‌دهد. واقعیتی است که استبداد دینی ـ سیاسی موجود تمایل و خواست فرهنگی و زبان مادری آذری و کردی و بلوچ و عربی و غیره را منکوب کرده است. این ویژگی را باید پذیرفت ولی ستم‌گری دینی و سیاسی و اقتصادی و فرهنگی نظام متوجه همهٔ ایرانیان بوده است. همهٔ شهروندان ایران از خشونت این حکومت و دین اجباری شیعه‌گری رنج دیده‌اند و از آزادی و دموکراسی و احترام به حقوق بشر محروم بوده‌اند. زمینه‌های همزیستی و یگانگی ایرانیان ژرف و دیرینه است. بنابراین، رفتن این رژیم منجر به فروپاشی نمی‌شود. عناصر همین رژیم پیوسته تفرقه‌افکنی کرده‌اند و به‌طرز آشکار و پنهان جنگ شیعه و سنی را دامن زده‌اند. پس واژگونی این حکومت جلوِ بسیاری از آسیب‌ها و تفرقه‌ها را خواهد گرفت. در هر منطقهٔ ایران لبهٔ اعتراض به نظام سیاسی ولایت فقیه و تبهکاری و ناشایستی و فساد دستگاه حاکم است. هدف مشترک ایرانیان قدرت سیاسی پای‌بند به جداانگاریِ دین از سیاست و دموکراتیک است.

«اسلاموفیل» کیست؟

واژهٔ «فیل» از ریشهٔ یونانی به‌معنای «دوست‌دارنده» و «هوادار» است. در زمینهٔ سیاسی، این عبارت اصطلاحی است که هواداری و جانب‌داری فرد نسبت‌به یک

گروه، ملت و دولت را نشان می‌دهد. بنابراین، با «فیل» صفت مرکب می‌سازند به‌معنی کسی که دوست‌دار یک کشور است. البته این اصطلاح بیشتر در زمینهٔ سیاسی معنای منفی به خود می‌گیرد و جهت طرد و بی‌اعتباری فرد به کار می‌رود. آنگلوفیل کسی است که هوادار انگلستان است و انگلیس‌دوست است. روسوفیل هوادار روسیه و ژرمنوفیل هوادار آلمان است. باید افزود فردی که با این اصطلاح توصیف می‌شود به‌مثابه کسی زیر نفوذ فرهنگی و سیاسی فلان کشور به شمار می‌آید. چنین فردی خواهان گسترش نفوذ فرهنگی یک کشور در جامعه دیگر است. حال، در عرصهٔ دینی این اصطلاح به‌معنای پشتیبانیِ مستقیم و نامستقیم یک فرد نامذهبی از یک دین است. هنگامی که روشنفکران و نویسندگان و سیاسیون نامسلمان یا پای‌بند به جداانگاریِ دین از سیاست خواهان سیاست کنار آمدن با اسلام هستند و هر گونه انتقاد صریح از اسلام را رد می‌کنند «اسلاموفیل» به شمار می‌آیند. این افراد به‌دلیل ملاحظات دوستی و سیاسی و احساسی و مصلحت‌خواهانه انتقاد به اسلام را ناوارد می‌دانند. البته این پشتیبانی و هواداری درجهٔ پررنگ و کم‌رنگ دارد. «اسلاموفیل» کسی است که آگاهانه در بحث اختلال به وجود می‌آورد و انتقاد به اصل اسلام و شیعه را برابر با حمله به فرد مسلمان قرار می‌دهد. افزون‌بر آن، شخص اسلاموفیل از دید روان‌شناسی خواهان ابراز محبت به جهان اسلام و سنت دینی است و هر گونه انتقاد به اسلام را مساوی سیاست استعماری ارزیابی می‌کند. نقد علمی و واکاوئهٔ قرآن و نشان دادنِ خشونت و تبعیض در آن برای اسلاموفیل‌ها نابجا و حتی گونه‌ای نژادگرایی است. آن‌ها گاه برای محکوم کردنِ منتقدان علمی اسلام واژهٔ «اسلام‌هراسی» را به کار می‌برند و در فرهنگ سیاسی چپ سنتی و اسلام‌گرایان نیز «اسلام‌هراسان» نژادگرا هستند. کاربست اصطلاح برای ترساندنِ منتقدان اسلام است. چپی‌ها و اسلام‌گرایان خواهان توقف انتقاد به اسلامِ هستند و برای نجات آن راهبرد ارعاب و اغتشاش فکری و مغلطه‌کاری را دامن می‌زنند. برای رویارویی با این راهبرد باید چند نکته را روشن کرد: نخست، انتقاد به همهٔ ادیان و از جمله اسلام درست و لازم است و یک جامعهٔ آزاد این حق را برای شهروندان و فرهیختگان به‌رسمیت می‌شناسد. دوم، اسلام در مضمون خود وحشت‌آفرین است زیرا بسیاری از آیات قرآن خواستار کشتار و سرکوب مخالفان است و نیز تاریخ اسلام از جنگ و کشتار و ویرانی و جهاد تروریستی سرشار است. سوم، انتقاد از اسلام و شیعه‌گری هرگز به‌معنای توهین

به شهروندان مسلمان و حقوق انسانی آنان نیست. چهارم، کاربست واژهٔ «توهین» توسط اسلاموفیل‌های چپ و راست بیان‌گر کاربست تروریسم فکری و روانی بر ضد آزاداندیشان است.

در میان ایرانیان خارج از کشور اسلاموفیل‌ها بسیار فراوانند. دانشگاهیان، جامعه‌شناسان، اقتصادانان، روان‌کاوان، هنرمندان، مترجمان، سیاسیون و روزنامه‌نگاران فراوانی هستند که به درجات گوناگون اسلاموفیل هستند. این اسلاموفیل‌ها پیوسته در رادیو و تلویزیون و تارنماها و شبکه‌های اجتماعی و انجمن‌ها و دانشگاه‌ها و نشست‌ها حضور دارند و خواست آن‌ها رویارویی با نقّادان اسلام است. این افراد بر ضد حکومت استبدادی و آخوندیسم صحبت می‌کنند و گاه بر فلان خرافهٔ رایج انتقاد دارند ولی در مورد دین اسلام، قرآن، پیامبر، امامان، مذهب شیعه و تجاوز اسلام و قشون عرب به ایران‌زمین سکوت می‌کنند و این پدیده‌ها را به‌عنوان «باور مقدس و محترم» مردم معرفی می‌کنند. اسلاموفیل‌ها نقش بسیار منفی‌ای در جامعهٔ ما بازی می‌کنند زیرا با آزادی اندیشه رویارویی می‌کنند و خواهان تعطیل کردنِ انتقاد علمی و صریح و شجاعانه بر ضد دین اسلام هستند. هر جا که اسلاموفیل‌ها هستند باید نگاه و رفتار آن‌ها را به نقد کشید زیرا آن‌ها در راستای سلامت یک جامعه حرکت نمی‌کنند. در فرانسه، ایرانی‌های اسلاموفیل فراوانند. دوستان، دیدگاه‌تان را بیان کنید.

خاورمیانه و راهبردهای ناهمسو

خروج آمریکا از قرارداد اتمی به‌معنای پایان عملیِ این قرارداد است. اروپا می‌خواهد آن را نجات دهد ولی مناسبات اقتصادی آمریکا و اروپا بسیار سنگین‌تر از روابط مالی اروپا و ایران است. ماشین محاصرهٔ اقتصادی آمریکا بر ضد ایران به کار افتاده و دولت آمریکا در پی نجات جمهوری اسلامی نیست. قصد کنونی ترامپ خفه کردن حکومت تهران است زیرا سقوط فروش نفت در بازار و منزوی کردنِ اقتصادی ایران بالأخره کارساز خواهد بود. البته پول‌هایی را که رژیم با پیمان برجام بدست آورد بین سوریه و حزب‌الله و یمن و حساب‌های مخفیانهٔ سپاه و بیت امام تقسیم شد. با بهره‌گیری از این منابع هنوز برای مافیای قدرت اندک‌فرصتی

باقی است ولی رژیم فشارهای سنگین‌تری به مردم وارد آورده و تضادهای خود را تشدید خواهد کرد. شرایط مناسبی نیز برای واژگونی دولت روحانی توسط سپاه فراهم خواهد شد. قرارداد برجام فعالیت اتمی را زیر کنترل جهانی قرار داد و به‌طور موقت آهنگ فعالیت غنی‌سازی را کُند کرد ولی تمام پولی که رژیم به دست آورد نابود شد و فعالیت اقتصادی از آن سودی نبرد. بدنبال این بحران اتمی میان اسرائیل و سپاه قدس مستقر در سوریه درگیری افزایش می‌یابد. امروز موشک‌های اسرائیل بخش مهمی از پایگاه‌های سپاه در بخش غربی سوریه را ویران کردند. اسرائیل نزدیکی قوای نظامی اسلامی در کنار مرزهای خود را نمی‌تواند بپذیرد و، بنابراین، در لحظهٔ کنونی موقعیت راهبردیِ مناسبی برای ضربه به پایگاه‌های نظامی ایران است. بدین ترتیب، راه برای آتش‌افروزی جنگیِ جدید در منطقه باز شده است و احتمال نزدیک شدن این آتش به مرزهای ایرانِ دور از تصور نیست. مقصر اصلی این شرایط حکومت اسلامی است زیرا برای سلطه‌گری خود ثروت ملت را برای پایگاه‌سازی و فشار بر اسرائیل به کار گرفته است. روشن است که دولت ترامپ و جناح دست راستی نتانیاهو از این موقعیت بهره می‌گیرند و اهداف خود را موجه جلوه می‌دهند. در دیدگاه ملت ما، حکومت اسلامی مسئول کل سیاست اتمی فاجعه‌آور، موشک‌های دوربرد تهدیدکننده و بحران خطرناک کنونی است. بودن رژیم دینیِ استبدادی جز زیان و خطر نتیجهٔ دیگری ندارد و آرامش و صلح و دموکراسی برایِ جامعه فقط با ارادهٔ مردمان آگاه و نخبگان دموکراتیک آن میسر است. آرزوی ما حکومتی پای‌بند به جداانگاریِ دین از سیاست، اقتصادی زیست‌بوم‌گرا، آزادی کامل، پس زدن اسلام از تمامی مراکز قدرت، همزیستی با دیگران و زیستنی شرافتمندانه و با افتخار در این جهان است.

خاورمیانه نخستین بار در ۵۰۰۰۰۰ سال پیش انسان خِردمند را مهمان خود کرد و انسان نوین که اجدادش در آفریقا بودند زندگی خود را آغاز کرد. در همین منطقه بود که نخستین دیدارها و آمیزش‌ها میان انسان خِردمند و نئاندرتال صورت گرفت. انسان نئاندرتال به‌طور کل در تاریخ نابود شد و امروز فقط ۳ درصد از ژن‌های نئاندرتال در بدن ما باقی است. در این منطقه، تمدن‌های تاریخی مانند سومری‌ها، اکدی‌ها، آشوریان و بابلی‌ها آمدند و رفتند. دین‌های کهن ماند آیین مِهر میترا و زرتشت و نیز ادیان ابراهیمی مانندیهودیت و مسیحیت و اسلام به وجود آمدند. تمدن‌های بزرگی چون ایلامی‌ها و مادها و هخامنشیان و اشکانیان و

ساسانیان درخشیدند. بخشی از این تمدن‌ها نابود شدند، بخشی زیر خاک هستند و بخشی باقی مانده‌اند.

در این مسیر طولانی تاریخی، جنگ‌ها و خلاقیت انسان‌ها و آدم‌کُشی استبدادها، به‌موازات ادامه یافتند و امروز در این منطقه تمام تضادهای جهانی و اقتصادی و سیاسی و فرهنگی و دینی تمرکز یافته‌اند. زادگاه تمدن‌های کهن زیر بار ناآگاهی و مداخله‌های استعماری و فرادستی‌خواهیِ منطقه‌ای و جنگ شیعه و سنی و استبداد در آتش است. آمریکا قدرت جهانی خوِد را از دست می‌دهد ولی فشار دیپلماتیک را افزایش می‌دهد و پس از خروج از پیمان پاریس مربوط‌به جلوگیری از افزایش گرمایش زمین قصد دارد از قرارداد اتمی با ایران بیرون بیاید و بحران همیشگیِ خاورمیانه بازهم تقویت می‌شود. سیاست استعماری و تحریک‌آمیز جمهوری اَسلامی در منطقه، سیاست رقابت‌آمیز عربستان در برابر ایران، تحریکات اسرائیل و جاه‌طلبی‌های روسیه در فضایی از جنگ و تروریسم به آشفتگی‌ها دامن زده‌اند. مداخلهٔ آمریکا از زمان صدام در عراق تا امروز و وجود جریان‌های اسلامی مانند داعش و سیاست چهل‌سالهٔ اسلام‌گرایان اِیران عوامل مهمی هستند که آرامش منطقه را نابود کرده‌اند. توطئه‌گری و آزادی‌کُشی و ویران‌گری زیست‌محیطی و پول رانتی نفت ما را به نابودی کشانده است. این عوامل در بستر دین نابودگرِ اسلام و استبدادهای گوناگون محلی و ذهنیت خرافی توده هر گونه امکان نوسازیِ اجتماعی و ترقی و آزادی را گرفته‌اند. مردمان امروز نمی‌توانند از میراث گذشته بهره بگیرند تا دنیای بهتری بسازند. اگر تجاوزکاری اسلام از همان آغاز قطع شده بود، اگر هوشیاری و آگاهی مردمان، اقبال و خوش‌بینی ملت‌ها و درایت نخبگان برجسته در این جغرافیا مهیا و حاضر بود، الان وضع دیگری می‌داشتیم.

رابطهٔ میان جنبش مِه ۱۹۶۸ و جهان امروز

یک روز دانشجویان پرسیدند چه رابطه‌ای میان جنبش مِه ۱۹۶۸ و جهان امروز وجود دارد؟ در آغاز، گفتم جنبش‌ها همیشه به‌خاطر انگیزه‌های اقتصادی شکل نمی‌گیرند. جنبش ماه مِه در فرانسه در رابطه با تمام رویدادهای جهانی مانند

اعتراض به جنگ ویتنام بود که در کشورهای گوناگونی جریان داشت. کشتنِ مارتین لوترکینگ نیز در ۴ آوریل ۱۹۶۸ روح انسان‌های مترقی را جریحه‌دار می‌کند. در فرانسه، رونق اقتصادی وجود داشت ولی مناسبات فرهنگی بین انسان‌ها کهنه بود و قواعد سخت بر ضد جوانان و گرایش‌های نو فراوان بود.

ماه مه سال ۱۹۶۸ یک رویدادبزرگ در فرانسه و غرب بود. در دو ماه مِه و ژوئن، دانشگاه و خیابان و کارخانهٔ فرانسه در شورش و خروش بودند. پس از جنگ جهانی نخست و سی سال پس از ساختمان اقتصادی و تولیدی و برقراری جامعهٔ مصرفی و رفاه عمومی، جامعهٔ فرانسه پریشان و خسته استِ و چیز دیگری می‌خواهد. افراد سالخورده از خاطرات جنگ حرف می‌زدند، دو گل همه‌جا حاضر است و ارزش‌های سنتی و کاتولیک جامعه را محاصره کرده‌اند و خودکامگی و اقتدارگرایی پدرانه و مردانه در خانواده و دانشگاه و سیاست رایج است. ماه مِه ۱۹۶۸ یک چرخش تندروانه است. پُل والری در شعرش از «بحران روان» حرف می‌زند و ماه مِه ۱۹۶۸ بیان‌گر روانی عصبانی و در جست‌وجوی فرهنگ و اخلاقیات دیگر است. زنان خواهان آزادی و ارتقا در جامعه هستند و نسل جوان خواستار عشق آزاد و مخالف نظام قدیمی‌ها و خودکامگیِ سنتی است. کارگران انضباط کاری و فشار را رد می‌کنند و جامعه در جست‌وجوی خروج از فرهنگ پدرسالار و معیاری دینی مانند ازدواج رسمی و الگوی خانوادگی است. روح و روان جامعه از کهنگی رنج می‌برد و، به این خاطر، شورش از جوانان و زنان آغاز می‌شود. این جنبشِ شورشی سرآغاز یک فصل نو در مناسبات انسان‌هاست. تمایل‌به تغییر تحقق تغییر نیست. تغییر نتیجهٔ روندهای پیچیدهٔ پس از تکان است. در مناسبات جامعه‌شناسانه و رفتارها و عادت‌ها و احساساتِ و باورها، تغییر آهسته و آرام جایگزین می‌شود. در فردای تظاهرات، ژنرال دو گل استعفا داد و رفت ولی جامعه به‌آسانی تغییر نمی‌کند. امروز پنجاه سال پس از آن رویدادها، جامعه به بخش مهمی از خواست‌های خود رسیده است. کاهش باور دینی و وزنهٔ کلیسا در جامعه، رهایی زنان از قیود سخت خانوادگی و کلیسایی، آزادی در عشق‌ورزی و الگوی‌های جدید در خانواده‌ها، ارتقای زنان در سیاست و جامعه و اقتصاد، آزادی گستردهٔ رسانه‌ها و روزنامه‌ها، محیط باز دانشگاه و مدرسه، توجه به حقوق طبیعت و حقوق فردی، نقد آزاد از تمامی رهبران سیاسی حاکم، روحیهٔ آزاد و مدیریت‌های جدید در محیط کار از جمله تغییرات ناشی از

جنبش ماه مِه هستند.

به دانشجویان گفتم همیشه آزادی اندیشه و انتقاد خود را حفظ کنید و در جهان امروز از هیچ قدرتی نترسید. جهان‌بینی‌ها و ادیان و سنت‌های کهنه در پی محدود کردن قدرت اندیشه و خلاقیت شما هستند و به شما می‌گویند به‌جای شما به خوشبختی شما اندیشیده‌اند. در ادامه گفتم به‌گفتهٔ فیلسوف فرانسوی، کلمان روسه، افرادی که به ویروس خوشبختی دچار هستند و می‌خواهند به شما خوشبختی و اخلاق خوب بفروشند بسیار خطرناک‌اند. از دید این فیلسوف، چنین افراد خطرناکی در پی ایجاد گلّه‌های انسانی هستند، گلّه‌هایی که شعور مستقل و قدرت نقد را از دست داده‌اند. یکی از پیام‌های جنبش ماه مِه نقد عادات کهنه و آزاد کردن روان انسان است.

جامعه‌شناسی ایران چیست؟

برای پاسخ به این پرسش باید الگوی جامعهٔ کنونی را درک کرد. الگو عبارت است از محور اساسی پرسش و طرز نگرش در جامعه، این‌که چه رویداد اساسی در جامعه در حال تکوین و شدن است پرسش‌های اساسی را شکل می‌دهد. در یک جامعه رویدادها و پدیده‌های بسیار گوناگونی موجودند که هر یک نیازمند واکاوی و فهم ماست. از کدام‌یک آغاز کنیم؟ شاه‌کلید کدام است؟ در میان انبوه مطالب گم می‌شویم، در مطالب خُرد شناوریم، دستخوش گیجی هستیم. کدام پدیده‌ها مهم هستند؟ هر کسی بر اساس سلیقهٔ شخصی جنبه‌ای را به‌مثابه اصل می‌گیرد و شخصیت جامعه را واکاوی می‌کند. تورّم، فلاکت، واپس‌گرایی، استبداد، دین، فساد، بحران محیط زیست، بحران رابطه با غرب و غیره از مسائل مهم جامعه هستند.

پرسش و عامل محوری شخصیت جامعه کدام است؟ در جامعهٔ ما، اسلام به‌طرز ژرفی رخنه کرده است، در ناخودآگاه و رفتار اجتماعی و فرهنگی و فردی و گروهی دین تأثیری تعیین‌کننده دارد. در همین زمان، جامعهٔ ایران از جامعهٔ دینی بیرون می‌آید و ویژگی‌های نوینِ شخصیتی خود را گسترش می‌دهد. باورها حاضرند ولی هنجارها و رفتارهای نادینی به‌دور از قدسیت رایج گسترش می‌یابند. پس از ۱۴۰۰ سال و دوران تسلط شیعه‌گری در عصر صفویه و تصرف قدرت

سیاسی مطلقه توسط شیعه در حکومت اسلامی چهل سال گذشته، جامعه روندهای تازهٔ روحی و روانی و رفتاری و فکری را به نمایش می‌گذارد که بیان شخصیت جدید جامعه است. گرایشی بسیار جوان و کوچک که حس آن گاه بسیار دشوار است ولی چیزی تکان می‌خورد. آیا ایران در حال گذار از اسلام است؟

انتقاد از تجربهٔ اسلامی شدن جامعه و تجربهٔ درونی از یک اسلامی‌شدگی انبوه حکومتی جامعه را در برابر چاش بزرگ هویتی قرار داده است. از درون این جامعهٔ کنونی، جامعهٔ دیگری می‌تواند بیرون بیاید ولی چنین‌چیزی مشروط به عوامل گوناگونی است. نیرومندی گرایش جداانگاریِ دین از سیاست، تلاش محکم نقادانه توسط روشنفکران و هوشمندی این اندیشه در سیاست‌مداران، از جمله این عوامل هستند. افزون‌بر آن، دیپلماسی جهانی، بحران اقتصادی، شرایط منطقه، اقتصاد نفتی، جغرافیای زیست‌محیطی، نوع تضادهای بالایی‌ها و جوانان و زنان نیز عوامل دیگر این دگرگونیِ احتمالی هستند. جامعهٔ امروز جامعهٔ زمان قاجاریه و پهلوی نیست ولی ترمزهای همان جوامع پیشین در ایران امروز هم فعالند. طبقهٔ آخوند قوی‌تر شده، تکنوکرات‌ها گسترده‌تر شده‌اند، نیروهای نظامی پرزورتر شده‌اند، شبکه‌های فساد و رشوه‌گیری نیرومندتر شده‌اند و پول‌های سپردهٔ کلان در بانک‌های داخل و خارج قوی‌تر شده‌اند. همهٔ این عوامل نفعی در دگرگونی جامعه ندارند. ائتلاف و اتحاد میان زورمندان و فاسدان با دین در سرنوشت جامعه نقش قاطعی خواهد داشت.

پیر بوردیو، جامعه شناس فرانسوی، جامعه را درهم آمیختگی میدان‌ها و زمینه‌ها و فضاها تعریف می‌کند: اقتصادی، سیاسی، فرهنگی، هنری، ورزشی، مذهبی و غیره. هر حوزه بر اساس منطق خاص خود تعیین می‌شود و با توجه به ویژگی‌ها و امتیازهایی که می‌تواند در خود داشته باشد، تاثیر می‌گذارد. در این بستر طبقات اجتماعی نقش مهمی در درگیری‌ها ایفا نموده و نقش سمبولیک و واقعی آنها میدان‌ها را متاثر می‌کند.

پیر بوردیو نشانه‌های «تمایز» را به خصوصیات طبقاتی پیوند می‌زند و آنرا به شکل یک «سرمایه نمادین» طبقه اجتماعی ویژه نسبت به تمایز طبقه‌های دیگر ارزیابی میکند. منظور از سرمایه نمادین سطح فرهنگ، میزان تحصیلات، نوع ارتباطات اجتماعی، نوع ارتباط با نهادهای دولتی، نوع رابطه با رسانه ها، مقام اجتماعی، میزان نفوذ اجتماعی و غیره می‌باشد. این تمایز جدا از جامعه

نیست بلکه مرهون روابطی است که یک گروه اجتماعی با سایر طبقات در فضای اجتماعی بوجود می‌آورد.

با توجه به نگرش پیر بوردیو در جامعه ایران طبقه‌های زورمند و متوسط و تنگدست در یک زورآزمائی مدام هستند و نظام حاکم با تولید فساد همه جانبه امتیازهای کلان خود را حمایت می‌کند. در این جامعه تنش و جدال طبقاتی بسیار پررنگ است. ولی در همان زمان، در میان فضاها یک فضای مشترک و یک سرمایه نمادین مشترک در جامعه وجود دارد که تا حدودی تنش‌ها را کنترل کرده و یا جدال اجتماعی را کم توان میکند. دین اسلام و شیعه گری آن سرمایه نمادین و عامل سمبولیکی می‌باشد که در جامعه میان بخش مهمی از جامعه مشترک است و بالایی‌ها و پائینی‌ها این فضا و سرمایه نمادین را در میان خود تقسیم کرده اند. این تمایز همان دین اسلام است، دینی که به حلقه مشترک تیدیل شده است. این دین در جامعه در نقش هویتی، نقش وسیله سیادت و نقش همچون عامل ازخودبیگانگی و مسخ زدگی عمل می‌کند.

به این ترتیب جایگاه دین در ساختار اجتماعی ایران اساسی است و این عامل زورمند و تنگدست را در کنارهم قرار داده و جامعه را از تحول بازمی دارد. به این خاطر امروز نقد دین و فضای مذهبی، برای ایجاد شفافیت اجتماعی و نقش روشن هر گروهبندی طبقاتی یک امر مرکزی است. جامعه شناسی ایران روی این محور ساختاری و سمبولیسم آن تاکید دارد.

فلسفه دربارهٔ بدی چه می گوید؟

داستایفسکی می‌گوید با واقعیت بدی باید ساخت زیرا اشتباه است اگر فکر کنیم که می‌شود به بدی پایان داد. برای نمونه، هر یک از ما تفتیش‌گر و خبرچین دیگری هستیم. همیشه در جامعه یک مشت انسان مانند یک گلّه تشکیل خواهد شد که پیوسته در پیروی و تسلیم خواهند بود. جامعه به آن‌ها یک خوشبختی راحت و ساده خواهد داد و آن هم خوشبختی ویژهٔ مخلوقان کم‌توان.

در شرایط رفتار گلّه‌وار و تهی از اندیشه، بسیاری از متجاوزان و وحشیان عادی پرورش پیدا می‌کنند. به‌گفتهٔ هانا آرنت، در همین لحظهٔ تهی است که بدی

زاده می‌شود. حقیقت این است که همین لحظهٔ تهی است که مردم گلّه‌شده را شیفتهٔ خود و تعصبات و عقده‌ها را آبیاری می‌کند. در جامعه به‌راستی آدم‌کُشان حرفه‌ای نمی‌دانند چرا می‌کُشند ولی می‌کُشند. جامعه آدم‌کُشان را دارای هوش ویژه‌ای می‌داند و در مورد آن‌ها هیاهو به پا می‌کنند، حال آن‌که این آدم‌کُشان فاقد این هوش هستند و از تمایل خودشیفتگیِ خود پیروی می‌کنند. آدم‌کُشان اردوگاه‌های نازی‌ها و شکنجه‌گران گولاک سیبری و شکنجه‌گران اسلامی در زندان حکومت الهی زیر ساختارهای ایدئولوژیک و دینی و فرمان امیال غریزی خود قرار داشته‌اند.

آیا می‌توان بدی را دوست داشت و به زشتی علاقه داشت؟ افراد سادیست و شکنجه گران و آدم‌کُشان حرفه‌ای دستخوش نوعی میل برای آزار رساندن و زخم زدن هستند. ولی همین ویژگی گاه به سراغ افراد دیگر میرود که در این گروهبندی اجتماعی قرار ندارند. نیچه می‌گوید تا کنون تردید نکرده ایم که به انسان «خوب» نسبت به انسان «بد» ارزشی برتر ببخشیم. ارزشی برتر که بمعنای ترقی و فایده و رفاه عمومی انسان و آینده اوست. حال یک لحظه فکر کنیم که ماجرا درست برعکس آنست. این گفته نیچه حقیقتی هول انگیز است، هر چند که احتیاط در نتیجه‌گیری لازم است.

اسپینوزا می‌گفت کینه هرگز خوب نیست و سارتر می‌گفت هر جنایتی همیشه کمی شورش در خود دارد و هر جنایت همیشه توام با فکر است. «سیمون وی» در کتاب «تفکرات در باره وحشیگری» می‌نویسد هنگامی که یک گروه انسانی معتقد است که حامل تمدن می‌باشد، این اعتقاد در اولین فرصت چه بسا شرایطی بوجود آورد که همین گروه به وحشیگری و تجاوز بپردازد. گفته سیمون وی در تاریخ تجربه شده است و قدرت‌ها و نیروهای «حامل تمدن» به وحشیگری دست زده‌اند. توسعه برده اری در آفریقا و آمریکا و کشتار در ویتنام و آفریقا و آمریکا، تجلی این امر بوده است.

زیگموند فروید از نگاهی فلسفی و روانکاوانه معتقد است که انسان یک حیوان وحشی برای انسان است. فروید در کتاب «بحران در تمدن» می‌نویسد مسیحیت به انسان می‌گوید فرد دیگر را مانند خود دوست بدار. فروید در نقد این دیدگاه می‌نویسد این گفته در تناقض با طبیعت ژرف انسان است، زیرا انسان‌ها دارای غریزه‌های خشونتگر بوده و حاوی پولسیون مرگ هستند. جامعه تلاش می‌کند به

این امیال غریزی کم و بیش جهت دهد. ولی تاریخ و اجتماع نشان می‌دهد که انسان فقط یک فرد لطیف که به عشق علاقه دارد نیست، او دارای غرایزی است که دربرگیرنده تهاجم نسبت به دیگری است. دیگری برای او فقط یک کمک و یک وسیله جنسی نیست، بلکه دیگری برای او در ضمن فرصتی برای اجرای تندخویی و وحشیگری است. سواستفاده از نیروی کار دیگری، بهره‌گیری جنسی بدون توافق دیگری، تصاحب اموال دیگری، خوار نمودن دیگری، عذاب دادن دیگری، له کردن دیگری و حتا کشتن دیگری، در رفتار انسان مستتر است. این تندخوئی و وحشیگری در انتظار یک بهانه و فرصت است و در شرایط و لحظه‌ای باشکال گوناگون انرژی روانی به حرکت درمی‌آید و این رفتار تهاجمی عمل می‌کند. به همین دلیل جامعه متمدن همیشه مورد تهدید قرار گرفته و جامعه انسانی پاره و گسیخته می‌شود.

در برابر این طبیعت انسانی، عشق و دوستی و قانون همیشه کارساز نیست. انسان بدی را می‌سازد و بطور مسلم جامعه در آن نقش ایفا می‌کند. چگونه باید عمل کرد تا این طبیعت انسانی تربیت شود و تا حدودی مهار شود؟

پل ریکور، فیلسوف فرانسوی، می‌گوید: «بدی یک مقولهٔ نظری نیست بلکه یک کنش است. بدی آن چیزی است که پس از توضیح با آن مبارزه می‌کنید.» بدی یک دادهٔ ملموس و رویداد است، حال زمانی که رویداد در میدان بررسی‌مان قرار می‌گیرد ما برانگیخته می‌شویم و به‌گفتهٔ مرلو پونتی فیلسوف، نیرومندی رویداد در قدرت تکان‌دهندگی آن جای دارد. رویداد بد ماَ را تکان می‌دهد و تعهد و قول‌وقرار آغازین را ویران می‌کند. بدین ترتیب، تاریخ رویدادها برای عقل پرسش برمی‌انگیزد. به‌گفتهٔ ریکور حقیقت همیشه در آسمان اندیشه پیدا نیست.

دنیای سیاست متناقض است. این دنیا از یک سو محل بحران و کشمکش و فشار میان عقلانیت و قدرت و خشونت از سوی دیگر است. جنبهٔ بد سیاست مانند جنگ و سرکوب و خودکامگی به همان اندازه ویرانگر است که وعده‌ها و خیال‌بافی‌های بزرگ در سیاست زیرا این خیال‌بافی‌ها و توهّمات نیز بسیار خطرناک هستند. آن‌هایی که وعده‌های ایدئولوژیک بزرگ و عجیب دادند به خشونت روی آوردند. البته سیاست بد نیست چراکه نقطه‌ای است که عقلانیت انسانی و عدالت می‌تواند در آن محقق بشود ولی، در عین حال، سیاست نقطه‌ای

است که در آن خطرِ خشونت بسیار بالاست. ادعای‌های بزرگ اِستالینیسم و نازیسم و نئولیبرالیسم و خمینیسم و اسلام‌گرا خشونت‌های بزرگ در پی خود داشته است. آنجایی که خوبی را به‌اجبار برای دیگران می‌خواهند گرایش به خشونت برجسته‌تر خواهد بود. در تاریخ تراژدی و سیاست در کنارهم بوده‌اند. در بسیاری موارد قدرت خشونت بر قدرت عقل فزونی گرفته است. ایدئولوژی به سلطه و قدرت تمایل دارد. ایدئولوژی دادن مشروعیت ذهنی و توهّم‌آمیز به یک نظم اجتماعی است زیرا نظام مورد نظر، خود فاقد کیفیت است. ایدئولوژی پررنگ می‌کند، دست به بزرگ‌نمایی و برانگیزش احساسات می‌زند و موجب سردرگمی می‌شود و می‌تواند برای قدرت به خشونت و قهر روی آورد. بدین ترتیب، بدی را نمی‌توان به‌آسانی در نظریه نشان داد. در عرصهٔ سیاست، بدی یعنی جنایت و آدم‌کُشی و تحقیر و شکنجه و سرکوبی است که به ایدئولوژی وصل است.

بدی‌های تاریخی بی‌شمارند ولی همیشه آگاهی به این بدی‌ها وجود ندارد زیرا با نگاه باز و نقدآمیز به این پدیده‌ها توجه نمی‌شود و عادت مستقر می‌شود. تجربهٔ انسانی و زجر و درد انسان‌ها باید معنای زندگی را روشن‌تر کند و بتواند پروژه‌های مطلوبی برای آرامش انسان‌ها تدارک ببیند. نباید به بدی خو کرد، بدی‌ها باید انسان‌ها را برانگیزانند و بیدار کنند.

سفربه صوفیه، پایتخت بلغارستان

در سال ۲۰۱۸، برای چند روز به سوفیه یا صوفیه، پایتخت بلغارستان، رفتم. سوفیه یکی از کهن‌ترین شهرهای اروپایی است که دیرینگیِ آن به پیش از زادروز مسیح و امپراتوری روم برمی‌گردد. بلغارها خود را از تبار «تراس»ها می‌دانند که مردمی «هندواروپایی» بوده‌اند ولی باید افزود که اقوام ابتدایی با مردم تُرک‌تبار و اورال-آلتایی و دیگر ساکنان محلی درهم آمیخته شده‌اند. زبان بلغاری از خانوادهٔ هندواروپایی و از شاخهٔ اسلاو است، تأثیر آن از تُرکی بسیار است و واژه‌های فارسی نیز در این زبان وجود دارند. تمایلات تُرک‌ستیز در میان بلغارها زیاد است و علت آن هم تاریخی است. امپراتوری عثمانی در ۱۳۹۶ تمام بلغارستان را تصرف کرد و این سرزمین تا سال ۱۸۷۸ زیر سلطهٔ تُرک‌های عثمانی قرار داشت

و، در پایان، با کمک روس‌ها از حاکمیت عثمانی آزاد شد. از دوران عثمانی چه اثری باقی مانده است؟ واژهٔ بلغار از خاستگاه یک قبیلهٔ تُرکیِ آسیای مرکزی است، ده‌ها مسجد و از جمله مسجد جامع سوفیا که در ۱۵۷۵ ساخته شده است بازماندهٔ دوران عثمانی هستند و حدود ۱۰ درصد جمعیت کشور مسلمان و بیشتر آن‌ها «علوی بکتاشی» هستند. مدل شیرینی‌های بلغاری هم به شیرینی‌های تُرک نزدیک است. از سال ۱۹۴۴ رژیم سیاسی کشور به الگوی سوسیالیستی تبدیل شد و زیر سلطهٔ شوروی قرار گرفت و، در پایان، در ۱۹۹۰ به‌دنبال «پرستروئیکا» شوروی، حاکمیت حزب کمونیست به پایان رسید. این کشور از سال ۲۰۰۴ وارد پیمان ناتو شده و در ۲۰۰۷ به اتحادیهٔ اروپا پیوست و پس از آن از پویاییِ جدیدی برخوردار شده. اقتصاد کشور یک اقتصاد کشاورزی است ولی کمک‌های مالی اتحادیهٔ اروپا اجازه می‌دهد تا سازه‌هایی مانند فرودگاه بزرگ و نوگرای سوفیا ساخته شود. کل جمعیت کشور هفت‌ونیم میلیون است که ۷۵ درصد آن ارتدوکس، ۱۰ درصد مسلمان و باقی خداناباور هستند. پایتخت آن، سوفیه، شهر بزرگی نیست. در مرکز شهر، چندین ساختمان بزرگِ اِستالینی مانند کاخ ریاست‌جمهوری و پارلمان و دانشگاه و تئاتر و چندین بانک و یک مرکز تجاری خالی از فعالیت وجود دارد و در مرکز هم چندین موزه و کلیسای زیبای ارتدوکس موجود است. بزرگ‌ترین کلیسای شهر یعنی الکساندر نوسکی در آغاز قرن بیستم ساخته شده است. یک کنیسه برای یهودیان وجود دارد که در آغاز قرن بیستم بر پا شده است. این ساختمان‌ها تجلی قدرت سیاسی گذشته و حال‌اند ولی بیشتر ساختمان‌های شهر معمولی و مسکونی و حتی کهنه و غبار گرفته‌اند. نتیجهٔ دوران کمونیسم نوعی شهرسازی ناموزون بوده است و به‌محض این‌که مرکز شهر را ترک می‌کنید مسکن نامرغوب و کهنه و فقر اجتماعی به چشم می‌خورد.

در زمان کمونیسم، بی‌شمار مجسمه‌های لنین و اِستالین و مارکس و دیگر رهبران کمونیسم در شهر نصب شده بودند ولی الان همه کنده شده‌اند. در حال حاضر، موزه‌ای وجود دارد به نام هنرهای دوران سوسیالیسم که در منطقه‌ای بسیار دور از مرکز شهر قرار دارد. با زحمت زیاد به دیدار موزه رفتیم. در ورودی موزه یک ستارهٔ کمونیستی بزرگ سرخ قرار گرفته و سپس فضای سبز موزه، که در آن شمار زیادی از مجسمه‌های شهری کنده شده، را جای داده‌اند. در داخل ساختمان هم یک‌سری تابلو از هنرمندان زمان خودکامگی را به نمایش گذاشته‌اند. این موزه

هیچ جنبهٔ آموزنده‌ای برای نسل جدید نداشت. در یک ساعت زمان دیدارمان فقط هفت نفر بازدیدکننده وجود داشت، حال آن‌که موزهٔ خودکامگی در ورشو لهستان در سفر پیشین‌مان بسیار آموزنده بود زیرا یک دوران تاریخی را ترسیم کرده بود. در این سفر سوفیه حس کردم حال‌وهوای اجتماعی چندان دل‌انگیز نیست. در سوفیه رفتار با گردش‌گران سرد است و آن‌ها اشتیاق صحبت کردن ندارند. کسی سلام نمی‌کند و یا پاسخ نمی‌دهد. تاکسی‌های زردرنگ زیادند ولی برای یک مسافت معین قیمت‌ها تا سه‌برابر تغییر می‌کند. متروهای خوب وجود دارد و شبکهٔ تراموا و اتوبوس هم موجود است که قیمت آن‌ها ارزان است. یک راننده تاکسی می‌گفت همهٔ سیاسیون پول‌دوست و فاسدند و دارای روحیهٔ کمونیستی هستند. بیشتر موزه‌ها رایگان‌اند ولی شمار بازدیدکنندگان موزه‌ها بسیار کم هستند. در موزه‌ها و کلیساهای سوفیه، نوعی نقاشی مذهبی و فرسک یا نقاشی دیواری رایج است. پارک‌های شهر متنوع هستند و خیابان بزرگ ویژهٔ پیاده‌روی و استراحت ویتوشا نام دارد که می‌توانید درش قهوه و بستنی و غذا بخورید و گپ بزنید.

نخستین بار در ۱۸۸۰ میلادی بود که ناصرالدین شاه خواهان مناسبات با بلغارستان می‌شود و در زمان مظفرالدین شاه هم نخستین مناسبات دیپلماتیک بین ایران و بلغارستان برقرار می‌شود و منتظم‌السلطنه به‌عنوان نخستین نمایندهٔ دیپلماتیک ایران در سوفیه منصوب می‌شود. سفر منِ گردش‌گر در ۲۰۱۸ میلادی صورت گرفت. انسان در سفر خیلی چیزها یاد می‌گیرد.

ایران کجاست؟

داشتم به گزارش نزدیکانم که از ایران بازگشته‌اند گوش می‌کردم. چهار نفر طی دو هفته در ایران بودند. تهران و بازدید کاخ‌های نیاوران و سعدآباد تهران، بازار تجریش و تهران، موزهٔ ایران باستان، چلوکبابی‌ها با غذای خوشمزه، شب‌نشینی‌های خانواده‌های مرفه، متروهای پیشرفته در ژرفای زمین، حیات وحش دارآباد، پارک‌های زیبا، کوه‌های پر از برفِ پیرامون تهران و گپ‌های شیرین خانوادگی و دوستانه. شیراز با باغ ارم، حافظیه و فال حافظ، آرامگاه سعدی، تخت جمشید و نقش‌های هخامنشیان و شیرازی‌های خونگرم. اصفهان نصف جهان با هتل عباسی،

میدان بزرگ شاه و درشکه‌سواری، مسجدها و کاشی‌کاری دل‌انگیز آبی‌رنگ، سی‌وسه پل، زاینده‌رود خشک، عالی‌قاپو، منارجنبان، کلیسای ارامنه، رنگ مذهبی زنان با چادر. مسافران می‌گفتند سفر به ایران با عطر و طعم خوش و با سه‌هزار عکس از این سفر و میل دوباره برای رفتن به ایران.

پس از گپ با مسافران، به دنیای مجازی رفتم و مسافرت خود را در تارنماها و شبکه‌های اجتماعی و رسانه‌ها را مانند همیشه آغاز کردم. جدال هیأت حاکم و احتمال کودتا علیه روحانی و این پرسش که آیا مردم برای دیکتاتوری مستقیم نظامی قاسم سلیمانی آماده هستند. برای حساب‌های آخوندهای غارت‌گر میزان ۷۰۰ میلیارد دلار در زمان احمدی‌نژاد از ایران خارج شد و این مبلغ امروز گم است. پس از ده سال این پرسش مطرح است که درآمد ۸۰۰ میلیارد دلار نفتی که در دورهٔ احمدی‌نژاد فروخته شد صرف کدام توسعه در کشور شد؟ چرا یک کامیون شمش‌های طلا که از عراق بابت غرامت جنگی گرفته شده بود امروز در خانهٔ مجتبی خامنه‌ای قرار گرفته است؟ چپاول توسط بیت خامنه‌ای و باج‌گیری او بابت هر بشکه نفت، زمین‌خواری لاریجانی‌ها و غیره نمونه‌ای از فساد کل طبقهٔ انگل روحانیون است. از یورش احتمالی آمریکا به سوریه به‌دنبال استعمال سلاح شیمیایی رژیم اسد و قصد همزمان آمریکا برای ویرانیِ پایگاه‌های نظامی ایران در سوریه گفته می‌شود. در خبرها آمده است که هر سال حکومت اسلامی به سوریه ۸ میلیارد دلار پول می‌دهد، همچنین هزینهٔ حضور نظامیان در سوریه ۴ میلیارد دلار ارزیابی می‌شود و بنابراین هر سال ۱۲ میلیارد دلار پول و ثروت مردم ایران به جهنم سوریه روان می‌شود. حال، اگر ۷ سال حضور نظامی ایران در سوریه را در نظر بگیریم هزینه به ۸۴ میلیارد دلار می‌رسد. حال، در شرایط نابودی ثروت ملت، محیط زیست ایران ویران است، زلزله‌زدگان کرمانشاهی ما در فلاکت هستند، کشاورزان اصفهانی در ورشکستگی و بی‌آبی قرار دارند، دریاچهٔ ارومیه به کوه نمک و طوفان‌های نمک منجر شده است، بسیاری از کارگران حقوق نازلی دارند و بخشی از این حقوق حتی پرداخت نمی‌شود، کودکان روستاهای بی‌شماری از مدرسه محروم هستند، مال‌باختگان برای همیشه از اندوختهٔ خود محروم شده‌اند، بلوچ‌های ما در ماسه و طوفان و بی‌آبی و فقر غوطه‌ورند، دختران ایران‌زمین برای اعتراض به حجاب ننگین اسلامی به زندان می‌افتند و باید جریمهٔ سنگینی بدهند، جوانان بی‌شماری بی‌کارند و از ناامیدی رنج می‌برند. بله، این‌همه بی‌دادگری و

آن‌همه فساد و چپاول توسط حکومت‌گران شیعه.

سفر در دنیای مجازی سیاه و رنج‌آور است ولی بدبختانه این سفری افسانه‌ای نیست. این سفر دردناک است، اعصاب‌خردکن است و روان آدمی را عذاب می‌دهد. بدبختانه، آن سفر گردش‌گری با مزهٔ مطبوعش با این سفر مجازی دردناک همخوانی ندارند ولی خارج از آرزوی ما هر دو سفر بازتاب واقعیت ایران است.

برنامهٔ آموزشی دانشجویان و جداانگاری دین از سیاست

با چند تن از هیأت علمی دانشگاه تمام روز به بررسی پایان‌نامه‌ها و تأیید مدارک دانشجویان پرداختیم. ناهار به رستوران رفتیم تا خستگی در کنیم و هنگام غذا گپ بزنیم. یکی از بحث‌ها این بود که چگونه جداانگاری دین از سیاست را در درون برنامهٔ آموزشی دانشجویان فعالانه‌تر کنیم. ما در دوره‌ای هستیم که پیروان ادیانی مانند اسلام و پروتستانتیسم و کاتولیک بسیار فعال هستند و ارزش‌های پای‌بند به جداانگاری دین از سیاست و علمی را مورد تعرض قرار می‌دهند و افزون‌بر آن بخشی از استادان محتاط هستند و کوتاه می‌آیند. گفتیم درست است که‌قانون جداانگاری دین از سیاست فرانسه در ۱۹۰۵ تصویب شد و کاتولیک‌ها را مجبور به عقب‌نشینی کرد ولی جهان‌بینیِ دینی به تبلیغات خود ادامه می‌دهد و به‌ویژه دانشجویان مسلمان زمانی که مطالبی دربارهٔ فیزیک و ستاره‌شناسی یا دانش دگرگونیِ زمین و داروینیسم و قانون جداانگاری دین از سیاست است با پرسش‌های جهت‌دار به مخالفت می‌پردازند و می‌کوشند از رشد دانش یا گسترش دانش‌دوستی جلوگیری کنند. گفتار دیگر این بود که قرار است یک ربات فضایی جدید به آسمان پرتاب شود تا طی دو سال ۲۰۰۰۰۰ ستاره را مورد بررسی قرار دهد و اثر و نشانی از نوع زندگی زمینی در منظومه‌های دیگر و کهکشان‌های دیگر پیدا کند. منظومهٔ خورشیدی یکی از میلیاردها منظومهٔ خورشیدی در درون کهکشان راه شیری است. حال، اگر کُرهٔ دیگری همانند زمین ما در جای دیگری در این کهکشان بزرگ پیدا شود آیا زندگان و گیاهان آن مانند آن‌چه ما می‌شناسیم هستند؟ به هر روی، راه علم ادامه دارد. برای نمونه، تاکنون فقط صحبت از یک سوراخ سیاهِ بسیار بزرگ در درون راه شیری می‌شد، حال آن‌که به‌دنبال کشفیات

جدید دانشمندان صحبت از بیش از ۱۰ هزار سوراخ سیاه می‌کنند.

گفتار دیگر ما دربارهٔ شبکه‌های اجتماعی بود. شبکه‌های اجتماعی مانند فیس‌بوک، گوگل، کوکو، اوزون، اینستاگرام، بیدوتیبا، تلگرام، توئیتر، اسکایپ و ده‌ها شبکه و پیام‌رسان دیگر بیش از ۲ میلیارد جمعیت جهان را عضو خود ساخته‌اند. این شبکه‌ها با ایجاد پیوند افقی و مستقیم تمام سلسله‌مراتب را منحل کرده‌اند و قدرت انتقال را به‌طرزی شگفت‌انگیز بالا برده‌اند و همه در هر لحظه در ارتباط با یکدیگرند. شاید در آینده همه بتوانند در ارتباط با ساکنین کُره‌های دیگر قرار گیرند. این شبکه‌ها همه‌چیز شما را کنترل می‌کنند و همه را به هم پیوند می‌دهند. این شبکه‌ها در اقتصاد جهانی ساختارساز هستند. در بنگاه‌ها و شرکت‌های اقتصادی سنتی سلسله‌مراتب سازمانی و مدیریت به تزلزل افتاده زیرا کاربست فن‌آوریِ جدید و شبکه‌های اجتماعی الگوی کهنهٔ مدیریت را بی‌اثر کرده است و انتقال داده‌ها و نوآوری را به‌طرز شگفتی گسترش داده است. افزون‌بر آن، در کنار رسانه‌های سنتی جانب‌دارانه و روزنامه‌نگاران مشکوک، این شبکه‌های فن‌آورانه به شبکه‌های مافیایی و تبهکاری و نظریهٔ توطئه و جریان‌های مذهبی قدرت زیادی داده است و نفوذ زیان‌آور آن‌ها را به‌طرز بی‌سابقه‌ای بالا برده است. شبکه‌های اسلام‌گرای جهانی با اتکا به این فن‌آوری‌ها قدرت تبلیغاتی خود را در جهان گسترده کرده و نفوذ بر مغزها و عضوگیری خود را ابعاد جدیدی بخشیده‌اند. حال، با توجه به تمام این شرایط پیچیده، ما چگونه می‌توانیم سیستم آموزشی و محتوای درس‌ها را دگرگون کنیم؟ چگونه می‌توانیم فرهنگ جداانگاری دین از سیاست و رشد نوگرایی و دانش‌های تجربی و علوم انسانی را در جهان گسترش دهیم؟

دربارهٔ اضطراب از نگاه فروید

در جامعه، افراد مضطرب بسیارند. اضطراب چیست؟ ازدید فروید، اضطراب حالتی از تنش است که از تعارض و تناقض بین «نهاد»، «من» و «فرامَن» بر سر مهار انرژی و تکانهٔ روانی حاضر به وجود می‌آید و وظیفه‌اش هشدار نسبت‌به یک خطر ناگهانی و پرشتاب است. فروید سه نوع اضطراب را تشخیص داده: واقعی،

روان‌رنجور و اخلاقی.

نکتهٔ نخست: «اضطراب واقعی» از خطرهای ملموس و واقعی در زندگی ناشی می‌شود. وحشت از زمین‌لرزه و طوفان و آتش‌سوزی و تروریسم و جنگ در ما وحشت تولید می‌کند و اضطراب واکنشی برای پشتیبانی و حفاظت از خود است. انسان می‌خواهد بماند، می‌خواهد جسم و روانش پایدار بماند ولی خطر پدیده‌ها و رویدادهای ناگوار او را تهدید می‌کنند و ترس و اضطراب واکنشی برای ماندن است.

نکتهٔ دوم: «اضطراب روان‌رنجور» ریشه در زمان کودکی ما دارد و نتیجهٔ اختلاف حادّ میان لذت‌جویی با واقعیت دارد. تهدید و تنبیه دوران کودکی، میل لذت‌جویانه را سرکوب می‌کند و منجر به تولید اضطراب می‌شود. مانعی وجود دارد که جلوِ لذت‌جویی و تصرف را می‌گیرد و ترس و اضطراب واکنشی به این ممنوعیت و محرومیت است.

نکتهٔ سوم: «اضطراب اخلاقی» از تضاد بین «نهاد» و «فراخود» ناشی می‌شود و به بیان دیگر ترس از وجدان است. پدیدهٔ «نهاد» خاستگاه میل و تکانه است. حال، زمانی که میل جنسی و شخصی برخلاف تمام ارزش‌های اخلاقی موجود به لذت‌جویی می‌رسد، احساس «گناه» فرد را فرا می‌گیرد. «فراخود» انسان احساس شرم و گناه می‌کند، عذاب وجدان دارد و خطر نفی اجتماعی را حس می‌کند. این تناقض و جدال و این «گناه کردن» ترس و اضطراب را بر فرد چیره می‌کند.

توضیح روان‌کاوانه یکی از پاسخ‌های ممکن برای واکاوی اضطراب در آدمی است ولی به‌طور مسلم می‌توان دیدگاه‌های دیگری مانند دیدگاه جامعه‌شناسی و انسان‌شناسی را نیز بدان افزود. به همهٔ پدیده‌های پیرامون دور و نزدیک خود توجه کنیم و به‌سرعت هر پدیده به سرچشمهٔ ترس تبدیل می‌شود. ترس از استبداد، دین، انتقاد از دین، یک آزمایش پزشکی، خدا، پدر مستبد، حملهٔ انترنتی، آزمون دانشگاهی، گلوله در یک تظاهرات، آیندهٔ فرزندان، مرگ، از دست دادن معشوقه، شکست، زندان، کارفرما، بی‌کاری، بی‌آبرویی، حملهٔ نظامی به ایران و بسیار چیزهای دیگر انسان را به تشویش می‌کشاند و ایجاد هیجان و اضطراب می‌کند. اضطراب در وجدان و ناخودآگاه انسان می‌نشیند، قدرت اندیشه را ناتوان می‌کند و گاه انسان فلج می‌شود. البته شدت اثر منفی به شخصیت، تجربه، عادت،

محیط اجتماعی، قدرت خبرگیری و روابط انسانی با دیگران بستگی دارد ولی این پرسش مطرح است که چرا ترس و اضطراب به وجود می‌آید؟ انسان در اضطراب خود نابودی هستی خود یا ضربه خوردن به هستی اجتماعی و شخصیتی خود را می‌بیند. ترس از انهدام یا ترس از باختن در زندگی. می‌توان این واکنش را خودشیفته‌گونه و خودخواهانه حتی آسیب‌شناسانه به شمار آورد ولی به، هر حال، این واکنش جنبهٔ انسان‌شناسانه دارد. هر هستی انسانی می‌خواهد بدون مانع زندگی کند، «نهاد» انسانی می‌خواهد به میل خود دسترسی پیدا کند و هستی اجتماعی می‌خواهد تمامی احساسات و منافع و امتیازهای خود را نگهداری کند و، بنابراین، هر خطر احتمالی که این کلیت انسانی را تهدید کند اضطراب‌انگیز می‌شود. اضطراب نوعی «آژیر خطر» است و به انسان نشان می‌دهد که در درونش احساسات و عواطف خطرناک شکل گرفته و بهای آن محکومیت و تنبیه توسط دیگران است. انسان حس می‌کند اگر به اشتیاق و خواست خود برسد محیط اجتماعی و اخلاق رایج او را محکوم می‌کند و او بازنده است.

در جامعهٔ انسانی، به هر حال، ترس پایدار است ولی در یک جامعهٔ آزاد و آرامش‌بخش و متکی‌بر همکاری و اعتماد و فضای شاد میزان اضطراب افت می‌کند. کی‌یر کگور، فیلسوف دانمارکی، در کتاب خود یعنی ترس‌ولرز نشان می‌دهد که ترس، در واقع، یک احساس اساسی و هستی‌گرایانهٔ بشری است و با فردیت و آزادی بشری پیوند تنگاتنگ دارد. فیلسوف فرانسوی، فرانسوا لیوتار، در کتاب پدیدارشناسی نشان می‌دهد که هنگامی ما با ترس خویش روبه‌رو می‌شویم. همزمان به‌گفتهٔ مرلو پونتی به ترس‌مان معنا و شکل و واکاوی می‌بخشیم، ما ترس را می‌سازیم و می‌توان در یکایک ترس‌های ما نوعی سناریو دید که خود ما آن را ساخته‌ایم. انسانی که مرتب حس می‌کند بیمار است و پیوسته به ضربان قلبش می‌اندیشد و از این رو ضربان قلبش و ترس او مرتب بالا می‌رود. بنابراین، آرامش در جامعه و آرامش درونی و شخصی ما مکمل همدیگرند.

Sigmund Freud «Pulsions et destins des pulsions» éd: Payot, 2012
Sigmund Freud «Nevrose et psychose» éd: Payot, 1974

عرب‌ها چگونه بر ایران‌زمین سلطه یافتند؟

عرب‌های مسلمان سه راه در برابر ایرانیان قرار دادند: نخست، ایمان به اسلام و چشم‌پوشی از فرهنگ ایرانی. دوم، پرداخت جزیه و مالیات اجباری. سوم، سر باز زدن و کشته شدن به‌عنوان دشمن. در برابر این اجبارهای استعماری، گروه‌های اجتماعی ایرانی به شکل‌های گوناگون برخورد کردند. دستهٔ اول صاحبان مال‌ومنال و سران طوایف احساس خطر کردند و برای حفظ موقعیت خود به اسلام درآمدند. پطروشفسکی می‌نویسد: «برخی از زمین‌داران محلی ترجیح دادند پیمان‌هایی با فاتحان منعقدکنند و خراج بپردازند و، در مقابل، اراضی فئودالی خویش را حفظ کنند.» برتولد اشپولر نیز می‌نویسد نجبای متنفذ ایرانی خیلی زود به اسلام گرویدند. همین خانواده‌ها بودند که حکومت‌های محلی تشکیل دادند و متحد خلافت اسلامی شدند و اسلام را بیشتر رایج کردند. خانوادهٔ سامانیان، آل زیار و آل بویه از جمله خانواده‌هایی بودند که قدرت خود را با راهبرد پشتیبانی از خلیفهٔ عرب تنظیم کردند. دستهٔ دوم، افراد تبهکار و راهزن و دزدی بودند که به نیروهای چپاول‌گر عرب پیوستند. آن‌ها با توجه به روحیات تبهکارانه‌شان، هنگام یورش عرب و با توجه به منش متجاوزان، شرایط را برای کشتار و دزدی مناسب یافتند. دستهٔ سوم، تودهٔ محروم در خیال کسب امتیاز به همسویی با عرب‌ها پرداختند تا همان امتیازهای عرب‌ها را به دست آورند. این افراد از ایرانیان محروم بودند و یورش خارجی را فرصتی برای خود می‌دیدند زیرا آن‌ها در دوران ساسانی بی‌پناه بودند. دستهٔ چهارم کسانی بودند که به منافع خود پشت کرده بودند و به‌عنوان «موالی» به سازش با عرب‌ها پرداختند. نوکرمنشی و تسلیم‌خواهی و رنگ عوض کردن و خوش‌خدمتی کردن در برابر دشمن قهار از ویژگی‌های این گروه بود. گروه پنجم مقاومت‌کنندگان بودند. یورش عرب ایستادگی‌های بسیاری برانگیخت و ایرانیان و لشکریان بسیاری برای دفاع از خاک‌شان شکست خوردند و این‌ها یا به برده تبدیل شدند و یا کشته شدند. گروه ششم نیز بخش‌های دیگری از ایرانیان بودند که کوچ کردند و در مناطق دوردست مانند هند استقرار یافتند.

البته باید یادآور شد که در میان خودِ ایرانیان اختلافات بسیار بود و به‌دلیل بدرفتاری و بی‌توجهی حاکمان و سران دین زرتشتی نسبت‌به مردم، باور به وحدت‌گرایی و وطن‌خواهی در برابر عرب‌های متجاوز بسیار سست بود. در

شرایط استعمار عرب، روان‌شناسی مردم شکست‌خورده با کوتاه آمدن و تعصب و تقدیرگرایی همراه است و در شرایط ناتوانی مخالفان و نخبگان و رهبران مبارز نمی‌توان توقع چندانی از پدیداری ایستادگی داشت. در این دوران لختی و پلیدی و رفتار پَست رشد می‌کند. در این دوره سیاه استعماری عرب بودند کسانی مانند ابومسلم که به بنی امیه تاختند و، در ضمن، راه قدرت بنی عباس را هموار کردند. البته دربارهٔ ابومسلم باید پژوهش گسترش یابد. مبارزهٔ او با بنی امیه پیرو منافع ایرانیان بود و یا راهبرد شخصی و همسو با بنی عباس به شمار می‌آمد؟ آیا هدف او راهبرد سازش با سفاح خلیفه بنی عباس و تسلط بر خراسان بزرگ را در نظر داشت؟ ابومسلم که بود؟ عرب بود یا فرزند اصفهان و مرو؟

بودند کسانی مانند یعقوب لیث و بابک خرمدین که کوتاه نیامدند و، با وجود کاستی‌ها و اشتباه‌ها، به مبارزه پرداختند تا کار عرب به شکست بیانجامد. در این دوران بازندگی ایرانیان کلان و ساختاری بود و از جمله نتایج دردناک آن همین ازخودبیگانگی ایرانیان است. امروز، ایرانیان بسیاری به اسلام و شیعه چسبیده‌اند و یک جهان‌بینیِ ضد ایرانی را از آن خود کرده‌اند. روان و ناخودآگاه آنان به دین سامی گره خورده است زیرا همهٔ آیت‌الله‌ها و جزم‌اندیشان و سیاسیون و نظامیان و بوروکرات‌ها و روشن‌فکران و شاهان و روزنامه‌نگاران برای حقنه کردنِ اسلام متحد بوده‌اند و ذهنیت ایرانی به ارزش‌های پَست اسلامی خو کرده است. امروز جوانه‌های ایستادگی و نقد اسلام و نقد قرآن در حال رشد است.

مغز انسان‌ها و ساختار تأثیرگذاری

یک شرکت بزرگ که می‌خواهد ماشین رخت‌شویی یا خودروی جدیدی را به‌سرعت و به‌میزان بالا در بازار بفروشد، چه می‌کند؟ سرمایه‌داری می‌داند چگونه یک خیال و نیاز را تبدیل به یک تقاضا کند. خیال و آرزو در نهاد آدمی است و عوامل گوناگونی مانند تبلیغ و ایمان و احساس و وابستگی روانی آن‌ها را به تقاضای بازاری تبدیل می‌کنند. هوش مصنوعی اینترنتیِ تارنمای شرکت آمازون بسیاری از آرزوهای شما را به تقاضا تبدیل کرده است. حال، در هر جامعهٔ دموکراتیک و استبدادی و دینی با دست‌کاری ذهن و آماده‌سازی باور مردم،

می‌توان بر قدرت سیاسی و ابزار مالی و ایدئولوژیک و روانی متکی و چیره شد. به‌گفتهٔ اِدوارد برناییس، ما به‌شکلی گسترده توسط افرادی خاصی حکومت و مدیریت می‌شویم که خود آن‌ها را نمی‌شناسیم ولی آن‌ها اندیشه‌های ما را فرمول‌بندی می‌کنند و به روحیات و احساس ما جهت می‌دهند. با وجود اخلاقیات و ارزش‌ها و خواهش‌های ما، شبکه‌ها و دستگاه‌ها و افرادی در فعالیت هستند که مستقیم و نامستقیم و آشکارا و پنهانی و روان‌شناسانه ما را ظریفانه جهت می‌دهند. در بسیاری از مواقع، هیچ‌گونه ایستادگی در کار نیست و به‌گفتهٔ ژَک لَکان ناخودآگاه ما از دیرباز شکل مطیعانه‌ای به خود گرفته است. در ایران، انتخابات مهندسی‌شده به رأی اکثریت تبدیل می‌شود. در دنیای دموکراتیک، نشریات و رسانه‌ها و شرکت‌های مشاوره و نهادهای آماری و همه‌پرسی اندیشه‌های عمومی را شکل می‌دهند. مصرف‌کنندگانی هستند که در برابر ماشین رخت‌شویی و مدل جدید خودرو مخالفت می‌کنند ولی ساختارهای وسوسه و انگیزه و تمایل درونی کم‌کم در ذهن خیال را به تقاضا تبدیل می‌کنند. در زمان انتخابات، افراد بدون آگاهی مخالف یک نامزد هستند و سپس بدون آگاهی در واکنش‌های هیجانی هوادارش می‌شوند و در فردای رأی هم بدون آگاهی در پشیمانی غوطه‌ورند. ملت ایران با تجاوز اسلام درد کشیده ولی این تجاوز به لذت آسیب‌شناسانهٔ حادّی تبدیل شده و امروز مردم و نخبگان خود را مسلمان می‌دانند. بسیاری از افراد جامعهٔ ایران به حکومت‌گران فاسد اسلامی پشت کرده‌اند ولی ماندگاری در فضای حکومتی را تاب می‌آورند. خیلی‌ها فساد را لعنت می‌کنند و در شرایط خاصی افراد زیادی «استعداد» هماهنگ با فساد را رشد می‌دهند. بسیاری از خرافات انتقاد می‌کنند ولی با تن به سازش می‌دهند و آن‌ها را در کردار «واقعیت تاب‌آوردنی» معرفی می‌کنند. در فضای ذهنی و خبری و روانی و تهییجی، رفتار انسانی خو می‌کند، دست به توجیه می‌زند، کوتاه می‌آید، همساز و با بدی همسو و همبستر می‌شود. در واقع، رفتار انسانی ساختار خود را از تمامی خبرها و روایت‌ها و احساساتی که در ناخودآگاه دارد و یا از محیط تاریخی و فرهنگی دریافت می‌کند می‌سازد و ترمیم می‌کند.

افزون‌بر آن، عوامل مقابله‌جویانه با آسیب‌ها و زشتی‌ها به عوامل فسادانگیز تبدیل می‌شوند. بلشویک‌ها و لنینیست‌ها و اِستالینیست‌ها بر ضد تزار شوریدند ولی خود به عوامل زشتی تبدیل شدند؛ دونالد ترامپ در برابر فساد خانوادهٔ کلینتون

شورید ولی خود در رفتار ضد اخلاقیِ سیاسی و مالی غرق شد؛ انقلابیون مسلمان در برابر رژیم پهلوی و ساواک شوریدند ولی خود به عوامل سرکوب و فساد تبدیل شدند؛ برخی از کنش‌گران سیاسی چپ از آزادی و دموکراسی حرف می‌زدند ولی در درون سازمان خود مخالفان را کشتند و دیگران هم سکوت کردند؛ حزب توده بر ضد سازمان جاسوسی «سیا» افشاگری می‌کرد ولی خود فعالانه به سازمان جاسوسی شوروی کمک می‌رساند؛ مجاهدین در برابر ساواک و آخوندهای حکومتی مقابله کردند ولی خود در رفتار سازمانی تولیدکنندهٔ سرکوب هستند. این همسان شدن نتیجهٔ چیست؟ سرشت و طبیعتی یگانه؟ موقعیتی که همهٔ افراد را پیرو «شرایط ممتاز» کرده و هر کنشی را توجیه می‌کند؟ به هر روی، این واکنش‌ها همگی جزم‌گرا هستند و در طول تاریخ و در همهٔ جوامع هم تکرار می‌شوند.

روندهای تأثیرگذار بر روان و رفتار فراوانند. پیام‌ها و خبرها رفتارسازند و افرادْ اسیر سرشت و موقعیت خود هستند. این شرایط بسیار هولناک است. در چنین شرایطی، قدرت و جسارتِ ایستادگیِ هوشیارانه بسیار ناتوان است. سولژنیتسین نظام اردوگاهی را به نقد کشید، کامو از اسارت انسانی انتقاد کرد، نیچه سلطهٔ خدا را زیر پرسش برد و گفت او مُرده است. آیا قدرت و ارادهٔ آگاهی‌یافته شدنی است؟ چه کنیم؟ کدام روند آگاهانه و ایستادگی، ما را در برابر آسیب زشتی‌آور توانمند می‌کند؟

آندره کنت اسپونویلِ فیلسوف

اسپونویل، فیلسوف فرانسوی، در سال ۱۹۵۲ زاده شده و به‌مثابه یک فیلسوف انسان‌گرا و ناباور معروف است. او می‌گوید مادرش افسرده و پدرش هم سخت‌گیر بود و، بنابراین، در دوران کودکی از خوشبختی بهره‌ایی ندید و بیشتر اضطراب بر زندگی‌اش سایه انداخته بود. در برابر اضطراب، در جوانی و دوران بعدی فلسفه به فریادش رسید. فلسفهٔ او چیست؟ او در خانواده‌ای با ارزش‌های مسیحی رشد یافت ولی در ۱۸سالگی خداناباور شد. اندیشهٔ او از فلسفهٔ لوئی آلتوسر تأثیر گرفت و سپس زیر تأثیر اندیشمندانی مانند نویسندگانی همچون مونتنی، اِسپینوزا، کلودلوی اشتراوس، مارسل کونش و نیز جهان‌بینی شرقی یعنی هندوئیسم و بودیسم

قرار گرفت. میشل اونفری او را به‌عنوان یک مسیحی خداناباور معرفی می‌کند ولی اسپونویل خود را «خداناباور وفادار» می‌نامد. او می‌گوید من خداناباور هستم و، بنابراین، جزم‌اندیش نیستم و خداناباور هستم زیرا به هیچ خدایی باور ندارم و نیز وفادارم زیرا به یک سلسله ارزش‌های اخلاقی و فرهنگی و معنوی و انسان‌گرایانه، که چه‌بسا در دین مسیح نیز وجود دارد، ایمان دارم. از جمله پرسش‌های اصلی فلسفهٔ می‌توان به این چند مورد اشاره کرد: چگونه زندگی کنیم؟ چگونه می‌توان خوشبخت بود؟ معنای زندگی چیست؟ چگونه بدون آن‌که پیرو ادیان باشیم، به دانایی دست یابیم؟ پرهیزکاری و بردباری یعنی چه؟ از نگاه او، امروز پوچ‌انگاری بزرگ‌ترین خطر در جهان است زیرا بینش‌های پیشین همهٔ ارزش‌ها را وارد دین کرده‌اند و نیچه نیز اعلان کرد که خدا مُرده است. بدین ترتیب، از زمانی که خدا می‌میرد ارزش‌ها به خطر می‌افتند. در دیدگاه او، جامعه در اشتباه است زیرا ارزش‌ها در باور دینی جمع نیستند. از دید او، خدا مترادف ناامیدی است و تنها اندیشهٔ شادمانه آن است که گفته شود پادشاهی و خوشبختی در جهان دیگری نیست بلکه پادشاهی عشق بر روی همین زمین است. در واقع، می‌توان گفت که زمان آینده و دیروز به کار ما نمی‌آیند و زمان جاودانگی در همین زمان حال است. او می‌گوید ما با کویر معنویت روبه‌رو هستیم و باید دانست که ارزش‌ها در خدا نیستند. اگر چنین فکر کنیم در پوچ‌انگاری درمی‌غلطیم، حال آن‌که باید بر ضد آن تلاش کرد و معنویات بدون خدا را گسترش داد. آندره کنت اسپونویل در کتاب روح خداناباوری، درآمدی بر معنویات بی‌خدا که در سال ۲۰۰۶ چاپ شد، نظریهٔ خود را دربارهٔ ارزش‌های معنوی بدون حضور خدا گسترش می‌دهد. او زندگی معنوی و روحی را جدای از مسیحیت می‌خواهد و، در ضمن، می‌گوید که در این دین ارزش‌های اخلاقی وجود دارند که در حال حاضر در روحیهٔ غرب نفوذ کرده‌اند. از میان این ارزش‌ها باید از جداانگاری دین از سیاست، شفقت، برادری انسانی، فروتنی و غیره یاد کرد. بنابراین، کنار گذاشتنِ مسیحیت به‌عنوان دین به‌معنای رد ارزش‌هایی نیست که برای جامعهٔ بشری سودمند هستند.

آندره کنت اسپونویل فیلسوفی است که حضور پررنگی در جامعه دارد و با مداخله‌گری شفاف دیدگاه خود را تبلیغ می‌کند. او تاکنون نزدیک‌به سی کتاب چاپ کرده است در نشریات و رسانه‌های دیداری و سمینارها بسیار فعال است. چندی پیش در کالج فلسفهٔ دانشگاه سوربن با هم بودیم. دیداری بود برای آشنایی

با نوشتهٔ تازه‌اش. کتاب تازهٔ او تسلی ناشدنی نام دارد. او در این کتاب می‌نویسد در زندگی دردهای کوچک و غصه‌های کوتاهی وجود دارند که نیازمند تسلی و همدردی‌اند ولی انسان‌های باتجربه به‌طور طبیعی نمی‌توانند به تسلی خاطر نیاز داشته باشند اما، برخلاف انتظارات موجود در زندگی، همین انسان‌ها به جایی اتکا می‌کنند و نیازمند تسلی هستند. به همین خاطر، دین را آفریده‌اند تا همیشه برای انسان یک تسلی خاطر مطلق باشد. او می‌نویسد با توجه به همین نکته، من در زندگی‌ام خداناباوری را پذیرفته‌ام. خداناباوری در تلاش بر ضد زشتی فقط مبارزه را راه حل درست می‌داند وگرنه خود در پَستی فرو می‌افتد.

سوءتفاهم در مناسبات انسانی

ما انسان‌ها همدیگر را درک نمی‌کنیم و مناسبات‌مان پر از سوءتفاهم است. زندگی در اجتماع مشکل است زیرا نزدیکی‌ها و دوری‌های ما گاه روشن و در بیشتر مواقع نزدیک به چشم می‌آیند ولی، در واقع، از همان حس آغازین و یا زمانی دیگر درمی‌یابیم که چقدر ارزیابی‌ها اشتباه‌آمیز بوده‌اند و ناشی از سوءتفاهم. در طول زندگی، افراد کمی هستند که مناسبات با آن‌ها پایدار می‌ماند ولی بسیاری از افراد گاهی با ما هستند و سپس روابط با سوءظن و بی‌اعتمادی و بی‌میلی همراه و به یک‌باره پاره می‌شوند. به افرادی در میان آشنایان و دوستان و حتی اعضای خانواده دل می‌بندیم و حس آرامش داریم ولی به‌ناگاه شک و بی‌مِهری و حتی نفرت جای آن را می‌گیرد. در اجتماع، همیشه انسان‌ها صراحت ندارند و یا متناسب با منافع خاصی گنگ و ناشفاف هستند. همهٔ آدم‌ها حرف دل‌شان را صادقانه نمی‌گویند تا این فکر به وجود بیاید که رابطه‌ها روشن و با احترام متقابل است. بدبختانه، ما نه‌تنها گاه با آدم‌های ناروشن روبه‌رو هستیم بلکه خود نیز بی‌دقتیم و یا نمی‌خواهم ببینیم. البته در جامعه، درک افراد بسیار دشوار است و برای آدم‌شناسی باید در اجتماع بود، روان‌شناسی فرد را درک کرد، به روان‌کاوی آشنایی داشت و ملت‌ها و جمعیت‌ها و گروه‌ها و اشخاص گوناگون را تجربه کرد. آدم‌ها همیشه با زبان حرف نمی‌زنند بلکه با نگاه، هیجان، احساس، ژست، خواسته‌ها، شوخی و حالت‌های بسیار ریز رفتاری صحبت می‌کنند. افزون‌بر

شناخت یک فرد، باید او را از دید روانی و شخصیتی و خانوادگی هم حس کرد ولی انسان همیشه پیچیده باقی می‌ماند.

مناسبات اجتماعی نیازمند اشتیاق افراد اشتیاق به همکاری و استقبال از باز بودن دیگری هستند زیرا جامعه در همین تمایل جنبهٔ گروهی خود را نشان می‌دهد ولی همین مناسبات هم شکننده‌اند و زیر پوشش همکاری‌ها و شکاف‌ها لانه کرده‌اند. سلیقه‌ها، منافع، احساس‌ها، ارزش‌ها، انگیزش‌ها و نیازهای عشقی و جنسی و فرصت‌خواهی‌ها و رازهای پنهانی و امواج ناخودآگاه انسان نزدیکی‌ها یا جدایی‌ها و شکاف‌ها را رقم می‌زنند.

ما نمی‌توانیم به سایه‌روشن‌های خود پایان بدهیم و دیگران ما را پیوسته تجربه می‌کنند و قضاوت خود را دربارهٔ ما جاری می‌سازند. همهٔ آدم‌ها با سایه و تاریکی درونی خود زیست می‌کنند. آن کس که می‌گوید به صداقت او باور کنید هدفش دست‌یابی توافق شماست. صداقت اعلان‌شدنی نیست بلکه آن را باید حس و تجربه کرد. همهٔ جوامع انسانی دارای این ویژگی‌ها هستند و انسان در درون این مناسبات پیچیده غوطه می‌خورد و در آن نقش‌آفرینی می‌کند. زمانی که در جامعه شادی و سوگ موجود است، روابط انسانی به همبستگی و نزدیکی علاقه پیدا می‌کند. همبستگی ناشی از سوگ اندوه‌بار است و روان را می‌کاهد، حال آن‌که همبستگی ناشی از شادی به روان بال و پر می‌دهد و جسارت در زندگی را تقویت می‌کند. لحظهٔ شادمانه آدم‌ها را از حفره‌ها و شکاف‌ها و تاریکی‌های شخصیتی جدا نمی‌کند بلکه این ویژگی‌ها او را به عقب می‌رانند. روان آدمی به این لحظه‌ها نیازمند است تا بتواند نیرو بگیرد و فرو نرود.

آیا نابودی پرندگان ناگزیر است؟

روزنامهٔ لوموند را که باز کردم، چشمم به عنوان بزرگ صفحهٔ نخست افتاد: «چرا پرندگان نابود می‌شوند؟» این مقاله دربارهٔ فرانسه نوشته بود طی پانزده سال گذشته ۳۰ درصد از پرندگان مرغزارها از بین رفته‌اند. در این میان، بیش از ۸۰ درصد از کبک‌ها نابود شده‌اند. طی بیست سال گذشته در آلمان ۷۵ درصد از حشرات ناپدید شده‌اند. پژوهش‌های انجام‌شده نشان می‌دهند که این بحران زیستیِ پرندگان

در اروپا عمومیت دارد. مقاله سپس علت این بحران گونه‌گونی را کاربست مواد شیمیایی ضد آفات و مواد سمی و کاهش سطح کشت کشاورزی معرفی کرد. تازه‌ترین پژوهش‌های مؤسسهٔ جهانی بردلایف نشان می‌دهد که در جهان یک‌هشتم پرندگان یعنی حدود ۱۳۰۰ گونه در معرض خطر انقراض قرار دارند.

در ایران چه خبر است؟ وضع پرندگان در ایران بسیار وخیم است: تالاب‌های ارومیه، گاوخونی، ارژن، پریشان و ۲۰ درصد تالاب انزلی خشک شده‌اند و این به‌معنای نابودی مأمن پرندگان است. بیش از ۱۴۰ گونه پرندهٔ مهاجر در دریاچهٔ ارومیه زمستان گذرانی و تابستان هم تخم‌گذاری می‌کردند؛ وقتی زیستگاه را از دست دادند یعنی سرگردان و آواره شدند، وقتی ما پرندهٔ مهاجر نداشته باشیم به این معناست که کل موجودات را از دست داده‌ایم. انقراض سریع پرندگان در کشور ما پدیده‌ای نگران‌کننده و ملموس است چنان‌که پیوسته از جمعیت پرندگانی همچون غواص گلوسرخ، غواص گلوسیاه، کبوتر دریاییِ ایرانی، پلیکان سفید، پلیکان پاخاکستری، باکلان مارگردن، باکلان کوچک، حواصیل بزرگ، حواصیل زرد، حواصیل سبز، لک‌لک سیاه، اکراس آفریقایی، فلامینگو کوچک، قوی فریادکش، قوی کوچک، غاز پیشانی‌سفید، عروس غاز، غاز پازرد، اردک مرمری، اردک بلوطی، کورکور حنایی، عقاب دریایی، کرکس سیاه، هما، عقاب مارخور، سارگپه چشم‌سفید، سارگپه پرپا، پیغو، طرلان، عقاب دو برادر، لاچین، باربری فالکون، سیاه‌خروس، کبک چیل، طاووسک، زنگوله‌بال، میش‌مرغ، خروس کولی اجتماعی، سلیم طلایی، ابیا، پاشلک معمولی و چندین و چند مورد دیگر کاسته می‌شود.

چرا در ایران انقراض پرندگان سرعت گرفته است؟ امروز، باغ‌ها و درختان به ساختمان و تلّی از شیشه و سیمان تبدیل شده‌اند که این لانه‌سازی و پرواز پرندگان را با خطر و مشکل روبه‌رو کرده است. وجود شکارچیان و نبود قوانین حمایتیِ جدی به وخامت زندگی پرندگان افزوده است. مواد شیمیایی و ضد آفات به‌شکلِ گسترده‌ای در طبیعت و کشت‌زارها پخش می‌شوند. آب دریاچه‌ها و رودها به‌شدت کاهش یافته یا کاملاً خشک شده است. مرغزارها و بیشه‌ها و جنگل‌ها آسیب‌های سنگین خورده‌اند. آلودگی هوای بسیاری از شهرها و روستاهای ایران زندگی پرنده و حیوان و انسان را به خطر انداخته است. پرندگان یکی از شاخص‌های اساسی برای ارزیابی کیفیت محیط زیستِ در یک سرزمین هستند.

وقتی پرنده می‌میرد و منقرض می‌شود، یعنی با تشدید بحران زیست‌محیطی و نابودی بخش مهمی از گونه‌گونی در یک کشور روبه‌رو هستیم. کشوری که طبیعت و پرندگان خود را با شتاب از دست می‌دهد بیماری و مرگ را برای نسل‌های آینده آسان می‌کند.

بشر گوشت‌خوار چیست؟

این عنوان کتاب فیلسوف فرانسوی، فلورانس بورگات، است. به‌گفتهٔ او، هنگامی که چینی‌ها و هندی‌ها، که در حال حاضر بیشتر از دیگران گیاه‌خواری می‌کنند، مانند آمریکایی‌ها غذای گوشتی بخورند سیارهٔ خاکی ما تنگ‌تر خواهد شد. هر سال، ۶۰ میلیارد حیوان برای جمعیت جهان کشتار می‌شود و ۱۰۰۰ میلیارد ماهی صید می‌شود. یک‌سوم زمین‌های قابل کشت جهان به مواد خوراکی حیوانات اختصاص یافته است. ۴۱ درصد غلاتِ جهان برای پرورش حیوانات مصرف می‌شود. برای تولید یک کیلوگرم گوشت گاو ۱۳۰۰۰ لیتر آب به کار می‌رود. بیش از ۱۴ درصد از گازهای گلخانه‌ای در جهان ناشی از حیوانات است. ۸۰ درصد آنتی‌بیوتیک تولیدشده در جهان برای پرورش دام به کار گرفته می‌شود. بر اساس یک ارزیابی، تا سال ۲۰۵۰ مصرف گوشت قرمز در جهان ۷۵ درصد افزایش خواهد یافت. هر فرانسوی در آغاز قرن نوزدهم ۲۰ کیلو گوشت می‌خورد، در سال ۱۹۵۰ میزان ۶۰ کیلوگرم و بالأخره در سال ۲۰۱۴ میزان ۸۶ کیلوگرم گوشت مصرف کرده. هر آمریکایی سالانه ۱۳۰ کیلو گوشت قرمز مصرف می‌کند. البته یادآوری کنیم که به‌طور متوسط هر آفریقایی در سال ۱۳ کیلو گوشت و هر هندی ۵ کیلو گوشت مصرف می‌کند. مصرف گوشت قرمز برای هر فرد در ایران به‌طور متوسط نزدیک ۱۳ کیلوست. بر اساس منابع پزشکی، افزایش بیماری‌های قلبی و ریوی ناشی از مصرف بالای پروتئین حیوانی است و افزایش سرطان نیز از مصرف گوشت در غذاهای صنعتی ناشی می‌شود. البته بحث اصلی در این نیست که باید گیاه‌خواری را گسترش داد چون چنین‌چیزی به سلیقه و تمایل فرهنگی و اعتقادی شخصی وابسته است ولی مسئلهٔ مرکزی مورد بحث مصرف بسیار بالای گوشت قرمز در جهان و تمام نتایج منفی آن در در زمینهٔ محیط زیست و سلامتی انسان‌ها

و مدیریت طبیعت و جامعه است. افزون‌بر آن، در تولید گستردهٔ صنعتی گوشت، شرایط دردناک و جان‌کاهی به حیوان تحمیل می‌شود. در دامپروری صنعتی و حمل‌ونقل و کشتار حیوانات، رفتار خشونت‌بار و سادیستی فراوان است. هشتاد درصد آنتی‌بیوتیک برای حیوانات به‌خاطر تولید انبوه جهت مصرف انبوه است. بنگاه‌های اقتصادی فراوانی در جهان، حداقلِ شرایط بهداشتی و آسودگی برای حیوانات را رعایت نمی‌کنند. زجر و شکنجهٔ حیوانات در بسیاری از کشتارگاه‌ها رایج است. یکی از فیلسوفان هوادار حقوق حیوانات، الیزابت دوفونتونه، می‌گوید هر روز گلّه‌های بزرگ حیوانی را به‌سوی کشتارگاه می‌برند و این یادآور انتقال جمعیت انبوه یهودیان به اردوگاه‌های مرگ است. او می‌افزاید البته یادمان باشد که در اردوگاه‌ها فقط مرگ خاموش یهودیان نبود بلکه بسیاری از آن‌ها ایستادگی کردند و آن نابرابری را نپذیرفتند. جنایت‌کاران نازی یهودیان را با خونسردی نابود می‌کردند و امروز ماشین صنعتی فقط عطش آن را دارد تا بازده تولید کشتار فقط و فقط هرچه بیشتر بالا برود. یادمان باشد که در قانون فرانسه آمده است حیوانات نیز دارای احساس و عواطف هستند و اضطراب و تنش در زمان کشتار و زمان بدرفتاری انسان نسبت‌به خود را حس می‌کنند.

تخت جمشید

نهاد نَشنال جِئوگرافیک شماره‌ای از نشریهٔ خود را به پرسپولیس یا تخت جمشید اختصاص داده است. داریوش اول، پادشاه هخامنشیان که بین سال‌های ۵۴۹ تا ۴۸۶ پیش از زادروز مسیح می‌زیسته، دستور ساخت این بنای شگرف را صادر کرده. این شماره، در واقع، کتاب بسیار جدی و زیبایی دربارهٔ معماری و هنر و خط و نظام اداری و مردمان گوناگون و دین دوران هخامنشیان است. افزون‌بر این‌ها، تمام مورخان و باستان‌شناسانی که در شناسایی تخت جمشید و نقش رستم تلاش کردند نیز یادآوری شده‌اند. این شماره بر پایهٔ منابع جدی تهیه شده و یک سند قابل اتکاست. این بخش از تاریخ ایران توسط پژوهش‌گران غربی به ما معرفی شده است. در شرایط نبود روش علمیِ دانشگاهی، فشار اسلامیون شیعه، بی‌دقتی سیاسیون و ازخودبیگانگی روشن‌فکرَان میدان‌داران رسمی همیشهٔ تاریخ ما را

واژگون و تحریف‌شده ارائه کرده‌اند. ما باید تاریخ خود را بشناسیم و از تبلیغات ضد کیستیِ ایرانی و نیز تبلیغ شوینیستی به دور باشیم. یک دیدگاه علمی تاریخ را با دقت بررسی می‌کند و می‌آموزد و دانستهٔ خود را به نسل‌های دیگر انتقال می‌دهد. تخت جمشید و تاریخ آن جزو کیستیِ ماست. بیان این مطلب مترادف ملی‌گراییِ کوته‌بینانه نیست بلکه بیان‌گر واقعیتی تاریخی است. خواندن این سند علمی تاریخی و نیز کتاب برجستهٔ مورخ فرانسوی یعنی پی‌یر بریان با نام تاریخ امپراتوری پارس یاری‌دهندهٔ ما در آموختن در این زمینه است.

کارگران و صنعت‌گران و هنرمندان و معماران از تمام ساتراپ‌های شاهنشاهی در ساخت این بنای بزرگ شرکت کردند و نشان‌های دیگرِ سبک معماری تخت جمشید در معماری پاسارگاد و شوش و اکباتان نیز موجود است. بر اساس دیدگاه پلوتارخ، این بنای تاریخی توسط اسکندر مقدونی ویران شد. تخت جمشید برای نخستین بار در سدهٔ ۱۷ میلادی توسط باستان‌شناسان کشف و در ۱۹۷۹ توسط یونسکو به‌عنوان آثار میراث جهانی برگزیده شد.

تخت جمشید، در آغاز، توسط گردش‌گران غربی در سفرنامه‌ها مطرح شد. از نیمهٔ دوم سدهٔ نوزدهم تا دورهٔ پس از جنگ جهانی دوم، باستان‌شناسانی مانند پاسکال کوستِ فرانسوی، شارل شیپیز و ژُرژ پروِ فرانسوی، فرانز استولزِ آلمانی، مارسل دیولافوای فرانسوی، ارنست هرزفیلد و اریش فردریش اشمیتِ آلمانی، آندره گودارِ فرانسوی و آن بریت تیلیا و گی سپِ ایتالیایی در این کشف بزرگ به شکل‌های گوناگون شرکت کردند. در این میان، جواد تجویدی نیز نقش مهمی در مدیریت یک‌سری از کاوش‌ها داشت و گروه ایرانی ـ ایتالیایی پی‌یرفرانچسکو و علی‌رضا عسکری شاه‌وردی هم به کشفیات جدیدی در دورهٔ ۲۰۰۸ تا ۲۰۱۶ دست یافتند.

با تلاش کاوش‌گرانهٔ ارنست هرزفلید و اریش فردریش اشمیت شمار بسیار زیادی لوح چوبی و گِلی پیدا شد. شمار آنها ۳۰۰۰۰ لوحه است که ۶۰۰۰ از آن‌ها به‌آسانی قابل خواندن هستند. این لوح‌ها متعلق‌به زمان داریوش اول است و به زبان‌های ایلامی، آرامی، کلدانی، یونانی و پارسیِ کهن‌اند. تخت جمشید از چه حکایت می‌کند؟ تاریخ، معماری، هنر، نقاشی، آدابِ مردم‌شناسی، رسم پادشاهان، نظام اداری، مدیریت کارکنان، نظام بودجه، دین، همزیستی مردمان گوناگون، روح ایرانی، مدیریت سیاسی پادشاهی و غیره. رومن گیرشمن می‌نویسد: «در دوران

باستان، هرگز هنر تا این اندازه درخشش نداشته است.»

آیت‌الله صادق خلخالی قصد داشت تخت جمشید را با خاک یکسان کند. ضدیت اسلام‌گرایان و چپ‌های ایدئولوژیک با تاریخ باستان روحیهٔ ضد ملی را در بخشی از جامعه رشد داد و ما را از شناخت تاریخ خود دور کرد. بسیاری از کتاب‌های تاریخی رایج در ایران این تاریخ را تحریف کردند و ادبیات چپ و اسلام‌گرا هم این تاریخ را به‌عنوان عرصهٔ «پادشاهان ستم‌گر» نشان داد. چپ‌ها و اسلام‌گرایان با بی‌دانشی و زهر ایدئولوژیک خود ذهن اجتماع را آلوده کردند و مانع آموزش تاریخ شدند.

Pascal Coste, Franz Stolze, Charles Chipiez, Georges Perrot, marcel Dieulafoy, Ernet Herzfeld, Erich Frederich Schmidt, andré Godard, Pierfrancesco Callieri, Alireza Askari Chaverdi.
Pierre Briant, Histoire de l’Empire perse, de Cyrus à Alexandre, 1996
Collectif, Regards sur la Perse antique, Le Blanc, Saint-Marcel, Amis de la Bibliothèque municipale du Blanc et Musée d'Argentomagus, juin 1998

آیا باید از دین انتقاد کرد؟

انتقاد از دین از دوران کهن وجود داشته و شاید لذت‌گرایی نخستین شکل از انتقاد از دین است. دین همیشه ادعا داشته که دارای حقیقت مطلق است و پیوسته کوشیده تا انسان‌ها را در وابستگی ذهنی نگاه دارد یا جنگ‌های مذهبی به پا کرده است تا مسلط باشد. قربانی کردنِ انسان‌ها، جنگ‌های صلیبی، جنگ‌های مذهبی در فرانسه، انکیزیسیون، جریان‌های جهادی تروریستی و حکومت دینی در ایران بیان تمایل خشونت‌خواهی در دین است. فیلسوفان یونانی عقل‌گرایی را در برابر دین قرار دادند ولی دین‌داران پیوسته فرمان‌برداری و پیروی را در برابر خِرد گذاشتند و برخی ادعا کردند که سقراط فیلسوف ارزش‌های اخلاقی را نابود کرده. در قرن هفدهم، فیلسوف آلمانی یعنی لایبنیتس به برابرخواهی خدا باور داشت ولی اِسپینوزا تلاش کرد تا مردم را از تعصب و جزم‌اندیشی برهاند. در قرن هجدهم،

دانش‌نامهٔ فیلسوف فرانسوی، دیدرو، شدیدترین انتقادها را به دستگاه کلیسای کاتولیک وارد کرد. ولتر هم خداناباور نیست و به یک آفریدگار ایمان دارد یعنی یگانه‌پرست است ولی او هم انتقادهای بسیاری از کلیسا و دین و خرافات و مراسم و آداب مذهبی کرد. دیوید هیوم نیز باورهای مسیحیِ خودش را داشت ولی بر ضد معجزات می‌شورید. اسحاق نیوتن هم دین‌دار بود ولی بر ضد جزم‌اندیشیِ «تثلیث مسیحیت» موضع‌گیری کرد. فلسفهٔ اِمانوئل کانت نیز در اساس انتقادیِ از دین است. لودویک فوئرباخ نیز توهمات ناشی از دین را به نقد کشاند. چارلز داروین نیز بر پایهٔ تجربیات و کشفیات خود به نفی باور دینی رسید. کارل مارکس هم از دین انتفاد کرد و گفت دین افیون توده‌هاست. نیچه نیز نقدی تندروانه از دین مسیحیت نمود و مرگ خدا را اعلان کرد. زیگموند فروید هم انتقادی روان‌کاوانه از دین ارائه کرد و گفت دین یک توهّم است. همچنین، برتراند راسل به یک انتقاد همه‌جانبه از دین دست زد. اِستیون هاوکینگ نیز اعلان کرد جهان خود را آفریده و پروردگاری موجود نیست.

محمّد بن زکریای رازی کتاب‌هایی را در نقد ادیان و دربارهٔ روش‌های شیّادی پیامبران نوشت و به‌گفتهٔ ابوریحان بیرونی رازی نه‌تنها اسلام که تمامی ادیان را مورد انتقاد و طرد قرار داد. خیام با تردید و شک فلسفی خود اساس دین را متزلزل و سالوسی و فریب دستگاه دین‌داران را افشا کرد. میرزا فتحعلی آخوندزاده نیز به دین نقدهای فراوانی وارد کرد و خود نیز بی‌دین بود. احمدکسروی مذهب شیعه و صوفیگری را بشدت مورد انتقاد قرار داد. صادق هدایت هم پیوسته دین اسلام و دین‌داران مسلط و خرافات توده را در کتابهای خود مورد انتقاد شدید قرار داد. علی دشتی با انتشار کتاب «بیست و سه سال» نشان داد که نسبت به اسلام دارای دیدگاهی انتقادی بوده و از پژوهش‌های علمی در غرب آگاه است. شجاع الدین شفا با کتابهای خود مانند «پس از هزار و چهار صدسال» بروشنی اسلام و شیعه گری را به نقد و نفی می‌کشاند.

من نیز خداناباور هستم و فکر می‌کنم بدون دین می‌توان زندگی کرد، همان‌گونه که من این‌چنین زندگی کرده‌ام و در نوشته‌های گوناگون خود تمام قران و اسلام و شیعه گری را به نقد کشیده ام. دین اسلام و شیعه‌گری عامل ازخودبیگانگی‌اند و ایرانیان زیان‌های سنگین و جبران‌ناپذیر از این دین دیده‌اند. اسلام ضد ارزش انسانی و هوادار تبعیض دینی و سیاسی و قومی و جنسییتی است.

جامعه ای که از دین انتقاد نکند و از نقد دین برخود بلرزد یک عقب مانده و مستبدانه است. نقد دین بیان بلوغ فکری و رشد اندیشه آزاد است. خوکردن به اسلام خوکردن به کهنگی و گنداب است. ممکن است برخی ایراد بگیرند که چرا واژه گندآب را بکار می‌گیرم. پاسخ من اینچنین است: آیا شما روایات کلینی و مجلسی و خمینی را خوانده اید؟ آیا شما تمام برگ‌های قرآن را مطالعه علمی کرده اید و تعرض آنها را به حقوق بشر و شرافت انسانی مورد بررسی قرارداده اید؟ آیا شما تائید برده داری در قرآن و حدیث و نیز برده داری را در زندگی پیامبر و امامان شیعه مورد توجه خود قرارداده اید؟ از تمام این بررسی‌ها چه نتیجه ای می‌گیرید؟ داوری من نتیجه بررسی جدی من است.

تفاوت میان فیلسوف و جامعه‌شناس چیست؟

فلسفه مادر جامعه‌شناسی است ولی از قرن نوزدهم به بعد، به‌ابتکار ماکس وِبِر در آلمان و اِمیل دورکیم در فرانسه جامعه‌شناسی از فلسفه جدا شد و به‌مثابه یک دانش مستقل مطرح شد. دورکیم از فیلسوف فرانسوی یعنی رنه دِکارت تأثیرات فراوانی گرفت و کتاب گفتار دربارهٔ روش دِکارت، که در ۱۶۳۷ چاپ شده بود، الهام‌بخش اِمیل دورکیم در نگارش قواعد شیوهٔ جامعه‌شناسانه بود. در این کتاب، اِمیل دورکیم هدف جامعه‌شناسی را چنین تعریف می‌کند: «نخست، به‌کارگیری یک روش عینی در واکاویِ پدیده‌های اجتماعی. دوم، بررسی عینیِ یک پدیده که هرگز نافی بررسی حالات روانی انسان‌ها نیست و مسئلهٔ مورد توجهِ جامعه‌شناسی واکاوی تصورات و باورهاست. سوم، این تصورات جمعی هستند و نیازمند توضیح اجتماعی.» او می‌افزاید پدیدهٔ روحیات یا باور دینی باید مورد مطالعه قرار گیرد و این به این معنا نیست که پژوهش‌گر به آن باور دارد. در جامعه‌شناسی، اصل اساسی جُستن در درون جامعه و رابطهٔ میان انسان‌هاست. انسان یک فرد مجزا نیست، او محصول اجتماعی شدن است. پدیده‌های گوناگونی مانند اسطوره، دین، آداب و فرهنگ جامعه، عادت‌ها، منافع اقتصادی، توهمات ذهنی، گروه‌بندی‌های اجتماعی، خشونت و روابط جنسی در انسان تاریخی نقش ایفا می‌کنند. جامعه‌شناس در پی یافتن پیوندها و مناسبات پنهان و آشکار و انگیزه‌ها است. جامعه‌شناس باید ریز و درشت را ببیند و شخصیت

جامعه و اعضای آن را لمس کند و کارکرد عمومی را موشکافانه بررسی کند. نزد جامعه‌شناس، داده‌ها اجازه می‌دهند تا شناخت جزئی و موقتی به دست آید ولی کار آغاز می‌شود تا به مقوله‌های فراگیر و عمومیت‌یافته و جامعه‌شناسانه رسیده شود. فیلسوف از مقوله آغاز می‌کند و درگیر کلنجارهای گفتاری و ارزشی می‌شود. او از یک مقوله به مقولهٔ دیگر سفر می‌کند، پرسان است و عقلانیت و منطق و خواسته‌های خود را گِرد هم می‌آورد تا گفتمانی بسازد. نگاه فیلسوف به پدیدهٔ گذراست و میدان اصلی او میدان ورزش مفاهیم. فیلسوف از همان آغاز در انتزاع حرکت می‌کند، حال آنکه جامعه‌شناس چشم بر زمین دوخته و با داده‌ها و شرایط موجود پیش می‌رود. در کار هر فیلسوف و جامعه‌شناس یک خطر در کمین نشسته است. فیلسوف می‌تواند در انتزاع غوطه‌ور شود و جامعه‌شناس می‌تواند در داده‌ها گم شود. فیلسوف پیوسته باید به ارزش‌ها و دورنمای اسطوره‌ای بپردازد و جامعه‌شناس پیوسته باید درک از جامعه را ژرفا ببخشد و شفافیت برای پروژه‌های بعدی را تقویت کند. فیلسوف و جامعه‌شناس همسایهٔ یکدیگرند.

جامعه شناسی تولید گفتمان‌های خود را منوط به پروتکل‌های تحقیق تجربی می‌کند که با روش‌های جمع آوری داده‌های معتبر تنظیم شده اند. جامعه شناسی اعلام می‌کند که یک رشته علمی است زیرا با مفاهیم نظری و دقت موشکافانه جامعه و گروه‌های انسانی را بررسی کرده، روش آماری و تحقیق میدانی را بکارگرفته، مطالعه تطبیقی و مقایسه ای انجام داده، استنتاج تئوریک تولید کرده، نتایج کار را با بازیگران دیگر به بحث گذاشته و مدام نظریه‌های خود را با توجه به همه دانش ها، مورد آزمایش قرار می‌دهد. جامعه شناسی و فلسفه مبتنی بر معرفت شناسی‌های متفاوت و حتی گاه ناسازگار هستند. فلسفه یک رشته علمی و آماری نیست. فلسفه و جامعه شناسی دو بازی متمایز هستند که بر اساس قوانین مختلفی ساخته شده اند. جامعه شناسی با گسست از فلسفه، همزمان با اینکه از بلندپروازی‌های خود محافظت می‌کند یک سری از پرسش‌های فلسفی را نگاه میدارد. نزدیکی دو رشته نفی استقلال آنها نیست. می‌توان جامعه شناس بود و فیلسوف نبود و نیز فیلسوفانی هستند که جامعه شناس نیستند. البته لوی اشتروس و پیر بوردیو، دورکیم، اندیشمندان جامعه شناسی و فلسفه هستند.

درباره پروفسور اِستیون هاوکینگ

پروفسور اِستیون هاوکینگ در ۸ ژانویه ۱۹۴۲ در انگلستان زاده شده و فیزیک‌دان و کیهان‌شناس بزرگی به شمار می‌آید. او در دانشگاه کمبریج درس داده و چند دهه دارندهٔ کرسی ریاضیات لوکاس بوده. این دانشمند بیش از ۱۰ اثر علمی به نگارش درآورده و کتاب معروف او تاریخچهٔ زمان است. او دچار بیماری اسکلروز بود و امکان حرکت نداشت و برای حرف زدن از هوش مصنوعی بهره می‌برد. اِستیون هاوکینگ پرسش‌های بزرگی دربارهٔ جهان مان مطرح کرد. جهان و حیات چگونه آغاز شدند؟ آیا ما تنها هستیم؟ او در گفتمان تازه‌ای که در نشریات آمده در مورد پرسش‌های بالا نظریهٔ جدیدی اعلان کرد:

بر اساس نظریهٔ دانشمندان، تمام ذرات جهان در هنگام انفجار بزرگ به یک ذرهٔ بی‌نهایت متراکم و گرم تبدیل شد اما پیش از آن چه‌چیزی رخ داد؟ اِستیون هاوکینگِ فیزیک‌دان در شبکهٔ نَشنال جئوگرافیک و با حضور در برنامهٔ نیل دگراس تایسون، یکی دیگر از فیزیک‌دانان و کیهان‌شناسان مشهور آمریکایی، به این پرسش و با تکیه بر نظریهٔ معروف خود یعنی «طرح بی‌مرزی» پاسخ داد. او می‌گوید که پیش از انفجار بزرگ چیزی به‌عنوان بُعد زمان همانند شکل کنونی آن وجود نداشته است. از دید او «برای درک این نظریه، دستگاه کنترل از راه دورِ جهان را بردارید و دکمهٔ بازگشت را فشار دهید. همان‌گونه که دانشمندان می‌گویند، جهان به‌طور مداوم در حال انبساط است و همین‌طور که شما دکمهٔ بازگشت را می‌زنید جهان نیز منقبض‌تر و منقبض‌تر می‌شود. اگر به اندازهٔ کافی عقب بروید، یعنی نزدیک‌به ۱۳٫۸ میلیارد سال (لحظهٔ محاسبه‌شدهٔ تقریبیِ پیدایش جهان)، می‌بینید که جهان به‌اندازهٔ یک اتم کوچک شده است.»

این دانشمند می‌گوید در داخل این ذرهٔ ریزِ اتمی بسیار کوچک و بی‌نهایت متراکم و با انرژی بالا که «تکینگی» نام گرفته، قوانین فیزیک مانند بُعد زمان و مکان فاقد عملکرد هستند و معنایی ندارند. هاوکینگ بر این باور است که زمان به‌صورت معنای شناختی نوع بشر پیش از آغاز جهان وجود نداشته بلکه حالتی خمیده داشته. از نگاه او، زمان «همیشه به هیچ نزدیک و نزدیک‌تر می‌شده است اما هیچ‌گاه تبدیل به هیچ نشده است.» در نتیجه، «انفجار بزرگ هرگز از هیچ پدید نیامده و تنها این موضوع از دیدگاه نوع بشر پیچیده به چشم می‌آید.»

او در جای دیگری دربارهٔ نظریهٔ خود گفته رخدادهای پیش از انفجار بزرگ مشخص نیستند زیرا پی‌آیندهای قابل مشاهده‌ای ندارند و هیچ راهی برای اندازه‌گیری آن‌ها در دست نیست و برای همین هم هست که ممکن است آن را از قالب یک نظریه بیرون براند و برخی بگویند زمان با انفجار بزرگ آغاز شده است.

رابطهٔ میان ایمان و نوگرایی را چگونه تعریف کنیم؟

اغلب گفته می‌شود که ویژگی اصلی سه دین ابراهیمی به این صورت است که یهودیت به امید اهمیت می‌دهد، مسیحیت به عشق و اسلام به ایمان. یهودیت در انتظار مسیح یا منجی خود است و، بنابراین، امیدواری به دیدار و ظهور آینده‌ساز است؛ به‌عبارت دیگر، یهود خود را قوم برگزیدهٔ الهی می‌داند و بر این باور است که آینده‌ی روشنی در انتظار است. این امید به آینده در کتاب مقدس تورات و نیز میان یهودیان رایج است. مسیحیت پیام عیسی را عشق و مهربانی می‌داند. مسیح به کسی زور نگفت و کسی را نکشت و گفت عشق تنها معنای جهان است. به صلیب کشاندن او نیز نشان مظلومیت و عشق است. کارل لاوت، دین‌شناس اُرتدوکس روسی، اندیشهٔ مسیحیت را بر امید به پایان تعارضات و مصیبت‌ها متکی می‌داند. در اسلام، ایمان پیام مرکزی است زیرا ایمان به الله قادر، ایمان به اسلام به‌عنوان واپسین و کامل‌ترین دین، ایمان به روز قیامت و بهشت و دوزخ پایهٔ پیوند معنوی وعملی میان انسان و الله است.

نتایج این باورها چه بود؟ باور یهودیان به این‌که دوران رنج پایان می‌یابد مشوّق کار و واکاوی و تولید نوشتاری می‌شود. یکی از پیامبران یهودیان حزقیل بود. او اسیران را به داشتن ایمان به خداوند و نجات او فرا می‌خواند تا دوباره به یهودا بازگردند. (کلاپرمن، ۱۳۴۹، ج ۱: ۱۹۲) به باور برخی پژوهش‌گران، هدف کتاب دانیال به‌عنوان نخستین کتاب مکاشفه، ایجاد و تقویت روحیهٔ امید به رهایی قوم از دشواری‌ها و ناگواری‌ها و تحقق وعدهٔ الهی و دگرگونی وضعیت آن‌ها بوده است. (کلباسی اشتری) در باور مسیحیان، امید و مژده به آینده جایگاه ویژه‌ای دارد، حتی بنابر دیدگاه میشل، نویسندهٔ کتاب کلام مسیحی، نام انجیل یا کتاب مقدس نیز به‌معنای «مژده» است. مسیح مصلوب همان عشق و امید انسان‌های

زجرکشیده است، البته در تاریخ، کلیسا و پاپ دست به سازمان‌دهیِ جنگ صلیبی می‌زنند تا گور مسیح را نجات دهند ولی در انجیل تشویق به چنین تعرضی وجود ندارد. در روایت از مسیح تشویق به جنگ موجود نیست ولی کلیسا جنگ و جنایت را به‌نام مسیح انجام می‌دهد.

حال، در اسلام ایمان به طلسمی برای اطاعت تبدیل می‌شود. ایمان یعنی اطاعت. از همان آغاز، مسلمانان جنگ می‌کنند تا پیامبر خدا پیروز شود. پیروزی رسول همان پیروزی الله است، پس کشتن مخالفان و تسلیم در برابر حکم الهی پایهٔ ایمان و نشان وفاداری و صداقت نسبت‌به الله است. این اندیشه به تعصب شدیدی دامن زد و جلوِ هر گونه اشتیاق برای آموختن را کور کرد. مسلمان که به‌طور قطع بر این باور است که قرآن پیام کامل و پیام آخر است، انگیزه‌ای برای جست‌وجو و کشف حقیقت ندارد. مسلمانی که بر اصول آیات و رفتار محمد اتکا می‌کند الگوی مقدس خود را یافته است. همه‌چیزِ این فرد مسلمان در تعصب مطلق به قرآن است. این مسلمان هر گونه توجیه و سفسطه را به کار می‌گیرد تا دین خود را کامل و بی‌کم‌وکاست معرفی کند. او پیوند زمان و دگرگونی پدیده را نمی‌فهمد و پیشاپیش هر علم و اندیشه متفاوت از دین را محکوم می‌کند. مسلمان مخالف جداانگاری دین از سیاست است، داروینیسم، تمدن غربی و دموکراسی است زیرا به خلافت الگوی محمد ایمان دارد و به شما «ثابت» می‌کند که تمام جنگ‌های محمد به حق و به‌سود بشریت بوده است. مسلمان تمام جنگ‌های قبیله‌ای با مخالفان در شبه‌جزیره عربستان و تمام جنگ‌های استعماری و امپریالیستی عرب با ایران‌زمین را درست و به‌حق می‌داند. البته مسلمانان بسیاری وجود دارند که خود را مسلمان تعریف می‌کنند ولی تفسیر ملایم خود را جای آیات می‌گذارند. با این حال، مسلمانی که تابع و تسلیم است بر خِرد می‌شورد و سنگ‌اندیشی را امتیاز و مزیت می‌داند. در کشورهای عربی و دیگر کشورهای مسلمان و نیز در کشورهای غربی، این‌گونه افراد یا عوامل بازدارنده بسیارند و همین مسخ روانی و واپس‌گراییِ اجتماعی و فرهنگی را پایدار کرده است. به‌طور کلی، دین و نوگرایی با یکدیگر سازگاری ندارند. در اسلام این مناسبات حادّ است. در کشورهای مسلمان، نوگرایی لنگ می‌زند و یا به‌طور کلی خفه شده است.

آیا جامعه به دین نیازمند است؟

الکسی دو توکویل برآن بود که از دید اجتماعی نبود دین در جامعه خطرناک است. ولتر می‌گفت یک جامعه بدون پروردگار نمی‌تواند عمل کند. در آمریکا این اندیشهٔ قوی حاکم است که دین و اخلاق پیوند محکم با یکدیگر دارند. آمریکا مذهبی‌ترین دموکراسی غرب است، حال آن‌که در دموکراسی‌های اسکاندیناوی باور دینی بسیار ضعیف است و دولت رفاه اجازه داده تا عدالت اجتماعی نسبت‌به دیگر کشورها قوی‌تر باشد. به‌گفتهٔ جامعه‌شناس آمریکایی، فیل زوکرمن، در آمریکا مذهبی‌ترین ایالات مانند میسی‌سیپی، کِنتاکی، لوئیزیانا و آرکانزاس بیشترین پیشامدهای جنایی و سوءاستفاده از کودکان و آدم‌کُشی رایج است. از نگاه این جامعه‌شناس، در آمریکا مذهبی‌ترین افراد به دونالد ترامپ رأی دادند و هشتاد درصد مسیحیان اوانجلیس سفیدپوست نیز به کسی رأی دادند که فاقد اخلاق مناسب است. بر اساس پژوهش‌های جامعه‌شناسانه، جمعیتی که بیشترین مدارک تحصیلی را دارد دارای باور دینی کمتری است. در میان جوانان دانشگاهی، این خداناباوری خیلی پررنگ است. زمانی که دانشجویان در رشته‌هایی تحصیل می‌کنند که مطالعات قیاسی و تطبیقی ادیان در آن‌ها صورت می‌گیرد، میزان باور دینی به‌شدت پایین می‌آید. همچنین، در نزد خداناباوران معتقد به فمینیسم، برابری زن‌ومرد، حقوق بشر، دموکراسی‌خواهی، حقوق حیوانات و احترام به محیط زیست پررنگ‌تر است. پژوهش‌ها در آمریکا نشان می‌دهد که در نزد ندانم‌گراها و خداناباوران ۶۴ درصد مرد و ۳۶ درصد زنان به چشم می‌خورد و افراد خداناباور دارای رفتار جنسی بازتری هستند. بر اساس پژوهش نهاد گالوپ در سال ۲۰۱۲ چیزی حدود ۱۳ درصد از مردم جهان خداناباور هستند و ۲۳ درصد آن‌ها هم خود را «غیرمذهبی» می‌دانند.

بر اساس این پژوهش، چین خداناباورترین کشور به شمار می‌آید. فرانسه کشوری است که نیمی از جمعیت آن خود را غیرمذهبی و خداناباور معرفی می‌کند. اسلام دینی است که با تعرض به پیشرفت خود ادامه می‌دهد ولی، در عین حال، مسلمانان روزافزونی هستند که اسلام را ترک می‌کنند. در ایران، شیعه‌گری با انحصارخواهی قدرت و جامعه را در کنترل دارد و میزان فحشا و فساد و رشوه‌گیری و دیگر رفتارهای غیراخلاقی بی‌سابقه است. در این جامعه و در طی

چهل سال گذشته یک دیکتاتوری دینی سلطه داشته و نابرابری پیوسته روندی صعودی به خود دیده. در ایران، افرادی که از اسلام سرخورده شده‌اند بسیارند. نشریهٔ آلمانی دی تسایت در سال ۲۰۱۲ در شماره ای از افزایش خداناباوران در حکومت الهی گزارش داد. بر اساس سنجش موسسه «گمان» در تاریخ خرداد ۱۳۹۹، در ایران امروز فقط ۳۲ درصد معتقد به شیعه گری هستند، ۵ درصد معتقد به مذهب سنی هستند، نزدیک ۸ درصد معتقد به باور زرتشتی هستند، نزدیک ۶ درصد ندام گرا هستند، میزان ۷ درصد معنویت گرا هستند، نزدیک ۹ درصد آتئیست خداناباور هستند، و بیش از ۲۲ درصد به هیچ دینی اعتقاد ندارند. این آمار نشان می‌دهد که باورهای رایج بسرعت در حال تغییر هستند و گرایش غیر دینی مانند ندام گراها و معنویت گرا و خداناباورها و کسانی که میگویند به هیچ دینی اعتقاد ندارند، بخش مهم از جمعیت ایران را تشکیل می‌دهند. به بیان دیگر این بخش از شهروندان در جامعه دینی ایران برآنند که باید بشیوه غیر اسلامی زندگی کرد و آنها آرامش و فلسفه زندگی خود را در خارج از دین اسلام میدانند. این افراد که در گذشته ای نه چندان دور در باور اسلامی بوده اند امروز خود را بی نیاز از اسلام و حتا از هر دینی می‌دانند. این تغییر بیان یک تحول یزرگ روانشناسانه و جامعه شناختی است.

اسلام سرچشمهٔ بسیاری از نابسامانی‌ها و واپس‌گرایی‌ها و خودکامگی‌ها در جامعهٔ ایران بوده است. این دین هرگز عقلانیت و آرامش و ترقی و نوآوری خاصی برای جامعه فراهم نکرده است و به این لحاظ شهروندان از این دین دور می‌شوند.

بحران قدرت سیاسی چیست؟

زمانی که جامعه اعتماد خود را به قدرت سیاسی از دست می‌دهد و اعتراض و مبارزه و شورش بالا می‌گیرد و حاکمان در درگیری‌های درونی فرو می‌روند و خشمناک هستند و به دروغ‌گویی و خشونت بیشتر روی می‌آورند، با بحران سیاسی روبه‌رو هستیم. در طول تاریخ، این بحران به اَشکال گوناگون جلوه کرده است. تزاریسم در روسیه با جنگ جهانی نخست قدرت خود را از دست داد و به‌اعتبار

خشم و شورش مردم کرنسکی به قدرت رسید و لنین از بی‌اعتباری تزار و خستگی سربازان در جبهه و شرایط آشفته با یک ضربت کاخ زمستانی را تصرف کرد و پیروز شد و آن را انقلاب اکتبر ۱۹۱۷ نامید. در فرانسه و در سال ۱۹۵۸ دو گل دوباره به قدرت رسید. او ده سال حکومت کرد و جامعه از یکنواختی و کهنگی به ستوه آمد. جوانان و زنان و کارگران اعتماد خود را نسبت‌به او از دست دادند و دو گل دیگر همان چهرهٔ زیبای زمان ایستادگی نبود و قدرتش بوی خودکامگی و پوسیدگی می‌داد و در این بستر در ۱۹۶۸ جنبش ماه مه منفجر شد و دو گل را روانهٔ آلمان کرد.

در سال ۱۳۵۷ خورشیدی نیز، جامعهٔ ایران نسبت‌به شاه کاملاً بی‌اعتماد شد. دیکتاتوری فردی و خشونت‌های ساواک از یک سو و تهییج ایدئولوژیک دینی و عطر امام خمینی و امام زمان از سوی دیگر همه را مست و مفتون کرده بود. اذهان کور شده بودند و هیچ راهی جز راه اسلام خمینی نمی‌توانست کارساز باشد. بتی می‌آمد، اندیشه از کار افتاده بود و اعتماد فقط به خمینی بود. حکومت اسلامی با اعتماد اکثریت مطلق برقرار شد ولی این اعتماد با سرعت به سراشیبی افتاد. همزمان با خودسری قدرت، دلسردی‌های روزافزون، درهم شکستن توهّم و صبح کاذب، انباشت زندان از اسیران جدید و سرکوب زنان و هنرمندان و همزمان با استحالهٔ بت به ابلیس در باور مردم اعتماد بیشتر آن‌ها در هم شکست.

دیربازی است که حکومت اسلامی اعتبار خود را از دست داده است. حال، دو عامل مانع شده‌اند تا این بی‌اعتباری با قدرت و شفافیت کامل خود را نشان دهد. شرکت در انتخابات مهندسی‌شده و نقش‌آفرینیِ اصلاح‌طلبان برای سهم خود در قدرت از یک سو و نبود انتخابات آزاد و سرکوبِ دوزخین و فراگیر جامعه از سوی دیگر این توهّم را برای بخشی از جامعهٔ ما و نیز جامعهٔ جهانی به وجود آورده که گویا رژیم دینی مشروعیت دارد و مورد اعتماد است. بحران سیاسی در ایران واقعی و بزرگ است. فقط بخش کوچکی که امتیازدار است به رژیم اعتماد دارد. حتی می‌توان گفت که بی‌اعتمادی در درون هیأت حاکم هم رخنه کرده است. لیبرال‌ها و اصول‌گرایان در جدال حادّی هستند، اصلاح‌طلبان به دوبخش وفادار و منتقد ولایت فقیه تقسیم شده‌اند، سران سپاه با حضور مکرر در رسانه‌ها پیام می‌دهند که ما حاضریم و هستیم، برخی از اعضای هیأت حاکم پول‌های خود را به خارج انتقال داده‌اند و برای خود گذرنامه تهیه می‌کنند، خامنه‌ای درگیر

بیماری حادّی است و در تمایل سرکوب‌گری و آشفتگی روانی در نوسان است. برای بالایی‌ها مسئلهٔ جانشینی او در ابهام و اختلاف است؛ احساس ناتوانی و شکست در نمایندگان بالایی‌ها قابل لمس است و، در یک کلام، بالایی‌ها مضطربند. پایینی‌ها هم فاقد آرامش هستند، آن‌ها تحقیر شده‌اند؛ التهاب و خشم خفته در وجودشان خاموش نمی‌شود و همه می‌گویند رژیم فاسد است و بسیاری نیز آن را رفتنی می‌دانند. به‌قول شاملو: «من درد در رگانم، حسرت در استخوانم، چیزی نظیر آتش در جانم پیچید.» البته بی‌اعتمادی نسبت‌به رژیم هنوز به‌معنای اعتماد به خود نیست.

نقش اینترنت و شبکه‌های اجتماعی و زمان شتاب‌یافته

چند روز پشت‌سر هم اخبار و فیلم‌های خبری و مصاحبه‌های مربوط به رویدادهای اخیر ایران را نگاه می‌کردم. به‌ناگاه متوجه شدم که دنیای من به فیس‌بوک و تلگرام و ایمو و واتساپ محدود شده و رویدادها به‌طور متمرکز و با سرعت در برابر چشمانم رژه می‌روند و خواب و بیداری مرا با قدرت تمام متأثر کرده‌اند. خبرها مسلسل‌وار می‌رسند و ذهن و چشمان شما خبر بیشتر و بیشتر می‌خواهد. دیگر فرصت اندیشیدن نیست، عطش خبر بیشتر و دقیق‌تر شما را در خود می‌کشد و می‌بلعد. محدودیتی قابل تصور نیست. نزدیک ۱۵ سال پیش، رادیو و تلویزیون و روزنامه در روز چند بار خبرسازی می‌کردند ولی امروز اینترنت و تمام شبکه‌های اجتماعی مجازی هر لحظهٔ شب و روز تمام اخبار جهان و کشورتان را در اختیار شما می‌گذارند و خبرنگاران عمومی ریزودرشت در روندی رقابتی فرآوردهٔ خود را در بازار خبری ارائه می‌دهند تا ما شیفتهٔ آن‌ها بشویم.

از دید فلسفی و جامعه‌شناختی و روان‌کاوانه و در شرایط تشدید گردش اخبار، انسان در چه وضعیتی قرار می‌گیرد؟ پنداشت نخست این است که انسان دچار مسخ و ازخودبیگانگی می‌شود. جذب خبر هرچه بیشتر به گونه‌ای خودکارگونگیِ به ماده روانی تبدیل می‌شود و این حالت سیری‌ناپذیری پیوند خود را با هدف از دست می‌دهد. مونتسکیو در نامه‌های پارسی می‌نویسد شرق با آهنگ آرام‌تری حرکت می‌کند. او سپس از خود می‌پرسد چرا همه در حال دویدن هستند؟ آیا ما

زمان خود را کنترل می‌کنیم؟ در این جهان، ارتباط و زمان جهانی شده‌اند و آهنگ آن‌ها نیز شتاب یافته است. در مسافرتی که به کشور مالی در آفریقا رفته بودم، یک روز قرار مهمی با یکی از مسئولان کشوری در پایتخت داشتم ولی اتوبوس فرسودهٔ ما مشکل فنی پیدا کرد و نمی‌توانست به ساعت قرار برسد. پس از پنج ساعت دیرکرد، برای ادامهٔ راه به راننده گفتم از این قرار می‌گذرم. او هم گفت: «نه، تا هنگامی که آفتاب هست هیچ موقع دیر نیست.». ولی در جغرافیای غرب، زمان سرعت دیگری دارد و اخبار با تندی و هیجانی سرسام‌آور می‌چرخد و مسخ‌زدگی ورم می‌کند. فرضیهٔ دوم این است که آیا ما برخود تسلط داریم؟ ژان ژاک روسو در امیل می‌گوید ما باید متناسب با زمان تربیت و زندگی کنیم ولی برای ما تسلط بر همه‌چیز ناممکن است. حال، هم‌اکنون آیا ما می‌توانیم تغییراتی در زندگی تولید کنیم تا در تمدن ما دارای معنا باشد؟ آیا ما می‌توانیم آهنگی برای زمان خود پدید بیاوریم و بر آن تسلط داشته باشیم؟ تشدید خبرگیری از ارادهٔ ما بیرون می‌رود و ما پیرو زنجیرهٔ پرشتاب خبرها می‌شویم. ما انتخاب نمی‌کنم بلکه پیرو هیجان و سرعت فن‌آورانه هستیم. فرضیهٔ سوم این است که ما در بطن هیجان خبری از حرکت باز می‌مانیم. زمانی که سراپای من در جست‌وجو و مصرف خبر دروغ و درست است، ذهن من پویاییِ اندیشیدن را از دست می‌دهد. حجم زیاد پیامک‌های دیجیتال و تصویرهای شبکه‌های اجتماعی ما را منفعل می‌کنند، تلاش فکری ما را کاهش می‌دهند و چه‌بسا اقدام فکری را از بین می‌برند. ما خبر را دریافت و مصرف می‌کنیم ولی اندیشه‌مان فرصت کنش مستقلانه ندارد. البته دریافت خبر مناسب و مطمئن لازم است ولی باید با آگاهی، گفت‌وگو، نگارش اندیشمندانه و هدف باشد.

دربارهٔ انسان‌شناس، دیرینه‌شناس و سنگواره‌شناس فرانسوی

ایو کوپنس، دانشمند و انسان‌شناس و دیرینه‌شناس و سنگواره‌شناس معروف فرانسوی خاطرات زیبای خود را با عنوان خاستگاه انسان چاپ کرد و من خواندن این نوشته‌های دلپذیر را به همگی سفارش می‌کنم. این دانشمند، که در سال ۱۹۳۴ زاده شده، همزمان با پژوهش‌های میدانی در آفریقا در کولژ دوفرانس

هم درس می‌دهد و فرصت‌های مشترکی پیش آمده که از پژوهش‌های علمی خود صحبت کند و من هم از جامعه‌شناسی حرف بزنم. در سال ۱۹۷۴ او و گروه پژوهشی‌اش یک اسکلت انسان را که متعلق‌به دو میلیون سال پیش بود کشف کردند و نام‌آن را لوسی گذاشتند. این کشف در آن زمان رویداد بزرگی به شمار می‌آمد زیرا، در انطباق با نظریهٔ فرگشت چارلز داروین، به‌روشنی نشان می‌داد که انسان در ادامهٔ دگرگونیِ شامپانزه پدیدار شده است. نزدیک‌به چهار و نیم میلیارد سال پیش زمین به وجود آمد و نزدیک‌به دو میلیارد سال است که آبزیان تک‌سلولی زاده شده‌اند. پستانداران در هفتاد میلیون سال پیش و نخستین خانواده‌های میمون‌ها در ۴۰ میلیون سال پیش به وجود آمدند. قدیمی‌ترین ابزارهای سنگی به سه میلیون سال پیش برمی‌گردد ولی اطلاعات دربارهٔ انسان‌های نخستین تا پانصد هزار سال عقب‌تر نمی‌رفت. ایو کوپنس نخستین کسی است که در منطقهٔ شرق اتیوپی به اسکلت انسانی دسترسی پیدا می‌کند که دارای عمری بیش از دو میلیون سال است. البته کشف‌های تازه در آفریقا خبر از کشف اسکلت‌های قدیمی‌تر با دیرینگیِ بیش از سه میلیون سال نیز می‌دهند. به‌دنبال کشف لوسی بود که ایو کوپنس نوشت: «گسترش مهارت و فرهنگی از رشد زیستی پیشی گرفته؛ به این ترتیب، دگرگونیِ فرهنگی از دگرگونیِ زیستی جلوتر است و از این پس تعیین‌کنندهٔ دگرگونی‌هایِ انسان خِردمند خواهد بود.» او در کتاب خود با عنوان قطعات انسان پیشا تاریخی می‌نویسد: «تمام موجودات زندهٔ کنونی و تمام آن‌هایی که متعلق‌به چهار میلیارد سال پیش هستند از یک سرچشمه پدید آمده‌اند. انسان از زمانی شکل می‌گیرد که شامپانزه بین شش تا دوازده میلیون سال پیش از درخت به زمین فرود می‌آید. بنابراین، حلقهٔ گم‌شده‌ای وجود ندارد.» کشفیات انجام‌گرفته به‌شکل شگفتی‌آوری نشان می‌دهند ما در آغاز نئاندرتال‌ها، سپس انسان راست‌قامت و بالأخره استرال‌اپیتک‌ها را پیدا کرده‌ایم. انسانی که امروز آن را انسان خِردمند می‌نامیم، فقط ۵۰ هزار سال از عمرش گذشته. بنابراین، پیوند ما با آن‌ها پیچیده نیست.

از دید ایو کوپنس، انسان فرهنگ را می‌سازد و همین فرهنگ در دگرگونی‌های بعدی نسبت‌به زیست‌شناسی پیشی می‌گیرد و سرنوشت‌ساز می‌شود. انسان در آفریقا زاده می‌شود و دو و نیم میلیون سال پیش از آفریقا بیرون می‌آید و به اروپا/آسیا کشانده می‌شود. به‌گفتهٔ ایوکوپنس، اختلاف نظر در میان دانشمندان

فراوان است ولی همه موافق هستند که انسان‌های نخستین آدم و حوا نیستند بلکه کسانی‌اند که از تیرۀ حیوانی سرچشمه گرفته‌اند.

آخرین باری که ما در دانشگاه همدیگر را دیدیم، کوپنس رو به من گفت: «ایجادی، می‌خواهم کتابم را تقدیمت کنم.» و سپس روی کتاب قطعات انسان پیشاتاریخی نوشت: «با احترامی گرم و با خاطره‌ای مهربانانه، کتابم را به همکارم، ایجادی، تقدیم می‌کنم. امضا: ایو کوپنس».

ادیان گوناگون در طول تاریخ در ایران

در طول تاریخ ایران، ادیان گوناگونی وجود داشته‌اند. آیین‌های دیوپرستی و بت‌پرستی و عناصر طبیعی به دورۀ آیین‌های مِهرپرستی می‌گرایند. مِهرپرستی، به‌ویژه میترائیسم، خود را نشان می‌دهد و دارای نشان‌های ستاره‌شناسی است و میترا نیز خدای پرتو خورشید است. دورۀ مزدیستی یا دین زرتشت که با پیامبر زرتشت اسپنتمان و اهورا مزدا، خدای یگانه، مشخص می‌شود. مفاهیمی مانند بهشت یا پردیس، دوزخ، روز رستاخیز، فرشته و ابلیس همگی از آموزه‌های دین زرتشت هستند. آیین‌های مانوی، مزدکی، زروانی، مسیحیت و یهودیت از دیگر ادیانی هستند که پیش از اسلام وجود داشته‌اند. با اشغال استعماری عرب اسلام به ایرانیان تحمیل شد. از زمان صفویه مذهب تشیع بر ایران سلطه یافت. در ایران فقط شیعۀ دوازده‌امامی تأثیرگذار نبود بلکه اشعری و معتزله و ماتریدی و زیدی با برداشت‌های فقهی گوناگون وجود داشتند و مذاهب اربعۀ اهل سنت مانند حنفی و شافعی و حنبلی و مالکی نیز ادامۀ حیات دادند. در این بستر تاریخی، گرایش‌های عرفانی و درویشانه و نیز بابیان، اهل حق، مندائی‌ها، سیک‌ها، رائیلیان، بودائی‌ها و بهائیت این مجموعه را گسترش دادند. در این صد سال گذشته، گرایش‌های جدیدی در شیعه‌گری پدید آمدند که هر یک ویژگی خود را در رابطه با فقه شیعه برجسته می‌کند. از جمله این جریان‌های مذهبی ــ سیاسی شیعه عبارتند از: فدائیان اسلام، خمینیسم، شریعتمداری، منتظری، علی شریعتی، فرقان، عبدالکریم سروش، مجتهد شبستری.

در یک تقسیم‌بندی کلی می‌توان فرقه‌های معنوی و عرفانی فعال در ایران را به سه دسته تقسیم کرد:

- عرفان‌هایی که مدعی دین جدیدی هستند: سای بابا، رام الله، اوشو، اکنکار.
- عرفان‌های غیردینی: ساحری یا عرفان جادو، عرفان پائولو کوئیلو، فالون دافا، تعمق متعالی
- عرفان‌هایی که خاستگاه دینی اسلامی و مسیحی و یهودی دارند: صوفیه، شاهدان یهود، قبالا یا کابالا، اَبَر آگاهی، اشراقیون، فرقهٔ مادر، فرقهٔ باران، فرقهٔ حلقه.

بر اساس آمار دولتی، طی دو سال و نیم گذشته حدود ۷۰۰ گروه از محافل دینی و آیینی در کشور جمع‌آوری و تعطیل شده‌اند. افزون‌بر آن، اکنون بیش از ۷۰ فرقهٔ شیطان‌پرستی در کشور فعال هستند. در اینجا فقط خواستم جلوه‌هایی از وجود گروه‌بندی‌های دینی و مذهبی و آیینی را صرف‌نظر از ارزیابی مثبت و منفی مطرح کنم. البته این ویژگی‌ها به جامعهٔ ایران محدود نمی‌شوند و گستردگی دینی در دنیا نیز این وجود دارد ولی از دیرباز دین‌گرایی و رازگرایی در ویژگی‌های فرهنگی و تربیتی مردم ایران بوده است. این پدیده نه‌تنها از نگاه جامعه‌شناسی مهم است بلکه از دید روان‌شناسانه و روان‌کاوانه هم دارای اهمیت است. در این فضا، جایگاه فلسفه و خِردمندی و علم‌گرایی چگونه تعریف‌پذیر است؟

کشف حجاب

کشف حجاب در ۱۷ دی ۱۳۱۴ به همراه حق رأی زنان و نقش آن‌ها در وزارت و سفارت و وکالت و قضاوت توسط رضا شاه مطرح شد. اقدام رضا شاه برای نفی حجاب بیان‌گر ارادهٔ محکم در برابر دستور اسلام و حوزه و هدف بیرون کشیدن زن از ناآگاهی و خرافه و مردسالاری در جامعهٔ ما بود. جامعهٔ سنتی و مذهبی برای رعایت حکم قرآنی در مورد حجاب، پیوسته زن را به درون خانه و پستو رانده و زن از تمام امتیازات برابر با مرد محروم بوده. اقدام رضا شاه علیه حجاب با اقتدار و درست بود. در برابر دستگاه آخوندی و مکتب‌های دینی و سنت رایج، که هوادارواپس گرایی و اسارت زن است، یک ارادهٔ نیرومند لازم بود. در زمان انقلاب سفید در سال ۱۳۴۱ فرصت جدیدی برای زنان پدید آمد. در این سال، لایحهٔ انجمن‌های ایالتی و ولایتی در هیئت دولت ایران مصوب شد. به‌موجب این لایحه، زنان برای نخستین بار اجازهٔ شرکت در انتخابات و نامزد شدن را به دست

آوردند. روح‌الله خمینی انقلاب سفید را در تضاد با اسلام اعلان کرد و همه‌پرسی راجع‌به انقلاب سفید را «نامشروع» معرفی کرد و در ۱۰ اسفند ۱۳۴۱ طی یک نامه به شاه با حق رأی به زنان مخالفت کرد و آن را خلاف اصول قرآن و اسلام دانست.

انقلاب اسلامی به وقوع پیوست و این حادثه سرآغاز تیره‌بختی فراوانی برای زنان ایران شد. در تبصرهٔ مادّهٔ ۶۳۸ قانون مجازات اسلامی مصوب سال ۱۳۷۵ آمده است که «زنانی که بدون حجاب شرعی در معابر و انظار عمومی ظاهر شوند، به حبس از ۱۰ روز تا دو ماه یا از پنجاه هزار تا پانصد هزار ریال جزای نقدی محکوم خواهند شد.» در حکومت چهل‌سالهٔ ولایت فقیه، ستم‌گری بر ضد زن اوج گرفت و از همان فردای انقلاب هواداران آخوندها گفتند: «یا روسری یا توسری.» این جمله چکیدهٔ ستم‌گری حکومت دینی بر ضد زنان است. چهل سال است که مبارزه برای کسب حقوق زن ادامه دارد و یکی از خواست‌های اساسی زنان لغو حجاب اجباری است. سرچشمهٔ حجاب در قرآن است، حجاب بیان‌گر ناآگاهی و اجبار است. سراسر اسلام در پی منکوب زن و ادامهٔ سلطهٔ مرد بر او بوده است. در اسلام، زن به بارداری و خدمت جنسی به مرد خلاصه می‌شود و در قرآن نیز آمده است: «زنان کشت‌زار شما هستند.» این دیدگاه یعنی تحقیر زن و بردهٔ جنسی پنداشتن او. حال آن‌که زن در کنار مرد همهٔ امتیازات را باید دارا باشد. نکتهٔ آخر این‌که فمینیسم اسلامی یک شگرد دیگر اسلام‌گرایان برای توجیه و پشتیبانی از اسلام است و علی شریعتی با اندیشهٔ عقب‌مانده خود فاطمه را نماد زن می‌داند و اسلام را موجب ارزش‌دهی به مقام زن ارزیابی می‌کند. اسلام در هر حالتی در برابر حقوق زن است و زنان هم برای حق خود کوتاه نمی‌آیند. دخترانی که حجاب را بر سر چوب می‌گذراند و در خیابان‌ها نمایش می‌دهند ادامهٔ همین مبارزه برای آزادی است.

مارگریت دوراس

مارگریت دوراس در ادبیات قرن بیستم فرانسه و فضای ادبی و هنری جهانی چهرهٔ بارزی است. دوراس در زندگی هنری‌اش بیش از ۶۰ رمان و نمایش‌نامه چاپ و بیش از ۲۰ فیلم‌نامه و فیلم سینمایی تهیه کرد. او در سال ۱۹۱۴ در مستعمرهٔ

پیشین فرانسه یعنی ویتنام زاده شد و در سال ۱۹۹۶ در پاریس درگذشت. دوراس به‌عنوان بانوی بزرگ رمان‌نویسی معروف است. او کسی است که در پیدایش جریان سبک رمان نو نقشی اساسی ایفا کرد و نامش با فیلم معروف «هیروشیما عشق من» به‌کارگردانی آلن رنه گره خورده است.

دوراس در دوران اشغال نازی‌ها وارد جنبش مقاومت می‌شود و در کنار یارانش مانند فرانسوا میتران به فعالیت بر ضد اشغال‌گران دست می‌زند. در این هنگام همسرش توسط پلیس دستگیر و به اردوگاه نازی‌ها انتقال داده می‌شود. او پس از جنگ به رمان‌نویسی ادامه می‌دهد و به حزب کمونیست فرانسه می‌پیوندد ولی به لوئی آراگون، شاعر معروف، ایراد می‌گیرد که به حزب خیلی وابسته و فاقد استقلال است. او خیلی زود از حزب جدا می‌شود و کمونیست‌ها او را «خرده‌بورژوا و خائن» معرفی می‌کنند. مارگریت دوراس بر ضد جنگ فرانسه در الجزایر موضع می‌گیرد و از حق زنان در مورد کورتاژ پشتیبانی می‌کند. دوراس از ژان پُل سارتر انتقاد می‌کرد و می‌گفت او فاقد قدرت نگارش است. دوراس روحیهٔ سرکشی داشت، بسیار مستقل بود و مدام در حال نوآوری. او به‌راستی فیلم و تئاتر و رمان‌نویسی را زیر تأثیر قرار داد و نسل جدیدی از رمان‌نویسان مکتب او را ادامه می‌دهند. کار مارگریت دوراس بسیار گوناگون بود و روش رمان نویسی‌اش با دغدغهٔ فراموش نکردن همراه است. نگارش او خاطره‌ها را گِرد هم می‌آورد و آن‌ها را با زندگی امروزی می‌آمیزد. نگارش دوراس مبارزه با فراموشی و مرگ است.

معروف‌ترین رمان او عاشق است که در سال ۱۹۸۴ چاپ شد و مهم‌ترین جایزهٔ ادبی فرانسه یعنی گنکور و نیز جایزهٔ ادبی هِمینگوِی را از آن او کرد. از دیگر رمان‌های او می‌توان به لاموزیکا، نایب کنسول، سدّی بر اقیانوس آرام، بیماری مرگ، باران تابستانی، فاحشهٔ ساحل نورماندی و درد اشاره کرد. سینمای جهانی رمان‌های گوناگون او را به کار گرفته است. رمان عاشق او توسط ژان ژاک آنو در سال ۱۹۹۲ به‌صورت فیلم درآمد و واپسین فیلم سینمایی اِمانوئل فینکیل بر اساس رمان درد ساخته شده است. در ماه مِه ۲۰۱۹ فیلم «درد» در سالن‌های پاریس در حال نمایش است. دیشب به دیدن این فیلم زیبا رفتم. این فیلم با مهارت خاصی دوران اشغال پاریس را نشان می‌دهد. شوهر مارگریت، که یک یهودی است، توسط نازی‌ها دستگیر می‌شود و از آن پس درد و اندوهی

سنگین سراسر وجود مارگریت را فرا می‌گیرد. ولی این درد چه دردی است؟ درد ناشی از اشغال است؟ درد دوری و احتمال قتل شوهر توسط نازی‌هاست؟ درد هستی؟ درد همچون یک عادت؟ عشق به درد؟ دردی اضطراب‌انگیز که اسمی ندارد و هر چیز دیگری می‌تواند باشد. در پایان جنگ، اسیر از اسارت برمی‌گردد ولی مارگریت نمی‌خواهد و یا نمی‌تواند به استقبال او برود. چهرهٔ اسیر به سایه و تصویری مات تبدیل می‌شود و از دور مانند مجسمه‌های بلند و نازک آلبرتو ژاکومتی، مجسمه‌ساز سوئیسی، می‌شود؛ مجسمه‌هایی با حالتی دریافت‌گر که از واقعیت دورند ولی بیان‌گر یک روان رنج‌دیده یا رازدار هستند. پس از نمایش فیلم، خودِ کارگردان یعنی اِمانوئل فینکیل نیز حاضر بود. او با فروتنی و شوخی و بدون آن‌که رازگشایی کند، جنبه‌هایی از کارش را توضیح داد. به او گفتم: «چرا رمان درد را برای فیلم خود انتخاب کردید؟» او هم گفت: «رمان فضای جالبی بود که به من اجازه می‌داد که تا حرف‌های خود را بگویم و زبانش بومی نیست.» سپس گفتم: «شاید منتظر جایزهٔ جهانی «کن» هستید.» او هم با خنده گفت: «نکتهٔ تازه‌ای است. تا به حال بدان فکر نکرده بودم.»

آلبر کامو و نامه‌های عاشقانه

در سال ۱۹۴۲ آلبر کامو در پاریس است و همسرش فرانسین در الجزایر مانده زیرا اشغال فرانسه توسط نازی‌ها ارتباط و آمدوشد را قطع کرده است. در همین سال، کامو بیگانه و افسانهٔ سیزیف را چاپ می‌کند. در ۱۹۴۳ کامو به هیأت نگارش انتشارات گالیمار می‌پیوندد. او در سال ۱۹۴۴ کالیگولا و سوءتفاهم را راهی بازار می‌کند. در همین سال، بازیگر جوان، ماریا کسارس را می‌بیند و او به کامو پیشنهاد می‌کند تا در فیلم «سوءتفاهم» بازی کند و این دیدار سرآغاز یک عشق قدرتمند و ممنوع و پنهانی می‌شود که تا لحظهٔ مرگ کامو در ژانویه ۱۹۶۰ ادامه می‌یابد. کامو در سال ۱۹۴۷ رمان زیبای طاعون را چاپ می‌کند. در سال ۱۹۵۱ انسان یاغی و در سال ۱۹۵۶ سقوط را می‌نویسد و بالأخره در سال ۱۹۵۷ جایزهٔ ادبی نوبل به او تعلق می‌گیرد. در طول تمام این سال‌ها، عشق‌های او و نامه‌های عاشقانه‌اش پنهان باقی می‌مانند. کاترین کامو در سال ۱۹۷۹ این نامه‌ها

را از ماریا کاسارس تحویل می‌گیرد و به ناشر می‌دهد. این نامه‌های عاشقانهٔ ئِلبر کامو و ماریا کسارس در ۱۳۰۰ برگ توسط انتشارات گالیمار چاپ شد. این کتاب دربرگیرنده تمام نامه‌های عاشقانه‌ای است که طی ۱۹۴۴ تا ۱۹۵۹ میان آن‌ها ردوبدل شده.

این مجموعهٔ نامه‌ها پیش از هر چیز عشق و احساس و شوریدگیِ دو انسان را بیان می‌کند. البته این نغمه‌ها با گفت‌وگو دربارهٔ تئاتر و زندگی و شکَنندگی انسان و روشنایی و تاریکی زمانه هم همراه هستند ولی، در عین حال، درهم‌آمیختگی دو زندگی درونی و روانی فرد را بازگو می‌کنند. کامو، با وجود بیماری سل، می‌نویسد و باز می‌نویسد تا تردید و اندوه و خوشحالی و عشق زندگی‌اش ترسیم شود و باقی بماند. کامو یک رمان‌نویس، نمایش‌نامه‌نویس و فیلسوف است ولی، در ضمن، یک عاشق هم هست. او خطاب به عشقش، ماریا، می‌نویسد تا حقیقت روان خود را بازگو کند:

«دام عشق می‌تواند همیشه مطمئن باقی بماند؟ یک ژست می‌تواند همه‌چیز را ویران کند، حال آن‌که یک فرد می‌تواند با لبخند به تو شادی ببخشد. همدیگر را دوست داشتن هم باشکوه است و هم وحشتناک و دلهره‌انگیز زیرا عشق در فضای خطر و تردید دنیایی در حال فروریزی است و هنگامی است که زندگی انسان ارزش چندانی ندارد. زندگی برای من آسان نیست و به‌دلایل گوناگون شاد نیستم ولی اگر خدایی وجود داشته باشد، او می‌داند که هرچه هستم و هرچه دارم را می‌دهم تا دوباره دست‌های تو روی چهرهٔ من قرار گیرد. من همیشه تو را دوست داشته‌ام و همیشه حتی در بیابان هم در انتظارت بوده‌ام. مرا فراموش نکن!

روشن است که این‌همه عشق، این‌همه نیاز، این‌همه غرور برای ما دو نفر همیشه به روحیهٔ ما آرامش نمی‌دهد. آه، ماریا! ماریای سنگدل فراموش‌کار، هیچ کسی تو را به‌اندازهٔ من دوست نخواهد داشت. دو نفر که همدیگر را دوست دارند باید زندگی و احساس خود را بسازند. برای این کار باید هم بر ضد شرایطی که مناسب نیست اقدام کنند و هم بر ضد تمام چیزهایی که در درون‌شان آن‌ها را محدود و فلج کرده، مانع شده و فشار می‌آورد عمل کنند. ماریا، عشق در رویارویی با جهان به دست نمی‌آید بلکه با در رویارویی با خودمان دریافت می‌شود. تو می‌دانی که ما، با وجود قلب شکوهمند تو، دشمنان سرسخت خود هستیم. ماریا، نه امروز و نه فردا، هیچ‌چیزی نمی‌تواند جای عشق من و تو را بگیرد.»

جشن دانش‌آموختگی در دانشگاه

در دانشگاه، جشن دانش‌آموختگی بر پا بود. چهارصد نفر دانشجو، که درس خود را در سال ۲۰۱۷ در رشته‌های گوناگونی به پایان برده بودند، مدرک‌شان را دریافت کردند. همهٔ دانشجویان با رخت بلند مشکی و شال سرخ و کلاه سیاه، گروه‌گروه، به تریبون آمفی‌تئاتر می‌آمدند و مدرک خود را دریافت می‌کردند و به‌رسم همیشه برای ابراز خوشحالی کلاه‌های خود را به هوا می‌فرستادند. آمفی بزرگ پر بود. در چند ردیف نخست جای ما استادان بود؛ پشت‌سر ما تا بالای آمفی هم دانشجویان با لباس ویژه نشسته بودند و بقیه آمفی از خانواده‌ها و بستگان آن‌ها پر شده بود. دانشجویان خوشحال بودند و نتیجهٔ کار خود را می‌دیدند و خانواده‌هاشان برای آن‌ها ابراز شادمانی می‌کردند. در ضمن، برنامهٔ اجرای موسیقی هم تدارک دیده شده بود و یک هنرمند زن برخی ترانه‌های جانی هالیدی، ژان مورو، نیکول کروازی، و فرانس گال را با همراهی همهٔ افراد حاضر در آمفی خواند و شور جمعی به پا کرد.

امشب چهارصد دانشجوی فرانسوی و خارجی وارد بازار کار شدند، مهندس و مدیر و کارشناس جوان وارد چرخهٔ زندگی حرفه‌ای شدند تا اقتصاد و صنعت و سازمان‌های دولتی و نهادهای فرهنگی و اداری را مدیریت کنند و در سرنوشت جهانی فرانسه شرکت داشته باشند. بسیاری از آنان برای تشکر و قدردانی به‌سوی ما می‌آمدند. یکی از دانشجویان گفت: «آقای ایجادی، شما را فراموش نمی‌کنیم و مطمئن باشید سفارش‌های شما برای کتاب خواندن را اجرا خواهیم کرد.» یکی دیگر گفت: «لحظات پرتنشی داشتیم چون آزمون‌ها سخت و زیاد بودند ولی لحظات بسیار خوب هم داشتیم چون نزد استادان آموختیم، با دوستان زیادی آشنا شدیم و همکاری کردیم و کسانی مانند شما بودند که علاقه به زندگی و اندیشیدن را در ما تقویت کردند.» من هم به آن‌ها گفتم: «یکی از افتخارات و شادمانی‌های بزرگ ما استادان موفقیت شما در زندگی است و این نکته را صادقانه به شما می‌گوییم.» سپس به یکی از همکارانم، که کنارم بود، گفتم: «من از ایران به فرانسه آمدم و هنگامی که می‌بینم که من هم سهمی درموفقیت نسل‌های جوان دارم به خود می‌گویم زندگی‌ام بیهوده نبوده.» به هر روی، شب خوبی بود و برایم خاطره باقی می‌گذارد. هر سال نزدیک‌به هزار دانشجوی جدید به کلاس‌های گوناگون

من می‌آیند، حال فردا که به طبیعت برگردم و به خاک و عناصر شیمیایی تبدیل شوم، فکر می‌کنم حرف‌های من در گوش برخی دانشجویان خواهد ماند. به پایان مراسم رسیدیم و مشغول ترک آمفی‌تئاتر شدیم. نزدیک درِ خروجی بود که یکی از دانشجویانم با چند نفر به‌سوی من آمدند. او گفت: «پیش از آن‌که از شما خداحافظی کنم، پدرم می‌خواهد چیزی به شما بگوید.» به پدرش گفتم: «بفرمایید!» پدرش هم به من گفت: «شما مرا نمی‌شناسید ولی من شما را می‌شناسم زیرا بیست سال پیش در کلاس‌های شبانهٔ شما بودم.» گفتم: «من شرمنده‌ام که شما را به جا نمی‌آورم.» او هم گفت: «خیلی گذشته ولی امشب خیلی خوشحال شدم که شما را دوباره دیدم چون صدای شما هنوز در ذهنم مانده است.»

رابطهٔ میان جامعه و نظریهٔ اقتصادی چیست؟

با طرح این پرسش بود که به دانشجویانم گفتم برخی اقتصاددانان ادعا دارند که قوانین جامعه را به‌خوبی می‌شناسند ولی تجربه نشان می‌دهد که چنین‌چیزی حقیقی نیست. نظریه‌های اقتصادی در پی آن هستند تا اثبات کنند دیدگاه آن‌ها همه‌جانبه‌ترین و بهترین است و کاربست اصول نظری‌شان رفاه و ثروت جامعه و خوشبختی مردم را میسر می‌کند. برای نمونه، نظریه‌پردازهای اقتصاد لیبرال مانند میلتون فریدمن می‌گویند تنها هدف بنگاه‌های تولیدی سود است تا به این ترتیب تولید ناخالص ملی بالا رود، درصد رشد اقتصادی افزایش یابد و ثروت در جامعه افزون شود. در برابر این مکتب، نظریهٔ کارل مارکس نقدی بر سودخواهی طبقهٔ سرمایه‌دار است و خوشبختی را از راه اشتراک وسایل تولید و اقتصاد زیر کنترل پرولتاریا ممکن می‌داند. هیچ‌کدام از این دیدگاه‌ها نمی‌توانند متعادل باشند و درک گسترده‌ای از شکاف و بحران را ارائه دهند. ما امروز با جهانی ملتهب روبه‌رو هستیم که نه‌تنها از بی‌عدالتی ناهنجار رنج می‌برد بلکه با تمام قدرت در پی نابودی زیست‌بوم و محیط زیست است. من به اقتصاد بازار بنیاد باور دارم ولی باید دانست که نقش‌آفرینان اقتصاد لیبرال و بسیاری از سیاست‌مداران همسو با آن فقط به سود فکر کردند و تمام تقاضاهای محیط زیستی را به فراموشی سپردند. آن‌ها به بازی بدون اخلاق نقش‌آفرینان میدان

دادند و زمینهٔ رشد بی‌سابقهٔ فساد مالی و تخریب زیست‌محیطی را فراهم کردند. سرمایه‌داری در تاریخ ثروت گسترده‌ای تولید کرده ولی این نباید نافی نقد ما برآسیب‌ها و ناهنجاری‌ها باشد. موضع نامسئولانه و سودپرستانهٔ دونالد ترامپ نمونهٔ عریان و ناهنجار سیاست مسئولانی است که جامعه‌شناسی و زیست‌بوم را فراموش می‌کنند و دنیا را به اشتهای سیری‌ناپذیر افرادی معدودی می‌سپارند. همچنین، تمام الگوهای اقتصادی که از مارکسیسم الهام گرفتند به بروکراسی و نابودی خلاقیت فردی منجر شدند.

از دید جامعه‌شناسی، انسان همیشه به پیمان جمعی نیازمند است ولی این پیمان نمی‌تواند نافی آزادگی و انگیزهٔ فردی باشد. احترام به خواست و انگیزهٔ فردی باید با هماهنگی و قرارداد در اجتماع باشد. تولید یک‌جانبه و انبوه و سودپرست تندروانه و مصرف بی‌ملاحظهٔ مواد اولیه طبیعت و نیز تولید انبوه سوسیالیستی به‌ناگزیر به مناسبات انسانی و طبیعت و زیست‌بوم زیان خواهد رساند. جوزف استیگلیتز، اقتصاددان آمریکایی که پیرو مکتب اقتصاد کینزی است، بر زیان‌های بانک جهانی و صندوق جهانی پول تأکید می‌کند و می‌گوید سرمایه‌داری نه روی پا بلکه با سر راه می‌رود. آمارتیا کومارسن، اقتصاددان هندی، نیز در کتابش با عنوان توسعه به‌مثابه آزادی از معیارهای رایج مانند رشد کمّی اقتصاد انتقاد می‌کند و از کیفیت مناسبات انسانی و پیوند توسعهٔ انسانی و اقتصاد رفاه سخن می‌گوید. اقتصاد چین، زیر رهبری حزب کمونیست، با مصرف زغال سنگ در اقتصاد خود طبقهٔ متوسط بزرگی پدید آورده است ولی، در ضمن، سهم بزرگی هم در ویرانیِ محیط زیست جهانی دارد.

بنابراین، اقتصاد زیست‌محیطی از شالودهٔ اقتصاد لیبرال و مارکسیست انتقاد می‌کند و بر این باور است که در این دیدگاه‌های اقتصادی محیط زیست و رابطهٔ سه‌گانهٔ طبیعت و انسان و حیوان فراموش شده است. پدیده‌های هزینه‌آوری مانند آلودگی در جهان، ویرانیِ منابع طبیعی، افزایش دشواری‌ها برای سلامت انسان‌ها و گرمایش زمین نتیجهٔ همین دیدگاه‌های تولیدی نامناسب هستند. زمانی که یک الگوی اقتصادی به طبیعت آسیب می‌زند و سودخواهی تندروانه را تنها موتور خود می‌داند و یا فرد را به سرباز اسیر تبدیل می‌کند، به‌ناگزیر به جامعهٔ انسانی آسیب می‌زند.

سمیناری دربارهٔ هگل، دین و فلسفه

در ۱۶ ژانویهٔ ۲۰۱۸، سمینار دانشگاه سوربن دربارهٔ هگل، دین و فلسفه بود. همکار ما، فیلسوف بلژیکی یعنی روبرت لوگرو، که یکی از هگل‌شناسان معروف است، برای این سخن‌رانی دعوت شده بود.

فلسفهٔ گئورگ ویلهلم فریدریش هگل (۱۸۳۱ – ۱۷۷۰) اوج فلسفهٔ آرمان‌گرایی است. از ویژگی‌های اندیشهٔ او می‌توان به تاریخ‌گرایی و دیالکتیک اشاره کرد. به دیگر سخن، هگل بر این باور بود که هستی بر اصل تضاد استوار است. از دید او، در سِیر تاریخی رویدادها از هنر یونان به دین مسیحیت در اروپا می‌رسیم و از دین به فلسفهٔ او که اوج اندیشه است دسترسی پیدا می‌کنیم. در نگاه هگل، دین یک الهام حساس است، حال آن‌که فلسفه یک مفهوم است و بیان به پایان رسیدنِ دوران دین. از نگاه هگل، فلسفه اوج روح را نشان می‌دهد و روح مطلق بیان‌گر درک معنا و اندیشه است.

هگل همه چیز جهان و تاریخ جهان را تطور چیزی غیر مادی و فرایندی تاریخی می‌دانست که در خودآگاهی فلسفه او به اوج می‌رسد. تمامی این فرایند تاریخی دگرگونی ناشی از پدیده ای است که هگل آن را به آلمانی «گایست» (روح /ذهن) می‌خواند. برای هگل گایست درونمایه واقعی وجود است، جوهر نهایی هستی است و تمامیت فرایند تاریخی سازنده ی واقعیت نشوونمای گایست به سوی خودآگاهی و خودشناسی است.

از دیدگاه فلسفی هگل، «خدا مطلق است و مطلق مجموع اجسام تکامل‌یافته. خدا عقل است و عقل نسج و بنای قانونی طبیعی است که حیات و روح به‌موجب آن در حرکت است. خدا روح است و روحْ زندگی است؛ تاریخ نیز تکامل روح یعنی رشد حیات است. حیات در آغاز نیروی مبهمی بود که از خود آگاه نبود. جریان تاریخ عبارت از این است که حیات یا روح از خود آگاهی یابد و آزاد شود. آزادی جوهر حیات است همچنان‌که کششِ جوهر آب است. تاریخ رشد و تکامل آزادی است و غایتش آن است که روح کاملاً و با آگاهی از خود آزاد گردد.» (فلسفهٔ تاریخ هگل) به‌گفتهٔ دیگر، فلسفه عقلانیت مطلق است و در نوگرایی به علم تبدیل می‌شود. برای هگل، سِیر حرکت انسان با آگاهی از خود به‌سوی آزادی است.

هگل یکی از اندیشه‌های تابناک فلسفی است. البته انتقادات فراوانی به فلسفهٔ

او شده است. کارل مارکس گفت سوژه یا موضوع کل فرایند تاریخی در اساس چیزی ذهنی یا روحی نیست بلکه مادی است. هگل به دیالکتیک تز و آنتی تز و سنتز، باور داشت و مارکس گفت من دیالکتیک هگلی را که وارونه بود روی پاهایش قراردادم.

بهطور کلی، ویژگی اندیشهٔ فلسفی اندیشهپروری است. اندیشهها در فلسفه میچرخند، پرسش پس از پرسش، دیدگاهی بهدنبال دیدگاهی دیگر و در این میان هیچ قطعیتی وجود ندارد. هر فیلسوفی ادامهٔ اندیشهٔ فیلسوف دیگر یا بیانگر سپری شدن اندیشهٔ فلسفهای دیگر است بدون آنکه گسست قطعی در جریان باشد. برخلاف دین، که در مطلقیت منجمد میشود و روان انسان را از حرکت بازمیدارد، جامعه در فلسفه سیّالیت دارد. هیچ جامعهای از دینگرایی دور نیست ولی تحرک نیرومند جامعه و گشایش چشمگیر و فزایندهٔ جامعه با فلسفه تأمین میشود. باید در اینجا یادآوری کرد که از جمله کتابهای اساسی هگل پدیدارشناسی روح، علم منطق، عقل در تاریخ، ارباب و بنده، دانشنامهٔ علوم فلسفی، عناصر فلسفهٔ حق و درس گفتارهایی پیرامون فلسفهٔ زیباشناسی به فارسی ترجمه شدهاند.

همدلی اِپیکور و خیام

همدلی اِپیکور و خیام را فراموش نکنیم، آنها پیام مشترکی دارند. اِپیکور، فیلسوف یونانی، ۲۳۰۰ سال پیش میزیسته و خیام ۱۰۰۰ سال پیش.

اما اِپیکور چه میگفت؟ او از فلسفهٔ لذت حرف میزد. دیدگاه او پرهیز از پریشانخاطری دنیوی، پرهیز از میل واهی، جستوجوی آرامش درونی، رهایی از تشویش و دوری از رنج را بیان میکرد. برای او، بالاترین لذت نبودن درد است و آنچه درد را برطرف میکند خِردمندی است و خِردمندی هم در رهایی از اسارت شهوت، پرخوری، ترس از مرگ و خرافات مذهبی است. اِپیکور بر آن بود که باید از رقابت و مسابقه و حسادت و شهرتطلبی پرهیز کرد. او میگفت باید به فکر به دست آوردن آرامش درونی بود. برای اِپیکور، چهار اندیشهٔ خِردمندانه برای چارهٔ درد وجود دارد: «هیچ دلیلی نیست تا از خدایان بیمناک باشیم. مردن ارزش آن را ندارد که در ما نگرانی برانگیزد. رسیدن به نیک آسان

است. تاب‌آوریِ آن‌چه ترس‌آور است دشوار نیست.» نگاه اِپیکور را می‌توان این‌گونه خلاصه کرد: خوشبختی جاودانه برای انسانی است که می‌میرد. به گفته‌ای دیگر، باید زندگی خود را، با وجود شکنندگی و فناپذیری، به‌طرز کامل تجربه کنیم و از مرگ دوری بجوییم، باید نشان بدهیم که زندگی امروزی ما ربطی به مرگ ندارد و چنین حالتی به ما اجازه می‌دهد تا لذت ببریم. باید خواسته‌های بیهوده را کنار گذاشت تا لذت در ما جا پیدا کند. میل به فناناپذیری، میل به شهرت‌خواهی و ثروت‌اندوزی و زیاده‌روی ما را از خود دور می‌کنند. دور کردن عوامل رنج ما موجبات لذت بزرگ ما را فراهم می‌کند. ما باید در پی آن باشیم که در لحظهٔ کنونی بی‌انتهایی لذت را در خود پدید آوریم. خوشبختی خِردمند در تنهایی نیست بلکه مناسبات دوستانهٔ راستین اهرم نیرومندِ زندگی پرلذت را فراهم می‌آورد.

خیام دانشمند و شاعر با دیدگاهی پر از طنز به جهان می‌نگرد، شک می‌کند، دین را به سخَره می‌گیرد و می‌گوید هراس نداشته باشید. او برآ انست که باید از زندگی، از لحظه و هستی کنونی لذت برد و به انسان می‌گوید: شاد باش و در عشق به سر ببر، خود را از فشار افسانه دوزخ و میل واهی بهشت دور کن تا در لذت زندگی کنی:

«خیام اگر ز باده مستی خوش باش / با ماهرخی اگر نشستی خوش باش
چون عاقبت کار جهان نیستی است / انگار که نیستی چو هستی خوش باش.
امروز ترا دسترس فردا نیست / و اندیشه فردات بجز سودا نیست
ضایع مکن این دم ار دلت شیدا نیست / کاین باقی عمر را بها پیدا نیست.
دریاب که از روح جدا خواهی رفت / در پرده اسرار فنا خواهی رفت
می نوش ندانی از کجا آمده‌ای / خوش باش ندانی به کجا خواهی رفت.
تا چند زنم بروی دریاها خشت / بیزار شدم ز بت‌پرستان کنشت
خیام که گفت دوزخی خواهد بود / که رفت بدوزخ و که آمد ز بهشت.»

رومن گاری

رومن گاری را می‌شناسید؟ او یک نویسندهٔ برجستهٔ فرانسه است. گاری در ۱۹۱۴ در روسیه با نام رومن کاسیو زاده شد و در ۱۹۸۰ در پاریس با یک گلوله

خود را کشت. او از یک پدر و مادر یهودی‌تبار به دنیا آمد و می‌توان گفت که تمام زندگی و موفقیت خود را مدیون مادرش بود. مادرش از همان آغاز کودکی می‌خواست او مانند ویکتورهوگو نویسنده بشود و سفیر فرانسه باشد. مادر همیشه به پسرش می‌گفت: «تو یک روز برترین نویسندهٔ فرانسه خواهی شد، تو ویکتور هوگو خواهی شد، تو شاتو بریان، گابریل دانوزیو و سفیرکبیر فرانسه خواهی شد.»

گاری در گریز از فضای یهودی‌ستیز در روسیه و لهستان در سال ۱۹۲۸ او با خانواده‌اش به شهر نیس در جنوب فرانسه می‌رود. در آغاز، حقوق می‌خواند و سپس به فلسفه روی می‌آورد و همزمان وارد ارتش فرانسه می‌شود. در ۱۹۳۵ نخستین داستان و در ۱۹۳۷ نخستین رمانش با نام شراب مردگان را می‌نویسد که ناشران آن را چاپ نکردند. او ناامید نمی‌شود و همزمان با نوشتن به آموزش خلبانی اقدام می‌کند. گاری تیرانداز ماهری نیز بود و گاه با تپانچه دوئل هم می‌کرد. در بحبوحهٔ جنگ، روحیات یهودی‌ستیز در بخشی از فرانسویان اوج گرفته بود اما این فضا هم او را فلج نمی‌کند و او همیشه به فکر مادرش می‌افتد که به او می‌گفت: «پیشرفت کن.» در سال ۱۹۴۰، با ستایش از مقاومت شارل دو گل، رومن گاری به انگلستان می‌رود تا به ارتش هوایی نیروهای آزاد زیر فرماندهی دو گل بپیوندد. در این دوران، مادرش از بیماری قند می‌میرد و او تا پایان جنگ جهانی ۱۹۴۵ به فعالیت در نیروی هوایی بر ضد ارتش هیتلر به کار خود ادامه می‌دهد. رومن هنگامی که به میهن بازگشت، سراغ مادرش را گرفت ولی او چهار سال پیش مرده بود. برای رومن، این مرگ تصورپذیر بود زیرا او مرتب از مادرش نامه دریافت می‌کرد. در واقع، مادرش در دوران پایانی بیماری‌اش ۲۵۰ نامه به نوشته و خواسته بود تا آن‌ها را به‌مرور به فرزندش بفرستند تا او دلسرد نشود.

رومن گاری چندین بار عاشق شد و سه بار ازدواج کرد. یک بار با لسلی بلانش نویسنده، بار دیگر با جین سیبرگ بازیگر و بار سوم با لیلا شلابی رقاص و مانکن و گویندهٔ رادیو. او به‌خاطر شرکت در جنگ توانست از دولت فرانسه نشان شجاعت و «لژیون دونور» را دریافت کند، سپس به‌عنوان دیپلمات در بلغارستان، فرانسه، سوئیس، انگلستان و ایالات متحد خدمت کرد. امروز دو کتاب‌خانه در فرانسه به نام وجود دارد و مؤسسهٔ فرانسه در اورشلیم نیز به نام اوست. شایستگی و پشتکار و استعداد در نویسندگی او را به یکی از مشهورترین نویسندگان فرانسوی تبدیل کرد.

رومن گاری در حین جنگ و نیز پس از آن تا لحظهٔ مرگش سی‌وپنج رمان به نگارش درآورد. او رمان‌هایش را گاه با نام مستعار امیل اژار و بیشتر به نام رومن گاری چاپ کرد و تنها نویسنده‌ای است که با دو نام دو بار برندهٔ جایزهٔ ادبی فرانسه گنگور شده. افزون‌بر آن، او دو فیلم سینمایی ساخت و دو بار عضو هیأت داوران جشنوارهٔ کن و برلین شد. در تاریخ سینما سناریوِ ۱۲ فیلم بر پایهٔ رمان‌های او تنظیم و کارگردانی شده که تازه‌ترین فیلم «میعاد در سپیده‌دم» است که هم‌اکنون به‌کارگردانی اریک باربیه روی پردهٔ سینما. این فیلم، در واقع، شرح حال زندگی اوست.

ویژگی داستان‌های او چیست؟ در رمان روشنایی زن، گاری به سرنوشت آدم‌هایی می‌پردازد که زنده و مشغول زندگی‌اند اما کورکورانه و به‌نام قانون عشق و زندگی را نابود می‌کنند. در رمانی دیگر یکی از قهرمان‌های داستان جنگ‌جویی کهنه‌کار است که در حالی که واپسین ساعت‌های زندگی‌اش را می‌گذراند بار دیگر می‌خواهد بر ضد تمام گونه‌های فاشیسم و قدرت‌های دیکتاتوری تلاش کند. او در یکی از کتاب‌هایش چنین می‌نویسد: «همهٔ ما دو زندگی داریم: زندگی واقعی‌مان همان است که در کودکی رؤیایش را بافته‌ایم، رؤیایی که در جوانی و میان‌سالی در ابرها همچنان به پرداختنش ادامه می‌دهیم: زندگی جعلی‌مان همینی است که در روابط‌مان با دیگران از سر گرفته‌ایم، رفتاری کاربردی که به سودمان است و با خوابیدن در تابوت پایان می‌پذیرد.» گاری همیشه می‌خواهد کس دیگری باشد و در زندگی تکراری نباشد. میل به دیگری بودن در قهرمان‌های داستان‌های گاری بسیاراست، همان چیزی که او آرزویش را در سر می‌پروراند. او خود در یکی از کتاب‌هایش با نام مستعار آژار می‌نویسد: «همیشه یکی دیگر بوده ام.»

رمان‌های رومن گاری فراوانند: تربیت اروپایی، رنگ‌های روز، خداحافظ گاری کوپر، رقص چنگیزخان، سگ سفید، زندگی در پیش رو، ستاره‌بازان، شبح سرگردان، بادبادک‌ها، شاه سلیمان، مردی با کبوتر که توسط لیلی گلستان ترجمه شده و ریشه‌های آسمانی که توسط منوچهر عدنانی به فارسی برگردان شده است. بسیاری از موضوع‌های داستانی او از جنگ و ایستادگی در برابر هیتلریسم مایه گرفته‌اند و آثارش مدام حقوق انسانی را یاد آور می‌شوند و با بدی و عادی شدن آن مبارزه می‌کنند. ادبیات رومن گاری اعلان خطر علیه سقوط و پَستی انسانی است. بیشتر شخصیت‌های داستانی او نسبت‌به نظمی معترض و شورش‌گر هستند که شرافت انسانی را خوار می‌کند.

رمان‌خوانی چه فایده‌ای دارد؟

یک بار در هنگام درس، دانشجویی از من پرسید: «خواندن رمان به چه دردی می‌خورد؟» کمی شگفت‌زده شدم ولی، به هر حال، پرسش او جدی بود. گفتم رمان خواندن چشم ما را باز و تخیل‌مان را تقویت می‌کند و بر روان ما را تأثیر می‌گذارد. پاسخ من برایش کافی نبود. گفتم: «شاید من نتوانم شما را قانع کنم چون اهداف و دیدگاه شما بسیار متفاوت است ولی، با این حال، می‌گویم که چرا خودِ من رمان را مهم می‌دانم. رمان یعنی ادبیات و ملت‌های بزرگ هم ادبیات بزرگ دارند. ادبیات بزرگ جهان را تسخیر می‌کند. ادبیاتْ تاریخ و تخیل و فرهنگ است و بر مردم تأثیرگذار است. صد سال تنهایی از گابریل گارسیا مارکز بر شهروندان بی‌شماری از آمریکای لاتین و نویسندگان بی‌شماری در جهان تأثیر گذاشته است. رمان مادر از مارکسیم گورکیِ روسی جوانان و انقلابیون بی‌شماری را متأثر کرد. مادام بوواری از گوستاو فلوبرِ فرانسوی بر نویسندگان بی‌شماری در جهان اثر گذاشته و احساسات و رفتار آزادانهٔ زنان جامعهٔ بورژوایی را شکل داده است. بی‌نوایان از ویکتورهوگوِ فرانسوی شهروندان گسترده‌ایی را در جهان متأثر کرد و سینما و تئاتر را زیر تأثیر قرار داد. رمان طاعون از آلبر کاموِ فرانسوی میلیون‌ها دانش‌آموز و دانشجو و نویسنده و روشن‌فکر و شهروند را به شگفتی و پرسش کشاند. کتاب بیرون آفریقا از کارن بلیسنِ دانمارکی میلیون‌ها شهروند غربی و سینمای جهانی را زیر تأثیر قرار داد. مسخ از فرانتس کافکای چکی‌تبار تأثیر بسیار زیادی بر روشن‌فکران و ادبیات جهان گذاشته است. جنگ و صلح از لئو تولستوی بر اندیشه و روحیات شهروندان بسیاری نقش بسته است. بربادرفته از مارگارت میچل عشق انسان‌های بی‌شماری را آبیاری کرده است. دکتر ژیواگو از بوریس پاسترناکِ روسی عشق و حماسه را در زمین پخش کرده است. وداع با اسلحه از ارنست همینگویِ نسل‌های گوناگونی را تربیت کرده است. رمان خرمگس از اتل لیلیان وینیچ انقلابیون بسیاری را در جهان یاری داده است. بلندی‌های بادگیر از امیلی برونته خاطره و عشق میلیون‌ها انسان را آبیاری کرده است. جنایت و مکافات و نیز برادران کارامازوف از فیودور داستایفسکی خدا و اخلاق و روح انسان‌های بی‌شماری را به پرسش کشانده است. دُن کیشوت از سروانتس سبب شیفتگی و آرمان‌خواهی میلیون‌ها انسان در دنیا شده است.

کیمیاگر اثر پائولو کوئیلو برزیلی برای میلیون‌ها انسان داستانی پرکشش و جذاب بوده است. شازده کوچولو از آنتوان دو سنت اگزوپری روان کودکان و نوجوانان بسیاری را ملتهب کرده و به پرسش کشانده است. رمان ۱۹۸۴ از جورج اورول کنجکاوی و سوءظن میلیون‌ها انسان را برانگیخته است. رمان موبی دیک از هرمان ملویل روحیهٔ ایستادگی را در میلیون‌ها انسان برانگیخته است. رمان اولیس نوشتهٔ جیمز جویس ایرلندی از شاهکارهای ادبیات نوگرا به شمار می‌رود. گتسبی بزرگ نوشتهٔ اف.اسکات فیتزجرالد هم‌اکنون یکی از بزرگ‌ترین رمان‌های آمریکایی به شمار می‌آید و آن را در مدارس و دانشگاه‌های سراسر جهان به‌عنوان یکی از کتاب‌های برجستهٔ ادبیات جهانی معرفی می‌کنند. چشم‌هایش از بزرگ علوی و بوف کور از صادق هدایت قلب و روح شمار فراوانی ایرانیان را در خود فشرده است و معما آفریده است. بله، رمان‌هایی هستند که روان انسانی را به درد می‌آورند و یا انسان را به زندگی کردن مشتاق می‌کنند.» دانشجویم در پایان گفت: «امروز چیز تازه‌ای در زندگی آموختم و گویا باید بیشتر بخوانم.»

تظاهرات اعتراضی مردم ایران

در پاریس در پشتیبانی از تظاهرات اعتراضی مردم ایران تعداد بسیار زیادی از هم‌میهنان با دیدگاه‌های فکری گوناگون در میدان شاتله گرد هم آمدند. همه گفتند ما از خواست‌های مردم در برابر دیکتاتوری دینی پشتیبانی می‌کنیم، همه گفتند ما جمهوری اسلامی نمی‌خواهیم، همه گفتند زندانی سیاسی آزاد باید گردد، همه گفتند نه به حجاب اجباری در ایران، همه گفتند اصلاح‌طلب، اصول‌گرا دیگر تمام شد ماجرا، همه گفتند آزادی آزادی حق مسلم ماست. یکی از شعارها هم چنین بود: «نه شیخ، نه شاه، نه ترامپ، نه پوتین» در این چهل سال گذشته، هر زمان که جنبش اعتراضی در برابر جمهوری اسلامی در ایران بالا می‌گیرد، گرمی آن به خارج انتقال پیدا می‌کند و ایرانیان دوباره همدیگر را پیدا می‌کنند. بسیاری از این ایرانیان زیر فشار رژیم از مملکت خود گریخته‌اند و دلشان می‌خواهد اتفاق بزرگی در ایران روی دهد و بتوانند دوباره برگردند. آن‌هایی هم که امید به بازگشت را از دست داده‌اند از ته دل می‌خواهند رژیم جبار شیعه واژگون شود. چهل سال گذشت و مرتب امکان

بازگشت به تعویق افتاده است. بالأخره هنگام بازگشت به سرزمینی که این افراد در آن زاده شده‌اند و دل‌شان برایش می‌تپد، چه زمانی فرا می‌رسد؟ هر تعرضی در برابر ولایت خامنه‌ای در داخل امید ایرانیان را در خارج تقویت می‌کند. بیشتر ایرانیان خارج در نشست و کنفرانس بحث شرکت نمی‌کنند و به زندگی حرفه‌ای و خانوادگی و شخصی مشغول هستند ولی زمانی که جامعه تکان می‌خورد و گرما و شور برای تغییر حس می‌شود، بسیاری از ایرانیان با شوق جمع می‌شوند تا بگویند ایران را فراموش نکرده‌اند و امید به دموکراسی دارند. در این دیدارها کسانی که سالیان دراز دوستان خود را گم کرده‌اند همدیگر را پیدا می‌کنند. کسانی که می‌خواهند نقشی در دگرگونی ایران بازی کنند هم می‌آیند. کسانی که امیدوارند همین فردا رژیم دینی بیفتد نیز حاضرند. کسانی که با شعار و نشان سیاسی خود آمده‌اند تا فردا تأثیرگذار باشند نیز هستند. دیروز همهٔ رنگ‌ها در میدان شاتله بودند: جمهوری‌خواه، کمونیست، مسلمان، سلطنت‌خواه، مصدقی، کُرد، آذری، تهرانی، شاعر، جامعه‌شناس، هنرمند تئاتر، سینماگر، روزنامه‌نگار، نویسنده، نوازنده، خداناباور، ستاره‌شناس، تاریخ‌نگار، مترجم و همهٔ کسان دیگر. سازمان‌دهندگان پرچمی که برافراشته بودند پرچم سه‌رنگی بود که روی آن هیچ نقشی موجود نبود. افراد دیگری بودند که پرچم ایران با شیر و خورشید را در دست داشتند. یک پرچم بزرگ کُرد هم بود. یک نفر هم در یک لحظه خودسرانه عکس شاه و فرح را بالا برد که مورد اعتراض حادّ یک کمونیست قرار گرفت و در مقابل چند نفری واکنش نشان دادند و شعار دادند: «رضا شاه روحت شاد.» به هر روی، در میدان دموکراسی همه باید نفس بکشند، چه دوست داشته باشیم و چه مورد پسندمان نباشد و، افزون‌بر آن، همیشه نقش‌آفرینان سیاسی خوب و بد و بدجنس وجود خواهند داشت. دیروز میدان شاتله به یک «آگورا» تبدیل شده بود، خبردهی و تبادل نظر میان افراد فراوان بود. آدم‌ها با پرسش‌های فراوان: «آیا این جنبش اعتراضی ادامه خواهد یافت؟ چگونه می‌توان قدرت را از دست آخوند بیرون کشید؟ سازمان‌دهی شبکه‌ای چگونه عمل کرده است؟ آیا از این پس اسلام به‌طور قطعی از عرصهٔ سیاست حکومتی بیرون می‌آید؟ در فقدان یک رهبری عمومی چه باید کرد؟ چگونه پیوند نخبگان و فعالان داخل و خارج می‌تواند برقرار شود؟ آیا تشکیل یک گروه که تجلی همبستگی ملی باشد و داخل و خارج را به هم پیوند زند و بیان تیزبینی و هوش وعقل جمعی و منافع عمومی باشد میسر است؟» در گردهمایی دیروز دیداری با دوست قدیمی، باقر مؤمنی، داشتم. او تاریخ‌نگار، مترجم و منتقد اسلام

است. مؤمنی در ۱۳۰۵ خورشیدی در کرمانشاه زاده شده و در دورهٔ جوانی در حزب توده فعال بود و پس از بهمن ۱۳۵۷ به همکاری انتشاراتی با ناصر رحمانی‌نژاد و سعید سلطان‌پور و دیگران می‌پردازد. در ۱۳۶۰ خود را به ترکیه و سپس به پاریس می‌رساند و به ادامهٔ کار نویسندگی می‌پردازد. مؤمنی کتاب‌های فراوانی مانند مسائل اپوزیسیون ایران، گفتارهای سیاسی و دموکراسی، دین و دولت در عصر مشروطیت، از موج تا توفان، انفجار سبز، اسلام ایرانی و حاکمیت سیاسی، حکومت اسلامی و اسلام حکومتی، پروندهٔ پنجاه و سه نفر، یادمانده‌های ایرج اسکندری، در خلوت دوست و دنیای ارانی و غیره را چاپ کرده. دیروز در گپی دوستانه به او گفتم: «فکر می‌کنی آیا ما می‌توانیم به ایران برگردیم؟» نگاهی کرد و گفت: «نه، بابا!»

عاملان ایدئولوژیکِ ماشین حکومت اسلامی کیستند؟

حسین شریعتمداری و آیت‌الله احمد جنتی دو عامل فعال ولایت فقیهی و شیعه‌گری هستند. حسین شریعتمداری مدیرمسئول کیهان و نمایندهٔ ولایت فقیه، نظریه‌پرداز فاشیسم اسلامی و راهبرد سیاسی است. او از جوانی فرد متعصب مذهبی بود و خود را هوادار نهضت اسلامی جهانی معرفی می‌کرد. او پس از انقلاب فرماندهٔ سپاه پاسداران شد. سابقهٔ فعالیتش به‌عنوان بازجوی وزارت اطلاعات و مسئول بخش معاونت اجتماعی وزارت اطلاعات بوده است و یکی از کارهای برجستهٔ او صنعت دروغ‌پردازی و تواب‌سازی و تهمت‌پراکنی حرفه‌ای بوده است. به‌روشنی، شریعتمداری همان سیاست تبلیغاتی گوبلز در زمان هیتلر را تنظیم کرده و بازی می‌کند. داعش نیز همین الگوی تبلیغاتی را به کار می‌برد. از جمله فعالیت‌های او برنامهٔ تلویزیونی «هویت» بود. در این برنامه روشنفکرانی چون عبدالحسین زرین‌کوب و هوشنگ گلشیری و بسیاری دیگر «وابسته‌به بیگانگان و خائن» به کشور معرفی شدند. اعترافات تلویزیونی که از سعیدی سیرجانی، عزت‌الله سحابی و غلامحسین میرزاصالح در زندان زیر فشار و شکنجه ضبط شده بود در این مجموعه‌برنامه پخش شده‌است. او از جانب احمدی‌نژاد جایزهٔ «بهترین و منصف‌ترین» منتقد را دریافت کرد. در طول عمر جمهوری اسلامی، او سرچشمهٔ سیاست‌ها و نظریات کاملاً ارتجاعی و توجیه‌کنندهٔ تمام سرکوب‌ها بر

ضد مردم بوده است. او در برخورد با جنبش اعتراضی کنونی می‌گوید: «این‌ها در حدواندازهٔ تفالهٔ داعشی‌ها هم نیستند» حسین شریعتمداری از نزدیکان خامنه‌ای است و تبهکارترین عوامل رژیم از او خط می‌گیرند. روزنامهٔ کیهان یک نشریهٔ ایدئولوژیکِ کم‌خواننده و پرهزینه است و تمام بودجه‌اش از یارانهٔ دولتی جبران می‌شود. هزینهٔ کلان روزنامه توسط جمهوری اسلامی تهیه می‌شود زیرا دستگاه ولایت فقیهی خامنه‌ای نیازمند سیاست تبلیغاتی دینی حادّ و پرزور است و به همین خاطر شریعتمداری عنصر ایدئولوژیک نظام است. حملهٔ او به جنبش اخیر برای حفظ منافع مالی و ایدئولوژیک او است. رسالت این عنصر نابودیِ هر سیاست و اندیشه‌ای است که نظام اسلامی را نشانه گرفته است.

آیت‌الله احمد جنتی در حوزهٔ اصفهان و قم درس خواند و درجهٔ اجتهاد دارد. در دوران جمهوری اسلامی او دبیر شورای نگهبان، رئیس مجلس خبرگان رهبری، عضو مجمع تشخیص مصلحت نظام، عضو شورای عالی انقلاب فرهنگی و امام جمعهٔ موقت تهران و از هواداران محکم احمدی‌نژاد بوده است. یکی از ویژگی‌های این فرد فرصت‌خواهی او برای حفظ منافع و جایگاهش است. جنتی از جانب خمینی مانند صادق خلخالی حکم گرفته بود تا «مجرمین طاغوتی» را به قتل برساند. او در آبان ۱۳۸۴ در سخن‌رانی خود پیروان دیگر ادیان را حیواناتی توصیف کرده بود که «در زمین می‌چرند و فساد می‌کنند». او در شهریور ۱۳۹۲ گفت: «چرا دختران دانشجویی که می‌خواهند درس بخوانند بعد از ورود به دانشگاه چادر خود را برمی‌دارند و خراب می‌شوند. دانشجویان در دانشگاه نمره می‌خواهند و برای کسب این نمره هر صحبتی را گوش می‌دهند، لذا می‌توان به آن‌ها این تذکر را داد که چنان‌چه حجاب‌شان را رعایت کردند، این اجرای قانون در نمره و انضباط آن‌ها تأثیرگذار است. با این شرایط مسلماً آن‌ها حجاب را رعایت می‌کنند.»

یکی از ویژگی‌های مهم این فرد نادانی و کوته‌اندیشی و خرافه‌پرستی اوست. او محصول حوزه و کلاس درسِ خمینی بوده است و افق فکری‌اش به رساله‌های حوزوی خلاصه می‌شود. در واَقع، او نماد شیعه‌گری است. وی در مورد جنبش اعتراضی کنونی می‌گوید: «در این اغتشاشات شاهد بودیم که برخی اشرار در کنار افرادی که به مشکلات اقتصادی معترض بودند قرار گرفتند و کار را به جایی کشاندند که دشمنان کشور و بخصوص برخی مسئولان آمریکا از این اغتشاشات حمایت کردند. این اغتشاشات از جمله منکراتی هستند که دلیل به وجود آمدن

آن‌ها عدم برخورد با منکرات دیگری بوده است که عامل به وجود آمدن گرانی و ایجاد مشکلات اقتصادی بوده‌اند. در کنار منکراتی مانند قاچاق باعث می‌شوند شرایط اقتصادی کشور دچار مشکل شود و چون دستگاه‌های نظارتی با این منکرات برخورد جدی و اثرگذار نکرده‌اند، اقتصاد کشور دچار مشکل شده و در بین مردم ایجاد نارضایتی کرده است.»

احمد جنتی یکی از علمای بزرگ فقه شیعه است و خامنه‌ای به چنین فردی نیازمند است تا حوزه را کنترل کند، باورهای دینی را در میان طلاب و توده‌های پایین جامعه انتقال دهد و ذهنیت آن‌ها را در راه الله و خامنه‌ای به بند بکشد. یکی از ویژگی‌های سقوط سیاسی جامعهٔ ما حاکمیت چنین افرادی است که از هر گونه انسان‌گرایی و فرهنگ نوگرا به دور هستند.

جنبش اعتراضی و الگوی مارکسیستی

آیا برای جنبش اعتراضی باید به فکر کارل مارکس افتاد؟ در گذشته، مارکسیست‌ها برای تدارک انقلاب و فهم مبارزات کتاب‌های مارکس را می‌خواندند تا چه‌بسا بتوانند الگوی مارکسیستی را بر جنبش اجتماعی جا بیندازند. این الگوسازی موفق نبود زیرا با ساختار تاریخی و فرهنگ و مناسبات اجتماعی ما همسویی نداشت. بدون شک، خواندن سرمایه، مطالعهٔ هجدهم برومر لوئی بناپارت و نبردهای طبقاتی و جنگ داخلی در فرانسه ۱۸۷۱ چالش فکری را تقویت می‌کنند ولی این آثار ربطی با الگوهای فکری کنونی ما ندارند. البته کارل مارکس یک نظریه‌پرداز بزرگ انقلاب بود ولی هر انقلاب و یا جنبشی در قالب الگوی مارکسیستی نمی‌گنجد. مسئلهٔ مرکزی جامعهٔ ما برچیدن نظام استبدادی دینی است تا جمهوری و دموکراسی و آزادی در جامعه میسر شوند. ما می‌خواهیم از حکومت اسلامی بیرون برویم، ما حکومت کارگری یا دولت سوسیالیستی نمی‌خواهیم، ما برای ایران جمهوری پای‌بند به جداانگاری دین از سیاست می‌خواهیم. چند دهه پیش بود که کشورهایی مانند اسپانیا و پرتغال و یونان از اقتدارگرایی بیرون رفتند و به جرگهٔ کشورهای دموکراسی غربی پیوستند. مارکسیست‌ها به‌طور مسلم خواهند گفت: «دموکراسی بورژوایی» نامطلوب و زشت است و سپس آن‌ها به‌طرز مستقیم

یا نامستقیم الگوی اقتدارگرای دیگری را پیشنهاد می‌کنند. این کار را نباید تکرار کرد و روشنفکران ما از این مسیر باید بیرون بیایند. اندیشه‌های کانت، هابز، مونتسکیو، جان لاک، استوارت میل، آلکسی توکویل، ماکس وبر و ریموند آرون در این دوران از نگاه سیاسی و حقوقی به‌میزان زیادی به ما یاری می‌رسانند.

اندیشه‌های انتقادی فلسفی و جامعه شناختی اندیشمندانی مانند پی یر بوردیو، مارسل گوشه، لوئیس آلفردکوزر، تورستن ویلن، جسی شرلی برنارد، چارلز لمرت، رایت میلر، تالکوت پارسونز، رابرت مرتون، اسکات لش، مانوئل کاستلز، آلن تورن، و دیگران نیز لازم برای پژوهش و تفکر در باره جنبش اجتماعی است. جنبش‌های اجتماعی فقط در محور مبارزه طبقاتی و تضاد کار و سرمایه قرار نمی گیرند. امروز بررسی این جنبش‌ها نیازمند مطالعه زیست محیطی، رسانه‌های ارتباطی جدید، جهانی شدن پدیده ها، دین و فرقه گرایی، پدیده‌های شهری، ناسیونالیسم، دلهره‌های روانشناختی، مهاجرت، حقوق زنان، سازماندهی جدیدکار، نظام مالی جهانی، مافیای قدرت، تروریسم و فناتیسم اسلامی، محرومیت و استرس روانی و غیره می‌باشد.

ما نیازمند رفتار مدنی، کردار دموکراتیک و آزادی اندیشه هستیم. ما می‌دانیم که در دموکراسی خطا و نارسایی بسیاری خواهد بود ولی رژیم دموکراسی کمترین بدی‌ها را نسبت‌به رژیم‌های دیگر دارد. ما دانش و شناخت خود را باید با تجربهٔ جمعی، عقل و هوشمندی، گفت‌وگوی چندگانه و تجربهٔ جهانی پیوند زنیم تا اشتباه‌های خود را کمتر کنیم. هم‌اکنون، اگر شمار بسیاری از نخبگان سیاسی، مسئولان، کنش‌گران و دانشگاهیان داخل و خارج وارد گفت‌وگو و چاره‌اندیشی مشترک بشوند، کار بسیار مفیدی برای مملکت صورت می‌گیرد. ما با هدف دموکراسی و جداانگاری دین از سیاست و آزاد اندیشه به تلاش مشترک خود نیاز داریم.

جشن پاک و میترائیسم

«جشن پاک» یا جشن نوئل (کریسمس) از سدهٔ چهارم میلادی به‌عنوان زادروز مسیح اعلان شده است، حال آنکه از دید مورخان تاریخ زادروز مسیح روشن نیست. بر اساس اسناد تاریخی، جشن پاک ریشه در میترائیسم دارد، همراه با

عناصر طبیعت است و آیین میترا یا مِهر هم از دیرباز در امپراتوری روم برپا می‌شده است. یکی از فصل‌های «اوستا» مِهر نامیده می‌شود و مِهر به‌معنای دوستی و مهربانی است. آیین مِهر که در ایران‌زمین و هند مشترک بوده از سال ۶۷ پیش از زادروز مسیح به اروپا و سرزمین ایتالیا نفوذ کرد و به امپراتوری روم انتقال‌یافت و در آخر با تصمیم کلیسا به جشن مسیحی تبدیل شد. اگر توجه کنیم نشان‌هایی مانند درخت سرو و یا بابانوئلی که هدیه می‌دهد هیچ ربطی به دین مسیحیت ندارد. پس از تصاحب جشن و تبدیل به یک مراسم دینی، کلیسا به مبارزه با آیین میترائیسم پرداخت و در زمان حکومت تئودوز مسیحیت دین رسمی شد و میترائیسم در سال ۳۹۱ میلادی ممنوع اعلان شد. به هر روی، در جهان میلیون‌ها انسان عید پاک را جشن می‌گیرند و در میان آنان شمار بسیاری نه به‌خاطر جنبهٔ دینی بلکه به‌عنوان یک جشن شاد و خانوادگی آن را برپا می‌دارند. این جشن برای شادی‌های بیشتر خجسته باد!

همین جنبهٔ تاریخی برای سال میلادی قابل تعمیم است. سال نوِ میلادی که می‌آید، برای بخشی مهمی از بشریت لحظهٔ شادی‌آوری است. از نظر میرچا الیاد، جشن سال نو با تجدید سالانه جهان جهانی بدوی که در همه تمدنهای اولیه و کهن مشاهده می‌کنیم مطابق است. و ایده اصلی همانا تحول و کامل شدن جهان اولیه را معنا می‌دهد. در واقع، ناپدید شدن پوشش گیاهی در زمستان و تولد دوباره آن در بهار، به افسانه گسترده تولد دوره ای سال دامن زده است. بنابراین جای تعجب نیست که تعداد زیادی از «سالهای جدید» بین انقلاب زمستانی و اعتدال بهاری برگزار می‌شود و جشن نوروز نیز در همین چارچوب معنادار است. در رم باستان در سال ۴۶ قبل از میلاد، امپراتور ژول (جولیوس) سزار تصمیم گرفت که روز سال جدید، که پیش از آن، در مارس جشن گرفته می‌شد، یکم ژانویه تعیین شود. رومیان این روز را به ژانوس، که خدای دروازه‌ها و آغازین است، اختصاص می‌دهند: او دو چهره داشت، یکی رو به جلو، دیگری رو به عقب. ژانویه نیز به نام ژانوس نامگذاری شده است.

هم اکنون بیشتر مردمان جهان بر اساس این تقویم زندگی خود را تنظیم می‌کنند و همگی امید و آروزیی را برای خود در نظر می‌گیرند. خیلی‌ها سلامتی آرزو می‌کنند، بخشی برای عشق‌شان امیدی لذت‌بخش در خود نگه داشته‌اند، برخی امیدوارند برای خود خانه بخرند، برخی دل‌شان می‌خواهد مسافرت به دور دنیا

بروند، کسانی هم هستند که به پیدا کردن شغل امید بسته‌اند، افرادی هم آرزوی به پایان رساندن و چاپ کتاب خود را دارند،کسانی هم هستند که امیدوارند فرزندان‌شان ازدواج کنند یا وارد دانشگاه شوند، کسانی دیگر هم امیدوارند تا جنگ پایان یابد و یا درگیر جنگ و خشونت نشوند، برخی دیگر امیدوارند که وضع طبیعت ویران‌تر از این نشود و افراد بی‌شمارِ دیگری هم هستند که امیدوارند دیکتاتوری اسلامی در ایران نابود شود. من به‌طور شخصی امیدوارم باز هم بیشتر کتاب بخوانم، کتاب‌های جدید بنویسم، برای دیگران آن‌ها را حکایت کنم و روزی این خبر را پخش کنم که جمهوری اسلامی برای همیشه واژگون شد.

جایگاه و اهمیت جامعه‌شناسان در فرانسه

یکی از ویژگی‌های فرانسه جایگاه و اهمیت جامعه‌شناسان است. جامعه‌شناسی در فرانسه دارای پیشینه‌ای طولانی است. آگوست کنت، که در ۱۸۵۷ درگذشت، از پایه‌گذاران جامعه‌شناسی است. منتسکیو، که در ۱۷۵۵ از دنیا رفت، پدر جامعه‌شناسی سیاسی است. الکسی توکویل نیز پیشگام جامعه‌شناسی سیاسی و جامعه‌شناسی انقلاب آمریکا و واکاویِ تطبیقی جوامع بود. امیل دورکیم با کتاب تقسیم کار اجتماعی در سال ۱۸۹۳ و مفهوم «همبستگی اُرگانیک» مرحلهٔ تازه‌ای در جامعه‌شناسی جهانی باز کرد. از آغاز سدهٔ بیستم تا پایان قرن، کلود لوی استراس، ژُرژ بلاندیه، ریموند بودون، پی‌یر بوردیو، میشل کروزیه، آلن تورن، ادگار مورن و لوک بولتانسکی از جمله نظریه‌پردازان فرانسویِ مکتب‌های بزرگ جامعه‌شناسی بوده‌اند. به‌طور آشکار، جامعه‌شناسی آلمان و آمریکا نقش بسیار مهمی در تکامل جامعه‌شناسی جهانی داشته‌اند ولی دستاوردهای فرانسه در این عرصه بسیار برجسته و قاطع‌اند.

جامعه‌شناس در فرانسه تنها یک فرد دانشگاهی نیست بلکه در امور اجتماعی مداخله دارد بلکه در میان مشاوران رئیس‌جمهور، در نهادهای اداری، در میان مشاوران بنگاه‌های تولید مهم، در رادیو و تلویزیون هنگام بحث و گفت‌وگو، در زمان برآمد جنبش‌های اعتراضی، در زسانه‌های نوشتاری عمومی و دیگر محیط‌ها حاضر است. جامعه‌شناس یک فرد کم‌یاب نیست و روزنامه‌نگاران پیوسته از آن‌ها

نظرخواهی می‌کنند.

حضور جامعه‌شناس و نظردهی تخصصی به فهم بهتر پیچیدگی‌ها یاری می‌رساند. البته جامعه‌شناسان کلید «آخرین» کارشناسی را در دست ندارند ولی دیدگاه جامعه‌شناختی در گفت‌وگوی کارشناسان دیگر مانند اقتصاددان و روانکاو و پزشک و سیاست‌مدار و مدیر بنگاه تولیدی و سندیکالیست یک عامل کیفی در بحث‌های ژرف به شمار می‌آید. تعادل و مدیریت جامعه نیازمند تبادل نظر تمامی صاحب‌نظران با یکدیگر است.

الگوی ساختاری جامعه‌شناسی عملکرد پویای گروه و پیوند اُرگانیک فرد با گروه می‌باشد. این الگو بر اساس بینش اولیستی و فراگیر بررسی می‌شود. فرد یک اتم اجتماعی است و، در ضمن، دارای کیستی و منافع و اهداف و انگیزهٔ ویژه است. به این ترتیب، میان اجزای این مجموعه روابط اُرگانیک متقابل وجود دارد و این پرسش مطرح است که واقعیت اجتماعی، پدیده‌ای ساخته‌شده یا محصول مناسبات جبری است. البته جامعه‌شناسی به زمینه‌های تخصصی فراوانی تقسیم می‌شود و به‌ناگزیر با الگوی کلان و خُرد تعریف می‌شود. جامعه‌شناسی صنعتی، جامعه‌شناسی کار، جامعه‌شناسی سیاسی، جامعه‌شناسی فرهنگ، جامعه‌شناسی سازمان‌دهی، جامعه‌شناسی شهری، جامعه‌شناسی طبقات، جامعه‌شناسی انتخاباتی، جامعه‌شناسی نظام آموزشی، جامعه‌شناسی دین، جامعه شناسی شناخت، جامعه اروپا، جامعه شناسی فرقه ها، جامعه شناسی شبکه‌های اجتماعی، از جمله زمینه‌های تخصصی با الگوی خاص خود هستند. سرچشمهٔ جامعه‌شناسی فلسفه است ولی جامعه‌شناسی در یک راه بسیار طولانی ساختار مفهومی و گفتمان و منابع نظری و منابع دانشگاهی خود را به‌طور مستقل تشکیل داده. جامعه‌شناسی نوگرا تأثیرات متقابل و بسیار فراوانی از انسان‌شناسی، روان‌شناسی اجتماعی، مردم‌شناسی، روانکاوی و ساختارگرایی گرفته است و با وجود بهره‌گیری از دانش آماری و پژوهش میدانی و تجربه‌گرایی اجتماعی و انسانی نه همچون علوم تجربی بلکه مانند دانش تحلیلی تلقی می‌شود. جامعه‌شناسی در پی معناست و برداشتی مفهومی از واقعیت ارائه می‌کند و در جست‌وجوی شناخت مناسبات رازآمیز و پنهان جامعه است تا پدیدهٔ اجتماعی به شفافیت نزدیک شود.

با توجه به آنچه که بیان شد این پرسش مطرح است که جامعه‌شناسی در ایران دارای چه سابقه و چه واقعیتی می‌باشد؟ گفته می‌شود که غلامحسین صدیقی

آورندۀ جامعه‌شناسی به ایران است. شوربختانه، اثر جامعه‌شناسانه‌ای از ایشان وجود ندارد. شخصیت دیگر امیرحسین آریان‌پور است که در ۱۳۸۰ خورشیدی درگذشت و چند نوشتار و ترجمه و مقاله از خود باقی گذاشته است. در چهل سال گذشته، جامعه‌شناسان ایرانی در داخل و خارج کشور آثار گوناگونی چاپ کرده‌اند. بررسی سیر جامعه‌شناسی تا امروز در ایران مستلزم یک پژوهش نقادانه است. بنظر می‌رسد که جامعه شناسی بمثابه یک رشته علمی و آکادمیک در ایران پانگرفته است.

هوش مصنوعی و فلسفۀ هستی

رابطۀ هوش مصنوعی و فلسفۀ هستی یکی از چالش‌های بزرگ زمانۀ ماست. آیا گسترش هوش مصنوعی منجر به چیرگیِ ربات بر انسان خواهد شد؟ هدف هوش مصنوعی این است که می‌توان رایانه‌ها و ربات‌ها را وادار به فعالیتی کرد که در حال حاضر انسان‌ها انجام‌شان می‌دهند. هوش مصنوعی دانش برنامه‌ریزی سیستم‌های رایانه‌ای و الکترونیکی است که می‌کوشد تا رفتار «انسان‌گونه» را بازسازی کند و حتی فراتر از قدرت مغز انسان پیش رود. آیا انسان می‌تواند ماشینی هوشمندتر از انسان بیافریند و آیا این ماشین با هوش برتر می‌تواند ماشین دیگری بیافریند؟ تاکنون، هوش مصنوعی بسیار پیش رفته است و ربات‌ها را به یک مرحله جدیدی و بی‌سابقه از دگرگونی رسانده است. ماشین با هوش مصنوعی چیست؟ این‌گونه ماشین هوشمند باید موقعیت‌های ازپیش‌تعریف‌نشده را با نرمش‌پذیری و بر اساس بانک دانش دریابد و تشخیص بدهد، باید پیام‌های نادرست یا مبهم را جدا کند، تمایزها و شباهت‌ها را بفهمد، واکاویِ داده‌ها و اطلاعات را در دستور کارش قرار دهد و نتیجه‌گیری کند و بتواند ارتباط دوسویه برقرار کند. امروز، ربات‌هایی به وجود آمده‌اند که می‌توانند در یک بازی شطرنج انسان قهرمان را شکست دهند اما هنوز ربات به نقش انسان دسترسی پیدا نکرده است. مقایسۀ هوش مصنوعی با هوش انسانی به ما نشان می‌دهد که انسان با مشاهده و واکاویِ شرایط می‌تواند قضاوت می‌کند و تصمیم می‌گیرد، در حالی که هوش مصنوعی بر اساس قوانین و رویه‌هایی ازپیش‌تعبیه‌شده و رایانه‌ای عمل

می‌کند. به‌معنای دیگر، برنامه‌ریزی ربات توسط انسان صورت می‌گیرد. در واقع، شیوه‌ها و شگردهای هوش مصنوعی برای پاسخ به آن دسته از مسائل اختراع شده‌اند که به‌آسانی توسط برنامه‌نویسی یا شیوه‌های ریاضی حل‌شدنی نبوده‌اند. هوش مصنوعی قدرت انسان و سرعت عمل او را به‌طرز بی‌سابقه‌ای افزایش می‌دهد. هوش مصنوعی، در واقع، دانش و مهندسی ایجاد ماشین‌هایی هوشمند با به‌کارگیری رایانه و الگوگیری از فهم هوش انسانی یا حیوانی و، در نهایت، دسترسی به ساختار هوش مصنوعی در سطح هوش انسانی است. حال، پرسشی مهمی در برابر ماست: آیا دانشمندان و کارشناسان می‌توانند به تولید ماشین‌هایی دست بزنند که نه‌تنها برنامهٔ عمل دارند بلکه دارای احساسات هستند و نسبت‌به وجود خود و روحیات و احساسات خود آگاه هستند؟ در حال حاضر، ما به این دگرگونی نرسیده‌ایم ولی آیا در آینده هم چنین‌چیزی ناشدنی است؟

کتاب‌هایی مانند ربات‌ها و انسان‌ها نوشتهٔ لورانس دوولیه و یا اسطورهٔ فردیت نوشتهٔ ژان گابریل گاناسیا به همین پرسش‌ها پرداخته‌اند و یا با نگاهی انتقادی به بررسی هوش مصنوعی داشته‌اند و انسان را، در نهایت، تصمیم‌گیرنده می‌دانند ولی همهٔ اندیشمندان چنین نمی‌اندیشند. فیلسوف سوئدی، نیک بوسترم، با کتاب معروفش یعنی هوشمندی برتر در جست‌وجوی چگونگی کنترل ربات‌ها با هوش مصنوعی است. از دید این فیلسوف، در آینده با گسترش هوش مصنوعی پیشامدهای ناگواری می‌توانند روی بدهند. در نگاه او، اگر ربات جدید با هوشمندی مصنوعی بتواند بر مغز بشر پیروز شود، پیشامدهای شومی می‌توانند در انتظار انسان باشند. نیک بوسترم می‌پرسد: «فردا ماشین‌های متکی‌بر هوش مصنوعی را چگونه کنترل کنیم تا به انسان زیان نرسانند؟» انسان با دانش خود به ماشین قدرت شگفت‌انگیزی می‌دهد و امروز ربات‌هایی وجود دارند که به اساس برنامه‌ریزی در کُرهٔ مریخ عمل می‌کنند. امروز ربات‌هایی وجود دارند که واژگون می‌شوند ولی این استعداد را دارند که از زمین برخیزند و به‌سوی هدف خود پیش بروند. اگر امروز ربات در مسابقهٔ شطرنج و پوکر بر انسان پیروز می‌شود، در آینده چرا ربات به جنگ با انسان اقدام نکند؟ چرا ربات زندگی انسان را مختل نکند؟ نیک بوسترم می‌پرسد: «آیا می‌توان ربات‌ها را درس اخلاق داد تا بر ضد انسان نشورند؟» این فیلسوف تمام مقوله‌های اقتصادی، روان‌شناسانه و فیلسوفانه را مورد بررسی قرار می‌دهد تا راه رویارویی با ربات‌ها تدوین شود. این‌گونه

اندیشه‌ها ویژهٔ غرب نیستند و ما هم باید به آن‌ها توجه کنیم. دیدگاه فلسفی و جامعه‌شناسی ما باید این معضل را مورد اندیشه قرار دهد. گسترش دانش به انسان کمک‌های بی‌شماری کرده و بازهم خواهد کرد ولی ماشین بیرون از کنترل می‌تواند خسارت بزرگی به وجود آورد. این فرضیه نیازمند ادامهٔ اندیشه در عرصهٔ جامعه‌شناسی و فلسفه و اخلاق است.

ژان دورمسون

ژان دورمسون، نویسنده و فیلسوف فرانسوی که ۱۶ ژوئن ۱۹۲۵ در پاریس زاده شد، دیشب چهارم دسامبر ۲۰۱۷ در سن ۹۲ سالگی درگذشت. مرگ ژان دورمسون، نویسندهٔ محبوب فرانسه، هیچ‌کس را بی‌تفاوت نمی‌گذارد. او یک نویسندهٔ پرکار بود و بیش از چهل رمان چاپ کرده. وی در دبیرستان نخبگان «هانری چهارم» درس خواند و سپس به «اکول نرمال» رفت و با وجود مخالفت استادش، لوئی آلتوسر، فلسفه خواند و در سال ۱۹۴۶ میلادی تحصیلات خود را در رشتهٔ فلسفه به پایان رساند. دورمسون نخستین رمان خود را با عنوان عشق لذت است در سال ۱۹۵۶ چاپ کرد. در پی چاپ آن، رمان دیگری با نام شکوه امپراتوری نوشت و جایزهٔ آکادمی فرانسه را دریافت کرد. او در سال ۱۹۷۳ به عضویت آکادمی فرانسه برگزیده شد. در سال ۲۰۱۵ تمام کتاب‌های او در مجموعهٔ نفیس ادبیات پلیاد چاپ شدند. او سه سال سردبیر روزنامه فیگارو شد و، در پایان، به‌خاطر نبود استقلال کافی در این روزنامه استعفا داد. از دوستان نزدیک دورمسون می‌توان به فیلسوف و جامعه‌شناس فرانسوی، ریموند آرون، اشاره کرد؛ هر دوِ آن‌ها با تلاش بسیار زیاد نقد کمونیسم شوروی را به پیش می‌بردند.

با نوآوری و تلاش ژان دورمسون بود که برای نخستین بار یک زن، نویسندهٔ برجسته‌ای مانند مارگریت یورسنار، وارد آکادمی فرانسه شد. در آکادمی، همکارانش به او می‌گفتند سنت نیست که یک زن وارد آکادمی شود و او نیز در پاسخ به آن‌ها می‌گفت این سنت باید شکسته شود و چنین نیز شد. در زمانی که بانو سیمون ویل، شخصیت سیاسی فرانسوی و طراح قانون آزادی کورتاژ، مورد یورش سیاسیون سنتی و راست قرار گرفت، ژان دورمسون قاطعانه به پشتیبانی

از او برخاست. او از دید سیاسی دارای گرایش متمایل‌به راست بود و خود را «جمهوری‌خواه گلیست» معرفی می‌کرد ولی او، در ضمن، دوستان بسیار زیادی در جناح چپ جامعه هم داشت. او دوست ژک شیراک به شمار می‌رفت و، در ضمن، دوست فرانسوا میتران، رهبر سوسیالیست‌ها و رئیس‌جمهور فرانسه، نیز بود. او در یکی از آخرین کتاب‌هایش یعنی با وجود همه، زندگی زیبا بود از گفت‌وگوهایش با فرانسوا میتران می‌گوید: «میتران به من گفت تو نمی‌بایست به سیاست روی می‌آوردی، همان کار نویسندگی را ادامه بده. در ضمن، بدان که اگر من با کمونیست‌ها ائتلاف کردم تا بر سر قدرت بیایند، هدفم آن بود تا کمونیست‌ها به‌عنوان یک نیروی سیاسی از بین بروند.»

ژان دورمسون در کنار رمان‌های فراوانش دیدگاه‌های فلسفی‌اش را در کتاب‌هایی مانند خدا، امور و ما و با وجود همه، زندگی زیبا بود چاپ کرده است. یکی از موضوع‌های مورد پسند او مفهوم «زمان» بود. از دید او، برای مبارزه با زمان باید به هنر پرداخت زیرا وقتی که خلاقیت و آفرینش هنری ما را در خود می‌گیرد زمان را نمی‌فهمیم. او می‌گفت: «برای من ساعت و رایانه سودمند نیستند زیرا مرا از نوشتن دور می‌کنند. من از مرگ نمی‌ترسم و وقتی مرگ برسد، دیگر از کارهای اداری و وظایف خانه و امور بانکی آزاد می‌شوی.» روزنامه‌نگاری از او پرسید: «اگر به شما پیشنهاد زندگی دوباره کنند، چه می‌گوئید؟» او هم گفت: «مخالفت خواهم کرد چون همین زندگی من برایم بسیار زیبا بوده است.»

ژان دورمسون می‌گفت: «روشنفکر حق دارد هر کاری که خواست بکند و در عرصهٔ سیاسی تعهدی نداشته باشد. در سال‌های جنگ دوم خیلی مشکل بود که روشنفکر فاقد تعهد باشد. ولی ویژگی اصلی روشنفکر تغییر کردن است. روشنفکران معاصر فرانسه مانند فینکل کروت، میشل اونفری و رژیس دبره تغییر کرده‌اند و جالب این‌که من که تمایل راست دارم به‌ناگاه می‌بینم دارای مواضع مشترک با روشنفکران چپ هستم. باید با زمان خود زندگی کرد و گفتن این‌که چیزهای قدیمی بهترند نادرست است. چیزهای بسیار زیبایی در زندگی امروز وجود دارد.»

ژان دورمسون عاشق سَبک شاتوبریان بود. او همیشه کوتاه سخن می‌گفت، جملاتش کوتاه و روشن و طنزآمیز بودند. او شخصیت میانه‌رویی داشت و همیشه تلاش می‌کرد تا دارای قضاوتی معقول باشد. او فردی زنده و اهل گفت‌وگو بود. یک بار که او را در نمایشگاه کتاب پاریس دیدم به او گفتم: «شما در زندگی

خوش‌بین هستید؟» او هم گفت: «در میان این‌همه فاجعه باید خوش‌بین باقی ماند.» او می‌گفت در زندگی‌اش اشتباهات زیادی کرده است. مثلاً فکر می‌کرده با مرگ خمینی کار رژیم اسلامی در ایران پایان می‌گیرد ولی این‌چنین نشد. ژان دورمسون خیلی نگران تروریسم بود و می‌گفت داعش یک بدی مطلق است و برای از بین بردنش باید با اهریمن متحد شد.

تروریست‌های جهادی

تروریست‌های جهادی فراوانی که از فرانسه به سوریه رفتند و به داعش پیوستند خواهان بازگشت هستند. روزگار عجیبی است، این جوانان مسلمان شیفتهٔ خلیفهٔ اسلامی به فرانسه پشت کردند تا برای داعش و بر ضد غرب جنگ کنند. امروز با فروریزی داعش آن‌ها با شتاب خواهان بازگشتند و وکلای فراوانی به کار دفاع از آن‌ها پرداخته‌اند. روزنامهٔ لوموند می‌نویسد: «بر اساس آمار دولتی، ۱۸۰۰ نفر طی سه سال گذشته از فرانسه به سوریه رفتند که از آن میان ۳۰۰ نفر کشته شدند، ۱۲۰۰ نفر پس از واژگونی دولت خلیفه در همان مناطق پراکنده هستند و ۳۰۳ نفر به فرانسه بازگشته‌اند. در شرایط کنونی، در میان بازگشت کنندگان ۱۳۴ نفر در زندان، ۳۹ نفر زیر کنترل دستگاه قضایی، ۶۹ نفر آزاد ولی تحت مراقبت، ۵۹ کودک و جوان زیر سن قانونی هستند. نوجوانان زیر کنترل نهادهای اجتماعی قرار دارند. حال، در میان ۱۲۰۰ حاضر در منطقه ۷۰۰ نفر اغلب مرد و به سن قانونی رسیده‌اند و ۵۰۰ نفر نوجوان زیر هجده‌سال هستند.» بر اساس اطلاعات به‌دست‌آمده، شمار زیادی از این نوجوانان آدم‌کُش‌های حرفه‌ایی شده‌اند و یا دارای تمایل به دیگرآزاری و خشونت هستند. در نظام خلیفه‌گری داعش، نوجوانان میان ۷ تا ۱۷ سال توسط فرماندهان داعش «شیرهای جوان» خلیفه به شمار می‌آیند و کارآموزی نظامی و مذهبی می‌بینند و می‌دانند چگونه از شمشیر و خنجر و اسلحه بر ضد «کفار» استفاده کنند. داعش بارها از این نوجوانان برای فیلم‌های تبلیغاتی و نمایش سر بریدن‌ها در برابر دوربین تلویزیون بهره برده. یکی از این فیلم‌ها اعدام ۲۵ سرباز سوریه‌ای توسط نوجوانان در آمفی‌تئاتر شهر قدیمی «پالمیر» را نشان می‌دهد. یک فیلم دیگر کشتار زندانیان کُرد را نشان می‌دهد. در این فیلم پنج

نوجوان داعشی که زندانیان را سر می‌برند عبارتند از: یک نفر انگلیسی، یک نفر مصری، یک نفر کُرد، یک نفر تونسی و یک نفر ازبک.

حال، از دید جامعه‌شناسی معضل بزرگی برای فرانسه مطرح است. چه سیاستی نسبت‌به افرادی که خواهان بازگشت هستند باید در پیش گرفت؟ بر پایهٔ همه‌پرسی، بیشتر فرانسوی‌ها نگران هستند و نمی‌خواهند آرامش جامعه برهم بخورد ولی افرادی که از سوریه بازمی‌گردند دارای ملیت فرانسوی هستند و خانواده‌شان در فرانسه‌اند. برخی از این افراد ادعا دارند که پشیمان هستند. آیا واقعاً آن‌ها پشیمان شده‌اند؟ در فرانسه، نوجوانانی که تاکنون بازگشته‌اند اغلب دستخوش حالات روانی خشونت‌گرا، تنش شدید، افسردگی و اندوه هستند. این افراد دچار بحران روان‌شناسانه هستند و دارای رفتار مضطرب و نامسئولانه نسبت‌به محیط انسانی‌اند. بخشی از این نوجوانان رفتار جنایت‌آمیز خود را حفظ کرده‌اند، تمایل به کشتن دارند و اسلام‌گرایی حادّ خود را رها نکرده‌اند. آن‌ها محصول سال‌ها تبلیغات اسلامی و شست‌وشوی مغزی‌اند. حال، در برابر بازگشت احتمالی جهادگرایان و جوانان مکتب داعش چه باید کرد؟ بر پایهٔ گفته‌های برخی از این آن‌ها، همگی خواهان بازگشت هستند زیرا بدرفتاری مسئولان داعش را دیدند و، بنابراین، دلسرد و پشیمان هستند ولی به‌طور مسلم عامل اصلی این تمایل به بازگشت شکست نظامی داعش و فروریختن رؤیای خلیفه‌گریِ این جریان تروریستی است. از این پس، برای این افراد پول و امنیت زیر چتر داعش وجود ندارد. در فرانسه، مسئولان کشوری می‌دانند که بیشتر آن‌ها در اقدامات تروریستی و کمک‌های تروریستی شرکت داشته‌اند ولی دولت مجبور است بر پایهٔ قانون و تصمیم دادگاه فرانسه اقدام کند. به این ترتیب، جنگ روانی و سیاسی و نظامیِ دیگری در دل جامعهٔ فرانسه و برخی کشورهای دیگر اروپایی در حال شکل‌گیری است. این لشکر شکست‌خوردهٔ داعشی برمی‌گردد ولی این افراد خشونت و جهان‌بینیِ اسلامی را در ژرفای ذهن خود حفظ کرده‌اند. بیشتر آن‌ها در زندان به کار تبلیغاتی بر ضد غرب و دموکراسی ادامه خواهند داد و در دل جامعه باورهای بنیادگرایانه را پخش خواهند کرد. تمدن غرب تناقضات درونی خود را تشدید خواهد کرد زیرا اسلام در پی تسلط بر جهان و در جست‌وجوی خفه کردن جامعهٔ باز است.

اسپینوزا و فروید

باروخ اسپینوزا در کتاب خود با عنوان اخلاق یکی از مطالب مهمی که طرح می‌کند درک از خود است. او می‌نویسد: «میل جوهر انسان است.» چگونه باید انسان را فهمید؟ اگر از کارل مارکس جویای انسان شوید، او فرد را به طبقهٔ اجتماعی‌اش نسبت می‌دهد، طبقه‌ای که دارای تاریخ و منافع و احساس طبقاتی است. اسپینوزا شناخت فرد را به خودشناسی «جوهر» انسان و جوهر را به «میل» ارتباط می‌دهد. بر این پایه، ما نتیجهٔ میل و آرزوی خود هستیم و همیشه آیندهٔ خود را در آرزوی کنونی میسر می‌بینیم. آرزویی که خواست زیستن ما را معنا می‌دهد و این آرزو زمانی که در ما به شادی پیوند می‌خورد قدرت عمل ما را افزایش می‌دهد. برای اسپینوزا هنگامی که این شادی با کارعقل همراه است و زمانی که ضرورت آن با کل طبیعت فهمیده می‌شود، به یک شادی همه‌جانبه تبدیل می‌شود. برخی رفتارها مانند مصرف مواد مخدر قدرت مایل‌به زندگی را ناتوان می‌کنند و برخی حالات مانند عاشقی شادمانی بزرگی تولید می‌کند و میل به زندگی را تقویت و زندگی را دلپذیرتر می‌کنند. در واقع، با چنین بیانی، نظریهٔ اسپینوزا به نظریهٔ روان‌کاوانهٔ فروید و لکان نزدیک می‌شود. از نگاه روان‌کاوانه باید میل و آرزوی خود را فهمید و دریافت. حالت شخصیتی من در کجاست و چه چیزی انگیزهٔ من را افزایش می‌بخشد؟ برای این درک شخصیتی، شناخت «ناخودآگاه» انسان به یک ضرورت تبدیل می‌شود. ما نیاز داریم تا «ناخودآگاه» ما خود را بیان کند. ولی ناخودآگاه از شناخت ما می‌گریزد و ریشه در ابعاد درونی و ناپیدای ما دارد. دربارهٔ میل نمی‌توان تصمیم گرفت زیرا آرزوها و عقده‌های فرورفته و پنهان با شخصیت تاریخی و دیدارهای دور و نزدیک زندگی ما پیوند خورده است. با وجود این دشواری‌ها، می‌توان میل در خود را حس کرد و دریافت. این کار ساده‌ای نیست ولی قدرت روانی و پافشاری برای زندگی، حس و میل به زندگی را افزایش می‌دهد. کسی که عاشق است دستخوش ناامیدی می‌شود ولی برای دوست داشتن ایستادگی می‌کند. یک هنرمند چه‌بسا به یک شکست دچار شود ولی از قدرت خلاقیت و پتانسیل شادمانهٔ خود دست نمی‌کشد. اگر کسی در زمینه‌ای به شادمانی خود می‌رسد امکان و بهانه‌ای برای زندگی پیدا می‌کند. در چنین حالتی، ما هستی خود را تقویت می‌کنیم. ما خود را نفی نمی‌کنیم، به خود

وفادار هستیم ولی خود را بالا می‌کشیم و احساس می‌کنیم.

حال، آن‌چه اسپینوزا و فروید می‌گویند در «هستی» جریان دارد. این هستی بر پایهٔ جدایی روان و بدن نیست بلکه به‌گفتهٔ هانری اتلان، فیلسوف فرانسوی، اصل اسپینوزا از جبرگرایی طبیعت و آزادی انسانی حکایت می‌کند و در وادی طبیعت نیز طبیعت آفرینندهٔ دیگری جز خود ندارد. هانری اتلان حتی اصطلاح «تئولوژی آته» را به کار می‌گیرد که شاید بتوان آن را «دین‌داری ناباورانه» ترجمه کرد. گفتمان اسپینوزا از یک فضای روحانی و اخلاقی می‌گوید ولی به قدرت خدایی در آسمان پیوند نمی‌خورد بلکه با طبیعت یکی می‌شود.

پیدایش جهان

دانش ستاره‌شناسی به ما می‌گوید جهان نزدیک به ۱۴ میلیارد سال پیش به وجود آمده است. منظومهٔ خورشیدی نیز ۴٫۶ میلیارد سال پیش آغاز شده و گفته می‌شود که ۵ میلیارد سال دیگر به سردی خواهد گرایید. جهان دربرگیرندهٔ میلیاردها کهکشان است و هر کهکشان نیز میلیاردها منظومهٔ خوشیدی است و هر سیستم خورشیدی دربرگیرندهٔ سیاره‌ها و ماه‌های فراوانی است. سیاره‌ها از اَبَرخورشید جدا شده‌اند و ماه‌ها نتیجهٔ تصادم سیاره‌ها هستند. در منظومهٔ خورشیدی ما، در آغاز نزدیک ۱۰۰ ماه وجود داشته که با برخوردهای درونی شمارشان کاهش یافته و با هم ترکیب شده‌اند. بر اساس نظریهٔ ستاره‌شناسان، جهان در حال انکشاف مداوم است؛ یعنی فاصلهٔ میان کهکشان‌ها هرچه بیشتر افزایش پیدا می‌کند و پایانی بر آن نیست.

افزون‌بر آن، خورشید پس از یک دوران بسیار طولانی نیز بزرگ خواهد شد و به مدار فعلی زمین خواهد رسید و، در نهایت، زمین توسط خورشید بلعیده خواهد شد. اوبر ریو، دانشمند و اخترشناس سوئیسی، می‌گوید: «امکانات ما برای شناخت بسیار ناتوان است و ما فرای حس پنج‌گانهٔ خود امکان شناخت دیگری نداریم.» در توضیح بیشتر نظریهٔ دانشمند سوئیسی می‌توان گفت برای نمونه در حال حاضر در جهان ما به‌عنوان ساکنان زمین تنها هستیم ولی این تنهایی نتیجهٔ ناآگاهیِ ماست. اگر ما بتوانیم به شناخت منظومه‌های خورشیدی و کهکشان‌ها

پی ببریم، چەبسا این نظریه تغییر کند و زندگی در سیاره دیگر حس شود. هر دانشمندی باید پنداشت‌ها و تصورهای خود را از جهان ارتقا دهد. در جهان نمی‌توان گفت من به حقیقت رسیده‌ام زیرا ما در قلمرو بسیار کلان و گسترده‌ای هستیم که فقط مطابق موضع خود ابراز نظر می‌کنیم. رابطۀ ما با حقیقت چیست؟ همان رابطه‌ای که میان یک نقشه و جغرافیا وجود دارد. نقشه از جغرافیا حرف می‌زند ولی آیا نقشۀ ما بازتاب دقیق جغرافیاست؟

بنابراین، دانش ما همان نقشه است که بازتابی از حقیقت هست ولی همۀ حقیقت نیست. مذاهب ابراهیمی می‌گویند خداوند جهان را در شش روز پدید آورد. روز ششم خدا تمام کارهایی را که انجام داده بود تمام کرد و روز هفتم او بعد از همه کارهایی که انجام داد بیکار بود. خدا روز هفتم را برکت داد و آن‌را تقدیس کرد. همۀ پیروان آن‌ها به همین باور چنگ زدند و خود را تسلیم خدا کردند ولی این تسلیم به‌معنای پایان دادن به پژوهش و جست‌وجو است. اشتباه انسان در تسلیم اوست

تاریخ زبان و تمدن‌ها

انسان هوموساپین از ۳۰۰۰۰۰ سال پیش ظاهر شد. زبان هوموساپین چگونه شکل گرفت؟ پژوهش‌ها ادامه دارد. ولی زبان نوشتاری بیش از ۴۰۰۰ سال پیش پدید آمد. هیروگلیف یا «کنده کاری مقدس» خط و زبان فرعون مصر بود و بشکل «نویسه ها» یا نقش انسان و جانور بود. در همان زمان در منطقه «میان رودان» لوح‌های رسی پخته که به ۳۰۰۰ سال پیش از میلاد بدست آمده که متعلق به عصر برنز و عصر آهن بوده و برای حسابداری مواد کشاورزی تهیه شده بود. حماسه گیلگمش از نخستین افسانه‌های نوشته شده روی لوح‌های گلی بوده و متعلق به سومریان بوده و به خط میخی نگارش یافته است. این پرسش مطرح است که از میان سومری‌ها و مصری ها، پیشگامان خط و نوشتار چه کسانی بودند؟

پرسش بسیار دشواری است و پژوهشگران به کشف‌های دیگری رسیدند که پاسخ قطعی را سخت تر میکند. زبان چینی به بیش از ۱۵۰۰ سال پیش از میلاد برمی‌گردد. برای زبانشناسان میان زبان چینی و «وام واژه های» آن با هیروگلیف

نزدیکی هایی وجود دارد. افزون برآن تمدن مایا از هزار سال پیش از میلاد بوجود آمد و خط مایایی نوعی خط هیروگلیفی بوده و به سده ششم پیش از میلاد برمیگردد و این خط، برای امور مذهبی و سرشماری بکار گرفته میشده است. در این بحث باید از فینیقی‌ها یا کنعانیان نیز یاد کرد که در ۲۵۰۰ سال پیش از میلاد سربرآورده و گفته می‌شود خط آنها مادر خط‌های کنونی است.

«زبان پارسی باستان» از شاخه‌های «زبان‌های ایرانی» و از گروه «زبان‌های هند و اروپایی» می‌باشد که به سده ششم پیش از میلاد برمیگردد و سامانه نوشتاری آن بشکل خط میخی پارسی باستانی بوده است. این زبان با زبان «مادی» و «اوستایی» پیوند نزدیک داشته است. زبان پارسی باستان در بخش غربی فلات ایران بود و بعدها از دل آن، از جمله «زبان فارسی میانه»، پارسیک یا پهلوی، بوجود می‌آید. زبان اوستایی جزو زبانهای شرقی ایران بوده و نسک‌های اوستا به این زبان است و دیرینه آن به بیش هزار سال پیش از میلاد برمیگردد. زبان‌های هندو-اروپایی گروهی از زبان‌های خویشاوند هستند که از هند تا به اروپا گسترده شده‌اند ریشهٔ زمانی این خانوادهٔ زبانی به ۶۰۰۰ سال پیش می‌رسد.

شکل گیری خط از امکان مادی نوشتاری جدا نیست. پاپیروس یا قرطاس که با نام کاغذ حصیری نیز آمده به مصریان امکان داد تا روی آن بنویسند. مصریان باستان از نزدیک ۲ هزار سال پیش از میلاد، از گیاه پاپیروس، که گونه‌ای از نی است و در اطراف رود نیل می‌روید، کاغذی می‌ساختند که به همان نام پاپیروس شناخته شد. نوشته‌های «رسی» یا لوح‌های گلی در خاورمیانه، سنگ نوشته‌ها در تمدن ایران و پارشومن‌ها در امپراتوری رم تا قرون وسطا، وسیله‌های گوناگون نگارش و خط بوده اند. چینی‌ها در سده دوم میلادی کاغذ را کشف کرده بودند، ولی بمدت ۶۰۰ سال آنرا برای خود نگه داشته و به دیگران انتقال ندادند. کاغذ از ۷۵۱ میلادی از سوی زندانیان چینی در سمرقند که زیر کنترل عباسیان بود، به مسلمانان انتقال یافت و بنابراین روشن است که در زمان‌های آغازین اسلام، کتاب قرآن نمی توانست موجود باشد. پس از آن، کاغذ به خاورمیانه و به اروپا و به درون کلیساها رسید. بالاخره کاغذ با ماشین چاپی یوهانس گوتنبرگ آلمانی از نیمه دوم سده ۱۶ میلادی ترکیب شد و انقلاب فرهنگی بزرگی را پدید آورد. پس از این انقلاب گوتنبرگی، انقلاب الکترونیکی و دیجیتالی بشریت را به مرحله بزرگی از خط و زبان و فرهنگ کشانید.

خدمت یعقوب لیث صفاری به ایران‌زمین چه بود؟

خواجه نظام‌الملک در سیاست‌نامه می‌گوید: «یعقوب آهنگ آن داشت تا خلیفهٔ عباسی مکار و نیرنگ‌باز را بکُشد و خاندان آنان را براندازد. خلیفهٔ عرب برای حفظ سلطهٔ خود میان خاندان‌های ایرانی اختلاف انداخت و می‌گفت هر که با خلیفه بجنگد با پیامبر خدا جنگیده است و به‌جای بهشت دوزخ را برگزیده است. خلیفهٔ عرب می‌دانست که یعقوب قصد بیرون راندن او را دارد.» ولی یعقوب، با وجود تهدید و دروغ و نیرنگ، کوتاه نمی‌آمد و به پیشروی خود به‌سوی بغداد ادامه داد. زمانی که فرستادهٔ خلیفه نزد یعقوب آمد تا او را از پیشروی پشیمان کند، به نمایندهٔ خلیفه چنین نوشت: «برو خلیفه را بگوی که من مردی رویگرزاده‌ام و از پدر رویگری آموخته‌ام و خوردن من نان جوین و ماهی و پیاز و تره بوده است. و این پادشاهی و گنج و خواسته از سرعیاری و شیرمردی به دست آورده‌ام نه از پدر به میراث دارم و نه از تو یافته آمد. از پای ننشینم تا سر تو به مهدیه نفرستم و خاندان تو را بیرون نکنم.» یعقوب لیث به گردآوری سپاه ادامه داد تا دومین یورش به بغداد را سامان دهد ولی در چنین هنگامی به بیماری قولنج درگذشت.

یعقوب لیث از پادشاهان سلسلهٔ صفاریان (۲۴۷–۳۹۳ قمری) بود. او، با وجود برخی شکست‌ها، کرمان و شیراز و خراسان و خوزستان را تسخیر کرد و در جست‌وجوی پایان دادن به خلافت عرب بود. تاریخ سیستان صفاریان را تجسم غرور و میهن‌دوستی محلی می‌بیند، رهبرانی که برای مدتی کوتاه سیستان را مرکز امپراتوری پهناوری کردند که گسترهٔ آن از کابل در شرق تا مرزهای عراق در غرب می‌رسید. ابن اثیر جزری نیز نوشته:«یعقوب خِردمند بود و دوراندیش» «آنچه از رفتار او گفته آمده، گواه فرزانگی اوست.» افزون‌بر شهامت، خدمت دیگر یعقوب لیث به زبان فارسی بود. برخی مورخان می‌گویند یعقوب لیث صفار دستور داده بود که در کاخ او تنها به زبان فارسی دری سخن گفته شود و گفتار به زبان عربی مجازات داشت. در کتاب تاریخ ایران در دورهٔ صفاریان نوشتهٔ ترکمنی آذر می‌خوانیم: «بعد از فتح ایران به دست عرب‌ها، زبان عربی، زبان رسمی و دیوانی شناخته شد. چون صفاریان حکومت قسمتی از شرق ایران را به دست آورند، یعقوب که احساسات وطن‌پرستی و استقلال‌طلبی بر او غلبه داشت، به مخالفت با فرهنگ و زبان عربی، که ثمره و نشان غلبه بیگانگان بر سرزمینش محسوب می‌شد، برخاست.»

تاریخ بخارا دربارهٔ جنایت اعراب استعمارگر

ایرانیان به استقبال عرب‌ها و اقوام مهاجم شتافتند؟ اسلام‌گرایان جای تبلیغ و تاریخ را عوض کرده‌اند. کتاب جالب تاریخ بخارا، که از آثار مهم پژوهشی دربارهٔ زمین‌های شرقی ایران‌زمین است، منسوب‌به ابوبکر محمد بن جعفر نرشخی (۲۸۶-۳۴۸ قمری) است. این کتاب برای پژوهش دربارهٔ دولت سامانیان در میان‌رودان و خراسان و نیز تجاوزات استعماری عرب به‌مثابه یک سند مهم شمرده می‌شود. این کتاب، در اصل، به زبان عربی بوده و سپس توسط ابونصر احمد بن محمد بن نصر قباوی بخاری در سال ۵۲۲ قمری به‌دلیل عدم تمایل بیشتر مردم به خواندن کتاب عربی به فارسی ترجمه شد. این اثر در سال ۱۳۱۷خورشیدی توسط مدرس رضوی تصحیح شد و به چاپ رسید. پس از آن در سال ۱۳۵۱خورشیدی و به کوشش ایشان برای بار دوم با حاشیه‌نویسی گسترده و یادداشت‌های بسیار سودمند بازچاپ شد. این یادداشت‌ها که با بهره‌گیری از متن‌های معتبر تاریخی، جغرافیایی و ادبی و نیز «یادداشت‌های علامه قزوینی» و ایران‌شناس آمریکایی، ریچارد نلسون فرای، تکمیل شده‌اند، بسیار راهگشا و ارزشمندند.

در کتاب تاریخ بخارا می‌خوانیم:

هر بار که مردم بخارا به‌ظاهر مسلمان شدند، به‌محض بازگشت سپاهیانِ تازی دوباره ترک اسلام می‌کردند تا این‌که بارِ چهارم قتیبه بن مسلم جنگِ سختی با مردم بخارا انجام داد و شهر را بگرفت و برای آن‌که مردم بخارا دیگر نتوانند به‌سمت دین زرتشت بزرگوار و مزدک خِردمند، بازگردند، دستور داد تا مردم شهر نیمی از خانه‌های خویش را با تازیان حرام‌زاده شریک شوند تا این تازیان در هر حال از احوال این مردان و زنانِ شجاع باخبر شوند و به‌اجبار و زور مسلمان شوند و در آنجا مسجدها ساخت و گفت که هر عربی که علیه یک ایرانی شهادت دهد که ترک اسلام کرده است سر آن ایرانی را می‌زند.

در بیکند، که شهری در نزدیکی بخارا بود، خون و مالِ مردم را بر عسگریانِ تخم حرامِ خود مباح گردانید و دستور داد که شهر را غارت کنند و به دنبالِ این فرمان، هر که در بیکند اهلِ جنگ بود کشته شد و هر که اهلِ جنگ نبود را به اسارت و بردگی بردند، چنان‌که در این شهر هیچ انسانی باقی نماند. این ظلم و ستم و البته مقاومت مردم دلیرِ بخارا تا زمانِ خلافتِ بنی امیه همچنان ادامه داشت.

در زمان معاویه مردم شهر شورش و ترکِ اسلام کردند و این بار معاویه سردارش، عبیدالله بن زیاد، را برای سرکوب به آنجا فرستاد و این حرام‌زاده پس از جنگی سخت شهر را تصرف کرد و دستور داد تا بسیاری را کشتند و گفت تا هر درختی در این شهر و هر خانه‌ای وجود دارد خراب کنند و شهر را ویران سازند ... اما خاتون، حاکم شهر، برای نجات جانِ مردم امان خواست و معاویه با گرفتن یک میلیون درهم و چهارهزار برده راضی شد.

بعد از مدتی مردم دوباره شورش کردند و اسلام را به کثافت کشیدند و این بار معاویه حیوان وحشی و مادرقحبه‌ای به‌نام سعید بن عثمان را به‌سمت بخارا فرستاد و این حرام‌زاده به‌قدری ایرانی در آنجا سر برید که خون در کوچه‌ها به راه افتاد و ۳۰ هزار تن را به بردگی گرفت و مال مردم را به غارت برد و گروهی از بزرگ‌زادگانِ بخارا را به اسارت گرفت و این بزرگان را بسیار مسخره و آن‌ها را حقیر کرد و به دین ایرانیان توهینِ بسیار کرد ... این شجاع‌دلانِ باغیرت گفتند: چون در خواری هلاک خواهیم شدن، باری به فایده کشته شویم ... آن‌گاه مخفیانه وارد سرای این عربِ حرام‌زاده شدند و درها را بستند و او را به هلاکت رساندند و اما خویشتن را نیز در راه سرزمین‌شان به کشتن دادند.»

ناخوانایی ذهن مسلمان با الگوی دموکراتیک؟

چندی پیش «سازمان پژوهش‌های ملی فرانسه» پژوهش جامعه‌شناسانهٔ جدیدی دربارهٔ دانش‌آموزان دبیرستان‌های محله‌هایی که مسلمانان در آن‌ها تمرکز دارند چاپ کرد. این پژوهش، گرایش‌های اصلی رفتار و اندیشهٔ جوانان را چنین نشان می‌دهد: ۴۵ درصد از جوانان مسلمان بر این باورند که همجنس‌گرایان مانند بقیه جمعیت نیستند. تنها ۱۲ درصد از جوانان کاتولیک همین عقیده را دارند. شمار ۴۳ درصد از جوانان مسلمان برآنند که نقش اصلی زنان خانه داری و نگه‌داری از فرزندان است. میزان ۴۵ درصد از جوانان مسلمان مخالف قانون جداانگاری دین از سیاست و ممنوعیت حجاب دختران در مدارس هستند. در همین مورد فقط ۱۱ درصد جوانان فرانسوی نامسلمان مانند جوانان مسلمان می‌اندیشند. در همین پژوهش آمده که یک‌سوم جوانان مسلمان بر این باورند که دین آن‌ها دین برتر

است و در جامعهٔ فرانسه این دین بر ادیان دیگر باید غلبه داشته باشد. افزون‌بر آن، یک‌سوم از جوانان مسلمان بر این باورند که می‌توان برای پشتیبانی از باور خود از خشونت بهره برد. در واقع، فکر خشونت برای دین مخالفت آن‌ها را برنمی‌انگیزد. با توجه به این آمار، پرسش‌های گوناگونی پیش می‌آید. درست است که همهٔ جوانان مسلمان یکسان فکر نمی‌کنند ولی شمار زیادی از آن‌ها دارای باورهای کهنه و ارتجاعی و تبعیض‌گرا هستند. این جوانان مسلمان دبیرستانی در فرانسه زاده شده‌اند ولی با روال عمومی جامعه نوگرا در تناقض هستند. آن‌ها مخالف رفتار برابری‌خواه و بردبارانه در چهارچوب دموکراسی هستند. این جوانان بسیار متعصب‌اند زیرا گفتهٔ قرآن را به‌عنوان کلام برتر از قانون قبول دارند و خشونت دینی را می‌پذیرند. حال، باید توجه داشت این‌گونه اندیشه‌ها زمینه‌ساز دشمنی و مخالفت با جامعهٔ غربی هستند و سدّی برای جا افتادن مهاجران در جامعه به وجود می‌آورند. بالأخره، باید پرسید که این روان‌شناسی دینی خشونت‌خواه در ذهن جوانان مسلمان از کجا می‌آید؟ این پدیده به‌شکل گسترده در پیوند با آموزه‌های ایدئولوژیک قرآنی است. نبود فرهنگ باز و فقدان ادبیات و تربیت پای‌بند به جداانگاری دین از سیاست در محیط خانوادگی این تعصب را مستحکم می‌کند. تجربهٔ دانشگاهی من نشان می‌دهد که همین گرایش‌ها در دانشگاه نیز وجود دارد. میزان مطالعه در میان کل جوانان بسیار محدود است و بدبختانه جوانان مسلمان فاقد هر گونه عادت مطالعهٔ کتاب و اندیشهٔ انتقادی هستند. دانشجویان مسلمان می‌گویند قرآن «منبع اصلی» دانش است و در ذهن خود سدّ بزرگی برای آموختن پدید آورده‌اند. این طرز تفکر ژنتیکی نیست بلکه ایدئولوژیک و دینی است.

از نگاه روانشناختی ما با یک روان آرکائیک مواجه هستیم که خود را با جهان مدرن در تناقض و جدال می‌بینند. تمام هنجارهای دینی مقدس و ابدی بشمار می‌آیند و بنابراین جهان باید خود را مطابق هنجارهای مقدس کند تا مشروعیت داشته باشد. این ساختار روانی نمی تواند هنجارهای جدید را درک کند زیرا در ناخودآگاه خود ریسک گناه، اضطراب تولید می‌کند. گناه زمانی در روان پدیدار می‌شود و یا حس می‌گردد که کلام الله در مناسبات جنسی و اجتماعی نفی گردد. روان مسلمان همیشه زخمی و ناراحت و نگران است زیرا الله او را کنترل می‌کند. ساختار روانی مسلمان با واقعیت متحول خوانایی ندارد.

ساختار روانی چگونه قابل تعریف است؟

طبق نظر ژان برژرت، روانشناس فرانسوی، در نظریه ساختارگرایانه وی، دو ساختار روانی پایدار وجود دارد: ساختار روان رنجور(نوروتیک) و ساختار روان پریشی(پسیکوتیک). در حالت اول نمایش آسیب شناسی روان رنجوری مشاهده نمی شود. ولی حالت روان رنجور(ساختار نوروتیک) بشکل غیرارادی عمل می‌کند. تا زمانی که این روان رنجور با رویدادی روبرو نشود (کم و بیش آسیب زا) ظرفیتهای توسعه خود را که به روشهای دفاعی انسان مرتبط است حفظ می‌کند. در یک ساختار روان رنجور، برخورد با دیگری می‌تواند منشأ درگیری‌های شدید داخلی باشد. این درگیری، به دلیل انگیزه‌های وابسته به عشق شهوانی یا تهاجمی در برابر ممنوعیت‌های درونی شده می‌باشد. نحوه سازماندهی روان توسط عقده ادیپ جهت داده می‌شود. اضطراب نزد انسان اساساً اضطراب از اختگی و گناه است.

حال در ذهن آرکائیک مسلمان که محصول دین و محیط خانوادگی و فرهنگی اوست، معیارهای الهی قطعی هستند. الله حقیقت مطلق را در باره زن و سکس و روابط اجتماعی و دین گفته است. این ذهن توسط دین بشکل غیرارادی و غیرآگاهانه نوروتیک شده و در شرایطی حتا به روان پریشی دچار شده و خود در تناقض حاد با دنیای خود می‌بیند. همجنس گرایی در این دیگاه دینی، ضد طبیعت و ضد قاعده الهی است؛ پذیرفتن ادیان دیگر بر ضد قرآن است زیرا همه باید قرآن را بپذیرند؛ موی زن ناموس مسلمان است و الله در این باره حکم داده است. این عناصر تعیین کننده ذهن مسلمان است.

این ذهن با ساختار دینی و معیارهای آن سامان یافته است و بنابراین جامعه دمکراتیک امروز در تناقض با این ساختار است. از آنجا که جامعه پایداری دارد و متحول شده و خود را مطابق ذهن مسلمان نمی کند بنابراین ذهن دینی آرکائیک علیه جامعه دمکراتیک شورش می‌کند. در این شرایط با توجه به دلایل برشمرده، ظرفیت و توانایی فرد مسلمان در انطباق با جامعه مدرن بسیار محدود است.

بشقاب غذای من و نگاه به دنیا

یک بار وقتی داشتم غذا می‌خوردم یادم افتاد که آبراهام ماسلو، روان‌شناس

آمریکایی، در جایی گفته بود نیاز ابتدایی انسان برای زنده ماندن با غذا تأمین می‌شود ولی این به قدرت خرید هر فرد بستگی دارد. بر اساس شمارش سازمان ملل متحد در سال ۲۰۱۵ در جهان ۷۷۵ میلیون نفر در گرسنگی مرگ‌آور بوده و در سال ۲۰۱۶ نیز ۸۱۵ میلیون نفر دستخوش گرسنگیِ جان‌کاه هستند. این محرومیت فقط ناشی از قدرت خرید نیست بلکه ناشی از جنگ‌های منطقه‌ای و تروریسم و جنگ داخلی و رویدادهای اسفناک زیست‌محیطی و مجموع نظام‌ها و دستگاه‌های سیاسی و مالی پنهان و آشکاری است که بی‌عدالتی محض را به وجود آورده و دامن می‌زنند. گرسنگان بخشی از لایه‌های اجتماعی تهی‌دست جامعه هستند و گناهکار کُرهٔ زمین نیست زیرا امروز ما ۷ میلیارد هستیم و زمین استعداد آن را دارد تا ۱۲ میلیارد نفر را غذا بدهد.

هنگامی که غذا می‌خوردم، چشمم به خبر مربوط به مصرف «گلیفوزات» در کشاورزی افتاد. این مواد شیمیایی ضد آفت هستند و توسط شرکت بزرگ آمریکاییِ «مونسانتوس» در جهان به فروش می‌رسند. آن‌ها زمانی که این مادهٔ شیمیایی بر روی آفت و حشره در محصولات ریخته می‌شود، سیستم عصبیِ آفات را از بین می‌برد و موجب مرگ آن‌ها می‌شود. نتیجهٔ این اقدام افزایش بازدهِ تولید محصولات کشاورزی است. فقط در آمریکا در سال ۱۹۹۰ میزان ۵۷۰۰ تُن مادّهٔ شیمیایی به کار رفته ولی امروز ۱۲۵۰۰۰ تُن مصرف می‌شود. مصرف این مادّهٔ شیمیایی در آمریکا و اروپا بحث‌های بزرگی برانگیخته زیرا شخصیت‌های علمی و نهادهای کنترل دولتی و سازمان‌های علمی و بخشی از نخبگان سیاسی مخالف مصرف این مادّه در کشاورزی بوده و برآنند که این مادّه سرطان‌زاست. شرکت‌های فروشنده با تمام قدرت با این دیدگاه علمی و پیش‌گیرانه مخالفت می‌کنند و با تمام قدرت مالی و قضایی خود و با لشکری از وکلای درجه یک در پی فشار روی پارلمان اروپا هستند تا طرح ممنوعیت این مواد شیمیایی به شکست بینجامد. هنگامی که غذا می‌خوردم، به بشقاب غذای خوش‌رنگ خود نگاه می‌کردم. در این لحظه هم نگران بودم از کیفیت مواد سبزیجات و نمی‌دانستم که محصولات بشقاب من «تراریخته» و سرطان‌زا هستند یا طبیعی و سالم و هم با دیدن غذا خوشحال بودم زیرا غذا خوردن یک لحظهٔ دلپذیر است. لحظهٔ چشیدن و مزه کردن و حس کردنِ عطر و بوی غذا، لحظهٔ گپ زدن با دوستان، لحظهٔ پذیرایی مهمانان و خانواده، لحظهٔ جامی شراب همراه غذا و یاد خیام، لحظهٔ خوردن و آشامیدن هر آن‌چه در

برابر ماست، لحظهٔ مسافرت به فرهنگ غذایی مردم مناطق گوناگون و کشورهای جهان است. لحظهٔ غذا خوردن، لحظهٔ یک جشن است.

آیا تنها یک حقیقت وجود دارد؟

هگل، فیلسوف آرمان‌گرای آلمانی، می‌گوید بله و آن هم حقیقت مطلق است. او در اثر بزرگ خود یعنی پدیدارشناسی روح، که در سال ۱۸۰۷ چاپ شد، از «دانش مطلق» حرف می‌زند. از نگاه او، ما در طول زندگی در حال تجربه کردن رویدادهای مربوط‌به اندیشه هستیم. اندیشه در تاریخ در حرکت است. حقیقت مطلق همانند گرمای خورشید است که بدن ما را گرم می‌کند و حقیقت تمام مراحل پویا است. دانش مطلق حالتی است که حقیقت در بطن خود مطابق یقین ماست. او می‌گفت اگر ذهن به دقت نیندیشد و تمایزها را درست نشناسد، در وادی اندیشه‌های تیره و مبهم و مرموز گم می‌شود. در پشت جدایی‌ها و نایکسانی‌های چیزها، یکسانی آن‌ها نهفته است و وظیفهٔ دریافت این یکسانی بر عهدهٔ خِرد است. هر نوع وجودی در اصل و ذات خویش چیزی جز اندیشه نیست. هر مقوله‌ای نشان‌گر جهان و مطلق است. جهان همهٔ اندیشه است و مطلق ذهن است. هنگامی که می‌گوییم چیزی واقعی است یعنی آن چیز، در اصل، فقط به‌اعتبار ذهنی وجود دارد و به‌گفتهٔ دیگر اندیشه است و اندیشه نیز دیدگاه صورت معقول است.

برخلاف هگل، فردریک نیچه می‌گوید تنها «حقایق» وجود دارند و آن‌ها هم مطلق نیستند و نسبی‌اند. او می‌گوید ما ادعا داریم که می‌توانیم کهکشان را بشناسیم و رازهای آن را دریابیم؛ هرچند، این ادعا مانند ادعای یک مگس است که خود را مرکز جهان می‌داند. برای نیچه، میان زبان و حقیقت رابطه‌ای تنگاتنگ وجود دارد به این معنا که زبان ابزاری برای کشف حقیقت است، حال آنکه چنین چیزی شدنی نیست. ما ادعای کشف حقیقت داریم در صورتی که با زبانی می‌خواهیم حقیقت را بشکافیم که یک «قرارداد» است و از آغاز دارای محدودیت ساختاری است. حقیقت در درون زبان نیست بلکه بیرون از آن است. ما اصولی مانند «خوب» و «بد» را داریم ولی تعریف این مفاهیم در فرهنگ‌نامه نوعی تفاهم برای صلح است تا گلّه‌های انسانی بتوانند با یکدیگر در آرامش زندگی کنند. حقیقت «خوب» و

«بد» در کجاست؟ ما واژه‌ها را به بت مقدس تبدیل کرده‌ایم. ما با زبان خود برای منافع انسان‌ها توضیحی نسبی دربارهٔ یک پدیده می‌دهیم. زبان ما حقیقت نیست و، بنابراین، ادعای حقیقت هم یک توهّم است.

سرگئی راخمانینوف، آهنگ‌ساز بزرگ روسی

سرگئی راخمانینوف، آهنگ‌ساز بزرگ روسی است که در سال ۱۸۷۳ در روسیه زاده شد و در ۱۹۴۳ در آمریکا درگذشت. او چهار کنسرتو و سه سمفونی نوشته. اولین سمفونی به شکست منجر شد و منتقدان سنگدل آنچنان به او حمله کردند که منجر به بیماری روانی او گشت. سه سال پس از شکست راخمانینوف کنسرتو پیانو شماره ۲ در مینور را منتشر میکند. کنسرتو پیانو شماره ۲ در مینور، کنسرتی از سرگئی راخمانینوف در سالهای ۱۹۰۰ و ۱۹۰۱، برای ویولن سل و پیانو، نوشته شده است. اولین بار در ۱۱ سپتامبر ۱۹۰۱ در مسکو توسط آهنگساز در پیانو به رهبری الکساندر سیلوتی به نمایش درآمد و از آن زمان موفقیت چشمگیری کسب کرده است. یکی از کارهای زیبای راخمانینوف کنسرتو شماره ۲ است که با ده ضربه آرام پیانو آغاز می‌شود، با ملودی آرام و زیبا و رمانتیک پیانو و گروه ویولن‌ها ادامه می‌یابد و سپس انفجار احساسات فرا می‌رسد و پس از آن موسیقی در بطن فضایی مضطرب و نگران پیش می‌رود. روند آهنگ از رمانتیسم به اوج احساس و سپس آهنگی آرام در پهنهای بسیار گسترده و نوعی تکرار زندگی و بالأخره به سکوت فرو می‌رود تا حرکت دیگری را آغاز کند. گویی آهنگ‌ساز با خود حرف‌ها و خاطراتی نگران‌کننده را بازگو می‌کند. این قطعه روحیهٔ منزوی و اندوهگین او را زمزمه می‌کند و با ما در میان می‌گذارد.

در سال ۱۹۱۷، انقلاب بلشویکی او را مجبور کرد برای همیشه کشور خود را ترک کند. در این زمان بود که او یک اثر بزرگ فقط برای پیانو، آغشته به نوستالژی و احساسات تاریک، مقدمه‌ای برای عزیمت دردناک خود نوشت.

زمانی که او برای همیشه روسیه را ترک کرد، تا سال ۱۹۲۶ دیگر آهنگ‌سازی نکرد. با این حال، الهام او را کاملا رها نکرد. او راپسودی معروف را با موضوع پاگانینی اپوست ۴۳ را نوشت، مجموعه‌ای برای پیانو و ارکستر کاپریس پاگانینی

در سال ۱۹۳۴ منتشر کرد و سمفونی شماره ۳ را در سال ۱۹۳۶ انتشار داد.
جنگ جهانی دوم مانع بازگشت وی به اروپا و دیدن دخترش تاتیانا که در فرانسه زندگی می‌کند می‌شود. در سال ۱۹۴۱ ، وی آخرین کار خود را با عنوان «رقص‌های سمفونیک»، تمثیلی از زندگی (صبح ، ظهر و عصر) ساخت. او تابعیت آمریکا را بدست آورد و بعلت سرطان ریه در ۲۸ مارس ۱۹۴۳ در سن ۷۰ سالگی درگذشت و در آمریکا به خاک سپرده شد.
کارهای او از رمانتیسم مایه گرفته و از مدل‌های شوپن، چایکوفسکی و ریمسکی تاثیر پذیرفته است. برخی می‌گویند او نسبت به تکامل زمان خود بی تفاوت است. سرگئی راخمانینوف از چایکوفسکی آموخته است. او پیانونواز برجسته‌ای است که در فضای آرام می‌نوازد. فضای او فضای پرخروشِ بتهوون نیست، شباهتی به فضای شادی‌آورِ موتزارت ندارد و به عمودی‌گرایی «بولرو» موریس راول نمی‌ماند. فضای او پرسش همیشگی در زندگی است، راه رفتن در کوچه پس‌کوچه‌های ساکت، دیدارهای دلگیر و مزاحم با آدم‌های مرموز و نگاه‌های مردد در پشت پنجره‌های ابری است.
دوست من، در چنین فضایی سعی کن با یک فنجان قهوه، یک استکان چای یا یک لیوان شراب، خود را سرگرم کنی و موسیقی کلاسیک را زمزمه کنی.

متافیزیک چیست؟

در فلسفه، منظور از متافیزیک همان سامانهٔ اندیشه‌ای است که از ارسطو به این سو به گرایش کلی فلسفهٔ غرب بدل شده است. متافیزیک همچون عنوانی برای رساله‌ای از ارسطو نیز به کار رفته که پس از درس گفتارهای فیزیک اش ارائه شد. ارسطو برای خود یک زبان فنی و نظام منطقی ایجاد کرد و واژهٔ «متافیزیک» ارسطو دارای پیوند ژرفی با نظریات موجود در کتاب ارگانون است. بحث ارگانون دربارهٔ موجودات است که بر اساس روش ارسطویی و مقوله‌بندی او دسته‌بندی شده است. کتاب ارگانون مباحث منطق صوری ارسطو را گردآوری کرده و شامل شش بخش است: مقولات، عبارات، قیاس، برهان، جدل، مغالطه. به گفتهٔ دیگر، متافیزیک به‌معنای شناخت از دنیا و چیزها و روندهاست، فرای تجربهٔ لمس‌پذیری که ما داریم.

در فلسفه، متافیزیک، دانش جهان، چیزها یا فرایندها را تا آنجا که «فراتر» و مستقل از تجربه حساسی که از آنها داریم، تعیین می‌کند. متافیزیک از نظر نویسندگان معنی‌های مختلفی به خود می‌گیرد.

ارسطو برای اولین بار این «علم» را که هنوز نامی ندارد، با درجه بندی آن به عنوان «فلسفه اولی»، تعریف می‌کند. موضوع آن مفاهیم کلی و انتزاعی مانند جوهر اشیا و ویژگی آنها (کیفیت، کمیت، رابطه) است. برای کانت متافیزیک علمی است که شامل اولین مبانی آنچه دانش بشر فرا گرفته می‌باشد. این یک علم از اصول هستی است و هدف این است که به دانش «فوق العاده» برسد که در آن حوزه الهیات را تلاقی می‌کند.

امروزه، متافیزیک یک مفهوم مبهم است که هم علم واقعیت هایی را که از حواس فرار می‌کنند و هم دانش آنچه را که در خود چیزها هستند، در بر می‌گیرد. متافیزیک به عنوان دانش آنچه خارج از تجربه حساس وجود دارد، با فیزیک مخالف است و مربوط به موجودات یا فرایندهایی است که غیرمادی و نامرئی(روح، خدا، نیروی حیاتی و غیره) تلقی می‌شوند. متافیزیک در برابر دانش تجربی پدیده‌ها قرار دارد.

به بیان دیگر متافیزیک فیزیک نیست ولی به پدیده‌های نامادّی که دیدنی نیستند می‌پردازد. برای نمونه، پدیده‌هایی مانند روان، خدا، جبر و اختیار از این‌گونه مباحث هستند. می‌توان گفت متافیزیک همان چیستیِ مسائلی دربارهٔ اصل وجود و زندگی است. متافیزیک همچون اصول اساسی هستی‌شناسانه و عوامل هستی معنا می‌یابد. برای کانت، متافیزیک دانش نخستین اصول شناخت انسانی است. برای هستی‌گرایانی مانند سارتر، متافیزیک به‌معنای جست‌وجوی معنا و غایت هستی است (کتاب هستی و نیستی) دِکارت نیز «از تفکر و اندیشهٔ زندگی» حرف می‌زند. کامو در مرگ سیزیف متافیزیک را همچون جهان‌بینی فرد از جهان و زندگی در نظر می‌گیرد. بالأخره متافیزیک یک اکتشاف است، «اکتشاف آن چیزی که شرایط ضروری برای برخورداری ما از هر گونه تجربه در حالت کلی را فراهم می‌آورد.» (پیتر سجوک، دکارت تا دریدا) می‌توان متافیزیک را پژوهشی عقلانی جهت شناختن هستی یعنی شناخت روان و طبیعت و خدا و مادّه و نیز پژوهشی دربارهٔ سرچشمهٔ هستی تعریف کرد.

متافیزیک در جستجوی همیشگی سنتز است. تاریخ متافیزیک در نزد هایدگر

بمعنای تاریخ خود «بودن»، هستی چیزی است که خود را نشان می‌دهد و در عین حال خود را در یک تاریخ پنهان می‌کند. مارتین هایدگر کل تاریخ متافیزیک غرب را در همان موضوع مشترک، یعنی تشدید مداوم «فراموشی وجود»، تا فراموشی کامل آن در عصر تکنولوژی، مانند «سرنوشت بودن» تفسیر میکند. از این پس، در اندیشه این فیلسوف تاریخ «وجود» و تاریخ حقیقت آن، از طریق جانشینی دوره‌ها وجود خواهد داشت.

مارتین هایدگر، «متافیزیک چیست»، پاریس، گالیمار

مارتین هایدگر، «فراتر از متافیزیک»، در مقاله‌ها و کنفرانس‌ها، پاریس، گالیمار

پیر اوبنک، «آیا باید متافیزیک را از بین ببریم؟»، پاریس، PUF، ۲۰۰۹

اتین ژیلسون، «هستی و جوهر» L'Être et l'essence ، پاریس، VRIN ۱۹۸۷، ۳۸۸ ص.

ترورهای «باتاکلان» پاریس و آسیب‌های روان‌شناسانهٔ اسلامی

هر سال، سالگرد ترورهای باتاکلان پاریس یادآوری می‌شود. این ترور در ۱۳ نوامبر ۲۰۱۵ روی داد و تروریست‌های اسلامی ۱۳۰ نفر را کشتند. تروریست‌های اسلامی به داخل سالن کنسرت باتاکلان در پاریس رخنه کردند و هنردوستان را به رگبار مسلسل بستند. از ترورهای شارلی ابدو در ژانویهٔ ۲۰۱۵ تا امروز ۲۵۰ نفر در فرانسه توسط اسلام‌گرایان کشته شدند. روزنامه‌نگاران، یهودیان، کودکان و شهروندان کاتولیک و مسلمان و یهودی و خداناباور از جمله ترورشدگان بودند. گناه کشته‌شدگان چه بود؟ آن‌ها عاشق زندگی و موسیقی و هنر و آزادی بودند. تروریست‌ها پس از کشتار روزنامه‌نگاران شارلی ابدو فریاد زدند: «ما انتقام پیامبر را گرفتیم.» این هفته‌نامهٔ طنز همیشه همهٔ ادیان را به نقد کشیده و بارها نیز محمد و اسلام و قرآن و تروریست‌های داعش را با کاریکاتور مورد انتقاد طنزآمیز قرار داده است. روزنامه‌نگاران شارلی ابدو همیشه پاسدار آزادی اندیشه بوده‌اند و طنز و انتقاد به دین را همچون یک اصل بنیادی دموکراسی مورد توجه قرار داده‌اند. هنرمند آزاد است و این آزادی قیدوشرط ندارد. برخی‌ها شرط می‌گذارند، من آزادی و وجدان و مسئولیت فردی را مطرح می‌کنم و آزادی را نامحدود می‌دانم.

تروریست‌ها زمانی که هنردوستان باتاکلان را به مسلسل بستند گفتند: «شما برادران ما را در سوریه می‌کشید، این هم پاسخ ما.» افراد هنردوست پاریسی نقشی در جنگ نداشتند، برای موسیقی آمده بودند ولی هنردوستی برای داعشیون دیروز و امروز یک خطای بزرگ است. سوریه با داعش به پایتخت تروریسم اسلامی جهانی تبدیل شد و جهان غرب نمی‌توانست بی‌تفاوت باشد. تروریست‌ها زمانی که در شهر نیس مردم را با کامیون زیر گرفتند و کشتند فریاد زدند: «جهاد ادامه دارد.» این مردمی که زیر چرخ ماشین له شدند برای جشن ملی و رقص و پایکوبی به خیابان آمده بودند ولی تروریسم نمی‌توانست سرور و شادمانی در زندگی را بپذیرد. در نوبتی دیگر، تروریست‌ها به مدرسهٔ کودکان یهودی و فروشگاه یهودیان یورش بردند و آن‌ها را کشتند و گفتند: «شما را می‌کشیم چون یهودی هستید.» این شعار آخر یادآور جنایت ضد بشریِ هیتلریان و نازیسم است.

در برابر این‌همه جنایت، بخشی از روشنفکران فرانسوی و ایرانی یورش اصلی خود را متوجه فرانسه کردند و گفتند تروریست‌ها قربانی بی‌عدالتی در جامعه فرانسه هستند و سپس به ارزش‌های جداانگاری دین از سیاست یورش بردند. ادوی پله نلِ روزنامه‌نگار، طارق رمضانِ اسلام‌گرا و فرهاد خسروخاورِ جامعه‌شناس از جمله افرادی بودند که علت اقدام تروریستی جانیان داعشی را ناهنجاری فرانسه ارزیابی کردند و در کردار و گفتار بر ضد ارزش‌های اصلی جامعهٔ دموکراتیک و نیروها و شخصیت‌های پای‌بند به جداانگاری دین از سیاست قد برافراشتند. برخلاف این ذهنیت اکونومیستیِ گرفتار شیفتگی اسلامی، قربانیان فرانسوی و کشورهای دیگر شهروندانی بودند که می‌خواستند زندگی کنند و آزاد باشند ولی الگوی اسلام مخالف الگوی غرب است. اسلام و تروریست‌های اسلام‌گرا جهان غرب را سرزمین کفار دانسته و خواهان نابودی تمدن و آزادی و هنر هستند. ما نارسایی‌ها و شکاف‌های الگوی غربی را می‌دانیم ولی با صراحت به پشتیبانی از تمدن غربی می‌پردازیم زیرا خلیفه‌گری اسلام جز خفت و خرافات چیز دیگری نیست. علت اصلی تروریسم همانا ایدئولوژی فناتیسم و توتالیتاریسم دینی است. فقر، تروریسم تولید نمی‌کند. بی‌عدالتی تروریسم به وجود نمی‌آورد. تروریسم نتیجهٔ یک جهان‌بینیِ جزم‌گرا و تعصب دینی و بیان اراده‌ای برای نابودی فیزیکیِ دیگران است. اسلام دارای این جهان‌بینیِ متعصبانه است و همهٔ جنگ‌های پیامبر اسلام و تجاوز این دین به سرزمین‌های دیگر در طول تاریخ پیشینهٔ این ذهنیت است.

این ذهنیت با ارادهٔ سلطه‌گریِ جهانی همراه است. افزون‌بر آن، وجود بی‌شماری سازمان تروریستیِ اسلام‌گرا در جهان کنونی و جنایات آن‌ها در ادامهٔ همین ذهنیت است. به این ترتیب، دلیل اصلی برآمد تروریسم اسلامی همین جهان‌بینیِ سلطه و امپریالیسم اسلامی است. روشن است که توطئه‌های محافل استعمار در جهان، شگردها و دسیسه رژیم‌های اسلامی و مداخلهٔ نظامی در کشورهای عربی بهانه‌های لازم را به وجود می‌آورند. روشن است که بیشتر تروریست‌های دوران اخیر زادهٔ محیط خانوادگی گسیخته هستند و محصول تبهکاری و زندان و پریشانی روانی. این عوامل اجتماعی کمک‌کننده‌اند ولی سرچشمهٔ اصلی تروریسم، قرآن و فرهنگ نابردبار و تجاوزکاری اسلامی است که انسان را مسخ کرده است و با تأثیر بر ساختار روانی و جنسی و فرهنگی و نیز ایجاد روان‌پریشی خشونت‌گرا پیروان متعصب را به انتقام‌گیری سوق می‌دهد.

شهاب‌الدین سهروردی

شهاب‌الدین سهروردی چهرهٔ برجسته‌ای در حکمت، فلسفه و عرفان فرهنگ ایران به شمار می‌آید. او (۵۴۹ – ۵۷۸ هجری قمری) در روستای سهرورد زنجان دیده به جهان گشود، در مراغه و اصفهان آموخت و به سراسر ایران سفر کرد. هنگامی که سفرهای سهروردی گسترده‌تر شد، به آناتولی رسید و از آنجا هم به حلب سوریه رفت. فقیهان دینی اسلام بر او شوریدند، او را مرتد خواندند و سخنانش را خلاف اصول دین دانستند و خون او را مباح شمردند. فقیهان با فرستادنِ شکایت خود به صلاح‌الدین ایوبی او را متقاعد کردند که فرمان کشتنِ سهروردی را صادر کند. سرانجام صلاحِ‌الدین ایوبی در نامه‌ای از پسرش خواست به‌دلیل شرایط سیاسی سهروردی را بکشد. بدین ترتیب، شیخ زندانی شد و در سن ۳۶ یا ۳۸ سالگی به قتل رسید. فرهنگ مسلط اسلامیِ شیعه در ایران همیشه مانعی برای درک واقعی و علمی تاریخ ما و شخصیت‌هایِ بزرگ ایران‌زمین بوده است. ما باید این تاریخ را بشناسیم و بزرگانی را که در آن نقش ایفا کرده‌اند بازیابیم. در جامعهٔ ایران، سهروردی گمنام است. چرا ما نسبت‌به تاریخ خود کینه داریم و نمی‌خواهیم بیاموزیم؟

سهروردی یک اندیشمند برجسته در تاریخ ایران‌زمین است؛ چیزی که نافی بررسی انتقادی و علمی دیدگاه او نیست، چیزی که بحث رابطهٔ بین دین و فلسفه را یک بار دیگر به‌صورت برجسته در پیش روی ما قرار می‌دهد. درک انتقادی از بزرگان و بررسی درک‌های پویا و ناپسند نیز لازم است. آثار سهروردی به ۴۷ کتاب و نوشته می‌رسد. از آن جمله می‌توان به کتاب‌های فلسفی به زبان عربی مانند: تلویحات، المقاومات، رسالةالطیر، مطارحات و و معروف‌ترین کتاب فلسفی او یعنی حکمت‌الاشراق اشاره کرد. همچنین، رساله‌های عرفانی او مانند «عقل سرخ»، «آواز پَر جبرئیل»، «صفیر سیمرغ» و «لغت موران» به زبان پارسی و نیز «هیاکل‌النور» و «کلمهٔ‌التصوف» به عربی نیز زبانزد عام‌وخاص‌اند. کتاب حکمت‌الاشراق اثر شهاب‌الدین سهروردی با ترجمهٔ دکتر سید جعفر سجادی به فارسی یکی از برجسته‌ترین کتاب‌هایی است که دربرگیرندهٔ مسائل ذوقی و فلسفهٔ اشراق است. فلسفهٔ اشراق به‌گفتهٔ سهروردی عبارت است از حکمت مشارقه که، در عین حال، مبتنی‌بر اشراق و تابش‌های الهی است که بر دل‌های صاف می‌تابد. این حکمت در برابر حکمت مشا قرار دارد که مبتنی‌بر استدلال و استنتاج قیاسی است. او نام این حکمت را حکمت ذوقی نامیده و حکمت مشا را حکمت بحثی خوانده است. سهروردی وجودشناسی خود را «نورالانوار» یا «نور مطلق» نام داده است و هستی را ناشی از این نور می‌داند. نظریهٔ فلسفیِ سهروردی این بود که هستی غیر از نور چیزی نیست و هر چه در جهان هست و پس از این به وجود می‌آید نور است. از دید او، برخی از نورها رقیق و برخی غلیظ و برخی از ذراتی پراکنده‌اند و پاره‌ای دیگر نیز دارای ذرات متراکم . او می‌گوید سرچشمهٔ فلسفهٔ اشراق حکمت ایران باستان است و به یونان حوزهٔ فلسفهٔ افلاتون و ارسطو و نوافلاتونیان و هرمس، اسطورهٔ یونانی، ایزد موسیقی و ادبیات و خالق چنگ، پیوند می‌خورد. گویند او پدیدآورندهٔ «حکمت خسروانی» است. سهروردی این حکمت را ناشی از ذوق سرشار ایرانیان قدیم و ملهم از حکمت زرتشت بزرگ می‌داند و خود را زنده‌کنندهٔ میراث نیاکان به شمار می‌آورد.

برخی بر این باورند که روش اشراقی را ابن سینا بنیان نهاده و او در کتب منطق‌المشرقین و کتاب اشارات و تنبیهات به فلسفهٔ اشراق توجه کرده است اما بسیاری برآنند که اگر ابن سینا بنیان‌گذار فلسفهٔ اشراق است، این سهروردی است که آن را به‌کمال رسانده است. سهروردی برخلاف اندیشمندان و فیلسوفان پیشین،

که تنها به ارسطو توجه ویژه‌ای داشتند، شیفتهٔ فیثاغورث و امپدکلوس و به‌ویژه افلاتون بود. او حتی افلاتون را پیشوای حکمای اشراق می‌داند. وی از فلاسفه مشا و ابوعلی سینا آموخت؛ هرچند، نقدی هم بر ابوعلی سینا نوشت. از نکات جالب توجه نزد سهروردی علاقه‌اش به حکمت پارسی باستان و به‌ویژه زرتشت است. این توجه ویژه تا اندازه‌ای است که او برخی اصطلاحات حکمت اشراق را از اوستا و منابع پهلوی گرفته است. او در کتاب حکمت‌الاشراق، زرتشت را «حکیم فاضل» نامیده و حتی خودش را زنده‌کنندهٔ حکمت ایران باستان دانسته. سهروردی می‌گوید: «حقیقت خورشید واحدی است که به جهت کثرت مظاهرش تکثر نمی‌یابد.» و می‌افزاید: «خداوند سرور کسانی است که ایمان آورند و او ایشان را از ظلمت به‌سوی نور هدایت می‌کند.» سهروردی مردم ایران باستان را پرستندهٔ خدای یگانه می‌داند و مردان برجسته را پهلوانان یگانه‌پرست. او حکمای ایرانیان باستان را کسانی می‌داند که با شیوهٔ اشراقی به مقام عرفانی والایی رسیده‌اند. سهروردی پهلوانان فرزانه‌ای چون کیومرث و تهمورث و حکیمانی چون زرتشت و جاماسپ را برای نخستین بار در فلسفه معرفی می‌کند. بدین ترتیب، شخصیت‌های حماسی فرهنگ به ادبیات فلسفی ما راه می‌یابند و عنصر خیال وارد هستی‌شناسی می‌شود.

تفاوت عمده میان دیدگاه و اندیشه چیست؟

یکی از دانشجویان پرسید تفاوت میان دیدگاه و ایدئولوژی با اندیشه چیست؟ زمانی که دیدگاه در زمینهٔ دینی باشد، آن را می‌توان برابر باور به جزمیات دانست، باوری که نیازمند اندیشه و تعقل نیست، حال آن‌که در زمینهٔ غیردینی بینش و اندیشه نوعی باورِ فکرشده است. بیشتر اوقات ما به‌سرعت و دربارهٔ خیلی چیزها و رویدادها نظر می‌دهیم. این نظریات نتیجهٔ شرایط اجتماعی ما و متأثر از پیش‌داوری‌های همیشگی ماست. این دیدگاه‌ها در سطح حرکت می‌کنند، در ناخودآگاه ما ریشه دارند و بی‌درنگ با جبر محیط اجتماعی و حالات و گفتارهای روزمرهٔ ما درهم‌آمیخته و بیان می‌شوند. در این دیدگاه‌ها، اندیشه وجود ندارد زیرا با استدلال و پژوهش و پرسش و روح انتقادی همراه نیستند. آیا دیدگاهی که بیان

می‌کنیم نتیجهٔ اندیشهٔ ماست یا از باورهای رایج در محیط اجتماعی و شغلی و دینی بیرون آمده است؟ البته دیدگاه می‌تواند به اندیشه تبدیل شود ولی این به روند پویا و روند اندیشه‌گرا وابسته است. ما دیدگاه‌مان را ابراز می‌کنیم زیرا می‌خواهم در جامعه «حضور» داشته باشیم و از شک‌گرایی می‌گریزیم و میل و خشم و فریاد و عقدهٔ درونی‌مان موتور گفتاری ما هستند. ما سریع و بی‌درنگ دیدگاه‌مان را ابراز می‌کنیم ولی چنین‌چیزی با روند انتقاد و مقایسه و پژوهش و پرسش متضاد همراه نیست و به اندیشه تبدیل نشده است. به‌گفتهٔ گاستون باشلار «ابراز دیدگاه تولید اندیشه نمی‌کند.» دیدگاه‌های ما بیشتر یک «برداشت» هستند و از اندیشه و ساختار آگاهانه به دورند. دیدگاهی که واکنشی است، به پرسشگری عادت ندارد و استدلال ندارد، واکنشی و جزمگرا می‌باشد.

در فرهنگ تاریخی ما، دیدگاه زیاد است ولی اندیشه‌گری و پژوهش و تفکر نه. در سنت جامعهٔ ما، حاشیه‌نویسی و ابراز دیدگاه و تفسیر توجیهی یا حتی نبود دیدگاه بسیار است ولی کتاب و کار پژوهشی و و اندیشیدن فلسفی ناچیز است. بیشتر پژوهش‌ها دربارهٔ تاریخ هخامنشیان و زرتشت و تاریخ اسلام و رابطهٔ دین با جامعه، توسط اندیشمندان غربی و به‌اعتبار روش‌های دانشگاهی و با حوصلهٔ زمانی نگاشته شده‌اند. ولی ذهن ما فاقد این تربیت بوده است. ریشهٔ این رفتار ذهنی ما در چیست؟ محیط استبدادی، فرهنگ تعبدی دینی، نبود تربیت نوینِ دانشگاهی، ایدئولوژی زدگی و جهان‌بینی‌زدگی و نبود تربیت نقد و گفت‌وگویِ متضاد، رفتار ذهنی و تربیت کلامی ما را آماده کرده است. البته این پدیدهٔ «ابراز دیدگاه» فقط متعلق‌به ایرانیان نیست بلکه با ریشه‌های گوناگون در جهان موجود است. در دورهٔ اخیر، پدیدهٔ «فراحقیقت» با توجه به رفتار رئیس‌جمهور آمریکا، دونالد ترامپ، به پدیدهٔ جهانی تبدیل شد. می‌توان با مبارزه با واقعیت یک دیدگاه و موضع را به «حقیقت» تبدیل کرد، حقیقتی تازه که همچون یک «واقعیت» جلوه‌گری می‌کند. بنابراین، دروغ به حقیقت تبدیل می‌شود. ترامپ گفت گرمایش زمین ناواقعی و ساختهٔ چینی‌هاست و بسیاری از آمریکایی‌ها هم این دیدگاه را پذیرفتند. هیتلر گفته بود یهودی‌ها به «میکروب» می‌مانند و تودهٔ آلمانی پذیرفت که کشتار یهودی‌ها طبیعی است. اِستالین مخالفان خود را «جاسوس و عمال بورژوازی» معرفی کرد و آن‌ها را به سیبری فرستاد و میلیون‌ها کمونیست هم آن را پذیرفتند. عوام‌گرایان چپ و راست دارای منطق ابراز دیدگاه‌های ساده‌لوحانه‌اند

و قربانیان‌شان هم افرادی هستند که بر پایهٔ احساس و دریافت همین دیدگاه‌ها بسیج‌پذیرند و همچون سربازان مطیع عمل می‌کنند. شکست‌ها و پشیمانی‌های ما اغلب ناشی از همین دیدگاه‌هاست زیرا ما از رفتن به عرصهٔ اندیشه ناتوانیم. البته اندیشه هم جاودانه نیست ولی ژرفای اندیشه سبک‌سری ذهنی را محدود می‌کند.

سهم ایرانی و فرانسوی من

در جامعهٔ فرانسه من احساس آرامش دارم. سهم من از ایران چیست و سهم فرانسوی من چگونه است؟ شبی با یکی از نزدیکان درددل می‌کردم و می‌گفتم نیمهٔ بیشتر عمر من در فرانسه گذشته است و این پرسش مطرح می‌شود که کیستیِ ایرانیِ من با فرانسوی بودنم چگونه درهم آمیخته است؟ انسان‌ها همیشه کوچ و مهاجرت را انتخاب نمی‌کنند و به این خاطر همیشه استقرار و بودن در جامعهٔ جدید با آرامش درونی همراه نیست. در آن‌ها این احساس وجود دارد که چیزی کم است و خوانایی لازم موجود نیست. بودن ما با داستان زندگی‌مان گره خورده است. داستان آدم‌ها با خانواده، باورها، احساسات، دوستان، کتاب‌ها، فعالیت شغلی و سیاسی و فرهنگی، تفریح و سرگرمی‌ها، شرکت در انقلاب و تظاهرات و راهپیمایی‌ها، سفرها و دیدارها، موفقیت‌ها و سرخوردگی‌ها، احساسات عاطفی دلپذیر و سخت، مشغولیت فرهنگ ادبی دور و نزدیک و خیلی چیزهای دیگر گره خورده است. داستان آدم‌ها ترکیبی از تابلوهای گوناگون نقاشی است. تابلوهای نقاش دریافت‌گرِ فرانسوی، آگوست رونوار، فضای موزونی از نور و سایه است با چهرهٔ آدم‌هایی که به گفت‌وگو مشغولند و زندگی را در لبخند و جشن و عشق می‌بینند، حال آن‌که فضای تابلوهای نقاش ایرلندی‌تبار یعنی فرانسیس بیکن درد و خشونتی است که آدم‌ها را پاره‌پاره و چهرهٔ آن‌ها را نابود کرده است. در زندگی، رنوار و بیکن گِرد هم آمده‌اند ولی ما وقتی خود را در آینه می‌بینیم، چهره‌مان را یا یک «چهرهٔ رونواری» می‌بینیم یا «چهرهٔ بیکنی». همهٔ این رویدادهای سخت و سبُک داستان ما هستند و روان و فکر را پرداخت کرده‌اند و ناخودآگاه ما محصول همین داستان‌هاست. من به‌عنوان یک روشنفکر پیوند خود را با ادبیات و تاریخ ایران حفظ کرده‌ام و در همان زمان ذهنم با فرهنگ و ادبیات و رفتار هویتی فرانسه درآمیخته است. من محصول دو فرهنگ هستم و در این همزیستی و آمیزش

فرهنگی راحت هستم. در ایران از شمیران و دارالفنون متأثر شدم و شب‌های شعر «خوشه» و کتاب‌خانه‌ها و کتاب‌فروشی‌ها مرا ساختند. در جوانی از ادبیات فرانسه به‌طور گسترده بهره گرفتم و سپس برای دانشگاه به فرانسه آمدم و در اینجا مارکسیست شدم و در آمفی‌تئاتر سوربن جامعه‌شناسی آموختم. پس از یک دوره در فرنگ، در آستانهٔ انقلاب در تهران در عرصهٔ سیاست دوباره فعال شدم ولی آرزوهای خام به سرانجام نرسید. پیشامدهای اجتماعی و استبداد مرا به بیرون پرتاب کرد. بازگشت دوباره به فرانسه به من شوق دیگری داد، مارکسیسم را کنار نهادم و پیوند دورنی و روانی خود را با دو جامعه نگه داشتم. بحران شخصیتی پیدا نکردم زیرا توانستم دوگانگی هویتی فرهنگی و روانی خود را در سازش درونی حفظ کنم. بسیار تغییر کردم ولی در من نه کسی تسلیم شد، نه کسی شکست خورد و نه کسی ناپدید شد. پیوند من با فرانسه فیزیکی و روانی و شغلی و روشن‌فکرانه و جامعه‌شناسانه است. در این جامعه، من از نقش مؤثر خود آگاهم، تدریس در چند دانشگاه، حضور در عرصهٔ حزبی و سیاسی و روشن‌فکری و شبکه‌های اجتماعی، نقد دین اسلام و تلاش برای محیط زیست نمی‌توانست از من فرد دلسرد و درمانده بسازد. همیشه در زندگی لازم است که هدف و پروژه‌ای برای ادامهٔ زندگی داشته باشیم. برای این‌که سردرگم و دلسرد نباشیم، هر کجا که هستیم باید بهانهٔ خوبی برای زندگی بسازیم و پروژه‌ای برای زندگی کردن خود تهیه کنیم. ذهن من توسط دو فرهنگ آبیاری شده و من در هر دو هستم. میان من و این دو جامعه نوعی هم سرنوشتی است. اگر به سرزمین خود بازگردم، به تمام نقاط آن سفر خواهم کرد و در اینجا رابطهٔ خود را با اجتماع به‌طور فعال حفظ خواهم کرد و باز خواهم نوشت. دلم می‌خواهد بخوانم و بازهم بخوانم و افزون‌بر آن‌چه دیده‌ام کشورهای فراوانی را در جهان ببینم و چشم‌های خود را بازتر کنم.

پی‌یر میشون و ادبیات او

پی‌یر میشون نویسندهٔ برجستهٔ فرانسوی در ۲۸ مارس ۱۹۴۵ زاده شده است. او با متانت و تیزبینی خاصی به پدیده‌ها نگاه می‌کند. در نوشته‌هایش حکمت ویژه‌ای موجود است و اندیشه‌اش ژرف است. هر نوشتهٔ داستانی او به فلسفهٔ تاریخ

تبدیل می‌شود. کارهای نوشتاری او مورد توجه تاریخ‌نویسان مورّخان ادبیات و کارشناسان ادبی است. شیوهٔ کار او تخیلات در متن تاریخ و رمان‌نویسی تاریخی است. هر رمان و نوشتهٔ میشون گونه‌ای روان‌شناسی تاریخ و اجتماع است و با هنر و ادبیات درهم تنیده شده است. میشون تاکنون جایزه‌های ادبی مهمی مانند «جایزهٔ آکادمی فرانسه» و «جایزهٔ مارگریت یورسنار» را کسب کرده است.

او نخستین نوشته یا داستان‌های کوتاه خود را با عنوان زندگی‌های بسیار کوچک در ۱۹۸۴ چاپ کرد. در این کتاب، او حکایت و یادداشت‌های فراوانی دربارهٔ افراد ناشناسی که دیده بازگو می‌کند. میشون در ۱۹۸۸ رمان زندگی ژوزف رولن، بازتابی از زندگی رولن، در سال ۱۹۹۰ ارباب و خدمت‌گذار و در سال ۱۹۹۱ رمبوِ پسر، حاوی نوشته‌های کوتاه دربارهٔ یک شاعر، را چاپ کرد. نوشته‌های میشون دربارهٔ نویسندگان در کتاب سه نویسنده در ۱۹۹۷ و بدن شاه در ۲۰۰۲ چاپ شدند. رمان بون بزرگ در سال ۱۹۹۵، امپراتور غرب در ۱۹۸۹، افسانه‌شناسیِ زمستانی در سال ۱۹۹۸ و کتاب یازده هم در ۲۰۰۹ چاپ و توزیع شدند. تازه‌ترین کتاب او جایزهٔ «آکادمی فرانسه» را از آن او کرد.

بیشتر این نوشته‌ها یا رمان‌ها تاریخی هستند یا زندگی‌نامه‌هایی که از تاریخ حکایت می‌کنند و دارای داستان و تخیل‌اند. پی‌یر میشون می‌گوید: «من هرگز نوشتن را با طرح انجام نمی‌دهم و میل به نوشتن خودبه‌خود در من راه می‌گشاید.» او می‌افزاید: «من تاریخ‌نگار و نظریه‌پرداز نیستم، من تخیلات خود را به تاریخ گره می‌زنم.» کتاب برجستهٔ دیگری از او یعنی کتاب یازده دربارهٔ یکی از تابلوهای نقاشی فرانسوا الی کورانتن است که به یازده شخصیت انقلاب فرانسه مانند روبسپیر و دیگران و نیز انقلاب فرانسه و آرمان‌شهر انقلابی و ترور می‌پردازد. پرسش اصلی در این کتاب این است که چگونه می‌توان ترورهای تاریخی را فهمید؟ چگونه می‌توان خشونت را تعریف کرد؟ در زمان انقلاب همه به خشونت مشغول می‌شوند و همان‌گونه که فیلسوف فرانسوی، رونه ژیرار، می‌گوید: «خشونت به‌شکل خودبه‌خودی و تقلیدی فراگیر و همگانی می‌شود. همه از روی همدیگر تقلید می‌کنند و دست به کنش یکسان می‌زنند؛ همه تولید خشونت می‌کنند.»

برای پی‌یر میشون، انقلاب همچون تابلویی نمادین است که تصویر رنگارنگ عمومی و جمعی را نشان می‌دهد. تابلویی که در آن انسان‌های زمان انقلاب با

ویژگی‌هایی همچون پارسایی و پرهیزکاری مشخص می‌شوند ولی در همین لحظه هم تاریخ واقعی جریان دارد. لحظهٔ انقلاب اوج تاریخی است که در آن ترور جایگاه برجسته‌ای دارد. انقلاب لحظهٔ بی‌نظمی و آشفتگی است، لحظه‌ای که در آن مادر هیولاها و سپاه بدبختی و مردان و زنان بدجنس حاضرند، لحظه‌ای که نفت روی آتش و نمک بر زخم پاشیده شده و دسته‌های آدم‌کُش تبهکار و هرزه در حال عوعو کردن هستند. با توصیف پی‌یر میشون دربارهٔ انقلاب فرانسه ذهنم به سراغ انقلاب ایران رفت. تابلوِ انقلاب چگونه بود؟ انقلاب ایران یک تراژدی خشونت‌بار بود. جامعهٔ برساخته از بالایی‌ها و پایینی‌ها، مذهبی‌ها و کمونیست‌ها، شاهی‌ها و ملی‌ها در خشونت فرو رفته بود و همه خود را پرهیزکار و اخلاق‌گرا نشان می‌دادند. در همین لحظه، جامعه و روان انسان در گنداب شیعه‌گری بی‌سابقه و ژرفی فرو می‌رفت. همه سقوط را پذیرفته بودند، همه گیج و منگ شده بودند و به‌سرعت مدعیان تقوا به دسته‌های آدم‌کُش با عوعوی مذهبی تبدیل می‌شدند.

هم اکنون پی‌یر میشون در روستا زندگی می‌کند و با کشاورزان گفت‌وگو دارد. ناشرش از او خواسته تا یک رمان بزرگ عاشقانه و نوگرا بنویسد. او، که دیگر صدایی ندارد و نمی‌تواند گفتاری سخن بگوید، قول داده تمام گفته‌هایش را دربارهٔ عشق روی برگ‌های رمانش بچیند.

ابوعلی سینا، نشانی از کیستیِ ایرانی

ابن سینا در ۹۸۰ میلادی در بخارا زاده شد و در ۱۰۳۷ میلادی در همدان درگذشت. پدرش از مسئولان حکومت سامانی و زبان مادری‌اش فارسی بود. ابوعلی سینا دارای دانشی بسیار گسترده در زمینهٔ پزشکی، ریاضی، ستاره‌شناسی، فیزیک، شیمی، زمین‌شناسی، گیاه‌شناسی، اندام‌شناسی و منطق بود. در عرصهٔ فلسفه، فارابی آموزگار او به شمار می‌آید. دو اثر معروف او یکی قانون دربارهٔ پزشکی است و دیگری شفا دربارهٔ فلسفه و منطق و هر دو هم به عربی نوشته شده‌اند. کتاب دانش‌نامهٔ علایی ابن سینا به‌طور مستقیم به فارسی نگارش یافته است. گفته می‌شود که ابوعلی سینا ۱۳۱ نوشته اصیل بر جا گذاشته است. بسیاری از آثار او به لاتین و عبری و اسپانیایی و ایتالیایی و فرانسوی و ازبک ترجمه

شده. عبدالرحمان شرفکندی کتاب قانون را سال‌ها پیش به فارسی ترجمه کرد ولی شوربختانه بسیاری از آثار او از عربی به فارسی ترجمه نشده‌اند.

ابن‌سینا در سال ۴۰۳ قمری در گرگان نوشتن قانون را آغاز کرد، بخشی از آن را در شهر ری و بقیه را در همدان تا سال ۴۱۴ قمری به پایان رساند. سر ویلیام آسلر (۱۸۴۹-۱۹۱۹)، پدر پزشکی نوین، کتاب قانون را انجیل پزشکی و ابن سینا را مؤلف مشهورترین کتاب درسی که تا آن زمان نوشته شده بود می‌داند. این کتاب، که دارای بیش از ۷۰۰ برگ است، از مهم‌ترین آثار پزشکی در تمدن ایران‌زمین به شمار می‌آید. قانون کتابی پایه برای آموزش در دانشگاه‌های اروپایی بوده. مدرسهٔ پزشکی مونپلیه فرانسه کتاب قانون را کتاب پایهٔ خود قرارداده بود. این کتاب تا سدهٔ هفدهم در اروپا تدریس می‌شده و بخش‌های مربوط‌به بیماری‌های چشم و قلب و تب‌های گوناگونش مورد توجه همهٔ پزشکان بود. در فرانسه، بیمارستان شهر بوبینی در کنار پاریس به‌نام بیمارستان ابوعلی سیناست، در نیویورک یک مرکز جراحی و در مجارستان نیز یک کالج بین‌المللی به‌نام اوست. توجه جامعهٔ بین‌المللی به‌خاطر دانش ژرف و مقام علمی ابوعلی سینا در زمینهٔ پزشکی است. شما هنگامی که طرح‌های مربوط‌به تشریح بدن انسان را در آن می‌بینید، که متعلق به هزار سال پیش هستند، شگفت‌زده می‌شوید.

کتاب بزرگ دیگر ابوعلی سینا کتاب شفا است. منطق و فرهنگ حاکم بر کتاب منطق و فلسفه ارسطویی است. این کتاب دارای بخشی مربوط‌به دین است ولی بخش عمده با منطق ارسطویی استدلال می‌کند. فلسفهٔ ارسطویی چگونه است؟ ارسطو فلسفه را به‌عنوان «دانش هستی» تعریف می‌کرد. یکی از کتاب‌های برجستهٔ ارسطو ارغنون است که همانا کتاب منطق است. این کتاب دربرگیرندهٔ شش رساله است و این اثر هر آن‌چه که وجود دارد را به ۱۰ دسته تقسیم می‌کند. ارسطو دارای فلسفهٔ واکاوانه است، ستارگان را توضیح می‌دهد، حیوانات را تقسیم‌بندی می‌کند، اخلاق و شعر و روح و فیزیک را بررسی می‌کند و جهان را از چهار عنصر آب و آتش و خاک و هوا می‌داند. در این بینش باور دینی و باور خرافاتی جایی ندارد. ارسطو توضیح جهان را از نیروی فراطبیعت نمی‌داند بلکه هستی را از طبیعت میسر می‌داند. بر اساس همین منطق و بینش فلسفی و کاربست استدلال عقلانی است که ابوعلی سینا «شفا» را می‌نویسد. البته عقلانیت ابن سینا در چهارچوب دین به گردش درمی‌آید.

ابوعلی سینا در کتاب شفا که همچون مجموعه دانش بشری یا یک دانشنامه فراگیر است، چکیدهٔ باورهای فیلسوفان یونان مانند ارسطو و افلاتون و نوافلاتونیان در علوم عقلی مانند منطق و طبیعیات و ریاضیات و الهیات را بررسی می‌کند. در همین کتاب، ابوعلی سینا در بخش ریاضیات به هندسه و حساب و موسیقی و هیأت می‌پردازد. در بخش طبیعیات نیز به تشریح حیوانات می‌پردازد و بارداری و قانون زندگی جانوران و انسان را توضیح می‌دهد و به شرح زندگی گیاهان می‌پردازد. در بخش الهیات، دربارهٔ جوهر جسمانی و تقدم صورت بر ماده صحبت کرده و از مبدأ و معاد و الهام و دعاهای لازم و بلاهای آسمانی و احوال نبوت حرف می‌زند. تأثیرپذیری ابوعلی سینا از ارسطوی یونانی گسترده است و این سنت فلسفی در اندیشهٔ فلسفی ایران پررنگ است. ابوعلی سینا به‌روشنی در بخش منطق کتاب خود به کتاب ارغنون و منطق ارسطو توجه دارد و حتی فصل‌بندی نوشته‌اش را مطابق با ارغنون ارسطو تنظیم کرده است. ابن سینا پس از نقل سخن ارسطو می‌گوید: «ای گروه دانش‌پژوهان و اندیشمندان، دربارهٔ آنچه این مرد بزرگ گفته تأمل کنید که آیا پس از او تا به امروز که نزدیک به هزار و سی‌صد سال می‌گذرد، کسی آمده است که بر آن خرده گیرد یا ثابت کند که در سخن او نقصی هست و یا بر آن چیزی بیفزاید؟ خیر، آنچه ارسطو آورده کامل و میزان صحیح و حق صریح است.» ابوعلی سینا شعر هم می‌گفت: «اندر دلِ من هزار خورشید بتافت / آخر به کمالِ ذرّه‌ای راه نیافت.»

توجه به فرهنگ ایرانی و ارزیابی از جایگاه فلسفه در تاریخ ایران یک فصل مهم در ارزیابی شخصیت تاریخی ماست. برخی می‌گویند ایران دارای فلسفه نیست زیرا خردگرایی و فلسفه گرایی در فرهنگ دینی و در شرایط دین خوئی ناممکن است. برخی دیگر می‌گویند فلسفه همیشه به‌شکل خالص جریان ندارد. دین اسلام در پی نابودی فلسفه است زیرا اندیشیدن و پرسش‌گری را مجاز نمی‌داند اما اندیشمندان تلاش کرده‌اند تا این سقف کوتاه خفقانی را بشکنند و جایی برای خِرد و اندیشیدن باز کنند. ابوعلی سینا در درون فضای اسلامی است و با تضاد همراه است ولی تلاش او در قانون طرح مقوله فلسفی و پیشبرد استدلال علمی و هموار ساختن توسعهٔ خِرد است.

کوروش بزرگ

کوروش بزرگ یا کورش به مدت سی سال، در بین سال‌های ۵۵۹ تا ۵۲۹ پیش از زادروز مسیح بر نواحی گسترده‌ای از آسیا پادشاهی می‌کرده است. او از مادرِ مادی و پدری پارسی زاده شده است. آغاز پادشاهی او در انشان (فارس) و خوزستان، فتح هگمتانه و اتحاد ماد و پارس، فتح پارت و ارمنستان و لیدی، فتح بابل و آزادی یهودیان از رویدادهای برجستهٔ دوران کورش است.

گزنفون کوروش را به‌عنوان فرمان‌روای آرمانی مطرح می‌کند. کوروش، بدون شک، نه‌تنها هدایت‌گری برجسته بود که شاهنشاهی بزرگ را بنیان گذاشت بلکه بنیان‌گذار فرهنگ و تمدن شهریِ هخامنشی نیز به شمار می‌آمد. از آنجا که بنابر دیدگاه مورخان یونانی پارسی‌ها متعصب نبودند، کوروش به‌سرعت فراگیری از ملت‌های زیر فرمان را آموخت. یکی از سندهایی که از کوروش بر جای مانده، استوانه‌ای به طول ۲۲٫۵ سانتی‌متر و عرض ۱۱ سانتی‌متر از جنس خاک رس با نوشته‌ای ۴۵ سطری به زبان بابلی است که امروزه در بخش ایران باستان بریتیشِ لندن نگهداری می‌شود. در این منشور، کوروش پس از معرفی خود و دودمانش و شرح کوتاهی از فتح بابل می‌گوید تمام دستاوردهایش را با کمک و رضایت مردوک به انجام رسانده‌است. وی سپس بیان می‌کند که چگونه آرامش و صلح را برای مردم بابل، سومر و دیگر کشورها به ارمغان آورده و پیکر خدایانی که «نبونعید» از نیایش‌گاه‌های گوناگون برداشته و در بابل گردآوری کرده بوده را به نیایش‌گاه‌های اصلی آن‌ها برگردانده. تلاش‌های وی برای مشروعیت‌بخشی به پادشاهی‌اش و مهارتش در کاربست سنت‌ها و الگوهای محلی برای تحقق اهداف خویش است و نیز سیاست او نوعی مداراجویی در شیوهٔ حکومتی است. برخی مورخان این متن را نشان آغازینِ احترام به حقوق بشر دانسته‌اند. در سال ۱۹۷۱ میلادی سازمان ملل استوانهٔ کوروش را به همهٔ زبان‌های رسمی این نهاد منتشر و بدلی از این استوانه را در مقر سازمان ملل مستقر کرد.

تاریخ باستان ایران توسط اسلام‌گرایان و ایدئولوژی‌های چپ مورد تحریف و بی‌توجهی قرار گرفت. جمهوری اسلامی همیشه با این تاریخ ضدیت داشته و چپ‌گرایان توجه به این تاریخ را معادل «شوینیسم و ملی‌گرایی» پنداشته‌اند. این جهانی‌بینی‌ها، در اساس، مخالفت خود را با تاریخ و منافع ایرانیان نشان می‌دهند.

ما حق نداریم تاریخ یک سرزمین را حذف کنیم. در طول تاریخ، افسانه‌ها و اسطوره‌ها و واقعیت‌های پیچیده و گوناگونی درهم آمیخته‌اند که باید مورد بررسی قرار گیرند و تاریخ در دل خود سرشار از آموزش است. برخورد علمی با تاریخ نه برای احساسات بزرگی‌خواهانه و نه تبلیغ بت‌پرستانه و توجیه یک قدرت سیاسی است بلکه برای حقیقت‌جویی و فهم سیر تاریخ است. تاریخ‌شناسی علمی همیشه با بررسی انتقادی و دقیق همراه است و انگیزهٔ آن فقط حقیقت‌جویی است. در کشور ما مطالعات تاریخ هخامنشیان به یک رشتهٔ علمی و دانشگاهی مستقل و برجسته تبدیل نشد و این کمبود بزرگی است. خوشبختانه مورخان یونان باستان و غرب مانند پی‌یر بریان یاری‌رسان ما بوده‌اند و به تاریخ ما خدمت بزرگی کرده‌اند.

طارق رمضان، جزم‌اندیشِ اسلام‌گرای معاصر

طارق رمضان جزم‌اندیشِ اسلام‌گرای معاصر و معروف و تجاوزگر جنسی است. در آغاز، او توسط یک فمینیست الجزایری تونسی‌تبار، هاندا ایاری، به تجاوز جنسی متهم شد. شکایت‌نامه، که به دادگاه روئن فرانسه ارائه شده، از «اقدامات جنایتکارانهٔ تجاوز و خشونت‌های جنسی» توسط طارق رمضان یاد می‌کند. این خانم در فیس‌بوک خود نوشته: «طارق رمضان فرد متجاوز به او بوده است.» او می‌افزاید: «از ترس تهدیدهای فراوان طارق رمضان نتوانستم به افشاگری دست بزنم ولی از این پس این کار را می‌کنم زیرا وجدانم در عذاب است.» به‌دنبال این افشاگری، زن ۴۲‌سالهٔ دیگری طارق رمضان را متهم به تجاوز جنسی و اقدامات خشونت‌بار جنسی در سال ۲۰۰۹ می‌کند. وکیل این خانم، اریک مورن، می‌گوید این خانم از پا دارای نوعی فلجی است و با وجود این ناتوانی طارق رمضان «خشونت بسیار وحشیانه‌ای» در برخورد با او به کار برده است. رمضان به‌طرزی سادیستی و با شکنجه به این زن تجاوز کرده. (روزنامهٔ پاریزین، ۲۷/ اکتبر ۲۰۱۷)

طارق رمضان در غرب معروف است و در میان مسلمانان اروپایی و آمریکایی هواداران فراوانی دارد. او روی جوانان عرب‌تبار بسیار تأثیرگذار است و نوعی بت و رهبر فکری به شمار می‌آید. برخی محافل غربی هم پشتیبان او هستند. مجلهٔ تایم در سال ۲۰۰۰ نام او را جزو یک‌صد نوآورِ سدهٔ بیست و یکم مطرح

کرد. مجلهٔ فارِن پالِسی نیز در سال‌های ۲۰۰۸ و ۲۰۰۹ و ۲۰۱۰ و ۲۰۱۲ او را در فهرست یک‌صد اندیشمند برتر جهان قرار داد. در سال ۲۰۰۹، جنجال دیگری نیز دربارهٔ او کلید خورد. در اوت ۲۰۰۹، دانشگاه اراسموس نوتردام به‌دلیل گفت‌وگوی طارق رمضان با تلویزیون دولتی ایرانی یعنی «پِرِس تی‌وی» وی را اخراج کرد و طارق رمضان این را بیان‌گر اسلام‌هراسی در اَروپا دانست.

پدر رمضان، سعید رمضان، آغازگر پروژهٔ استقرار حکومت‌های اسلامی در غرب از راه تبلیغ و موعظه و در صورت لزوم جنگ به شمار می‌آمد و پدربزرگ رمضان نیز از رهبران اخوان‌المسلمین مصر بوده است. طارق رمضان کتاب‌های فراوانی در واکاوی و تبلیغ اسلام چاپ کرده است و برگزارکنندهٔ کنفرانس‌های بسیاری برای تبلیغ اسلام بوده. او شخصیتی بسیار زرنگ و موذی و دروغ‌گوست و تلاش می‌کند تا گفتاری همه‌پسند و آراسته داشته باشد و به‌عنوان فردی «نوگرا» جلوه کند. سخن‌رانی‌های او دست‌به‌دست می‌گردند و او خود در مناطق مسلمان‌نشین در فرانسه و بلژیک دارای نفوذ گسترده‌ای است. همچنین، بخشی از روشن‌فکران پریشان و اسلاموفیل فرانسوی نیز به او اعتماد دارند و او را بارها به کنفرانس‌های مشترک و رسانه‌ها دعوت کرده‌اند. او در گفتار خود پیوسته در پی نشان دادن «خطای غرب» و برتری اسلام است. کار اصلی او تقویت ایدئولوژیک شبکه‌های اسلامی و تبلیغ اسلام در میان جوانان و طبقهٔ متوسط عرب بوده است. شکایت‌های اخیر بر ضد او در دادگاه فرانسه بیان‌گر و برملاکنندهٔ تمایل ضداخلاقی و فساد روانی این بنیادگرای اسلامی است. دین اسلام و فساد و تجاوز جنسی و دروغ در طارق رمضان جمع است. باید منتظر رأی دادگاه بود تا شخصیت پنهان و تجاوزکار او آشکارتر شود.

با جسد مومیایی‌شدهٔ لنین و مجسمه‌های او چه باید کرد؟

یکی از ویژگی‌های کیش شخصیت مجسمه‌سازی تندروانه و نصب فراوانِ مجسمه در میدان‌ها و خیابان‌های شهری و نصب گستردهٔ عکس‌ها و پوسترهای یک رهبر سیاسی است. امروز در روسیه بحث مهمی دربارهٔ مومیایی لنین در میدان سرخ مسکو در جریان است. بر اساس یک آمار، ۶۰ درصد شهروندان روسی برآنند که

مومیایی لنین را باید از آرامگاه او خارج کنند و جسدش را بسوزانند، ۳۲ درصد هم بر این باورند که نباید به جسد مومیایی درون آرامگاه دست زد و ۸ درصد دیگر نیز دیدگاهی در این‌باره ندارند. بحث دیگر دربارهٔ مجسمه‌های لنین است. یادآوری کنیم در روسیه از انقلاب اکتبر ۱۹۱۷ تا ۱۹۹۱ چیزی حدود ۷۰۰۰ مجسمه ساخته و نصب شدند. پس از فروریزی دیوار برلین تا امروز ۱۰۰۰ مجسمه از جا کنده و نابود شده. حال، پرسش مورد نظر برای روسیه و رهبران آن این است که با باقی مجسمه‌ها چه باید کرد؟ پاسخ ساده نیست. اگر پاسخ ما ایدئولوژیک و بر پایهٔ رد ایدئولوژیک یک نظام باشد، به‌طور روشن مجموعه اعمال و نشان‌های این خودکامگی کمونیستی دولتی و اِستالینیستی باید حذف شود ولی اگر پاسخ ما ایدئولوژیک نباشد، از دید تاریخی و حفاظت آثار و اسناد باید تمامی قطعات گذشتهٔ مجسمه‌ها باقی بمانند و در بسیاری از موزه‌ها عکس و روزنامه و لباس و مجسمه و عینک و پیپ و دفترچه خاطرات و نوشته‌های رهبران مثبت و دیکتاتورها نگهداری شوند. همچنین، این مجسمه‌ها توسط هنرمندان مجسمه‌ساز زمانِ خود درست شده‌اند و بر اساس سفارش و بر پایهٔ ایدئولوژی و تبلیغ سیاسی و هیجانی پدید آمده‌اند ولی به‌عنوان اثر یک هنرمند ثبت شده‌اند. تاریخ با هنرمند و مجسمه به جنگ برنمی‌خیزد. روشن است این آثار دارای ویژگی و اهمیت خود هستند و تاریخ دربارهٔ آن‌ها و معنا و محتواشان قضاوت می‌کند. انسان‌ها نیز متناسب با فکر و فرهنگ و ارزش‌یابی خود به تأیید یا رد آن‌ها می‌پردازند. تخریب و نابودی پاسخ شایسته‌ای به شمار نمی‌آید.

آرامگاه رضاشاه را اسلام‌گرایان و برخی انقلابیون چپ ویران کردند. مجسمه‌های شاه در زمان انقلاب اسلامی نابود شدند. آیت‌الله خلخالی در کنار کشتار جوانان سیاسی در پی آن بود تا آثار باقی‌ماندهٔ تخت جمشید را هم نابود کند. تمایل نابودی و خشونت و ویران‌گری از کجا می‌آید؟ تمایل به تسویه‌حساب قطعی ناشی از چیست؟ آیا حقانیت با نابودگران است؟ آیا ویرانی بیان دیکتاتوری و تعصب کور نهفته در آدمی نیست؟ امروز جامعه از هیجان انقلابی دور شده و چه‌بسا افسوس این ویرانی را می‌خورد. بی‌شک، آثاری مانند مجسمه در جامعه اغلب بیان‌گر قدردانی و احترام به شخصیت‌های سیاسی و ادبی و علمی هستند، حال آن‌که مجسمهٔ لنین بیان محبوبیت او نزد انقلابیون بلشویک از یک سو و نشان ایدئولوژیک نظام خودکامه و الگوی تبلیغاتی نظام از سوی دیگر بوده است. امروز

اغلب انقلابیون کمونیست تغییر کرده‌اند و برای بسیاری افراد نمادهای گذشته جابه‌جا شده‌اند و، بنابراین، شور انقلابی پیشین فروکش کرده است. سرنوشت مجسمه‌ها نه بر اساس احساس و خشم و هیجان بلکه بر پایهٔ برخورد تعقلی و آموزش نسل‌های کنونی و آیندگان باید تعیین شود، باید نقش‌آفرینان هر دوران را شناخت، لحظهٔ تاریخی جامعه را فهمید، بدی‌ها و خوبی‌ها را از دید تاریخی واکاوی کرد و، در پایان، مجسمه‌ها را در خیابان و میدان باقی گذاشت و یا آن‌ها را به موزه‌ها سپرد.

منش اخلاقی

دانشجویان رشته‌های مهندسی اغلب به خود می‌بالند زیرا فکر می‌کنند با شناخت فنی و علمی خود از نخبگان بی‌چون‌وچرای جامعه‌اند. آن‌ها در بسیاری از اوقات تردیدی در بینش خود ندارند و جهان را به شناخت خود محدود می‌کنند. چندی پیش در هنگام تدریس به آن‌ها گفتم: «هوشیاری شما در پرسش شماست؛ اگر شما فکر می‌کنید که با داشتن دیپلم مهندسی شناخت کافی و همه‌جانبه پیدا می‌کنید در اشتباهید. اشتباه می‌کنید. همیشه بی‌سابقه روبه‌رو ساختند خطر ما را تعقیب می‌کند. در روزنامه‌ها آمده در جهان ۸۰ درصد حشرات تا سی سال دیگر نابود خواهند شد. حال پرسش اینجاست که علت چیست؟ مهندسینی که مواد شیمیایی ضدآفات و کود شیمیایی را ساختند، تولید کشاورزی را رشد دادند ولی آن‌ها خود عامل نابودی پرشتاب حشره و پروانه و زنبور عسل شدند و نیز کار حرفه‌ایی‌شان در صنعت و اقتصاد منجر به رشد بیماری‌های مرگ‌آوری مانند بیماری فراگیرِ سرطان. در تاریخ، اختراع خودرو توسط مهندسان یک رویداد برجسته در صنعت است ولی شوربختانه مهندسان و خیلی افراد دیگر به نتایج الگوی تولیدی خود آگاه نبودند. آن‌ها انرژی فسیلی مانند نفت و گاز و زغال سنگ را کشف کردند و به دل صنعت و حمل‌ونقل ریختند ولی با همین کشف و مصرف انبوه مواد اولیه جهان را با خطر افزایش گرمایش زمین و بحران زیست‌بوم بی‌سابقه‌ای روبه‌رو کردند.»

افزون‌بر آن، هر سال بیش از ۵۰۰۰۰۰ شهروند در اروپا به‌علت آلودگی هوا می‌میرند. چه کسی مسئول این وضع غم‌انگیز و مرگبار است؟ انسان‌هایی

که تصمیم‌گیرنده هستند و در این میان مهندسان و سیاسیون و اقتصاددان‌ها و کارفرمایان نقش برجسته‌ای داشته‌اند. به آن‌ها گفتم یادتان باشد که بی‌شمار مهندس و کارشناس علمی در دستگاه حکومتی و ماشین جنگی و اداری نازیسم هیتلری با دقت کار و سازمان‌دهی کردند تا نژاد ژرمن را نژاد برتر معرفی کنند و نیز همین افراد سازمانده اردوگاه‌های مرگ و کوره‌های آدم‌سوزی و جنگ بودند. به دلایلی که گفته شد یک مهندس نمی‌تواند فقط به دانش فنی و مهارت کنونی‌اش بسنده کند زیرا شناخت علمی مدام در حال انکشاف است. گذشته از این، دانش و مهارت بدون علوم انسانی، فلسفه، منش اخلاقی، متانت رفتاری و مسئولیت فردی می‌تواند دانش ویرانی و مرگ باشد. بیشتر تروریست‌هایی اسلامی که برج‌های دوقلوی نیویورک را منفجر کردند مهندس بودند. آن‌ها از آگاهی مهارتیِ محدودی برخوردار بودند ولی نمی‌توانستند بفهمند که با ویرانیِ دو برج نمی‌توان تمدن غرب را ویران کرد.

به دانشجویانم گفتم: «دانش ما نه کافی و نه تضمینی قاطع در لحظهٔ سقوط اخلاقی است. انسان باقی ماندن خیلی ساده است ولی به‌آسانی می‌توان فاسد و تبهکار شد. غرور منفی و یک‌جانبه و ابلهانه آغاز سقوط ماست. بنابراین، خیلی عالی است که شما از جنبهٔ مهارتی بهترین مهندس باشید ولی مهندسی که محیط زیست را نمی‌فهمد، به آسایش و سلامتی فرزندان خود و شهروندان جهان بی‌توجه است، از اخلاق اجتماعی و آزادی‌خواهی بی‌بهره است و به‌آسانی قربانی پول و فساد می‌شود مهندسی نادان و خطرناک است.» سپس به آن‌ها گفتم: «کتاب بخوانید، فرهنگ خود را ارتقا دهید و روحیهٔ انتقادی را پیوسته تقویت کنید.»

قدرت شخصیتی فرد چیست؟

افلاتون، فیلسوف یونانی، بر این باور بود که پایهٔ قدرتْ دانش و حقیقت است. زمانی که شناخت و دانش و جست‌وجوی حقیقت در نزد کسی جمع می‌شود شرایطی پدید می‌آید تا روشناییِ خِردمندانه افزایش یابد و خشنودی افراد به قدرت می‌بخشد. دانشمندی مانند اِستیوِن هاوکینگ نمونهٔ این قدرت است. توماس هابز، فیلسوف انگلیسی، بر آن بود که قدرت هنگامی امکان‌پذیر است که پیرویِ

ارادی از یک رئیس پدید بیاید. توماس هابز بر این باور بود که قدرتْ طبیعی نیست بلکه از زمانی که یک فرد مانند یک قاضی، وکیل و رئیس‌جمهور نقاب و ماسک می‌زند قدرت شدنی می‌شود. ما هنگامی که قصد می‌کنیم تا قدرت خود را در اختیار دیگری قرار دهیم، آنچه دیگری انجام می‌دهد رفتار شخصی ماست. قدرت ولادیمیر پوتین نمونهٔ این قدرت منفی است. دونی دیدرو، فیلسوْف فرانسوی، قدرت را آزادی گفتار می‌داند. او می‌گوید چه‌بسا پیرو یک رئیس بشویم ولی این نشان قدرت واقعی نیست. از دید او قدرت در گفتار است و رفتاری که به آن باور دارد. دانش و صراحت و صداقت در گفتار پایهٔ قدرت است و در این حالت قدرت موتور رهایی است. لیوشیاوبو مخالف حکومت پکن، که جایزهٔ نوبل صلح را در ۲۰۱۰ دریافت کرد، نمونهٔ این قدرت است. ماکس وِبِر، جامعه‌شناس آلمانی، پایهٔ قدرت را در گیرایی و اقتدار شخصی می‌داند. از نگاه او، کیفیت شخصی و شگفت‌انگیز یک فرد در دیگران این انگیزه را دامن می‌زند تا برای این رهبر یا رئیس با دل‌وجان کار کنند و خود را در خدمت اهداف او قرار دهند و حتی خود را فدا کنند. البته برنامه و پیشنهاد رهبر چه‌بسا سطح پایین و بی‌کیفیت باشد ولی شخصیت و ویژگی او برای مردم ستایش‌برانگیز است و شیفتگی تولید می‌کند. در چنین حالتی، رهبر مردم‌فریب و مسئول خودپسند حزبی، که ادعای نمایندگی حقیقت و توده را دارد، به راهزنی برای جلب توده دست می‌زند.

گاه کیش شخصیت و گیراییِ شخصیِ رهبر با جنبهٔ دینی، ایدئولوژیک، سیاسی یا جنگیِ درهم‌آمیخته قدرت رهبر را به‌طرز خطرناکی بالا می‌برد و سلطه‌گری خشن را به اوج می‌رساند. نمونه‌هایی مانند هیتلر، اِستالین، آیت‌الله خمینی و در دنیای حاضر نمونه‌هایی مانند دونالد ترامپ، ژان لوک ملانشون و مارین لوپن بیان‌گر این نوع قدرت هستند. البته قدرت گیرا می‌تواند به‌شکل مثبتی تجلی کند و نمونه‌هایی مانند شارل دوگل و مارتین لوترکینگ در این گروه قرار می‌گیرند. یورینگ هابِرماس، فیلسوف آلمانی، برآن است که قدرت شخصی می‌تواند به قدرت عقلانی تبدیل شود و این در حالتی شدنی است که افراد به‌طور متقابل تمایل دارند به‌شکلی عقلانی همدیگر را متقاعد کنند. بنابراین، احساساتِ خصوصی نیستند که پایهٔ استدلال به شمار می‌آیند بلکه اصل توافق مشترک افراد بنیان استدلال را رقم می‌زنند. این توافق در عمل تبادل نظر عقلانی افراد شدنی است و در بستر اجتماعی مورد واکاویِ نقادانه و بررسی قرار می‌گیرد تا هر گونه جنبهٔ رازآلود و توهّم‌زا از آن جدا شود.

مکتب امیل زولا

امیل زولا، رمان‌نویس سرشناس فرانسوی، در ۲۹ سپتامبر ۱۹۰۲ درگذشت. او نویسنده‌ای است که از جوانی همراه من بود و فضای روحی و حساسیتش بر من تأثیر داشت. در دوران دبیرستان، من از شمیران به دارالفنون در میدان توپخانه می‌رفتم. من این مسیر پرخاطره را با اتوبوس‌های دوطبقه می‌پیمودم و همیشه در طبقهٔ بالا کتاب در دست‌هایم بود. شمار مهمی از رمان‌های زولا را من در همین مسیر خواندم. از پیچ شمیران که پایان خط اتوبوس بود تا توپخانه در حالی که کتاب دستم بود پیاده می‌رفتم و رمان را رها نمی‌کردم. زولا در ذهن و ناخودآگاه من نشسته است. خواندن رمان‌های ترز راکن، شور زندگی، ژرمینال و زمین از زولا به فارسی یا فرانسه و همچنین خواندن برخی رمان‌های بالزاک مانند بابا گوریو و یا خواندن کتاب‌های ژان پُل سارتر مانند گوشه‌نشینان آلتونا و واژگان در همین مسیر صورت گرفت. امیل زولا بنیان‌گذار سبک ادبی طبیعت‌گرایی بود؛ او می‌خواست به چیستیِ طبیعت پدیده‌ها نزدیک شود و، بنابراین، به ریزه‌کاری‌ها با دقت نگاه می‌کرد ولیِ همیشه بر این باور بود که باید به سادگی نوشت و شفاف بود تا حقیقت عریان شود. سبک نگارش او بسیار جذاب است و شور زندگی در آن موج می‌زند. بسیاری از رمان‌های او داستان زندگی را ترسیم می‌کنند و بیان حال روحیهٔ او در برابر مداخلهٔ دین در جامعه هستند. کتاب بیست مجلدیِ دارایی خانوادهٔ روگن وضع نابسامان اجتماعی کارگران، تسلط سرمایه‌داری و بورس‌بازی را نشان می‌دهد. زولا در تدوین این اثر ادبی از کمدی انسانی بالزاک الهام گرفته و این رمان همچون یک اثر جامعه‌شناسانهٔ دوران خود معتبر است. رمان ژرمینال نیز بیان‌گر زندگی و درد و مبارزهٔ کارگران معدنچی است.

روحیهٔ زولا از تمایل به عدالت سرشار بود و به همین خاطر زمانی که یک افسر یهودی‌تبار به‌نام آلفرد دریفوس به‌ناحق به‌عنوان جاسوس و خائن متهم می‌شود، او نامهٔ تاریخی «من متهم می‌کنم» را در پشتیبانی از دریفوس منتشر کرد. اقدام شجاعانهٔ امیل زولا درس بزرگی بود و به روشنفکران جهان نشان داد که در برابر دروغ قدرت سیاسی و ارتشیان و افکار عمومی باید ایستاد. زولا متأثر از نقاشان دریافت‌گری مانند کامیل پیسارو، آگوست رونوار، آلفرد سیسلی، ادوارد مانه و پُل سزان بود. زولا دارای افکار ضدکلیسایی بود، به مسائل اجتماعی و

آموزش پای‌بند به جداانگاریِ دین از سیاست حساس بود و برای یک دوره روزنامه‌نگاریِ سیاسی هم کرد. این عوامل بر دنیای ذهنی و هنرمندانهٔ زولا تأثیر داشتند و سَبک طبیعت‌گرای او بر رویدادها و انسان‌ها و دردها و بی‌عدالتی‌ها انگشت می‌گذاشت. او می‌گفت تنها دولت عادل و پذیرفتنی جمهوری است و همیشه تعهد سیاسی هنرمندانه‌اش شخصیت او را برجسته می‌کرد. زولا به‌خاطر تعهد اجتماعی‌اش و نیز برای پشتیبانی از دریفوس و تمایلات ضدکلیسایی‌اش پیوسته مورد استهزا بود و مخالفانش همیشه کاریکاتور او را در روزنامه‌ها چاپ و او را خوک معرفی می‌کردند. وقتی جامعه رام و آسان‌خواه باشد و به عادات کهنه و محافظه‌کارانه دچار شود، نمی‌تواند نوآوری و یا تلاش‌های انتقادگرانه را تاب آورد. امیل زولا کسی بود که جامعه و نخبگان رسمی آن را آزار می‌داد. او در دوران خود برخلاف جریان حرکت می‌کرد و این روحیه برای جامعه یک ضرورت بود. امروز، ببینید بسیاری از روشنفکران ایرانی هم آسان‌خواه و رام هستند. بیشتر آن‌ها مخالف رژیم ولایت فقیه هستند ولی در رابطه با الگوی اقتصادی دین اسلام، محیط زیست، دولت و تشکیلات، تاریخ ایران، مانند حاکمان اسلامی فکر می‌کنند.

هرودوت و ایرانیان

حکایت گذشتهٔ ما چیست؟ بدون شک، یکی از منابع معتبر در این بررسی کتاب تاریخ هرودوت یونانی است. هرودوت در سال ۴۲۵ پیش از زادروز مسیح درگذشت و فعالیت برجستهٔ او تاریخ‌نویسی و بازگویی آداب و رسوم زندگی و جنگ‌های ملت‌های دیگر و از جمله ایرانیان است.

هرودوت می‌نویسد: «ایرانیان شبانانی پرطاقت در کشور سخت و کوهستانی زیست می‌کنند و کورش بزرگ بر آنان فرمان‌رواست که لیاقت بسیار در امور نظامی داشته و سرزمین‌های مشرق را یکی پس از دیگری تصرف می‌کند.» هرودوت می‌گوید: «ایرانیان به پسران خود از پنج تا بیست سالگی اسب‌سواری و تیراندازی و راست‌گویی می‌آموزند.» او می‌افزاید: «چیزی که ایرانیان از آن تنفر داشتند نخست دروغ بود، وام‌گیری را نیز دوست نداشتند زیرا شخص بدهکار ناگزیر از دروغ‌گویی است؛ دادوستد نیز ممکن است با دروغ‌گویی همراه باشد،

به این خاطر ایرانیان به تجارت نیز تمایلی نداشتند. بنابراین، میدان خریدوفروش در کشورشان دیده نمی‌شود.» هرودوت می‌نویسد: «ایرانیان خود را از هر حیث بهتر از همهٔ ملت‌ها می‌دانستند و، با این همه، آن‌ها بیشتر از همهٔ ملت‌ها از آداب خارجی استقبال می‌کردند.» او می‌نویسد: «ایرانیان از آغاز قومی پرطاقت بودند و پادشاهانی عاشق راستی آنان را راه می‌بردند ولی بعدها که با اقوام تابعه لاابالی و آسان‌خواهی مانند بابلیان تماس پیدا کردند فاسد شدند. شاهان آنان مختار مطلق بودند و بی‌چون‌وچرا فرمان‌روایی می‌کردند و تا زمانی که این فرمان‌روایان از نوع کوروش و داریوش بودند اوضاع دلخواه بود ولی وقتی پادشاهان مستبد و ستم‌گر شدند، ایرانیان هم مانند پادشاهان رو به فساد رفتند و بسیاری از نیروی حیاتی و روحیهٔ خود را از دست دادند. »

گزارش هرودوت دربارهٔ ایرانیان بر ویژگی برجسته‌ای مانند دوری از دروغ‌گویی و عشق به راستی اشاره می‌کند. این صفت نیکو همسو با اندیشهٔ زرتشت یعنی «پندار نیک، گفتار نیک، کردار نیک» بود. کوروش نیز در نیایش خود گفته است: «خداوندا، سرزمین مرا از حملهٔ بیگانه و خشک‌سالی و دروغ در امان بدار.» فرهنگ دروغ نگفتن همان فرهنگ شجاعت و دلاوری و تمایل به حقیقت است. زمانی که مردمی با نخبگان فاسد و مستبدان همراه می‌شوند، هنگامی که به جمعیتی دروغ‌گو نزدیک می‌شوند، هنگامی که لاابالی و آسان‌خواه می‌شوند، هنگامی که فرهنگ پَست بر آن‌ها چیره می‌شود سقوط تربیتی آغاز می‌شود. با اسلام و فرهنگ استعماری آن و شیعه‌گری نیز روند فساد تشدید شد و انسان‌های سرزمین ما دروغ و تقیه و ترس و دورویی و عدم صراحت و مکر را در خود به‌شکل بی‌سابقه‌ای پرورش دادند.

فرانسواز ساگان

فرانسواز ساگان، رمان‌نویس فرانسوی در ۱۹۳۵ زاده شد و در ۲۴ سپتامبر ۲۰۰۴ در هونفلور درگذشت. ساگان در سال ۱۹۵۴ با رمان کوتاه درود بر غم معروف شد. این رمان داستان زن بورژوا و ثروتمند جوانی است که رها از قیود اجتماعی و ارزش‌های کاتولیکِ چیره بر جامعه است. این رمان بیان‌گر گسست

در الگوی اجتماعی و درهم‌ریختگی مناسبات انسانی رایج است. رمان از عشق و تمایل جنسی و حسادت و نگرانی و دسیسه‌چینی و اخلاقی دیگر و امواج نو در زندگی حرف می‌زند. این کتاب ساگان را به شهرت جهانی رساند زیرا به‌سرعت به بسیاری از زبان‌های دنیا و در سال ۱۳۳۵ خورشیدی نیز به فارسی ترجمه و چاپ شد. پس از این رمان، ساگان بیش از ۳۰ رمان و بیش از ۱۰ نمایش‌نامه و سناریو به نگارش درآورد. نوعی لبخند، آیا برامس را دوست دارید؟، آبی‌هایی برای روح، از جنگ خسته، نیمرخ گمشده، یک اندوه گذرا، بی‌سایگان، آینهٔ گم‌شده و بستر به‌هم‌ریخته از آثار فرانسواز ساگان هستند.

ساگان به مواد و مخدر و الکل و قمار روی آورد و زندگی شخصی او دستخوش پریشانی بود. او شخص متینی بود و هنگام حرف زدن آن‌چنان تند سخن می‌گفت که برخی واژه‌هایش را نمی‌شد فهمید. او دوستان زیادی داشت: فرانسوا میتران، رئیس‌جمهور فرانسه دوست نزدیک او بود، فیلم سازان موج نو مانند گودار و فرانسوا تروفو نیز از دوستان او به شمار می‌آمدند. ساگان نشان دوره‌ای بود که جامعهٔ فرانسه فرهنگ قدیمی را کنار می‌زد و کوکوشانل و بریژیت باردو و آزادی زن و عشق آزاد را به نماد برجسته‌ای تبدیل می‌کرد. در این دوران، جامعه از رفاه اقتصادی بهره مند می‌شد و در همان زمان ارزش‌های سنتی و کاتولیک تضعیف شد و ساگان این تغییرات را در خود بازتاب داد. اُسکار وایلد در جایی گفته: «گناه تنها رنگ معتبر جهان است.» برای فرانسه، ساگان رنگ گناه بود. فرانسوا موریاک، نویسندهٔ معروف، ساگان را «غول کوچولوی جذاب» نامیده. ساگان از الگوهای رایج دور بود و یک بار گفته بود: «من خود یک الگو هستم.» رمان درود بر غم در جامعه هیجان تولید و چهرهٔ تازه‌ای از ادبیات فرانسه را به جهان معرفی کرد. ادبیاتی با زبان نوگرا و پر از احساس و نشان‌گر رفتارهایی که اخلاق رایج و مسلط را در هم می‌شکست. درود بر غم درودی بر عشق بود.

علم تاریخ، افسانه‌سرایی و ایران

علم تاریخ افسانه‌سرایی نیست بلکه مکتبی برای شناخت رویدادها و نقش‌آفرینان و فرهنگ و روان جامعه است. این رشته داستان‌سرایی نیست بلکه وظیفهٔ دشوار

حقیقت‌جویی را بر دوش می‌کشد. در ایران، این رشته به‌خاطر نبودن افراد کارشناس و حرفه‌ای و نیز زیر فشار جهان‌بینی‌ها و اسلام‌گرایان به یک نظام مستقل و سامان‌یافتهٔ دانشگاهی تبدیل نشده. ما نیازمند شناخت گذشتهٔ خود هستیم. این ضرورت نه به‌دلیل یادمانه و ملی‌گرایی تندروانه بلکه برای بررسی شخصیت تاریخی و کمبودها و ارزش‌هاست. اسلام‌گرایان از ۱۴۰۰ سال پیش به تحریف و نفی تاریخ ما پرداختند و اسلام را به‌عنوان محور هویتی ما نشان دادند. این جعل تاریخی با ازخودبیگانگی ما تثبیت شد. جامعه‌شناسی و فلسفه تاریخ ما را تشویق می‌کند تا این تاریخ را بشناسیم.

آرتور جان آربری، شرق‌شناس برجستهٔ انگلیسی، می‌گوید: «اگر یونانیان را اهل پژوهش و رومیان را خبرگان اداره و فرمان‌روایی می‌دانند، ایرانیان را باید اهل دنیا نامید زیرا قرن‌های طولانی است که ایرانی فلسفهٔ خاص زندگی خود را آفریده و پذیرفته و در تجربیات جهانی مطمئن و آرام در برابر پیشامدهای ناگهانی زندگی کاملاً مصونیت یافته است.» جان هنری ایلیف، باستان‌شناس انگلیسی، نیز در جایی می‌نویسد: «مغرب‌زمین از سهم پررنگ ایرانیان در تمدن خویش ناآگاهند. مغرب‌زمین تمدن‌های رومی و یونانی و یهودی را کم‌وبیش با شیر مادر مکیده و آن را جذب و هضم کرده.» حال آن‌که برای مغرب‌زمینی‌ها تاریخ کهن ایرانیان محدود به مواردی است که با تاریخ یونان و یا بنی‌اسرائیل برخورد دارد. مغرب‌زمین با تاریخ ایران از لحاظ جلای وطن یهودیان و پشتیبانیِ شاهان ایرانی از آنان و سرگذشت ماراتن و و یورش اسکندر برخورد داشته و بخش اساسی این تاریخ مانند گستردگیِ قلمرو خشایارشا، فرمان تاریخی کورش، نوآوریِ داریوش برای اتصال دریای سرخ به رود نیل و تمام مدیریت کشورداری و گسترش کیش زردشتی و تمدن شهرهای معروف پاسارگاد و تخت جمشید هرگز مورد توجه و دقت مغرب‌زمین قرار نگرفت. جان هنری ایلیف می‌نویسد: «این ناآگاهیِ مغرب‌زمین به این دلیل است که ایرانیان قدیم از خودشان تاریخ‌نویسانی، که جزئیات تاریخ را ثبت و ضبط کرده باشند، ندارند و کسانی چون هردوت و گزنفن از میان‌شان برنخاسته‌اند یا آثارشان به جای نمانده است و به‌ناچار مآخذ و منابع ما همه از یونانیان هواداری می‌کنند.» از دید او، باید دانست که اندیشهٔ پادشاهی در مغرب‌زمین به پیروی از شاهان ایرانی رواج پیدا کرد و قیصرهای رومی از پادشاهی ایران زمین الگوی خود را ساختند. قدرت رومی‌ها در اداره و فرمان‌روایی بود ولی از یاد نرود که فرمان‌ها و دستورها

و منشورهای شاهان ایرانی، مدارا کردن با ادیان و سنت‌ها و فرهنگ‌های دیگر، ایجاد کاریزها برای آبیاری و ساتراب‌ها و نظام مالیاتی الگوی برجسته‌ای بودند تا دیگران از آن سود جویند و بر تجربهٔ بشری افزوده شود. گسترش سریع کیش مِهر در زمان فلاویوس در سراسر امپراتوری روم نتیجهٔ آیین مِهرپرستیِ ایرانیان بوده است. ایجاد باغ‌های فردوس و کاخ‌های فیروزآباد و طاق کسری و کاروان‌سرا و آثار هنری از نشان‌های دیگرِ این تمدن بوده‌اند.

ایرانیان در بستر این تمدن مورد یورش قوای اسلام قرار گرفتند و این تجاوز نظامی و سیاسی و فرهنگی سرآغاز یک استیلای استعماری و امپرایالیستیِ عربی ـ اسلامی بود که تا امروز به ویرانی مرگ‌بار خود ادامه می‌دهد. چرا ما از خودمان تاریخ‌دان نداشتیم؟ و یا چرا و چگونه آثار احتمالی از بین رفتند؟ چرا در برابر بینش حاکم و تحریف‌گر اسلامی واکنش لازم صورت نگرفت؟ چرا ما حرف اسلام‌گرایان وطنی را پذیرفتیم و چرا روشنفکران به تاریخ خود پشت کردند؟

ضرورت بررسی اندیشهٔ فلسفی در ایران

بررسی اندیشهٔ فلسفی در ایران یک نیاز اساسی است. چرا ایران یونان نشد؟ چرا در ایران فکر فلسفه تنومند نشد؟ عوامل تاریخی و اجتماعی و فرهنگی و روان‌شناسانه و انسان‌شناسانه و دینی، که مانع رشد فلسفه شدند، کدامند؟ ما نیازمند این پرسشگری هستیم. نظریهٔ جواد طباطبایی چیست؟ او انگشت بر نابودی اندیشه و حاشیه‌نویسی می‌گذارد. نظریهٔ آرامش دوستدار برآن است که فرهنگ دینی مانع اندیشیدن است. من می‌گویم در ایران ازخودبیگانگی و مسخ‌شدگیِ ناشی از اسلام یک عامل تعیین‌کننده برای سقوط اندیشه بوده است. تاریخ و فرهنگ ما از این ازخودبیگانگی گنگ و بیمار شد. اسلام تجاوز بر سرزمین و روان بود.

دانش‌نامهٔ فلسفهٔ آکسفورد صحبت از «فلسفهٔ ایرانی» می‌کند و ریشهٔ آن را به اندیشه‌های باستانی هند و اروپایی و آیین زرتشت می‌رساند. بنابرهمین منبع دانشگاهی، فلسفهٔ زرتشتی وارد یهودیت شده و سپس در دیدگاه‌های افلاطون بازتاب پیدا کرده و البته در همین دوران هم مانی و مزدک مطرح می‌شوند. یورش عربْ بریدگی تراژیک و بزرگی را به وجود می‌آورد. پس از یک دوران طولانی

و در فضای اسلامی، رفته‌رفته از دو مکتب یعنی مکتب اشراق و دیگری مکتب متعالیه نام برده می‌شود و در این زمینه از ابوعلی سینا، که در ۱۰۳۷ میلادی می‌میرد و شهاب‌الدین یحیی سهروردی که در ۱۱۹۱ میلادی از دنیا می‌رود و ملاصدرا زادۀ ۱۵۷۱ میلادی، به‌عنوان نمایندگان این مکتب‌ها نام می‌برند. با وجود این پدیده‌های فکری و عرفانی، جامعۀ ما فاقد یک ادبیات برجستۀ فلسفی است؛ چیزی که پدیداریِ نوگرایی را مسدود و یا کُند و آسیب‌زده کرد. جای بررسی باز است ولی به این نکته باید توجه داشت که دین اسلام عامل خمودگی و پس‌رویِ اندیشۀ فلسفی است. ساختار دینی تعبدی و جزمی است و هرگز با فلسفه خوانایی ندارد. دین به خاستگاه خدای توانا و قادر و قهار می‌رسد، حال آنکه فلسفه در عرصۀ اندیشه و گردش حقیقت‌جویی به سر می‌برد. حال، در جامعۀ ما و در دوران معاصر برخی جزم‌اندیشان نواندیش و نمایندگان ولایت فقیهی از محمد حسین طباطبایی و احمد فردید به‌عنوان فیلسوفان معاصر صحبت می‌کنند. آیا واقعاً چنین است؟

محمد حسین طباطبایی، که در ۱۳۶۰ خورشیدی درگذشت، مفسر قرآن بوده و فقیه است و بازگوکنندۀ حکمت صدرایی. مهم‌ترین اثر او تفسیر المیزان است که بیشتر واکاوی قرآن است و در ۲۰ مجلد به زبان عربی چاپ شده. این واکاوی در چارچوب قدسیت دینی است و راهی به فلسفه نمی‌برد. احمد فردید نیز یک فیلسوف شفاهی است و بنابر گفتۀ برخی به فلسفۀ هایدگر علاقه داشته و بسیار ضدمارکسیسم بود. او شاه را نماد «فره ایزدی» ارزیابی می‌کرده. در زمان حزب رستاخیز هم تلاش کرد تا نمایندۀ مجلس شود و پس از انقلاب خود را نامزد مجلس خبرگان کرد ولی رأی نیاورد. او شدیداً ضد فن‌آوری بود و بطن اندیشه‌اش با جداانگاری دین از سیاست سر ستیز داشت و دارای اندیشۀ آشفته و پریشانی بود. در ذهن او، تمدن غربی سرچشمۀ پوچ‌انگاری است. رضا داوری اردکانی دربارۀ احمد فردید می‌گوید: «ترجمه‌های او از کتب فلسفی غرب بی‌مانند، روان و گویا بود که نشان از تسلط او به مباحث داشت.» او می‌افزاید: «فردید با این دنیا خیلی سازگار نبود. او در دنیا احساس غربت می‌کرد چون همین احساس غربت نشان می‌دهد که فرد در پی یافتن و درک دیگری است.» احمد فردید نماد پریشان‌گویی و تمدن‌ستیزی بود و آشنایی او با فلسفه از او فیلسوف نساخت. حال، چرا چنین فردی در ذهنیت افراد زیادی رازآلود باقی

می‌ماند؟ پریشانی و سردرگمی و فرصت‌خواهیِ بیمارگونهٔ فردید نشان از یک بیماری وخیم‌تر ندارد؟ چگونه چنین شخصیتی در اذهان زنده باقی می‌ماند و افراد گوناگون دربارهٔ «فیلسوفی» که کتابی ندارد و یاوه‌گویی در ذهن همه باقی گذاشته کتاب می‌نویسند؟ در جامعهٔ ما، مفسر قرآن به‌عنوان فیلسوف معرفی می‌شود و فرد پریشان‌فکر مرجع باقی می‌ماند. ازخودبیگانگی و مسخ روانی مانع تسویه‌حساب فکری و صراحت و گسست فکری است.

سقوط فلسفه در ایران با جزم‌گرایی اسلامی

مباحث فلسفی در جامعه نکته‌ای بسیار اساسی است. اگر گستردگی فلسفه و گوناگونیِ فیلسوفان را در نظر بگیریم، به‌آسانی می‌توان تمامی گرایش‌ها و سلیقه‌ها و بینش‌ها در عرصهٔ فلسفه را مورد توجه قرار داد و امکان ترویج آن را در جامعه فراهم کرد. در عرصهٔ فلسفه، تنها هدف موجود تقویت پرسش‌گری و نقد اندیشه است. البته هر کسی نمی‌تواند اندیشه کند. اندیشه‌گری و پی‌گیری مقولات و واکاوی مسائل پیچیدهٔ جهان نیازمند قدرت فکری، تلاش و تربیت انتزاعی، استدلال و گفت‌وگوی متضاد و نیز بازنگری تجربه است.

در جامعهٔ حاضر و همیشگیِ پیش روی ما، برای ژرف‌نگری نیازمند اندیشهٔ جامعه‌شناسی و فلسفی هستیم. فلسفه به ذهن منطق و توانایی می‌بخشد. جامعه بدون فلسفه سطحی و بی‌اندیشه و بی‌بنیاد است. در جامعهٔ ایران، فرهنگ دیرینه‌ای وجود دارد ولی فلسفه ریشهٔ تنومندی ندارد و یکی از علت‌های این آسیب بزرگ و ساختاری هم دین اسلام است. دائره‌المعارف فلسفهٔ آکسفورد صحبت از «فلسفهٔ ایرانی» می‌کند و ریشهٔ آن را به افکار باستانی هند و اروپایی و آیین زرتشت می‌رساند. بنابرهمین منبع دانشگاهی، فلسفهٔ زرتشتی وارد یهودیت شده و سپس در دیدگاه‌های افلاتون بازتاب پیدا کرده. این عرصه‌های پرسشی، نیازمند پژوهش‌های گسترده‌ای هستند و ما فاقد پژوهش دانشگاهیِ چشمگیر در این زمینه هستیم ولی پرسش اینجاست که در تاریخ و در شرایط کنونی ما، چند فیلسوف ایرانی دارای اندیشه وجود دارند و اثر تولید کرده‌اند؟ اگر جایگاه فلسفه در ایران ضعیف است، باید علل تاریخی و فرهنگی و جامعه‌شناسانهٔ آن را جُست.

با جزم‌گرایی و یک‌جانبه‌نگری و قاطعیت کور نمی‌شود توضیح قانع‌کننده‌ای پیدا کرد. فلسفه در غرب از یونان تا امروز خط تنومند و پررنگی از فیلسوفان و اندیشهٔ فلسفی بوده؛ پس جایگاه ما کجاست؟

یکی از کشورهایی که فلسفه در آن حضور پرباری دارد فرانسه است. شما به‌آسانی می‌توانید به آثار سی‌صد فیلسوف فرانسوی مراجعه کنید. در این جامعه، ما با فیلسوفان راست و چپ و میانه‌رو، فیلسوفان خداناباور و کاتولیک و پروتستان و بودایی، ندانم‌گرا و انسان‌گرا و طبیعت‌گرا سروکار داریم و هر یک هم ویژگی‌های شخصیتی و رفتار روان‌شناسانه و روشن‌فکرانه و اجتماعی ویژهٔ خود را دارند. در اینجا ادبیات فلسفی بسیار گسترده است و همهٔ نوشتارها در دسترس هستند. در شرایط کنونی نیز در فرانسه هر فیلسوفی مشغول تدریس و یا اندیشه‌ورزی در عرصهٔ مقولات فلسفی و پرسش‌های اساسی زندگی و هستی است و کتاب و یا در نشریه‌های ویژه مقاله چاپ می‌کند. مطالبی مانند معنای زندگی، جداانگاری دین از سیاست، خودمختاری فرد، نوگرایی، قدرت سیاسی، دین در جامعه، فردیت، خوشبختی، روان‌پریشی انسان، فراانسان‌گرایی، علم و آینده، نقد تمدن، شناخت، اراده، روش انتقادی، تروریسم، آزادی، زیست‌بوم، حقوق انسان، حقوق حیوان، اسلام و غیره مورد بحث و گفت‌وگوی فیلسوفان فرانسوی است. پاسخ فیلسوفان یگانه نیست زیرا در فرانسه مکتب‌هایی مانند مارکسیسم، فرویدیسم، فراواقع‌گرایی، ساختارگرایی، لاکانیسم، مائویسم، روسوئیسم و نیز فیلسوفانی مانند ارسطو، دکارت، کانت، هگل، نیچه، مارکس، هانا آرنت، میشل فوکو و ژَک دریدا در شکل‌گیری اندیشه تأثیرگذار بوده‌اند. جامعهٔ فرانسه در شرایط کنونی حساسیت بالایی نسبت‌به گفتار فلاسفه وجود دارد و برخی فیلسوفان در صفحهٔ نخستِ هفته‌نامه‌ها موجب افزایش تیراژ بالا می‌شوند. برنامه‌های رسانه‌ای شنیداری و دیداری با شرکت فیلسوفان بسیار گسترده است. فیلسوفان زنده و برجسته‌ای که اندیشه‌های فلسفیِ کنونی را در فرانسه جهت بخشیده‌اند یا موجب واکنش می‌شوند فراوانند: فرانسوا ژولین، میشل اونفری، آلن فینکل کروت، آندره کنت اسپونویل، آلن بادیو، الیزابت دوفونتونه، اِدگار مورن، مارسل گوشه، لوک فری، رافائل انتوون، میشل سر، پاسکال بروکنر، ایومیشو، الیزابت بادنتر، هانری آتلان، سینتیا فلوری، ژَک رانسیر، فلیکس گاتاری، رمی براگ، رژیس دوبره، ژیل لیپورسکی، ونسان دکونب، پاسکال آنژل، ژَک بوورس و فیلسوفانی دیگر.

یکی از ویژگی‌های جامعهٔ دانشگاهی و روشن‌فکری و فضای فکری در فرانسه رنگ فلسفی آن است. فیلسوف یک فرد پنهان و گمشده و عجیب‌وغریب نیست. او در جامعه حضور دارد، جامعه‌ای که حتی رئیس‌جمهورش هم فلسفه خوانده و در گفتار سیاسی‌اش به گفت‌آورد فیلسوفان اشاره می‌کند. روان جامعه نسبت‌به فلسفه بیگانه نیست. این توجه نسبیِ معنادار نتیجهٔ کار دانشگاه و مدرسه و روزنامه‌نگاری و رسانه‌هاست. گفتار فلسفیِ در بسیاری از بحث‌های جامعه جاری است. اما در ایران، این حساسیت را نداریم و فلسفه به گفتار شمار اندکی محدود می‌شود. ما برای آن‌که فلسفه را گسترش دهیم، باید آن را بخوانیم و بفهمیم و به‌طور مسلم خواندن فلسفه نیازمند شناخت از مفاهیم و حوصله و دقت و گفت‌وگوست. فلاسفه حرف قطعی نمی‌زنند بلکه صرفاً پرسش می‌کنند و در بحث درگیر می‌شوند. به‌گفتهٔ ژَک بوورس، فیلسوف فرانسوی، ما باید محتاط باشیم زیرا همیشه حرف‌های ما میان باور و شناخت در نوسان‌اند ولی از آنجایی که در پی حقیقت هستیم، تردید و شک یاور ما در روند کسب شناخت‌اند. همان‌گونه که می‌بینیم این فیلسوف ما را به شناخت و متانت دعوت می‌کند و جامعه‌ای که به گفتار فلسفی توجه می‌کند، بلوغ خود را تسریع می‌کند.

فلسفهٔ ناشدنی در اسلام است؟ در اسلام فلسفه وجود ندارد. دینی که متکی‌بر حقیقت اللهی است، جمع‌گراییِ فکری را نمی‌پذیرد، عبودیت را تنها شرط زیستن می‌داند و خود را کامل‌ترین و واپسین دین معرفی می‌کند و نمی‌تواند موافق پرسش‌گری و حقیقت‌جویی فلسفی باشد. بنابراین، قرآن و سنت فقه شیعه نمی‌توانند سرچشمهٔ فلسفه باشند. جزمیات و احکام عبادی قرآن بر پایهٔ ویژگی‌های «الهی» و «معصومانه» خود پاک و قطعی هستند و پرسش‌برانگیز نیستند و صرفاً محترم و اجراپذیرند. بنابراین، این واقعیت که قرآن فلسفه تولید نمی‌کند نافی وجود فیلسوفان مسلمان‌تبار نیست. در فضای سرزمینی که زیر نفوذ اسلام به سر می‌برد می‌افراد می‌توانند به‌اعتبار تربیت و آموزش خانوادگی و شخصی و آشنایی با مکتب‌های فکری یونانی و ایرانی و هندی و غربی اندیشه و خلاقیت خود را رشد دهند. دین حاکم به‌طور مسلم می‌تواند تأثیرگذار باشد و اندیشه‌ها را با محدودیت روبه‌رو کند یا موضوعِ‌هایی را هم تحمیل کند ولی میزان قدرت فکری و استقلال روانی افراد فاصلهٔ آن‌ها را با دین تنظیم می‌کند. تلاش ابن رشد و ابوعلی سینا تلاشی برای انتقال اندیشهٔ یونانی و باز کردن میدان برای عقل در کنار ایمان

است و می‌دانیم که هر دو نیز تکفیر شدند. یعقوب بن اسحاق الکندی، که در سال ۸۷۳ میلادی می‌میرد، به فلسفهٔ یونان رجوع می‌کند و برای اثبات خدا به اندیشهٔ ارسطو اتکا می‌کند؛ وی به ریاضیات و علوم توجه دارد و حتی دربارهٔ موسیقی هم کتاب می‌نویسد. فارابی، که در سال ۹۵۰ درگذشته، به فلسفهٔ افلاتون علاقه‌مند است، بر جمهور او تفسیر می‌نگارد، دربارهٔ هنر و وسایل موسیقی و شعر می‌نویسد و خواهان باز شدن عرصهٔ اندیشهٔ یونانی و رشد علم است. ابن میمون فارابی را «آموزگار دوم» پس از ارسطو می‌داند و فارابی معلم ابوعلی سیناست.

آیا درک فیلسوف شرقی از عقل و فلسفه همان درک یونانی است؟ آیا دستگاه مفهوم و روان‌شناسی ابوعلی سینا همانند دستگاه بینشی ارسطو است؟ پاسخ منفی است ولی ذهن کنکاش‌گر ابن سینا سرچشمهٔ عقل‌گرایی‌اش را در فلسفهٔ یونان می‌بیند. برای او اسلام یک دین و، در عین حال، حصار احکام است و مانع بلندپروازی او می‌شود. بنابراین، هنگامی که از فلسفه و دین اسلام صحبت می‌شود باید دقت کرد. در جوامع اسلامی، از فلسفه صحبت می‌شود و از جمله کسانی که اصطلاح «فلسفهٔ اسلامی» را تبلیغ کردند می‌توان به هانری کربن اسلام‌شناس اشاره کرد. این اصطلاح سه پرسش اساسی مطرح می‌کند:

نخست این‌که آیا ادعای «فلسفهٔ اسلامی» متکی‌بر دیدگاه‌های فلسفی در قرآن است؟ آیا در شریعت و روایات مربوط‌به پیامبر اسلام و تمامی روایات امامان شاهد نگاه فلسفی هستیم؟ پاسخ منفی است. اسلام فاقد بینش فلسفی است و ادعای فلسفه اسلامی این توهّم را به وجود آورده که گویا در متن قرآن اندیشهٔ فلسفی وجود دارد. قرآن متن جزمیات و دربرگیرندهٔ احکام الهی و دستورات سیاسی و جنگی و عبادی است و اندیشه‌ورزی در آن راه ندارد.

دوم این‌که آیا منظور همان فلسفه‌ای است که مسلمانان آن را تدوین کرده‌اند؟ نخیر، زیرا بیشتر شخصیت‌هایی که به‌عنوان فیلسوف مطرح هستند به جزمیات و مسائل اسلامی کار چندانی ندارند و بیشتر به مقولات فکری و فیزیکی و طبیعی و مدنی و ریاضی می‌پردازند. وزنهٔ این‌گونه مقولات در نوشتار این فیلسوفان برجسته است و نیز شمار کسانی که دربارهٔ فلسفه در اسلام تولید کرده‌اند خود مسلمان نیستند.

سوم این‌که آیا فلسفهٔ اسلامی به‌معنای ایجاد بحث بر پایهٔ مفهوم‌های اسلامی و قرآنی است؟ بله. از الهیات صحبت می‌شود ولی محتوای آثار اغلب دربرگیرندهٔ

فلسفه مشایی است و از سنت و اندیشهٔ یونانی سرچشمه گرفته. البته چنین‌چیزی ناگزیر بوده زیرا به‌گفتهٔ اولیور لیمن هر تلاشی برای اندیشیدن به دورن احکام اسلام با شکست روبه‌رو می‌شود. در واقع، ما در کنار سنت مشایی شاهد درهم‌آمیزیِ عناصر فلسفی با دین هستیم. در این صورت، منظور در انیجا بیشتر همان واکاویِ دینی و حکمت و عرفان است.

پدیداریِ جریان‌های فکری در دنیای اسلامی از چه زمانی میسر شد؟ مباحث دربارهٔ توصیف خداوند و نقش اراده و اختیار و مسئله جبر از سدهٔ سوم هجری آغاز می‌شود. با گسترش تسلط عرب بر سرزمین‌های غیر عرب، با دوران عباسیان در سرزمین‌هایی مانند ایران و سوریه و مصر، که زیر تأثیر فرهنگ یونانی بودند، در دوره‌ایی که ستاره‌شناسی و پزشکی و ریاضیات رایج بود، در زمانی که متون یونانی به‌طور عمده توسط مسیحیان به سریانی و سپس به عربی ترجمه می‌شوند و دورانی که فرهنگ ایرانی و هندی نیز از جمله عوامل اصلی و سازندهٔ فضای فرهنگی بودند، مباحث تازه‌ای مطرح شد. بنابراین، قرآن و حدیث و سنت محمد و نظام فقهی هرگز نمی‌توانستند وارد مبحث فلسفی شوند. فلسفه پرسش‌گر بود و دین جزم‌گرا و به همین خاطر گفت‌وگو و هم‌زبانی بین دین و فلسفه ناشدنی بود. هرچند، الکندی، نخستین فیلسوف اسلامی، می‌گوید تناقض و تباین برجسته‌ای میان دین و فلسفه وجود ندارد ولی خوش‌بینی او نمی‌توانست حقیقت تناقض را پنهان کند. با وجود این، وضعیت «حکمت» رایج شد و سهروردی آن را «حکمت اشراق» نامید. در واقع، واژهٔ «فیلوزوفی» با معنای یونانی‌اش نمی‌توانست به‌آسانی به‌کار آید و «حکمت الهی» گفتار غالب شد و در خیلی از موارد فلسفه در خدمت تقدس دینی قرار گرفت. حکیمان در تدوین اندیشهٔ خویش به فلسفه یونان رجوع کردند و مفاهیم دینی در قرآن را مورد برخورد تفسیری قراردادند. در این درگیری مفهومی، جابه‌جایی به وجود می‌آید. این حکمت گونه‌ای فلسفهٔ مشایی است که در آن عقل یونانی به درک «حقیقت» تبدیل می‌شود، جهان بیرونی به «دنیای درونی» می‌گراید، فلسفه به «عرفان» تبدیل می‌شود و هدف فلسفی جای شناخت نظری از «جوهر و عرض» جهان را می‌گیرد. با وجود این درگیری و تغییر در مضمون، چراغ‌هایی که روشنایی می‌آورد فرهنگ‌های ناقرآنی است.

ابوعلی سینا و فلسفهٔ ارسطو را باید در فضای فکریِ ایران به بحث گذاشت. می‌دانیم که ارزیابی از ابوعلی سینا بسیار گوناگون و همراه با دیدگاه‌های فراوان

است. ما راهی جز دامن زدن به بحث برای افزایش شناخت نداریم. ابوعلی سینا پیش از هر چیز نشانی از کیستیِ ایرانی و یونانی و نبوغ شخصی است. او در ۹۸۰ میلادی در بخارا زاده شد و در ۱۰۳۷ میلادی در همدان درگذشت. پدرش از مسئولان حکومت سامانیان و زبان مادری‌اش هم فارسی بود. ابوعلی سینا به‌سرعت قرآن و هندسه و فلسفه و منطق و متافیزیک ارسطو را خواند و به‌گفتهٔ خودش با کتاب اهداف متافیزیک فارابی کلید درک فلسفهٔ ارسطو را به دست آورد و با گشوده شدن کتاب‌خانهٔ پادشاه سامانی به دنیایی از دانش و شعر و هنر دست یافت. ابوعلی سینا دارای دانشی بسیار گسترده در زمینهٔ پزشکی، ریاضی، ستاره‌شناسی، فیزیک، شیمی، زمین‌شناسی، گیاه‌شناسی، اندام‌شناسی و منطق بود. در عرصهٔ فلسفه، فارابی آموزگار او به شمار می‌آید. دو اثر معروف او یکی به‌نام قانون دربارهٔ پزشکی است و دیگری با عنوان شفا به فلسفه و منطق پرداخته و هر دو به عربی نوشته شده‌اند. کتاب دانش‌نامهٔ علایی ابن سینا هم بین سال‌های ۴۱۴ تا ۴۲۸ قمری برابر با ۱۰۲۳ و ۱۰۳۷ میلادی به‌طور مستقیم به فارسی نگارش یافته است. گفته می‌شود که ابوعلی سینا ۱۳۱ نوشتهٔ اصیل برجا گذاشته است. بسیاری از آثار او به لاتین و عبری و اسپانیایی و ایتالیایی و فرانسوی و ازبک ترجمه شده‌اند. ابن‌سینا در سال ۴۰۳ قمری برابر با ۱۰۱۲ میلادی در گرگان نگارش رسالهٔ «قانون» را آغاز کرد، بخشی از آن را در شهر ری و باقی را در شهر همدان تا سال ۴۱۴ قمری به پایان رساند. سِر ویلیام آسلر، پزشک کانادایی (۱۹۱۹-۱۸۴۹) و پدر پزشکی نوگرا و متخصص بیماری‌های داخلی و آسیب‌شناسی کتاب قانون را انجیل پزشکی و ابن سینا را نویسندهٔ مشهورترین کتاب درسی که تا آن زمان نوشته شده بود می‌داند. این کتاب دارای بیش از ۷۰۰ برگ است و از مهم‌ترین آثار پزشکی در تمدن ایران‌زمین به شمار می‌آید. کتاب قانون پایهٔ آموزش در دانشگاه‌های اروپایی بوده. مدرسهٔ پزشکی مونپلیه فرانسه قانون را کتاب پایهٔ فهرست کتاب‌های خود قرارداده بود. این کتاب تا سدهٔ هفدهم در اروپا تدریس می‌شده و بخش‌های مربوط‌به بیماری‌های چشم و قلب و استخوان و تب‌های گوناگون آن مورد توجه همهٔ پزشکان بوده. در فرانسه، بیمارستان شهر بوبینی در کنار پاریس ابوعلی سینا نام دارد، در نیویورک یک مرکز جراحی و در مجارستان نیز یک کالج بین‌المللی با همین نام موجود است. توجه جامعهٔ جهانی به‌خاطر دانش ژرف و مقام علمی ابوعلی سینا در زمینهٔ پزشکی

است. شما هنگامی که طرح‌های مربوط به تشریح بدن انسان در این کتاب را، که متعلق به هزار سال پیش هستند، می‌بینید شگفت‌زده می‌شوید.

کتاب بزرگ دیگر ابوعلی سینا کتاب فلسفی شفا است. منطق و فرهنگ حاکم‌بر کتاب منطق و فلسفهٔ ارسطویی است. این کتاب دارای بخشی مربوط‌به دین است ولی بخش عمده با منطق ارسطویی استدلال می‌کند. فلسفهٔ ارسطویی چگونه است؟ ارسطو فلسفه را به‌عنوان «دانش هستی» تعریف می‌کرد. یکی از کتاب‌های برجستهٔ ارسطو ارغنون است که همان کتاب منطق اوست. این کتاب دربرگیرندهٔ شش رساله است و هر آن‌چه که وجود دارد را به ۱۰ دسته تقسیم می‌کند. ارسطو دارای فلسفهٔ تحلیلی است، ستارگان را توضیح می‌دهد، حیوانات را تقسیم‌بندی می‌کند، اخلاق و شعر و روح و فیزیک را بررسی می‌کند و جهان را از چهار عنصر آب و آتش و خاک و هوا می‌داند. در این بینش، باور دینی و باور خرافاتی جایی ندارد. ارسطو توضیح جهان را از نیروی فراطبیعت نمی‌داند بلکه هستی را ناشی از طبیعت می‌داند. بر اساس همین منطق و همین بینش فلسفی و کاربست استدلال عقلانی است که ابوعلی سینا شفا را می‌نویسد. البته عقلانیت ابن سینا در چهارچوب دین به گردش درمی‌آید. عقل به پژوهش خود ادامه می‌دهد و با مایهٔ فلسفی به جهان نگاه می‌کند ولی این عقل در فضای الهی می‌ماند. عقل به باورهای دینی پشت می‌کند و به بررسی زمین و آسمان و انسان و جانور می‌پردازد ولی به‌طور آشکار برهم‌زنندهٔ نظام سلطهٔ دین نیست.

ابوعلی سینا در کتاب شفا، که همچون مجموعه دانش بشری یا یک دانش‌نامه فراگیر است، چکیدهٔ باورهای فیلسوفان یونان مانند ارسطو و افلاتون و نوافلاتونیان در علوم عقلی مانند منطق و طبیعیات و ریاضیات و الهیات را مورد بررسی قرار می‌دهد. در همین کتاب و در بخش ریاضیات به هندسه و حساب و موسیقی و هیئت می‌پردازد. در بخش طبیعیات نیز حیوانات و بارداری و قانون زندگی جانوران و انسان را توضیح می‌دهد و به شرح زندگی گیاهان می‌پردازد. در بخش الهیات کتاب دربارهٔ جوهر جسمانی و تقدم صورت بر مادّه صحبت می‌کند و از مبدأ و معاد و الهام و دعاهای لازم و بلاهای آسمانی و احوال نبوت حرف می‌زند. تأثیرپذیری ابوعلی سینا از ارسطوی یونانی بسیار گسترده است و این سنت فلسفی در اندیشهٔ فلسفی ایران پررنگ است. الگوی ابوعلی سینا شیوهٔ قرآنی نیست. او به‌روشنی در بخش منطق کتاب خود به کتاب ارغنون و منطق

ارسطو توجه دارد و حتی فصل‌بندی نوشته‌اش را مطابق با ارغنون ارسطو تنظیم کرده است. کتاب دانش‌نامه نیز سرشار از شناخت متافیزیک و استدلال و اندیشه دربارهٔ دانش طبیعت و هندسه و ریاضی و ستاره‌شناسی و موسیقی است. ابن سینا پس از نقل سخن ارسطو می‌گوید: «ای گروه دانش‌پژوهان و اندیشمندان، در آن‌چه این مرد بزرگ گفته درنگ کنید که آیا پس از او تا به امروز، که نزدیک به هزار و سی صد سال می‌گذرد، کسی آمده است که بر آن خرده گیرد یا ثابت کند که در سخن او نقصی هست و یا بر آن چیزی بیفزاید؟ خیر، آن‌چه ارسطو آورده، کامل و میزان صحیح و حق صریح است.» برای ابوعلی سینا، ارسطو دانش کامل است. (سینا یا جادهٔ اصفهان، ژیلبر سینوئه) ابوعلی سینا در اشتیاق دانش به سر می‌برد و راه کسب آن را شیوه و روش ارسطو می‌داند. او در یکی از شعرهایش می‌گوید: «اندر دلِ من هزار خورشید بتافت / آخر به کمالِ ذرّه‌ای راه نیافت.» ابوعلی سینا فردی نابغه بود و دانستنی‌ها را به‌سرعت فرا می‌گرفت ولی می‌دانست شناخت انسان بسیار محدود است. فلسفهٔ ابوعلی سینا بسیار پربار و تنومند است و باید مانند هر فیلسوف و فلسفهٔ دیگری مورد بررسی و شناخت قرار بگیرد. بدبختانه، ناآگاهی ما در این زمینه بسیار زیاد است.

ضرورت پرورش فلسفه و نقد دین در جامعهٔ ما وظیفه‌ای تاریخی است. توجه به فرهنگ ایرانی و ارزیابی از جایگاه فلسفه در تاریخ ایران یک فصل مهم در ارزیابی شخصیت تاریخی ماست. برخی می‌گویند ایران دارای فلسفه نیست زیرا خِردگرایی و فلسفه‌گرایی در فرهنگ دینی و در شرایط دین‌خویی ناشدنی است. برخی دیگر می‌گویند فلسفه همیشه به‌شکل خالص جریان ندارد. در غرب، فیلسوفان خداناباوری هستند که جهان را از زاویهٔ مادّه‌باوری نگاه می‌کنند، فیلسوفانی هم هستند که عقل‌گرایی ویژگی مهم آن‌هاست، فیلسوفان دیگری نیز موجودند که دارای باور دینی مسیحی هستند و به کار فلسفی مشغولند. این گروه آخر ساختار ذهنی فلسفه‌گرا دارند ولی، در ضمن، به مسیحیت نیز باور دارد. در ذهنیت فیلسوفان باورمند، دین تصفیه نشده و حتی مقولات دینی مسیحیت در دستگاه اندیشهٔ آن‌ها در گردش است. با این احوال، می‌توان گفت که ویژگی اصلی آن‌ها استدلالِ با اندیشه و عقلانیت است. دین اسلام در پی نابودی فلسفه است زیرا اندیشیدن و پرسش‌گری را مجاز نمی‌داند ولی به نظر می‌رسد اندیشمندانی تلاش کرده‌اند تا این سقف کوتاه خفقانی را بشکنند و جایی برای خِرد و اندیشیدن

باز کنند. ابوعلی سینا در درون فضای اسلامی است و با تضاد همراه است ولی مشغلهٔ ذهنی و تلاش او طرح مقولهٔ فلسفی و پیشبرد استدلال علمی و هموار ساختن گسترش خِرد است.

در کشورهای اسلامی، افرادی که به پرسش‌گری و کار فلسفی روی می‌آورند بسیار کمیاب هستند و میزان سمت‌گیری فلسفی آنان به‌اعتبار دوری و جدایی از بینش اسلامی ممکن شده است. در واقع، انبوه مدعیان فلسفه همان اسلام‌گرایان سنتی یا جزم‌اندیشان اسلام‌گرا هستند. علامه طباطبایی یک فقیه اسلامی است، مطهری یک جزم‌اندیش اسلامی است، سروش یک جزم‌اندیش غیرسنتی، دینی و عرفانی است. این افراد فیلسوف نیستند. بنابراین، باید توجه داشت وقتی از «فلسفهٔ اسلامی» در ایران و یا دیگر کشورها صحبت می‌شود، صرفاً با یک جعل یا نبود شناخت روبه‌رو هستیم. پس مُبلّغان و جزم‌اندیشان اسلام را نمی‌توان فیلسوف نام نهاد زیرا هدف آن‌ها تبلیغ دین است ولی دربارهٔ اندیشمندان مسلمان‌تبار دارای اندیشه باید قضاوت دیگری داشت. هدف این افراد اندیشه‌ورزی است. ابوعلی سیناها فیلسوفان برجسته‌ای هستند. شاید مناسب‌ترین اصطلاح برای اندیشه‌ای که عقل‌گرایی یونانی را با بینش کهن ایرانی می‌آمیزد «فلسفهٔ شرق» باشد. به هر روی، این بحث باز است و فلسفه فاقد خلیفه‌گری است.

به استقبال بحث فلسفی برویم. در ایران دو فیلسوف معاصر جایگاه مهمی دارند: یکی جواد طباطبایی است که دارای تخصص در فلسفهٔ هگل، فلسفهٔ سیاسی و آسیب‌شناسی فلسفی در جامعهٔ ماست. شخص دوم آرامش دوستدار است که نقاد فرهنگ دینی و امتناع اندیشه در ایران به شمار می‌آید. این دو اندیشمند دو دیدگاه بسیار متضاد دربارهٔ رابطهٔ دین و فلسفه دارند و، در واقع، فلسفه یعنی همین نوع گوناگونی و تضاد در اندیشهٔ استدلالی. فلسفه را باید تشویق کرد و گسترش داد. فلسفه را باید آموخت. سقراط فلسفه را در خیابان‌های آتن به شاگردانش می‌آموخت. امروز آموزگار سقراطی از تمام امکانات کلاسیک و فن‌آورانهٔ تازه می‌تواند بهره ببرد و شاگردان اگر علاقه‌مند باشند همه‌جا می‌توانند فلسفه بیاموزند ولی فراموش نشود برای آموختن فلسفه نباید به مکتب اسلام رجوع کرد. دین اسلام بسته و انحصارگر است و قصد آن تسلط بر فلسفه است. تسلط بر فلسفه توسط اسلام یعنی مرگ فلسفه.

با وجود این بحث اساسی دربارهٔ ارزیابی از میراث فرهنگی و فلسفی، جامعهٔ

ما نیازمند به فلسفه و خِردگرایی است. فلسفه برای جامعهٔ ما پایان نیست بلکه سرآغاز است. از دید جامعه‌شناسی و روان‌شناسی اجتماعی، جامعهٔ ما دینی است، شهروندان آن هم دین‌خو و محافظه کارند. آن‌ها در جهان‌بینی دینی دست‌وپا می‌زنند و چه‌بسا خود از ژرفای فاجعه ناآگاه باشند. دین اسلام در جامعه اندیشه را شکست داده است. دین، به‌طور عام، و ادیان ابراهیمی، به‌طور ویژه، مشوق و مروج بندگی و پی‌روی بی‌چون‌وچرا هستند. در جهان گیتیِ امروز، که بشریت به‌سوی هم‌گنی در شناخت و دانش پیش می‌رود، ادیان بند و سدی در تحقق و پذیرش فرهنگ جهان‌شمول به شمار می‌آیند. نگاهی به وضع فرهنگ در جوامع اسلامی ژرفای فاجعهٔ خرافه‌گرایی و واپس‌گرایی را نشان می‌دهد. روان‌های پریشان جامعه و بخش مهمی از نخبگان محافظه‌کار و ایدئولوژی‌زده، لایه‌های شاداب و پویای جامعه را زیر منگه قرارداده‌اند. آن‌چه درایران درطول قرن‌ها به ام فلسفه وجود داشته به‌طور عمده یا دانش کلام یا حکمت عملی است. علم کلام علم اثبات باورهای دینی با کاربست براهین «عقلی» و حکمت عملی اخلاق است که شیوه یا سبک زندگی را مشخص می‌کنند. حکمت یا فلسفهٔ نظَری، که کارش کندوکاو درحقایق هستی با بهره‌گیری ازاستدلال عقلی است، بسیار کم‌رنگ است. مهم‌تر از آن، فلسفهٔ یونان و فلسفه غرب در ایران پایهٔ مستحکمی ندارند. در دانشگاه و مدرسه، دین و فقه به‌عنوان فلسفه جا زده می‌شود. ذهن دانشجویان فلسفه‌خوان به خرافات دینی و یا اصول اسلامی آلوده است. بسیاری فلسفه را در خدمت دین می‌خواهند. فلسفه به‌مثابه محلل عمل می‌کند. با گسترش نقد به دین اسلام و قرآن و فرهنگ رایج بندگیِ الله، باید روان انسان‌ها را با نقد تاریخی و فرهنگ خِردگرا و فلسفه و جامعه‌شناسی انتقادی آشنا کرد.

بررسی اندیشه فلسفی در ایران یک نیاز اساسی است. چرا ایران یونان نشد؟ این پرسش شاید یک آبستراکسیون مطلق باشد ولی پرسش وابسته به آن اینستکه چرا در ایران فکر فلسفه تنومند نشد؟ عوامل تاریخی و اجتماعی و فرهنگی و روان‌شناسانه و انسان‌شناسانه و دینی، که مانع رشد فلسفه شدند، کدامند؟ ما نیازمند این پرسش‌گری هستیم. نظریهٔ جواد طباطبایی انگشت بر نابودیِ فکری و حاشیه‌نویسی می‌گذارد. نظریهٔ آرامش دوستدار هم برآن است که فرهنگ دینی مانع اندیشیدن است. ما نیازمند پرسش‌ها و پاسخ‌های گوناگونی هستیم. به نظر می‌رسد در ایران ازخودبیگانگی و مسخ‌شدگی ناشی از اسلام یک عامل تعیین‌کننده برای

سقوط اندیشه بوده است. تاریخ و فرهنگ ما از این ازخودبیگانگی گنگ و بیمار شده. اسلام تجاوزی بر سرزمین و روان بود. فلسفه در پهنهٔ گستردهٔ خود از اندیشهٔ یونان تا فلسفه‌های غرب و تا اندیشهٔ فلسفی در ایران‌زمین یاور ما برای آیندهٔ تازه‌ای است.

فلسفه در جامعهٔ فرانسه

اگر گوناگونیِ فلسفه و فیلسوفان را در نظر بگیریم، به‌آسانی می‌توانیم تمامی گرایش‌ها و سلیقه‌ها و بینش‌ها در این عرصه را مورد توجه قرار بدهیم و امکان ترویج آن را در جامعه فراهم کنیم. در عرصهٔ فلسفه، هدف اصلی تقویت پرسش‌گری و نقد اندیشه است. هر کسی نمی‌تواند اندیشه کند. اندیشه‌گری و پی‌گیری مقولات و واکاوی مسائل پیچیدهٔ جهان نیازمند قدرت فکری و تلاش و تربیت ذهنی است. در جامعهٔ حاضر و همیشگیِ پیش روی ما، برای ژرف‌نگری نیازمند اندیشهٔ جامعه‌شناسی و فلسفی هستیم. فلسفه به ذهن منطق و توانایی می‌بخشد. جامعهٔ بدون فلسفه سطحی و نااندیشمند و بی‌بنیاد است. در جامعهٔ ایران، فرهنگ دیرینه‌ای وجود دارد ولی فلسفه ریشهٔ تنومندی ندارد و یکی از علت‌های این آسیب بزرگ و ساختاری دین اسلام است. در واقع، در تاریخ و در شرایط کنونی ما، چند فیلسوف ایرانیِ دارای اندیشه و تولیدگر وجود دارند؟ یکی از کشورهایی که فلسفه در آن حضور پرباری دارد فرانسه است. شما به‌آسانی می‌توانید به آثار سی‌صد فیلسوف زندهٔ فرانسوی مراجعه کنید. در این جامعه، ما با فیلسوفان راست و چپ و میانه‌رو، فیلسوفان خداناباور و کاتولیک و بودایی، با فیلسوفان ندانم‌گرا و انسان‌گرا و طبیعت‌گرا سروکار داریم و هر یک ویژگی‌های شخصیتی و رفتار روان‌شناسانه و روشن‌فکرانه و اجتماعی خود را دارند.

در فرانسه، هر فیلسوفی به کار فکری در عرصهٔ مقولات فلسفی و پرسش‌های اساسی زندگی و هستی مشغول است و کتاب و مقاله چاپ می‌کند. معنای زندگی، جداانگاری دین از سیاست، خودمختاری فرد، نوگرایی، قدرت سیاسی، دین در جامعه، فردیت، خوشبختی، روان‌پریشی انسان، فراانسان‌گرایی، دانش و آینده، انتقاد، تروریسم، آزادی، زیست‌بوم، هنر و فیلم، حقوق انسان و حقوق حیوان،

اسلام و غیره مورد بحث و گفت‌وگوی فیلسوفان فرانسوی هستند. پاسخ فیلسوفان یگانه نیست زیرا در فرانسه مکتب‌هایی مانند مارکسیسم، فرویدیسم، فراواقع‌گرایی، ساختارگرایی، لاکانیسم، مائویسم، روسوئیسم و نیز فیلسوفانی مانند دِکارت، نیچه، هانا آرنت، میشل فوکو و ژَک دریدا تأثیر زیادی بر شکل‌گیری اندیشهٔ جامعه داشته‌اند. فیلسوفان زنده و برجسته‌ای که به اندیشه‌های فلسفی کنونی را در فرانسه جهت داده‌اند یا سبب ایجاد واکنش شده‌اند بسیارند: میشل اونفری، آلن فینکل کروت، آندره کنت اسپونویل، آلن بادیو، الیزابت دوفونتونه، ادگار مورن، مارسل گوشه، فرانسوا ژولین، لوک فری، رافائل انتوون، میشل سر، پاسکال بروکنر، ایومیشو، الیزابت بادنتر، هانری آتلان، سینتیا فلوری، ژَک رانسیر، فلیکس گاتاری، رمی براگ، رژیس دوبره، ژیل لیپورسکی و فیلسوفانی دیگر. ما برای آن‌که فلسفه را ترویج کنیم باید آن را بخوانیم و بفهمیم و به‌طور مسلم خواندن فلسفه، حوصله و دقت و گفت‌وگو می‌طلبد.

ضرورت نقد اسلام

اسلام انسان دانا را آزار می‌دهد و دانش او را به نابودی می‌کشاند و بهترین راه نقد اسلام و دور شدن از دین محمد است. خوشبختانه موج انتقاد بر ضد اسلام گسترش یافته. نزد ایرانیان مخالفت با دین اسلام رشد کرده است. در جهان بیزاری از اسلام افزایش یافته است. دنیای کنونی عرب نیز از این فضای انتقادی به دور نیست. هرچند این دین در این جوامع، جنبهٔ هویتی دارد و ژرف است ولی افراد کمی از سلطهٔ سنگین و زیان‌بار آن جدا می‌شوند. آدونیس، شاعر و منتقد معروف سوری‌تبار، و بوعلام صنصال، نویسندهٔ الجزایری‌تبار، به‌شکل بسیار روشن از فاشیسم اسلامی حرف می‌زنند. به‌تازگی، در فرانسه دو نویسندهٔ برجسته یعنی لیلا سلیمانی و کمال داود نقش مهمی در نقد تعصب و بنیادگرایی اسلامی و نقد عقده‌های سرکوفته و عنصر سرکوب‌کنندهٔ دینی ایفا می‌کنند. آخرین رمان لیلا سلیمانی یعنی سکس و دروغ، زندگی جنسی در مراکش دورویی و دروغ در مناسبات اجتماعی و در سنت دینی را مطرح می‌کند. رمان جدید کمال داود، زابور، ویران‌گریِ ناشی از اسلام‌گرایی را بر ملا می‌کند. کمال داود به‌عنوان روزنامه‌نگار سال پیش تجاوز

جنسی از جانب مهاجرین عرب‌تبار در آلمان را افشا و اعلان کرد که در جهان عرب نسبت‌به بدن و میل جنسی رابطه‌ای بیمارگونه وجود دارد. در دسامبر ۲۰۱۴ او گفت باید در دنیای عرب جایگاه الله را روشن کرد و اسلام‌گرایانهٔ الجزایری بر ضد او فتوا صادر کردند و خواهان مرگش شدند. من به‌عنوان جامعه‌شناس و منتقد دین اسلام، از برآمد انتقاد جهانی بر ضد این دین خشن و سرکوب‌گر و مسخ‌کننده خوشحالم ولی، در ضمن، از ضعف انتقاد به اسلام در محیط نخبگان سیاسی و روشن‌فکری ایرانی غمگین هستم.

ما ایرانیان نیازمند انتقاد علمی و سیاسی از دین استعماری اسلام و دستگاه ایدئولوژیک شیعه‌گری هستیم. یکی از عوامل اساسی فلاکت تاریخی و فرهنگی ما دین اسلام است. اسلام ما را از خود بیگانه کرده است؛ بنابراین، با روش علمی و تعقل باید به انتقاد از دین اسلام و قرآن و سنت‌های خِردستیز دینی ادامه دهیم. ایرانیان پتانسیل مهمی برای روشن‌گری در این زمینه دارند. آن‌ها باید خود را بیش از هر زمان دیگری از زیر نفوذ روشن‌فکران و سیاسیون اسلام‌پرست و فرصت‌خواه بیرون آورند. آن‌ها با ارتقای فکری و نقد خود باید از هر تلاش شجاعانه و علمی در این زمینه پشتیبانی کنند.

فعالیت دانشگاهی

دوباره سال تحصیلی دانشگاهی آغاز شد. فعالیتم نشاط آور است زیرا با شمار فراوانی از دانشجویان سروکار خواهم داشت. طی یک سال گذشته، نزدیک‌به هزار دانشجو در کلاس‌ها و آمفی‌تئاترهای گوناگون برای شنیدن درس‌هایم حاضر بودند. حس می‌کردم بیشتر آن‌ها با انگیزه‌ای قوی شرکت کرده‌اند و خواهان ساختن زندگی یا تغییر مسیر دیگری هستند. شاید بیست درصد آن‌ها موفق نشدند پیشروی کنند و به سال بالاتر بروند. در این مورد رازی وجود ندارد زیرا عوامل منفی گوناگونی مانند مسائل مالی و خانوادگی در زمان آماده‌سازی برای آزمون‌ها مداخله می‌کنند و به‌طور مسلم به‌خاطر شبکه‌های اجتماعی اینترنتی تمرکز فکری برای دانشجو دشوار شده. گاه برخی دانشجویان به من می‌گویند که سخت‌گیر هستم و از دانشجو زیاد کار می‌خواهم. به آن‌ها می‌گویم حجم اسناد و کتاب

برای هر درس من زیاد است و بدانید که تلاش بیشتر به شما اجازه می‌دهد تا آزمون جاری را آسان‌تر بگذرانید و همچنین فرصتی پیدا کنید تا زندگی را بهتر و خردمندانه‌تر بفهمید. همین دانشجویان هنگامی که در پایان سال روی سیستم رایانه‌ای به ارزیابی کار استاد می‌پردازند، برای من نمره‌های بسیار بالایی می‌گذارند و تمایل دارند سال‌های دیگر هم در کلاسم حاضر باشند.

استاد باید هم مشوق دانشجو و هم تا اندازه‌ای سخت‌گیر باشد. البته این نکته را باید افزود که دانشگاه فرانسه جدا از دانشگاه‌های دیگر در جهان نیست و گونه‌ای رقابت کیفیتی میان دانشگاه‌های اروپایی و آمریکایی وجود دارد. جامعه شناسان آمریکایی جی ال مورنو، پی سوروکین، پی لازارسفلد، آر کی مرتون، دبلیو اف وایت، هاش جی جنینگر، آ کاردینر و دیگران چه می‌گویند؟

مرتون جامعه شناس آمریکایی، بعنوان متخصص جامعه شناسی شناخت و دانش در جایگاه نخست قرار دارد. این امر نتیجه انتشار مجله «جامعه شناسی سده بیستم» است، که در آن مرتون فصلی در این زمینه ارائه می‌دهد. نمایندگی قوی جامعه سنجی «سوسیومتری» (جنینگز، مورنو) در فرانسه گرایشی در حوزه مطالعه روابط بین افراد توسط گروه گورویچ مورد توجه قرار گرفته است. در مورد وارنر باید گفت بویژه ورود وی به آنچه در فرانسه «جامعه شناسی صنعتی» خوانده می‌شود، جلب توجه می‌کند.

بنابراین، یک استاد باید همیشه سطح کار نظری‌اش را ارتقا داده و پربار کند. برای نمونه، او باید بکوشد تا نظریه‌های اندیشمندان جامعه‌شناسی تخصصی که در آمریکا و اروپا درس داده می‌شوند در فرانسه هم مورد توجه قرار گیرند. باید مقوله‌های تازه‌ای مورد تبادل نظر قرار گیرند. نظریه‌های اقتصادی و جامعه‌شناسی و انسان‌شناسی، نظریه‌های دگرگونی‌های کار صنعتی و دیجیتال در جامعهٔ نوگرا، نظریه‌های دین در فرهنگ نوگرا و اضطراب انسانی و بازار اجتماعی، نظریه‌های زیست‌بوم و مدیریت انتقالی الگوی انرژی، نظریه‌های ساختارهای جدید اجتماعی، نظریه‌های فرا انسان‌گرایی در جامعهٔ نوگرا، نظریهٔ نقد محدودیت‌های نوگرایی و غیره به دانشگاه فرانسه محدود نمی‌شوند. در بسیاری از کشورها همین‌گونه مقولات تدوین می‌شوند و، بنابراین، سیّالیت جغرافیایی و روشن‌فکری میان پژوهش‌گران و نظریه‌ها در محیط دانشگاهی در کشورهای جهان یک ضرورت آموزشی است. امسال برای دانشجویانم برنامه‌های نوینی در نظر داریم تا در چهارچوب پیمان «اراس موس»

بخشی از درس‌های خود را در کشورهای دیگر اروپا به پیش ببرند. دانشجوی امروز باید یک دانشجوی با دانش، با فرهنگ اروپایی و آزاداندیش و نقاد باشد.

Sociologues américains: Merton, Linton, Kardinner, Whyte, Jennings, Laswell, Moreno, Sorokin, Lazarsfeld, Warner.

مرگ ابراهیم یزدی و رازهایی پنهانی

مرگ آقای یزدی واکنش‌های معناداری از جانب نواندیشان و ملی‌مذهبی‌ها تولید کرد که نسبت‌به آن نمی‌توان بی‌تفاوت باقی ماند. آقایان عبدالکریم سروش، عبدالعلی بازرگان، اشکوری، تقی رحمانی، علی‌جانی و بنی‌صدر در پشتیبانیِ ایدئولوژیک و سیاسی از ابراهیم یزدی در رسانه‌ها هم‌صدا شدند. تجربه نشان داده که این افراد سازندگان و هواداران انقلاب اسلامی بوده و هستند. آرمان آن‌ها قدرت شیعه برای تحقق جامعهٔ توحیدی بود و هر یک به سهم خود و با ویژگی خود در ایجاد و مدیریت آن شرکت کردند؛ هرچند که حوادث بعدی آن‌ها را به پراکندگی کشاند. این پراکندگی و دوری خواست آنان نبود بلکه محصول سلیقهٔ آیت‌الله خمینی و کشمکش‌های جناح‌های سیاسیِ مذهبی بود.

جمهوری اسلامی معماران فراوانی داشت. کسانی که قدرت شیعه را با الهام از خلافت پیامبر و امامان و خلفای عرب طرح‌ریزی کردند، کسانی که ولایت فقیه و قدرت مطلقه را تنظیم ردند، کسانی که اقتصاد اسلامی و جامعهٔ توحیدی را تبلیغ کردند، کسانی که برنامه و سیاست اجرایی را برای رهبری تنظیم می‌کردند، کسانی که کسب قدرت را با محافل آمریکایی و ارتشی تدوین نمودند، کسانی که طرح دانشگاه شیعه و پاک‌سازی ایدئولوژیک آن را ارائه دادند، کسانی که کمیته‌ها و پاسداران را سامان‌دهی کردند، کسانی که انتقال قدرت از پهلوی به آیت‌الله خمینی را با محافل دیپلماتیک غرب تعریف و تنظیم کردند، کسانی که در پاریس مصاحبه‌های آیت‌الله خمینی را جهت می‌دادند تا مورد پسند جامعهٔ جهانی باشند، کسانی که کشتارها و اعدام‌های سران ارتش، وزرا و شهردار و سفیر را در زمستان ۱۳۵۷ سازمان‌دهی و اجرا کردند، کسانی که خط تبلیغاتی رسانه‌های زمان انقلاب را تعیین کردند، کسانی که طرح پاک‌سازی‌های ایدئولوژیک دانشگاه و اداره و

وزارتخانه را ریختند، کسانی که قدرت جدید اسلامی را به‌شکل ایدئولوژیک دینی توجیه کردند و دیدگاه هر مخالفی را باطل اعلان کردند، کسانی که قرآن و شیعه‌گری را وارد قانون اساسی کردند و آن را تصویب و اجرا کردند از نقش‌آفرینان معماران قدرت جدید بودند. هر کس به‌نوبهٔ خود در این یا آن بخش ساختمان حکومت اسلامی مداخله کرد تا رسالت الهی و پروژهٔ بزرگ تاریخی شیعه تحقق یابد. آیت‌الله خمینی، بهشتی، یزدی، رفسنجانی، بنی‌صدر، مطهری، بازرگان، خامنه‌ای، سروش، قطب‌زاده، لاجوردی، خلخالی، چمران، سنجابی، اشراقی، صباغیان، منتظری، احمد خمینی، سحابی، حبیبی، طالقانی، مطهری، اردبیلی، رضایی و دیگران نقشی قاطع در شکل‌گیری قدرت اسلام و ولایت فقیه ایفا کردند.

قمپز در کردن

«بابا، قمپز در نکن!» بارها شنیده ایم که می‌گویند فلانی قمپز در می‌کند. در واقع، منظور از این حرف اشاره به کسی است که در مورد خودش غلو و به‌قول معروف «گنده‌گوزی» می‌کند. بیشتر انسان‌ها در مورد خود و ویژگی‌های خود افسانه‌گویی می‌کنند و تصویری ارائه می‌دهند که با واقعیت آن‌ها فرسنگ‌ها فاصله دارد. این افسانه‌گویی ناشی از خودبینی و خودپسندی است و گاه در پی فریب دادن است. فردی که قمپز در می‌کند شاید همیشه به غلوگویی خود خود آگاه نباشد ولی اجتماع این افسانه‌گویی را حس می‌کند و بر اساس عقل سلیم خود به‌قول معروف به ریش او می‌خندد. قمپز در کردن به‌گفتهٔ علامه دهخدا به‌معنی «دعاوی دروغین کردن، بالیدن نابجا و فخر و مباهات بی‌مورد کردن» است. باید افزود که «قمپز» واژه‌ای تُرکی است و در واژه‌نامهٔ دهخدا به‌معنی آلت موسیقی سیمی و زهی «ذوات الاوتار» است. قمپز دادن امروز یک مثل عامیانه است. همان‌گونه که می‌دانیم، یکی از ابعاد اساسی جنگ همان جنگ روانی است. به احتمال قوی، اصطلاح قمپز دادن در رابطه با یکی از ابزارهای جنگی عثمانی بوده است: «قمپز» توپی بوده در منطقهٔ کوهستانی که امپراتوری عثمانی در جنگ‌های خود با ایرانیان از آن استفاده می‌کرده است.

این توپ ارتش عثمانی اثر ویران‌گرانه نداشته زیرا گلوله و آتش درش به کار

نمی‌رفته. در واقع، میزان فراوانی باروت در آن می‌ریختند و پارچه‌های کهنه را با سنب با فشار درش جای می‌دادند و می‌کوبیدند تا کاملاً سفت و محکم شود. سپس این توپ‌ها را در مناطق کوهستانی که باعث پژواک و تقویت صدا می‌شده به‌سوی دشمن آتش می‌کردند. قمپز یا توپ عثمانی صدایی آن‌چنان مهیب و هولناک داشته که تمام کوهستان را به لرزه در می‌آورده و تا مدتی میدان جنگ را تحت‌الشعاع قرار می‌داده زیرا اثری منفی بر روحیهٔ سربازان و اسب‌ها می‌گذاشته. این توپ‌ها به خرابی منجر نمی‌شدند زیرا گلوله‌ای نداشتند ولی فضاساز بودند و تولید ترس می‌کردند. در نخستین جنگ‌های بین ایران و سپاه عثمانی، صدای عجیب و مهیب قمپزها بر روحیهٔ سربازان ایرانی اثر می‌گذاشت و از پیشروی آنان به‌شکل جدی جلوگیری می‌کرد ولی بعدها که ایرانیان به واقعیت و توخالی بودن آن‌ها پی بردند، هر گاه صدای هولناک و گوش‌خراش آن‌ها را می‌شنیدند به یکدیگر می‌گفتند: «نترسید! قمپز در می‌کنند!» یعنی تو خالی است و گلوله ندارد. حال، در زمینهٔ دعاوی دروغین و غلو کردن و سروصداکردن، در سیاست و در اجتماع و نیز در مناسبات حرفه‌ای و دوستانه، چه کسی قمپز در می‌کند؟ خامنه‌ای، احمدی‌نژاد، روحانی، ترامپ، کیم جونگ اون یا ملانشون؟

فراانسان‌گرایی

فراانسان‌گرایی متکی‌بر این واکاوی است که دگرگونی‌های شگرف دانش و فن‌آوری جامعه را تکان می‌دهند و انسان جدیدی پدید می‌آورند که می‌تواند ۲۵۰ سال زندگی کند. در همین زمینه، ریموند کورتزول با چاپ کتابش با عنوان «بشریت ۲» از اودیسهٔ فردیت صحبت کرده و بر آن است که تا سال ۲۰۴۵ فن‌آوری هوش مصنوعی بر انسان غلبه خواهد کرد. او می‌گوید نرم‌افزارهای بسیار پرقدرتی پدید می‌آیند که به یکدیگر وصل می‌شوند و در تمام عرصه‌ها مداخله خواهند کرد. افزون‌بر این، با پیشرفت علم و انتقال «ربات‌های نانو» به داخل خون در بدن انسان، این ربات‌ها می‌توانند تمام خطرهای احتمالی و نارسایی‌های ژنتیکی در خون را برطرف کنند. به این ترتیب، ما شاهد گذار انسان زیستی به انسان نازیستی خواهیم بود. بر اساس این نظریه، هوش و دانش یک فرد با روش علمیِ رایانه‌ای

به ذهن فرد دیگری افزوده می‌شود. برای نمونه، هوش اینیشتین می‌تواند به فرد دیگری انتقال پیدا کند. در واقع، این انتقال رایانه‌ایِ هوش به انسان دیگر هیچ زیانی به فرد نمی‌رساند.

در حال حاضر، ریموند کورتزول با یک گروه از افراد کارشناس شرکت گوگل فعالیت می‌کند و هدایت پروژه‌های علمیِ فراوانی را بر عهده دارد. دانشمند فرانسوی، ژان گابریل گاناسیا، در کتاب خود یعنی افسانهٔ نظریهٔ فردیت به انتقاد می‌پردازد و پیش‌بینی‌های زیادی را مورد بررسی نقادانه قرار داده است. از دید او، این‌گونه تغییرات فن‌آورانه انسان را از انسانیت دور می‌کنند. به هر روی، چه مخالف و چه موافق، این بحث‌ها بسیار اساسی هستند و جوامع جهانی و پژوهش‌گران و روشن‌فکران نمی‌توانند آن‌ها را نادیده بگیرند.

از نظر ریموند کورتزول در آغاز قرن ۲۱ ، بشریت در ابتدای بزرگترین تحول در تاریخ خود است. ما در حال ورود به دوره جدیدی هستیم که تعریف دقیق آن از انسان تا حد زیادی تکامل یافته و غنی تر خواهد شد. گونه‌های انسانی خود را از پایه‌های ژنتیک آزاد می‌کنند و از نظر هوش پیشرفت ژرفی دیده و از نظر طول عمر به دستاوردهای غیر قابل تصوری می‌رسند.

در این اتحاد انسان و ماشین، دانش و مهارت‌های کاشته شده در مغز ما با ظرفیت‌های گسترده و با سرعت و با ظرفیت‌های خلاقیت‌های فناوری ما ترکیب می‌شود. این تلفیق اساسی، دوره جدید بشریت است. افزودن بر مغز انسان و یا بارگیری مغز انسان، به معنای اسکن نمودن با عکس برداری نمودن تمام جزئیات اساسی و سپس نصب آنها بر روی یک سیستم محاسباتی کاملاً قدرتمند است. این روند تمام شخصیت فرد، حافظه، استعدادها، تاریخچه او را به تصویر می‌کشد. »(انسانیت ۲,۰ ، کتاب مقدس تغییر، ۲۰۰۷).

کتاب ریموند Kurzweil : « وقتی انسانها از زیست شناسی فراتر می‌روند»، نیویورک، پنگوئن، ۲۰۰۵ ، ۶۵۲ ص.)

این کتاب با عنوان انگلیسی The Bible of Change :۲,۰ Humanity ، به زبان فرانسه توسط eline Mesmin ، پاریس،M۲۱ ، ۲۰۰۷ ، ۶۴۷ ص، ترجمه شده است.

موسیقی جاز

موسیقی جاز در آمریکا، در کرانهٔ میسی‌سیپی و در پایان سدهٔ نوزدهم میلادی پدید آمد. این موسیقی محصول درهم‌آمیختگی فرهنگ و نغمه‌های بردگان سیاه و موسیقی اروپایی بود. در این موسیقی، میراث ترانه‌های مذهبی، ترانه‌های کارگران بَرده در کشت‌زارهای پنبه و ترانهٔ مهاجران قابل تشخیص است. در این موسیقی، صدای عشق بردگان در کشتی‌ها، کارگران بَرده در حین تولید و کار برای ارباب، اندوه زنان سیاهی که به بیگاری گرفته شده‌اند و زجردیدگان را می‌شنوید. در فردای جنگ جهانی نخست، با باز شدن فضای فرهنگی، باشگاه‌ها و کافه‌ها و رستوران‌ها، این موسیقی به جامعه شناسانده شد. لوئی آرمسترانگ با نوآوری در گسترش آن کوشید و چهرهٔ فراموش‌نشدنی این موسیقی شد. امروز، جاز به شاخه‌های هنری گوناگونی تقسیم می‌شود و از جمله کسانی که در گسترش آن نقش ایفا کردند می‌توان به میلس دیویس و شارلی پارکر و شت بیکر و دوک النگتون اشاره کرد. آهنگ جاز با سازهایی مانند ترومپت و ساکسوفون همیشه با یادمانه و اندوه و دردی مرموز اما خندان همراه است.

وینتون مارسالیس، نوازندهٔ مشهور شیپور کلیددار یا همان ترومپت و برندهٔ جایزه پولیتزر، می‌گوید: «جاز ابداع سیاه‌هاست. جاز بازگوکنندهٔ خیلی چیزهای ژرف روحی است و نه‌تنها دربارهٔ ما سیاه‌ها و نحوهٔ نگاه ما به مسائل است بلکه دربارهٔ اصل معنی زندگیِ مردم‌سالارانهٔ امروزی هم هست. جاز همان شرافت نژاد سیاه است که به‌شکلِ صدا درآمده است. در این سَبک از موسیقی همه‌چیز را می‌شود دید: چه ناگفته‌ها، چه نفوذها، چه پیچیدگی‌ها و چه پنهان‌ها. تا جایی که من می‌دانم، نواختن جاز از همهٔ سبک‌ها سخت‌تر است. جاز بهترین تفسیر احساسات شخصی در تاریخ موسیقی غربی است.»

جاز پس از جنگ جهانی دوم به همت شارل ترنه، ایومونتان، ژیلبر بکو و سارل آزناوو به موسیقیِ سیاهان فرانسه تبدیل شد و به‌طرزی گسترده در سال‌های شصت میلادی در فرانسه رشد کرد. کافه‌های دودآلود و زیرزمینیِ کارتیه لاتین و بلوار سن ژرمن پاریس پاتوق نوازندگان و عاشقان جاز شدند. دست‌کم در سال‌های ۱۹۵۸ و ۱۹۶۳ چیزی حدود ۷۸ کنسرت بزرگ جاز در فرانسه سامان یافتند و شمار انبوهی از بلژیک و آلمان و ایتالیا به فرانسه آمدند تا هنرمندان آمریکاییِ

جاز را ببینند. نویسندگان فرانسوی مانند سیمون دوبوآر، فرانسوا ساگان، میشل لیری و بوریس ویان جاز را در فضای نوشتارها، رمان‌ها و داستان‌های خود به کار گرفته‌اند. سینمای جهانی با جاز آمیخته می‌شود. کارگردان فرانسوی برتراند تاورنیه در سال ۱۹۸۷ در فیلم «نزدیکی‌های نیمه‌شب» از نوازندگان جاز حرف می‌زند. کلینت استیوود هم مستندی دربارهٔ مونک، پیانونوازِ سیاه‌پوست، تولید می‌کند. همچنین، فیلم‌های بی‌شماری موسیقی جاز را در متن خود قرار داده‌اند.

جاز در نیو اورلئان و لوئیزیانا به دنیا آمد. سپس بوستون و ماساچوست از سال ۱۹۴۰ آغاز به نواختن جاز کردند و امروز جاز در تمام شهرهای مهم جهان یافت می‌شود.

دیوید هاکنی، نقاش فزون‌واقع‌نما

دیوید هاکنی، نقاش بزرگ انگلیسی، در ۱۹۳۷ به دنیا آمد. سَبک او پاپ آرت و واقع‌گراییِ افراطی بود و در نقاشیِ چهره و ترسیم دورنماها شهرت یافته است. او متأثر از نقاشی مکتب هیجان‌نمایی بود و در آمریکا دوست آندی وارول بود و بسیار از او آموخت. هاکنی از سال ۱۹۹۹ به‌دنبال نمایشگاه تابلوهایش در مرکز فرهنگی ژُرژ پمپیدو در پاریس معروفیت جهانی یافت. تابلوی‌های او با ترکیب رنگ‌های دلپذیر گاه تنهایی و گاه عشق و گاه یک راز را در خود بازتاب می‌کنند. شخصیت‌های تابلوهای هاکنی دارای نگاهی رازآلودند و با حالتی آرام به مخاطب نگاه می‌کنند. رنگ‌های آبی و سبز و سرخ بیشترِ تابلوهای او را فضاسازی کرده‌اند. هاکنی یکی از نقاشانی است که در زنده بودنش شهرت و شکوه خود را می‌بیند. آخرین نکتهٔ قابل توجه این است که تابلوِ مردی که به استخر نگاه می‌کند چندین سال پیش ۱۶هزار دلار توسط خودِ نقاش به فروش رفت ولی چند روز پیش خریدار تابلو همین تابلو را بیش از ۹۰میلیون در بازار جهانی فروخت.

بازار سرمایه و وجه‌های ظاهری به‌سرعت کار هنریِ هنرمند را به بورس جهانی تبدیل می‌کند. این بازار جهانی در ما تردید برمی‌انگیزد: ما به زیبایی هنری خیره می‌شویم یا مجذوت قیمت‌گذاری بورس جهانی هستیم؟ آیا بازار جهانی ارزش هنری را ویران کرده و ما دیگر نمی‌توانیم اندیشه‌ای مستقل از بازار کالا داشته

باشیم؟ این پرسش‌ها وسوسه و تردیدهای ذهن ما را آشفته می‌کنند ولی هنگامی که شما در برابر تابلو قرار می‌گیرید، محو زیبایی هنری آن می‌شود. دیوید هاکنی ۹۵ سال دارد و می‌گوید: «هر زمان که در حال کشیدن تابلو هستم حس می‌کنم سی سال دارم.» همین حس مطبوع نقاش خوشبختی انسان را رقم می‌زند. همین حس زیبا را نگه داریم. آرامش روانی ما از هنر و ادبیات و طبیعت و خوبی انسانی و خشنودی از تلاش بر می‌آید. این حس را تقویت و با دیگران تقسیم کنیم. دیدار از یک نمایشگاه بهانهٔ خوبی برای گپ زدن و تقسیم احساس و لذت مطبوع ماست.

برخی مکتب هاکنی را «فزون‌واقع‌نمایی» می‌خوانند. دنیای او چیست؟ رنگ‌ها با شفافیت، انسان‌ها با آرامش ظاهری، درختان پررنگ، تمایلی نزدیک‌به فوبیسم، نشانه‌های دریافت‌گری، واقعیت‌گرایی بورژوایی، تمایل‌به همجنس‌گرایی، رنگ پاستل و یک احساس پرسش‌گر دنیای او را بازتاب می‌دهند. او بخش مهمی از زندگی‌اش را در کالیفرنیا می‌گذراند. در نیویورک و در سال ۱۹۶۳ با اندی وارول آشنا می‌شود و گویا وارول به او پیشنهاد می‌کند تا موضوع استخر را در تابلوهایش مطرح کند. سَبک کار او ترکیبی است و هنر زینتی و عکس و چسباندن عکس در داخل نقاشی نیز از دیگر فعالیت‌های او هستند. اگر در سال‌های شصت میلادی نقاشانی مانند آندی وارول و فرانسیس بیکن چهره‌های برجسته‌ای بودند، در سال‌های هفتاد میلادی هم دیوید هاکنی به یکی از چهره‌های جهانی نقاشی تبدیل شد. این بار نمایشگاه مرکز فرهنگی ژُرژ پمپیدو در پاریس تابلوهای گوناگونی از این هنرمند برجسته را به نمایش گذاشته است. در این نمایشگاه چند تابلو با موضوع استخر نیز معرفی شده‌اند. یکی از تابلوها با عنوان «تصویر یک هنرمند» در سال ۱۹۷۲ نقاشی شده و دو متر بلندی و سه متر درازا دارد. با نگاه به این تابلو، پرسش و احساسم چنین بود: فضای تابلو آرام و طبیعت گسترده است؛ مردی به‌طرزی عجیب در کنار استخر ایستاده و دارد فرد دیگری را زیر آب تماشا می‌کند. آیا این فرد مُرده؟ آیا سایهٔ خیال در آب است؟ واکنش فرد کنار استخر چیست؟ طبیعت کالیفرنیا آرام است ولی استخر در این خانهٔ بورژوایی یک لحظهٔ آرامش است یا بیان‌گر اضطرابی مرموز؟ شاید فرد کنار استخر شاید خود هنرمند است. پس آیا او دارد تصویر خیالی خود را می‌بیند؟ چرا این تصویر خیالی سایه‌ای همانند هنرمند کنار استخر نیست؟

نخستین بمب اتمی

در جنگ جهانی دوم، آمریکا برای به زانو درآوردن ژاپن در تاریخ ۶ اوت ۱۹۴۵ نخستین بمب اتمی را بر روی هیروشیما انداخت و در ۹ اوت ۱۹۴۵ نیز بمب اتمی دوم را روی ناکازاکی پرتاب کرد. نظامیان آمریکایی می‌دانستند که ژاپن در درماندگی اقتصادی و نظامی به سر می‌برد و به‌زودی شکست خود را می‌پذیرد؛ هرچند، نظامیان ژاپن به ژاپنی‌ها دروغ می‌گفتند واعلان می‌کردند که در حال پیروزی هستند. نظامیان آمریکا با همکاری ترومن، رئیس‌جمهور وقت آمریکا، نیز پنهان‌کاری کردند و در پی آن بودند تا بمب‌های اتمی اورانیومی و پلوتونی را در صحنهٔ عمل آزمایش کنند و نتایج عملی بمب اتمی را مورد بررسی قرار دهند. در این بمباران اتمی هر دو شهر یادشده به‌طور کامل نابود شدند و طی یک ماه ۲۰۰۰۰۰ نفر کشته شدند و به‌سبب رادیواکتیویتهٔ پخش در هوا نیز تا سالیان پس از آن هم افزایش بیماران و تلفات انسانی ادامه داشت. انسان با به‌کارگیری علم بدون روح توانست سلاح اتمی مهیب بسازد و آن را در خدمت نظامیان قرار دهد.

در این تجربهٔ تبهکارانه، جان آدمی کوچک‌ترین ارزشی نداشت و حتی پس از پرتاب بمب هم نظامیان آمریکاییِ حاضر در ژاپن بیماران را معاینه می‌کردند تا تنها ویژگی آسیب اتمی را بررسی کنند. قصد آن‌ها معالجهٔ بیماران نبود؛ آن‌ها در رسانه‌ها هر بیماری ناشی از رادیواکتیویته را نفی می‌کردند. مرگ و دروغ و پنهان‌کاری مستلزم سیاست اتمی است.

در حال حاضر در جهان ۹ کشور دارای بیش از ۱۵۰۰۰ بمب اتم می‌باشند. از دید من، بمب اتمی در کل جهان باید حذف شود و امیدوارم ایران نیز هرگز نتواند به بمب اتمی دست یابد. بهره‌گیری از اتم در زمینهٔ پزشکی و علمی لازم و درک‌پذیر است ولی کاربست نظامی و اقتصادی و استفاده در تولید برق کاملاً نابجا و خطرناک است. فرهنگ انسان‌گرایانه و صلح‌خواه ضرورت زندگی در جهان ماست و روی آوردن به انرژی‌های پاک و بدون خطر، بهترین چاره است.

سیارهٔ میمون‌ها و انسان‌ها

به تماشای فیلم «سیارهٔ میمون‌ها» رفتم. این فیلم سومین فیلمی است که بر اساس

رمان نویسندهٔ فرانسوی یعنی پی‌یر بول (۱۹۱۲-۱۹۹۴) و به‌کارگردانی مات ریوس آمریکایی تهیه شده است. داستان این فیلم طرح نابودی میمون‌ها توسط انسان است. مهارت و ابزار جنگی و زیاده‌خواهی انسان را به سلطه‌گری در طبیعت کشانده و نابودیِ جانور و طبیعت هم از پیروزی‌های او به شمار می‌آید، حال آن‌که هماهنگی و همزیستی انسان و طبیعت و جلوگیری از زیاده‌خواهی تنها عامل آسودگی جهان است. کتاب بسیار اساسی انسان خردمند نوشتهٔ نووال نوها هاراری، تاریخ‌دان اسرائیلی، به‌طرز بسیار چشمگیری داستان تاریخ انسان را بیان می‌کند. بر اساس نظریهٔ فرگشت و کشفیات انسان‌شناسی، انسان هوشمند انسان راست‌قامتی است که در آفریقا زاده شده است. آن‌ها صدهزار سال پیش زندگی می‌کردند. این انسان‌های اولیه، که از تبار شامپانزه‌ها بودند، در پی تکامل خود و در مرحلهٔ تاریخی بعدی زمین را به تسلط خود درمی‌آورند، شهرسازی می‌کنند، دین و ملت می‌سازند، صنعت را سامان می‌دهند و حقوق بشر را تدوین می‌کنند. بدبختانه، همین انسان پیروزی خود را مستلزم آسیب اساسی به طبیعت و حیوان می‌دانست. نابودی نسل گروه‌های جانوری و محیط زیست و افزایش آلودگی و بیماری انسان نتیجهٔ این سلطه‌گری یک‌جانبه و نظام تولیدی انبوه و تمدن فسیلیِ نفتی وابسته‌به آن است. در ایران، جمهوری اسلامی ضربه‌های مرگ‌آوری بر طبیعت و جانوران و شرایط زیست‌محیطی وارد آورده. آیا شهروندان ایرانی و نخبگان دانشگاهی و سیاسی ایران به این موضوع اساسی توجه لازم را دارند؟

پاسکال پیک یکی از کارشناسان برجسته در زمینهٔ شناخت ریشه‌های انسان‌شناسی است. او در کالژ دوفرانس در زمینهٔ فسیل‌شناسی میمون‌ها و انسان پژوهش می‌کند. پیک می‌نویسد: «با شتاب کنونی انسان در ویرانیِ طبیعت و میمون‌های بزرگ مانند شامپانزه‌ها نسل این گروه از میمون‌ها تا سالِ ۲۰۵۰ از بین خواهد رفت.» او در تازه‌ترین کتاب خود می‌پرسد: «چه کسی قدرت را به دست خواهد گرفت؟» او می‌گوید شامپانزه رو به نابودی است و نابودیِ آن یک خطر بزرگ برای طبیعت و انسان است. پس انسان باید با هوشمندی به این خطر بیندیشد. او می‌افزاید: «نظام ربات‌ها و فن‌آوری دیجیتال دنیا را به زیر سلطه گرفته است. انسان باید تلاش کند تا بردهٔ این فن‌آوری دیجیتال نشود. اگر انسان به‌سوی نابودی شامپانزه پیش رود، هوشمندی خود را به کار نمی‌گیرد و به‌سوی بردگی خود حرکت می‌کند.»

سفر به دوبلین، پایتخت ایرلند، و ادبیات آن

قصد کردم چند روزی به ایرلند و پایتخت آن، دوبلین، بروم. در این سفر هدفم خواندن رمان اولیس، شاهکار جیمز جویس ایرلندی، بود. خواندن این رمان در طی این سفر تمام نخواهد شد ولی آنچه مهم است انگیزهٔ خواندن و پیوند این‌گونه آثار با تاریخ و جامعه و ادبیات ایرلند است. بی‌شک، به ایرلند می‌روم تا اجتماع، طبیعت، ویژگی‌های شهری و دنیای ادبی این کشور را بهتر بفهمم. جیمز جویس یکی از شاهکارهای ادبی جهان یعنی اولیس را در ۱۹۲۲ در پاریس چاپ کرد زیرا جسارت و شجاعت رمان در عرصهٔ قضایی، اجتماعی و جنسی اجازهٔ چاپ آن در انگلستان و آمریکا را نمی‌داد. داستان این رمان ریشه در اساطیر یونان، ادبیات شکسپیر و متون تورات و انجیل دارد و دارای ساختار روایی پیچیده‌ای است. در فارسی برخی کتاب‌ها دربارهٔ اولیس ترجمه شده‌اند همچون چکیده‌ای از رمان ولی خودِ رمان جویس ترجمه نشده است. برخی کارشناسان باور دارند که در قرن بیستم رمان اولیس ادبیات را به ادبیات پیش از جویس و ادبیات پس از جویس تقسیم کرد. ترجمهٔ این رمان به فرانسه توسط یازده نفر صورت گرفته و در سال ۱۹۹۵ میلادی چاپ شده. این رمان در ۱۵۰۰ برگ روانهٔ بازار شده. یادمان باشد بزرگان دیگری مانند ساموئل بِکِت، اُسکار وایلد و بِرنارد شاو هم ایرلندی‌تبار هستند.

هفتهٔ پیش به دوبلین، پایتخت ایرلند، رفتم. کشوری با شش میلیون جمعیت که در گذشته مورد تجاوز وایکینگ‌ها، نرمن‌ها و سپس انگلیسی‌ها قرار گرفته‌اند. طی دو سده، ایرلند به تصرف انگلیس درآمد و به‌دنبال مبارزات گسترده در سال ۱۹۲۲ مستقل شد و در سال ۱۹۴۷ به جمهوری ایرلند تبدیل شد. در این مسافرت با مردمی آشنا شدم که خونگرم و مهربان و خوش‌برخورد بودند. برای نشانی دادن بسیار کمکم می‌کردند و باادب بودند. اگر به دوبلین رفتید، به محلهٔ قدیمی شهر و پاب یا کافه‌های قدیمی آن بروید تا موسیقی شادمان ایرلندی را گوش کنید و آبجوی معروف گینس را میل کنید ولی فراموش نکنید این شهر دارای تاریخ ادبیاتی بسیار مهمی است. تاکنون چهار برندهٔ نوبل ادبیات از این شهر برخاسته‌اند: ویلیام باتلر یِتسِ شاعر نوبل را در ۱۹۲۳ وجُرج برنارد شاوِ نمایشنامه‌نویسِ معروف هم در ۱۹۲۵ جایزهٔ نوبل را دریافت کرد. ساموئل بِکِتِ نویسنده و نمایشنامه‌نویس نیز

این جایزه را در ۱۹۶۹ دریافت کرد و دست آخر سیموس هانیهٔ شاعر در سال ۱۹۹۵ موفق به دریافت نوبل ادبیات شد. هرچند، شما نمی‌توانید از ادبیات حرف بزنید و از اُسکار وایلد، چهرهٔ برجستهٔ ادبیات، حرف نزنید و یا از جیمزجویس بزرگ و کتاب معروفش اولیس در وادی ادبیات جهان و دگرگونی‌های شگفت‌آور آن در عرصهٔ رمان‌نویسی صحبت نکنید.

میدان «ووژ» پاریس

میدان «ووژ» یا میدان پادشاهی قدیمی‌ترین میدان پاریس است که ساختمان اولیهٔ آن در سال ۱۶۰۵ میلادی و در زمان هانری چهارم صورت گرفته. این میدان درختکاری‌شده یک مربع با ضلع ۱۴۰متری است که در مرکزش یک فوارهٔ بزرگ جای دارد. معماری زیبای میدان دارای ساختمان‌های مشابه دوطبقه‌ای با آجرهای سرخرنگ است. این میدان دارای ۳۶ ورودی اصلی به ساختمان‌هاست. دور میدان یک راهرو بزرگ با طاق‌های ضربی و پر از نمایشگاه نقاشی و مجسمه است. شما می‌توانید در یکی از کافه‌های دور میدان بنشینید و یک فنجان شکلات گرم یا قهوه میل کنید. تاریخ میدان سرشار از رویدادهای مهم است. این میدان در زمان انقلاب فرانسه به میدان توپخانه و مهمات تبدیل می‌شود. خواستگاری لویی ۱۳ از «آن اتریش» در این میدان صورت می‌گیرد. اسناد نشان می‌دهند که تا مدت‌ها بسیاری از ساکنین آن یهودیانی ثروتمند بودند و شخصیت‌های برجسته‌ای مانند ویکتور هوگو، آلفونس دوده، ژُرژ سیمونون، کولت و هنرمند سینما یعنی آنی ژیراردو در برخی ساختمان‌های این میدان زندگی می‌کرده‌اند. این میدان در ادامهٔ خود به محلهٔ ماره می‌رسد. این محله از قهوه‌خانه، کتاب‌فروشی، شیرینی‌فروشی و غذافروشی یهودی سرشار است و در آن گردشگران خارجی و تفریح‌کنندگان پاریسی پرسه می‌زنند. امروز در حالی که پرسه می‌زدم جلوِ یکی از راهروهای ورودی خاخامی یهودی روبه‌روی من ایستاد و گفت: «شما یهودی هستید و اینجا محل نیایشگاه ماست، بیایید در داخل ساختمان.» من هم گفتم: «نه، من یهودی نیستم. من اصلاً هیچ دینی ندارم و خداناباورم.» سپس او گفت: «نه، قیافه‌ات نشان می‌دهد که دین‌داری.» از او پرسیدم: «چگونه دین را در قیافهٔ من تشخیص

دادی؟» او هم گفت: «در یک خانوادهٔ دین‌دار زاده شده‌ای.» گفتم: «بله ولی امروز دیگر دین ندارم.» سپس گفت: «نه، قبول ندارم. اهل کجایی؟» من هم در پاسخ به او گفتم: «ایرانی‌ام.» و او گفت: «فرش‌فروشی؟» گفتم: «نه، استاد دانشگاهم.» گفت: «خیلی خوبه ولی به ایران که نمی‌روی؟» گفتم: «دلم می‌خواهد بروم.» و او گفت: «دوستان یهودی زیادی از ما ایران را ترک کرده‌اند و به آمریکا رفته‌اند.» من هم گفتم: «درست ولی با وجود این رفتن‌ها هنوز هم در ایران شمار یهودی‌ها از باقیِ کشورهای اسلامی بیشتر است.» گفت: «آره، می‌دانم. گویا وضع بدی هم ندارند.» گفتم: «فشار مذهبیِ حکومتی روی همهٔ دین‌داران نامسلمان و غیرشیعه وجود دارد ولی در شرایط کُنونی فشار مستقیم و حادّی روی یهودی‌ها نیست.» گفت: «آره خدا را شکر!» در پایان رو کرد به من و گفت: «شاید بازهم همدیگر را ببینیم.» من هم گفتم: «شاید، یادتان باشد من ناباورهستم ولی به ارزش‌های انسانی و عشق و اخلاق اجتماعی علاقه‌مندم.» گفت: «خدا را شکر!» و من هم گفتم: «شکر طبیعت!»

مریم میرزاخانی

مریم میرزاخانی، دانشمند ریاضی‌دان و استاد دانشگاه استنفورد، در چهل سالگی به‌سببِ سرطان پستان و استخوان در آمریکا درگذشت. این مرگ، ایرانی و خارجی را به اندوه نشاند. به‌دنبال این تراژدی، واکنش‌های بی‌شماری آغاز شد و یکی از آن‌ها واکنش آقای عبدالکریم سروش بود. او می‌گوید: «من از مرگ او هم متأسفم و همه متأسف نیستم. مرگ او تقدیر خداست و ما می‌توانیم خواستار آن باشیم تا خداوند فرشتگان را بفرستد تا او را در آغوش بگیرند. در چشم من او که چهل سال عمر کرد چهارصد سال عمر داشت، مانند کسانی که اهل کشف‌اند و در جست‌وجوی حقیقت. امیدوارم که در آن جهان هم زندگی معنوی پرکمالی را ادامه بدهد.»

شما در برابر این همه پرگویی و خرافه‌گویی و مردم‌فریبی «فیلسوف» اسلامی شگفت‌زده می‌شوید. آقای سروش با چنین حرف‌هایی یک بارَ دیگر نشان می‌دهد که یار خرافه‌بافان اسلامی و فاقد اندیشهٔ خِردمندانه و علمی است. سروش آرزو

دارد تا در «آن جهان» دیگر الله برای مریم میرزاخانی «فرشتگان» را بفرستد تا او «زندگی معنویِ پرکمالی» داشته باشد. همین حرف‌هایی که هر آخوند پیش‌پاافتاده هم می‌تواند بیان کند «فیلسوف» اسلامی را هم عرضه می‌کنند. سروش از مرگ این دانشمند سوءاستفاده می‌کند تا برای شریعت خود تبلیغ کند ولی این آقای «نواندیش» در واکنش خود یک کلمه هم درباره ضدیت قرآن و اسلام با حقوق زن نمی‌گوید؛ این نخبهٔ مذهب شیعه یک کلمه دربارهٔ فشار و ستمگری جمهوری اسلامی در حق زنان نمی‌گوید. خانم مریم میرزاخانی یکی دیگر از زنانی است که با هوش و دانش و جسارت خود نشان داد که تمام گفتمان اسلامی و سنت جامعه اسلامی و سیاست نخبگان اسلامی تبعیض‌گرا هستند. چنین زن دانشمندی در نظام دینی نمی‌تواند در دانشگاه درس بدهد و مقام بالایی داشته باشد. آزادی و پیشرفت زن‌ها تنها بیرون از این نظام دینی شدنی است.

کسی که در باره ارزش یک زن دانشمند می‌نویسد باید هر نظام ایدئولوژیک و ضد زن را محکوم کند. اسلام یک نظام مردسالار و ارتجاعی است که تمام قدرت خود را علیه زن بکارگرفته است. تمام زنان جهان که نشانه سربلندی دانش و ادب و پژوهش و سیاست و هنر هستند خارج از اسلام رشد یافته اند. یک دوران ۱۴۰۰ ساله اسلامی قادر نیست حتا یک شخصیت علمی و فرهنگی زن ارائه دهد. اسلامگرایان از سمبول عقب مانده و قبیله گرای خدیجه و فاطمه حرف می‌زنند حال انکه پیش از اسلام در ایرانزمین، ما زنان شاه داشته ایم و در طول تاریخ و تمام جهان زنان سربلند و برجسته نقش آفرین بوده اند.

«لیلی و مجنون»

حکیم نظامی گنجوی در سدهٔ ششم هجری یا دوازده میلادی می‌زیسته و در شهر گنجه به گور سپرده شده است. او به‌عنوان شاعری صاحب‌سبک شناخته شده است و اثری با عنوان «خمسه» در کارنامهٔ خودش دارد. این منظومه یکی از مجموعه‌های عاشقانهٔ «خمسه نظامی» است. اجزای «خمسه» یا پنج گنج، مخزن‌الاسرار، خسرو و شیرین، هفت پیکر، اسکندرنامه و لیلی‌ومجنون هستند. «لیلی‌ومجنون» از نظامی گنجوی شاعر بزرگ شعر فارسی به‌تازگی به فرانسه ترجمه و چاپ شد.

این افسانهٔ عاشقانه در ۴۷۰۰ بیت به درخواست پادشاه شروان در طی چهار ماه به نظم کشیده شد. از دید برخی کارشناسان، این افسانه دارای خاستگاه عربی یا بابلی بوده است ولی نظامی در هنگام سرایشْ این افسانه را به فرهنگ ایرانی و محیط جغرافیایی خود نزدیک می‌کند. این اثر زیبا و کتاب دیگر همین شاعر یعنی «خسرو و شیرین» دو مجموعهٔ بزرگ عاشقانه و غنایی ادبیات فارسی هستند که در قرن ششم قمری یا سدهٔ دوازدهم میلادی پدید آمده‌اند. این کتاب حکایت دو عاشق یعنی لیلی‌ومجنون است که در مکتب‌خانه عاشق یکدیگر می‌شوند؛ هرچند، هر دو از یک محیط کهنه و کند و سخت اجتماعی رنج می‌برند. لیلی‌ومجنون با عشقی ممنوع زندگی می‌کنند ولی عشقی که مرز نمی‌شناسد و سرچشمهٔ شوریدگی پیوستهٔ دو جسم و دو روان است.

گفته می‌شود که نظامی بن‌مایهٔ افسانه‌های خود را از افسانه‌های مردمیِ عربی گرفته و نویسندهٔ عرب یعنی طه حسین برآن است که ریشهٔ لیلی‌ومجنون در تمدن بابل باستان است. به هر روی، گنجوی این مجموعه را به درخواست پادشاه شروان می‌نویسد. شروان در جنوب شرقی قفقاز جای دارد و زمان قاجار از سرزمین ایران جدا می‌شود.

مثنوی «لیلی‌ومجنون» که بخشی از مجموعهٔ «خمسه نظامی» است در قالب مثنوی سروده شده و در شمار ادبیات غنایی فارسی شمرده می‌شود. داستان‌های عاشقانه بسیار زودهنگام و از سدهٔ پنجم به شعر فارسی راه یافتند. داستان‌های بزمی و غنایی نیز در پایان قرن ششم به‌وسیلهٔ نظامی به اوج خود رسیدند. جامعهٔ معاصر لیلی‌ومجنون هر گونه نفی آداب و سنن را رد می‌کند. به‌گفتهٔ یدالله بهمنی: «چنین فرهنگی نمی‌تواند سلامت روانی جامعه را تضمین کند و از آن نمی‌توان انتظار ظهور انسان‌های فرهیخته را داشت.» رضا اردانی نیز می‌گوید در لیلی‌ومجنون (برخلاف خسرو و شیرین) روایت بر پایهٔ شخصیت مرد شکل گرفته است. با وجود آن‌که یک شخصیت مرد و یک شخصیت زن در داستان وجود دارند ولی عشقی که در این روایت به تصویر کشیده می‌شود یک عشق عرفانی و فرازمینی است.

ترجمهٔ این اثر به انگلیسی و آلمانی و عربی موجود است. چند سال پیش بخش‌هایی از «لیلی‌ومجنون» از عربی به فرانسه ترجمه شده بود و همین آشنایی خاستگاه تأثیر بر ادبیات فرانسه می‌شود. گفته می‌شود که لوئی آراگون، شاعر بزرگ فرانسوی، کتاب شعر معروف خود یعنی دیوانهٔ السا را زیر تأثیر نظامی نوشته است.

امروز برای نخستین بار «لیلی‌ومجنون» به‌شکل کامل توسط ایزابل دوگاستین از فارسی به فرانسه ترجمه و توسط انتشارات فایار چاپ شده. شناساندن ادبیات بزرگ فارسی به جهانیان یک ضرورت است.

«آخرین نمایندهٔ شاه انگلیس درهند»

برای دیدن فیلم «آخرین نمایندهٔ شاه درهند» به سینما رفتم. این فیلم را گوریندر شادا کارگردانی کرده است. ماجرای فیلم در سال ۱۹۴۷ می‌گذرد و بیانگر تمام پیشامدها و سازش پشت پرده برای تجزیهٔ هند به دو کشور هند و پاکستان است. پس از سیصد سال استعمار انگلستان و پس از اعتراض و مبارزهٔ هندی‌ها و رهبر آن‌ها مهاتما گاندی، چرچیل تصمیم می‌گیرد تا هند مستقل بشود. با توجه به تمایل جواهرنعل نهرو به جانب شوروی، انگلیسی‌ها به‌طور پنهانی با محمدعلی جناح، نمایندهٔ مسلمانان، مذاکره می‌کنند تا او خواهان جدایی پاکستان از هند باشد. گاندی مخالف جدایی بود و می‌گفت محمدعلی جناح برای اتحاد و یکپارچگی باید در رأس کشور هند باشد ولی انگلیسی‌ها با توجه به احتمال شورش‌های بیشتر و نیز به‌خاطر منافع خود در خاورمیانه و اهمیت نفت در خلیج فارس خواهان پاکستانی بودند که به منطقه نزدیک و جانبدار سیاست غرب است. به‌دنبال تصمیم بر جدایی ۱۴ میلیون نفر به مهاجرت اجباری بین دو کشور دست زدند و در بستر خشونت‌های بسیار یک میلیون نفر کشته شدند. پس از این فیلم، یادآوری تاریخی بیانگر آن است که نیروها و شخصیت‌های مسلمان اغلب حاضر به سازش با کسانی هستند که از دید آنان «کافر» و «استعمارگر» هستند. آیت‌الله خمینی نیز برای رسیدن به قدرت همین‌گونه سازش‌های پنهانی را با آمریکا به کار گرفت.

حکومت انگلیس از سال ۱۷۵۷ تا ۱۹۴۷ بر هند تسلط یافت. حزب کنگره در سال ۱۸۸۵ با موافقت انگلیسی‌ها تأسیس شد. این حزب که بین دو جنگ توسط گاندی هدایت می‌شد، با سازماندهی تحریم محصولات انگلیسی یا حمایت از نافرمانی مدنی، روشهای مسالمت آمیز مبارزه را توسعه داد.

حزب کنگره تحت سلطه هندوها فقط بخشی از جنبش ملی هند را نمایندگی می‌کرد. این حزب با اتحادیه مسلمانان، حزبی که توسط محمدعلی جناح در

سال ۱۹۰۶ ایجاد شد و فقط به جمعیت مسلمان می‌پرداخت، خواستار یک کشور مستقل می‌شود. گاندی در فوریه ۱۹۴۴ توسط انگلیس از زندان آزاد شد و گفتگوها را با محمدعلی جناح آغاز کرد. خواست حزب کنگره بدست آوردن استقلال و کشوری متکی بر چند دین و مذهب تا وحدت کشور برقرار بماند. جناح رهبر مسلمانان طرح گاندی رد کرد.

در ۱۵ آگوست ۱۹۴۷، هند و انگلیس پس از چندین قرن سلطه استعمار از یکدیگر جدا شدند و هند با اکثریت هندوها و پاکستان با اکثریت مسلمانان بوجود آمدند. از زمان استقلال ۱۹۴۷، سه جنگ میان هند و پاکستان روی داده است: جنگ در ۱۹۴۷-۱۹۴۹، جنگ در ۱۹۶۵ بر سر کشمیر و بالاخر یک جنگ در ۱۹۷۱، که در طول این جنگ داخلی در پاکستان شرقی، جمهوری خلق بنگلادش اعلام شد.

پس از استقلال دو کشور، هندی‌ها و پاکستانی‌ها راه خود را جداگانه ادامه دادند. رهبر ملی گرایان، جواهر لعل نهرو با استقلال یافتن کشورش در سال ۱۹۴۷ اولین نخست وزیر هند شد و تا سال ۱۹۶۴، سال مرگ وی، در سمت خود باقی ماند.

پاکستان بین سالهای ۱۹۴۷ و ۱۹۵۸، هفت نخست وزیر جانشین یکدیگر شدند. ایوب خان زیر فشار یک جنبش مردمی قدرت را در سال ۱۹۶۹ ترک کرد اما آن را به یحیی خان سپرد. در سال ۱۹۷۱ ، ارتش قدرت را به ذوالفقار علی بوتو واگذار کرد که رژیم غیرنظامی را دوباره برقرار کرد و «سیاست ملی کردن صنایع» را بر اساس حزب خلق پاکستان (PPP) دنبال کرد و در اولین انتخابات آزاد پیروز شد. با این حال، بوتو پس از کودتای نظامی ۱۹۷۷ به رهبری ژنرال ضیا، به دار آویخته شد. ژنرال ضیا جامعه پاکستان را بطرز عمیق اسلامی کرد. در سال ۱۹۸۶ قانونی مبنی بر منع کفرگوئی به تصویب رسید. علاوه بر این، زبان عربی و آموزش اسلامی در اکثر آموزش عالی اجباری شد. در ارتش، متکلمان دینی دانشگاه‌ها و موسسات مذهبی، درجه افسری می‌گیرند. این ابتکارات ژنرال ضیا به اسلامی سازی کشور منجر شده و در پاکستان قانون گرایی عرفی عقب نشینی کرد.

پس از مرگ ضیا در سال ۱۹۸۸، کشور دوره جدیدی از آرامش ناپایدار را تجربه کرد. برای ده سال، دولتهای خانم بی نظیر بوتو، دختر علی بوتو و نواز

شریف جانشین یکدیگر شدند. در سال ۱۹۹۹ با کودتای جدید رئیس ارتش پرویز مشرف، دولت پیشین سرنگون شد. ژنرال مشرف در مواجهه با اتحاد مخالفان و جنبش وکلا، در سال ۲۰۰۸ مجبور به استعفا شد. پاکستان با کودتاها و نظامیان و بمب‌های اتم و عقب ماندگی وسیع جامعه و اسلامگرایی مشخص می‌شود. پاکستان امروز یکی از پناهگاهای طالبان و القاعده می‌باشد.

پیاده‌روی فیلسوفان و زندگی

اِمانوئِل کانت هر روز ساعت پنج بعدازظهر از خانه بیرون می‌رفت تا روان و جسمش را آرامش دهد. او همیشه یک مسیر را می‌پیمود و تنها یک بار مسیر خود را تغییر داد و آن هم زمانی بود که انقلاب فرانسه آغاز شده بود. همچنین، کانت زمانی که مشغول خواندن کتاب امیل از ژان ژاک روسو بود از خانه بیرون رفت و تازه در راه متوجه شد که کفش‌های خود را به پا نکرده است. ژان ژاک روسو می‌گفت پیاده‌روی در جاده‌های جنگلی باعث می‌شود از تنهایی لذت ببری و احساس کنی که جزو هستیِ طبیعتی. افزون‌بر آن، پیاده‌روی اندیشه را زنده می‌کند و بدان جان می‌دهد. روسو در اعترافات می‌گوید: «جنگل مونمورانسی در نزدیکی پاریس دفتر کار من است.» نیچه نیز می‌گفت: «چقدر خوب است زمانی که در هوای آزاد راه می‌روی، می‌پری، از کوهی بالا می‌روی یا کنار دریا قدم می‌زنی؛ در چنین لحظاتی اندیشه‌های آدمی سرشار می‌شوند.» بنجامین والتر نیز عاشق پرسه‌زنی در پاساژهای پاریس و دیدن کالاهای هوس‌انگیز سرمایه‌داری و حرکت در میان جمعیت انبوه بود. او می‌گفت: «این پیاده‌روی انتقاد بر ضد تقسیم کار در جامعه را شفاف‌تر و دقیق‌تر می‌کند.»

شاید همهٔ این فیلسوفان در نتیجه‌گیری به این نکته می‌رسند که خوشبختی در پایان راه نیست بلکه خوشبختی خودِ راه است. پیاده‌روی مانند اندیشیدنِ فلسفی است. اندیشهٔ باز به همه‌جا راه می‌گشاید و هیچ جادهٔ ممنوع و بن‌بستی در آن وجود ندارد. زمانی که ذهن شما در یک خانوادهٔ متعصب تربیت نشده، در یک دین خشک جهت نگرفته و توسط یک معلم سنتی آموزش ندیده می‌توانید به اندیشه‌های گوناگون سفر کنید. در زندگی راه‌های گوناگونی را باید تجربه کرد،

همان‌گونه که فیلسوفان به همهٔ ایده‌ها سر می‌زنند. هیچ ایدهٔ ممنوعی وجود ندارد. به هر روی، لحظه‌ای که در تنش به سر نمی‌بریم، اندیشه‌هامان ممکن است خودی نشان بدهند ولی قدرت پایداری و پخته شدن ندارند و زیر خشم و فشار از بین می‌روند.

اندیشه و طرح نو در ذهن من به روند نوشتاری پیوند خورده است. من می‌نویسم و اندیشه می‌کنم. منطقِ مرحله‌به‌مرحله‌ای در کار نیست بلکه واژه‌ها به‌طور خودبه‌خود تبدیل به اندیشه می‌شوند. آن‌ها یک روند فعال و پویا هستند. مناسب‌ترین زمان لحظه‌ای است که در برابر رایانه می‌نشینم، صدای آرام موسیقی کلاسیک در فضا می‌پیچد و برگ دیجیتالِ سپید در برابر من باز است. در این لحظه ایده‌های بی‌شماری به حرکت درمی آیند. لحظهٔ آرامش من لحظه‌ای است که کنار دریا روی صندلی می‌نشینم و به آدم‌ها و ماسه و موج‌های آب و پهنای دریا نگاه می‌کنم. لحظهٔ شادی من پرسه زدن در محله‌های شلوغ و گپ زدن با دوستان در کافه‌های پاریسی است. لحظهٔ داغ و دلچسبْ آن لحظه‌ای است که در یک جدال فکری با مخالف خود قرار می‌گیرم. لحظهٔ آرام و دلچسبْ هنگامی است که در کتاب‌خانه و کتاب‌فروشی و سالن کتاب پرسه می‌زنم. لحظهٔ شاد و دلچسبْ هنگامی است که همکاران و دوستان و اعضای خانواده دور میز غذا نشسته‌اند و سرگرم گپ‌وگفت می‌شویم.

نابغه‌ای به‌نام اِستنلی کوبریک

کوبریک فیلم بزرگ «اسپارتاکوس» را در سال ۱۹۶۰ می‌سازد و تراژدی شکست بردگان را در تاریخ نشان می‌داد. فیلم «درخشش» به‌کارگردانی سینماگر بزرگ، اِستنلی کوبریک، در سال ۱۹۸۰ ساخته شد. در این فیلم روان‌شناسانه، بازیگر زبردست سینما یعنی جَک نیکلسون نقش نویسنده‌ای را بازی می‌کند که در تنهایی و بیهودگی خود دستخوش اختلالات روانی و عصبی شده و در خلال این فروپاشی روانی در پی کشتن زن و فرزند خود است. این فیلم بر اساس کتابی از اِستیون کینگ تهیه شده و موسیقی وندی کارلوس در متن فیلم بر اضطراب آن می‌افزاید و تپش قلب را دوچندان می‌کند. اعصاب بینندهٔ فیلم از آغاز پریشان است زیرا

فضای فیلم متأثراز یک دنیای پر از وحشت و بیم و بیان‌گر روانی پریشان و تراژیک است؛ همه‌جا پر از رمز و راز است و حس خون و مرگ ژرفای روان انسانی را می‌جوید و له می‌کند.

شاید کارگردان دارای جهان‌بینی افسرده‌ای باشد و شاید در پی نشان دادن ریشهٔ بدی در انسان بوده. رویدادها همگی دارای طبیعتی نگران‌کننده و خطرناک و تراژیک هستند. آیا زندگی انسانی چیزی به‌جز تراژدی و خشم آسیب‌شناسانه است؟ آیا همهٔ انسان‌ها به‌نحوی دارای اختلالات روانی نیستند؟ بی‌شک، زندگی ابعاد بسیار گسترده‌ای دارد ولی گویا اِستنلی کوبریک روی سیاهی‌ها و دیوانگی‌ها و خشونت‌ها انگشت می‌گذارد. فیلم دیگرش «پرتقال کوکی» از دیگرآزاری لذت‌آور و خشونت‌های بیمارگونهٔ جامعه می‌گوید. کوبریک پدیده اجتماعی و شگفتی را پیش بینی می‌کند که نیم قرن بعد در برخی جوامع به واقعیت می‌رسید. باندهای تبهکاری که از آزار دیگران لذت می‌برند. خشونت برای خشونت و خشونت برای لذت مستانه عناصر حاشیه ای جامعه. جامعه ای آسیب پذیر و شکننده که با تهاجم باندهای حاشیه ای تهدید می‌شود و گاه شما به قدرت سازندگی آموزش در خانوداه و مدرسه شک می‌برید.

فیلم «دکتر اِسترنجلاو» دیوانگی انسان برای آزمایش اتمی و عشق‌ورزی به بمب را به نمایش می‌گذارد نشان می‌دهد که خطر یک نفر جهان را به لبه جنگ می‌کشاند. فیلم «غلاف تمام‌فلزی» کوبریک از روان ویران در جنگ حکایت دارد. کوبریک در فیلم دلهره‌آور «رهایی از شاوشنگ» تراژدی تنهایی روان و تمایل روان به جنایت را به نمایش می‌گذارد. سرخوردگی‌ها و دلسردی‌ها و زخم‌ها و شکاف‌ها و سیاهی‌های درونی انسان به نابودی می‌انجامند. کوبریک خوشبختانه روی دیگرِ زندگی را نیز نشان می‌دهد. فیلم دیگرِ او با نام «لولیتا» بر اساس رمان نابوکف از عشق و حادثه و احساس و شیفتگی انسانی حرف می‌زند. کوبریک یک نابغه بود. او با هنرمندی خطر انسانی را بنمایش می‌گذارد. در لابلای جامعه خردمند و منطقی، دیوانگی انسان موج می‌زند.

واژهٔ «دریا» در عنوان کتاب‌ها

چقدر زیبا و دلنواز است هنگامی که در کنار ماسه‌ها و دریا کتاب‌ها را ورق بزنی، صدای موج‌ها را گوش کنی و چشم‌ها را به رنگ‌ها بسپاری. دفعهٔ پیش که به کنار دریا رفته بودم، به‌ناگاه ذهنم به جست‌وجوی آثاری شتافت که واژهٔ «دریا» در عنوان آن‌ها به کار رفته بود.

به یاد کتاب خاموشی دریا نوشتهٔ ژان بروله (ورکور) می‌افتم. ورکور در این داستان نشان می‌دهد که چگونه پیرمردی فرانسوی همراه با دختر برادرش ایستادگیِ خود را در برابر اشغال آلمان هیتلری سامان‌دهی می‌کند. دشمن از او حرف می‌خواهد ولی او سکوت می‌کند.

پیرمرد و دریا نوشتهٔ ارنست همینگوی نیز داستان مبارزهٔ حماسیِ ماهی‌گیری پیر و باتجربه است که با یک نیزه وارد جدال با ماهی غول‌پیکری می‌شود تا آن را به دام اندازد. صید این ماهی غول‌پیکر بزرگ‌ترین صید تمام زندگی او است. همینگوی می‌گوید: «انسان واقعی ممکن است نابود شود ولی هرگز شکست نخواهد خورد.»

رمان‌های هیولای دریا یا بیست هزار فرسنگ زیر دریا نوشتهٔ ژول وِرن هم تخیل و دانش را به هم پیوند می‌زنند. داستان این کتاب روایت یک اژدها یا هیولای دریایی ناشناخته است ولی در ذهن بسیاری این هیولای تخیلی به واقعیت نزدیک می‌شود. همه‌چیز وارونه می‌شود و کمتر کسی می‌تواند تصورش را بکند که آن موجود هیولایی ساختهٔ دست انسان است.

رمان گرگ دریا نوشتهٔ جَک لندن بیشتر به زندگی نویسنده پرداخته. قهرمان آن مردی است بی‌اخلاق و خشن که قدرت بدنی زیادی دارد و، در عین حال، باتجربه و خودآموخته است. این فرد کتاب‌های فراوانی خوانده و روشن‌فکر است. جَک لندن برای نگارش این اثر از اَبَر انسان نیچه تأثیر گرفته است.

قصهٔ دخترهای ننه دریا نوشتهٔ احمد شاملو هم در میان ایرانیان جای ویژه‌ای دارد: «یکی بود یکی نبود. جز خدا هیچی نبود زیرِ این طاقِ کبود، نه ستاره نه سرود. عمو صحرا، تُپلی با دو تا لُپِ گُلی، پا و دستش کوچولو، ریش و روحش دوقلو، چپقش خالی و سرد، دلکش دریای درد، دَرِ باغو بسّه بود، دَمِ باغ نشسّه بود ...»

سیمون وی

سیمون وی شخصیت بزرگ سیاسی فرانسه درگذشت. او در سال ۱۹۲۷ در یک خانوادهٔ یهودی در شهر نیس فرانسه زاده شد. در سال ۱۹۴۴ به همراه خانواده توسط گشتاپوی هیتلر دستگیر و به اردوگاه بیرکانو و آشویتس فرستاده شد. تمام افراد خانوادهٔ او توسط نازی‌ها کشته شدند. پس از جنگ از اردوگاه هیتلری آزاد شد و به فرانسه بازگشت. او تحصیلات خود را در رشتهٔ حقوق انجام داد و در مسئولیت‌های بزرگ قضایی جای گرفت. در ۱۷ ژانویه ۱۹۷۵ وزیر بهداشت و سلامت شد و پروژهٔ معروف قانونی شدن کورتاژ زنان را به مجلس برد. با وجود تبلیغات گستردهٔ مردسالارانه و دینی، این قانون به تصویب رسید و موجب شادمانی بسیاری از زنان و مردان مترقی گردید. در جامعه فرانسه محدودیت برای زنان بسیار بود و دیواری از مرسالاری و دین کاتولیکی در برابر پیشرفت زنان قدعلم کرده بود. ماه مه ۱۹۶۸ ضربه بزرگ به فرهنگ مردسالاری را وارد نمود. ولی در مورد زنان عقب ماندگی اجتماعی و فرهنگی پررنگ بود.

در سال ۱۹۹۶، هنگامی که تعداد زنان در مجلس ملی به ۶٪ رسید، سیمون وی، طوماری را در L'Express امضا کرد که به ابتکار خانم «ایوت رودی» و تحت عنوان "مانیفست برای برابری" آغاز شد و پنج زن سیاسی از چپ و پنج نفر از راست را گرد هم آورده بود. یکی از نقش‌های حساس او ارائه طرح سقط جنین به پارلمان فرانسه بود. سیمون وی مسئول ارائه لایحه پایان دادن داوطلبانه حاملگی IVG است. این پروژه باعث توهین‌ها و تهدیدهای راست افراطی و بخشی از راست‌های پارلمانی علیه او شد. همانطور که «ژان دو اورمسون» هنگام استقبال از وی در آکادمی فرانسه به خاطر آورد سیمون وی در یک سخنرانی در جمع نمایندگان گفته بود «سقط جنین باید به عنوان یک استثنا، آخرین چاره برای موقعیت‌های بن بست باقی بماند». متن نهایی این قانون توسط مجلس شورای ملی در تاریخ ۲۹ نوامبر ۱۹۷۴ به تصویب رسید.

سیمون وی در دورهٔ بعد به پارلمان اروپا راه یافت. در ۱۷ ژوئیه سال ۱۹۷۹، وی در دور سوم با ۱۹۲ رأی در مقابل ۱۳۳ رأی به عنوان رئیس پارلمان اروپا انتخاب شد. پس از انتخاب به ریاست پارلمان اروپا او با تمام قوا برای صلح و ساختمان اتحادیهٔ اروپا تلاش کرد. او در سال ۲۰۰۷ کتاب معروف خود

یک زندگی را چاپ کرد و در سال ۲۰۰۸ نیز به‌عنوان یکی از اعضای آکادمی فرهنگستان فرانسه برگزیده شد. سیمون وی زنی جسور، متین و آزادمنش بود. تلاش او برای جامعهٔ زنان و جامعهٔ سیاسی و فرهنگی فراموش‌نشدنی است. این بانوی بزرگ در ۳۰ ژوئن ۲۰۱۷ در پاریس درگذشت.

سیمون وی شانس آورد و در اردوگاه‌های هیتلری نابود نشد. خانواده او نابود شد ولی او باقی ماند و در تاریخ معاصر فرانسه و سیاست فرانسه نقش برجسته‌ای بازی نمود.

دیکتاتوری اِستالین و ولایت مطلقهٔ خامنه‌ای

دیکتاتوری اِستالین و ولایت مطلقهٔ خامنه‌ای ممکن است به دو ایدئولوژی گوناگون وصل باشند ولی، در واقع، دارای ویژگی خودکامگی و ایدئولوژیک‌گرایی هستند. اِستالین خود را نمایندهٔ پرولتاریا و ایدئولوژی علمی معرفی می‌کند، حال آن که خامنه‌ای خود را تجلی ارادهٔ الله معرفی کرده و قدرت فردی‌اش را تنها قدرت مشروع می‌داند. اِستالین تاب هیچ مخالفی را نداشت و می‌گفت: «هر کس با من نیست علیه من است.» به همین خاطر او شمار زیادی از مخالفین را به سیبری فرستاد و در دادگاه‌های فرمایشی محکوم و اعدام کرد. اِستالین مخالفان خود را ضدانقلاب معرفی و رهبران حزبی فراوانی را نابود کرد، رهبرانی مانند زینوویف، کامنف، بوخارین و ریکوف اعدام شدند و تروتسکی نیز با تبر کشته شد. بر اساس آمار رسمی در زمان گورباچف در سال ۱۹۳۸ بین ۸۰۰ تا ۹۰۰هزار نفر به اعدام محکوم شدند. در دوران جنگ دوم جهانی، کیش شخصیت اِستالین به اوج رسید. او به‌دنبال تشدید بیماری قلبی‌اش، به همه مشکوک بود. دادگاه‌های اِستالینی با شتاب مخالفین را محکوم می‌کرد و دستگاه‌های تبلیغاتی در ستایش رهبر بزرگ برنامه اجرا می‌کردند.

خامنه‌ای یک دیکتاتور بزرگ اسلام‌گرا مسئول کشتار و شکنجهٔ شمار زیادی از ایرانیان است. او یاران خود موسوی و کروبی را هرگز نمی‌بخشد زیرا آن‌دو قدرت او را خدشه‌دار کردند. او با توطئه یار و همراه خودش رفسنجانی را در استخر کشت. خامنه‌ای نمی‌تواند مخالفی را تاب آورد و پیوسته خود را دارای

مشروعیت مطلق می‌داند. با شکست رئیسی در انتخابات ریاست جمهوری، حسن روحانی به‌شکل پررنگی مورد حملهٔ خامنه‌ای قرار گرفته است. روحانی می‌گوید مشروعیت خود را از ۲۴ میلیون رأی می‌گیرد و خامنه‌ای می‌گوید دیدگاه ولی فقیه از هر چیزی بالاتر و خدایی است و روحانی نیز باید پیروی کند. این افراد همه از یک کاست اجتماعی دینی هستند ولی در رقابتی سخت قرار دارند و فقیه مطلق همه را در بوالهوسی خود غرق می‌کند. آیت‌الله خامنه‌ای بیمار، مستبد، مشکوک و پریشان‌حال است و خواهان تمکین روحانی است. اگر روحانی تمکین نکند، راه برای کودتا یا فشار بیشتر باز است. ولی حسن روحانی که با تائید خامنه ای رییس جمهور ایران شد راه دیگری جزعقب نشینی ندارد.

دعواهای درونی هیات حاکمه فرعی و اتحاد انها اصل است. خامنه ای همه را بجای خویش می‌نشاند. بالایی‌ها تا انجا آزادند که موجب خشم خامنه ای نشوند. خامنه ای فردی متعصب و خودخواه است و تمام جنایت‌ها در کشور را مهر تائید می‌زند. ترور و آدم ربایی و شکنجه و اعدام با نظر مساعد او صورت می‌گیرد. نزدیک شدن به مرگ، در او تردیدی برای اجرای جنایت بوجود نمی آورد. او تزلزل به خود راه نمی دهد. او حریفان را آرام و بدون سر وصدا باید خفه کند. مزدوران پنهانی او با اشاره افراد مزاحم را با توطئه خنثی می‌سازند و یا آنها را سربه نیست می‌کنند. تمام کشتارهای مبارزان با دستور و اشاره او اجرا می‌شود و قتل حریفانش نیز از خواست او مایه می‌گیرد. تاریخ در باره او چگونه قضاوت خواهد کرد؟ تاریخ مرگ و شکنجه مخالفین در سیبری و اردوگاه‌های کار اجباری را در کارنامه استالین نوشت ولی همین تاریخ فرماندهی استالین در جنگ علیه هیتلر را نیز ثبت نمود. ولی تاریخ در باره خامنه ای فقط از جنایت‌های او صحبت خواهد کرد.

دیدار با ژان بشلر

یکی از نهادهای بزرگ فرانسه «انستیتو فرانسه» است که دربرگیرندهٔ «آکادمی فرانسه»، «آکادمی ادبیات»، «آکادمی علوم»، «آکادمی هنرها» و «آکادمی علوم اخلاقی و علوم سیاسی» است. رسالت هر یک از این فرهنگستان‌ها بهبود و

گسترش زبان، ادبیات، فرهنگ و هنر در فرانسه است. این نهاد بزرگ از سال ۱۷۹۵ پدید آمد و، در واقع، با هدف اساسی مبارزهٔ فکری، علمی و فرهنگی با تاریک‌اندیشی و تعصب و تلاش برای شکوفاییِ اندیشه‌های عصر روشن‌گری بود. دیروز با چند تن از دوستان به دیدن ژان بشلر رفتیم. او زادهٔ ۱۹۳۷ و استاد جامعه‌شناسی و فلسفه در سوربن است. افزون‌بر این، ژان بشلر در سال ۲۰۱۱ رئیس «انستیتوِ فرانسه» و در حال حاضر رئیس «آکادمی علوم اخلاقی و علوم سیاسی» نیز هست. ژان بشلر اندیشمند بزرگی است و از همکاران نزدیک جامعه‌شناسانی چون ریموند آرون و ریموند بودون به شمار می‌آید.

بشلر تاکنون ۲۴ اثر نظری چاپ ساخته است که از آن میان باید از خاستگاه سرمایه‌داری، خودکشی‌ها، ایدولوژی چیست؟، قدرت خالص، دموکراسی‌ها، ریخت‌شناسیِ اجتماعی، طبیعت انسان، در جست‌وجوی مطلق، حقیقت‌ها و اشتباهات دینی، کاپیتالیسم، شناخت ما چه ارزشی دارد؟ و غیره یاد کرد. از ژان بشلر تنها یک اثر با عنوان چکیدهٔ فلسفه سیاسی توسط عبدالوهاب احمدی به فارسی ترجمه و چاپ شده است. ژان بشلر اندیشمند پرکار و دارای دانش گسترده‌ای است و افزون‌بر آن او ادبیات حافظ و سعدی و خیام را خوب می‌شناسد، عربی می‌داند و برای درک جامعهٔ هند سانسکریت را مطالعه کرده است. در طی این دیدار، دربارهٔ نگاه او در عرصهٔ جامعه‌شناسی، ملت، ریخت‌شناسیِ اجتماعی، ایدئولوژی، دین، اسلام و معتزله و اشعریون و همچنین مارکس و لیبرالیسم در فرانسه صحبت شد. ژان بشلر اندیشمندی بزرگ با رفتاری ساده و انسانی است.

از دیدگاه ژان بشلر جهانی شدن یعنی چه؟ این پدیده جمع کننده بشریت است، پراکندگی‌ها را پایان می‌دهد و این عصر جدیدی است. مدرنیزاسیون چیست؟ مدرنیزاسیون بتدریج از پنج سده ی اخیر آغاز شده و از فضای فرهنگی جدیدی حکایت میکند که در بر گیرنده دمکراسی، دانش، فردگرایی، توسعه اقتصاد و فعالیت‌های مجزا در اجتماع است. اومانیسم چیست؟ انسان بیولوژیک امکان انتخاب دارد، قابلیت انجام دارد و از آزادی بهره مند است. امکان شکست همیشه وجود دارد ولی انسان توانایی انتخاب و تغییر دارد.

حال با توجه به این سه مفهوم فلسفی و جامعه شناختی، آیا ما در درون جهانی شدن هستیم و یا در حاشیه آن زندگی می‌کنیم؟ آیا ما در بستر مدرنیزاسیون زندگی کرده و با عوامل پنجگانه آن درهم آمیخته ایم یا در بستری خاکستری و آرکائیک

زندگی می‌کنیم؟ آیا ما به اومانیسم و قدرت انتخاب و تغییر رسیده ایم و آزادی فرد را تامین می‌کنیم؟

مفاهیم جامعه‌شناختی و سیاسی باید تعریف شوند

جامعه‌شناس معروف فرانسوی، پی‌یر روزانولون، با کتاب‌های خود مانند خلق دست‌نیافتنی، دموکراسی ناقص، ضد دموکراسی، دولت خوب چیست؟، سرمایه‌داری آرمان‌شهری، جامعهٔ برابرها و پارلمان نامرئی‌ها نقش مؤثری در اندیشهٔ جامعه‌شناسی ایفا کرده است. یکی از مسائلی که او در اثرش مورد پرسش جدی قرار می‌دهد جناح‌بندی چپ و راست است. او می‌گوید در فرانسه و در دوران گوناگون ما شاهد خط‌کشی‌هایی مانند سرخ و سفید، هوادار جداانگاری دین از سیاست و کاتولیک، جمهوری‌خواه و سلطنت‌خواه، انقلابی و ضدانقلابی، مارکسیست و لیبرال، راست و چپ، بوده‌ایم. حال آن‌که در بطن دگرگونی‌های گوناگون و به‌ویژه در سال‌های ۸۰ میلادی، این خط کشی‌ها نارسا بودند، چرخ خورده‌اند و چشم‌انداز تازه‌ای در برابر ما گذاشتند. روزانولون می‌گوید: «در شرایط جهانی شدن اقتصاد، ایدهٔ «استقلال خودمختارانه» برجسته و شخصیت‌گرایی پررنگ شده است». حال، در ایران هم مفاهیم پیوسته جا عوض کرده و معنای سنتی خود را به‌تندی از دست داده‌اند. هنگامی که گفته می‌شود «اصول‌گرا»، منظور کدام اصول است؟ اصول به‌معنای منطق است؟ اصول به‌معنای اتکا به اصل است؟ اصل به‌معنای سلفی‌گری و بازگشت به زندگی پیامبر اسلام و الگوی شبه‌جزیره عربی است؟ هنگامی که گفته می‌شود «اصلاح‌طلب»، منظور اصلاح دینی مانند پروتستانتیسم است؟ آیا اصلاح‌طلبان دینی ایرانی خواهان اصلاح در نظام حکومتی‌اند؟ آیا اینان خواهان حذف ولایت فقیه و اصلاح قدرت سیاسی هستند؟ یکی از اصطلاحات رایج دیگر «چپ» و «راست» است که در فرهنگ روشن‌فکری و سیاسی ایران مدام تکرار می‌شود. چپ چیست؟ هوادار عدالت اجتماعی و پشتیبان مردم؟ هوادار پرولتاریا؟ هوادار دیکتاتوری لِنین و اِستالین و مائو؟ هوادار کاسترو و چه گوارا و چاوز؟ هوادار اقتصاد دولتی و حزب متکی‌بر مرکزگراییِ دموکراتیک؟ هوادار اقتدارگرایی در برابر آزادی‌گرایی؟ راست

چیست؟ راست به‌معنای استثمارگر و پشتیبان دیکتاتوری نظامی؟ به‌معنای هوادار طبقهٔ سرمایه‌دار و لیبرالیسم تندرو؟ لیبرالیسم به‌معنای باور به بازار و آزادی؟ هوادارن محیط زیست در کدام جبهه هستند؟ گرمایش زمین همه و کل بشریت را تهدید می‌کند. آیا چپ یعنی مترقی بودن و راست یعنی مرتجع بودن؟

فراموش نشود که بسیاری از چپ‌های ایران و جهان هوادار دیکتاتوری‌های ستمگر بوده‌اند. آنها خود را مترقی‌ترینِ نخبگان جهان می‌نامند ولی ترقی خواهی چگونه تعریف می‌شود؟ پیشرفت اقتصادی، کسب آزادی، دمکراسی خواهی، تعدیل ثروت، حکومت سکولار، مدرنیته،... کدام یک معیار ما هستند؟ بسیاری از چپ‌ها و جمهوری‌خواهان و دموکرات‌ها نیز هستند که انسان‌گرایند و درضمن برخی‌ها هستند که می‌خواهند بورژوازی را به داربزنند. ژان پل سارتر در انتقاد به کامو می‌گفت کسی که مخالف شوروی است ضدانقلاب است. ما باید مقولات تازه‌ای برای ارزش‌گذاری‌هامان تعریف کنیم. مقولات پیشین در قلب دگرگونی‌های جهانی و اقتصادی و فرهنگی رنگ باخته‌اند.

خدا برای میشل فوکو مرده است؟

میشل فوکو در ۲۵ ژوئن ۱۹۸۴ درگذشت. نیمهٔ دوم سال ۱۹۸۳، من در سمینارهای او در کولژ دوفرانس شرکت می‌کردم. سالن هم همیشه پر بود. من همیشه ردیف اول می‌نشستم تا پس از پایان کنفرانس چند کلمه‌ای با او گفت‌وگو داشته باشم. یک بار بخشی از بحث او دربارهٔ مرگ انسان بود. فوکو می‌گفت چون خدا دیگر نمی‌توانست تأثیرگذار باشد، نیچه مرگش را اعلان کرد. و این سرنوشت برای انسان قابل طرح است. فوکو می‌گفت انسان‌شناسان دیرینگی انسان را به بیش از یک میلیون سال تخمین می‌زنند ولی از دید من انسان یک اَختراع جدید است و صرفاً به یک قرن پیش برمی‌گردد. البته همین مطلب فوکو در کتاب واژه‌ها و چیزها، که در سال ۱۹۶۶ چاپ شده بود، آمده است. فوکو می‌گفت در قرن هفدهم و هیجدم و نوزدهم تعریفی از انسان، گوهر او و هدفش داده شد که امروز یک سردرگمی بزرگ است. او در ادامه گفت پژوهش‌های ساختاری کلود لوی اشتروس و ژَک لَکان نشان می‌دهند که انسان زیر انقیاد ساختار قرار دارد و

از آزادی بهره‌مند نیست. فوکو یک اندیشمند بزرگ بود و کتاب‌های او گنجینهٔ سترگی برای آموختن است ولی زندگی او مانند همه از اشتباه خالی نبود. در زمان انقلاب اسلامی، او شیفتهٔ «قیام آدم‌های دست خالی» شده بود و می‌گفت: «اسلام همچون یک نیروی سیاسی، یک مسئلهٔ اساسی دوران ما و دوران آتی است.» فوکو به‌دنبال این موضع‌گیری مرتب مورد انتقاد قرار می‌گرفت و از این بابت بسیار اندوهگین بود. واقعاً چگونه یک فیلسوف بزرگ به اشتباه کشیده می‌شود؟ در پایان یکی از کنفرانس‌ها به او گفتم: «چگونه موضع اشتباه در مورد ایران قابل توضیح است؟» از پشت عینک نگاهی انداخت و گفت: «گاه ما کارهایی می‌کنیم و پشیمان می‌شویم ولی رازش را نمی‌فهمیم.»

قیام ایران، از پیش و تا زمان وقوع آن، از امید به انقلاب تا واقعه انقلاب، علاقه روشنفکران را برانگیخت. قبل از فوریه ۱۹۷۹، امید روشنفکران چپ فرانسه و در رده نخست ژان پل سارتر برانگیخته شد. سارتر در خمینی و سرنگونی شاه، احتمال ظهور یک رژیم مستقل، ضد استعمار و ضد امپریالیسم را ارزیابی نمود. در زمان استقرار خمینی در نوفل لوشاتو سارتر یکی از روشنفکرانی بود که مشتاق دیدار خمینی شد و او کسی بود که ریاست کمیته دفاع از زندانیان سیاسی ایران را بر عهده گرفته بود.

شاید «جنبش‌های انقلابی» دهه ۱۹۵۰ در الجزایر و کامبوج، از جمله دلایلی برای تعهد او به نفع خمینی باشد. ولی بهرحال باید پرسید دلیل این خطا در داوری چیست؟ چگونه می‌توان فهمید که یک روشنفکر تحت تأثیر، مجذوب، حتی کور شده، عقاید سیاسی خود را بر اندیشه فلسفی غلبه می‌دهد؟ آیا پس از این اشتباه باید او را محکوم کنیم؟ آیا باید از خطا صحبت کنیم؟ آیا روشنفکران می‌توانند مرتکب اشتباه شوند، سرگردان شوند، گمراه شوند، خود را گمراه کنند و سپس سکوت کنند؟ آیا روشنفکران می‌تواند گول هیجانات را نخورند؟

سارتر تنها روشنفکر شیفته انقلاب خمینیسم نبود بلکه میشل فوکو نیز گمراه گشت. او همچنین از خمینی دیدار کرد، وی حتی دو بار در سپتامبر و نوامبر ۱۹۷۸ به ایران سفر کرد و در مورد انقلاب ایران در روزنامه ایتالیایی کوریره دلا سرا نوشت. او سپس از «رویای» ایرانی صحبت می‌کند.

فوکو نوشت: نیرویی در اینجاست، چیزی که بتواند مردم را نه تنها در برابر حاکم و پلیس او بسیج کند بلکه در برابر یک رژیم کامل، یک سبک زندگی کل،

یک جهان کامل، تربیت کند.

منظور فوکو «روح انقلاب» است و همانگونه که او می‌گوید: «روح یک جهان بی روح».

او در روز بعد از واقعه انقلاب نوشت: «تهران. در ۱۱ فوریه ۱۹۷۹، انقلاب در ایران رخ داد. این جمله را احساس می‌کنم، می‌خواهم آن را در روزنامه‌های فردا و در کتاب‌های تاریخ آینده بخوانم.»

این روشنفکران در میدان جذابیت خمینی و در یک برداشت ایدئولوژیک غیرقابل انکار قرار داشتند. ما از تئوری‌ها انتظار داریم که ما را روشن کنند ولی تئوری فوکو در سرخوشی و پراکماتیسم روزانه اش به کجراه افتاده بود. انتظار است که دانشگاهیان و فیلسوفان خردمند باشند ولی آنها گاه کور می‌شوند و قربانی توهم می‌گردند. هنگامیکه اعتقاد ایدئولوژیکی بر نقد خردمندانه پیشی می‌گیرد، ما به خطر می‌افتیم. ما انتظار داریم که در عرصه اندیشه، فوکو به خدا و روح انقلاب تسلیم نشود ولی او در انقلاب ایران مرگ را ندید.

کافهٔ فلسفی و شبکهٔ اندیشه‌ها

«کافهٔ فلسفی» نام نشست‌هایی است که بحث کوتاه فلسفی و جامعه‌شناسی و سیاسی را در یک کافه سامان می‌دهد. این نوآوری از چند سال پیش در فرانسه رایج شده است و این شبکه زیر نظر یونسکوست. هر کافه زیر مسئولیت یک گرداننده است که از اندیشمندان دعوت می‌کند. هدف برگزاری آن ایجاد بحث جدی ولی کوتاه و تبادل نظر مستقیم با افراد حاضر در کافه همراه با مصرف یک نوشابه است. در پاریس نزدیک سی کافهٔ فلسفی وجود دارد و نوع موضوعاتی که در آن‌ها به بحث کشیده می‌شوند شامل کانت و مفهوم آزادی، عوام‌گرایی در سیاست و جامعه، بردباری و فلسفه، نیچه و مرگ خدا، ایدئولوژی و دین و خلسهٔ انسان‌گرایی می‌شود. البته کافه‌های ادبی نیز وجود دارد که به‌طور عمده دربارهٔ شعر و رمان‌اند. این نوع ابتکارها، فرهنگ را به شهروندان نزدیک می‌کند و به تعداد زیادی اجازه می‌دهد تا در بحث وارد شوند. روشن است که این‌گونه ابتکارها در تناقض با کنفرانس‌های بزرگ نیست و جنبهٔ تکمیلی دارند و اشتیاق

شرکت‌کننده را برای بحث تقویت می‌کنند. این کافه‌ها شهروندان را به مطالعه و کتاب خریدن تشویق می‌کنند.

این اقدام فرهنگی در خدمت گسترش دانش جامعه‌شناختی و فلسفی است. فلسفه تنها در دانشگاه نیست بلکه در محله‌های گوناگون شهری هم در دسترس شهروندان است. هگل، مارکس، کانت و نیچه تنها در آمفی‌تئاتر دانشگاهی مورد بحث قرار نمی‌گیرند. در کافه‌های کوچک و با شرکت ۲۰ نفر و آشامیدن یک آبجو و یا یک فنجان کافه هم می‌توان از بزرگان اندیشه صحبت کرد. آیا در ایران چنین ابتکارهایی صورت می‌گیرد؟ جوانان و دانشجویان و دانشگاهیان می‌توانند این‌گونه نوآوری‌ها را تشویق و سازمان‌دهی کنند. ما تربیت فلسفی نداریم ولی اشتیاق فلسفی در جامعهٔ ایران بسیار نیرومند است. افزون‌بر آن، موضوع‌های دیگری مانند تاریخ و جامعه‌شناسی و ادبیات نیز می‌توانند مورد گفت‌وگو قرار گیرند.

جامعه نیازمند فرهنگ و ادبیات و فلسفه در کرسی‌های دانشگاه است و جامعه می‌تواند از پائین و از محل زندگی روزمره و کافه و پارک‌های شهری و چایخانه و رستوران نیز فرهنگ را فعال نگه دارد. اگر در چایخانه‌ها شاهنامه می‌خوانند پس می‌شود از ادبیات و فلسفه نیز گفتگو کرد. گفتگوی فلسفی در کافه‌ها و چایخانه‌ها تناقضی با فرهنگ دانشگاهی و تولید روشنفکرانه منظم ندارد.

واپس‌گرایِی دانشجوی مسلمان در دانشگاه

کلاس‌های دانشگاهی من همیشه فرصتی هستند تا در کنار درس‌های تخصصی به بحث‌های جامعه نیز پرداخته شود. یک بار به هنگام تنفس هشت دانشجو دور مرا گرفتند و پی‌جوی دیدگاهم دربارهٔ انتخابات ایران شدند. چهار دانشجو اهل کنگو و ساحل عاج بودند، سه نفر مراکشی و تونسی و الجزایری بودند و یک دانشجوی دیگر نیز دختری فرانسوی نیز بود. سطح تحصیلی آن‌ها سال پنجم دانشگاه است. در پاسخ به آن‌ها گفتم انتخاب نامزدها توسط آیت‌الله خامنه‌ای است و روش حسن روحانی نسبت‌به رئیسی در ظاهر دارای کمی نرمش است ولی هر دو ولایت‌فقیهی هستند. یکی از دانشجویان آفریقایی گفت: «احمدی‌نژاد

شخصیت جالب و خوبی در ایران است چون آشکارا بر ضد آمریکا و اسرائیل حرف می‌زد.» من هم به او گفتم: «محتوای حرف احمدی‌نژاد چه بود؟» یکی دیگر که عرب‌تبار بود گفت: «انتقاد عریان از آمریکا و اسرائیل بسیار خوب است چون غرب فکر می‌کند همیشه حق با اوست.» گفتم: «بدبختانه برای شما حقوق بشر، دموکراسی، آزادی، حقوق زنان، نیکی کردار و گفتار سیاست‌مدار مطرح نیست ولی به من بگویید سیاسیون مورد ستایش شما چه کسان دیگری هستند؟» یکی از دانشجویان سیاه‌پوست گفت: «غیر از احمدی‌نژاد باید از قذافی و رهبر کُرهٔ شمالی را نیزحرف زد.» همهٔ دانشجویان به‌جز دانشجوی فرانسوی با هم موافق بودند. من شگفت‌زده شدم و گفتم: « افکار شما عقب‌مانده است و عقب‌افتادگی امروزِ آفریقا به‌خاطر آدم‌هایی مثل شماست.» و سپس افزودم :«شما سال پنجم دانشگاه هستید ولی آگاهی و شعور درک دموکراسی را ندارید. سمبول‌های فکری شما مستبدان فاسد هستند. در این جهان دمکراسی، رهبر مورد علاقه شما دیکتاتور کره شمالی است. ملاک شما بجز تبلیغات سیاسی دیکتاتورها چه چیز دیگری می‌باشد؟ چرا اقتصاد پیشرفته و دانش و فرهنگ و آزادی و پلورالیسم سیاسی جزو معیارهای شما نیستند؟»

شیفتگی اعتقادی آن‌ها شگفت‌انگیز بود. واقعاً این کدام ساختار روانی و دینی و فرهنگی است که فقط در ستایش مستبدان فاسد عمل می‌کند؟ ساختار روان‌شناسانهٔ این افراد، با وجود حضورشان در اروپا، با خِردگرایی و روشن‌اندیشی فاصلهٔ زیادی دارد زیرا همه‌شان پیرو اسلام و باورهای «جهان‌سومی»اند و ذهنیتی ایدئولوژیک و ضد فرهنگ تمدن غرب دارند. در پایان، به آن‌ها گفتم:« لطفن بروید کتاب بخوانید و اندیشهٔ انتقادی و روشن‌گرانه بیاموزید. اعلامیه حقوق بشر را مطالعه کنید. بروید فرهنگ دموکراسی را کسب کنید زیرا ذهن شما در نادانی و خودکامگی روانی درجا می‌زند.»

ضدیت هیجانی و ایدئولوژیکی با غرب و با اسرائیل، نتیجه تربیت‌های خانوادگی و دینی است که به افراد انتقال داده می‌شود. روشن است که انتقاد به اسرائیل و غرب لازم و ضروری است ولی متاسفانه این افراد از زاویه دینی و تعصب، از احمدی نژاد حمایت کرده و علیه یهودی و غربی هستند.

ریشه‌های تروریسم اسلامی

تروریسم اسلامی همواره آدم کُشته و خواهد کُشت: دیروز، امروز و فردا. انگلستان، فرانسه، بلژیک، آلمان، آمریکا، تونس، مصر، ترکیه، پاکستان، افغانستان، خاورمیانه و آفریقا میدان عملکرد تروریسم است و این تروریسم اسلامی است. ۱۴۰۰ سال پیش، اسلام با خشونت و تجاوز آمد و امروز تمام جهان از این جهان‌بینی در هراس است. بی‌شک، تروریسم ریشه‌های گوناگونی دارد: تعصب‌گرایی، بی‌فرهنگی، کهنه‌اندیشی، جهان‌بینی خشونت، مداخله‌های نظامی مانند مداخلهٔ آمریکا در عراق، اشتباه و راهبرد شیطانیِ برخی محافل غربی، کمک‌های مالی سعودی، شبکهٔ مساجد اسلام‌گرا، شبکه‌های اینترنتیِ جهادگرا، ضعف آموزش پای‌بند به جداانگاریِ دین از سیاست در محله‌های مهاجرنشین، ناتوانی باور به جداانگاری دین از سیاست نزد بخشی از سیاسیون چپ و راست و روشن‌فکران دنباله‌رو، ضعف سیستم امنیتی غرب در رویارویی با تروریسم، سازش‌کاری محافل دولتی و اداری غرب در رویارویی با جریان‌های تندِ اسلام‌گرا، راهبرد دولتی مانند رژیم ایران، محیط خانوادگی مذهبی و خرافی بسیاری از مسلمانان، پیام قرآنی و غیره. بیشتر تروریست‌های کنونیِ جهان مسلمان هستند و این مذهب در تناقض با تمدن غرب و دموکراسی است. در جهان، شهروندان مسلمان زیادی هستند که بر پایهٔ درک صلح‌خواهانه در پی آشتی و آزادی‌اند ولی بخشی از مردم مسلمان متعصب و حتی هوادار تروریست‌اند. ذهنیت اسلام‌زده خطرناک است. هدف دین اسلام و بنیادگرایان اسلامی ویرانیِ تمدن غرب است.

تروریسم اسلامی، جهادیسم، بنیادگرایی اسلامی، سلافیسم جهادی، مقوله هایی هستند که در تحلیل پدیده ترور بکار می‌آیند و مشخص کننده اراده ای برای جهاد علیه نظم موجود و دولت‌ها و شهروندان جهان هستند. این خشونت بعد سیاسی داشته و خود را همچنین خشونت مقدس تعریف می‌کند زیرا منشا خود را قرآن می‌داند. سازمان هایی مانند حماس و حزب الله و القاعده و داعش و بوکوحرام، دارای یک شیوه نیستند ولی رسالت خود را الهی می‌دانند و دشمن خود را دنیای کفر و غرب می‌دانند. طبق یک مرکز آماری آلمان از سال ۲۰۰۱ تا ۲۰۱۹ تعداد ۳۳۷۶۹ حمله تروریستی اسلامی در جهان صورت گرفته است که منجر به قتل ۱۴۶۸۱۱ شهروند شده است. یک بررسی آمریکایی نشان می‌دهد که بین سال

۲۰۱۴ تا ۲۰۱۷ در اروپا ۵۱ حمله صورت گرفته و تعداد ۳۹۵ کشته و ۱۵۴۹ نفر زخمی شده اند.

در تحلیل تروریسم اسلامی میان جامعه شناسان و تحلیل گران توافق نظر وجود ندارد. عده ای از آنها در تحلیل ریشه‌های قرآنی و ایدئولوژیک تروریسم محتاط هستند و حتا گرفتار نوعی اسلام خواهی یا اسلاموفیلی هستند. از جمله علت‌های مطرح شده عبارتند از:

عامل اقتصادی و عدم توسعه جهان مسلمان
عامل سیاسی مانند مسئله فلسطین/اسرائیل و حمله آمریکا به عراق
عامل فقر و تنگدستی اجتماعی و بیکاری و گسیختگی خانواده
عامل روانشناسانه و محرومیت روانی انسانها و آروزی جهانی بهتر
عامل دینی جهادگرا و تهیج ایدئولوژیکی اسلامی در مقابل جهانی کفرآمیز
عامل تکنولوژی‌ها و شبکه‌های اجتماعی در تحریک روانی
عامل قرآنی در تحریک ذهن‌های عقب مانده دین خو

در آیه ۵ سوره توبه امر به جنگ با کفار شده است. آیه پنجم سوره توبه مب آید: «فَإِذَا انْسَلَخَ الأَشْهُرُ الْحُرُمُ فَاقْتُلُوا الْمُشرِكِينَ حَيْثُ وَجَدْتُمُوهُمْ وَ خُذُوهُمْ وَ احْصُرُوهُمْ وَ اقْعُدُوايبيلَهُمْ كُلَّ مَرْصَدٍ فَإِنْ تابُوا وَ أقامُوا الصّلاةَ وَ آتَوُا الزّكاةَ فَخَلُّوا سَبيلَهُمْ إِنّ اللّهَ غَفُورٌ رَحيمٌ . پس چون ماه‌هاى حرام سپرى شد، مشركان را هر كجا يافتيد بكشيد و آنان را دستگير كنيد و به محاصره درآوريد و در هر كمينگاهى به كمين آنان بنشينيد، پس اگر توبه كردند و نماز برپا داشتند و زكات دادند، راه برايشان گشاده گردانيد، زيرا خدا آمرزنده مهربان است.

در کشورهای اسلامی مانند پاکستان و بنگلادش و اردن و لبنان و اندونزوی و مصر و تونس و مراکش، یک چهارم جمعیت فکر می‌کند که این حملات در دفاع از اسلام موجه هستند. این بستر فکری و تربیتی همانا عامل اصلی رشد متعصب‌ها و جهادگرایان است. جهادگرایی بطور وسیع ریشه در قرآن و روایات دارد. بنابراین، جریان‌های تروریستی اسلامی برای توجیه حملات و مطابقت آنها با اصول دینی اسلام، در تبلیغات خود از آیات در استدلال‌های مذهبی استفاده می‌کنند.

مجموعه این عوامل، گاه بشکل مستقل و گاه بشکل ترکیبی، دربرانگیختن

تروریسم و جهت دادن ناخودآگاه و روان بسوی قتل عمل می‌کنند. بینش اسلامی در جنگ روانی با جهان است و هرگز به آرامش طلبی با این جهان نخواهد رسید. بنابراین بخشی از پیروان این دین همیشه بصورت سرباز و فدایی برای آن اقدام خواهند کرد.

ادبیات، عشق من

برنامهٔ چهارشنبه‌شب‌های شبکهٔ دوم تلویزیون فرانسه ویژهٔ ادبیات است و یک بار که مشغول تماشای این برنامه بودم منتقدان ادبی رمان‌هایی را برای مطالعه در تابستان پیشنهاد می‌کردند. برنامهٔ زنده و جالبی بود زیرا آن‌ها دربارهٔ هر کدام از رمان‌ها اغلب با هم اختلاف نظر داشتند. افزون بر آن، هر کتاب خاطره‌های دلپذیری را در ذهن من زنده می‌کرد. همهٔ آن کتاب‌ها برایم زیبا بودند. امروز هنگامی که دوباره به این کتاب‌ها می‌اندیشم، زندگی‌ام را مرور می‌کنم و به خود می‌گویم زندگی‌ام بیهوده نبوده است چون کتاب احساس و فکر و خوش‌بینی مرا شکل داده و، بی‌شک، کتاب نقش بزرگی برای معنابخشی به زندگی من بازی کرده است. رمان‌های مورد گفت‌وگو، کدام بودند؟ حال، من به سلیقهٔ خود آن‌ها را معرفی می‌کنم: رمان عاشق از مارگریت دوراس (۱۹۱۴-۱۹۹۶) که در سال ۱۹۸۴ چاپ شد و دنیای دختری جوان با دامن گلداری را مطرح می‌کند که با عشق مخفی به یک جوان چینی در فضای فرانسه و ویتنام زندگی می‌کند. رمان آیا برامس را دوست دارید؟ از فرانسواز ساگان (۱۹۳۵-۲۰۰۴) که در سال ۱۹۵۹ چاپ شد. این رمان جدال نو و کهنه را نشان می‌دهد و روحیهٔ سرکش جوانان را بازتاب می‌دهد. رمان خاطرات آدرین از مارگریت یورسنار (۱۹۰۳-۱۹۸۷) که در سال ۱۹۵۳ چاپ شد. کتابی که خواننده را به قلب امپراتوری روم می‌کشاند. کتاب زندگی در پیش رو از رومن گاری (۱۹۱۴-۱۹۸۰) که در سال ۱۹۷۵ به نگارش درآمد و زندگی انسان‌های فلاکت‌زده و قربانی را به نمایش می‌گذارد. جیمز جویس (۱۸۸۲-۱۹۴۱) و کتاب اولیس که در سال ۱۹۲۲ در پاریس چاپ شده. این اثر رمان شگفت و بزرگی است که کل داستانش در یک روز رخ می‌دهد. مارسل پروست (۱۸۷۱-۱۹۲۲) و رمان بزرگ او یعنی در جست‌وجوی زمان ازدست‌رفته که در سال ۱۹۰۸ به نگارش درآمد. رمانی که

به درون انسان نقب می‌زند و از جمله کتاب‌هایی است که به‌گفتهٔ مارک تواین «همه آرزو دارند را آن‌ها را بخوانند اما هیچ‌کس حوصله‌ی خواندن‌شان را ندارد.» رمان سفر به انتهای شب که در سال ۱۹۳۲ توسط لویی فردیناند سلین (۱۸۹۴-۱۹۶۱) نوشته شد؛ رمانی که روزهای جوانی و خوش‌گذرانی و ولگردی‌های نویسنده را بازگو می‌کند. رمان مسخ از فرانتس کافکا (۱۸۸۳-۱۹۲۴) که در ۱۹۱۵ چاپ شد و دنیای دردناک و هراس‌انگیز و شگفتی‌آور سامسا را تصویر می‌کند. زندگی: یک شیوه کار از ژُرژ پرک (۱۹۳۶-۱۹۸۲) که در سال ۱۹۷۸ نوشته شد و نویسنده‌اش می‌کوشد تا با روایت زندگی همسایگان معنای زندگی را نشان دهد. کتاب شعر الکل‌ها از گیوم آپولینر (۱۸۸۰-۱۹۱۸) که در ۱۹۱۳ چاپ شد و بیان‌گر نوآوری و ابتکار برجسته در عرصهٔ شعر بود. این شعرها را با صدای بلند بخوانید. رمان تصویر دوریان گِری که در سال ۱۸۹۱ توسط اُسکار وایلد (۱۸۵۴-۱۹۰۰) به نگارش درآمد. این رمان زندگی جوانی خوش‌سیماست که تلاش دارد خودش را همیشه جوان و شاداب نشان دهد و بیان‌گر آن است که تغییر شکلی که از هنر در واقعیت پدید می‌آید تا چه اندازه می‌تواند نیرومند و نافذ باشد. آلبر کوهن (۱۸۹۵-۱۹۸۱) رمان مشهور خود زیبای ارباب را در ۱۹۶۸ چاپ کرد. این رمان اخلاق بورژوایی را نشان می‌دهد، رفتار یهودی‌ستیزانه را به ریشخند می‌گیرد و به‌گفتهٔ جوزِف کسل یک «شاهکار محض» است. یکی از رمان‌های برجستهٔ چالرز دیکنز (۱۸۱۲-۱۸۷۰) یعنی آرزوهای بزرگ است که در سال ۱۸۶۱ چاپ شد و این رمان نه‌تنها زندگی‌نامهٔ نویسنده است و از زبان شخصیت داستان یعنی کودک یتیمی بازگو می‌شود بلکه بیان حقایق یک دوران سیاسی و اجتماعی و ناکامی‌های آن هم هست. رمان‌نویس معروف یعنی ژان اگلاند که زادهٔ ۱۹۵۶ است، رمان در جنگل را در سال ۱۹۹۶ چاپ کرد. این رمان بیان شرایط خود نویسنده است که در جنگل زندگی می‌کند زیرا زمانی که تمدن سقوط می‌کند، انسان با احساس و عشق زندگی خواهد کرد و جنگل خانهٔ پایان‌ناپذیر او خواهد شد. این رمان روان‌شناسی انسان را به پیشامدهای تنش‌زا و روشناییِ امیددهنده‌ای پیوند می‌زند. گوستاو فلوبر (۱۸۲۱-۱۸۸۰) رمان مادام بوواری را در ۱۸۶۲ چاپ می‌کند. قهرمان داستان یعنی اما بوواری با هوس‌بازی و عشق‌های پنهان روح شوریده‌ای را نشان می‌دهد که خواستار درهم شکستن قراردادهای اجتماعی و اخلاقیِ کهنه است. ویکتوهوگو در نامه‌ای به فلوبر می‌نویسد: «مادام بوواری یک اثر برجسته است و من عاشق روشنایی هستم و شما را دوست دارم.»

کیستی و دانشگاه

محیط شغلی باید محیط مهربانانه و باکیفیتی باشد. من این شانس را دارم تا با همکاران دانشگاهی پیوسته مناسبات گرمی داشته باشم. گاه چند نفری و همزمان به دانشگاه می‌رسیم و پیش از درس با هم یک فنجان قهوه می‌نوشیم. روزی یکی از آن‌ها گفت: «من دارم نامه‌های ایرانی مونتسکیو را می‌خوانم و منتسکیو این پرسش را مطرح می‌کند که چگونه می‌توان ایرانی بود؟ حالا من از تو می‌پرسم که تو چگونه خودت را تعریف می‌کنی؟» گفتم: «من محصول تاریخ و فرهنگ ایران و تاریخ و فرهنگ غرب و به‌ویژه فرانسه هستم. البته مونتسکیو در این رمان که در سال ۱۷۲۱ میلادی چاپ شد، شگفت‌زدگی یک فرانسوی را بازتاب می‌دهد؛ این شخصیت داستانی به این کشف رسیده که کسان دیگری هم روی زمین هستند و غیر از او ایرانیانی نیز وجود دارند ولی امروز این پرسش مونتسکیو برای ما ایرانیان معنای فلسفی و هویتی دارد. کیستی با تداوم و سیّالیت تعریف می‌شود.» سپس به همکارانم گفتم: «شما دربارهٔ کیستیِ فرانسوی یک چیز را در نظر داشته باشید و آن تاریخ فرانسه و نوگرایی و تمامِ تأثیرات متقابل جهانی در آن است. دربارهٔ تاریخ همین دانشگاه کنام، که در آن درس می‌دهیم دقت کنیم که این دانشگاه یا همان «کنسرواتوار هنرها و حرفه‌ها» در سال ۱۷۹۴ میلادی به وجود آمده و رسالتش آماده‌سازی و پرورش نخبگان علمی و تکنیکی برای فرانسه بوده. از جمله بنیان‌گذاران این نهاد آموزش عالی فرانسه می‌توان به واندرموند و لو روا اشاره کرد که عضو هیأت نویسندگان «آنسیکلوپدی» عصر روشن‌گری بودند. در طول این تاریخ دراز، این دانشگاه که دارای کلاس‌های روزانه و شبانه و همهٔ مقاطع دانشگاهی از کارشناسی تا دکتراست شمار بسیار زیادی را به مقام‌های سیاسی و علمی و اجتماعی بالایی رسانده است. اینجا یکی از مراکز برجستهٔ دانشگاهی فرانسه است که با دانشگاه‌های چین و آمریکا و آلمان و لهستان و لبنان و برخی کشورهای آفریقایی مناسبات دانشگاهی دارد. این دانشگاه در تکوین کیستیِ فرانسه و انتقال فرهنگ فرانسه به دیگر نقاط جهان نقش داشته است. پس این پرسش را هم می‌توان مطرح کرد که چگونه می‌توان فرانسوی بود؟ یکی از ویژگی‌های فرانسوی بودن همین نوگرایی و عصر روشن‌گری وجهانی شدنِ امروز و همین مهاجرت‌های کنونی است.»

نمی‌توان همهٔ پیچیدگی فرد را نشان داد. ولی چهره و پوشش، محیط خانوادگی و شغلی، زبان و ادبیات، دوستان و همکاران، شعور و رفتار، شخصیت و ناخودآگاه ما، جلوه‌ای از کیستی ما هستند. من با فرهنگ ایرانی و فرانسوی خوکرده ام و این امر ذاتی من شده است. با این فرهنگ‌ها زندگی میکنم و هستی من با درهم آمیختگی فرهنگی و اجتماعی قابل درک است. بسیاری از انسانها این درهم آمیختگی هویتی را در خود دارند.

افزون‌برِ این‌ها، کیستیِ ما در واقعیت امروز و در تأثیر ما بر آینده نهفته است. هر روز، صدها دانشجو کَلاس‌ها و آمفی‌ها را پر می‌کنند و تأثیر می‌گیرند و این آرزوی همیشگی من است که آن‌ها به نخبگان برجستهٔ فردا تبدیل شوند و پیوسته نوگرایی را انکشاف دهند و بازیگران تأثیرگذار فردا باشند. تاثیرگذاری امروز جزوی از هویت من و انتقال آن به دیگران است.

اول ماه مِه در پاریس، سندیکالیسم و دموکراسی

روز اول ماه مِه هر سال در پاریس لحظهٔ جالبی برای تشخیص نبض اجتماع و خواست‌های افراد ناخشنود است. افزون‌بر آن، گروهی از ایرانیان سیاسی نیز این قرار سالانه را فراموش نمی‌کنند. برخی به حساب تعهد ایدئولوژیک چپ شرکت می‌کنند، عده‌ای عادت دارند که اول ماه مِه به دیدار دیگران بیایند، برخی دیگر برای دیدن نمایش‌های سیاسی به راه‌پیمایی می‌آیند، برخی نیز برای دیدن یک آزمایشگاه سیاسی و اجتماعی شرکت می‌کنند. چند دهه پیش، مخالفان سیاسی انقلابی مخالف دیکتاتوریِ دینیِ آیت‌الله‌ها در خارج افزایش یافتند. انقلاب اسلامی بخش مهمی از نخبگان را به بیرون از مرزها پرتاب کرد. برای آن‌ها این چیزی جز سرآغاز دوران جدید و ریشه دواندن در سرزمینی دیگر نبود. پس از یک دوره، امید به بازگشت کم‌رنگ شد و همه می‌کوشند در اینجا دوباره زندگی را تعریف کنند.

دیگر کسی انقلاب نمی‌خواهد و اگر هم برخی از پرولتاریا حرف می‌زنند، این حرف‌ها آرام‌آرام به خاطره و یادمانه و به‌ندرت به یک آرزوی گنگ تبدیل می‌شوند. بیشتر این نخبگان سیاسی هستند ولی عموماً به شغل و حرفه و خانواده

و نوه‌ها و سلامتی خود می‌اندیشند. برخی هنوز از پرولتاریای ایران گفت‌وگو می‌کنند و برخی به آن‌ها نگاه می‌کنند و چشم‌های خود را با تعجب می‌چرخانند. برخی از دموکراسی و حقوق بشر حرف می‌زنند، برخی بر ضد عوام‌گرایی چپ حرف می‌زنند، برخی اسلام را زهری در بدن جامعه می‌دانند و همه می‌خواهند سر به تن حکومت آخوندی نباشد. پس از دو ساعت راه‌پیمایی، در کافه بحث انتخابات فرانسه شد. در واقع، نقد برخی بر ملانشون و انتقاد برخی دیگر به امانوئل مکرون فضا را داغ کرده بود. تا ده سال دیگر از این جمع چه خواهد ماند؟ بیشتر آن‌ها شاید دوباره اول ماه مه همدیگر را خواهند دید و در هر دیدار هم مهربانی و مزاح و خبرگیری و جدال و خنده و قهر و آشتی خواهد بود. سرنوشت آن‌ها در غرب پایان خواهد گرفت، شاید یکی به ایران بازگردد، یکی به پرلاشز و دیگری به مونپارناس خواهد رفت و دیگری باز در همین کافه‌های پاریسی برای دیگران خاطرهٔ افراد گمشده را خواهد گفت ولی ما چه چیزی از خود بر جا خواهیم گذاشت؟ کتاب؟ شعر؟ تابلو نقاشی؟ اثری در محیط کاری؟ خاطره‌ای گنگ؟ تأثیر مهربانی بر دیگری؟ فرزندی که برای کودکانش خاطرهٔ پدربزرگ و مادربزرگ را خواهد گفت؟ یا تنها یک عکس گروهی؟

ما مهاجرین ایرانی طی این سال‌ها خیلی تغییر کرده ایم و جناح چپ در فرانسه نیز دگرگون شده است. چهل سال پیش حزب کمونیست فرانسه در انتخابات ۲۰ درصد رای داشت ولی امروز به یک درصد کاهش یافته است. سندیکاهای کارگری، انبوه کارگران را برای اول ماه مه به خیابان می‌کشیدند ولی هم اکنون بسیج کارگری خیلی ضعیف شده است. درصد سندیکالیسم کارگران و کارکنان در فرانسه به ۷ درصد افت کرده است. سندیکالیسم فرانسه دچار یک بحران عمیق و ساختاری است. تغییر جامعه شناختی و تکنولوژیکی، تغییر در شیوه‌های مدیریت بنگاهها و شرکت‌ها و نیز تغییر در روحیه و فردیت افراد، به تقاضای جدید منجر گشته و سندیکاها با بوروکراسی خود و شیوه‌های کهنه نمی توانند این پدیده‌های تازه را بدرستی بررسی کرده و نتیجه گیری نمایند.

اول ماه مه در پاریس چگونه گذشت؟ سندیکاها نیروی اصلی شرکت‌کنندگان در این جشن هستند. در فرانسه و از پایان قرن نوزدهم، سندیکالیسم قانونی شد. از ۱۹۰۶ سندیکالیسم انقلابی «س ژ ت» با منشور «آمیان» به وجود آمد. تاریخ سندیکالیسم بسیار پرپیچ‌وخم بوده است و در فرانسه بیش از ۱۰ سندیکای

هوادار کارگران و کارمندان و حقوق‌بگیران وجود دارد. همیشه وحدت عمل میان آن‌ها وجود ندارد زیرا سندیکاها با یکدیگر در رقابت هستند و زیر تأثیر سیاست احزاب سیاسی. در میان این سندیکاها، بخشی چپ اصلاح‌طلب و هوادار رایزنی با سندیکاهای کارفرمایان هستند و بخشی دیگر چپ تندرو هستند و کمتر در پی رایزنی‌اند و بیشتر خواهان اِعمال فشارند. میزان افرادی که عضو سندیکاها می‌شوند نسبت‌به چند سال پیش افت کرده و امروز فقط ۷ درصد حقوق‌بگیران عضو سندیکا هستند. البته زمانی که تظاهرات و اعتصاب صورت می‌گیرد، افزون‌بر اعضا، افراد دیگری نیز در این اقدامات شرکت می‌کنند و این قدرت و نفوذ آن‌ها را در برابر کارفرما و دولت تقویت می‌کند. امسال یکی از ویژگی‌های تظاهرات اول ماه مِه ابراز اعتراض بر ضد مارین لوپن بود. در دور دوم انتخابات ریاست‌جمهوری، مارین لوپن عوام‌گرای راست تندرو در برابر اِمانوئل مکرون سوسیال‌دموکرات قرار دارد. برای اعتراض به سیاست لوپن و ابراز نگرانی از خطرات احتمالی برای مکرون، بسیاری از تظاهرکنندگان شعار «نه به لوپن!» را تکرار می‌کردند. کارگران فرانسوی در این کارزار انتخاباتی پراکنده هستند و بر اساس یک نظرسنجی ۴۰ درصد کارگران رأی‌دهنده با مارین لوپن موافقند. در فرانسه، سندیکالیسم خاستگاه دَستاوردهای اجتماعی گوناگونی بوده است و یکی از عوامل دمکراسی در این کشور است. جامعه‌شناسی اجتماع تغییر یافته است. در دوران کنونی، عوام‌گرایی بسیار قدرتمند شده و کارگران بر پایهٔ جهان‌بینی‌های گوناگون عمل می‌کنند. بسیاری از آن‌هایی که در سندیکای چپ هستند، در انتخابات به راست تندرو رأی می‌دهند. امروزه قواعد بازی طبقه‌ها و گروه‌بندی‌های اجتماعی در جامعه تغییر یافته و احزاب سیاسی و سندیکاها در آشوبند. نیروهای کمونیستی می‌گویند این کارگران از حقیقت دور شده‌اند و منافع خود را نمی‌دانند زیرا منافع‌شان با جهان‌بینیِ چپ تحقق‌پذیر است. این توضیح بسیار سطحی است و پیچیدگی‌های روان‌شناسی و سیاست را نمی‌فهمد.

نقش‌آفرینان انتخابات فرانسه و عوام‌گراییِ چپ

دربارهٔ نقش‌آفرینان انتخابات فرانسه از جمله ژان‌لوک ملانشون بسیار نوشتم. ملانشون نمایندهٔ عوام‌گراییِ چپ گرا در انتخابات ریاست‌جمهوری با ۱۹ درصد شکست خورد زیرا ضد اروپا، هوادار کاسترو و چاوز و قرارداد «آلیانس بولیواریین» بود و فردی خودخواه و خودپسند است که خود را تنها نماینده «خلق» به شمار می‌آورد. امروز، دورهٔ انتخاباتی پارلمان در فرانسه است. مردم‌فریبیِ دیروز او بر ضد مکرون به سلطه‌گری امروز او در برابر تمامی چپ فرانسه تحول یافته است. این رهبر عوام‌گرا که از کمک‌های همه‌جانبهٔ کمونیست‌های فرانسه بهره برد، امروز در تمام منطقه‌های انتخاباتی فقط دوستان خودش را قرار داده و بر این باور است که حزب کمونیست الویت چندانی ندارد. به این ترتیب، او حتی در برابر نامزدهای مهم کمونیست‌ها هم نامزد خود را گذاشته است. البته کمونیست‌ها در همسویی خود با ملانشون اشتباهات بسیاری مرتکب شدند و در برابرش کرنش کردند ولی به‌قول یکی از نمایندگان کمونیست‌ها انتظار «این خیانت» را نداشتند. همچنین، ملانشون دو روز پیش اعلان کرد که خواهان حذف حزب سوسیالیست است و در برابر نامزدهای آن‌ها نامزدهای مطلوب خود را می‌گذارد. ملانشون همین راهبرد حذف را در قبال زیست‌بوم‌گرایان نیز اجرا می‌کند. در این انتخابات مجلس، تمام نیروهای راست تندروِ لوپن و راست تندروِ غیرلوپنی و نیز راست سنتی از یک سو و میانه‌روها و زیست‌بوم‌گرایان و کمونیست‌ها و چپ تندرو و ملانشونیست‌ها و جناح اِمانوئل مکرون نیز از سوی دیگر وجود دارند. این مبارزه داغ خواهد بود و رئیس‌جمهور جدید تلاش دارد تا بیشتر مجلس را برای سیاست دولت فراهم کند. اقدام برای برخی ائتلاف‌ها معقول بود چنان‌چه توافق‌هایی میان سوسیالیست‌ها و زیست‌بوم‌گراها در نظر گرفته شده است. ملانشون، که شکست‌خوردهٔ انتخابات پیشین است، در پی آن است که از همه انتقام بگیرد و جریان خاص خود را سیراب کند. او به دوستان دیروز خود کمونیست‌ها نیز «رحم» نمی‌کند و با وجود خواست مکرر حزب کمونیست برای رایزنی و دسترسی به یک توافق مشترک به آن‌ها پاسخ منفی داد. ملانشون می‌گوید چپ باید فرادستیِ او را بپذیرد. در شرایط پیچیدهٔ انتخابات مجلس، معمولاً احزاب نزدیک به یکدیگر رایزنی می‌کنند تا ائتلاف معقولی به دست آورند. ملانشون فقط سروری و پیروزی خود را می‌خواهد و در پی آن است که دیگران «گلّه» او باشند. در صفحهٔ فیسبوک

و یا در جمع دوستان چپ هم بودند کسانی که انتقاد به دیکتاتورمآبی ملانشون را باور نداشتند و او را فردی مطمئن برای اتحاد چپ ترقی‌خواه و جایگزین او را هم راه خروج از لیبرالیسم می‌دانستند. نمی‌دانم آن‌هایی که می‌خواهند از لیبرالیسم بیرون بروند، چه آرمان‌شهری را می‌پذیرند. شاید همان «سوسیالیسم واقعی» هدف آن‌هاست. زمانی که من گفتم ملانشون جاه‌طلب و خودپرست است، به من اعتراض کردند که نباید برخورد «شخصی» کرد، حال آن‌که ما می‌دانیم کیش شخصیت و فساد شخصیتی همان استبداد نهفته در انسان است. واکاویِ من از این شخصیت متکی‌بر بینش عوام‌گرایانهٔ استبدادی اوست. همچنین، من بر این باورم که اخلاق اجتماعی در سیاست بسیار اساسی است که آقای ملانشون فاقد آن است. عوام‌گرایی پرتگاه مرگ‌آوری برای چپ ایران است و بدبختانه بخشی از چپ همان افراد یادمانه‌گرا و هیجان‌زده هستند و متوجه ایراد خود نیستند. واژهٔ چپ، شعارهای چپ، کارنامهٔ چپ، همه و همه باعث شیفتگی چپ‌هاست. در آیندهٔ نزدیک، ملانشون‌ها عریان‌تر خواهند شد و امیدوارم چپ‌گرایان ما به اشتباه خود آشکارا اعتراف کنند و بگویند ریشهٔ چپ‌گرایی‌شان چیست.

دونالد ترامپ و امانوئل مکرون به من پیشنهاد کردند

فردای انتخابات آقای دونالد ترامپ، رئیس‌جمهور آمریکا، در تاریخ ۱۰ نوامبر ۲۰۱۶ ساعت ۲۳ به‌وقت پاریس شخصی از نزدیکان رئیس‌جمهور جدید به خانه زنگ زد. ایشان به من پیشنهاد همکاری مشاورتی با رئیس‌جمهور آمریکا دربارهٔ خاورمیانه را کرد. به ایشان گفتم: «بابت این پیشنهاد متشکرم ولی تمایلی برای این همکاری ندارم.» او هم گفت: «اگر تمایل برای همکاری رسمی و آشکار نیست، می‌توان به‌طرز غیررسمی همکاری داشت.» در برابر پافشاری مشاور رئیس‌جمهور برای همکاری دوباره گفتم: «نه به‌شکل آشکار و رسمی و نه به‌صورت غیررسمی خواهان این همکاری نیستم زیرا اختلاف نظر اساسی با ایشان دارم.» در پایان گفت‌وگوی تلفنی، هر دو از یکدیگر تشکر کردیم. آن‌چه که مانع همکاری من می‌شد دوری دیدگاه من از دیدگاه‌های رئیس‌جمهور جدید آمریکا در زمینهٔ محیط زیست و اقتصاد و حقوق زن و نیروهای کار مهاجر و بینش

در مسائل جهانی و اروپا بود. چند روز بعد، از دفتر رئیس‌جمهور امانوئل مکرون، رئیس‌جمهور فرانسه، در ساعت ۱۵ به من زنگ زدند. این بار موضوع تماس در ارتباط با رئیس‌جمهور جدید فرانسه، اِمانوئل مکرون، بود. گروه مشاوران آقای مکرون که در زمینهٔ انتخابات مجلس فرانسه کار می‌کند و در پی تدارک و گزینش نامزدهای انتخاباتی برای مجلس است، با من تماس گرفته بود تا موافقت خود را در چارچوب سیاست آقای مکرون برای شرکت در مسابقهٔ انتخاباتی اعلان کنم. من هم در طی گفت‌وگوی تلفنی گفتم: «از این‌که آقای مکرون در برابر مارین لوپن پیروز شد بسیار خوشنود شدم و نیز پیروزی دموکراسی در برابر راست تندروِ نژادپرستانه یک پیروزی بزرگ برای فرانسه و اروپاست.» در پایان، افزودم: «برای شرکت در این مبارزهٔ پارلمانی آمادگی ندارم زیرا میزان مسئولیت دانشگاهی و پژوهشی و فعالیت کنونی‌ام بخش بزرگی از نیروی مرا به خود اختصاص می‌دهد. شرکت در فعالیت انتخاباتی به یک سرمایه‌گذاری انسانی قابل توجه نیازمند است.» به هر روی، از این شخص محترم پوزش خواستم و موفقیت آن‌ها را برای کسب اکثریت پارلمانی، که برای پیشبرد سیاست‌های جدید لازم است، آرزو کردم.

روشن است که تأثیرگذاری در سیاست کلان کشوری بسیار پراهمیت است و چنین فرصت‌هایی کمیاب و گرانبها هستند ولی آرزوی کنونی من کاربست تمام قدرت و وقتم برای انتشار چند کتابی است که در انتظار کار نهایی من هستند. شاید در آینده افسوس بخورم ولی امروز با آگاهی انتخاب کردم. در مورد ارتباط اول هرگز نفهمیدیم چه کانالی مرا به اطرافیان رئیس‌جمهور دونالد ترامپ معرفی کرده بود ولی در مورد دوم یکی از همکاران دانشگاهی مرا به گروه رئیس‌جمهور امانوئل مکرون پیشنهاد کرده بود.

پیروزی برای اروپا و نگرش دیگر

اِمانوئل مکرون در انتخابات فرانسه پیروز شد. ۶۶ درصد آرا برای مکرون و ۳۴ درصد برای مارین لوپن. در برابر خانم لوپن عوام‌گرای تندروِ نژادگرا بهترین رأی در این لحظهٔ مشخص رأی به مکرون بود. لوپن با گفتمانی نازل و پیش پاافتاده

و عامیانه است و اندیشه‌اش ملی‌گرا و ضد اروپایی است. او از روایه تاریخی و برای وجهٔ فرهنگی و جهانی فرانسه یک رهبر فرومایه است. سیاست او نه میهن‌دوستانه بلکه شوینیستی و بینش او نه راهبردی در راستای استقلال بلکه راهبرد درخودفرورفتگی است، حال آن‌که یک کشور پیشرفته باید در همکاری جهانی به سر می‌برد. فرانسه در دل اروپا و در همکاری و رقابت با آلمان و آمریکا و ژاپن خود را بهتر تقویت می‌کند. همهٔ کشورها هم به استعداد و شکوفایی خود نیازمندند و هم به جهان و همهٔ همکاری‌های جهانیِ علمی و فرهنگی و اقتصادی و زیست‌بوم نیازمندند. مکرون جوان و خوش‌بین است، مکرون هوادار بازار و سیاست لیبرالی است ولی، در عین حال، از آموزش‌های حرفه‌ای هم هواداری می‌کند و برخی جنبه‌های اروپای شمالی مانند نرمش‌پذیری و امنیت را می‌پذیرد. در فرانسه سیاست پیشنهادی او را با یک موضع‌گیری ایدئولوژیک سنتی نمی‌توان مورد سنجش قرار داد و بیشتر منتقدان چپ ایرانی، در واقع، الگوی دولتی و بوروکراتیک یا کارگرمنشی اِستالینی را مورد نظر دارند. نقد بر سیاست او با توجه به تغییرات فن‌آوری و اقتصادی جهانی باید مورد سنجش قرار گیرد. در حال حاضر، مکرون یک مجموعهٔ حساس و شکننده را بر محور خود جمع کرده است و البته اغلب انتخابات چنین است. در انتخابات پارلمانی در دو ماه دیگر مشکلات فراوانی وجود خواهند داشت و مکرون باید به تناسب قوا و ناخشنودی‌ها توجه کند. مکرون بر لوپن پیروز شد و این پیروزی برای فرانسه و جمهوری‌خواهان بسیار مهم بود و حفظ‌کننده آبروی یک تمدن بود ولی مشکلات بسیاری در برابر مکرون قرار دارند. من به مکرون رأی دادم چون در برابر خطر عوام‌گراییِ چپِ ملانشون و خطر عوام‌گراییِ راست لوپن عقلانی‌ترین انتخاب بود. از جمله ناتوانی‌های مکرون بی‌توجهی به جداانگاری دین از سیاست و اهمیت زیست‌بوم و مبارزه علیه تعصب اسلامی است و حتی شاید شخصیتش تا حدودی شکننده باشد. به هر روی، مکرون الگوی مطلوب من نیست. ولی در این لحظه با توجه به تمامی فرآورده‌های انتخاباتی موجود سیاست او خوانایی بیشتری با نیازهای کشور و حس اغلب فرانسوی‌ها دارد. ما نباید به آرمان‌گراییِ هیجانی دست بزنیم ولی همیشه تمایل خود را برای زیست‌بوم و اخلاق اجتماعی و ترقی و فرهنگ بالاتر تقویت کنیم.

انتخابات توافق قطعی بین یک رئیس جمهور و شهروندان نیست. انتخابات، یک

توافق نسبی، یک تمایل برای پروژه ملی، یک ائتلاف از پائین، یک چراغ سبز، یک اعتماد نسبی بین یک کاندیدا و شهروندان است. اروپا یک پروژه است، ملانشون و مارین لوپن مخالف پروژه اروپا هستند و ماکرون موافق پروژه اروپایی است.

ادگار مورن

شاید ادگار مورن بزرگ‌ترین جامعه‌شناس و فیلسوف زندهٔ فرانسه باشد. او، که در ۱۹۲۱ زاده شده، نظری‌پرداز فلسفه و جامعه‌شناسی نظام‌مند و فلسفهٔ زیست‌بوم است. او از سال ۱۹۴۴ آغاز به نگارش و انتشار کرد و در حال حاضر بیش از ۱۰۰ کتاب به نگارش درآورده است. کتاب چهار مجلدی روش اساس اندیشهٔ فلسفی او را بنیان نهاد. ادگار مورن فیلسوف و جامعه‌شناسی است که نه‌تنها دربارهٔ مفاهیم اساسی بلکه همچنین دربارهٔ رویداد فرانسه و جهان ابراز نظر می‌کند. او به دور از فرقه‌گرایی و برای تأثیرگذاری با دنیای سیاست رابطهٔ فعالی دارد. با رئیس‌جمهورهای گوناگون مانند نیکولا سارکوزی، فرانسوا هولاند و اِمانوئل مکرون دارای گفت‌وگو بوده و بینش خود را توضیح می‌دهد.

مورن در روزنامهٔ لوموند در دوم ماه مِه ۲۰۱۷ می‌گوید: «مکرون و لوپن چیزی را که از هم گسستند، فرادستیِ دو حزبِ سیاسیِ سنتی در زندگی سیاسی فرانسه بود. برآمد این دو شخصیت برای دور دوم صف‌آرایی چپ و راست سنتی را در سیاست به هم ریخت. اختلاف این دو نفر یک دوگانگی سترون بین جهانی شدن و جهانی نشدن به وجود آورده است. باید دانست که دوگانگی‌هایی مانند اروپا و ملیت، آمریکایی شدن و مستقل بودن، استقلال و وابستگی متقابل با یکدیگر تناقضی ندارند. این پدیده‌ها درهم‌آمیخته شده‌اند. ما به جهانی شدن همکاری و فرهنگ نیازمندیم. سرزمین‌هایی که توسط بیابان‌زایی تهدید می‌شوند، آلودگی زمین و هوا، ویرانیِ کشاورزی و هزاران آسیب دیگر در جهان مسئلهٔ همهٔ ماست. ما با «پسادموکراسی» پوتین و اوربان و اردغان و لوپن روبه‌رو هستیم و در لحظهٔ کنونی مکرون پیشنهاد اقتصادیِ جدیدی ندارد. شاید او به‌مثابه رئیس‌جمهور مانند خوان کارلوس و یا گورباچف راه اقتصادی و اجتماعی تازه‌ای مطرح کند. مکرون از یک فضای مساعد عمومی و ضد لوپن برای حرکت مثبت و تکانی جدید برخوردار

است ولی در همان زمان یک «ضد مکرونیسم چپ و راست» قوی نیز وجود دارد. اگر از پویاییِ کنونی استفاده نشود، ناامیدی و اضطراب در انتظار است. باید هوشیار و آگاه بودَ و باید از ناامیدی و سرخوردگی دوری کرد.

ادگار مورن در هنگامهٔ بحران کرونا «راه خود را تغییر دهیم» (۲۰۲۰) را نوشت و درس‌های این بحران را در ۱۵ مورد یادآوری کرد: درسی دربارهٔ زندگی ما، درسی دربارهٔ شرایط انسانی، درسی دربارهٔ تردیدهای زندگی، درسی دربارهٔ رابطه با مرگ، درسی دربارهٔ تمدن، درسی دربارهٔ بیدار شدن همبستگی‌ها، درسی دربارهٔ بی‌عدالتی اجتماعی در زمان بحران، درسی دربارهٔ مدیریت اپیدمی در جهان، درسی دربارهٔ ماهیت بحران، درسی دربارهٔ دانش و پزشکی، درسی دربارهٔ هوشمندی در زمانهٔ پیچیدگی‌ها و زیست‌بوم، درسی دربارهٔ نارسایی‌های اندیشه و کنش سیاسی و دولت، درسی دربارهٔ جهانی شدن و استقلال ملی، درسی دربارهٔ بحران اروپا و بحران زمین. افزون‌بر این‌ها، ادگار مورن می‌گوید به چالش‌های این دوران و دوران پس از کرونا نیز باید فکر کرد: چالش زندگی، بحران سیاسی، بحران جهانی شدن، بحران دموکراسی، بحران اقتصاد دیجیتال، زیست‌بوم، بحران اقتصادی، تردیدها و خطر رکود بزرگ اقتصادی.

ادگار مورن می‌گوید تمدن غرب دارای تناقض است و جنبهٔ مثبت و منفی را در خود دارد. سیاست باید با هدف تصحیح و تقویت جنبه‌های مثبت باشد. برای نمونه، باید به اصلاح دموکراسی دست بزنیم و نقش شهروندان را افزایش بدهیم. باید دموکراسی مشورتی را با اقدام‌های مشخص رشد داد:

– ایجاد یک شورای زیست‌بوم با شرکت دانشمندان، شهروندان و نمایندگان دولت برای آماده کردن پروژه‌های اصلاحی بزرگ در زمینهٔ زیست‌بوم و اقتصادی و اجتماعی.

– ایجاد یک شورا دربارهٔ آینده که تمام کشف‌های جدید و اختراعات تازه و نتایج آن‌ها را مورد بررسی قرار دهد.

– ایجاد یک شورای نسل‌های گوناگون تا بتواند شرایط زندگی جوانان و نیز افراد سالخورده را بررسی کند و پیشنهاد بدهد.

– ایجاد شوراهای شهروندان در شهرها برای تعیین پروژه‌های شهری و اقتصادی و فرهنگی.

راز پیروزی در یک دموکراسی

دیشب رویارویی نامزدهای ریاست‌جمهوری فرانسه یعنی اِمانوئل مکرون و مارین لوپن بود. لوپن در یک بحث تهاجمی و همراه با تمسخر به مکرون برخورد نموده و بیشتر موضع یک فرد مخالف را ایفا می‌کرد. مکرون با آرامش و با دقت حرف می‌زد و در نقش نامزد واقعیِ ریاست‌جمهوری ظاهر شد. مکرون در عرصهٔ مسائل اقتصادی و اروپا از تسلطِ چشمگیری برخوردار بود، حال آن‌که لوپن مرتب به پرونده‌های خود نگاه می‌کرد و گفتارش از اشتباه و بی‌دقتی سرشار بود. مسائل مورد مشاجره دربارهٔ بازنشستگی، جداانگاری دین از سیاست، اسلام‌گرایی، مالیات، نقش فرانسه در اروپا و جهان و نیز بی‌کاری بود. در نظرسنجی پس از مناظره ۶۲ درصد بینندگان مکرون را برنده این بحث می‌دانستند. امروز گفته می‌شود که مکرون با این بحث از ریزش آرای خود جلوگیری کرد. هدف مارین لوپن مشت‌زنی بر روی رینگ بود ولی هدف مکرون نشان دادن بی‌برنامگی و تندرویِ لوپن و جدیت خود بود؛ هرچند، احتمال پیروزی مکرون در دور دوم امکان‌پذیر است ولی کار ساده‌ای نخواهد بود زیرا انتقال آرای رأی‌دهندگان به ملانشون (نمایندهٔ عوام‌گرای چپ تندرو) و رأی‌دهندگان فیون (نماینده راست سنتی) به‌سود مکرون کامل نخواهد بود. بخشی از رأی ملانشون و فیون به صندوق مارین لوپن ریخته خواهد شد. تعداد افراد متزلزل و مردد نیز زیاد است. در ایران، شش نامزد اسلامی گزینش مستقیم نظام دینی و استبدادی ولایت فقیه است و، بنابراین، به هیچ‌وجه به آن‌ها اعتمادی نیست، حال آن‌که در فرانسه روند دموکراسی عمل کرده و امروز مکرون و لوپن به دور دوم رسیده‌اند اما خانم لوپن نمایندهٔ شوینیسم و ملی‌گرایی و تندروِی راست و دارای یادمانهٔ پنهانی نوعی نازیسم است در صورتی که مکرون با توجه انتقاد به سیاست لیبرالی‌اش نمایندهٔ دموکراسی است. این لحظهٔ انتخاب نامزد دموکراسی در برابر نامزد عوام‌گرایِ راست تندرو است. بر اساس عقل سلیم، تردیدی جایز نیست. مبارزه و تلاش برای برنامه‌های متناسب با زیست‌بوم و عدالت اجتماعی پیوسته ادامه خواهد داشت زیرا برنامهٔ ماکرون ناتوان از برآورد همهٔ خواست‌ها است. آن‌چه در فرانسه روی می‌دهد تجلی دموکراسی است زیرا تقلب در انتخابات ممکن نیست و جدال دموکراتیک در جریان است و هیچ‌چیز مقدس نیست. قانون و فقط قانون و تمایل شهروندان

راز انتخابات است. گفتن این‌که سرمایهٔ بزرگ انتخابات را تعیین می‌کند یک قصهٔ چپ‌گرایانه بیش نیست. ما از کمبودها و نفوذها آگاهی داریم ولی افسانه‌سازی ایدئولوژیک پذیرفتنی نیست.

دموکراسی فرانسه

دموکراسی فرانسه در دورهٔ سختی قرار گرفته است زیرا خطای بخشی از جامعه می‌تواند تصرف قدرت را برای راست تندروِ مارین لوپن مهیا کند. اِمانوئل مکرون نمایندهٔ یک گرایش لیبرال ـ سوسیال است و برنامه‌های اجتماعی‌اش برای تقویت عدالت اجتماعی بسیار محدود است. برنامهٔ مکرون خواهان نرمش‌پذیریِ بیشتر بازار و هوادار حفظ اتحادیهٔ اروپا و خواستار محدود کردن انرژی اتمی در سال‌های آینده است. مکرون، با وجود کمبودهای مهم در برنامه‌اش، یک دموکرات است و برای دموکراسی خطری به شمار نمی‌آید، حال آن‌که مارین لوپن نمایندهٔ یک جریان عوام‌گرای اروپاستیز است. برنامهٔ او نوعی ملی‌گراییِ اقتصادی است و این طرحِ راه رشد اقتصادی را در مخالفت با مهاجرین می‌بیند. افزون‌بر آن، گفتمان لوپن متکی‌بر «خلق‌گرایی» ایدئولوژیک و بزرگ‌نمایی و دروغ‌پردازی است. این جریان خود را «پاک» می‌داند، حال آن‌که اتحادیهٔ اروپا بر ضد لوپن و در دادگاه مبلغ ۳۴۰۰۰۰ یورو ادعای خسارت مالی کرده است. فساد مالی یکی از ویژگی‌های خانوادهٔ سیاسی لوپن است و حتی ذهن برخی از رهبران این حزب به تزهای کوره‌های آدم‌سوزی یهودیان تمایل دارد. حزب «جبههٔ ملی» یک جریان شوینیستی با گرایش نژادگرایانه است. مارین لوپن یک خطر سیاسی بزرگ برای اروپا و دموکراسی فرانسه به شمار می‌آید. برای جمهوری‌خواه و دموکرات جامعهٔ فرانسه، مخالفت با مارین لوپن یک اصل دموکراتیک است. انتخابات دور دوم با خطر راست تندرو همراه است و تنها گزینش برای رویارویی با عوام‌گراییِ راست تندرو رأی به امانوئل مکرون است. باید در نظر داشت که بر اساس یکَ نظرسنجی، یک‌سوم رأی‌دهندگان جناح راست سنتی و ۱۵ تا ۲۰ درصد رأی‌دهندگان ملانشون تمایل دارند در دور دوم به لوپن رأی بدهند. ملانشون رهبر چپ تندور و هوادار تروتسکیسم و کاستریسم و چاوِزیسم است. او، که مورد

علاقهٔ بیشتر چپ‌های ایران هم هست، در مصاحبهٔ خود با نرمش اعلان کرد که به لوپن رأی نمی‌دهد ولی سفارش نمی‌کند تا هوادارانش در دور نهایی به اِمانوئل مکرون رأی دهند. این‌گونه موضع‌گیری کاملاً در را باز نگه می‌دارد تا هوادارانش به مکرون رأی ندهند. آیا چپ تندرو به کمک راست تندرو می‌شتابد؟ چرا؟

دیدار با یدالله رؤیایی

چند ماه بود که همدیگر را ندیده بودیم. هنگامی که او خبر شعرخوانی‌اش در «اینالکو» با عنوان «یدالله رؤیایی، چهرهٔ برجستهٔ شعر فارسی» را برایم فرستاد، کلاسم را در دانشگاه جابه‌جا کردم تا در نشست حاضر باشم. رؤیایی زادهٔ ۱۳۱۱ است و نخستین کتاب‌های پرسروصدایش دریایی‌ها و دلتنگی‌ها را در سال‌های ۱۳۴۴ و ۱۳۴۶ چاپ کرد. این کتاب‌ها، در کنار شعرهای نیما و فروغ و شاملو، نخستین تماس من با شعر نو بودند. به همین خاطر، مزهٔ شعرهای رؤیایی همیشه در ذهنم باقی مانده. در دارالفنون که بودم این شعرها را زمزمه می‌کردم. فضای فکریِ دارالفنون سنتی و کلاسیک بود و شعر نو جایی در آن نداشت، ولی من و دوستِ دیگرم شیرازی، تنها کسانی بودیم که شعر نو را به دیگران معرفی می‌کردیم. در آن روزها، شعرهای رؤیایی در سطح جامعه جنجال آفریده بود زیرا بیشتر شاعران نوگرا و هنرمندان و روزنامه‌نگاران از مسئولیت و تعهد شعر نو می‌گفتند و رؤیایی از «شعر حجم و شعر فرم» صحبت می‌کرد. او می‌گفت: «من به شعر رسیده‌ام و می‌دانم چیست ولی تعریفش را نمی‌دانم. شعر تعریف است.» برای او شعر مصور حرکت است و ویژگی آن تصویر است. شعر حجمی از تجرید است. شعر رؤیایی فضا و فرم می‌سازد. در شعر او واژه‌های برگزیده، در پایان، تصویری را ترسیم می‌کنند و حجمی را می‌سازند. او در شعری می‌نویسد: «آه! اگر ابر سیه را می‌چلاندم، می‌چلاندم در میان دست‌ها ... تا هیچ گردد!» در شعر دیگری می‌نویسد: «سکوت، دسته‌گلی بود میان حنجرهٔ من.»

وارد شدن به فضای شعر رؤیایی همیشه آسان نیست. برای ورود به شعرش باید خود را به واژه‌ها و استعاره‌ها و تمثیل‌ها و تصاویر سپرد و با آرامش در این فضای رؤیایی حرکت کرد. بزرگ‌ترین دگرگونی شعر فارسی شعر نیمایی بود و شعر رؤیایی در بستر این فرهنگ نوگرا دگرگونیِ دیگری به وجود آورد. این دگرگونی تنها از آن رؤیایی است. در زمان شعرخوانی، یدالله رؤیایی زبان شفافی دارد و

خواننده را به خود جذب می‌کند ولی از آنجا که بیشتر شعرهای او کوتاه هستند، شنونده در قطار سفرش مدام از خواب بیدار می‌شود. در پایانِ نشست، یدالله رؤیایی گفت: «جلال، بیا تا برایت یادداشتی بنویسم.» در یادداشت کتاب مجموعه اشعار برایم نوشت: «برای جلال ایجادی، زندگی شعر او» و در یادداشت کتاب من گذشته امضا نیز برایم نوشت: «برای جلال ایجادی، امضایی در آیندهٔ ما»

عوام‌گرایی چپ

در حال حاضر، در دورهٔ انتخابات ریاست‌جمهوری فرانسه دو جریان عوام‌گرای چپ (ملانشون) و راست تندرو (لوپن) دو خطر بزرگ برای دموکراسی به شمار می‌آیند. ویژگی عوام‌گرایی در ایدئولوژیک بودن و «خلق»سازی آن است. بخشی از چپ ایران که در گذشته هوادار اِستالین و مائو و کاسترو بوده، امروز پشت ملانشون است و از او پشتیبانی می‌کند. ملانشون شیفتهٔ کاسترو و چاوِز و مخالف اتحادیهٔ اروپا و خواهان خروج از اروپاست ولی هوادار پیمان «آلیانس بولیوار» چاوِز و کاستروست. بادی یادآور شدکه ملانشون نمایندهٔ پارلمان اروپاست و هرگز به وظایف خود در پارلمان عمل نکرد اما حقوق کلانی در جیب خود گذاشت. او هوادار سیاست روسیه است، در تبلیغات خود بر ضد ثروتمندان فعال است و ادعا دارد تنها نمایندهٔ واقعی «خلق» است؛ او به کنفرانسی باور دارد که تمام مرزها را از دریای آتلانتیک تا کوه‌های اورال تعریف کند. ملانشون برای برنامهٔ دولتی‌اش ۲۷۳ میلیارد یورو در نظر گرفته ولی درآمد دولتی هرگز کافی نیست؛ بنابراین، او از اروپا می‌خواهد تا اسکناس چاپ کند. البته دیگر کشورها مخالف سیاست ملانشون هستند زیرا پول بدون پشتوانه اقتصاد را شکننده و تورّمی می‌کند. ملانشون گفتار چپ‌گرای مورد پسند چپ‌های رمانتیک را دارد و خواهان انقلاب است و قول می‌دهد که جامعهٔ او «بهشت برین» است. از ویژگی‌های شخصی او می‌توان به بزرگ‌نمایی، برخورد تهاجمی با مطبوعات، خشونت گفتاری، کیش شخصیت و خودخواهی اشاره کرد. در نقد برنامهٔ او، شمار فراوانی از اقتصاددانان فرانسه موضع گرفته‌اند و بزرگ‌ترین سندیکای کارگری «کنفدراسیون دموکراتیک کار» نیز بینش او را یک «بینش خودکامه» ارزیابی کرده است. بخشی از جامعه شیفتهٔ اوست زیرا او سخنور قوی و مردم‌فریبی است و البته قدرت کلامی او

برای تسلط بر ذهنیت ساده‌گرا حربهٔ نیرومندی است. عوام‌گرایی هیجان‌برانگیز است و برای کسانی که در فضای روانیِ ایدئولوژیک قرار دارند دلپذیر است. دو عوام‌گراییِ یادشده بیماری خطرناکی به شمار می‌آیند و من به هر دو رأی مخالف خواهم داد.

ما از کجا می‌آییم؟

همهٔ جهان بر پایهٔ کشف علمیِ ستاره‌شناسی ۱۳ تا ۱۴ میلیارد سال پیش به وجود آمده است. تشکیل نظام خورشیدی ما و در درون آن، کُرهٔ زمین به چهار و نیم میلیارد سال پیش برمی‌گردد. موجودات تک‌یاخته‌ای مانند باکتری نزدیک به ۴ میلیارد سال پیش پدیدار شده‌اند. در ردهٔ انسان‌ساییان بسیار دور، شامپانزه‌ها نزدیک ۶ میلیون سال پیش از شاخهٔ پیشین خود جدا شدند و آن‌ها نزدیک‌ترین خویشاوندان زنده انسان هستند. شاخه‌ای از شامپانزده‌ها و انسان که از خانوادهٔ انسان‌ساییان هستند که بر اساس نظریهٔ ماری کلر کینگ در سال ۱۹۷۳ دارای ۹۹ درصد دی. اِی. اِن همانند می‌باشند. در چارچوب نظریِ داروین و نظریهٔ فرگشت و بر پایهٔ پژوهش‌های انسان‌شناسی، نخستین‌شناسی، باستان‌شناسی، سنگواره‌شناسی، رویان‌شناسی، زبان‌شناسی، تاریخ‌شناسی، جغرافیا و ژنتیک، دگرگونی‌های بی‌شمار در خانوادهٔ انسان‌ساییان به وجود آمد و راست‌قامت‌ها نزدیک‌به سه میلیون سال پیش ظهور کردند و انسان خِردمند امروزی از حدود ۲۵۰,۰۰۰ هزار سال پیش تاکنون زیسته. به تابلوِ علمی تغییر و فرگشت نگاه کنید تا به باور افسانهٔ دین در مورد پیدایش انسان پی ببرید. (منبع دو تابلو: ویکی‌پدیا)

دین‌های یهود و مسیحیت و اسلام در کتاب خود نوشته‌اند که خدا جهان و طبیعت و انسان را در ۷ روز آفرید. بخش مهمی از بشریت این افسانهٔ ادیان ابراهیمی را پذیرفت، حال آن‌که تاریخ و علم نمی‌توانست این افسانهٔ جزمی را بپذیرد. چارلز داروین راه را برای توضیح علمی پیدایش موجودات گشود و با نظریهٔ فرگشت نظریهٔ دگرگونیِ شامپانزه به انسان را طرح کرد. تمام دانشمندان در زمینهٔ انسان‌شناسی، زیست‌شناسی، ژنتیک، مردم‌شناسی زیستی یا کالبدی، باستان‌شناسی محیطی، دیرین‌مردم‌شناسی و سنگواره‌شناسی با تجربه و دانش خود روشن ساختند که راه داروین درست بود. سیر دگرگونی از شامپانزه به نئاندرتال

و به انسان خِردمند و بالأخره به انسان نوین سه میلیون سال طول کشید. امروز در سدهٔ بیست‌ویکم و در عرصهٔ علمی از «انسان افزایشی» صحبت می‌شود، انسانی که به‌شکرانهٔ دانش ژنتیک می‌تواند تا سیصدسال زندگی کند.

مطالعهٔ کتاب‌های دانشمندانی مانند چارلز داروین، پاسکال پیک، ریشارد داوکینز، ماری لیکی، ریچارد لیکی، هنری مک هنری، آکسل کان، ایو کوپنس، رابرت بروم، آلن تمیلتون، فیلیپ توبیاس، ریموند دارت و جفری شوارز توضیح زیبای این رویدادهای شگفت‌انگیز است. بنابراین، ما از طبیعت سرچشمه گرفته‌ایم

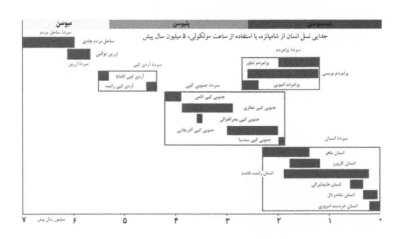

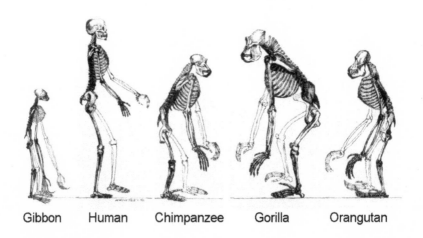

و، در پایان، به طبیعت برمی‌گردیم. بنابراین، خدایی در کار نیست و انسان که از تیرهٔ حیوان است پس از مرگ به اتم‌های طبیعت تبدیل خواهد شد. بهشت و دوزخ ما در همین زمین است. زمانی که انسان با آرمان انسانی زندگی می‌کند، در زندگی از شادی و آسایش روان برخوردار است، از زندگی شخصی و جمعی‌اش خشنود است و در زندگی می‌آفریند و با عشق و احساس و عقل روزگار می‌گذراند، در بهشت و خوشبختی قرار گرفته است.

اخلاق ناممکنِ آخوند

آخوند، ابراهیم رئیسی، که تولیت آستان قدس رضوی را در اختیار دارد با پشتیبانیِ خامنه‌ای خود را نامزد ریاست‌جمهوری کرد. این آخوند، که در رأس امپراتوریِ امام رضای سامی است، یکی از اعضای گروه موسوم به «هیأت مرگ» است که با حکم آیت‌الشیطان خمینی شمار فراوانی از مخالفان سیاسی و جوانان کشور را سنگدلانه به جوخه‌های اعدام سپرد. یک بار دیگر می‌بینیم که در این جمهوری اسلامی و نزد رهبران و جزم‌اندیشان آن، تنها چیزی که وجود ندارد همان اخلاق سیاسی است و به همین خاطر هم فساد و تباهی در پیکر این رژیم همه‌جانبه است؛ زشت‌ترین و تبهکارترین افراد به نوبت بر سر کار می‌آیند. زمانی هم که باید عناصری از این حاکمان از دور خارج شوند در استتار قرار می‌گیرند.

اخلاق چیست؟ اصول راهنمای زندگی ام برای اینکه کردار نیک داشته باشم، باور به مسئولیت و آگاهی انسان، دفاع از حقوق بشر، پشتیبانی از منافع یک ملت و دوری از فساد. حال کدام اخلاق در نزد حاکمان حاضر است؟ باندهای شیعهٔ حکومتی فقط از طبقهٔ آخوند و خانواده‌های موجود در شبکهٔ قدرت پشتیبانی می‌کنند و سراپا در فساد مالی و سیاسی غوطه‌ور هستند. فساد در جهان‌بینی و سیاست و اقتصاد و اجتماع آشکار است. حکومت با ساختار فساد شکل یافته است زیرا با استبداد مطلقه فردی عجین است.

اخلاق اجتماعی مداراگری را در جامعه تقویت می‌کند. در دنیا کسانی وجود دارند که هرگز اخلاق پذیر نیستند زیرا زیستن آن از فساد مایه گرفته است. افراد حکومتی در دین‌داری خود و در رفتار سیاسی و اجتماعی خود با فساد

درآمیخته‌اند و همهٔ آخوندهای حکومتی و حوزوی تمام چیزها را در خدمت خود و دین خود می‌خواهند. منافع عمومی در یک بینش تبعیض‌گرا قابل رعایت نیست.

اخلاق آخوند چیست؟ منبع الهام آخوند قرآن و امامان هستند. آخوند حیله گر است، آخوند عقده‌های جنسی دارد، آخوند خرافه پرست است، آخوند قدرت پرست است، آخوند چاکر خاندان بنی هاشم است، آخوند مال مردم خور است، آخوند دروغگو است، به آخوند هرگز نمی توان اعتماد کرد. آخوند هنگامیکه می‌خواهد اخلاقی بودن خود را اثبات کند به قرآن سوگند می‌خورد و از سوره‌ها شاهد می‌آورد. ما می‌دانیم قرآن یکی از بی اخلاقی ترین کتاب‌ها در جهان است.

اکسل کانِ دانشمند و اخلاق و ژنتیک

در نمایشگاه کتاب پاریس، دوست اندیشمند و قدیمی‌ام، اکسل کان را دیدم. اکسل کان یکی از بارزترین دانشمندان ژنتیک فرانسه است و در عرصهٔ فلسفی و اخلاق اجتماعی دارای آثار گوناگون است. اکسل کان که در سال ۱۹۴۴ زاده شده، مدت‌ها مدیر پژوهش‌های علمی ـ ژنتیکی در مرکز پژوهشی «اینسرم» و استاد و رئیس دانشگاه «رنه دکارت» پاریس بود. افزون‌بر آن، او در رَأس یک نهاد کشوری مربوط به اخلاق است که قوانین و سیاست‌ها را کنترل می‌کند. می‌توان گفت که دانش ژنتیک و نیز عصب‌شناسی در سدهٔ بیست و یکم، در درجهٔ نخست اهمیت در سطح جهانی قرار گرفته‌اند. در فرانسه پژوهش‌های اکسل کان و گروه پژوهشیِ او کشف برجسته‌ای به شمار می‌روند. اکسل کان از مخالفان تاگ‌سازیِ انسانی اَست و بهره‌گیری از ژنتیک را در زمینهٔ سیاسی و اجتماعی یک خطای اخلاقی می‌داند. او تاکنون بیش از بیست اثر چاپ کرده است که نیمی دربارهٔ دانش زیست‌شناسی و ژنتیک است و نیم دیگری دربارهٔ پیوند علم و فلسفه و اخلاق.

اکسل کان همیشه بر اهمیت دانش تأکید می‌کند ولی پیوسته هشدار می‌دهد که معنویت و انسانیت را نباید از دانش دور کرد. او دربارهٔ «ترانسان‌گرایی» بر آن است که جهان بیش از گذشته و به‌طور انبوه به‌سوی کاربست ابزارهای مهارتی و اندام مصنوعی در بدن انسان می‌رود. حال، چه‌بسا بیش از پنجاه درصد بدن انسان از قطعات تکنیکی باشد ولی تا زمانی که انسان دارای احساس است و

عشق می‌ورزد و همبستگی انسانی دارد و دارای آرزو و پروژه است، انسان باقی می‌ماند. او می‌گوید نباید در برابر فن‌آوری ایستاد و باید آن را به‌طور کامل مورد استفاده قرارداد ولی، در ضمن، نباید شیفتهٔ مهارت شد و فکر را تعطیل کرد بلکه قدرت فکری و احساس و عاطفه را باید به‌مثابه گوهر انسانی به شمار آورد و آن‌ها را حفظ کرد.

فلسفهٔ رمی براگ

رمی براگ، اندیشمند و فیلسوف فرانسوی زادهٔ ۱۹۴۷ است. او در دانشگاه سوربن پاریس و نیز دانشگاه مونیخ درس داده است. از جمله کتاب‌های معروفش او می‌توان به اروپا، راه امپراتوری رم، خدای مسیحیان کیست؟، حاکمیت انسان، نوگرایی معقول و تاریخ به کجا می‌رود؟ اشاره کرد. او یکی از کارشناسان فلسفهٔ یهودیت مانند ابن میمون و فلسفهٔ دنیای اسلام مانند فارابی و رازی و نیز فلسفهٔ غرب مانند هایدگر و لِوی اِشتراوس است. او می‌گوید «فلسفه و تمدن اسلامی نمی‌توانند با نوگرایی کنار بیایند و فقط می‌توانند مثل هانری کربن با درهم‌آمیزیِ دین و فلسفه «تئوزوفی» به وجود آورند. آیا باور به چنین‌چیزی منطقی و خِردمندانه است؟ او می‌گوید باید در فلسفهٔ نوگرایی باقی ماند. براگ نیز بر آن است که نوگرایی قابل انتقاد است ولی نباید به دامان دین بیفتد. او می‌گوید نوگرایی به یک انسان‌گرایی همه‌جانبه می‌انجامد و در جامعهٔ فرهنگیِ رشدیافته رفتارهایی وجود دارند که با وحشی‌گری دمسازند. او می‌افزاید رویدادِ اساسی در دوران نوگرایی سرآغاز دموکراسی است و از این پس بشریت جهت و قطب‌نمای خود را یافته است.

او مفهوم پسانوگرایی را به نقد می‌کشاند و آن را مقولهٔ محکمی به شمار نمی‌آورد ولی نوگرایی برای او به‌معنای روحیه‌ای است که خود را از سده‌های میانه به این سو از دنیای کهن جدا کرده. نوگرایی یک گسست است و از دورهٔ نوزایی آغار می‌شود و انسان در آن اعلان می‌کند که نقطهٔ مرکزی جهان و چهارچوب معیار خود اوست. نوگرایی یک سلسله ارزش است که البته این ارزش‌ها بی‌رابطه با ریشه‌های پیشین نیستند و از آسمان نیامده‌اند. این ارزش‌ها به

حقوق انسان و آزادی او توجه دارند ولی باید به این آزادی اندیشید و نیز به این‌که آیا تا اندازه‌ای فاسد شده یا نه. آزادیِ بدون هدف و جهت به پوچی می‌گراید و گونه‌ای آزادیِ زخمی است. نوگرایی یک پروژه است. از دید، رمی براگ در منطق خداناباوری نیازی به خدا نیست. شناخت علمی و رشد آن مانند فیزیک و غیره نیاز به خدا ندارد. سازمان‌دهی سیاسی و اجتماعی و مناسبات اجتماعی صلح‌آمیز نیازمند وجود خدا نیست. انسان‌ها باید بتوانند با قراردادهای میان خود زندگی را بگردانند و، بنابراین، خدا هیچ نقشی ندارد. خداناباوری نمی‌تواند حرفی دربارهٔ آیندهٔ جهان و جامعه بزند ولی جامعهٔ امروز در تمام موارد فایدهٔ خود را نشان می‌دهد و انسان نه به خدا بلکه به خود انسان رجوع می‌دهد. انسان برای زندگی به خوبی و معنویت نیاز دارد نه به تقدس آسمانی. امر مقدس شما را مجبور به مرگ می‌کند و می‌خواهد جان خود را نیز قربانی کنید.

نخستین اثر برجستهٔ او اروپا، راه رم در سال ۱۹۹۲ چاپ شد که به‌دنبال آن کارهای این فیلسوف را در سه جهت مهم گسترش: نخست، کتاب دانایی جهان، دوم کتاب قانون خدا و سوم کتاب دربارهٔ رهایی انسان از طبیعت و از خدا. رمی براگ پایهٔ تمام کارهای فلسفی خود را در بررسی نقادانهٔ دین یهودیت و مسیحیت و اسلام و فلسفهٔ سده‌های میانه قرار می‌دهد. پژوهش‌گرانی که دربارهٔ دین پژوهش می‌کنند به‌طور مسلم باید نگرش رمی براگ را بشناسند.

فرانسه از نگاه تود شِپرد، تاریخ‌دان آمریکایی

تود شِپرد، تاریخ‌دان معاصر آمریکایی کتاب استعمارزدایی مردانه را چاپ کرد. مطلب اصلی این کتاب بررسی سیاست فرانسه، روابط جنسی و نژاد و استقلال الجزایر تا انقلاب اسلامی ایران است. او می‌گوید جناح راست تندروِ فرانسه همیشه از استعمار فرانسه پشتیبانی کرده و مرد عرب را خشن و متجاوز و گردن‌کلفت و اشغال‌گر فرانسه معرفی کرده است، حال آن‌که جناح چپ فرانسه که با جنبش ماه مه این کشور رشد کرد، «عرب‌پرست» شده و مرد عرب را انقلابی و مهربان به شمار آَورده و او را مبارز با امپریالیسم و سرمایه‌داری معرفی می‌کند. این چپ برای پشتیبانیِ ایدئولوژیک خود حتی آنجا که مردان عرب به جنایت دست می‌زنند و به

تجاوز جنسی در فرانسه می‌پردازند، خاموش ماند و پنهان‌کاری کرد تا چهرهٔ مرد عرب مهربان و امپریالیست‌ستیز باقی بماند. نویسنده در پایان کتاب به‌اشتباه مرگ‌آور میشل فوکو دربارهٔ انقلاب اسلامی گرفتار می‌آید و شیفتگی به اسلام در نزد بخشی از روشن‌فکران غربی را از این زمان در نظر می‌گیرد. به‌راستی، چرا نگاه معتدل و علمی ناتوان است؟ چرا زیاده‌روی در قضاوت ما را رها نمی‌کند؟ در بسیاری از مواقع، ملاحظات سیاسی کوتاه مدت منجر به قربانی کردنِ اندیشهٔ علمی می‌شود.

پیش از انقلاب فرانسه، تصویرهای رؤیایی هزار و یک شب جاری بود ولی از زمان جنگ الجزایر از میان گفتارهای رایج در محیط سیاسی راست و راست تندرو این بود که «الجزایر فرانسوی است ولی الجزایری‌ها فرانسوی نیستند.» گفتار دیگر این بود که «مرد عرب الجزایری تجاوزکار جنسی است و همهٔ زن‌ها قربانی مرد عرب هستند.» از دید تود شِپرد، این واکنش نتیجهٔ واکنش روانی فرانسویانی بود که در حال باختن بودند. جنگ پایان حضور فرانسه در الجزایر بود و افراد یادمانه‌پرور برای توجیه سرکوب می‌گفتند الجزایری متجاوز است. در برابر این شرایط با روحیهٔ الجزایری‌ستیز، چپ‌ها نگاه رمانتیکی داشتند و فرانتس فانون می‌گفت: «حجاب زن هیچ مسئله‌ای نیست و مسئلهٔ اصلی استعمار است.» کامو نیز می‌گفت نباید به رهبران «جبههٔ آزادی‌بخش ملی» الجزایری اعتماد کرد. در فرانسه، وکیل معروف یعنی ژیزل حلیمی در پشتیبانی از مبارزان الجزایری و استقلال الجزایر کارزاری راه انداخت و از جمیله بوپاشا، که توسط سربازان فرانسوی شکنجه شد و مورد تجاوز قرار گرفته بود، پشتیبانی کرد ولی در همان زمان برخی محافل فمینیست فرانسوی خواهان دادگاهی کردن الجزایری‌هایی بودند که در فرانسه به زن‌ها تجاوز کرده بودند. چپ‌ها می‌گفتند مسئلهٔ مهم «فقر جنسی» مرد الجزایری است و فمینیست‌ها می‌گفتند فقر جنسی یک مسئله و تجاوز جنسی مسئلهٔ دیگری است و باید محاکمه شود و نمی‌توان در برابر مردسالاری و خشونت و تجاوز جنسی سکوت کرد. چپ‌ها می‌گفتند دادگستری یک نهاد بورژوایی است و حق ندارد این موضوع را دنبال کند. بنابراین، فضای بحرانی و یادمانه‌پروری‌های استعماری و دشمنی‌های هیجانی و پنهان کردن زشتی‌ها و مردانگی و تجاوزکاری جنسی از ویژگی‌های روان‌شناسانهٔ این دوره است.

پس از انقلاب الجزایر، فمینیسم در فرانسه رشد می‌کند و خواست حقوق زنان و برابری آن‌ها با جنبش ۱۹۶۸ به اوج می‌رسد. اخلاق جدیدی در جامعه مستقر

می‌شود و یک انقلاب فرهنگی در مناسبات زن و مرد به راه می‌افتد. این تمایل جدید برای برابری زنان در فرانسه پررنگ بود ولی به فرانسه محدود نمی‌شد. انقلاب دینی ایران در ۱۹۷۹ به‌ناگاه واکنش منفی به حقوق زنان نشان داد و اعلان کرد «یا توسری یا روسری» انقلاب ایران بازگشتی به سده‌های میانه بود و با نظم «اخلاقی جدید» فرمان شکنجه و اذیت و سرکوب زنان و همجنس‌گرایان داده شد. انقلاب ۱۹۵۷ ایران پیام جنبش مِه ۱۹۶۸ فرانسه را کاملاً فراموش کرده بود.

پیشرفت زنان به‌مثابه پیشرفت تمدن

ادیان ابراهیمی مانند اسلام مردسالار و بر ضد برابری حقوق زنان هستند. رژیم‌های سیاسی در جهان همیشه مردانه بوده‌اند و، با وجود شخصیت‌های استثنایی مانند گلدا مایر و ایندرا گاندی و مادام تاچر، این رژیم‌ها بر ضد حقوق زنان عمل کرده‌اند و نظام‌های اداری پیوسته نقش جانبی و فرعی برای زن در نظر گرفته‌اند. برخی نظام‌های سیاسی تا اندازه‌ای خود را تغییر داده‌اند و شرکت‌های اقتصادی نوگرا در غرب با رشد آگاهی عمومی و خواست زنان در اجتماع بیشتر مدیریت خود را دگرگون کرده و نقش زنان را در مقام و مسئولیت‌های مدیریتی افزایش داده‌اند. در فرانسه، تکانی جدی برای پیشرفت زنان از جنبش ۱۹۶۸ آغاز شد. هم‌اکنون، در بیش از چهل درصد شرکت‌های بزرگ فرانسه نقش زنان در شورای مدیریت تعیین‌کننده است. این رقم نشان‌دهندهٔ آن است که فرانسه از دیگر کشورهای اروپایی مانند انگلستان و ایتالیا و آلمان و اسپانیا پیش است. در طی سال پیش، بر اساس آمار، ۶۰ درصد انتخابات شورای اداری شرکت‌ها به زنان تعلق گرفته است. شرکت برق فرانسه با داشتن ۶۴ درصد اعضای شورای اداری از زنان بهترین شرکت شناخته شده است. البته سهم زنان در مجلس فرانسه ۲۴ درصد است و در سنای فرانسه ۲۶ درصد است ولی در شورای شهرداری‌ها و منطقه‌ها سهم زنان به بیش از ۴۰ درصد می‌رسد.

دستاوردها در راستای برابری و آزادی زنان چشمگیر بوده ولی هنوز از برابری کامل بسیار دور هستیم. مانند بسیاری از جوامع، در فرانسه نیز وزنهٔ مردسالاری و عادت‌های مردانه هنوز زیاد است. افزون‌بر آن، فشار فرهنگ مذهبی کاتولیک و

اسلام آهنگ پیشرفت زنان را کُند می‌کند. روشن است که پیشرفت و آزادی زنان در فرانسه با آن‌چه که در کشورهای اسلامی و واپس‌گرا می‌گذرد قیاس‌پذیر نیست. در ایران، قرآن و اسلام و حکومت اسلامی و آخوندها و نواندیشان دینی و مردان بسیاری زن‌ستیز هستند زیرا در اسلام برابری زن‌ومرد هرگز نمی‌تواند موجود باشد. در فرانسه، تاریخ زنان پربار است و جنبش ماه مِه ۱۹۶۸ فصل جدیدی در پیشرفت زنان به شمار می‌آید. آزادی جنسی، پیشرفت اجتماعی زنان، جنبش فمینیستی، ورود فعال زنان در عرصهٔ سیاست در فرانسه نقش زنان را پررنگ کرد.

عیدهای اسلامی توطئهٔ بر ضد جشن نوروز

نوروز یکی از کهن‌ترین جشن‌های طبیعی و مردمی به‌جا مانده از دوران باستان است. این جشن، در ۴ اسفند ۱۳۸۸ در نشست مجمع عمومی سازمان ملل به‌رسمیت شناخته شد و بر ریشهٔ ایرانی آن تأکید و تصویب شد. این جشن در جهان از جانب بیش از ۳۰۰ میلیون نفر برگزار می‌شود. نوروز در کشورهای ایران، آذربایجان، افغانستان، پاکستان، عراق، سوریه، هند، قرقیزستان، ترکمنستان، تاجیکستان و ترکیه جشن گرفته می‌شود. یکی از ویژگی‌های برجستهٔ نوروز همسویی ساختاری‌اش با طبیعت است. رویش گیاه و آغاز بهار با سرود آب و پرندگان و باز شدن گل‌ها در جشن نوروز درهم آمیخته است. نوروز سرآغاز روحیهٔ شاد و فصل خنده و زندگی نو و در بنیاد خود زیست‌محیطی است و با احساس شادمانهٔ مردم و پایان سردی و تاریکی زمستان همراه است. نوروز، برخلاف اندوه و زاری دینی، شاد است و برخلاف فشار روحی دینی و تهدیدهای مکرر قرآن به آتش دوزخ آرامش‌بخش است. دلهره‌ها و نگرانی‌ها و دوری‌ها و غم‌ها با آمدن نوروز به پس رانده می‌شوند. دیدارها و خوشامدگویی‌ها وهدیه دادن‌ها و به هنگام دیدار و گل پیشکش کردن‌ها فضا را پر می‌کند. نوروز روحیه‌ها را شاداب می‌کند و همه می‌خواهند خانه‌تکانی‌ها همراه با احساس و اندیشه‌های نو باشد. نوروز دلپذیر یادآور خاطره و بیان یک احساس تاریخی، مردمی و هویتی است اسلام در پی نابودی جشن نوروز بود ولی این جشن تاریخی طبیعی و اسطوره‌ای ادامه یافت. دوستان، نوروز پیش رو را هم همچون باقی نوروزها به

همگی شادباش می‌گویم زیرا من هوادار شادی هستم.

جشن نوروز را گرامی می‌دارم زیرا از ریشهٔ ما و فرهنگ ما حرف می‌زند، از طبیعت و زندگی می‌گوید. جشن نوروز با شادی و روان انسان‌ها پیوند دارد، آدم‌ها را به هم نزدیک می‌کند، موسیقی و شعر را فعال می‌کند، اندوه و غم را پس می‌راند. از نگاه جامعه‌شناسی، هر جشنی روح یک ملت را بازتاب می‌دهد و هویت او را به نمایش می‌گذارد. این جشن پیوند انسان و طبیعت را برجسته می‌کند و پیوندهای اجتماعی را از سستی بیرون می‌کشد. عید قربان متکی‌بر اسطوره‌ای خشونت‌بار است زیرا ابراهیم برای اثبات مِهر و اطاعت خود به خدادر پی کشتار فرزندش اسماعیل است. در جامعهٔ مسلمان، این عید به کشتار بزرگِ گوسفندان و جاری کردن خون در میدان‌های عمومی منجر شده است. جشن‌های نیمهٔ شعبان برای مهدی، زادروز فاطمهٔ زهرا و امامان همگی ساختگی، ایرانی‌ستیز و مسخ‌کننده‌اند و در ستایش استعمارگری و نادانی و خرافه هستند. جشن غدیر یک واقعهٔ جعلی شیعه‌گری و سرسپردگی به علی خلیفهٔ استعمار عرب است. عید فطر عید آخوندهاست تا با خمس و زکات ملت را بیشتر بچاپند. تمام تلاش اسلام از زمان هجوم عرب تا جمهوری اسلامی در پی نابودی جشن نوروز و تمدن ایرانی بوده است ولی این جشن به همت مردم و ایران دوستان پایدار باقی مانده است. این جشن را گرامی بشماریم و آن را به یاران و فرزندان خود بیاموزیم.

تدریس لذت‌بخش

داشتن یک حرفه و نقشی در اجتماع و اقتصاد عامل جالبی در زندگی هر فردی است و زمانی که فرد از چیستی و طبیعت کارِ خود خوشش بیاید و فعالیتش انگیزهٔ پیشرفت فکری‌اش و آرامش‌بخش باشد، بهترین حالت ممکن است. مارکس می‌گوید: «کار کارگری منبع ازخودبیگانگی فرد است.» ولی باید توجه کرد که هرفعالیتی به‌شکل منفی و زیان‌بار عمل نمی‌کند. فعالیت‌هایی هستند که منکوب‌کنندهٔ شخصیت انسانی‌اند و فعالیت‌های دیگری نیز موجب شکوفایی او. درس دادن در دانشگاه برای من همیشه لذت‌بخش بوده زیرا من همیشه آموخته‌ام و پیوسته دانشجویانم از تدریسم خشنود بوده‌اند و گفته‌اند که در این کلاس‌ها

چیزهای زیادی می‌آموزند. چندی پیش به همکاران اداری گفتم به‌خاطر دوران بازنشستگی تا یک سال دیگر فعالیت تدریسم به پایان می‌رسد. به‌دنبال این اعلان، شمار بسیاری از آنان خواستند تا آنجا که قانون اجازه می‌دهد در دانشگاه بمانم و دانشجویان زیادی نیز به رئیس دانشگاه نامه دادند و خواستار ادامهٔ تدریسم شدند. البته مسئولان دانشگاهی نیز چندی پیش همین درخواست را داده بودند. خوشبختانه، من این شانس را داشته‌ام و کار دانشگاهی مورد پسندم بوده است. از این‌که کارم مفید ارزیابی می‌شود خوشحالم و من از این‌همه قدردانی و محبت سپاس‌گزارم! یکی از ویژگی‌های تدریس باید تشویق دانشجو به آموختن باشد، عشق به آموختن نه‌تنها برای دریافت مدرک بلکه برای دانستنِ بیشتر و تلاش مداوم انسان بر ضد نادانی خود و برای آزادی.

براستی آموزش چیست؟

آموزش، شکل دادن به شخصیت نیست. وجه برجسته شخصیت دانش آموز و دانشجو، از پیش و در مناسبات دیگر ساخته شده است. تاثیر گذاری بر شخصیت زمانی میسر است که عوامل زیر در نظر گرفته شود: امر آموزش شامل برقراری ارتباط شخصی، عمیق، معتبر، روانشناختی می‌باشد. افزون بر آن عمل برای شناخت و یادگیری، باید طبق یک الگوی دولتی و عمومی قابل اعتماد باشد. مشارکت در عملکرد گروه پداگوژیکی مدرسه و دانشگاه اعتماد می‌افریند. شرکت نهاد آموزشی در فرآیند تقسیم کار مدرسه و ادغام اجتماعی یادگیری را قابل قبول می‌گرداند. ابن مدل از آموزش باید "نیازهای" دانش آموزان و دانشجویان را تأمین کند. دانشجو باید آینده خود را در آموزش امروز ببیند. برای آموزش دادن، شما باید خود نماینده چیزی باشید که فراتر از ما باشد و این مورد احترام ما باشد.

فرد درس دهنده باید در جامعه و جایی که آموزش می‌دهد و نقشی را بازی کند، مورد احترام باشد و دارای یک موقعیت قانونی باشد. در این نظام باید قوه قضاوت، مدل ارزیابی، تنبیه و تشویق و نوع عملکرد به طور نهادی تعریف شده باشد.

شما باید بدانید که به چه کسی آموزش می‌دهید و از ماهیت خاص تمایل آنها برای افزایش آزادی خود آگاه باشید. باید درک شود که آموزش یک رابطه اجتماعی است، و استاد و معلم نماینده جامعه است. آنها ادغام خود را در جهان مشترک تجربه کنند.

به هر حال، آموزش این است که وفادار بمانیم به شعاری که دوران مدرن با

اتکا به آن پدید آمده است: «جرات دانستن داشته باشید!». به لطف روشنگری دانش آزاد به آزادی فرد می‌انجامد. در نهایت، آموزش این است که هنوز با انسان گرایی مدرن ، به کمال انسان باور داشته باشیم.

فیلم «فروشنده»، یک هنر خوب

فیلم «فروشنده» از اصغر فرهادی اسکار بهترین فیلم خارجی را دریافت کرد. من این فیلم را چند ماه پیش دیدم و از نمادگرایی، طراحی نقّادانه زبانی و چهرهٔ دوگانهٔ انسان‌ها در آن خوشم آمد. فیلم از حادثهٔ زندگی و زمین‌لرزه آغاز می‌کند ولی به رازهای شخصیتی انسان می‌پردازد. زندگی عادی و صحنهٔ تئاتر درهم می‌آمیزند و حقیقت مناسبات انسانی کدر می‌شوند. شفافیت‌ها همیشه خاکستری هستند. انسان همیشه چند نقش و چند چهره دارد.

کار هنریِ فرهادی انکارناپذیر است و تلاش هنرمندانهٔ او قابل ستودنی و اسکارش شایستهٔ اوست. ایرانی‌ها باید از این رویداد سینمایی جهانی خوشحال باشند و قدر این هنرمند را بدانند ولی، شوربختانه، عده‌ای همه‌چیز را با هم قاطی می‌کنند و می‌خواهند او بر ضد رژیم فریاد بزند و او را به رفتارهای مشکوک متهم می‌کنند. برخی از حسادت و تعصب سیاسی بر ضد او موضع می‌گیرند. برخی با احساس آمریکایی‌ستیزانهٔ پیش‌پاافتاده او را محکوم می‌کنند و برخی‌ها نیز به‌دلیل کوته‌بینیِ سیاسی و سیاست‌زدگی از او انتقاد می‌کنند. این‌گونه برخوردها، گاه ریشه در جهان‌بینیِ «واقع‌گراییِ سوسیالیستی متعهد» دارد، گاه از جهان‌بینیِ «مذهبی غرب‌ستیز» ناشی می‌شود و گاه از کوته‌اندیشیِ «همه‌چیز سیاست است» متأثر است. هنرمندان همیشه دارای نگاهی سیاسی و اجتماعی هستند ولی داشتن این انتظار که هنرمند باید به‌طور قطع «سیاسی‌گر» باشد نابجاست. بیشتر افرادی که از او انتقاد می‌کنند حتی فیلم را هم تماشا نکرده‌اند. برای آن‌ها موضع‌گیری سیاسی یک وظیفهٔ «مقدس» است، حال آن‌که کار و خلاقیت هنری به سیاست محدود نمی‌شود.

ایرانیان عزیز افتخار کنید که فرزندان ایران، با وجود همهٔ محدودیت‌ها و سانسورها، می‌توانند اثری هنری بیافرینند و جامعهٔ جهانی را مجذوب خود کنند.

جامعهٔ ما به بلندنظری و قدرشناسی نیازمند است. کوته‌اندیشی ما را به پایین می‌کشد. اگر هنرمندی خود را به حکومت فروخت، شایستهٔ پشتیبانی نخواهد بود، حال آن‌که در اینجا ما با یک فیلم هنری روبه‌رو هستیم. جامعهٔ استبدادزدهٔ ما و احساس ناتوانی در برابر نظام حاکم و بی‌حوصلگی‌ها و سیاست‌زدگی‌ها تربیت عجیبی پدید آورده است.

فلسفهٔ لوک فری

لوک فری، فیلسوف معاصر فرانسوی یکی دیگر از سخن‌رانان کنفرانس ما در دانشگاه سوربن بود. بحث او دربارهٔ دموکراسی و فن‌آوری اطلاعات بود. لوک فری زادهٔ ۱۹۵۱ است و در سال ۱۹۸۰ استاد فلسفه در دانشگاه می‌شود. او با چاپ یک اثر جمعی در سال ۱۹۸۵ با عنوان اندیشهٔ ۶۸ به نقد اندیشه‌های جنبش ماه مِه ۱۹۶۸ فرانسه و پی‌یر بوردیو، ژَک لکان، ژَک دریدا و میشل فوکو می‌پردازد و بدین ترتیب به‌عنوان یک فیلسوف مهم در جامعه مطرح می‌شود. او در دوره‌های گوناگون دارای مقام مشاور فکری در دولت جناح راست فرانسه است. وی در سال ۲۰۰۴ وزیر وزارت آموزش بود و قانون ممنوعیت حجاب و دیگر نشان‌های مذهبی در مدارس به‌دست او امضا شد. این قانون در برابر فشار اسلام‌گرایان بر ارزش‌های جداانگاری دین از سیاست تأکید داشت. دیدگاه فلسفی لوک فری برآن است که هر چقدر از دین دور شویم، به فلسفه نزدیک‌تر می‌شویم. او در کتاب خود یعنی فلسفه چیست؟ می‌گوید فلسفه یک اصل رهایی است. او می‌گوید معنای زندگی را باید با فلسفه آموخت و به این خاطر باید از حکم جزمی دین دور شد تا فلسفه همچون دانایی راه ما را روشن کند. لوک فری در کتاب زیستن را بیاموزیم بر آن است که فلسفه زمانی که از خدا دور می‌شود رسالت راستین خود را پیدا می‌کند. از دید او، فلسفه فقط یک اندیشهٔ انتقادی نیست زیرا علم نیز به انتقاد نیازمند است، فلسفه فقط یک گفت‌وگوی زیبا نیست بلکه یک دانایی است. تازه‌ترین دگرگونی‌های لوک فری، پس از سه سال پژوهش در زمینهٔ تازه‌ترین دگرگونی‌های علمی، واکاوِی رابطهٔ فلسفه و علم جدید است. امروز زمینهٔ برجستهٔ پژوهشی، معضل پیوند فلسفه و فن‌آوری‌های شناختی و اطلاعاتی در تمامی

عرصه‌های عصب‌شناسی، پزشکی، صنعت، مدیریت و غیره است.

فلسفه باید به فن‌آوری‌هایی بیندیشد که تمامی اقتصادها و حرفه‌ها و جامعه را دگرگون می‌کنند، انسان را در آستانهٔ زایشی نو قرار می‌دهند و «انسان افزایشی» را ممکن می‌کنند. با توجه به رشد شگفت‌آور دانش جدید و جهانی شدن اقتصاد، تصمیم‌های محلی از دید لوک فری ناقص و پرداختن به امور در چهارچوب یک کشور نیز ناشدنی‌اند و دست‌کم باید در سطح اروپا عمل کرد. لوک فری فیلسوفی پرکار است و تاکنون بیش از چهل کتاب فلسفی و بیست کتاب گویا دربارهٔ فیلسوفان و افسانه‌شناسی چاپ کرده است و از جمله آثارِ زیبای او می‌توان به زیباترین تاریخ فلسفه و انقلاب تراانسان‌گرایی اشاره کرد. او می‌گوید: «فن‌آوری اطلاعات باعثِ گذار از یک عصر بشری به عصری دیگر شده است.» او در سیاست نیز بر این باور است که عصر جدیدی از «باور سیاسی»، «امر سیاسی» و «کنش سیاسی» آغاز شده است. لوک فری در یکی از مصاحبه‌های خود می‌گوید: «بارها اشاره کرده‌ام که از دید من سیاست هیچ‌گاه به اندازهٔ امروز مهم و حیاتی نبوده است. امروزه، پرسش اصلی در سیاست این است: ما دوست داریم بچه‌هامان در چگونه جهانی زندگی کنند؟ اکنون سیاست ارتباط تنگاتنگی با شهروندی، فن‌آوری نوین و ارتباطات دارد. این شگفت‌انگیز است. در دو قرن گذشته، سیاست به‌معنای شیوهٔ استدلال و اِعمال جهان‌بینی در جامعه بوده اما اکنون به واسطهٔ فن‌آوریِ اطلاعات به فلسفه نزدیک شده و چیستیِ نظری و فلسفی پیدا کرده است. در سال‌های گذشته، ما رفته‌رفته به این باور رسیده‌ایم که با جنگ نمی‌توان مشکلات را حل کرد. گسترش شگفت‌انگیز ارتباطات و نیز بالا رفتن تصورناپذیر دسترسی به اطلاعات باعث شده این باور آرام‌آرام شکل بگیرد که ما انسان‌ها (ورای تمایزهای مذهبی، نژادی، قومی، اقتصادی و ...) اعضای یک خانواده و ساکنان یک خانه هستیم.»

مارسل گوشه و دموکراسی

مارسل گوشه، فیلسوف و مورخ بزرگ فرانسوی، یکی از سخن‌رانان کنفرانس در دانشگاه سوربن دربارهٔ دموکراسی بود. پی‌یر هانری تاوالو، فیلسوف و استاد دانشگاه سوربن و مدیر کولژ فلسفه نیز در این نشست حضور داشت. من نیز

به‌عنوان جامعه‌شناس یکی دیگر از شرکت کنندگان در این بحث بودم. گفتمان ما چالش دربارهٔ دموکراسی، بحران‌های کنونی آن و دورنمای آن بود. در این نوشته تنها می‌خواهم دربارهٔ مارسل گوشه بگویم.

از نگاه مارسل گوشه، تمدن غربی دستخوش یک بیماری است که ویژگی آن، تزلزل، تردید، فروریزی ارزش‌ها و گسست از باورهای ثابت و کهنه است. از دید او، دموکراسی قدرت همیشگی خود را از دست داده است، میان نخبگان و توده‌ها یک شکاف ژرف به وجود آمده زیرا معیار اصلی نه مالکیت خصوصی و دارایی مادّی بلکه دارایی شناخت و مدرک است. توده‌ها از این مالکیت بی‌بهره‌اند و این چیزی پایدار است. میزان سطح دانش توده‌ها آن‌ها را از گردونهٔ دموکراسی جدا می‌کند و آن‌ها را طعمهٔ عوام‌گرایی کرده است.

مارسل گوشه در سال ۱۹۴۶ میلادی در شمال فرانسه و در یک خانوادهٔ هوادار دو گل زاده شده است. در جوانی، با نشریهٔ سوسیالیسم یا بربریت آشنا می‌شود. در دانشگاه، کلود لوفور که استاد او بود و گرایش کمونیستی داشت بر او تأثیر می‌گذارد. همکاری او با کلود لوفور و کاستوریادیس منجر به علاقهٔ او به فلسفهٔ سیاسی می‌شود و او نخستین نوشته‌های خود را دربارهٔ فیلسوف فرانسه یعنی مرلو پونتی می‌نویسد.

گوشه یکی ازپرکارترین فیلسوفان و تاریخ‌نویسان است. او از مدیران مدرسهٔ عالی مطالعات اجتماعی پاریس و نیز سردبیر یکی از معروف‌ترین مجله‌های نظریِ فرانسه با نام بحث است. او از منتقدان معروف میشل فوکو، ژَک دریدا، ژَک لَکان و پی‌یر بوردیو نیز هست. گوشه در گذشته مارکسیست بوده ولی اکنون دست به انتقاد از آن زده و بحران و دلسردی و سرخوردگی روشن‌فکر را واکاوی می‌کند.

سپس، گوشه با میشل فوکو و کتاب او تاریخ دیوانگی در عصر کلاسیک آشنا می‌شود. در سال ۱۹۸۹ به «مرکز پژوهش‌های سیاسیِ ریموند آرون» و با وساطت پی‌یر نورا و فرانسوا فوره با پی‌یر منان، ژَک ژولیار، روزا نوالون و مونیک کانتو اسپربر آشنا می‌شود. در سال ۱۹۸۵ به‌دنبال پژوهش‌های طولانی دربارهٔ غرب کتاب افسون‌زدایی جهان را چاپ کرد و در آن دموکراسی را به‌عنوان اوج کنار رفتن دین ارزیابی کرد. از دید او، پا گرفتن دولت آغاز افسون‌زدایی از جهان بوده. آغاز دولت همانند نوعی مهبانگ جامعه‌شناختی بود که جهان ایستای دگرآیینی را از میان برد و انرژی‌های گشایش‌گر خودآیینی را آزاد کرد. خودآیینی اصیل

را تنها در سیاستی می‌توان یافت که به اهمیت آزادی باور داشته باشد. البته خیال و رؤیا را باید کنار گذاشت و نباید این توهّم را داشت که می‌توان جامعه را به دلخواه شکل داد. لیبرالیسم کلید اصلی ساختار جامعهٔ نوگراست ولی کمبودها و نارسایی‌ها بسیارند. مارسل گوشه به‌ویژه نگران وجود آسیب فردگرایی است که به زیان زندگی مشترک انسان‌هاست. او به چالش‌های حقوق بشر و آموزش و خودشکوفایی انسانی و محیط زیست می‌اندیشد و، در ضمن، دموکراسی را ضامن یک پاسخ مناسب و متعادل می‌داند.

گوشه در بین سال‌های ۲۰۰۷ تا ۲۰۱۷ کتاب چهار مجلدیِ ظهور دموکراسی را چاپ کرد. این طرح نظریِ بزرگ تلاشی برای واکاویِ سرنوشت دمکراسی در اروپا و آمریکای شمالی است. این کتاب از آغاز دوران نوگرا کلید می‌خورد و به دوران نولیبرال می‌رسد. از دید گوشه، در دوران نولیبرال دمکراسی به‌معنای حقوق و منافع فردی است و، افزون‌بر آن، امید به تعریف سرنوشت مشترک است. عناوین مجلدهای این مجموعه به‌ترتیب انقلاب نوگرا، بحران لیبرالیسم، آزمون سخت تمامیت‌خواهی و جهان نوین هستند.

گوشه در این کتاب می‌نویسد:«اگرچه در جهان شاهد پیشرفت‌هایی در زمینهٔ تحقق دمکراسی هستیم که نمی‌شود منکرشان شد ولی هنوز راضی‌کننده نیستند. با تمام حرف‌ها، هنوز جایگزینی برای دمکراسی وجود ندارد؛ روح دمکراسی تنها شکل تصورپذیر از حکومت مردم‌برمردم است که سایهٔ خود را بر تمام نظامات سیاسی به‌عنوان تنها راه حل افکنده است.».

هگل تاریخ را فرآیند روبه‌رشدِ آگاه شدنِ انسان از آزادی می‌دانست. کارل مارکس نیز می‌گفت تاریخ مبارزهٔ طبقاتی است و این مبارزه به انقلاب پرولتاریایی می‌رسد. در نگاه مارسل گوشه، خودآیینی بر یک گرایش انسانیِ بسیار مهم دلالت دارد: مالکیت سرنوشت خود. مارسل گوشه تاکنون بیش از چهل اثر چاپ است و از مطالب مورد توجه او می‌توان به دموکراسی، جداانگاری دین از سیاست و تاریخ دموکراسی نام برد اثری که از مارسل گوشه به فارسی ترجمه شده کتاب چه باید کرد؟ اوست. این کتاب که گفت‌وگوی مارسل گوشه و الن بادیو است، به کمونیسم، سرمایه‌داری و آیندهٔ دموکراسی می‌پردازد و توسط عبدالوهاب احمدی در سال ۱۳۹۷ ترجمه شده است.

Marcel Gauchet:
Le désenchantement du monde. Une histoire politique de la religion, Paris, Gallimard, 1985.
L'Avènement de la démocratie, Le Nouveau Monde, Gallimard, Paris, 2017.
Que faire? Dialogue sur le communisme, le capitalisme et l'avenir de la démocratie, avec Alain Badiou, 2014.
Pierre-Henri Tavoillot:
De mieux en mieux ET de pire en pire. Chroniques hyper modernes (Paris, Odile Jacob, 2017) , Comment gouverner un peuple roi? Traité nouveau d'art politique (Paris, Odile Jacob, 2019)

گانگستریسم اسلامی چیست؟

در روزنامهٔ لوموند چاپ پاریس، مقاله‌ای توسط یک کارشناس تروریسم یعنی ایو تروتینیون چاپ شد که در آن می‌خوانیم اگر به تروریست‌های اسلامی فقط «گانگستر اسلامی» گفته شود نادرست است زیرا گانگسترها در پی منافع مافیایی و مادّی هستند، حال آن‌که تجربه نشان می‌دهد که تروریست‌های اسلامی دارای ایدئولوژی‌اند. این نکته قابل توجه است. در سال‌های گذشته، بر پایهٔ گزارش‌ها و پژوهش‌ها در فرانسه روشن است که بخش مهمی از تروریست‌های اسلامی دارای پیشینهٔ خلاف‌کاریِ تبهکارانه و جنایی بوده‌اند و برخی از آن‌ها به زندان محکوم شده و پس از خروج به جهادگرایی روی آورده‌اند. یک فرد جانی و تبهکار برای منافع شخصی و گروهی خود بانک می‌زند و دزدی می‌کند و اسلحه می‌کشد ولی این اقدامات انگیزهٔ ایدئولوژیک اسلامی ندارند، حال آن‌که تروریست‌های اسلامی تبهکار هستند ولی یک عامل جدید به خشونت آن‌ها افزوده می‌شود و آن هم جنبهٔ مهم سیاسیِ ایدئولوژیک است. تروریست اسلامی برای پیروزی اسلام سیاسی دست به نابودی، آدمکُشی و خون‌ریزی می‌زند. به‌طور کلی، محرومیت‌ها و اعتراض‌های اجتماعی زمانی به خشونت بنیادی می‌گرایند که سیاسی و ایدئولوژیک باشند. جهادگرایی شکلی از جنایت‌کاری است که متکی‌بر اسلام‌گراییِ سیاسیِ تندروانه است. همهٔ تروریست‌های اسلامی، از احمق‌ترین تا

هوشیارترین آن‌ها، به‌نام جهاد مقدس الهی ترور کرده‌اند. بنابراین، گانگستریسم اسلامی چیستیِ جنایتکارانه را خوب نشان می‌دهد ولی باید مواظب بود که ابعاد سیاسی و ایدئولوژیک این تروریسم نادیده انگاشته نشود. جهادگرایی یا تروریسم اسلامی یک جریان ایدئولوژیک جهانی است که عوامل گوناگون در رشد آن دخالت دارند ولی هدف خود را استقرار قدرت الله، نابودیِ دموکراسی و آزادی و تمدن غربی، نابودی حقوق زن و اجرای تبعیض اسلامی قرار داده است. آرمان‌شهر اسلام‌گرایی یک ایدئولوژی خطرناک است و در این بینش ترور هر مخالف و نابودی در جامعهٔ «غیرخودی» مقدس به شمار می‌آید.

فیلسوفان و رازگرایی

کندورسه، فیلسوف فرانسوی، در جایی نوشته است: «هر جامعه‌ای که توسط فیلسوفان هدایت نشود به دست شارلاتان‌ها فریب می‌خورد.» فیلسوفان عصر روشنایی با خِرد خود در برابر خرافات و پیش‌داوری‌ها مبارزه کردند و بر ضد معجزه و افسانه‌سازی بسیج شدند. این فیلسوفان خواهان گسترش فرهنگ بودند زیرا فرهنگ دربرگیرندهٔ تمدن و روشنایی است. تمدن با ظرافت و زیبایی صنعت‌گری و هنرها و اخلاق و رفتار اجتماعی معنا پیدا می‌کند، حال آن‌که روشنایی با شناخت عقلانی و خِرد مشخص می‌شود. فرهنگ با شناخت عقلانی انسان را از تاریکی خارج و استقلال روشن‌فکری انسان را میسر می‌کند. به‌گفتهٔ اِمانوئل کانت، جنبش فکری و فلسفی عصر روشنایی رهایی انسان را ممکن کرد و بیان شرافت و بزرگی انسان را پدید آورد. دیوید هیوم نیز می‌گوید: «باور به معجزه نقض قوانین طبیعت است.» به بیان دیگر، زایش و مرگ انسان بر پایهٔ قوانین طبیعی است و معجزه نیست، حال آن‌که ادعای بازگشت به زندگی پس از مرگ بیان باور به معجزه است و این بر اساس تجربهٔ انسان‌ها هرگز رخ نداده و در تضاد با خِرد انسانی و دانش است.

حال، باید پرسید در تاریخ و جامعهٔ ایران و نزد نخبگان دینی و نادینیِ این کشور، جایگاه و اهمیت خِرد و عقل و تجربه بیشتر است یا ایمان و باور به معجزه و وهم‌گرایی و خرافه‌گری؟ آشکارا، ما برای زندگی به عقل و دانش و تجربه و نیز

عشق و احساس و اخلاق نیازمندیم ولی آیا در این راه به معجزه و رازگرایی هم نیاز داریم؟ پاسخ منفی است ولی میلیاردها انسان به معجزه و رازگرایی نیازمند هستند، آن‌ها یا توسط شارلاتان‌ها کنترل می‌شوند و یا در نادانی خود غرق هستند. ما نیازمند فیلسوف و جامعه‌شناس هستیم. فیلسوف مانند پیامبران رازگوئی نمی کند بلکه او پرسشگری می‌کند و پرسشگری یک تربیت است. جامعه شناس با قدرت انتقاد از مناسبات روبنایی عبور کرده و به بطن مناسبات اجتماعی عمیق توجه دارد. جامعه ما بطرز سنتی رازگویانه است و ابهام و راز یک لذت است. پرسش‌ها ثبات رازها را برهم می‌زنند و پژوهش و اندیشه جامعه شناختی سیالیت جامعه را افزایش می‌دهد و قدرت شارلاتان‌ها و جادوگران و فاسدان را ویران می‌کند.

دربارهٔ دونالد ترامپ و دموکراسی

یکی از دانشجویانم در فردای انتخابات آمریکا پرسید: «دربارهٔ دونالد ترامپ چه فکرمی‌کنید؟» گفتم: «برای داوری دربارهٔ سیاست ترامپ زود است. در شرایط کنونی، دونالد ترامپ در اجرای قدرت به دموکراسی پشت می‌کند، حقوق بشر را نادیده می‌انگارد، به زیان محیط زیست عمل می‌کند و به تحریک‌های جهانی بر ضد اروپا و آمریکای جنوبی و بخشی از خاورمیانه ادامه می‌دهد. او گاه با شهروندانِ مسلمان کشورهایی مبارزه می‌کند که با شرکت‌های خصوصی ترامپ قرارداد اقتصادی ندارند، حال آن‌که مناسبات عادی آمریکا با عربستان و مصر و لبنان و امارات در خلیج فارس ادامه دارد و تصمیم تازهٔ آقای ترامپ مشمول آن‌ها نمی‌شود. ترامپ با سیاستی عوام‌گرایانه به دموکراسی خدمت نمی‌کند بلکه به آن زیان می‌رساند و آن را ناتوان می‌کند و دشمنان دموکراسی را تقویت.»

کارل پوپر، فیلسوف اتریشی /انگلیسی، در اثر خود با عنوان جامعهٔ باز و دشمنانش به پشتیبانی از دموکراسی می‌پردازد و کمونیسم را دشمن آن قلمداد می‌کند. امروز چه کسانی دشمنان دموکراسی هستند؟ اسلام‌گرایان و کمونیست‌های تندرو و عوام‌گرایان چپ و راست در برابر جامعهٔ دموکراسی قرار داند و با شیوه‌های ویژه نیرنگ‌بازانه و زیرکانه به انتقاد دشمنانه دست می‌زنند و طرح‌های اسلام‌گرایانه یا

خودکامانهٔ خود را وعده می‌دهند. آن‌ها با نشان دادن رفتار آقای دونالد ترامپ در پی ناتوان‌سازیِ اعتماد شهروندان به دموکراسی هستند، حال آن‌که ما باید توجه کنیم تا مبارزه با تروریسم اسلامی و تعصب مذهبی و حکومت ولایت فقیهی ایران به دموکراسی و حقوق بشر ضربه نزند و به بی‌اعتباری آزادی و قانون نیانجامد.

من آن روز به دانشجوی خود گفتم دموکراسی مثل هندسه و مکانیک نیست بلکه پیچیدگی علوم انسانی در میدان سیاست است. دموکراسی راه راست نیست بلکه دارای پیچ‌وخم است و در دل خود گنداب و پَستی و زور و «فراحقیقت» یا دستگاه دروغ‌پرداز هم دارد. دموکراسی به‌گفتهٔ فیلسوف فرانسوی، ریموند آرون، هرچند ناقص و نارسا ولی باز هم بهترین رژیم است زیرا از دید اندیشمند فرانسوی، مونتسکیو، چنین‌چیزی جدایی سه نهاد یعنی نهاد قانون‌گذار، نهاد اجرایی و نهاد قضایی متکی است. هرچند، این استقلال در واقعیت گاه مخدوش و طعمهٔ نفوذ لابی‌ها و کانون‌های قدرت می‌شود ولی در گرایش ژرف و در بسیاری از موارد جدایی نهادها حفظ می‌شود. همچنین، قدرت و آزادی رسانه‌ها و روزنامه‌نگاران کارکرد رژیم دموکراتیک را میسر و گفتمان و مبارزهٔ فکری و سیاسی و شهروندانه را ممکن می‌کند. این ویژگی همان تمایزی است که در خودکامگی و اسلام‌گرایی سیاسی وجود ندارد. دونالد ترامپ با خودسری و نمایش قدرت شخصی خوشیفتهٔ خود و با قربانی کردنِ امور زیست‌محیطی و تحقیر حقوق بشر و تمسخر حقوق زنان منافع کوته‌بینانهٔ ملی‌گرایانه و خصوصی‌اش را پشتیبانی می‌کند. برخی جنبه‌های سیاست خارجی ترامپ با سیاست باراک اوباما متفاوت هستند و از خود جسارت بیشتری نشان می‌دهند ولی در همین لحظهٔ ترکتازی عوام‌گراییِ ترامپی نیز جامعهٔ مدنی آمریکا بخشی از شخصیت‌های قضایی و سیاسی و آگاه آمریکایی و شهروندان کنش‌گرِ قانون‌گرا دست به واکنش زده‌اند و خواهان رعایت نهادهای قانونی و احترام به روندهای متین قانونی شده‌اند. در واقع، در آمریکا که یک جامعهٔ مصرفی و زیر فشار لابی‌ها و محافل مذهبی و بازار پول و تبلیغات است، وقتی جامعهٔ مدنی و مسئولان به سیاست ترامپ واکنش نشان می‌دهند، شاهد یک ایستادگی هستیم که از روح قانون‌گرایی و آزادی سرچشمه می‌گیرد. برای ایستادگی در برابر عوام‌گرایی و مردم‌فریبی و خودکامگی باید فرهنگ‌سازی کرد و مردم باشعور و با شجاعت را مورد تشویق قرار داد و از روشن‌فکران پای‌بند به جداانگاریِ دین از سیاست و آزادمنش و هنجارشکن و قانون‌طلب پشتیبانی به عمل آورد.

نقش کار در جامعه

کار به‌معنای نوین آن عبارت است از فعالیت بر پایهٔ قرارداد، وضع بازار کار و دستمزدی که کارفرما به کارمند و کارگر عرضه می‌کند. چنین درکی از کار در جامعه سرمایه‌داری به وجود می‌آید ولی در طول تاریخ معاصر همیشه این گفت‌وگو و پرسش نیز وجود داشته که نقش کار در جامعه چیست؟ نقش آن در خوشبختی و انگیزهٔ انسان کجاست؟ و آیا جامعهٔ کنونی را تنها باید بر پایهٔ ارزش کار ارزیابی کرد؟ آیا می‌توان در سلسله‌مراتب ارزش‌ها، محور کار را به پرسش کشید؟ ما در چه حالتی ما آرمان‌محور و ذهنی‌گرا خواهیم بود و چگونه می‌توان معنایی تازه به زندگی بخشید؟ اقتصاددان انگلیسی، آدام اسمیت، در قرن هجدهم گفته است ارزشْ تنها از کار به دست می‌آید. برای کارل مارکس نیز چیستیِ کار پرومته‌مانند است و دارای یک چیستیِ دوگانه: از یک سو کار پرولتاریا را از خود بیگانه می‌کند و از سوی دیگر کار می‌تواند کارگر را آزاد کند و با آزادی او بشریت به رهایی می‌رسد. جِرمی ریفکین، اندیشمند آمریکایی، در سال ۱۹۹۵ کتاب معروف خود با عنوان پایان کار را چاپ کرد و در آن مطرح کرد که با گسترش ربات‌ها و فن‌آوری‌های نوین، شمار کارکنان در اقتصاد محدود می‌شود و عرضهٔ کار کاهش می‌یابد. این دیدگاه به اندیشه‌های تازه‌ای دامن زد از جمله آن‌که باقی‌ماندهٔ کار اجتماعی را باید میان اهالی کشور تقسیم کرد و از ساعات کاری کاست. در برابر این نظریه، نظریه‌های دیگری مطرح شد مبنی‌بر این‌که در شرایط جدید صنعتی و فن‌آورانه، با وجود ربات‌ها و سیستم‌های خودکار، در مجموع عرضهٔ کار کاهش نمی‌یابد بلکه به گفتهٔ اقتصاددان فرانسوی، دانیل کاهن، «شکل و نوعی از کار از میان می‌رود» ولی کار و فعالیت نوین و مهارت‌های حرفه‌ای جدید افزایش می‌یابند. اقتصاددان دیگر فرانسوی یعنی دونی کلر نیز می‌افزاید کار فقط ابزار زندگی اقتصادی نیست بلکه هم محل درآمد است و هم به انسان اجازه می‌دهد تا مفید بودن در جامعه را درک کند و نیز انسان را با جامعه و گروه‌بندی انسانی پیوند می‌زند. حال، با وجود این گفتمان‌های گوناگون چه پیوندی میان کار انسان و خوشبختی او وجود دارد؟ همهٔ زندگی انسان کار نیست و همهٔ کارها انگیزه نمی‌آفرینند. در خوشبختی ما کار نقش مهمی دارد ولی خوشبختی و آسودگی ما در کار خلاصه نمی‌شود. ما برای بلندپروازی‌های خود به کار و آسودگی روانی و خلاقیت و عشق به زندگی نیازمندیم.

گپ روشن‌فکرانه در کافهٔ پاریسی

کافه «سارا برنارد» پاریس محل خوبی برای گپ زدن است. سارا برنارد هنرمند و بازیگر تئاتر بود که سال ۱۹۲۳ درگذشت. ویکتور هوگو درباره‌اش نوشته او هنرمندی با «صدای طلایی» است. ژان کوکتو نیز می‌گوید :«این هنرمند یک غول مقدس است.» سارا برنارد در تئاتر بزرگانی مانند ادموند رستاند، اُسکار وایلد، آلفرد دوموسه، آنتون چخوف، ژُرژ ساند، ولتر، ویکتور هوگو، شکسپیر و مارسل پروست بازی کرد و به شهرهای بزرگ دنیا مانند نیویورک، لندن، کُپنهاگ، سن پترزبورگ و لس‌آنجلس رفت تا در اجرای نمایش شرکت کند. او یک هنرمند جهانی بود، زنی بی‌باک که از امیل زولا در دفاع از دریفوس پشتیبانی کرد. سارا برنارد در ۷۹سالگی و در حالی که بر اثر بیماری یک پایش قطع شده بود در حین بازی در فیلمی برای ساشا گیتری درگذشت. گور او در گورستان پرلاشز پاریس است. کافه سارا برنارد در میدان شاتله و در مرکز پاریس قرار دارد و می‌توان از آنجا با پیاده‌روی به کلیسای نوتردام رفت، از بولوار سن میشل و «کارتیه لاتین» دیدن کرد و مرکز فرهنگی ژُرژ پمپیدو و مرکز «لهال» را نیز دید.

گاه‌به‌گاه به دوستان پیام می‌دهم که بیاییم گپی بزنیم و این بار سه‌نفری در کافه گِرد آمدیم تا با هم گفت‌وگویی داشته باشیم. بخشی از حرف‌ها دربارهٔ برنامه پرگار بی‌بی‌سی با شرکت داریوش آشوری، محمدرضا نیکفر و ماشاالله آجودانی دربارهٔ نواندیشان دینی بود. هر سه توافق نظر داشتیم که موضع آشوری و کوتاه آمدن او در قبال نواندیشان دینی کاملاً اشتباه است. موضع محمدرضا نیکفر فاقد شفافیت و صراحت بود و نگاه آجودانی هم اصولی بود زیرا صراحت داشت و منتقد نواندیشان دینی بود. سپس گفتگوهامان چرخید و به این مسئله پرداختیم که چرا رسانه‌های خارج از کشور مانند صدای آمریکا، رادیو فردا، بی‌بی‌سی و رادیو زمانه از نواندیشان دینی جانب‌داری می‌کنند و بیشترین امکان را برای تبلیغ مواضع‌شان فراهم می‌کنند و این‌که رابطهٔ این برنامه‌ریزی‌ها با دیپلماسی کشورها چیست؟ بخش پایانی هم به گفت‌وگو در زمینهٔ ضرورت مبارزهٔ فکری و نظری دربارهٔ دین اسلام محدود شد. بحث من این بود که آقای سروش با رجوع به مولوی و طرح رؤیاهای رسولانه در حال دین‌سازی نظریِ خودش است و خوب است که فهم و انتقاد شاعرانی مانند مولوی و حافظ از دین مورد بررسی

قرار گیرد. سپس افزودم روشن‌فکران ایرانیِ ناباور و پای‌بند به جداانگاریِ دین از سیاست، که دارای صراحت فکری هستند، پراکنده‌اند و باید فعالیت‌شان تشویق شود. فردای گپ آن روزِ کافه سارا برنارد، همین نکات را به‌صورت تلفنی با ماشاالله آجودانی در میان گذاشتم و همسویی بزرگی میان اندیشه‌های آجودانی و من برقرار شد.

توطئه‌گری و فتنه‌سازیِ قدرت سیاسی

توطئه‌گری و فتنه‌سازیِ قدرت سیاسی ناشی از چیست؟ زمانی که سازمان و قدرت سیاسی از روند تصمیم‌گیری و تغییر مناسبات به‌شکل دموکراتیک محروم است، عملکرد توطئه‌گرانه بر رفتارش غلبه دارد. توطئه به‌معنای اقدامی پنهانی و دشمنانه بر ضد فرد، گروه و ملت برای بی‌آبرو کردن و ایجاد تنش و آسیب‌زنی و شکست و کشتار است. در عرصهٔ سیاست و اجتماع، منافع و قدرت‌جویی و زیاده‌خواهی افراد را به اختلاف و جدال می‌کشانند. در یک مناسبات کم‌وبیش باز و دموکراتیک، به‌دنبال کشمکش و مبارزهٔ رسانه‌ای و زور اجتماعی گروه‌بندی‌ها و بازی انتخابات پاسخ‌های تازه تولید می‌شود و جابه‌جایی پدید می‌آید و قدرت دوباره تقسیم می‌شود. در مناسبات دیکتاتوری و فقدان اطلاعات، خشونت کور و مخفی‌کاری و دسیسه‌چینی و فتنه‌گری به راه اصلی تبدیل می‌شود. یادتان می‌آید در فیلم‌های «پدرخوانده» یا «آلکاپون»، گروه‌های مافیایی در طراحی و اجرای توطئه چگونه عمل می‌کردند؟ در تاریخ کمونیسم جهانی، اِستالین و دستگاه جاسوسی‌اش ماهرانه هر مخالفی را به‌عنوان بیمار روانی و جاسوس و خائن با توطئه از صحنه به در و سرشان را زیر آب می‌کردند. مائو رفیق نزدیکش لین پیائو را با هواپیما سرنگون کرد. هیتلر توطئهٔ شب کریستال را سازمان‌دهی کرد و در شب بین نهم و دهم نوامبر ۱۹۳۸ شیشه‌های مغازه‌های یهودیان خرد شدند و نزدیک ۹۰ یهودی کشته شد.

در اسلام نیز توطئه و کشتار توطئه‌گرانه بی‌شمار بوده است. کشتنِ عثمان و علی نتیجهٔ درگیری برای قدرت و توطئه و فتنه بود. در جمهوری اسلامی هم در روی همان پاشنه می‌گردد. از زمان پیدایش رژیم اسلامی همیشه توطئه‌چینی در

دو زمینه پررنگ بوده است. توطئه بر ضد سیاسیون و روشن‌فکران و کشتنِ آنان از یک سو و توطئه بر ضد خودی‌ها و از میدان به در کردن حریفان از سوی دیگر. در حقیقت، ما در اینجا با ویژگی جهان‌بینی اسلامی و شیعی نیز روبه‌رو هستم. فتنه بار سنگینی در این جهان‌بینی دارد. واژهٔ فتنه در قرآن ۷۰ بار و در نهج‌البلاغه ۸۰ بار تکرار شده است. به زبان ساده، حاکمان همیشه و همه‌جا فتنه می‌بینند زیرا نگران حفظ منافع و موقعیت خود هستند و، بنابراین، «فتنه گران» باید نابود شوند. برای رژیم حاکم، تمام مخالفان و مردم درخواست‌کننده و نیز رقیبان «خودی» فتنه‌گر هستند. فتنه در بینش قرآنی یعنی ایجاد تفرقه بر ضد الله و پیامبر و قدرت خلیفه است. در این دیدگاه، هر گونه اعتراض و مخالفت «فتنه‌گری» است و باید خاموش شود. از جانب دیگر، این حاکمان که در عرصهٔ جهانی و داخلی همه‌جا فتنه‌گر می‌بینند، خود نیز به‌طور نظام‌مند و مدام در حال توطئه و فتنه‌گری هستند. این حاکمان در تمامی مکان‌های قدرت، لانه‌های جاسوسی و خرابکاری و فتنه‌گری پدید می‌آورند و پیوسته در حال سازمان‌دهیِ توطئه و فتنه‌اند. از «بیت» آیت‌الله خامنه‌ای گرفته تا سرداران سپاه و وزارتخانه‌ها و تا بیشتر مقامات اداری، دینی، حوزوی و نهادهای ایدئولوژیک به کار توطئه‌گری و فتنه‌گری مشغولند.

دو رویداد اخیر در ایران، مرگ رفسنجانی و آتش‌سوزی ساختمان پلاسکو و مرگ شمار زیادی از مأموران آتش نشانی، چگونه قابل واکاوی است؟ آیا رفسنجانی به مرگ طبیعی مرد یا او را کشتند؟ ساختمان پلاسکو به‌خاطر بی‌لیاقتی و مدیریت بد آتش گرفت یا توطئه‌گری محافلی از نظام منجر به آتش‌سوزی و فاجعهٔ کشته شدنِ مأموران آتش‌نشانی شد؟

ساموئِل بِکِت چه می گفت؟

این نمایشنامه‌نویس و رمان‌نویس ایرلندی، در یک خانواده مرفه مذهبیِ پروتستان بزرگ شد ولی با سفرش به پاریس از دین گسست و با نمایش‌نامهٔ «در انتظار گودو» در سال ۱۹۵۳ به جدال با دین و خدا دست زد. چرا گودو نمی‌آید؟ زیرا خدایی در کار نیست. آیا پیام بِکِت همان پیام نیچه نبود که گفت خدا مُرده است؟ در سال ۱۹۵۷ نمایشنامهٔ «پایان بازی» را می‌نویسد. در تئاتر «پایان بازی»،

قهرمان داستان، که یک نابیناست، روی صندلی نشسته و با فرد دیگری که نوکر اوست حرف می‌زند. نابینا می‌گوید: «ما ایدهٔ الهی داریم.» و نوکرش می‌گوید: «من می‌روم آشپزخانه تا دیوار و روشنایی‌های رو به مرگ را نگاه کنم.». دو بشکه زباله هم در صحنه مستقر شده‌اند که در یکی پیرمردی خسته و در دیگری زنی سالمند نشسته‌اند. آن‌ها به‌دلیل یک حادثه پاهای خود را از دست داده‌اند و خاطرات جوانی خود را با هم مرور می‌کنند. نابینا از نوکرش می‌خواهد که زمین و آسمان و دریا را برایش توصیف کند و هر از گاهی می‌پرسد: «هنوز خوردن قرص آرامش‌بخش نشده؟» و نوکر هم گاه‌به‌گاه می‌گوید: «چیزی در جهان در حال گذر است.»

از این فضا چه می‌فهمیم؟ از تئاتر بِکت به دنیای کنونی بیاییم. با فضای روانی و بینش بِکت امروز می‌توان فکر کرد که همه در جهانی زندگی می‌کنند که حالتی کویری دارد، جهانی که ویران شده و وحشت‌زده است، جهانی آلوده به نفت و جنگ و تعصب، جهانی مضطرب از تروریسم و مرگ‌های موذیانه و شبکه‌های کنترل-کننده، جهانی پر از خطر و نابینایی و دوستی‌های دروغین، جهانی پر از آدم‌های ترسو و بزدل که برای قدرت‌های مستقر و دین مسلط بردگی می‌کنند، جهانی که وراجی‌ها و حرف‌های گنگ و گفتارهای پَست همه‌جای آن را گرفته است، جهانی که عشق در آن خاموش است. اصلاً عشق چیست؟ عشق یک میل رازآمیز است. میل چیست؟ میل انرژی و انگیزه است. پس عشق گونه‌ای انرژی و انگیزه است. انسان امروزی در فقر معنوی و خاموشی عشق است. گودو نمی‌آید. شاید باید از دیوار بالا رفت و نور آفتاب را دید.

سال ۱۹۶۹ جایزهٔ نوبل ادبیات به بِکت تعلق گرفت. آیا این جایزه به‌معنای فهم جامعه از او بود؟ او در این جایزه یک «صنعت بِکتی» می‌دید و به همین خاطر از «فاجعه» حرف می‌زند. بِکت به سوئد نمی‌رود بلکه ناشر ژروم لندون به سوئد رفت و هنگامی که با پول جایزه برگشت، بِکت آن را میان دوستان خود تقسیم کرد. او پرکار بود و پیوسته به نوشتن رمان، تئاتر و شعر، به فرانسه و انگلیسی، ادامه داد. دست آخر، فاجعه، روزهای خوش، همه افتادگان، مورفی، مالوی، مالون می‌میرد و نام‌ناپذیر از دیگر نوشته‌های او هستند.

بِکت در جایی گفته بود: «با خواندن رمان قصر نوشتهٔ فرانتس کافکا حس کردم کاملاً درخانهٔ خودم هستم.» در جایی دیگر هم نوشته: «آرتور شوپنهاوِر

یکی از کسانی بود که بر زندگی من تأثیر گذاشت و برای من لذت‌بخش بود که چنین فیلسوفی همچون یک شاعر در ذهن من جا خوش کرده.» بِکِت از جوانی دستخوش یک اضطراب درونی بود و مناسبات خوبی با مادرش نداشت. این وضع روی او تأثیر بسیاری گذاشت. در سال‌های پایانیِ زندگی در پاریس شاهد مرگ بسیاری از دوستانش بود. همسرش خودش، سوزان، هم در ژوئیه ۱۹۸۹ درگذشت. بِکِت، که به بیماری مادرش یعنی پارکینسون دچار شده بود، در یک خانهٔ محقر سالمندان در ماه دسامبر همان سال خاموش و در گورستان مونپاناس پاریس به خاک سپرده شد.

در سال ۱۹۸۵ بود که ساموئل بکت را به همراه ناشرش، ژروم لندون، در یک کتاب‌فروشی در پاریس دیدم. ژروم لندون با او حرف می‌زد و بِکِت با قد بلند، چهره‌ای آرام و عصبانی و در حالی که به دیوار تکیه داده بود به او نگاه می‌کرد. نمی‌خواستم مزاحمش بشوم ولی فقط در یک لحظه به شوخی به او گفتم: «بون ژور، موسیو گودو!» نگاه سریعی به چشم‌هایم انداخت و آرام گفت: «من گودو نیستم.»

رفسنجانی مانند امیرکبیر است؟

پس از درگذشت رفسنجانی در پیام‌ها و خبرها شنیده شد که رفسنجانی امیرکبیر دوران نوینِ ایران بود. تاریخ واقعی یا مشاطه‌گری؟ امیرکبیر ۳۹ ماه مقام صدارت ناصرالدین شاه را بر عهده داشت. از میان کارهای امیرکبیر باید به موارد زیر اشاره کرد: نقش فعال در دیپلماسی با روسیه و عثمانی، پایه‌گذاریِ دارالفنون، چاپ وقایع اتفاقیه، مبارزه با رشوه‌خواری در دستگاه دولتی، کاهش حقوق پادشاه، تعیین قوانین مالیاتی و سازمان‌دهی بودجهٔ دولتی، پایان دادن قانونی به قمه‌کشی و لوطی‌بازی و حمل اسلحهٔ سرد و گرم، جلوگیری از روضه‌خوانی و قمه‌زنی، پایان دادن به شورش محمد حسن خان سالار، سازمان‌دهیِ وزارت امور خارجه و سفارت‌خانه‌ها، تنظیم سیاست موازنهٔ منفی، سامان‌دهی ارتش و کارهای اصلاحی و نوگرایانهٔ دیگر. امیرکبیر بدبختانه زیر فشار روحانیت و نگران از شورش‌ها و نیز واکاویِ اشتباه خود از شاه خواست تا سیدمحمدعلی باب اعدام شود. این حکم یک خطای بزرگ بود ولی باید به این نکتهٔ اساسی توجه کرد که چیستیِ کار امیرکبیر به نوین‌گرایی تمایل داشت و

کوشش او برای پاک‌سازی دولت از فساد و پاک‌سازی جامعه از خرافه بود. امیرکبیر رهبر اصلاحات بود، حال آن‌که رفسنجانی از معماران اصلی جمهوری اسلامی و ولایت فقیه و قدرت استبدادی شیعه بود و با کلک و نیرنگ او بود که خامنه‌ای به ولایت فقیه رسید. نقش او در ادامهٔ جنگ ایران و عراق، اقتصاد رانتی، سرکوب و اعدام مخالفان، فساد مالی دستگاه حاکم و باندهای گوناگون، کشتار میکونوس و انفجار آرژانتین و قتل بختیار و ... بسیار بزرگ بود. رفسنجانی نقش بسیار مهمی در ویرانیِ محیط زیست ایران بازی کرد. سدسازی‌های ویرانگر، روند نابودیِ دریاچهٔ ارومیه، خشک شدن دریاچه‌ها و رودها و تقویت اقتصاد نفتی فسادانگیز از جمله ویران‌گری‌های زیست‌محیطیِ ناشی از سیاست رفسنجانی هستند. مخالفت‌های درونی میان حاکمان برای نقش و منافع خود هرگز مشروعیت‌بخش حاکمیت آنان نیست. ما خواستار دموکراسی و آزادی و حقوق بشر هستیم و سقف خواست‌های دموکراتیک و پای‌بند به جداانگاری دین از سیاست هرگز برابر سقف اهداف درونی جناح‌های حکومتی نیست. رفسنجانی یکی از معماران حکومت دینی شیعه و استبداد چهل‌ساله است. حال، این واقعیت تاریخی و سیاسی توسط دین‌داران نواندیش و چپ‌های فرصت‌خواه و ملی‌مذهبی‌های اسلام‌پرست و گروهی از روزنامه‌نگاران رسانه‌های خارج از کشور نفی می‌شود. اینان یک بار دیگر مشاطه‌گر تبهکاران حاکم هستند. ما سایه‌روشن‌ها را می‌بینیم ولی مشاطه‌گر سیاهی‌ها نمی‌شویم.

نیما یوشیج نوآور

نیما یوشیج، شاعر نوگرا و نوآور، در ۱۳ دی‌ماه ۱۳۳۸ درگذشت. نوآوری در شعر فارسی به او محدود نمی‌شود ولی نیما نوآور بزرگی بود که نمادگرایی و رمانتیسم و طبیعت‌گرایی را درهم آمیخت و در فضای بستهٔ ادبی حاکم با شهامت سَبک تازه‌ای در شعر وارد کرد. من نیما را با شعر و نوشته‌هایش از دورهٔ دبیرستان شاهپور در شمیران باغ فردوس و در دبیرستان دارالفنون شناختم. جوانی من با ادبیات فرانسه و روس و صادق هدایت و شعر نوِ فارسی نیما و فروغ و شاملو شکل گرفت. همهٔ دفترهای شعر نیما را خوانده بودم. در سال ۱۳۴۸ خورشیدی در دارالفنون مقالهٔ بسیار بلندی دربارهٔ شعر نو و نیما آماده کردم و از استاد ادبیات دارالفنون، که

سنتی فکر می‌کرد، با پافشاری خواستم تا آن را برای صد نفر دانش‌آموز رشتهٔ ادبی بخوانم. او هم با اکراه و سختی گفت: «برو بخوان.» پس از دو دقیقه، با اخم و حرکت سر گفت: «بسه، من فکر کردم دربارهٔ منوچهری دامغانی‌ست.» چنین واکنشی ناشی از حاکم بر فضای شعری ایران بود. البته کم‌کم شرایط دگرگون شد، به‌ویژه با برگزاری شب‌های «شعر خوشه» و «انستیتو گوته» تهران که به‌مرور منجر به گسترش استقبال از شعر نیما و شاعران نوپرداز در میان جوانان شد.

شعر نیما جادویی است و با فضای طبیعت و درخت و کوه و پرندگان و جانوران و آدم‌ها در هم آمیخته است. او با نمادگراییِ خود از اجتماع و دردها و احساسات می‌گوید و به همین خاطر شعر «مرغ آمین»، «آی آدم‌ها» و «تو را من چشم در راهم» را می‌نویسد:

«شباهنگام، در آن دم که بر جا دره‌ها چون مرده ماران خفتگانند
در آن نوبت که بندد دست نیلوفر به پای سرو کوهی دام
گرم یادآوری یا نه، من از یادت نمی‌کاهم
تو را من چشم در راهم.»

دنیای نیما افسونگر و لطیف و بااحساس است. شعر نیما از زمان و انسان و پریشانی‌اش می‌گوید ولی زبان نمادگراییِ شاعرانهٔ او پیام را به نغمه و راز تبدیل می‌کند. نیما بزرگ بود و من به احترامِ او کلاه از سر برمی‌دارم. برای ایجاد دگرگونی در زندگی همیشه به انسان‌هایی نیاز است که حرف نو می‌زنند و از هل دادن و انتقاد به کهنه‌اندیشی نمی‌هراسند.

کتاب ۱۹۸۴ ادامه دارد

جُرج اورِل، نویسندهٔ انگلیسی، در سال ۱۹۴۹ کتاب معروف خود یعنی ۱۹۸۴ را چاپ کرد. خودکامگی فکری، روانی و سیاسیِ استالینیسم و نازیسم محور این کتاب است. جهان‌بینیِ حزب پرولتاریا و دستگاه جاسوسی و قدرت سیاسی انسان را مچاله می‌کنند، درهم می‌شکنند و نابود می‌کنند. اورِل در این رمان می‌نویسد: «جنایت در فکر منجر به مرگ نمی‌شود بلکه خودِ مرگ است.» این نظام در پی نابودی عشق و لذت جنسی است و در بطن آن دروغ به حقیقت تبدیل می‌شود

و دوباره نقش پیشینِ خود را پس می‌گیرد. این نظام برای نگه داشتن جامعه و حاکمیت خود جنگ بر پا می‌کند، بخشی از جامعه را بیمار می‌کند و گرسنه نگه می‌دارد تا امتیاز خود را حفظ کند. این تسلط سیاسیِ ایدئولوژیک، پلیس اندیشه را در همه‌جا می‌گستراند و رخت‌خواب و کارخانه و نشریه‌ها را به کنترل خود درمی‌آورد تا جنایت‌کاری از راه اندیشه همه‌گیر شود. به‌گفتهٔ جُرج اوروِل در منطق این نظام «حقیقت فقط حقیقت حزب است؛ شما هیچ موجودیتی ندارید.» از نگاه او «قدرت یعنی پاره کردن روح انسان و تنظیم کردن الگوی جدیدی برای روان انسان.» جزم‌اندیشان نظام‌های خودکامهٔ اِستالینیستی و نازی می‌گویند: «ما طبیعت انسان را می‌سازیم و انسانیت یعنی حزب ما.»

جُرج اوروِل بر این باور بود که این نظام می‌خواهد به ما بقبولاند که ایستادگی نادشدنی است، می‌خواهد ما را تبدیل به جاسوس کند و در پی آن است تا ما بپذیریم که جاسوسی کاملاً طبیعی است و هر مخالفتی با نظم خودکامه جز بیان بیماری روانی چیز دیگری نیست. بنابراین، در نظام ایدئولوژیک شست‌وشوی مغزیِ انسان‌ها باید به این نقطه برسد که هر دروغی مجاز است.

فیلم «اسنودن» ساختهٔ اولیور استون نشان‌دهندهٔ جاسوسیِ فکری با فن‌آوری‌های جدید و دربارهٔ همهٔ جهان و تمام بشریت کنونی است. تمامی قدرت‌های سیاسی و تمامی قدرت‌های اقتصادی در پی تسلط بر ذهن انسان‌اند. حال با توجه به دست‌کاریِ روانی و فکری و نیز تبلیغات ایدئولوژیک و دینی، انسان‌های برده و اسیر بسیار فراوانند. در جامعهٔ ما نیز، زیر فشار استبداد و خرافات و دستگاه شیعه‌گری و عامل تاریخی ذهنیِ دین و فشار امامزاده‌ها و بازار و الگوی مصرفی، روان انسان‌ها دچار پارگی و بندگی است. به‌راستی در جامعهٔ ایران، آزادی روانی و اندیشه چگونه درک‌شدنی است؟ چگونه می‌توانیم ایستادگیِ خود را در برابر ازخودبیگانگی، «جاسوس‌منشی» اندیشه و تاراج خِردگرایی افزایش دهیم؟

میترائیسم ایرانی، جشن نوئل و ژانوس

یورش اسلام بسیاری از سنت‌های فرهنگی و آیینیِ ایرانیان را نابود کرد. پشتیبانان رنگارنگ اسلام نیز پیوسته در برابر فرهنگ ایرانی تلاش کرده‌اند تا آن را به

فراموشی تاریخی بسپارند. در اینجا چند نکته را دربارهٔ جشن نوئل و رابطهٔ آن با میترائیسم یادآوری می‌کنم. در جهان، جشن نوئل در ۲۴ و ۲۵ دسامبر و برای زادروز مسیح برگزار می‌شود. در واقع، ریشهٔ این جشن مسیحی نیست و به دوران میترائیسم یا آیین مِهرپرستی ایرانیان برمی‌گردد. آیین مهرپرستی دارای ریشهٔ هندی-ایرانی است و در ایران کهن رواج داشته است. در این فرهنگ، هر ساله جشن بزرگی بر پا می‌شده که در ستایش آغاز پیروزی روشنایی، کوتاه شدن شب و برآمد طبیعت بوده است. از دید برخی، این جشن بزرگ در بزرگداشت زادروز ایزدبانو میترا بوده است.

از دیدگاه ایران‌شناس و اسطوره‌شناس بزرگ فرانسوی، ژُرژ دومزیل، دو خدای بزرگ یعنی میترا و وارونا به‌معنای «قرارداد» و «سوگند» در «معبد هندی و ایرانی» وجود داشته‌اند و نماد استقلال قضایی و پاسداری از حقیقت و امور جهان بوده‌اند. در سرزمین ایرانیان، میترائیسم در یک روند دراز به آیین اهورا مزدا و سپس به کیش زرتشت می‌گراید و نشان و نماد این دو، اهورا مزدا و میترا، هنوز هم در تخت جمشید پابرجایند.

با پیدایش امپراتوری روم، میترائیسم در آن گسترش می‌یابد و سپس «اورلین»، امپراتور روم، با دشواری‌های گسترده میان مردم ساکن آن تصمیم می‌گیرد تا برای اتحاد تمام مردم با امپراتوری خویش جشن میترایی را در سراسر سرزمین خود برگزار کند. از آنجا که مسیحیت نیز به‌اعتبار امپراتوری روم رشد می‌کند، میترائیسم به آداب و رسوم مردم درمی‌آمیزد و کلیسا پس از سه قرن این جشن امپراتوری را به‌عنوان زادروز مسیح اعلان می‌کند.

هنگامی که من بر فرهنگ کهن خویش پافشاری می‌کنم به‌خاطر همین تاریخ فرهنگی و اساطیری و تأثیر آن بر فرهنگ جهانی است. فرهنگ‌ها از یکدیگر تأثیر می‌پذیرند و زمانی که در فرهنگی، پیوند با طبیعت و ترقی انسانی نهفته است، با زیبایی روبه‌رو می‌شویم. میترائیسم و مانی‌گری و مزدائیسم و زرتشت و تاریخ تمدن شاهنشاهی در گذشته سرشار از تجربه و آموزش‌اند و نماد این بار تاریخی ـ فرهنگی در شخصیت سازندهٔ یک ملت زیباست. روشن است که ما نمی‌خواهیم در گذشته بمانیم و باید از هر گونه رفتار کوته‌بینانهٔ شووینیستی برکنار باشیم ولی این گذشته را باید بازیافت زیرا اسلام متجاوز، قرآن تبعیض‌گرا و تمامی خرافات شیعه شخصیت تاریخی و خلاقیت فرهنگی ما را منکوب کردند. ایرانیان زیر هجوم

دین سامی و سیاست‌های حاکمان و آخوندها و نواندیشان دینی مانند شریعتی و سروش ازخود بیگانه شدند. ایرانیان برای دشمنان خود مانند محمد و علی و حسین و رضا و امام زمان خدمت‌گزاری و بندگی می‌کنند و گویی از یاد برده‌اند که فرهنگ تاریخی و سنت‌های مردمی و جشن‌های طبیعت‌گرای خودشان دارای ارزش‌های بالا و خوبی بوده و پیوسته باید در شکوفایی آن‌ها کوشید. از یاد نبریم که روشن‌فکران چپ کمونیست و اسلام‌زده هم در تحکیم اسارت عربی و اسلامی کوشیدند و مانع رشد وجدان آگاه در جامعهٔ ما شدند. ما نیاز به بازیافت و فعال کردنِ فرهنگ کهن خود داریم تا از مطلقیت دین سلطه‌گر اسلام بیرون آییم و بتوانیم نقش برجسته‌ای در فرهنگ جهانی ایفا کنیم.

جشن سال نوِ میلادی ریشه در طبیعت دارد و بیان دورهٔ انتقال و از میان رفتن گیاه و پیدایش آن در بهار است. این‌گونه مراسم در نزد بسیاری از مردمان کهن وجود داشته است. همچنین مردمان هندی/اروپایی/ایرانی نیز این دورهٔ انتقالی را جشن می‌گرفته‌اند و میترائیسم یا آیینِ مِهر یکی از ریشه‌های ژرف آن است. این جشن به‌ویژه در امپراتوری روم از آغاز ژانویه برپا شد و توسط ژول سزار در سال ۴۶ پیش از زادروز مسیح و برای ستایش ژانوس به‌معنای «در و دروازه» آغاز شد و نشان از انتقال یک دورهٔ طبیعی به دورهٔ طبیعی دیگری دارد. ایزدبانوی رومی، ژانوس که نامش به‌معنی «آغاز و پایان» و نیز «در» است، از خدایان بزرگی است که با نماد دو سر ـ یکی به‌سوی گذشته و دیگری به‌سوی آینده ـ مشخص می‌شود. در واقع، جشن آغاز ژانویه به همین معنا و دال بر جشن ژانوس است. بنابراین، جشن آغاز ژانویه یک عید مذهبیِ مسیحی نیست و به‌اشتباه آن را «سال مسیحی» می‌خوانند. خدایان و ادیان، بسیاریِ از رویدادهای طبیعت را با سرچشمهٔ آسمانی نشان داده‌اند، حال آن‌که، در اساس، بسیاری از این‌گونه جشنواره‌ها توسط انسان‌ها و برای باورها و دگرگونی‌های طبیعت برگزار می‌شده‌اند.

تروریسم اسلامی داعشی و روشن‌فکران

تروریسم اسلامی داعشی به یورش و آدم‌کُشی خود ادامه داد و شهروندان آلمانی را نیز با کامیون به قتل رسانید. برخی‌ها فکر می‌کردند که تروریست‌های اسلامی

فقط با فرانسه دشمنی دارند زیرا در فرانسه بی‌عدالتی وجود دارد و به جمعیت عرب‌تبار ظلم می‌شود. از میان روشن‌فکران فرانسوی که این چنین فکر می‌کنند باید از اولیویه روا، ادوی پله نل، اِمانوئل تود و روشن‌فکر ایرانی یعنی فرهاد خسروخاور یاد کرد. اینان لبهٔ تیز یورشِ خود را به‌سوی روشن‌فکران خداناباور نشانه گرفتند و آن‌ها را عامل اصلی شکنندگیِ جامعه معرفی کردند و از «بنیادگرایی خداناباور» به‌عنوان یک انحراف بزرگ صحبت کردند. ترورهای آلمان یک بار دیگر نشان داد که تروریسم اسلامی یک جریان ایدئولوژیکِ جهانی است و در فرانسه و بلژیک و تونس و مصر و آمریکا و ترکیه و سراسر خاورمیانه وجود دارد و این تروریسم هر گونه بهانه‌ای را به کار می‌گیرد تا خود را توجیه و پشتیبانیِ جمعیت مسلمان را به‌سوی خود جلب کند. هدف این بنیادگرایی خشونت‌بارِ ویرانیِ دموکراسی و ایجاد آشوب در تمدن غربی است. برخی تروریست‌های اسلامیِ فرانسه از محیط اجتماعی سطح پایینی بیرون آمدند ولی در میان آن‌ها کسانی از لایه‌های متوسط جامعه یا دارای شغل و موقعیت اجتماعی نیز بودند. بهانهٔ «وضع نابسامان اجتماعی» تروریست‌ها بهانه‌ای است که ژرفای تعصب خطرناک اسلامی و روان ایدئولوژیک و کور جنایت‌پیشهٔ تروریست‌ها دیده نشود. این روشن‌فکران که، در واقع، «اسلاموفیل» و متحد افراد متعصب هستند، فاقد درک درستی از تروریسم اسلامی‌اند و در کردار همسو با آنان و بر ضد جامعهٔ دموکراتیک‌اند. این روشنفکران به‌طور کلی شیفتهٔ جزم‌اندش‌های اسلامی هستند و گاه مسلمانان را نوعی «پرولتاریای» جدید ارزیابی می‌کنند. درک واپس‌گرای این افراد منجر به دیدگاه بستهٔ آن‌ها و خوار شمردن دموکراسی شده است. در برابر این «اسلاموفیل‌ها»، روشن‌فکران خداناباور و پرکاری قرار دارند که مبارزه برای عدالت و آزادی را از مبارزه با اسلام‌گرایی فاشیستی جدا نمی‌دانند. روشن‌فکرانی مانند مارسل گوشه، پی‌یر منان، میشل انفری، ژیل کپل و نیز از میان ایرانیان خود من در این جناح قرار دارند. ما، هرچند با سایه‌روشن‌های فکری گوناگون، جریان اسلامیسم تروریستی را دارای سرچشمهٔ ایدئولوژیک جهانی می‌دانیم و آن را در رابطه با ایدئولوژی قرآنی ارزیابی می‌کنیم. این تروریسم یک شبکه ایدئولوژیک و مالی و سازمان‌یافته و خواهان جنگ داخلی در غرب است. ما باید حساب شهروند مسلمان را از تروریست‌ها و متعصبان خطرناک متمایل‌به جنایت جدا کنیم. ما باید قرآن را به‌عنوان یک انگیزهٔ ایدئولوژیک تروریستی نشان دهیم و بر

رفع کمبود یک کار سترگِ فرهنگی و آموزشی نزد جوانان پافشاری کنیم. بدبختانه بخش مهمی از چپ‌های ایرانی به گروه فکری نخست یعنی «اسلاموفیل‌ها» تعلق دارند و روشن‌فکران خداناباور را مورد یورش‌های تبلیغاتیِ خود قرار می‌دهند. از جانب آنان محکوم کردنِ تروریسم با انواع‌واقسام احتیاط‌های نابجا همراه است و شوربختانه آن‌ها پشتیبان جداانگاری دین از سیاست و آزادی بدون قیدوشرط نیستند، حال آن‌که باید صراحت داشت و تروریسم اسلامی و محافل و سازمان‌های متعصب را افشا کرد. همچنین، همیشه باید واپس‌گراییِ ذهنیِ توده و خرافه‌های فلج‌کنندهٔ آن‌ها را به نقد همه‌جانبه کشید. تودهٔ اسلام‌زده و افراد ازخودبیگانه نمی‌توانند آزاداندیش واقعی باشند تا نوآوریِ فکری و روانی خود را برای تمدن و ترقی انسانی گسترش دهند.

فرهنگ ما با طبیعت پیوندی تنگاتنگ دارد

شب یلدا یک سنت خوب باستانی است که از زمانهای بسیار دور در میان تیره‌های هندی و اروپایی و ایرانیان مرسوم بوده است. این شب زمان میان غروب آفتاب سی آذر، آخرین روز پاییز، را به برآمد آفتاب در اول ماه دی، نخستین روز زمستان، پیوند می‌زند. واژهٔ یلدا ریشهٔ سریانی دارد و به‌معنای «زایش» است. منظور از زایش همان زایش خورشید (مِهر/میترا) است. در جهان کهن، میان طبیعت و مردم رابطهٔ فشرده و تنگاتنگی وجود داشت. مردم روزگاران دور که کشاورزی بنیان زندگی‌شان را تشکیل می‌داد و در طول سال با سپری شدن فصل‌ها و تضادهای طبیعی عادت داشتند، بر اثر تجربه و دانش و گذشت زمان توانستند فعالیت‌های خود را با گردش خورشید و تغییر فصل‌ها و بلندی و کوتاهی روز و شب و جهت و حرکت و قرار ستارگان تنظیم کنند. مردم دوران باستان و از جمله تیره‌های آریایی، از هندی گرفته تا هندی ـ ایرانی و اروپایی دریافتند که کوتاه‌ترین روزها، آخرین روز پاییز و شب نخست زمستان است و، بی‌درنگ، پس از آن روزها رفته‌رفته بلندتر و شب‌ها کوتاه‌تر می‌شوند. از همین رو، آن را شب زایش خورشید نامیدند و آغاز سال قرارش دادند.

جشن یلدا در ایرانِ امروز با گِرد هم آمدن و شب‌نشینیِ اعضای خانواده و

خویشان در کنار یکدیگر برگزار می‌شود. در گذشته، خاطره‌گویی و متل‌گویی که نوعی شعرخوانی و داستان‌خوانی است انجام می‌شد. خانواده‌ها در این شب گِرد هم می‌آمدند و پیرترها برای همه قصه می‌گفتند. آیین شب یلدا یا شب چلّه همراه با خوردن آجیل ویژه، هندوانه، انار، شیرینی و میوه‌های گوناگون انجام می‌شود که همگی جنبهٔ نمادین دارند و نشان برکت، تندرستی، فراوانی و شادکامی هستند. این میوه‌ها که بیشتر دانه‌های زیادی دارند نوعی راز به شمار می‌آیند که انسان‌ها با توسل به برکت‌خیزی و پُردانگیِ آن‌ها خودشان را هم مانند آن‌ها برکت‌آور می‌کنند و نیروی بارورِی خویش را افزایش می‌دهند. در شب یلدا، دوستان و خانواده برای هم قصه می‌گویند و شاهنامه و حافظ می‌خوانند. این‌گونه جشن‌ها در ایران باستان بسیار فراوان بودند ولی بدبختانه هجوم اسلام و استعمار عربیِ نهادینه‌شده در اذهان این جشن را به زیر غبار و خرافه برد. خوشبختانه چندی است که در ایران جشن یلدا برپا می‌شود. این‌گونه جشن‌های مردمی در کیستیِ فرهنگی ما نهفته‌اند و باید آن‌ها را زنده نگه داشت. برعکس، تمام روزهای «عید اسلامی» را، که مربوط‌به اسلام و شیعه و امامان سامی است، باید کنار زد زیرا آن‌ها عامل آزردگی و افسردگی روان هستند. مبارزه با ازخودبیگانگی ما و تلاش برای بازیافتن خودکنشی حیاتی است. فرهنگ ما با طبیعت پیوند تنگاتنگی دارد. خوب است به جوانان و کودکان خود این سنت زیبا را بیاموزیم.

معنای جنگ

معنای جنگ چیست؟ ما در سال ۲۰۱۵ در پاریس در التهاب و خشم ناشی از ترورهای اسلامی بودیم و هم‌اکنون این شهر آرام است؛ هرچند، احتمال اقدام تروریستی دیگری وجود دارد ولی در حلب یا آلپ سوریه، هراس و مرگ و ویرانی و صدای مسلسل نظامیان با شدت ادامه دارد. جنگ را چگونه تعریف کنیم؟ جنگ از ریشهٔ لاتین «جدال و درگیری» گرفته شده. جامعه‌شناسان چند پیشنهاد برای تعریف جنگ دارند: نخست این‌که جنگ همبستگی گروه را افزایش می‌دهد. جنگ نازیسم آلمانی‌ها را متحد کرد، جنگ شوروی با هیتلر مردم را بسیج کرد و جنگ ایران و عراق منجر به ایجاد تمرکز در بین نیروهای مردمی شد. دوم این‌که جنگ همچون

یک بازی در تئاتر است: بازیگران بر اساس رقابت و برای پیروزی بر دیگری مسابقه می‌گذارند و هر یک خلاقیت و زرنگی و نیرنگ خود را به کار می‌گیرد تا بر دیگری پیروز شود. سوم این‌که جنگ ناشی از طبیعت انسان است: به این معنا که انسان از دید انسان‌شناسی و بر پایهٔ طبیعتش تمایل به جنگ دارد و خشونتِ انسان فراتر از خشونت حیوان و در پی تصاحب و ویرانی است. چهارم این‌که جنگ ادامهٔ سیاست است. کارل فون کلویس می‌گوید: «جنگ ادامهٔ سیاست با ابزاری دیگر است.» و کارل اشمیت نیز می‌نویسد: «سیاست همان جدا کردن دوستان از دشمنان است.» سیاست برای انقلاب می‌شود جنگ انقلابی، برای اقتصاد می‌شود جنگ اقتصادی و راهبردی برای بازار، برای آشوب داخلی می‌شود جنگ داخلی، برای بیرون راندن اشغالگر می‌شود جنگ رهایی‌بخش، در وادیِ اتمی می‌شود جنگ اتمی، در حوزهٔ سیاست ایدئولوژیک می‌شود جنگ سرد و تبلیغاتی و در دنیای سیاست دینی می‌شود جنگ در راه خدا و الله. در هنگام جنگ ارزش‌های انسانی به کنار گذاشته می‌شوند و دشمن و دوست بر اساس منافع آن لحظه تعریف می‌شوند. در این بستر هر گونه جنایت و دروغ و دسیسه و کشتار و شکنجه و بردگی توجیه می‌شود. جنگ همه را کور می‌کند و بدترین خباثت‌ها و بی‌شرمی‌ها و تجاوزها را عادی و انسان به پست‌ترین حالت سقوط می‌کند. در این شرایط ارزش‌های اخلاقی و صلح به آرزوهای بدبینانه تبدیل می‌شوند و خِرد متمایل به زندگی از کار می‌افتد.

جنگ سوریه و مسئولان ویرانی

روزی، در پایان درس، یکی از دانشجویانم پرسید: «چرا سوریه ویران شد؟» من نیز در پاسخ به او گفتم: «اگر دادگاهی برگزار شود، متهمین به‌قرار زیر هستند: نخست، جُرج بوش و دولت آمریکا زیرا طرح آن‌ها ایجاد نقشهٔ جدیدی برای خاورمیانه بود و به همین دلیل به عراق حمله کردند. دوم، داعش که متشکل از باندهای فرماندهان و رؤسای صدّامی و اسلام‌گرایان بود و با پول عربستان و برخی شیخ‌نشین‌های خلیج فارس به کشتار و جنگ دست زدند تا دولت اسد و دولت شیعهٔ عراق را بیندازند. سوم، رقابت‌خواهیِ جمهوری اسلامی در ایران و عربستان و ترکیه که برای سلطه بر منطقه است. چهارم، رژیم اسد که برای حفظ خود از

کشتار دیگران هراس نداشته و پیوسته از پشتیبانی جمهوری اسلامی و حکومت پوتین برخوردار بوده است. پنجم، جنگ شیعه و سنی بین باندها و سازمان‌ها و دولت‌ها در منطقه که هدف گسترش قلمرو و تقویت قدرت و نفوذ را تعقیب می‌کند. ششم، پوتین که با یادمانهٔ تزاریسم و اِستالینیسم خواهان تحکیم یا گسترش نفوذ خود است. هفتم، رژیم ایران و ترکیه که برای کنترل محل گذر لوله‌های فروش نفت به اروپا در جدال هستند. هشتم، شرکت‌های تسلیحاتی که نیازمند ادامهٔ جنگ هستند. نهم، ناشایستگیِ نخبگان سوریه که کشور را به باد نابودی داد. دهم، وجود نفت و اسلام و استبداد در خاور میانه که نفس خاور میانه را بریده است. یکی از نتایج این جنگ نابودی زندگی انسان‌ها و محیط زیست آنهاست و یکی دیگر از اثرات جنگ‌های دوران کنونی در منطقهٔ ویرانیِ معماری و تمدن کهن است. جنگ در عراق بسیاری از آثار دوران تمدن میان‌رودان مانند بابل را نابود کرد. سوریه نیز پایگاه تاریخی سومری‌ها، آرامی‌ها، بابلی‌ها، آشوریان، رومیان، ایرانیان، یونانیان، امویان، عباسیان و عثمانیان بوده است و آثار بزرگی از این تمدن‌ها را تاکنون از دست داده است. جنایتکاران و حریصان و قدرت‌خواهان انسان‌ها را به‌آسانی می‌کُشند و در پی نابودی تاریخ هستند. ملتی که تاریخ خود را از دست می‌دهد و از تمدن خود نشانی باقی نمی‌گذارد، از صحنهٔ روزگار محو خواهد شد.

اگون شیل، نقاش و شاعر اتریشی

اگون شیل، نقاش و شاعر اتریشی در ۱۸۹۰ در وین به دنیا آمد و در ۱۹۱۸ درگذشت. او از سال ۱۹۰۹ گروه هنرمندان ویژهٔ خود را به وجود می‌آورد، در روزنامه‌ها به نقد هنری می‌پردازد و با هنرمندان گوناگون و نیز مجموعه‌داران هنری آشنا می‌شود. شیل در سال ۱۹۰۹ نخستین نمایشگاه نقاشی خود را بر پا می‌کند. او در ۱۹۰۷ با گوستاو کلیمنت آشنا می‌شود و این هنرمند به‌مثابه آموزگار او تلقی می‌شود. در این سال‌ها نمایشگاه‌ها و نقاشی چهرهٔ انسان‌ها زندگی او را پر می‌کنند. در سال ۱۹۱۱ با زن مدلی به‌نام والی نوزیل، که به‌مناسبات اخلاق جامعهٔ خود بی‌اعتناست، آشنا می‌شود و با او ازدواج می‌کند. از همان آغاز، کارهای هنریِ او توسط محیط اجتماعی با جسارت و نیز تا حدی غیراخلاقی تلقی می‌شود. یکی از تابلوهای او

یعنی «کاردینال» بوسهٔ یک اسقف بر دهان یک زن را به نمایش می‌گذارد. اگون شیل در آستانهٔ جنگ نخستِ جهانی به هنرمندی جهانی مشهور می‌شود و تابلوهایش در بوداپست، کُلن، برلین، مونیخ، پاریس، رُم و بروکسِل به نمایش در می‌آیند. او بیش از سه‌هزار تابلو از خود به جا گذاشته است. بسیاری از تابلوهای او با سکس و عشق و بدن‌های برهنه و کج درآمیخته‌اند. تابلوِ «دختری با موهای سیاه و بی‌دامن» که در ۱۹۱۱ کشیده می‌شود تن‌کامگی را به موضوع اصلیِ خود تبدیل می‌کند. تابلوِ «دو زن عاشق» با گزینش رنگ سبز و سرخ و سیاه از دو بدن درهم‌آمیخته و لذت‌جو حرف می‌زند. تابلوهای تک‌چهره و یا زنانی همجنس‌گرا و لُخت همراه با درد و رازی تن‌کامه بیشتر فضای تابلوهای او را پرکرده‌اند.

تابلوهای او با رنگ‌آمیزی حادّ و سادگی نوآورانه‌شان انسان را جذب می‌کنند. یکی از تابلوهای زیبای او «زن زانودربغل» است که در سال ۱۹۱۷ پایان یافت. این نقاشی حاکی از مکاتب هیجان‌نمایی و نوگرایی است، با مداد طراحی و با رنگ‌آمیزی گواش بر روی کاغذ کشیده شده است. دنیای هنریِ شیل از تنهایی، زندان، تن‌کامگی و جنگ‌ستیزی سرشار است. من نقاشی شیل را از ۱۹۸۳ میلادی می‌شناسم و هنرش بسیار لذت‌بخش و با قدرت است. نقاشی‌های اگون شیل با برخورد تند جامعه و فرهنگ رایج روبه‌رو شدند ولی او، که روح آزاده‌ای داشت، به کار خود ادامه داد. نقاشی او یک فصل تازه از نقاشی تن‌کامه به شمار می‌آید و او به‌شکلی متفاوت خودلذت‌گراییِ زنانه را بارها به نقاشی درمی‌آورد. نقاشی‌های زنان برهنه و طرح‌های جذاب از چهرهٔ خود با قدرت بالایِ شیل ترسیم شده‌اند. دنیای اگون شیل دنیایی رازآلود و پر از تنش تن‌کامه، احساس تنهایی و درد است. به هر روی، او مبتکر بود و جسارت داشت و آنچه که دوست می‌داشت را به وجود آورد. هنرمند باید آزاد باشد و هنجار اجتماعی در عرصهٔ هنر باید شکسته شود.

اقتصاد و شوق یادگیری

کل امروز را در دانشگاه نانتر پاریس گذراندم. دانشجویان سراسر روز در کلاس حاضر بودند و یادداشت‌برداری می‌کردند و دربارهٔ پروژهای خود گزارش می‌دادند. موضوع درس «اقتصادکار» از دیدگاه آدام اسمیت، کارل مارکس و کینز بود. نظریه‌ها

و واقعیت‌های اقتصادی جامعه را واکاوی کردم و گفتم این رشتهٔ اقتصاد تخصصی به بازار کار و عواملی مانند کار، سرمایه، فن‌آوری، مهارت‌های حرفه‌ای، نوع مدیریت، بی‌کاری و بحران اقتصادی می‌پردازد. و نیز افزودم که اقتصاد با آمار کار می‌کند ولی بیش از هر چیز از انسان و روابط انسان با تولید و مصرف حرف می‌زند. اقتصاد مجموعه‌ای از فرمول‌های ریاضی نیست بلکه به‌طرز ژرفی انسانی است. پس از هر بخش از گفتارم، دانشجویان فعالانه پرسش می‌کردند و این پرسش‌ها نشان از علاقهٔ آنان به فراگیری داشتند و من احساس بسیار خوبی داشتم چون برگزاری کلاس درسی که برای تمام روز در نظر گرفته می‌شود چندان آسان نیست. باید آموزگار بود و با روش‌های نوین آموزش داد. هنگامی که درس تمام شد، چند نفر از دانشجویان به‌سوی من آمدند و گفتند: «آقای ایجادی، شما دوست داشتنِ اقتصاد را به ما آموختید.» من هم گفتم: «اگر دانشجو هوشیار نباشد و اشتیاق نداشته باشد، همهٔ تلاش‌ها بی‌فایده خواهد بود و من که چند دهه مشغول تدریس بوده‌ام همیشه پیشرفت و موفقیت و اشتیاق دانشجو نیروی محرکه‌ام بوده است. شما دانشجویان به محتوای درسی خوب و روش‌های آموزشی مناسب نیاز دارید و من هم به‌نوبهٔ خود به ارزیابی شما از کار درسی خود و واکنش شما انگیزهٔ مثبت استاد را بالا می‌برد.» پس از گفت‌وگو با جوانان دانشجو، به یک کافه رفتم و قهوه‌ای با شیرینی سفارش دادم، یک شیرینیِ زبانِ بزرگ. به خودم گفتم نصف شیرینی را می‌خورم ولی کتاب‌هایی را که در پیش رو قرار داده بودم حواس مرا پرت کردند و همهٔ شیرینی را خوردم. خستگی از تنم بیرون رفت و خواندن کتاب را ادامه دادم. یکی از دو کتابی که در دستم دارم تازه‌ترین کتاب فیلسوف فرانسوی، میشل سر با نام داروین و بوناپارت و ساماریتن است و دیگری بازگشت‌کنندگان نوشتهٔ داوید تامسون است و به بازگشت جوانان تروریست اسلامی از سوریه به فرانسه می‌پردازد. کتاب اول زیبا و هوشیارکننده و کتاب دوم وحشتناک و تراژیک است.

«دانی کوهن بندیت» و انقلاب

در رادیو فرانسه از جنبش ماه مِه ۶۸ فرانسه صحبت کردم و نمی‌توان از این رویداد حرف زد و از «دانی» صحبت نکرد. منظورم دانیل کوهن بندیت است.

او را «دانی» صدا می‌کردند. «دانی» در سال ۱۹۴۵ در فرانسه و از پدرومادری یهودی که از آلمان هیتلری گریخته بودند زاده شد. او به جامعه‌شناسی پرداخت و اقتدارگریز بود. سپس در دانشگاه نانتر مشغول تحصیل شد و در زمان آغاز جنبش ماه مه نقش بزرگی در برآمد این جنبش و بسیج جوانان بازی کرد. صدای «دانی» محکم و آهنگین بود، به پلیس خیره می‌شد و انتقاد می‌کرد، جوان شجاعی بود، خواست‌های دانشجویان و جامعه را مطرح می‌کرد و به رهبر جنبش جوانان تبدیل شد. نام او با جنبش ماه مِه گره خورده است و بسیارانی در جهان او را می‌شناسند.او در ۲۱ ماه مِه ۱۹۶۸ توسط پلیس دستگیر و از فرانسه اخراج شد. سپس به «دانی سرخ» معروف شد چون همیشه منبع اعتراض و پیشنهاد بود. وی در زمان تبعید به آلمان، از جانب هانا آرنت، فیلسوف بزرگ، یک نامهٔ پشتیبانی دریافت کرد. پس از این دوره وارد صحنهٔ سیاست شد و از دید فکری دستخوش دگرگونی قرار گرفت و به پشتیبانی از محیط زیست پرداخت. او در عرصهٔ سیاست یک دوره معاون شهردار فرانکفورت بود و سپس به‌عنوان یکی از رهبران حزب محیط زیستی‌های فرانسه برگزیده شد و به این اعتبار در انتخابات پارلمان اروپا در رأس فهرست بوم‌شناسان برنده شده و به پارلمان اروپا راه پیدا کرد.

«دانی» مداخله‌گر اجتماعی و سیاسی و در برخورد نظری با صراحت است. او، ضمن انتقاد از حزب کمونیست فرانسه و چپ‌های تندرو، همیشه پشتیبان آزادی و دموکراسی بوده و از خودکامگی اِستالینی و مائویستی و کاستریستی انتقاد می‌کند. من از سال ۲۰۰۰ عضو حزب بوم‌شناسان فرانسه شدم و در این راستا با دانی کوهن بندیت گفت‌وگوی‌های زیادی داشته‌ام. «دانی» خونگرم است، همیشه باشور سخن می‌گوید، از واکاوی‌های سطحیِ رایج می‌گریزد، خود را چپ لیبرال می‌داند، هوادار اروپای فدرال است، بارها از مبارزات مردم ایران در برابر آخوندها در پارلمان اروپا و سخن‌رانی‌ها و مصاحبه‌هایش پشتیبانی کرده است، از سینمای ایران خوشش می‌آید و بارها به من گفته برای محیط زیست ایران باید کاری کرد. یک بار به او گفتم: «بخش بزرگ چپ ایران هیچ حساسیتی به محیط زیست ندارد.» او هم گفت: «تأسف‌بار است ولی مسئولیت تو زیاد است؛ بازهم تلاش کن.» او بیش از ۱۰ کتاب نوشته و عنوان یکی از کتاب‌هایش این است: چه خوب است از حماقت‌های خود دست برداریم. او از مردان بزرگ و تأثیرگذارِ اروپاست. مبارزهٔ او با خودکامگیِ کمونیستی و چپ‌گرا و مردم‌فریبیِ راست و

چپ در راه یک پارلمان اروپاییِ شفاف و دموکراسی فراموش‌ناشدنی است. او یک سیاست‌مدار باشعور و جسور است.

جنبش ماه مِه ۱۹۶۸ فرانسه و زمان رفته

جنبش ماه مِه ۱۹۶۸ فرانسه به نوگراییِ اجتماعی و فرهنگی توجه داشت و در جامعه‌ای به وجود آمد که شارل دوگل بر آن حکومت می‌کرد. مناسبات اجتماعیِ این جامعه بوی کهنگی می‌داد و اعتراض به جنگ ویتنام اذهان را به خود مشغول کرده بود. در این جنبش دانشجویان و زنان پیش‌گام بودند و برای آزادی بیشتر به خیابان‌ها ریختند. دانشجویان دانشگاه نانتر آغاز کردند و سپس همه‌چیز به‌سرعت به دانشگاه سوربن رسید. راهروها و حیاط داخلی سوربن همیشه از بحث و جدال پر بودند. آغاز دهۀ هفتاد میلادی دوران جوانی من بود و من برای تحصیل جامعه‌شناسی به سوربن می‌رفتم و ذهنم با این فضا پرداخت شده بود. در تمام کافه‌های پیرامون سوربن دربارۀ انقلاب و جنگ ویتنام و فلسفۀ سارتر و انقلاب چه گوارا گفت‌وگو و بحث فراوان بود. در نیمۀ نخستِ دهۀ هفتاد همه‌جا، تب‌وتاب سیاسی ادامه داشت و مبارزه و فضای شورانگیزِ دانشجویی در تمام دانشگاه‌ها رونق داشت. بیشتر روشن‌فکران ایدئولوژی‌زده بودند. حال، بروید و نگاهی به میدان سوربن بیندازید. همان‌جایی که ۵۰ سال پیش عطر و هیاهوی انقلابی و آرمان‌خواهی گرم و ساده‌لوحانه و گفت‌وگو دربارۀ نوشته‌های فلسفی و علوم اجتماعی چیره بود. سال‌هایی که جوان و دانشجو بودم، همیشه جلوِ ورودی دانشگاه سوربن و پیرامون میدان سوربن غلغله بود و تمام احزاب سیاسیِ چپ مارکسیستی و چپ مائوئیستی و گواریستی و نیز گروه‌های راست تندرو و هواداران سندیکای‌های دانشجویی و کارگری مشغول جذب عضو و پخش اعلامیه‌های خود بودند. بحث‌های سیاسی حادّ بود و همه با آرمان‌گرایی می‌خواستند سرمایه‌داری را سرنگون و جهان را دگرگون کنند. تمام ورودی سوربن از خشونت سیاسی و انقلابی پوشیده بود و هیاهوی انقلابی هیچ‌کسی را بی‌تفاوت نمی‌گذاشت. پنجاه سال از آن زمان می‌گذرد و امروز وضع خیلی تفاوت دارد. دیگر سوربن شور انقلابی ندارد، کسی اعلامیه پخش نمی‌کند. دانشگاه سوربن

همچون یک نهاد متین و آرام در زمینهٔ جامعه‌شناسی، فلسفه، روان‌شناسی، تاریخ، حقوق و اقتصاد به کار خود ادامه می‌دهد. خیابان سن میشل نیز ساکت است و گویا انقلاب را فراموش کرده است. سرمایه‌داری به‌اعتبار فن‌آوری‌های نوین نوتر شده و سر جایش باقی است، تمام جهان کمونیستی نابود شد و دانشجویان اغلب در پی تحقق پروژه‌های شغلی خود هستند. در محافل روشن‌فکری از مارکس و سارتر صحبت زیادی نمی‌شود ولی بیشتر از آلبر کامو، میشل فوکو، ژَک دریدا، مارسل گوشه، پی‌یر منان، رونه ژیرار، میشل سر و فردریک نیچه صحبت می‌شود. بیشتر بحث‌های جامعه هم دربارهٔ خشونت، اسلام، تروریسم، سرطان، آلودگی هوا، سلامتی، عدم اعتماد، بی‌کاری، بحران، هجوم اقتصادی چین، ترس، مردم‌فریبی، نقض دموکراسی و فرادموکراسی است. امروزه گاه از دانشجویان کلاسم از تاریخ می‌پرسم و آن‌ها چیزی نمی‌دانند. آیا جهان ما نسبت‌به پنجاه سال پیش در الگوی ساختاری و معنای خود تغییر کرده است؟ ما باید جهان و ارزش‌های خود را دوباره تعریف کنیم.

ناکامی یک رئیس‌جمهور

امشب فرانسوا هولاند اعلان کرد که برای انتخابات ریاست‌جمهوری سال ۲۰۱۷ نامزد نخواهد بود. بیشتر سیاست‌مداران و روزنامه‌نگاران فکر می‌کردند هولاند در انتخابات شرکت خواهد کرد ولی تصمیم او همه را حیرت‌زده کرد. کارنامهٔ هولاند دارای جنبه‌های مثبت و منفی بود: کمک ۴۰ میلیارد یورویی به شرکت‌ها جهت تقویت مالی، نوسازیِ جنبه‌هایی از قانونِ کار، قانون ازدواج همجنسگرایان، مدیریت خوب فرانسه در زمان ترورهای آدم‌کُشان اسلامی، روابط محکم با آلمان، کمک‌های نظامی به کشور مالی در برابر اسلام‌گرایان و مداخلهٔ نظانی هوایی در عراق در برابر داعش و مدیریت کنفرانس کاپ ۲۱ در پاریس از جنبه‌های مثبت سیاست او بودند. شکست او در مبارزه با بی‌کاری بود و همچنین با وجود تعهداتش به بوم‌شناسان اقدامی دربارهٔ پروژه‌های زیست‌محیطی نکرد و پروندهٔ صنایع اتمی در همان خط پیشین باقی ماند. چرا هولاند خود را نامزد نمی‌کند؟ او از حزب سوسیالیست بود و رقبایش در این حزب فراوان‌اند و بر اساس

همه‌پرسی‌ها هولاند برای پیروزی درون‌حزبی بخت زیادی نداشت. کار او به‌عنوان یک سوسیال‌دموکرات خوب بود ولی از دید زیست‌محیطی نمی‌توانست اقتصاد فرانسه را به‌سوی اقتصادی پایدار سوق دهد. وضع آقای هولاند بیان یک بحران ژرف در سوسیال‌دموکراسی فرانسه است. سوسیال‌دموکراسی پس از یک قرن تجربه در یک‌سری از کشورها اثربخشی خود را از دست داده است.

در فرانسه قاعده دوبارهٔ ریاست‌جمهوری است. گاه در پایان دورهٔ نخست، دورهٔ ریاست‌جمهوری پایان می‌گیرد. همیشه می‌گویند یک دوره برای پروژه‌های مهم کافی نیست. به هر روی، در دموکراسی دورهٔ ریاست‌جمهوری با تضاد و فشار همراه است و در بهترین حالت دو بار تکرار می‌شود. در نظام‌های دیکتاتوری مانند جمهوری اسلامی رئیس‌جمهور منبع اصلی قدرت نیست بلکه ولی فقیه، نمایندهٔ الله، شخص تعیین‌کننده است. یک فرد با نظام حفاظتی‌اش به خود اجازه می‌دهد چندین دهه بر جان‌ومال ملت حکم براند. همه در خدمت او و به تسلیم درآمده‌اند. نه جهان، نه قانون، نه تناسب قوا، نه مردم، هیچکس نمی‌تواند امام حاکم را تکان دهد. پلشتی سراسر جامعه را گرفته است.

بازار آزاد اقتصادی و شبکهٔ زور

درس امروزِ دانشگاه دربارهٔ جامعه‌شناسی و اقتصاد بود. دو رشته از علوم انسانی که قدرت خود را در تخصص جداگانه و حقیقت مطلق خود می‌دانستند ولی امروز روشن است که یکی بدون دیگری به بن‌بست منجر می‌شود. ژزف شومپیتر از حاصل‌خیزی پیوند این دو رشته صحبت می‌کرد و این بدان معنا که اقتصاد برای ارائهٔ واکاویِ ژرف به جامعه‌شناسی نیاز دارد. نکتهٔ اصلی بحث من چه بود؟ در اقتصاد کلاسیک، بازار آزاد تضمین اصلی سلامتی اقتصادی است. اقتصاد کلاسیک بازار را نتیجهٔ عرضه و تقاضای فروشنده و خریدار و نشان‌دهندهٔ ارادهٔ افراد آزاد می‌داند. از دید جامعه‌شناسی، نقش فرد و آزادی او در این اقتصاد بسیار مهم و ساختاری است ولی فرد در روابط بسیار پیچیده و کلان حرکت می‌کند. جامعه‌شناسی بازار را دارای ساختار اجتماعی و نتیجهٔ مناسبات و شبکه‌ها و نفوذها می‌داند. بازار اسلحه نتیجهٔ خواست دو عامل خریدار و فروشنده

نیست بلکه از تناسب قوا و نفوذ شبکه‌های مالی و سیاسی و قدرت ایدئولوژیک ناشی می‌شود. تقسیم بازار کلان در ایران نتیجهٔ ملاقات دو عنصر در بازار نیست بلکه برساختهٔ تصمیم‌های برندگان قدرتمند، تأثیرگذاران نظامی و سیاسی و دینی و راهبردیِ جهانی است. ساختار اجتماعی سیاسی به بازار شکل می‌دهد و چه بسا اقدام فردی نتیجهٔ این مناسبات باشد.

بنابر گزارشی دربارهٔ چند سال گذشته، به میزان ۵۰۰ میلیارد تومان از چین مهر و تسبیح، جانماز، سنگ قبر و قرآن، فیلم‌های ماه رمضان و مانند آن‌ها وارد ایران شده است. همچنین گزارش‌ها نشان می‌دهد که ایران سالیانه ۶ میلیارد تومان چاقو و ۳۰ میلیارد عدد چوب‌بستنی از چین وارد می‌کند. این تعداد چوب‌بستنی معادل ۹۵ درصد چوب‌بستنی مورد نیاز کارخانجات تولید بستنی در ایران است و این در حالی صورت می‌گیرد که سه کارخانه در کرج، زنجان و اصفهان هم توانایی تولید چوب‌بستنی را دارند. خریدوفروش سنگ قبر و قرآن و چوب‌بستنی چینی نتیجهٔ یک نظام سیاسی و راهبردیِ حکومتی و ترکیبی از ارادهٔ خصوصی و دولتی و اداری و ویژگی فساد و رانت است. اقدام ایران برای خرید ۵ سامانهٔ دفاع هوایی اس-۳۰۰ از روسیه به‌مبلغ ۸۰۰ میلیون دلار نتیجهٔ اختلافات ایران و آمریکا و زورآزمایی ایران و شگردهای روس‌ها و شبکهٔ فساد و تبانی سپاه است. ضدیت با غرب، سلطه‌جویی اقتصاد رانتی، نظامی‌گری حکومت دینی و عطش قدرت آخوندیسم مبنای این معامله است. خریدار نمازخوان آخرین حلقه و مهره و محصول یک سلسله از ساختارهای چیره و بازارساز و دست‌کاریِ روانی است.

من موافق اقتصاد بازار هستم ولی اقتصاد آزاد در شکل‌های گوناگونی وجود دارد. شیفتگی و یک‌جانبه‌نگری نسبت‌به اقتصاد کلاسیک و ساده‌لوحیِ روشن‌فکرانه خطرناک است. من اقتصاد با بازار می‌خواهم، اقتصادی که به محیط زیست و نیازهای بنیادی انسانی توجه دارد و زیاده‌روی حادّ در سودپرستی را مورد پسند خود نمی‌داند. اقتصادی که در مورد فساد برخورد هوشمندانه و وارسی کارساز دارد. اقتصاد با الگوی کمونیستی و لنینیستی و استالینیستی انسان و قدرت آفرینش و سرچشمهٔ خلاقیت او را می‌کُشد. اقتصاد لیبرالیستی یا نئولیبرالیستیِ لجام‌گسیخته هم همه‌چیز را در سر راه خود منکوب می‌کند.

واژهٔ «پساحقیقت»

واژهٔ تازهٔ «پساحقیقت» توسط دانشگاه آکسفورد به‌عنوان واژهٔ برجستهٔ سال ۲۰۱۶ برگزیده شد. بر پایهٔ تعریف داده‌شده، این واژه به‌معنای شرایطی است که در بستر آن داده‌های عینی و علمی برای جهت دادن و تأثیرگذاری بر باورهای عمومی اهمیت خود را از دست داده‌اند و هیجان و باورهای سست فردی و دروغ جای آن‌ها را گرفته‌اند. داده‌های سرسخت دیروز فاقد وزنه شده‌اند و امروز دیگر در رأی تأثیری ندارند. بر پایهٔ این مفهوم، از این پس نقش‌آفرینان و نمادها و سازندگان هیجان‌ها، متقلبان حرفه‌ایِ بازارگرم‌کن، صحنه‌گردانان کاردان و شیادان نقش اصلی را بازی خواهند کرد. بر اساس فرهنگ‌نامهٔ آکسفورد، امسال بهره‌گیری واژه‌های «پساحقیقت» مانند دروغ‌های بزرگ، سخن نیرنگ‌آمیز، حرف‌های چاخان، چرندوپرند، لاف‌زنی‌ها و هوچی‌گری‌ها به‌میزان دوهزار درصد افزایش یافته است. در این شرایط و به همین میزان، «پساحقیقت» انتخاباتی برای جلب رأی و از میدان به در کردن حریف انتخاباتی فضای جامعه را پر کرده است. الگوی دونالد ترامپ نمونهٔ برجستهٔ این پساحقیقت است، همان‌گونه که الگوی جرج بوش و احمدی‌نژاد چنین بود. الگوی گفتاری تبلیغاتیِ خروج انگلستان از اتحادیهٔ اروپا نیز چنین بود و شباهت زیادی به الگوی نیکولا سارکوزی در سیاست فرانسه داشت. همهٔ مردم‌گرایان چپ و راست نیز چنین‌اند. توهّم‌فروشی، دروغ بی‌شاخ‌ودُم، رؤیاگرایی سرمستانه، قول‌های عجیب‌وغریب و دیگر واژه‌های پساحقیقت توسط مشاطه‌گران و مبلّغان پخش می‌شوند و توده‌ها گلّه‌وار آن‌ها را می‌خرند و در روح و روان خود وارد می‌کنند. ولتر، فیلسوف فرانسوی، رندانه می‌نویسد: «دروغ‌گویی زمانی عیب است که به بدی منجر وشد؛ دروغ‌گویی منتهی‌به التیام یک تقواست. بنابراین، همیشه پرهیزگار و با تقوا باشید. باید مانند یک شیطان دروغ گفت، آن هم نه به‌شکل خجالتی و نه برای زمانی کوتاه بلکه با شدت و برای همیشه.» آری، آن‌چنان باید دروغ گفت تا دروغ به یک حقیقت تبدیل شود. دروغ‌های تهوع‌آمیز لازم است تا دروغی به حقیقت استحاله پیدا کند.

لئو فرهٔ اقتدارگریز

ترانهٔ زیبای فرانسوی از لئوفره، شاعر و خوانندهٔ اقتدارگریز با عنوان «با زمان» دربارهٔ زمان چنین می‌گوید: «خود را به زمان بسپار، همه‌چیز با زمان از دست می‌رود. کسی را که دوست داشتی گم می‌شود، حتی خاطره‌ها هم می‌میرند. در جهان آدم‌هایی هستند که به آن‌ها اعتماد می‌کنی ولی آن‌ها با چند سکه خود را می‌فروشند. به هر حال، هوا سرد است. مواظب باش سرما نخوری! به خانه برگرد.» لئو فره در ۱۹۱۶ و در موناکو به دنیا آمد و در۱۹۹۳ در ایتالیا درگذشت. او یک خوانندهٔ بزرگ در زبان فرانسه بود و دارای فرهنگی گسترده در عرصهٔ موسیقیِ کلاسیک. فره بسیار پرکار بود؛ او رهبر ارکستر فیلارمونیک نیز بود و آثار موریس راول و بتهوون را رهبری کرد. از آغاز دههٔ پنجاه میلادی ترانه‌سرایی و خوانندگی خود را آغاز کرد. ترانهٔ «زمان تانگو» از نخستین ترانه‌های او بود؛ هرچند، ترانه‌ای که او را به همهٔ جامعه شناساند «پانام فرزند زیبا» در سال ۱۹۶۰ بود. وی سپس با ترانهٔ «آفیش سرخ» دربارهٔ قربانیان نازیسم با شعر لوئی آراگون تعهد سیاسی خود را به نمایش گذاشت. لئو فره شعر گیوم آپولینر یعنی «پل میرابو» را به ترانه تبدیل کرد. او «په په» را برای مرگ شامپانزه‌اش نوشت و اجرا کرد و نیز ترانهٔ کلاسیک «با زمان» را در سال ۱۹۷۱ نوشت و اجرا کرد که حکایت تجربهٔ شخصی و لحظه‌های دردناک و تراژیک اوست.

لئو فره روح سرکشی داشت و این روحیه را از جمله در ترانه‌اش «نه خدا، نه ارباب» بازتاب داده بود. او می‌گفت بی‌نظمی یک نظم است، نظمی بیرون از قدرت. ما به شاعرانی نیازمندیم تا ما را از زندگی عادی و یکنواخت و همیشگی خارج کنند و ما را در دنیای احساس و خاطره به گردش درآورند. در زندگی، خِرد و احساس همیشه درهم تنیده‌اند. برای تعادل زندگی انسانی این‌دو به کمک یکدیگر می‌آیند. ترانه‌های کلاسیک در فرانسه فصل برجسته‌ای از هنر و ادبیات هستند. ژُرژ براسنس، ژان فرا، ژَک برل، شارل آزناوور، باربارا، ایو مونتان و ادیت پیاف از بزرگان این عرصه به شمار می‌آیند.

دونالد ترامپ، نئولیبرالیسم عوام‌گرا

دونالد ترامپ دارای ثروتی برابر ۱۰ میلیارد دلار و صاحب ۵۰۰ شرکت و بنگاه است. او اعلان کرد درآمد سالانه‌اش در سال ۲۰۱۴ برابر ۳۶۲ میلیون دلار و در سال ۲۰۱۵ برابر ۵۵۷ میلیون دلار بوده است. در دورهٔ کارزار انتخاباتی همه شنیدند که گفته‌های ترامپ تندروانه و گاه توهین‌آمیز، دروغ‌پردازانه و بزرگ‌نمایانه، نژادپرستانه و زن‌ستیز و مردم‌فریبانه بود. همچنین، ترامپ اعلان کرد که خواهان همکاری با یک کارشناس علم اعصاب به‌نام بن کارسون در زمینهٔ آموزش‌وپرورش است، شخصی که از افراد «کرآسیونیست» به شمار می‌آید. این افراد مذهبی‌های بسیار متعصبی هستند که معتقدند جهان و انسان نه محصول همهٔ دگرگونی‌های طبیعت بلکه نتیجهٔ کار خداوند است و این آفریدگار جهان را طی شش روز به وجودآورده است. آقای ترامپ با رأی اکثریت طبقهٔ متوسط و کارگران سفیدپوست و ۴۰ درصد زنان و یک‌سوم لاتینی‌تبارها و ۱۲ درصد سیاهان پیروز شد. این پیروزی با قدرت ایدئولوژیک عوام‌گرایانه و تبلیغات ضدخارجی میسر شد. این گرایش سیاسی نوعی انحطاط فکری و شوینیسم سیاسی به شمار می‌آید. دیدگاه عوام‌گرایی به‌شکل متفاوتِ راست و چپ و در ابعاد دیگری توسط شاوز، مارین لوپن، احمدی‌نژاد، ملانشون و دیگران نیز خود را نشان داده شده است. عوام‌گرایی خود را با بزرگ‌نمایی، تعرض ایدئولوژیک، رمانتیسم سیاسی، اهداف فریبنده، رفتار فرهمند یک نجات‌دهنده معرفی و توده را بسیج می‌کند و توده‌ها به او عشق می‌ورزند. سنجش خِردمندانه‌ای در کار نیست، هیجان‌های عاطفی و ایدئولوژیک و دینی و احساسی از یک سو و عقده‌ها و افسوس‌ها و ناامیدی‌های توده از سوی دیگر در این بسیج تعیین‌کننده‌اند.

ثروتمند بزرگ کازینوها و هتل‌ها و ودکا، آقای ترامپ، با پشتیبانی کارگران آمریکایی و بخش عمدهٔ طبقهٔ متوسط آمریکا برنده شد. او بر این باور است که شایستگی و موفقیت در کارهای اقتصادی «ژنتیکی» است. او می‌گوید بحران محیط زیست واقعیت ندارد. در جایی دیگر گفته کل نخبگان مسلط بر نهادهای آمریکا فاسد هستند. از دید ترامپ، بیشتر لاتین‌ها در آمریکا تنبل و دزد و تجاوزکارند. او بر پایهٔ همین سیاست‌های تبلیغاتی پیروز می‌شود. ترامپ خود را «آقای پاک» معرفی کرد و مردمانی نگران از شرایط جهانی و نیز کسانی که سرمست فرهنگی

عوام‌گرایی هستند به او رأی دادند. بی‌شک، موفقیت اقتصادی به «ژن» ربطی ندارد ولی موفقیت با هوش و کاردانی و پارتی‌ها و شبکه‌ها و قدرت‌ها پیوند خورده است. بحران محیط زیست یک واقعیت است و آمریکا نقشی منفی در این زمینه دارد ولی شعور بسیاری از آمریکایی‌ها در این زمینه پایین است و به تبلیغات ترامپ باور دارند. عوام‌گرایی ایدئولوژیک ترامپ یک جهان‌بینیِ کشوری است و مطمئن باشیم که «آقای پاک»، یک «پدرخوانده» است. دموکراسی ناتوانی‌های بسیاری دارد. یکی از این ناتوانی‌ها میزان فرسودگی فرهنگی مردم و طاعون شیفتگی آسیب‌شناسانهٔ ذهنی در مورد عوام‌گرایی و همهٔ جهان‌بینی‌هایی است که ما را از ارزش‌های انسانی دور می‌کنند. نقش روشن‌فکران در انتخابات آمریکا چه بود؟ چامسکی گفت من به هیلاری کلینکتون رأی می‌دهم. ژیژک گفت من اگر آمریکایی بودم به ترامپ رأی می‌دادم و مایکل مور گفت من به هیلاری رأی می‌دهم. آیا روشن‌فکران نقش درستی در انتخابات ایفا کردند؟

لئونارد کوهن و رقص عشق

لئونارد کوهن، خوانندهٔ برجسته، شاعر و نویسنده در تاریخ ۲۰۱۶/۱۱/۱۰ درگذشت. او اهل یک خانوادهٔ یهودیِ لهستانی‌تبار بود و در مونترال کانادا و در سال ۱۹۳۴ میلادی به دنیا آمده بود. کوهن در کارهای هنری‌اش به موضوعاتی مانند عشق، دین، تنهایی، سکس و دشواری‌های مناسبات انسانی پرداخته است. وی در ترانه‌هایش هر دو مفهوم «ممنوع» و «مجاز» را در هم آمیخت و دین و سکس را به هم پیوند زد. او دستخوش افسردگی بود و برای یک دورهٔ طولانی در یک معبد بودایی و به‌عنوان یک روحانی بودایی زندگی کرد و بر این باور بود که چنین اندیشه‌ای در تضاد با یهودیت او نیست. تأثیر او در عرصهٔ هنری بسیار گسترده بود و صدای زیبایش در خاطره‌ها باقی می‌ماند. ترانهٔ زیبای «به رقص آر مرا تا پایان عشق» همیشه زنده است. از کوهن دو فرزند و دو نوه باقی مانده است. او تصویری آفریده است که در آن شعر و موسیقی درهم آمیخته‌اند و به چیز گران‌بهای تغییرناپذیری بدل شده‌اند.

به رقص آر مرا تا پایان عشق

به رقص آر مرا تا زیباییت با نوای سوزاننده ویولن
به رقص آر مرا در میان بیم و هراس تا آرام گیرم
بلند کن مرا مانند شاخه‌های زیتون
و پرندهٔ من باش که به خانه باز می‌گردد
به رقص آر مرا تا پایان عشق
آه، بگذار تا زیباییت را ببینم آن زمان که همه مرده‌اند
بگذار حرکتت را حس کنم بسان حس بابلیان
به‌آرامی نشانم دِه آنچه را که تنها مرزهایش را می‌شناسم
به رقص آر مرا تا پایان عشق
به رقص آر مرا تا جشن ازدواج؛ به رقص آر مرا، به رقص آر
مرا به‌نرمی به رقص آر مرا و دیرپا.
هر دوِ ما در دست عشق‌مان هستیم، هر دوِ ما در اوجیم
به رقص آر مرا تا پایان عشق
به رقص آر مرا به‌سوی کودکانی که می‌خواهند زاده شوند،
به رقص آر مرا از میان پرده‌هایی که بوسه‌هامان پوسیده‌شان کرده‌اند
چادری برای سرپناه‌مان به پا کن، گرچه ریسمانش پاره باشد.
به رقص آر مرا تا پایان عشق
به رقص آر مرا تا زیبایی‌ات با نوای سوزان ویولن
به رقص آر مرا در میان بیم و هراس تا آرامش گیرم
لمس کن مرا با دست برهنه یا دستکش‌ات
به رقص آر مرا تا پایان عشق
به رقص آر مرا تا پایان عشق

فرهنگ و دموکراسی

تدریس امروزِ دانشگاهم دربارهٔ جامعه شناسی فرهنگ و دموکراسی بود. در طی درس به این نکته اشاره کردم که دموکراسی ایستا نیست و متناسب با مناسبات قدرت و میزان فرهنگ و خواست‌های جامعه انکشاف و معنا پیدا می‌کند. به همین سبب ژرفای دموکراسی در جامعه یا دموکراسی‌خواهی شهروندان بسیار متفاوت است. سپس افزودم مناسبات قدرت در رابطه با آرایش و موضع گروه‌بندی‌های

اجتماعی و قدرت سیاسی و اقتصادی آن‌هاست و تأثیرگذاری بر آن دشوار است ولی عامل فرهنگ و خواست اجتماعی را می‌توان آسان‌تر تکان داد. هم‌اکنون یک جامعه در پیوند گسترده با فرهنگ‌ها و خواست‌های شهروندان جهان قرار دارد و از راه فن‌آوری‌های دیجیتال و انتقال فرهنگ و ادبیات و دانش با شتاب تأثیر می‌پذیرد. هر چقدر استعداد فکری و هنری در یک فرهنگ بالا و عوامل ایدئولوژیک یا خرافه‌های دینی کم‌رنگ‌تر باشند، نوآوری و پویایی آن هم نیرومندتر خواهد بود. فرهنگ پیکر بسیار گسترده‌ایی است که فلسفه، ادبیات، معماری، مهارت، اقتصاد، نهادها، سیاست، اسطوره، دین، خنیاگری، جشن، ویژگی روانی و روش‌های رفتاری در زندگی را در برمی‌گیرد.

از نظر ادوارد تیلور انسان شناس انگلیسی، فرهنگ یک مجموعه پیچیده است که شامل دانش، اعتقادات، هنرها، اخلاق، قوانین، آداب و رسوم و سایر توانایی‌ها و عادت‌ها می‌باشد.

در جامعه شناسی، فرهنگ به عنوان روش‌های تفکر، عملکرد خاص یک جامعه و همچنین اشیا ملموس و نامشهود که در کنار هم سبک زندگی گروهی از مردم را تشکیل می‌دهند، مورد تجزیه و تحلیل قرار می‌گیرد. ما نباید «جامعه شناسی فرهنگ» و «جامعه شناسی فرهنگی» را اشتباه بگیریم.

جامعه شناسی فرهنگ یک مفهوم کلاسیک است و مشخصه شاخه ای از جامعه شناسی است، به عبارت دیگر یک زمینه خاص از مطالعه جامعه شناسی بشمار می‌آید. برعکس، جامعه شناسی فرهنگی بیشتر نظریه ای جامعه شناختی است، به این معنا که هدف آن تبیین همه پدیده‌های اجتماعی است. بنابراین، جامعه شناسی فرهنگ به دنبال تبیین پدیده‌های فرهنگی بر اساس نظریه‌های جامعه شناسی است، در حالی که جامعه شناسی فرهنگی به طور کلی تبیین پدیده‌های اجتماعی را در فرهنگ می‌بینند.

در فرهنگ هم سازه‌ها و انگیزه‌های کارا و باز و هم سازه‌های فرسوده و مرگ‌آور وجود دارند. دین اسلام به یک عامل و سازهٔ منفی و ویرانگر می‌ماند و پویایی فرهنگی را متوقف می‌کند. این دین با نفی انتقاد، مقدس‌سازی ابدیِ مبنای اسلامی، تعرض ایدئولوژیک سیاسی و روانی در جامعه، محرومیت ذهن و روان شهروند در فراگیری دانش و آزاداندیشی، «حلال و حرام»کردن پدیده‌های اجتماعی و فرهنگی، ضدیت با جمع‌گرایی فکری و سیاسی در جامعه، رد پرورش فلسفی و برتر دانستنِ

قدرت و حکومت الهی بر قدرت زمینی و شهروندانه به‌مثابه عامل نیرومند فرسودگی و کهنگی و بیمارکننده عمل می‌کند. در دموکراسی غربی، که خود سرشار از تناقض‌های ویژه است، اسلام گرفتاری اساسی تازه‌ای آفریده است زیرا ذهن و روحیهٔ اسلامی و مطلقیت ایدئولوژیک این دین انسان‌ها را به عناصر خشک و متعصبی تبدیل کرده و دشمنان جامعهٔ باز و آزادی اندیشه را افزایش می‌دهد.

روبرت لوگرو و پی‌یر هانری تاوالوت

در دانشگاه سوربن پاریس سمیناری داشتیم با شرکت فیلسوف بلژیکی، روبرت لوگرو، که یکی از هگل‌شناسان است. او در کانادا، فرانسه، بلژیک و اسرائیل درس می‌دهد و یکی از کارشناسان اندیشهٔ هگل است و چند اثر هگل را به فرانسه برگردانده است. از میان آثار او باید از هگل، زندگی روح، انسانیت خسته، توکویل، پرسش دربارهٔ دموکراسی، پیدایش فرد در هنر، پیدایش دموکراسی و تجربهٔ آزادی یاد کرد. به‌تازگی کتابی دربارهٔ روبرت لوگرو با عنوان معمای انسانیت در انسان به چاپ رسیده که در آن شمار زیادی از فیلسوفان دربارهٔ اندیشه‌های لوگرو نوشته‌اند. بحث آن روز روبرت لوگرو دربارهٔ پدیدارشناسی سیاسی بود و او به این نکته اشاره کرد که دموکراسی بهترین رژیم سیاسی است زیرا مستلزم خودمختاری و استقلال فرد است.

آیا تک خدایی در کتاب مقدس یهودیت برای توصیف رابطه با دیگران کافی است؟ آیا پدیدارشناس می‌تواند بدون مراجعه به کتاب مقدس، مسئولیت نسبت به دیگری را به عنوان انسان کشف کند؟ روبرت لگروس پاسخ می‌دهد: می‌توان ملحد بود و تحلیل‌های لویناس را تأیید کرد ولی پس از آن یک پاسخ حقوقی اونیورسل نیز لازم است. نمونه دموکراسی این امر را نشان می‌دهد که تجربه خاصی از انسان مطرح است. دموکراسی می‌داند که انسان یک معما است و همین نظام خواستار یک بحث عمومی است که در آن از همه خواسته می‌شود تا معنای انسان را بیان کنند. دموکراسی درک کرده که باید از محدودیت فرد خاص بالاتر رفت و به تعالی انسان فکر کرد. تجربه دموکراتیک از نظر پدیدارشناختی عادلانه تر از تجربه اشرافی است زیرا برابری و خودمختاری افراد را تأیید می‌کند و در عین حال

تعالی انسان را حفظ می‌کند.

همکار دیگرمان پی یر هانری تاوالوتِ فیلسوف، مسئول کالج فلسفه و کارشناس فلسفهٔ روشن‌گری در زمینهٔ آموزش، نسل‌ها و هنر مدیریت سیاسی دولتی، تأکید کرد که حکومت کردن مستلزم وجود قانون شفاف و دموکراتیک و نیز اطاعت از قانون توسط شهروند است. از دید او، بدون اطاعت شرایط دموکراتیک در جامعه فراهم نخواهد شد. وظیفهٔ شهروند در دموکراسی تمرد و سرکشی نیست بلکه اجرای قانون و اطاعت از قانون است. او یکی از منتقدان عوام‌گراییِ اقتدارگراست و برخلاف عوام‌گرایان بر این باور است که انسان‌ها در دموکراسی موجود شهروندان تصمیم‌گیرنده هستند و ناتوانی الگوی لیبرال کنونی در نبود جنبهٔ مشارکتی آن است. افزون‌بر آن، از دید او گفت‌وگو و همکاری میان رشته‌های روان‌شناسی، جامعه‌شناسی، تاریخ، انسان‌شناسی و اقتصاد یک ضرورت است و باید از تنگنای محدود هر رشته تخصصی خارج شد. او فیلسوفی است که به‌طور فعال در نهادهای علمی و مشورتی دولتی شرکت داشته و به‌عنوان مشاور وزیر و رئیس‌جمهور نقش‌آفرینی کرده. از میان آثار او باید از چه کسی باید حکومت کند؟، آیا نسل‌ها با یکدیگر جنگ خواهند کرد؟ و چگونه باید بر مردم شاه‌منش حکومت کرد؟ نام برد.

پی یر هانری تاوالوتِ می‌گوید میزان ۵۵ درصد مردم فرانسه به دولت اعتماد ندارند. دولت در حالت دفاعی است. چرا دیگر به کسانی که حالت دفاعی در رفتار خود دارند اعتماد نداریم؟ واقعیت این است که ما انتظار زیادی از قوه مجریه یا دولت داریم. در واقع ما در شرایط دوگانه ای هستیم. در همان زمان، این عدم اعتماد یم انتقاد است و این امر نشان می‌دهد که افراد خواستار اداره بهتر و شفافتر جامعه اند. همه نگاه‌ها به دولت است. از آنجا که همه چیز از دولت انتظار می‌رود، بناگزیر دولت فقط می‌تواند ناامید کننده باشد. همه چیز از دولت خواسته می‌شود و دولت همه چیز را نمی دهد. در دموکراسی‌های معاصر ما ساختار بسیار عمودی وجود دارد. به خصوص در فرانسه که نقش دولت کاملاً مرکزی است. اگر همه چیز را از دولت انتظار داشته باشیم، ناگزیر ناامید خواهیم شد که چرا این خواستهای فردی و خاص ما را برآورده نمی کند. این حالت خاص فرانسه و دموکراسی فرانسه است. ما در اینجا یک میراث بازمانده از سلطنت داریم که ویژگی بارز دموکراسی فرانسه است.

من نیز در بحث خود مطرح کردم که دموکراسی از جانب کمونیست‌ها به‌عنوان

یک «دموکراسی صوری» مورد انتقاد قرار می‌گیرد و از جانب اسلام‌گرایان به‌عنوان نظامی ناتوان و پر از فساد و متکی بر فساد جنسی معرفی می‌شود. هدفْ پشتیبانی از دموکراسی است و من به‌عنوان یک جامعه‌شناس منتقد فکر می‌کنم که دموکراسی در بسیاری از موارد و به‌طور عملی خودش را با «گروه‌سالاری» نشان می‌دهد. به‌عبارت دیگر، تصمیم‌گیری در دست نخبگان است و ما چنین‌چیزی را می‌توانیم در احزاب سیاسی و مدیریت سیاسی شهرداری‌ها ببینیم. من همچنین در خلال صحبت‌هایم به این نکته اشاره کردم که با وجود این‌که خودمختاری و استقلال فرد با دموکراسی پیوند خورده ولی همهٔ افراد در این دموکراسی مستقل و خودمختار نیستند و چه‌بسا به دین و ایدئولوژی وابستگی شدیدی داشته باشند و استقلال آن‌ها در کردار بی‌معنا باشد. روحیه و رفتار آنان وابسته‌به ساختارهای دینی و اعتقادی است و فرد در شرایط ازخودبیگانگی به سر می‌برد. بنابراین، در این وضعیت دو شرط را باید در نظر گرفت: ضرورت کار فلسفی و نقد جامعه‌شناسانه و تقویت روحیه نقد از یک سو و شجاعت افراد و به‌خدمت‌گیریِ آن در راه حقیقت‌گویی از سویی دیگر. ترجمهٔ آثار این دو فیلسوف به فارسی زمینهٔ بسیار خوبی برای ایدهٔ آزادی، دموکراسی، قانوگرایی و دولت فراهم خواهد آورد.

پس از کنفرانس فلسفی سوربن به کافه رفتیم تا خستگی در کنیم و گپی بزنیم. ما، سه نفر فیلسوف و یک جامعه‌شناس، کمی از احوال حرفه‌ای خود حرف زدیم. پی‌یر هانری تاوالوت گفت با قراردادی که میان دانشگاه سوربن و امارات متحدهٔ عربی بسته شده، سوربن رشته‌های درسی در زمینهٔ ادبیات، فلسفه و جامعه‌شناسی را در این کشور سازمان‌دهی خواهد کرد و در مقطع کارشناسی دانشجو می‌پذیرد. هر کدام از دانشجویان ۲۰۰۰ یورو بورس ماهانه از جانب دولت‌شان در اختیار دارند و مسکن و امکانات رفاهی و فن‌آورانه برای او و استاد در سطحی بالا فراهم می‌شود.او می‌گفت در هر شش ماه بیست روز به آنجا می‌رود تا به‌طور فشرده درس‌های فلسفه را ارائه دهد. در هر کلاس ۱۵ نفر دانشجو وجود دارد و کلاس هم به زبان فرانسه برگزار می‌شود. اریک دوشاوانس می‌گفت در کلاس فلسفه گاه برخی دانشجویان عرب‌تبار دربارهٔ باور خود به بهشت و دوزخ حرف می‌زنند. او در این مواقع از خود می‌پرسد درس دادن به این افراد به چه دردی می‌خورد، به‌ویژه زمانی که در پایان سال متوجه می‌شود باور در برخی ذهن‌ها همان باورهای اولیهٔ است و دست‌نخورده‌اند. از او پرسیدم: «دلسرد می‌شوی؟» او هم

گفت: «خب چه می‌شود کرد؟ به هر حال، باید برنامهٔ آموزشی سالانه را تمام کنم.» روبرت لوگرو گفت: «در این روزها میان بروکسل و پاریس مرتب در رفت‌وآمدم و حس من این است که توجه عوام به فلسفه در پاریس از بروکسِل بیشتر است.» من هم گفتم: «من بر اساس قانون کار در فرانسه می‌بایست در ۶۲ سالگی باید وارد بازنشستگی می‌شدم ولی دانشگاه از من تقاضا کرد اگر می‌پذیرم تا حداکثر زمانی که قانون اجازه می‌دهد به درس‌های جامعه‌شناسی و اقتصاد خودم ادامه دهم چون نیاز دارند. من هم این پیشنهاد را پذیرفتم چون تدریس را دوست دارم و، در ضمن، دانشجوها هم مدام مرا به ادامهٔ تدریس تشویق می‌کنند.» پی‌یرهانری هم به من گفت: «خیلی دلم می‌خواهد بروم ایران تا محیط دانشگاهی و روشن‌فکری و خودِ ایران را ببینم.» در پاسخ به او گفتم: «فرصت تدریسی که در امارات داری در ایران میسر نیست ولی محیط روشن‌فکری خیلی مشتاق دیدار با دانشگاهیان فرانسوی است.» او هم گفت: «بیا با هم برویم.» لبخندی زدم و گفتم: «بهتر است که تو تنها بروی و من همراهت نباشم. چند سال پیش دانشگاه علامه طباطبایی از من دعوت کرد تا برای تدریس به ایران بروم. گویا مسئولان از شرایط من آگاه نبودند. سوءتفاهم یا سوءنیت در این دنیا زیاد است.» خلاصه پس از مدتی آبجوهامان را نوشیدیم و نگاهی به دوروبرمان انداختیم. یک نفر داشت کتاب می‌خواند، دو نفر یک‌سری یادداشت جلوی‌شان گذاشته بودند داشتند و گفت‌وگو می‌کردند، یک زن و یک مرد مشغول ورانداز یک مجلهٔ ادبی بودند، سه مرد ریشو، که پاپیون شیکی زده بودند، داشتند دربارهٔ سیاست مکرون و اروپا صحبت می‌کردند، یک زن جوان هم بود که داشت کتاب نیچه را ورق می‌زد و یک جوان هم از پشت پنجره به خیابان زل زده بود. بابت چهار آبجو بیست یورو دادم و سپس از هم جدا شدیم.

Pierre-Henri Tavoillot, philosophe français, «Comment gouverner un peuple roi? Traité nouveau d'art politique» (Paris, Odile Jacob, 2019)
Pierre-Henri Tavoillot «La Morale de cette histoire. Guide éthique pour temps incertains» (Paris, Michel Lafon, 2020)
Pierre-Henri Tavoillot «Qui doit gouverner? Une brève histoire de l'autorité» (Paris, Grasset, 2011)
Robert Legros, philosophe belge:

- Hegel: la vie de l'esprit, Éditions Hermann, 2016
- Levinas: une philosophie de l'altérité, Ellipses, 2017
- L'expérience de la liberté, Éditions Hermann, 2019

تاریخ هخامنشیان و علم تاریخ

تاریخ برای گذشته نیست بلکه به امروز تعلق دارد. بسیاری از ما می‌خواهیم گذشته را بشناسیم زیرا امروز با پرسش‌های اساسی دربارهٔ خود و کیستیِ خود روبه‌رو هستیم. ما به کدام تاریخ تعلق داریم؟ فرهنگ ما و اجزای آن کدامند؟ یورش عرب و چیرگیِ دین اسلام بر ذهنیت ایرانی منجر به ازخودبیگانگی ایرانی شد. ویرانگی کیستیِ ایران گسترهٔ گسترده‌ای دارد. خواست من در این زمینه نه برای تقویت شوونیسم بلکه برای پیدا کردن خود و واکاویِ آسیب ازخودبیگانگی امروز است. در ایران ما سنت قویِ تاریخی دانشگاهی و برجستهٔ علمی دربارهٔ هخامنشیان و کورش و داریوش وجود ندارد. لازم است که نخبگان تاریخ‌شناس تقویت شوند و با کار علمی و یک پروژهٔ دانشگاهی به کمک تاریخ بشتابند. باید مکتب تاریخیِ دوران هخامنشیان را ایجاد کرد. سه کتاب دیگر که برای شناخت بیشتر از کورش و هخامنشیان به زبان فرانسه عرضه شده‌اند عبارتند از: تاریخ امپراتوری پارس نوشتهٔ پی‌یر بریان در ۱۲۰۰ برگ، داریوش و پارسیان و امپراتوری نوشتهٔ پی‌یر بریان در ۲۰۰ برگ که سرشار از اسناد و تصاویر و آثار باستانی است. کتاب کورش بزرگ نوشتهٔ ژرار اسرائیل در ۳۹۰ برگ هم به‌طور متمرکز به کورش پرداخته است. پارس باستانی نوشتهٔ فیلیپ هوئیز در ۲۹۰ برگ نیز به جنبه‌های زندگی هخامنشیان می‌پردازد و دارای یک کتاب‌شناسی گسترده و جالب است. تاریخ ایران دورهٔ هخامنشی هم از مجموعه تاریخ کمبریج، نشر جامی، تهران منبع مهمی به شمار می‌آید.

برای شناخت یک ملت لازم است تاریخش مطالعه شود. این کار ساده‌ای نیست زیرا تاریخ با افسانه‌ها و ابهام‌ها درآمیخته است. کار تاریخ‌دان بسیار دشوار است. بی‌شک، بررسی نوشته‌ها و پژوهش‌های باستان‌شناسی و بررسی اقتصاد و اجتماع و فرهنگ و دین و آداب مردم و جداسازی داده‌های تاریخی از گفته‌های اساطیری از ضروریات کار علمیِ تاریخ‌شناسی هستند. برای مطالعهٔ تاریخ ایران

می‌توان به آثار مهم و قابل اعتمادی مانند این آثار رو آورد: عهد عتیق، کتیبه‌ها، نوشته‌های یونانیان مانند هرودوت، نوشته‌های رومن گیرشمن و اثرش با عنوان ایران از آغاز تا اسلام که توسط دکتر محمد معین در سال ۱۳۳۵ خورشیدی ترجمه شده و یا اثر دیگرش یعنی ایران از آغاز تا اسکندر. افزون‌بر این‌ها، بررسی منابع بابلی و مصری و آرامی تا تازه‌ترین پژوهش‌های باستان‌شناسی و نیز نوشتارهای پژوهش‌گران علمی ایرانی مورد نیاز خواهند بود. کتاب دیگری که باید مطالعه شود کتاب تاریخ ایران و ایرانیان، از منشأ تا امروز نوشتهٔ ژان پل رو است که در سال ۲۰۰۶ در پاریس چاپ شده است. ژان پل رو، که در سال ۱۹۲۵ در فرانسه به دنیا آمد، کارشناس زبان‌های شرقی و تاریخ مغول‌ها و تُرک‌ها و نیز ایران است. او بیش از ۲۰ اثر پژوهشی چاپ کرده و از جمله مسئولیت‌های این مورّخ در مدرسهٔ عالیِ زبان‌های شرقی و مرکز ملی پژوهش‌های فرانسه بوده است. کتاب ژان پل رو دربارهٔ ایران ۵۲۰ برگ دارد و توسط انتشارات فایار چاپ شده است. نویسنده می‌گوید: «شناخت تاریخ ایران برای شناخت تاریخ جهان ضروری است زیرا شما نمی‌توانید تورات را بخوانید و به کورش فکر نکنید، یونان را واکاوی کنید و به جنگ‌های یونانیان با ایرانیان توجه نکنید، امپراتوری روم را بررسی کنید و به تاریخ ایرانیان نگاهی نیندازید و یا از هند و اسلام صحبت کنید بدون آن‌که تاریخ ایران را در نظر بگیرید. ژان پل رو در این کتاب به واکاویِ تاریخ مادها و هخامنشیان، کورش و داریوش، زرتشت و مانی، ساسانیان و یورش اعراب، حملات تُرکان و چنگیزخان، صفویه و قاجار و، در پایان، دورهٔ پهلوی و انقلاب اسلامی می‌پردازد. ما ایرانیان به تاریخ علمی نیاز داریم زیرا بیشتر مبلغان دینی تاریخ گذشته را حذف کرده‌اند و تاریخ‌نویسی علمی عمدتاً جایگاه برجسته‌ای در کشور ما نداشته است. کسانی که دانستن تاریخ را بیان شوینیسم می‌دانند نادانی خود را نشان می‌دهند. تاریخ هوشیاری ما را برای امروز و آینده افزایش می‌بخشد.

حکایت «اسنودن» و جهان زیر کنترل سازمان سیا

یک شب به سینما رفتم و فیلم «اسنودن» به‌کارگردانی اولیور اِستون را دیدم. این فیلم حکایت اِسنودن، کارمند سازمان سیا، است که متوجه سیاست جاسوسی

دیجیتال عمومی شده و با وجدان شوریده تصمیم می‌گیرد اطلاعات انبوه خود را به رسانه‌ها بدهد. اِسنودن به‌طور غیابی به‌دلیل «جاسوسی و ویرانیِ اموال عمومی» در آمریکا محکوم شده و در حال حاضر در روسیه پناهنده است. فیلم نشان می‌دهد که سازمان سیا چگونه با برنامه‌های اینترنتیِ جاسوسی و نظامی نه‌تنها برنامهٔ سیاسی و نظامی کشورهای اروپایی را کنترل می‌کند بلکه تمام شهروندان جهانِ در پیوند با اینترنت را با برنامهٔ فن‌آورانه‌اش زیر نظر دارد. رمان ۱۹۸۴ نوشتهٔ جُرج اورول خودکامگیِ یک جامعه را مطرح می‌کرد و «اِسنودن» کنترل جهانی و نفی آزادی در سطح جهانی را به بحث می‌گذارد. چگونه فن‌آوریِ نوینِ اینترنتی می‌تواند در فردا و در همین غرب در اختیار یک دیکتاتور قرار بگیرد؟ این فیلم خطر نابودی آزادی را به ما نشان می‌دهد. اولیور اِستون از کارگردانان بزرگ آمریکایی است که چهار جایزهٔ اسکار گرفته و فیلم‌های بسیار جالب و مسئولانه‌ای تولید کرده است: «پلاتون»، «وال استریت،» «تولد ۴ ژوئیه» و «ژ اف کا» از دیگر فیلم‌های او هستند. او بیش از ۲۰ فیلم را کارگردانی کرده، تهیه‌کنندگیِ فیلم‌های زیادی را بر عهده داشته و فیلمنامه‌نویس بزرگی هم هست.

فیلم «من، دانیل بلاک»

به سینما رفتم تا فیلم سینماگر انگلیسی یعنی کن لوچ را ببینم. این سینماگر با ارائهٔ فیلم «من، دانیل بلاک» جایزهٔ نخل طلایی جشنوارهٔ کن ۲۰۱۶ را از آن خود کرد. داستان فیلم حکایت شهروند بیکار و بیماری است که بر اساس تصمیم بروکراسی انگلیسی باید مرتب به ادارهٔ بی‌کاری برود و نشان دهد که همچنان دنبال کار است. او نمونه‌ای از افراد به‌حاشیه‌رانده‌شده است که در تنگدستی و فشار روانی قرار گرفته و ماشین اقتصادی و اداری در حال خُرد کردنش است. از دیدگاه کن لوچ، سیاست‌های تاچری و بوروکراسی دولتی «کافکایی» جامعه را از انسانیت دور کرده‌اند و یکی از نتایج این سیاست ویرانیِ «دولت رفاه» است. در چنین حالتی، دولت به عاملی در خدمت اقتصاد تبدیل می‌شود و نمی‌تواند درد و فلاکت انسان‌ها را دریابد و دولت گام‌به‌گام امتیازات اجتماعی را از شهروندان می‌گیرد. در این جامعه انسان‌ها به شماره‌ای ساده تبدیل می‌شوند و به اوضاع تراژیکی درمی‌غلتند.

این فیلم بسیار دردناک است و کارگردان با برجستگیِ تصویر فلاکت اقتصادی و انسانی فریاد می‌زند.

کن لوچ در ۱۹۳۶ به دنیا آمده و تاکنون بیش از ۳۰ فیلم سینمایی و نیز نزدیک‌به سی مجموعهٔ تلویزیونی ساخته است. او در زندگی خود در مبارزه با نئولیبرالیسم و پشتیبانی از کارگران فعال بوده و خود را فرد متعهد چپ‌گرا معرفی می‌کند. من به کار او در این فیلم از دید هنری و پرداخت سینمایی نگاه می‌کنم و از دید من کار بسیار خوبی است و، در ضمن، می‌تواند نابسامانی‌های فردی، اجتماعی و پریشانی‌های روانی را نشان دهد.

تاریخ گذشتهٔ ایران و جزم‌اندیشیِ مزمن

تاریخ گذشتهٔ ایران را باید مطالعه کرد. پی‌یر بریان، رئیس انجمن تاریخ هخامنشیان در کولژ دو فرانس و مورّخ فرانسوی و استاد دانشگاه تولوز کتاب تاریخ امپراتوری پارس را در ۱۲۴۷ برگ و در سال ۱۹۹۶ چاپ کرد. این کتاب به تاریخ کورش و کشورگشایی دوران ساسانیان می‌پردازد. تدوین این کتاب متکی‌بر اسناد معتبر و پرشمار و گسترده است و توسط انتشارات فایار چاپ شده و قیمتش ۴۷ یوروست. کتاب تاریخ امپراتوری هخامنشی توسط ناهید فروغان در ۱۳۸۱ به فارسی برگردانده شده است. بریان تاکنون بیش از بیست کتاب دربارهٔ تاریخ یونان و به‌ویژه تاریخ هخامنشیان چاپ کرده است. دیدگاه تاریخی باید متکی‌بر روش تفسیرشناسی باشد و از هر گونه نگاه ایدئولوژیک دوری کند. بسیاری از مخالفان شاه تاریخ گذشتهٔ ایران و تاریخ پادشاهی را «مردود» اعلان کردند، حال آن‌که تاریخ نمی‌تواند بر اساس معیار دینی و ایدئولوژیک به نگارش درآید. تمام مذهبی‌ها، آخوندها و نواندیشان برای جا انداختن جعلیات اسلامی تاریخ ما را وارونه نشان دادند. باید تاریخ را به‌طور جدی خواند و درس داد و به نگارش درآورد.

چقدر تأسف‌انگیز است که انسان‌ها با ذهنیت و پیش‌داوریِ خود دیگران را به دادگاه می‌برند و محکوم می‌کنند. این همان ذهنیت سنتیِ محکوم‌کننده است و این ذهنیت عجول از برخورد درست به دور است. من از تاریخ پیش از اسلام حرف

می‌زنم و می‌گویم این تاریخ تحریف شده و شیخ و کمونیست و شاه به‌نوبهٔ خود موجب تاریکی و ابهام شده‌اند و ما نباید تاریخ را با ایدئولوژی نگاه کنیم. اگر کسی بگوید دوران پیش از اسلام دوران پادشاهی بوده و کورش پادشاه بزرگ بوده آیا به‌ناگزیر پشتیبان آریامهر و استبداد او می‌شود؟ اتهام‌زنی بیماریِ بخشی از سیاسیون ماست. کسانی که ایدئولوژیک یا کمونیست باقی مانده‌اند اغلب چنین می‌کنند. ذهن آن‌ها در چنگال بندهای جزم‌اندیشی باقی است و نمی‌توانند قضاوت و واکاویِ درستی داشته باشند. بسیاری از این افراد استبدادهای کمونیستی و اسلامی را دیده و تجربه کرده و تحریف تاریخ را شاهد بوده‌اند ولی انتقادی طرح نمی‌کنند. در عرصهٔ پژوهش ملاک من علمی و شجاعت روشن‌فکری است. من در مخالفت کمونیسم سربازخانه‌ای، اسلام و قرآن، استبداد شاهی، ویرانیِ محیط زیست، شوونیسم ایرانی و قومی و نیز اروپایی نوشته‌ام و خواهم نوشت و ملاکم حقیقت‌جویی است. ساده‌نگری افراد این است که فکر می‌کنند هزاران نفری که در آرامگاه کورش گِرد آمدند همه «فاشیست» هستند. این واکاویِ سطحی و ابلهانه نمی‌تواند پیچیدگی این پدیده را ببیند. کسانی هستند که تا می‌شنوند کسی می‌گوید تاریخ را بخوانید تهمت می‌زنند و چنین فردی را ملی‌گرا می‌دانند. حال، باید از آن‌ها پرسید چه چیز در مطالعهٔ تاریخ گذشته ایران شما را عذاب می‌دهد؟ تاریخ بد است؟ چون در این تاریخ شاه بوده است تاریخ را باید بدبو دانست؟ وقتی تاریخ را ورق می‌زنیم چه چیزی شما را به درد می‌آورد؟ چرا از تاریخ گذشتهٔ ایرانیان بدتان می‌آید؟ این برخورد عقلانی نیست. آیا تاریخ‌نگاری و تاریخ‌خوانی برای درک گذشتهٔ ایران مطرود است؟ شمایی که با نادانی رجوع به تاریخ را رد می‌کنید یک درک ایدئولوژیک و دروغ‌گویانه دارید. شما می‌گویید چون مخالف پادشاهان هستید درک‌تان «علمی» است؟ مطمئن باشید بینش تاریخیِ آنان که تاریخ شاهان را حذف می‌کنند ایدئولوژیک است.

ژیل کپلِ اسلام‌شناس

ژیل کپل را برای سخن‌رانی به دانشگاه کنام دعوت کرده بودیم. او در دانشگاه اکول نرمالِ پاریس جامعه‌شناسی سیاسی و علوم سیاسی تدریس می‌کند و زمینهٔ

تخصصی‌اش جهان اسلام است. از جمله آثار او می‌توان به کتاب‌های از جهاد تا فتنه، شهرهای حومه و اسلام، ترور و شهادت، سیاست‌های خدا، روشنفکران و کنش‌گران اسلام و آخرین کتابش ترور در فرانسه اشاره کرد. موضوع سخن‌رانی او دربارهٔ تروریسم در اروپا بود. ژیل کپل گفت اسلام سه بار به اروپا یورش برده است. بار نخست، یورش به اسپانیا و تا شهر پواتیه در فرانسه در سال ۷۱۸ میلادی بود. بار دوم یورش قوای عثمانی‌ها به شهرهای اروپا در نیمهٔ قرن پانزدهم بود و بارسوم هم یورش تروریسم اسلامی در بیست سال گذشته به اروپا و به‌ویژه فرانسه است. ژیل کپل یکی از روشن‌فکران فرانسوی است که دارای موضعی اصولی و روشن در برابر تروریسم اسلامی است و آن را در پیوند با دین اسلام می‌بیند. او یک روشن‌فکر اسلاموفیل نیست و از اتهام اسلام‌هراسی ترسی ندارد. او گفت برخی‌ها می‌خواهند ما را از انتقاد به اسلام بترسانند، حال آن‌که باید حقیقت را گفت و تاریخ را بدون تحریف بیان کرد. بحث خوبی بود. ژیل کپل از من دعوت کرد تا به سمینارش دربارهٔ خشونت بروم و در آنجا تبادل نظری داشته باشیم و خوشحال بود از این‌که برخی از ایرانی‌ها شجاعت نظر دارند. کپل زبان عربی را می‌شناسد و کمی هم فارسی می‌داند. از او کتابی به‌فارسی با عنوان ارادهٔ خداوند ترجمه شده است که در واقع در فرانسه با نام تقاص خدا شناخته می‌شود. ژیل کپل در سال ۱۳۹۲ به ایران رفت و در دانشگاه بهشتی دربارهٔ دگرگونی‌های سوریه و مصر سخن‌رانی کرد. او دنیای اسلام و به‌ویژه دنیای عرب را خوب می‌شناسد.

نواندیشان دینی و هراس از گفت‌وگو

بحث نظری و طرح دیدگاه‌های انتقادی تضمین‌کنندهٔ سلامت فکری جامعه‌اند. انجمن «زندگی، زیست‌بوم، آزادی» یکی از نقش‌آفرینان ایجاد گفت‌وگو در فرانسه است. این انجمن در پاریس و در تاریخ ۱۵ اکتبر ۲۰۱۵ از چهار سخن‌ران کنفرانس یعنی محمد صدیق یزدچی (پژوهش‌گر فلسفه)، حسن مکارمی (روان‌کاو)، جمشید اسدی (اقتصاددان) و جلال ایجادی (جامعه‌شناس) دعوت کرد تا دربارهٔ «اسلام‌گرایی، جداانگاری دین از سیاست، روشن‌فکران» از زوایای گوناگون دیدگاه خود را عرضه کنند. مطالب یادشده در این نشست بدین شرح‌اند: رابطهٔ

روان ناخودآگاه و جداانگاری دین از سیاست، تفاوت میان خداناباوری و سکولارسازی، عدم شفافیت نواندیش دینی، نقد نظریهٔ «بنیادگرایی خداناباور» و واکاویِ مقولهٔ عدم بردباری سیاسی از دیدگاه دینی. بحث‌های دانشگاهی و جدی سخن‌رانان نه‌تنها مورد واکاویِ افراد سخن‌ران قرار گرفتند بلکه افراد حاضر در نشست نیز افکار گوناگون و نقادانهٔ خود را هم مطرح کردند. در بخش دوم تبادل نظر بسیار شورانگیز و جالبی درگرفت و این نشان داد که جامعهٔ ما نیازمند ادامه و تعمیق بحث دربارهٔ جداانگاری دین از سیاست و آزادی و دموکراسی و نقد دین است.

انجمن «زندگی، زیست‌بوم، آزادی» برای این بحث از شش نفر نواندیش اسلامی دعوت کرده بود تا در این فرصت دیدگاه خود را ارائه کنند ولی هر کدام به‌شکلی از طرح دیدگاه خود در کنار افراد پای‌بند به جداانگاری دین از سیاست خودداری کردند. این نشان می‌دهد که بیشتر اشخاص خداناباور و پای‌بند به جداانگاری دین از سیاست و دموکرات‌اند ولی برعکس برخی دیگر از بیان دیدگاه خودشان می‌هراسند زیرا این دیدگاه‌ها به‌طور طبیعی مورد انتقاد قرار می‌گیرند. از چند روشن‌فکر اسلاموفیل نیز دعوت شده بود ولی متاسفانه آن‌ها هم به تریبون نقّادان خود نمی‌آیند.

از دید من، افرادی سکولاری هستند که در رفتار دموکرات نیستند و افراد دین‌داری هم هستند که دموکرات‌اند، ولی دین‌داران همیشه لائیک نیستند. منظور من همین افراد نواندیش دینی مانند آقایان سروش و رحمانی و کدیور و اشکوری هستند که به حکومت خداناباور ایمان ندارند و با اما و اگرهای گوناگون اصل مطلب را زیر پرسش می‌برند. همچنین، آقای سروش هرگز به‌خاطر تکبر و استبداد رفتاری نمی‌پذیرد در کنار افراد پای‌بند به جداانگاری دین از سیاست بنشیند. نواندیشان دینی با ابهام حرف می‌زنند، مغلطه می‌کنند و از انتقاد می‌هراسند. نکتهٔ دیگر این‌که وقتی آقای سروش به آیت‌الله خمینی با دیدهٔ احترام و ستایش می‌نگرد، فکر نمی‌کنم باور راستینی به آزادی اندیشه داشته باشد.

ما در جامعه با دو مطلب مرکزی روبه‌رو هستیم. نکتهٔ نخست ضرورت برقراری یک حکومت پای‌بند به جداانگاری دین از سیاست، جداسازی قدرت سیاسی از دین و فقه شیعه است. در این چارچوب، همهٔ گرایش‌ها و ناباوران و دین‌داران می‌توانند همسویی داشته باشند و برای دموکراسی مبارزه و همکاری کنند. در

این زمینه، اصل بردباری، اصل شفافیت نظری و نیز اصل همکاری برای رد شدن از جمهوری اسلامی اهمیت دارد. نکتهٔ دوم ضرورت مبارزهٔ نظری با اسلام و شیعه‌گری است. نقد نظریِ فلسفی و جامعه‌شناختی قرآن، فقه شیعه، فرهنگ عامیانه، جهان‌بینیِ دینی سیاسیون و نظریات کنش‌گران و نواندیشان دینی کاملاً ضروری و تاریخیِ است. این نقد نکتهٔ فراموش‌شدهٔ تاریخ ماست و امروز ما باید به خاموشی و تعارف و آسان‌خواهی پایان دهیم. نواندیشان دینی از این مبارزه می‌هراسند و از ما می‌خواهند تا این نقد را خاموش نگه داریم.

رجوع شود به: جلال ایجادی، «نواندیشان دینی، روشنگری یا تاریک اندیشی»، نشر مهری، لندن.

پی‌یر منان، فیلسوف فرانسوی

برای دیدار با پی‌یر منان، فیلسوف فرانسوی به مؤسسهٔ مطالعات سیاسیِ پاریس رفتم. سخن‌رانی‌اش دربارهٔ «شکسپیر، سیاست و دموکراسی» بود و پس از آن فرصتی دست داد تا کمی با یکدیگر گپ بزنیم. او در سال ۱۹۴۹ به دنیا آمده و پس از تحصیلات دانشگاهی به تدریس فلسفهٔ سیاسی پرداخته. در کودکی در یک خانوادهٔ کمونیستی بزرگ می‌شود و خیلی زود به سیاست علاقه پیدا می‌کند و به این نکته می‌رسد که سیاست مهم است، اختلافات سیاسی طبیعی است و دموکراسی سیاست حاکم اوست. او دارای گرایش کمونیستی بود ولی رفته‌رفته تغییر می‌کند. در سال‌های شصت میلادی، اندیشه و جهان تغییر می‌کنند، جنبش ۶۸ و موج‌های فرهنگی و اندیشه‌های تازه و دورنمای جدیدی مطرح می‌کنند. در این شرایط توجه او به مسیحیت جلب می‌شود و اندیشه‌های فلسفی ذهن او را اشغال می‌کنند. در زمانی که فضای چیرهٔ فکری چپ بوده، او از چپ دور می‌شود و به‌سوی آرون گرایش پیدا می‌کند. از نگاه ریموند آرون در مارکسیسم یک دروغ بزرگ بود و او در سال ۱۹۵۵ کتاب افیون روشن‌فکران را در نقد سیاست کمونیستی و مارکس می‌نویسد.

پی‌یر منان در جوانی دستیار فیلسوف و جامعه‌شناس فرانسوی، ریموند آرون در کالژ دوفرانس، بود و در سال ۱۹۷۸ در چاپ نشریهٔ «کمانتر» شرکت داشت

و جزو هیأت تحریریهٔ آن نیز بود و در ایجاد «کانون ریموند آرون» هم فعالیت داشت. او در همین دوران است با اندیشمندانی مانند کلودلوفور، کاستوریادیس، پی‌یر روزان والون، مارسل گوشه، ونسان دوکومب و دیگران گفت‌وگو و همکاری می‌کند و موضوعِ مهم مورد توجه‌اش رابطهٔ علوم اجتماعی و فلسفه سیاسی بوده. وی با اتکا بر بینش ارسطو و ریموند آرون و لئواشتراس به واکاویِ زندگی سیاسی در تجربهٔ بشری می‌پردازد و بر پایهٔ این موضوع یک‌سری سمینار به‌نام «پرسشی دربارهٔ شکل‌های سیاسی» سازمان‌دهی می‌کند و شکل‌های فلسفهٔ سیاسی در یونان باستان و روم کهن و دگرگونی‌های مسیحیت و نیز زندگی سیاسی از نگاه ماکیاول، مونتسکیو و روسو را مورد بحث قرار می‌دهد. یکی دیگر از کتاب‌های مهم او اندیشهٔ ملت‌ها است .

از دیدگاه فلسفی، انسان حیوانی سیاسی است و وظیفه دارد چیز مشترکی را دارد کند. ما در جامعه‌ای هستیم که همیشه قانون تولید می‌کند. هیچ جنبه‌ای از زندگی ما خارج از قانون نیست ولی قانون مرتب تغییر می‌کند زیرا خانواده و جامعه و انسان‌ها تغییر می‌کنند. خانواده در دگرگونی همه‌جانبه است و شکل‌های قدیمی آن نقش فرعی به خود گرفته‌اند و طلاق در خانوادهٔ مسیحی اساس آن را بر هم می‌زند. حال، در این شرایط سیاست باید اداره کند. سیاست نقش قاطعی در جامعه ایفا می‌کند.

یکی از زمینه‌های برجستهٔ کارهای منان در زمینهٔ دموکراسی و لیبرالیسم است. او یکی از کارشناسان برجستهٔ اندیشهٔ الکسی توکویل و ریموند آرون به شمار می‌آید. یکی از تازه‌ترین کتاب‌های منان شرایط فرانسه نام دارد که در ۲۰۱۵ چاپ شد. این نوشتار به‌دنبال کشتار هنرمندان نشریهٔ شارلی ابدو در ژانویهٔ ۲۰۱۵ توسط تروریست‌های اسلامی در پاریس تنظیم شده است. یکی از پرسش‌های اساسی او در این کتاب واکاویِ اسلام و تضادی‌های ناشی از آن بوده. او در این کتاب می‌پرسد آیا پاسخ جداانگاری دین از سیاست در برابر اسلام کافی است؟ او می‌گوید اسلام در فرانسه جامعهٔ مدنی و بی‌طرفی دولت را به خطر انداخته است. در برابر این پدیده و جهت مهار کردن اسلام‌گرایی او یک «قرارداد اجتماعی» پیشنهاد می‌کند که بر پایهٔ آن مسلمانان آداب خود را داشته باشند و، در مقابل، مسلمانان این اصل را بپذیرند که نقد دین اسلام کاملاً آزاد است. از دید او ما در یک زندگی مشترک به سر می‌بریم، اعضای یک ملت و دارای قانون

جداانگاری دین از سیاست هستیم. حال، مسلمان وارد این مناسبات می‌شوند و جداانگاری دین از سیاست بر این مسئله تسلط ندارد. ما در برابر یک مسئله قرار داریم و، بنابراین، باید قاعدهٔ زندگی مشترک و «چیز عمومی» را درک کنیم. البته ژیل کپل این نظریه را ساده‌لوحانه و بی‌اعتبار می‌داند و می‌گوید هیچ مسئول سیاسیِ اسلامی هرگز چنین قراردادی را نخواهد پذیرفت.

از دیگر کتاب‌های منان می‌توان به تاریخ فکریِ لیبرالیسم اشاره کنیم که توسط عبدالوهاب احمدی به فارسی ترجمه شده است. منان در این کتاب دیدگاه‌های ماکیاولی، هابز، لاک، مونتسکیو، روسو، کنستان، گیزو و نیز توکویل را بررسی می‌کند. او در این کتاب می‌گوید: «دموکراسی بنیاد خود را بر فردهای آزاد و برابر می‌گذارد. پروژهٔ لیبرال‌خواهان بر آن است تا بنیاد خود را بر برابری «طبیعی» بگذارد؛ به‌طور اساسی لیبرالیسم تاریخ را می‌گشاید و انسان در این بستر می‌تواند به‌شیوهٔ خِردمندانه یا آگاهانه نظم سیاسی مشروع را بسازد.»

در لحظهٔ دیدارمان با پی‌یر منان به او گفتم: «شما می‌گویید اسلام باید اصل انتقادپذیری را بپذیرد.» او هم گفت: «بله.» من در ادامه به او گفتم: «همکار گرامی، این خواست به طور کلی فکر خوبی است ولی چنین‌چیزی از جانب این دین پذیرفتنی نیست. اسلام سیاسی است و ادعای سیاست برتر دارد و نمی‌تواند خود را با جمهوری و روحیهٔ نقد انطباق دهد. اسلام دین مطلق‌گرای تعبدی است.»

Manent Pierre, «Histoire intellectuelle du libéralisme»: Hobbs, Locke John, Macchiavelli Nicolo, Montesquieu Charle, Rousseau JJ, Aron Raymond, Strauss Leo, Guizot François.

جداانگاری دین از سیاست: قانون زندگی مشترک

دوست من، خانم کارولین فورست، روزنامه‌نگار و اندیشمند فرانسوی تازه‌ترین کتاب خود دربارهٔ جداانگاری دین از سیاست را با عنوان شاهکار جداانگاری دین از سیاست به چاپ رساند. او در این کتاب به مبارزهٔ فکری در راستای جداانگاری دین از سیاست ادامه می‌دهد و نشان می‌دهد که چنین‌چیزی شمشیری در برابر ادیان نیست بلکه سپری برای حفظ جامعهٔ نوگرا و آزاد است. جداانگاری

دین از سیاست چارچوب درستی پدید می‌آورد تا دین سر جایش بماند و در سیاست و مدیریت جامعه مداخله نکند. دین بنابر طبیعت خود سلطه‌خواه است و می‌تواند در جامعه بحران تولید کند و آن را به جنگ سوق دهد. دین همه‌چیز را بر پایهٔ ملاک دینی داوری می‌کند، حال آن‌که جداانگاری دین از سیاست بر آن است که هر کسی حق دارد معتقد باشد یا معتقد نباشد و حکومت نباید بر پایهٔ دین جامعه را بگرداند. جداانگاری دین از سیاست چارچوب همکاری انسان‌هاست چراکه دین را به مفهومی شخصی تبدیل می‌کند. قانون جداانگاری دین از سیاست در سال ۱۹۰۵ در فرانسه به تصوب رسید ولی روح این قانون برای شهروندان جهان مناسب است. در این جهانی که با تعرض و مداخله‌جویی دین روبه‌رو هستیم، جداانگاری دین از سیاست زیاده‌خواهی دین را از حرکت باز می‌دارد.

کارولین فورست، روزنامه‌نگار شارلی ابدو و لوموند، از کسانی است که با پیگیریِ بی‌پروا اسلام‌گرایان را در فرانسه افشا کرده است. به این خاطر، اسلام‌گرایان او را همیشه به‌عنوان «نژادپرست» معرفی کرده‌اند، حال آن‌که او فردی بسیار انسان‌دوست است ولی در برابر اسلام‌گرایان کوتاه نیامده است. هر بار که او را می‌بینم به‌خاطر شجاعتش او را می‌ستایم. او نه‌تنها مبارز پایبند به جداانگاری دین از سیاست است بلکه خود یک لزبین هم هست و می‌داند که اسلام‌گرایان به این دو دلیل بر او فشار می‌آورند. اسلام‌گرایان در فرانسه متحدینی دارند مانند چپ‌های اسلاموفیل و سیاسیون فرصت‌خواه و نیز مخالفانی مانند روشن‌فکران و سیاسیون فرانسویِ معتقد به جداانگاری دین از سیاست که در پشتیبانی از این اندیشه کوتاه نمی‌آیند و در پی منفردسازیِ اسلام‌گرایان هستند. اسلام‌گرایان در فرانسه نیز ضد من هستند زیرا هر جا که فرصتی بیابم آن‌ها را افشا می‌کنم. من در ادامهٔ مبارزهٔ خود در برابر حکومت اسلامی ایران و نواندیشان دینی در فرانسه نیز همیشه در برابر محافل و جریان‌های اسلام‌گرا ایستاده‌ام. مبارزهٔ من با اسلام‌گرایان در فرانسه سالیان درازی است که ادامه داشته زیرا من در این کشور یک شهروند معتقد به جداانگاری دین از سیاست هستم و در مبارزهٔ سیاسی برای دموکراسی و جداانگاری دین از سیاست همیشه تلاش کرده‌ام. اسلام‌گرایان مخالف جداانگاری دین از سیاست هستند؛ آن‌ها خواهان ویرانیِ چنین جامعه‌ای هستند و در پی پیشروی اسلامی‌اند. من در برابر اسلام‌گرایانِ حزب زیست‌بوم‌گرایان فرانسه، در زندگی احزاب سیاسی فرانسه و مبارزهٔ ملی

و شهری و انتخاباتیِ خود در فرانسه پیوسته فعال بوده‌ام. اسلام‌گرایان جهان مرا می‌شناسند و من هم آنها را یا مستقیم و یا به‌واسطهٔ جهان‌بینی‌هاشان می‌شناسم. آن‌ها برای زندگی اسارت‌بار در قالب الگوی اسلامی فعالیت دارند و من برای زندگی مشترک در دموکراسی و جداانگاری دین از سیاست مبارزه می‌کنم.

«شلمو سلینجر» یک اتفاق است

من خیلی زود با دوست ارزشمندم یعنی شلمو سلینجر آشنا شدم. او پیکرتراش و طراح بزرگ یهودی است که در سال ۱۹۲۸ در لهستان به دنیا آمد و در جنگ دوم جهانی توسط نازی‌ها به گتو و سپس به اردوگاه‌های نازی‌ها فرستاده شد و در این دوره پدرومادر و خواهرش را در بازداشتگاه نازی از دست داد. در ۱۹۴۵، زمانی که در میان جسدها تلوتلو می‌خورد، پزشکی یهودی او را نجات می‌دهد. پس از جنگ به آلمان و سپس به بلژیک و، بعد، به فرانسه می‌آید. شلمو سلینجر در سال ۱۹۵۵ به پاریس آمد و در مدرسهٔ هنرهای زیبای پاریس، دانشگاه خود را در رشتهٔ معماری و نقاشی ادامه می‌دهد. از سال ۱۹۵۸ سرآغاز فعالیت‌های شگرف هنری او تا امروزست. طی این سال‌ها او بیش از پانزده جایزهٔ هنری را از آن خود کرده. کار هنری او تراشیدن مجسمه بر سنگ و چوب است و به‌قول خودش آزادی او در گروِ همین سنگ‌تراشی‌هاست.

کارهای شلمو سلینجر در نقاط گوناگون جهان به نمایش گذاشته شده‌اند: نمایشگاه هنرهای پاریس، نمایشگاه دفانس در حومهٔ پاریس، موزه‌های گالیله، تل آویو، حیفا و غیره. این هنرمند بزرگ بیش از ۸۰۰ کار هنری پدید آورده و بخشی از آن‌ها با موضوع تراژدی یهودیان در جنگ جهانی دوم گره خورده. از آن‌جمله باید به مجسمهٔ بزرگی که در درانسی و در نزدیکی پاریس تعبیه شده اشاره کرد، این مجسمه کالبدِ ۱۰ انسان را درهم‌پیچیده است. در زمان جنگ جهانیِ دوم، شهر درانسی مرکزِ انتقال یهودیان به بازداشتگاه‌های مرگ در آلمان و لهستان بوده است. از ۷۶هزار نفر یهودی که در فرانسه شناسایی و توسط پلیس جمع‌آوری شده و به آلمان فرستاده شدند، ۶۷هزار نفر در بازداشتگاهی در شهر درانسی متمرکز شده بودند و سپس با قطار به اردوگاه مرگ انتقال می‌یافتند. به همین خاطر یکی

از مجسمه‌های بزرگ او در همین شهر و در محل بازداشتگاه یهودیان نصب شده است. شلمو سلینجر مردی ساده، متواضع و خستگی‌ناپذیر است. هنگام گفت‌وگو به او گفتم: «شما خود هنرمند بوده و آثار هنری می‌آفرینید و نیز زندگی خودتان هم به‌خاطر زندگی شخصی‌تان، یک اثر هنری هست.» او هم در پاسخ گفت: «دوست عزیز، شوخی نکن! من بیشتر اوقات فکر می‌کنم چطور شد که این‌همه انسان به اردوگاه‌های مرگ برده شدند و به قتل رسیدند و من ماندم. ماندن من یک اتفاق شگفت‌انگیز برای من است.»

اقتصاد و نظام مدیریت

آغاز کلاس‌های دانشگاهی است. درس‌هایم دربارهٔ جامعه‌شناسی، اقتصاد و نظام مدیریت می‌باشند. به دانشجویان گفتم اقتصاد ریاضیات نیست، اقتصاد روند تولید و توزیع و مصرف است ولی این روند بدون انسان‌ها ناشدنی است. اقتصاد چکیدهٔ مناسبات اجتماعی و تولیدی و مدیریتی است و این مناسبات جز مناسبات انسانی چیز دیگری نیست. حال، نظام‌های مدیریتی که همه‌چیز را به پول و کالا تقلیل می‌دهند خواهان اقتصاد بردگیِ تولیدی هستند زیرا در چنین حالتی مدیران در ذهن خود فرهنگ، اخلاق، ارزشِ انسانی، منافع فردی، شایستگی‌های حرفه‌ای، واکنش‌های عاطفی، رفتار روان‌شناسانه و جامعه‌شناسانه را حذف می‌کنند و تنها بازدهی اقتصادی را معیار ارزشیابی خود قرار می‌دهند. این بار نیز مانند همیشه در سرآغاز سال، کلاس‌ها و آمفی‌ها پر از دانشجو هستند ولی در نیمهٔ دوم سال دشواری‌های درسی و کاهش انگیزهٔ فردی و سختی‌های مالی و خانوادگی منجر به کم شدن شمار دانشجویان می‌شود. یکی از دانشجویان پرسید: «برای این‌که درسهای شما را خوب بفهمیم، چه کنیم؟» من هم به گفتم: «نخست، انگیزهٔ درس خواندن را در خودتان تقویت کنید و بدانید برای چه درس می‌خوانید. دوم این‌که همیشه سر کلاس حاضر باشید و درس‌ها را یادداشت کنید و برای نیامدن بهانه نتراشید. سوم این‌که کتاب بخوانید و بازهم کتاب بخوانید.» سپس یکی دیگر از دانشجویان گفت: «هنوز پروژهٔ زندگی شغلی خودم را تعریف نکرده‌ام.» من هم به او گفتم: «شما که در سال چهارم دانشگاه هستید و هنوز نمی‌دانید چه

می‌خواهید، فردا از نخبگان نخواهید بود. رقیب شما در ژاپن و آمریکا و انگلستان و استرالیاست و جهان ما بسیار پیچیده و پرشتاب است و به انسان‌های با فرهنگ، شایسته و اندیشمند نیاز دارد. از زندگی خود لذت ببرید و پروژه‌ای را در نظر بگیرد که هم نوآورانه است و هم لذت‌بخش. همیشه این دو جنبه در کنار هم قرار ندارند ولی از آنجا که انسان کاملاً زندانیِ جبرگرایی نیست، می‌تواند سرنوشت خودش را تکان دهد.»

افزودم برای اقتصاد پیشنهاد می‌کنم چند کتاب در نظر داشته باشید:

لودویش هاینریش الدر فن میزس: کنش انسانی

جوزف یوجین استیگلیتز: سرمایه داری دیوانده شده

توماس پیکتی: سرمایه در سده بیست و یکم

ژان تیرول: تئوری بازی

میشل آگلیئتا: اکولوژی و توسعهٔ پایدار

روبرت بوآیه: اقتصاد سیاسی سرمایه داری ها، تئوری رگولاسیون و بحران ها.

این تئوریسین‌ها از مکتب‌ها و فضای‌های گوناگونی اقتصادی هستند و درک‌های متنوع ارائه میدهند. نظام اقتصاد جهانی با درک یک مکتب اقتصادی قابل فهم نیست. روش ما باید چند جانبه باشد و افزون بر آن برای فهم دنیای اقتصاد باید رشته‌های جامعه شناسی و سیاست و روانشناسی و تکنولوژی‌های دیژیتالی را نیز به یاری طلبید. این آثار در مدیریت کلان اقتصاد کشوری و نهادهای جهانی اجازه می‌دهند تا از اکسیون کور اقتصاد و منطق‌های کوتاه مدت اجتناب شود.

Robert Boyer, Thomas Piketty, Joseph E. Stiglitz, Ludwig von Mises, Miche Aglietta, Jean Tirole.

فیلم «فرانتز» و شعر آپولینر

امشب ۱۰ سپتامبر ۲۰۱۶ در سینما فیلم «فرانتز» از کارگردان فرانسوی فرانسوا اوزن را تماشا کردم. فیلمی بسیار زیبا که ذهن و احساس تماشاگر را در خود می‌پیچاند. داستان فیلم به جنگ جهانیِ نخست و مداخلهٔ فرانسه و آلمان در جنگ برمی‌گردد و این‌که چگونه زندگی و عشق و رازهای دو انسان آشفته در جنگ رقم

می‌خورند و چگونه انسان‌ها در جنگی که دیگران ترتیب داده‌اند درگیر می‌شوند و به روی یکدیگر اسلحه می‌کشند و نتیجهٔ آن هم چیز جز آشوب روانی انسان‌ها و التهاب و پشیمانی آن‌ها نیست. انسان بر سرنوشت خود حاکم است؟ در بسیاری از مواقع انسان‌ها بازیچهٔ دیگران می‌شوند و با وجود دوستی دیرینه با هم دشمنی می‌کنند. چگونه ایدئولوژی و ملی‌گرایی فکر انسان را می‌ربایند و خشونت و نفرت را بر مغز او چیره می‌کنند؟ و چگونه احساس عشق در بدترین یا سخت‌ترین موقع پا می‌گیرد؟ چگونه انسان با زخم‌های درونی و پشیمانی‌ها و شادی‌های دردآلود خو می‌گیرد؟ چگونه در زمانی که تند می‌گذرد، می‌توان به عشق خود پناه داد؟ ما همدیگر را ترک می‌کنیم و امید بازیافتن دوباره وجود ندارد ولی یادمانه‌ها و خاطره‌ها چه خواهند کرد؟ آیا شعر «پُل میرابو» از گیوم آپولینر با ترجمهٔ استاد پرویز ناتل خانلری یادتان می‌آید؟

زیر پل رود روان می‌گذرد
عشق‌های من و تو
راستی باید از آن یاد آورد؟
بود پیوسته نشاط از پی درد
شب بیاید بزند ساعت زنگ
روزها رفت و مرا هست درنگ
دست در دست هم و روی‌به‌روی
باش تا درگذرد
زیر بازوی دو یار
رود کز دیدن خلق آزرده‌ست
شب بیاید بزند ساعت زنگ
روزها رفت و مرا هست درنگ
عشق چون رود روان درگذر است
عشق اندر گذر است
گذرد عمر چه کند
آرزو لیک چه تیز است و چه تند
شب بیاید بزند ساعت زنگ
روزها رفت و مرا هست درنگ

روز و هفته همه بگذشت دریغ
نه زمانی که گذشت
بازگردد، نه دلی کز کف رفت
زیر پل رود روان می‌گذرد
شب بیاید بزند ساعت زنگ
روزها رفت و مرا هست درنگ

در دادگاه و در کنار شارلی ابدو

هفته‌نامهٔ شارلی ابدو صدای آزادی است و به‌نوعی شرافت مطبوعات فرانسه و جهان آزاد به شمار می‌آید. من در تاریخ ۷ و ۸ فوریه ۲۰۰۷ برای پشتیبانی از شارلی ابدو به دادگاه پاریس رفتم. شارلی فکاهی‌های محمد را چاپ کرده بود و اسلام‌گرایان هم مسئولان نشریه را به اتهام «توهین به اسلام و محمد» به دادگاه کشاندند. خوشبختانه رأی دادگاه به‌سود شارلی ابدو و پشتیبانی از آزادی بیان و آزادی هنر و آزادی فکاهی بود. شمار بسیار زیادی برای پشتیبانی و حضور به دادگاه آمده بودند. اسلام‌گرایان هر جا که هستند در پی خفه کردن اندیشه و ممنوع کردنِ انتقاد از اسلام هستند. آن‌ها از قوانین دموکراتیک سوءاستفاده می‌کنند تا با خودِ دموکراسی مبارزه کنند. ما می‌دانیم هر جا اسلام و قرآن در قدرت باشند، هوادارن آن‌ها انسان‌ها را از آزادی و خلاقیت محروم می‌کنند. در فرانسه مبارزه برای آزادی بیان و نقد مذهب و جداانگاری دین از سیاست از سدهٔ هیجدهم با تلاش فیلسوفان عصر روشن‌گری آغاز شد و ادامه دارد. کلیسا به‌دنبال با مبارزهٔ نخبگان آزادمنش وا پس نشست و رفتار خود را تغییر داد ولی امروز اسلام یورش‌های خود را بر ضد تمدن و آزادی تشدید کرده است. از مبارزه با دیو دین و خرافات اسلامی نباید ترسید. این وظیفه بسیار دشوار است. هر شهروندی حق دارد به دین خود باور داشته باشد و هر کسی باید به دین انتقاد کند و ناباور باشد ولی در جامعهٔ ما دین اسلام و شیعه‌گری افراد را از اندیشهٔ آزاد بازداشته است و از همین رو مبارزهٔ ژرفِ فرهنگی، فلسفی و سیاسی با تسلط ایدئولوژیک دینی در جامعه و ذهن بسیار اساسی است. هم‌اکنون در غرب تمام دستاوردها مانند برابری زن‌ومرد، نقد مذهب، جداانگاری دین از سیاست و غیره مورد یورش

اسلام‌گرایان هستند. آن‌ها «نه من غریبم بازی» درمی‌آورند، اسلام را پرچم خود می‌کنند و با زیرکی و دروغ و خدعه به قدرت‌شان می‌افزایند. خواست نهاییِ آن‌ها قدرت است. بدبختانه جناح اسلامیون و هواداران آنان هم قوی هستند. در غرب، سیاسیون فرصت‌خواه و روشن‌فکران اسلاموفیل زمینهٔ رشد بنیادگرایان را تقویت می‌کنند. در ایران نیز بخش مهمی از روشن‌فکران چپ و ملی و جمهوری‌خواه اسلاموفیل هستند یعنی هوادار «دین توده‌ها» هستند و مردم‌فریبانه از دین‌داران سیاسی و اسلام آن‌ها پشتیبانی می‌کنند. به یاد دارم که در همین دادگاه به نقاش معروف، کابو، گفتم: «تو خوش‌بینی یا نگران؟» دوستش، شارب، در پاسخ گفت: «امیدوارم در این دادگاه پیروز بشویم ولی در آینده معلوم نیست.» البته از یاد نبریم در ژانویهٔ ۲۰۱۵ کابو و شارب که مردان بسیار مهربان و انسان‌دوستی هم بودند با دیگر همکاران‌شان در هیأت دبیرهٔ شارلی ابدو توسط دو تروریست اسلامی کشته شدند. پس از پیروزی در دادگاه به وکیل شارلی ابدو، ژُرژ کیژمن، تبریک گفتم و او نیز گفت: «حقیقت از آغاز با ما بود.» در پایان مصاحبهٔ مطبوعاتی با مدیر نشریه و یکی دیگر از وکلای آن از دادگاه بیرون آمدیم. به آن‌ها گفتم پیروزی را چگونه باید جشن گرفت؟ مدیر نشریه گفت: «این پیروزی یک جشن مطبوعاتی نیاز دارد.» من هم در پاسخ به آن‌ها گفتم: «فعلاً می‌توانیم برویم قهوه‌ای بنوشیم.» و سپس برای یک فنجان قهوه و گپ زدن به کافهٔ روبه‌روی دادگاه پاریس رفتیم. در کاریکاتور محمد که کابو آن را کشیده بود و مورد اعتراض اسلام‌گرایان بود محمد می‌گوید: «تحمل وقتی که احمق‌ها آدم را دوست داشته باشن، خیلی دشواره.»

مون مارتر، محلهٔ نقاشان بزرگ

پاریس داغ بود. این شهر روز شنبه ۲۷ اوت ۲۰۱۹ با ۳۶ درجه گرم‌ترین روز تاریخ خود را سپری می‌کرد. صبح به ۱۰ نفر از دوستان پیام فرستادم که سری به مون مارتر، محلهٔ نقاشان در میدان دوترتر بزنیم و از موزهٔ هنرمندان نقاش دوران پایانی قرن نوزدهم بازدید کنیم. جز یک پاسخ منفی، کس دیگری جواب نداد و البته بعد متوجه شدم که گرمای تند همه را ترسانده بود. با وجود کمی تردید با مترو به این محله رفتیم. اگر فرصت کردید، حتماً به دیدن این محلهٔ پاریس بروید زیرا

جنبه‌های تاریخی و هنری آن فراوان است. کلیسای بزرگ قلب مقدس که به روی بلندی بنا شده از همه نقاط پاریس قابل دیدن است. پله‌های بی شمار جلوی کلیسا انبوه از گردشگر و موزیسین است و میدان نقاشان با حضور صد نقاش به آتلیه پرشکوه نقاشی تبدیل شده است. محله مون مارتر یک محله تاریخی است. در این محله سالن‌های تئاتر مانند تئاتر آبس، کاباره‌های معروف مانند «مولن روژ»، موزه‌های گوناگون مانند موزه دالی، خانه‌های هنرمندان و نویسندگان مانند دالیدا و آندره مالرو، بوریس ویان، ژاک پره ور، هکتور برلیوز، ژرژ براک، پابلوپیکاسو، آدامئو مودلیانی، اگوست رونوار، ژان رونوار، روبرت ساباتیه، پیساروف و دیگران بوده و می‌باشد.

در واقع، در پایان سدهٔ ۱۹ و آغاز سدهٔ ۲۰ دو منطقه در پاریس یعنی مونپارناس و مون مارتر کندوی جنب‌وجوش و زندگی و آتلیه‌های هنرمندان بسیاری بودند. در مونپارناس از دنیای هنریِ گذشته چیزی باقی نمانده است ولی در مون مارتر دنیای پیشین هنوز زنده است. هنگامی که به پلاک ۱۲ خیابان کورتو می‌رسید، ورودیِ عادی موزه را می‌بینید. موزه یک مجموعهٔ ساختمانیِ قدیمی است که در گذشته اتاق‌های کوچکش برای زندگی و آتلیه‌های هنرمندان به کار می‌رفته و حالا بازسازی شده و آن را به موزه تبدیل کرده‌اند. نقاشانی مانند تولوز لوترک، بونارد، ایبل، اوتریلو، والادون، دوفی، پیکاسو، مودیلیانی، استنلن، اوتر، ماکس ژاکوب و اریک ساتی از جمله کسانی بودند که بین ۱۸۷۰ تا ۱۹۱۰ در همین خانه رفت‌وآمد داشتند. در آن زمان، همهٔ این هنرمندان در شرایط بد مالی قرار داشتند ولی حال پس از یک سد سال هر یک از تابلوهاشان گاه میلیون‌ها یورو ارزش‌گذاری می‌شود. تابلوهای موجود در موزه در سبک‌های هنری مانند طبیعت‌گرایی، دریافت‌گری، فرادریافت‌گری، نمادگرایی، فوویسم، کوبیسم و نیز در گروه‌بندی هنرهای زینتی و تبلیغاتی قابل تعریف هستند. کارهایی از همهٔ مکتب‌ها و هنرهایی که در دسته‌بندی‌های رسمی جای می‌گیرند در این اتاق‌ها جا گرفته‌اند. چرا هنرمندان در یک نقطه گِرد هم می‌آیند؟ علت گردهماییِ هنرمندان این بود که کرایه‌های آن زمان بسیار پایین بوده، این محله در نقطه‌ای بلند و تپه‌مانند قرار داشته و برای هنرمندان دورنماهای زیبایی فراهم می‌کرده. ضمناً، این محله پر از کاباره و تئاتر و کافه بوده و، بنابراین، افراد کارگر، دلقک، روسپی، رقاص‌های کاباره و هنرمندان زیادی درهم می‌لولیدند و این شرایط برای نقاشان

و کار هنری‌شان بسیار جالب و پرمایه بوده. افزون‌بر این‌ها، کافه‌ها پر از همهمهٔ شاعر و موسیقی‌دان و می‌گسار و هنرمند و اهل حال بودند و دود سیگار و بوی شراب فضاشان را پر می‌کرده. به هر حال، پس از ورود به ساختمان، در حیاط خانه‌موزه پیانویی گذاشته‌اند که اگر دل‌تان بخواهد می‌توانید لمسش کنید. وسط حیاط کافه‌ایی برای گپ زدن در نظر گرفته شده و کتاب‌فروشی کوچکی هم برای بازدیدکنندگان موجود است. آن روز، گرما از یادمان رفته و حواس‌مان پرت شده بود زیرا فکر و نگاه‌مان غرق در نقاشی‌ها و گپ زدن‌ها غرق.

کتاب دربارهٔ اسلام نوشتهٔ میشل انفره، فیلسوف فرانسوی

فیلسوف فرانسوی، میشل انفره، چندی پیش کتابی با عنوان دربارهٔ اسلام چاپ کرد. من در مقالهٔ خودم با عنوان «فیلسوف، میشل انفره، و نقد اسلام و تروریسم»، که در سایت‌ها و از جمله سایت گویا منتشر شده، به بررسی دیدگاه او در این کتاب پرداختم و برخی انتقادات خود را به اندیشهٔ او وارد کردم. دیدگاه او در این کتاب این است که اسلام و قرآن نقش مستقیمی در تروریسم اسلامی دارند و فرانسه به مداخلهٔ نظامیِ خود در کشورهای مسلمان باید پایان دهد. بدبختانه هیچ مطلبی تاکنون از آثار اینِ فیلسوف به فارسی ترجمه نشده است و تنها چند خط ناقص و ناروشن در «ویکی‌پدیا» به فارسی آمده است. مقالهٔ من نخستین نوشتهٔ فارسی دربارهٔ اندیشهٔ میشل انفره است. با وجود هر انتقادی که به اندیشهٔ او وارد باشد، او فیلسوفی بسیار پرکار و پراندیشه‌ای است و خود را دارای اندیشهٔ چپ غیرحزبی و آزادمنش می‌داند. او در طی گفت‌وگویی که در پاریس با هم داشتیم می‌گفت از چپ دلسرد شده و نقد اسلام در فرانسه یک ضروت تاریخی است. من هم به او گفتم مبارزهٔ فکری ـ سیاسی برای جداانگاری دین از سیاست و نقد اسلام نه‌تنها برای غرب بلکه برای کشورهای مسلمان هم باید یک محور باشد و همکاری روشن‌فکر غربی و غیرغربی از جمله ایرانی برای گسترش اندیشهٔ فلسفی و پای‌بند به جداانگاری دین از سیاست کاملاً لازم است. او نیز گفت موافق است و مشتاق دیداری با روشن‌فکران ایرانی. میشل انفره دربارهٔ جداانگاری دین از سیاست، خداناباوری، فلاسفهٔ پیشاسقراطی، فلسفهٔ طبیعت، ادبیات، کامو، سارتر،

فروید و غیره نوشتارهای با ارزشی ارائه کرده و با اندیشهٔ خود جنجال‌های بی‌شماری در رسانه‌ها راه انداخته. امیدوارم مترجمان ما آثار او را به فارسی ترجمه کنند.

در عرصه بینش فلسفی، اونفره ادعا دارد که زیر تأثیر فیلسوفانی مانند فردریش نیچه و اپیکور بوده و همچنین از مکتب بدبینانه، از ماتریالیسم فرانسوی و همچنین از آنارشیسم پرودونی متاثر است. میشل اونفره معتقد است هیچ فلسفه ای بدون بهره مندی از تاریخ، جغرافیا، زیست شناسی، جامعه شناسی، علوم و علوم انسانی وجود ندارد: یک فیلسوف بر اساس واقعیت کار میکند در غیر این صورت او خارج از واقعیت فکر می‌کند.

در زمینه فکر مذهبی نوشته‌های او به لذت گرایی، حواس و الحاد می‌پردازد. این فیلسوف در تبار اندیشمندان یونانی است که استقلال فکر و زندگی را ستایش می‌کند. وی در دفاع از یک خداناباوری سازش ناپذیر، ادیان را غیرقابل دفاع می‌داند، زیرا آنها ابزار سلطه و بریده از واقعیت جهان هستند. با این وجود میشل اونفره خود را ″ملحد مسیحی″ اعلام کرده، او خود را با میراث فرهنگی یهود-مسیحی اروپایی می‌داند و می‌گوید من یک ملحد مسیحی هستم، زیرا نوعی بی خدایی وجود دارد که در حوزه مسیحی قرار دارد، و فکر من در بستر اروپایی مسیحی قرار دارد. انکار وجود خدا و عیسی در کتاب «معاهده آتئولوژی» موضوع مرکزی اوست. وی بیش از هر چیز نظریه پرداز الحاد است. برای او دفاع از ارتداد و ناباوری باشد، دفاع از لذت گرایی است.

روشن‌فکران فرانسوی و کمونیسم

کتابی که انی روزها در حال خواندنش هستم نوشتهٔ میشل وینوکِ تاریخ‌دان است با نام سدهٔ روشن‌فکران. این کتاب ۹۰۰ برگی تاریخ یک قرن روشن‌فکران فرانسه، رویدادها و اندیشه‌ها و انتشارات نخبگان روشن‌فکر در این کشور است. در آغاز، از ماجرای دریفوس در سال ۱۸۹۴ و بسیج امیل زولا برای نجات جان یک نظامی یهودی که به نادرست متهم به جاسوسی شده بود سخن گفته می‌شود. امیل زولا منشور برجستهٔ خود با عنوان «من متهم می‌کنم» را چاپ کرد و خواهان

آزادی دریفوس شد. این رویداد مسئولیت و تعهد روشن‌فکران را به‌روشنی به نمایش گذاشت و نشان داد که شهامت روشن‌فکری در برابر قدرت و دروغ و برای پشتیبانی از حقیقتْ اساسی است. تلاش امیل زولا روشن‌فکران بزرگی مانند آناتول فرانس، مارسل پروست، ژُرژ سورل، کلود مونه، امیل دورکهم و سیاسیون مترقی را به حرکت درآورد. این رویداد یک لحظهٔ تاریخی شد و تاریخ بعدی روشن‌فکران در فرانسه و جهان را متأثر کرد.

یکی دیگر از بخش‌های این کتاب دربارهٔ شیفتگی روشن‌فکران فرانسه نسبت‌به انقلاب شوروی و استالین است. جنگ داخلی اسپانیا جامعهٔ روشن‌فکری را دگرگون می‌کند و آندره مالرو برای پشتیبانی از جمهوری‌خواهان به اسپانیا می‌رود. پس از جنگ، آندره ژید به شوروی می‌رود و بازگشت از شوروی را می‌نویسد و دروغ الگوی اِستالین را برملا می‌کند. این کتاب سرآغاز شکستن یک توهم بزرگ و شکستن توطئه استالینی بود. در دهه‌های ۵۰ و ۶۰ میلادی ژان پُل سارتر به شوروی و اِستالین وفادار می‌ماند و آلبر کامو را به‌خاطر عدم پشتیبانی‌اش از شوروی به باد انتقاد می‌گیرد. ریموند آرون، جامعه شناس معروف، در برابر روشن‌فکران کمونیست می‌ایستد و از دموکراسی پشتیبانی می‌کند. با توجه به شرکت کمونیستها در جنبش مقاومت فرانسه، با توجه به نفوذ حزب کمونیست در میان کارگران و بالاخره با توجه به جاذبه ایدئولوژی کمونیست، بسیاری از روشنفکران فرانسه در درون حزب کمونیست فرانسه جمع شده بودند. دگماتیسم و تمایل به استالینیسم روشنفکران را از نقد «سوسیالیسم واقعن موجود» بازداشته بود.

در جنبش ماه مه فرانسه در سال ۱۹۶۸ ژان پُل سارتر به شور می‌آید، ولی ریموند آرون عصبانی می‌شود و آن را به نقد می‌کشد. میشل فوکو به نقد تاریخی و فلسفی دست می‌زند ولی سپس دستخوش اشتباه می‌شود و از انقلاب آیت‌الله خمینی پشتیبانی می‌کند؛ هرچند دیرتر پشیمان می‌شود. کتاب سدهٔ روشن‌فکران به بحران‌های روشن‌فکری می‌پردازد، ایدئولوژی چپ و راست را در درون جنبش روشن‌فکری واکاوی می‌کند و بهشت‌های گمشدهٔ روشن‌فکران را یادآور می‌شود. جامعهٔ بدون روشن‌فکر یک جامعهٔ تاریک است ولی روشن‌فکرانِ بدون اشتباه هم کمیاب هستند.

مجارستان، از اسارت تا آزادی و هنرنمایی

سفری به مجارستان داشتم. کشوری با هزار سال پیشینهٔ تاریخی که پس از انگلستان از قرن چهاردهم دارای سنت پارلمانی بوده. ساختمان پارلمان وِست مینیسترِ انگلستان در سال ۱۸۳۶ به کار خود پایان داد و مجارها به فکر آن افتادند که مانند انگلیسی‌ها یک پارلمان باشکوه داشته باشند و از این رو در سال ۱۸۹۶، در بوداپِست و در کنار رود دانوب، ساختمان مجلس باشکوه خود را برپا کردند. این ساختمان زیبا با دیوارها و سقف‌هایش با ورقهٔ طلا و نقاشی هم مجلس است، هم کاخ ریاست‌جمهوری و هم دفتر نخست‌وزیری. یورش مغول‌ها به مجارستان، چیرگیِ ۱۵۰سالهٔ امپراتوری عثمانی، اشغال آلمان هیتلری و چیرگیِ کمونیسم اِستالینیِ عطش مجارها به آزادی پارلمانی را از بین نبرد. مجارستانَ در زمان جنگ جهانی دوم توسط نازیسم اشغال شد و پس از شکست هیتلر به‌مدت ۴۵ سال زیر سلطهٔ اِستالینیسم قرار گرفت. در یکی از خیابان‌های معروف بوداپِست به‌نام آندره سی، ساختمانی بزرگ و خاکستری وجود دارد که بالای آن واژهٔ ترور و دو نشانه، یکی ستارهٔ کمونیستی و دیگری صلیب جهت‌دارِ هواداران نازیسم، جای گرفته است. اینجا «خانهٔ ترور» است که در زمان حضور نازی‌ها مرکز اداری حزب نازیِ مجار با نام «صلیب‌داران جهت‌دار» و پس از آن مرکز اداری و جاسوسی و شکنجهٔ زیر کنترل کمونیست‌های مجار بود. پس از سقوط رژیم کمونیستی در ۱۹۸۹، این ساختمان به «خانهٔ ترور» یا موزهٔ تاریخی تبدیل شد. در این موزه، شباهت شگفت‌انگیزی در کنش‌گراییِ حزبی و سیستم تبلیغاتی و باورپرسیِ دورهٔ قدرت کمونیست‌های هوادار شورویَ و نازی‌ها به نمایش گذاشته شده است. اگر به بوداپِست رفتید، از این خانهٔ وحشت دیدن و تاریخ معاصر را مرور کنید. هر دو رژیمْ خودکامه و ایدئولوژیک و خواهان بردگی و نابودی مخالفان خود بودند. مطمئن باشید که رژیم اسلامی نیز از همین‌گونه رژیم‌های خودکامه است. امروز، مجارستان در آزادی نفس می‌کشد.

یکی دیگر از جلوه‌های جالب سفر به مجارستان کشف دقیق‌تردنیای ادبی و هنری این کشور است. جمعیت مجارها به ۱۰ میلیون می‌رسد، زبان آن‌ها فقط به همین کشور محدود می‌شود. با این وجود، مجارها در عرصهٔ هنر تئاتر و سینما بسیار فعال هستند. از جمله کارگردانان معروف مجار می‌توان به الکساندر کوردا،

میکائیل کورتیز و بلا تار اشاره کنیم. همچنین، فیلم «مفیستو» در سال ۱۹۸۱ اسکار بهترین فیلم خارجی را از آن خود کرد. بسیاری از سالن‌های سینما با کافه و کتاب‌فروشی همراهند و شما چه فیلم نگاه کنید یا نه می‌توانید با یک قهوه در میان کتاب‌های هنری و ادبی و اسناد مربوط‌به سینما پرسه بزنید و مطالعه کنید. در شهر بوداپست شمار کتاب‌فروشی چشمگیر است و بسیاری از آن‌ها با سالن قهوه‌نوشی و غِذاخوری همراهند. شمار تئاتر و نمایشگاه هنری در شهر زیاد است و در زمان سفرم دو نمایشگاه برزگ از تابلوهای پیکاسو و مودلیانی سازمان‌دهی شده بود و بسیار عالی بود. اگر به بوداپست رفتید حتماً از موزهٔ آهنگساز مجار، فرانتس لیست، بازدید کنید و پیانوهای اُو را که در سال ۱۸۸۶ از دنیا رفت ببینید. این آهنگساز رمانتیک با بزرگانی مانند ویکتورهوگو، لامارتین، شاتوبریان آشنایی نزدیکی داشت و بخش عمدهٔ کارش تنظیم آثار بر روی پیانو بود. در کل، نمی‌شود از مجارستان صحبت کرد و از ایمره کرتز، نویسندهٔ یهودی‌تبار مجار و برندهٔ جایزهٔ نوبل ادبیات و رمان گیرای او یعنی بخت‌برگشته حرف نزد. آکادمی سوئد در تاریخ ده اکتبر ۲۰۰۲ جایزهٔ نوبل در رشتهٔ ادبیات را به‌دلیل «نوشتن آن‌چه تجربهٔ یک فرد را در برابر بی‌رحمی وحشیانهٔ تاریخ نشان می‌دهد» به او اهدا کرد. این رمان داستان جوان پانزده‌ساله‌ای است که خاطرات خانواده و خودش را در گتوها و بازداشتگاه‌های نازی بازگو می‌کند. زبان او ساده و دل‌انگیز است و، در عین حال، تراژدی و بیهودگی و ترس مرموز و شادی‌های روزمرهٔ یک کودک را در هم می‌آمیزد. وقتی به بوداپست می‌روید حتماً به کافه «نیویورک» سری بزنید و شیرینی و بستنی خوشمزهٔ آنجا را بخورید. ساختمان این کافه و معماری درونی‌اش بسیار دل‌انگیز است. گردشگران بسیاری می‌آیند، صف می‌کشند تا بالأخره جایی گیر بیاورند و بشنینند و گپ بزنند. زیبایی سالنْ شما را جذب می‌کند و شما دل‌تان می‌خواهد بیشترین استفاده را از این لحظهٔ زندگی ببرید.

چرا داعش از فرانسه نفرت دارد؟

هفته‌نامهٔ فرانسوی مارین پرسش می‌کند چرا داعش به فرانسه این‌همه نفرت دارد؟ آیا این ضدیت به‌خاطر آن نیست که فرانسوی‌ها به جداانگاری دین از سیاست،

لائیسیته، برابری جنسیتی، آزادی و غیره علاقه‌مندند؟ از دید من، افزون‌بر نکاتی که گفته شده، ریشهٔ تاریخی هم در چنین‌چیزی دخیل است. رد پای استعمارِ فرانسه در کشورهای مسلمان شمال آفریقا هنوز در ذهن‌ها باقی مانده است و کاملاً پاک نشده است. کینه و نفرت تاریخی درونی‌شده که بازتاب فشار و عقده‌های دوران استعمار در این کشورها توسط فرانسه هم می‌تواند مؤثر باشد. از طرفی برای نمونه، از الجزایر تا تونس تا همه مغرب تمایل سفر به فرانسه و دسترسی به این کشور به کعبهٔ آرزوهاشان برای رسیدن به یک زندگی بهتر می‌مانسته. این مهاجرت‌ها تا امروز ادامه دارند با این تفاوت که امروزه این مردم کاملاً در فرانسه ریشه دوانده و قدرت پیدا کرده‌اند و نمی‌توان آن‌ها را مهاجرانی معمولی دانست. این جمعیت عرب تبار یکدست نیست. اکثریت انها اعضای عادی این جامعه هستند. بخشی از عرب تبارها در جامعه فرانسه دارای گرایش «جدایی خواهی دینی» هستند. آن‌ها به‌خوبی از مسائل امنیتی و شیوه‌های گوناگون آن در دستگاه‌های اطلاعاتی و امنیتی و قوانین مربوطه در این کشور آگاهی دارند و چنانچه کسی از آن‌ها بخواهد با داعش همکاری کند، مهارشان چندان آسان نیست. بخشی از مهاجران مسلمان آن‌گونه که باید در جامعهٔ فرانسه ادغام نشده‌اند و مرتب اسلام را به‌عنوان مزیت و امتیاز خود به شمار می‌آورند و به آن فخرفروشی می‌کنند. در روند تاریخی اقتصادی و شهرسازی دولتی جای گیری این بخش از جمعیت بدرستی مدیریت نشد. بخشی از مهاجران بتدریج در «گتو» تمرکز یافته و دولت فرانسه آن‌ها را به حال خود در برخی حومه‌ها رها کرد.

جاگیری جمعیت عرب‌تبار و ادغام آنها، تنها با دادن گذرنامهٔ فرانسوی و اجازهٔ کار کافی نیست. آن‌ها به یک آموزش دموکراتیک و پای‌بند به جداانگاری دین از سیاست نیازمندند زیرا اسلام مانع گسترش این فرهنگ است. این درسی است که پس از شورش‌های چند سال پیش در حاشیهٔ پاریس گرفته شد. درهم‌آمیزیِ فرهنگی و از همه بالاتر انتقال ارزش‌های فرهنگی آزادی و برابری و حقوق بشر دست‌کم گرفته شدند. همین خطا در بلژیک نیز پیش آمد و در آلمان هم این کمبود اساسی وجود دارد و تُرک‌ها جامعهٔ مجزای خاص خود دارند و به‌آسانی با آلمانی‌ها ادغام نمی‌شوند. آلمان یک میلیون مهاجر مسلمان را در سال ۲۰۱۶ وارد کرده است و همین امر به‌تنهایی ریشهٔ جنایت‌های جنسی و «ناموسی» در سال‌های آینده را رقم می‌زند. ایجاد مزاحمت‌های جنسی برای زنان در شب سال نو هشداری برای جامعهٔ آلمان است. جمعیت فرانسه ۶۵ میلیون نفر است و

مسلمانان رقمی میان نزدیک ۵ میلیون نفر را تشکیل می‌دهند ولی میزان جمعیت عرب‌تبار در زندان‌های فرانسه بیش از ۶۰ درصد کل زندانیان است. بسیاری از مهاجران مسلمان در جامعه فرانسه جاافتاده و زندگی عادی دارند ولی بخش مهمی از آنان به‌دلیل نداشتنِ تربیت قانون‌گرا و وجود محرومیت‌های اجتماعی و روانی و نیز تبلیغات و آموزش مذهبیِ خود پتانسیل ویژه‌ای برای ارتکاب به جرم و جنایت دارند. جامعهٔ فرانسه نمی‌تواند با اعتراض به راست‌های تندرو و سیاست نژادگرایانهٔ آن‌ها این مسائل تربیتی و بی‌قانونی این بخش از جمعیت را نادیده بگیرد. چپ‌ها با دیدگاه مردم‌فریب و انحرافی خود بسیاری از نارسایی‌ها و انحرافات این بخش از شهروندان را می‌پوشانند و شجاعت واکاوانهٔ علمی و واقع‌بینانه را ندارند و، در عمل، جریان‌های اسلامی و قوم‌گرای مغربی را رشد می‌دهند. نارسایی‌های مربوط به وضع اجتماعی بخشی از جمعیت مسلمان بهانه‌های مساعدی برای داعش بوده تا سربازگیری بکند. ایدئولوژی اسلامگرایی عامل اصلی جلوگیری از ادغام بخشی از مسلمانان در جامعه فرانسه می‌باشد.

نقش ترس در زندگی انسان‌ها چیست؟

در طول تاریخ، ترس افراد را به یکدیگر نزدیک کرده تا دلهره تقسیم شود و ایستادگی افزایش یابد. ترس یکی از عواملی است که دین را رشد داده و انسان خودش را در پناه روانی فردی و گروهی حس می‌کند. ادیان هم با مراسم و رفتارهای فرقه‌ای به انسان احساس جمعی می‌دهند و هم با ایجاد وحشت و تهدید به جهنم پیروان را می‌ترساند و آن‌ها را پیرو سلطهٔ خود می‌کنند. بنابراین، انسان‌ها به‌خاطر ترس و خشونت در دین جمع می‌شوند. ما در جامعهٔ نوگرا با افزایش خشونت روبه‌رو هستیم. از یک سو خشونت نمادین که به‌شکل واژگان ناهنجار و ناعادلانه و بی‌احترامی به شرافت انسانی و نیز به‌صورت جهان‌بینیِ کالاگرا و مصرفی در رسانه‌ها و محیط کار و اجتماع در جریان است و محرومیت‌ها و عقده‌ها و درماندگی‌های روانی و اضطراب در زندگی را رشد می‌دهند و از سوی دیگر خشونت دولتی و پلیسی، خشونت گروه‌های مافیایی و مواد مخدر و روابط جنسی و خشونت شبکهٔ تروریستیِ اسلام‌گرا که در جامعهٔ نوگرا به‌صورت انبوه و

پیاپی عمل خواهد کرد و شهروندان را در هراس و آسیب‌شناسی‌های روانی غرق می‌کند. در جامعهٔ نوگرای غربی، همهٔ این عوامل در سطوح گوناگون فعالند.

شهروند غربی در یک فضای قانونمند قرار دارد ولی خشونت نمادین و ناشی از تروریسم اسلامی به‌گفتهٔ فیلسوف معاصر فرانسوی، ایو میشو، به‌صورت پایدار در ذهن و ناخودآگاه جمعی و فردی عمل می‌کند. ما گاهی برای حفظ خود و پنهان کردن ترس‌مان در اجتماع نقاب به چهره می‌زنیم، شخص دیگری می‌شویم، چهره را عبوس می‌کنیم، بر جایگاه رئیس می‌نشینیم، اظهار ارادت می‌کنیم، دست به مردم‌فریبی می‌زنیم، خود را زورمند معرفی می‌کنیم، عینک دودی می‌زنیم، خنده‌های عجیب می‌کنیم، فریاد می‌زنیم و گریه و شیون راه می‌اندازیم. این کارها گونه‌ای ایستادگی در برابر مرگ به شمار می‌آیند. در مواقعی نیز، چه با نقاب و چه بی‌نقاب، خشونت به‌طور قطع زندگی همه را فوری و قطعی می‌رباید. تروریسم اسلامی گسترده و سمج به‌دنبال مرگ است، در پی قربانی می‌گردد و همراه با مرگ خواهان زجر همیشگی است. هواپیماهای مرگ با کوبیدن خود به برج‌های دوقلو در نیویورک در طی سی دقیقه بیش از سه هزار نفر را کشتند. یورش تروریسم اسلامی به سالن باتاکلان فرانسه ۱۳۰ کشته و ۴۲۰ زخمی به وجود می‌آورد. در نیس فرانسه، یک تروریست با کامیون سنگین ۸۴ نفر را در طی ده دقیقه نابود می‌کند. همچنین، رسانه‌های مجازی شمشیر داعش را نشان می‌دهند که چگونه سرها را از تن جدا می‌کنند و یا چگونه مخالفان آن‌ها با بنزین سوزانده می‌شوند. خشونت فیزیکی و جسمی و یا نمادین و ایدئولوژیکِ تروریسم اسلامی «جهشی سرطانی» در نوع ترس و رفتار جامعه به وجود می‌آورد. ترس ناشی از ماشین تروریسم اسلامی ترس‌های دیگر را به حاشیه می‌راند و تنها خود را «مشروع و واقعی» می‌داند.

کنار دریا و تنش انقلابی

دو روز به کناردریا در شمال فرانسه رفتم. همیشه آسمان باز و آفتابی، گسترهٔ دریا و آسمان، صدای موج‌ها و فضای عمومی لب دریا آرامش‌بخش است. هیجان ناشی از مناسبات سخت اجتماعی و نگرانی‌ها و فشارهای زندگی روان انسان را آزرده می‌کنند. برای کاهش تنش روانی باید از فضای تنش‌ها باید بیرون رفت. به همین

دلیل، بهره‌گیری از طبیعت و کتاب خواندن و دوستی‌های صمیمانه برای روان و روحیهٔ انسان‌ها نیروبخش هستند ولی نیروی آزادکنندهٔ خود ما محدود است. ما نمی‌توانیم همهٔ عوامل تنش را مهار کنیم. در همین روزها بود که ترورهای اسلام‌گرا در شهر نیس فرانسه رخ دادند و یک تروریست با سرعت و در طی ده دقیقه با کامیون ۸۴ نفر را، که برای شادمانی به لب دریا آمده بودند، نابود کرد. خبر بعدی کودتای بخشی از نظامی‌ها در ترکیه بود و طرح‌های مافیایی قدرت اسلامی اردوغان که در پی برقراری امپراتوری عثمانی و اجرای پروژهٔ سلطانی است. به رادیوِ خوب «فرانس کولتور» گوش کردم. برنامهٔ رژیس دوبره دربارهٔ جداانگاری دین از سیاست بود. او می‌گفت در فرانسه به‌خوبی از جداانگاری دین از سیاست پاسداری نمی‌شود و نظام‌های اداری و سلسله‌مراتب قدرت به‌دلیل ملاحظات و منافع خاص جداانگاری دین از سیاست را ناتوان می‌کنند. یادمان باشد که رژیس دوبره در سال ۱۹۴۰ زاده شد، فلسفه خواند و کمونیست بود. او در زمان جوانی عاشق انقلاب کوبا شد و با چه گوارا پیمان بست تا در کشورهای دیگر جنگ چریکی به وجود آورد و کتاب انقلاب در انقلاب را در سال ۱۹۶۷ چاپ کرد. این کتاب تأثیر فراوانی بر جنگ چریکی جهان و ایران داشت. او در آمریکای لاتین به زندان می‌افتد و پس از آزادی از رژیم کاسترو و کمونیسم فاصله گرفت. وی دوست ژان پُل سارتر، سالواتور آلنده و پابلو نرودا هم بود. او در بین سال‌های ۱۹۸۱ تا ۱۹۸۵ مشاور امور بین‌المللِ رئیس‌جمهور فرانسه یعنی فرانسوا میتران بود. رژیس دوبره عضو آکادمی «گنکور» فرانسه نیز بود. امروز، او از انقلاب کاملاً فاصله گرفته و یکی از فیلسوفان برجسته و پرکار فرانسه است. بسیاری از نوشته‌های او دربارهٔ دین و جداانگاری آن از سیاست است. او تاکنون بیش از ۵۰ اثر چاپ کرده است.

رژیس دبره زمانی پرسید آیا انقلاب‌های اجتماعی سیاسی که در سده ی بیستم یک گرایش نیرومند را تشکیل می‌داد، در سده یست و یکم به پایان رسیده است؟ واقعت اینستکه ایدئولوژی‌های پرتوانی مانند کمونیسم و ناسیونالیسم و نازیسم قدرت خود را از دست دادند. در سده ۲۱ انگیزه‌ها همانند انگیزه‌های سده بیست نمی باشند. ولی تنش‌ها و تب‌های اجتماعی ادامه خواهد یافت.

برگردیم به لب دریا و صدای موج‌های شبانه. ما برای این‌که بتوانیم روان خود را، که مورد تعرض همیشهٔ تنش‌های جهانی است، آرام کنیم باید به رمان و گپ صمیمانه و قدم زدن در جنگل و راه‌پیمایی روی ساحل بپردازیم.

جهان‌بینیِ اسلامیِ استعماری

در جامعه و تاریخ ما، تسلط جهان‌بینی اسلامی یک واقعیت است. آیت‌الله‌ها و نخبگان دین‌دار نواندیش و روزنامه‌نگاران دینی این پدیدهٔ منفی را همیشه تقویت کرده‌اند. این افراد همچون یک طبقه و با وجود اختلافات موجود دین اسلام را به تاریخ و جامعه تحمیل کرده‌اند. شما هیچ‌گاه از جانب آنان نقد آشکار و جانانه از مجلسی و کلینی و جعلیات امام باقر و آیات قرآنی و احادیث پیامبر و غیره نمی‌بینید. این مجموعه خرافات و اباطیل برای خرفت کردن مردم لازم‌اند و دین‌داران مسلط نیز نیازمند افراد متعصب و با ایمان‌اند. جهان‌بینیِ امام‌پرستانه و فاشیستیِ شریعتی بخش مهمی از جوانان را پریشان کرد. قرآن ذهنیت را به اسارت تعبد می‌سپارد، امام زمان میلیون‌ها انسان را در نادانی نگه می‌دارد، آخوند و حوزه به مؤمنان رسالهٔ عملیه تحمیل می‌کنند و، بدین ترتیب، شعور انسانی گام‌به‌گام نابود می‌شود. همهٔ دین‌داران فعال و قلم‌زن و خطابه‌گر به اَشکال گوناگون این اسارت روحی را تقویت کرده‌اند. دین‌داران در این زمینه‌های اساسی سکوت می‌کنند، دروغ می‌گویند، تلاش دارند مؤدبانه شما را از مبارزهٔ فکری در برابر دین دور کنند؛ هرچند به آن‌ها بگویید چرا راجع‌به مطالب بالا و مسائل دین و امامت‌تان حرف نمی‌زنید، به شما نگاه می‌کنند و سپس با شگرد همیشگی حرف را عوض می‌کنند و حرف‌های گمراه‌کنندهٔ خود را پی می‌گیرند. در جامعهٔ ما، این‌گونه افراد بسیارند. این افراد با چنین ذهنیتی بلای ذهنی جامعه هستند زیرا می‌خواهند ایران را در اسلام خلاصه و روح آزاداندیشی را خفه کنند. آن‌ها به هنگام نقد دین خود را به کوچهٔ علی چپ می‌زنند و صلوات می‌فرستند و پشت سرهم آیه می‌خوانند تا ذهن را منحرف کنند. نواندیشان دینی در پاریس و دیگر شهرهای اروپا و آمریکا نشست عزاداری محرم و رمضان می‌گذارند، برای حسین نوحه‌خوانی می‌کنند و دست به تبلیغ پیامبر خدا و آخرین دین خود می‌کنند. حسین، امام سوم، شیعیان کیست؟ او از نگاه خانوادگی و تاریخی متعلق‌به بنی هاشم است و جزو اقوام استعمارگر و اشغال‌گر ایران‌زمین بوده. علی ابن ابی طالب مانند ابوبکر و عمر و عثمان نیز خلیفه‌ای استعمارگر بوده است.

آخوند و نواندیش دینی در ستایش استعمارگران عرب اقدام می‌کنند و در پی آن هستند تا کورش و رستم و خیام و رازی و فردوسی و هدایت ... را تحقیر کنند. عرب‌ها فقط در ایران کشورگشایی نکرده‌اند بلکه با قدرت تمام خشونت و

جنایت کرده‌اند و خواهان نابودی فرهنگ و زبان ایرانیان بوده‌اند. اسلام برای ما یک سیاست استعماری است و در سیاست عرب «عجم»ها باید به برده تبدیل می‌شدند و از حقوق طبیعی خود محروم می‌ماندند. اسلام نفی کیستیِ ایرانی و اوستا و شاهنامه است.

در ادامۀ تجاوز اسلامی بر ما چه گذشت؟ مذهب شیعه ساخته شد و صفویه با جعل و سرکوب آن را به ایران تحمیل کرد. این شیعی‌گری طی ۵۰۰ سال فربه شد و مردم را با انواع شگردها به نادانی و واپس‌گرایی سوق داد. صحنۀ سینه‌زنی و زنجیرزنی و قمه‌زنی، نشانی از خواری و شیعه‌گری و سقوط جایگاه انسانی دارد. اسلام و شیعه هیچ ارزش والای معنوی‌ای برای جامعه نیاورده‌اند. سینه‌زنی، زنجیرزنی، قمه‌زنی، محرم‌گری، گشتن دور قبور امامان، به خاک امام دوازده و امام رضا و دیگر امامزاده‌ها افتادن، گریه کردن برای علی و حسین، نذر کردن، خود را تسلیم الله کردن، بوسیدن قرآن، مکه رفتن و صدها مراسم دیگر بیانگر ارتجاع فکری و سقوط معنوی انسان در دین اسلام هستند. انسان نیازمند ارزش انسانی و آزادی و روحیۀ شاداب و احترام به شخصیت فردی است، حال آنکه در این دین انسان خوار می‌شود. کسی که خود را می‌زند و زخمی می‌کند انسانیت خود را فراموش کرده است. تمام آخوندها و نواندیشان دینی و حاکمان مسئول این سقوط هستند. در این نظام ارزش زن چیست؟ قرآن زن را نیمۀ مرد می‌داند و می‌گوید مردان را بر زنان ارجحیت دادیم. همین درک بینش آخوندها و نظام ولایت فقیهی ایران را می‌سازد. نواندیشان دینی نیز هرگز به دیدگاه قرآن انتقاد نمی‌کنند و هر جا که در این‌باره حرف می‌زنند توجیه اسلام را می‌کنند.

کشتار تروریسم اسلامی در فرانسه

تروریسم اسلامی دوباره در ۱۴ ژوئیۀ ۲۰۱۶ در فرانسه دست به کشتار زد. رسانه‌ها اعلان کردند ۸۶ نفر کشته و ۴۵۸ نفر هم زخمی شدند. یک اسلام‌گرا با کامیون به جمعیتی که برای جشن ۱۴ ژوئیه در شهر نیس گرد آمده بودند یورش برد و انسان‌های زیادی را کشت. داعش فرماندهی این ترور را به‌عهده گرفت و از تروریست به‌عنوان «سرباز اسلام» نام برد.

ویژگی‌های شخصیتی تروریست، محمد سلمان لاحوج بهلول، چگونه است؟ بر اساس گزارش دادگستری، او زادهٔ ۱۹۸۶ در تونس است. در این گزارش آمده که بنابر گفتهٔ پدرش در سال‌های ۲۰۰۰ تا ۲۰۰۴ دستخوش افسردگی روانی بوده است. او در سال ۲۰۰۵ به فرانسه می‌رود و در شهر نیس با زنی فرانسوی/تونسی ازدواج می‌کند و با عادی شدن شرایط خود کارت اقامت دریافت می‌کند. او صاحب سه فرزند می‌شود و در مناسبات زناشویی فرد خشنی بوده است و پیوسته زن خود را کتک می‌زده و زیر فشار روانی قرار می‌داده است. این فرد در زمانی که پروندهٔ طلاق در جریان بود هم نشانیِ محل اقامت را تغییر می‌دهد و در محلهٔ قصاب‌خانه‌های شهر نیس مستقر می‌شود و به کار رانندگی کامیون مشغول می‌شود. او در زمینهٔ جنسی نیز دارای روابط جنسی گوناگونی با زن و مرد بوده است. در دادگاه، افرادی که با او دارای روابط جنسی بوده‌اند همگی او را دارای عقده‌های جنسی معرفی کردند. در این دوران، او تمایل مذهبی خاصی نداشته، نوشیدنی الکلی مصرف می‌کند، گوشت خوک می‌خورد، به مسجد نمی‌رود، مواد مخدر استفاده می‌کند، رقص سالسا تمرین می‌کند و برای زنان مزاحمت‌های گوناگونی به وجود می‌آورد. از سال ۲۰۱۰ به این سو در کلانتری پرونده داشته و پنج پروندهٔ جنایی در زمینهٔ رفتار خشونت‌آمیز، دزدی و تخریب برای او تشکیل شده بوده. او در ژانویهٔ سال ۲۰۱۶ یک‌سری تصادف به وجود می‌آورد و زیر کنترل قضایی قرار می‌گیرد. به‌دنبال اقدام خشونت‌بار و دعوا با افراد دیگر در ماه مارس به شش ماه زندان تأدیبی محکوم می‌شود. در بررسی وضعیت او پلیس اعلان می‌کند که این فرد در طول زندگی‌اش دارای فعالیت مذهبی اسلام‌گرای جهادی نبوده ولی در یک دورهٔ بسیار کوتاه چند هفته‌ای این فرد به‌سرعت «تندرو» می‌شود. دو هفته پیش از اقدام تروریستی در شهر نیس، او الکل را کنار می‌گذارد، ارتباط جنسی با زنان و رقص سالسا را متوقف می‌کند، ریش می‌گذارد و مواضع دینی حادّ اعلان می‌کند. افزون‌بر آن، یک هفته پیش از ترور هم حساب بانکی خود را خالی می‌کند و شب ترور ماشین خودش را می‌فروشد. برای پلیس این پرسش باقی می‌ماند که آیا واقعاً تندرویِ او به‌سرعت صورت گرفته و یا این روند در زمان درازتر و به‌شکل دیگری از پیش رخ داده بود؟

با توجه به آن‌چه بیان شد، موقعیت اجتماعی و روان‌شناختی او نابسامان بوده و این شخص در یک پارگی اجتماعی قرار داشت. مناسبات گسیخته، روان‌پریشی، آشفتگی خانوادگی و رفتار خشن، ویژگی او بود. این فرد ویران‌شده

برای تروریسم اسلامی مورد جالبی است زیرا هیچ رابطهٔ محکمی میان فرد و هنجارها و ارزش‌های رسمی جامعه در او وجود ندارد. این فرد می‌تواند به‌آسانی به جهان‌بینیِ اسلامی برای کشتار درآید و استخدام شود. تروریسم اسلامی با جانیان و جنایتکَاران اجتماعی همیشه پیوند نزدیکی داشته است. سربازان تروریسم همیشه افراد ساده‌لوحی نیستند بلکه افراد تبهکار نیز با چرخش‌های ایدئولوژیک برایِ خریدن جایگاهی در بهشت بر ضد غرب و تمدن اسلحه می‌کشند و مردم را می‌کُشند. رهبران ایدئولوژیکِ تروریسم اسلامی سیاست و گفتمان تنظیم می‌کنند و دست به سازمان‌دهی می‌زنند ولی سربازان تروریسم با گفتن نام الله تحریک می‌شوند و موتور ترور را به جریان می‌اندازند. این تروریست‌ها همه در جنایت خود مسئول هستند و بر پایهٔ ایدئولوژی دینی و تصمیم خود به جنایت دست می‌زنند و بر این باور هستند که اسلام در اقدام جنایتکارانهٔ آن‌هاست.

موج‌های ترور در فرانسه هر بار یک ویژگی داشته‌اند. ترورهای سال‌های هشتاد بر ضد مشتریان مغازه‌ها در هنگام خرید شکل گرفت. تروهای دههٔ ۱۹۹۰ بر ضد شهروندان مسافر در متروها بود. ترورهای سال ۲۰۱۲ بر ضد روزنامه‌نگاران و نظامیان و یهودی‌ها بود. ترورهای ۲۰۱۵ بر ضد مردم در کنسرت‌های هنری و تفریحی بود و ترورهای سال ۲۰۱۶ نیز بر ضد پلیس و کشیشان بود.

تروریسم یک جریان جهانی و متکی‌بر ایدئولوژی قرآنی است. کسانی که این واقعیت را نمی‌خواهند ببینند در گمراهی به سر می‌برند و یا سودشان در پشتیبانی از این ایدئولوژی جنایکارانه است. آسیب‌شناسی اسلام خود را در ضدیت با تمدن نشان می‌دهد. جهان‌بینیِ اسلامی و قرآنی پروانهٔ کشتار صادر می‌کند و در ذهن مؤمن تمام اقدام‌های مخرب و جنایت‌کارانه به‌نام دین «تطهیر» می‌شوند و دیگر عذاب وجدان به شمار نمی‌آیند.

کجا آیت‌الله‌ها و روشن‌فکران دینی مانند سروش و شبستری ترورها را نقد کرده‌اند؟ انتظاری نباید داشت. کجا روشن‌فکران اسلاموفیل ایرانی مقیم پاریس و در خارج به نقد ایدئولوژی دینی می‌پردازند؟ آن‌ها پشت «دلایل اجتماعی» ترور پنهان می‌شوند، جامعه و دموکراسی فرانسه را محکوم می‌کنند و در نجات اسلام می‌کوشند. در جامعهٔ فرانسه می‌گویند نقد شهروندان عرب‌تبار به تروریسم کجاست؟ آن‌ها سکوت می‌کنند و گاه به‌طور ضمنی با تروریست‌ها همدل می‌شوند. آن‌ها با عشق به اسلام خود را کور کرده‌اند.

باروری روشن‌فکری و نگرانی

با چند همکار دانشگاه پاریس ۱۳ آخرین ناهار سال تحصیلی را خوردیم و هنگام قهوه و شیرینی به بحث پرداختیم. همکاران می‌خواستند در باره مسائل دانشجویان گفتگو کنند، گفتم اجازه بدهید کمی از صحبت همیشگی خود دور شویم. گفتگو کشیده شد به اینکه آیا ما در فرانسه با بحران روشن‌فکری درگیر هستیم یا نه؟ آیا فضای روشن‌فکری در مورد موضوعاتی مانند دموکراسی، الگوی سیاسی، نظام اقتصادی، جداانگاری دین از سیاست، نظام دانشگاهی، نقد فلسفی، رشد گرایش به مذهب در جامعه، تعرض اسلام، ادبیات نوگرا و دیگر زمینه‌ها فعال و همراه با تولید اندیشه است یا نه؟ به نظر می‌رسد که بخشی از نیروهای روشن‌فکری به بحران و حتی سقوط تمدن می‌اندیشند، برخی دیگر خودسانسوری می‌کنند و فاقد شکوفایی لازم هستند، ولی به هر روی، در فرانسه تولید اندیشه در اقتصاد، فلسفه، جامعه‌شناسی، رمان‌نویسی، روان‌کاوی، فن‌آوری‌های نوین، ژنتیک و ریاضیات در سطح بالایی قرار دارد. روند رقابتی با جهان معنا می‌یابد و آثار تازه در فرانسه و آمریکا و انگلستان و آلمان بما اجازه مقایسه می‌دهد.

بحث دیگرمان دربارهٔ اسلام در فرانسه بود و این‌که آینده جامعه با اسلام تیره شده. اسلام تهدیدی برای دانش است. آیا اسلام می‌تواند خود را با دموکراسی هماهنگ کند؟ پاسخ منفی است زیرا این دین در تناقض با دموکراسی و آزادی فردی معنا پیدا می‌کند. دموکراسی به همهٔ شهروندان با هر باوری مانند مسیحی و یهودی و مسلمان و غیره اجازهٔ زندگی می‌دهد ولی دین اسلام خواهان برچیدن الگوی دموکراسی است و تنها در پی انسان‌های پی‌روِ الله است. اسلام بحران‌ساز است و این دین مخمصهٔ بزرگی برای جامعهٔ نوگرا پدید آورده است. دانشجویان مسلمان تبار دانشگاه همیشه در مدار فکری دینی استدلال می‌کنند و انتظار دارند که همه اسلام آنها را رعایت کنند و از جانب آنها هر انتقادی همچون یک حمله نژادی تلقی می‌گردد. ویکتورفرانکل در «انسان در جستجوی معنا» می‌نویسد:«چیزی که از شما میخواهم این است که برای انسان شدن دانش‌آموزان تلاش کنید و تلاش شما موجب تربیت "جانورانِ دانشمند" و "بیماران روانیِ ماهر" نشود. خواندن، نوشتن، ریاضیات و... زمانی اهمیت پیدا می‌کند که به انسان شدن کودکان کمک کنید و این کلید انسان بودن کودکان در آینده می‌باشد. پزشک شدن،

مهندس شدن، متخصص شدن، کار سختی نیست و می‌شود با چند سال درس خواندن به آن رسید و چه بسا امروز ما در جامعه هم پزشکان زیادی داریم و هم مهندسین زیادی داریم. اما بزرگترین ثروت ما انسانیت و اخلاق ماست.».

حال با توجه به موقعیت ما در دانشگاه و حجم مواد درسی از یک سو و از سوی دیگر وجود دانشجویانی با ذهن آرکائیک دینی و حتا خطرناک در مورد دمکراسی و جمهوری، چه باید کرد؟ ما تکنیک و اقتصاد و مدیریت را درس می‌دهیم و بنابراین مسئول و مدیر برای فردا تربیت می‌کنیم ولی آیا روان و ذهن این افراد در راستای حقوق بشر و برابری زن و مرد و دمکراسی قرار می‌گیرد؟ ساختار ذهنی اسلامی این ارزش‌ها را نمی فهمد و ما در تدریس خود روی مواد برنامه ای دانشگاهی خویش هستیم و مطالبی مانند دمکراسی و حقوق بشر و لائیسیته در رشته‌های تکنیکی و مدیریتی در دستورکار ما نیست. بسیاری از این دانشجویان با همان ذهن سنتی دینی می‌آیند و درس می‌خوانند بدون آنکه بنیان فکری خود را تغییر دهند. ما می‌خواهیم دانشجویان «انسان» مدرن و مستقلی بشوند و ارزش‌های زمان کنونی را درک کنند. دانشجوئی که از جانب دین محاصره روانی شدو زیر سلطه ایدئولوژیک آن قرار دارد نمی تواند به مدرنیته فرهنگی گرایش ژرف داشته باشد.

بله نگرانی من سرنوشت انسانی دانشجویان است. روز پیش نیز در دانشگاه کنام همین گونه مطلب را بیان کردم. هر بار به پایان سال دانشگاهی می‌رسیم، دانشجویان در دوره‌های گوناگون با مدارک خود وارد بازار کار می‌شوند و با مسئولیت‌های اقتصادی و اجتماعی و به‌عنوان مدیران و مهندسان باکیفیت از جمله بازیگران مهم جامعه می‌شوند. برای یک استاد یکی از زیباترین لحظه‌ها زمانی است که جوانان پس از ماه‌ها کوشش و دلهره در کار تحصیلی موفق می‌شوند. در سخنرانی پایانی به دانشجویان گفتم: «شما در دانشگاه کنام پاریس، که در سال ۱۷۹۴ میلادی ساخته شده و یکی از بهترین دانشگاه‌های فرانسه است، تحصیلات خود را به سرانجام می‌رسانید. بدانید که یکی از عوامل سرفرازی یک ملت همان کیفیت تحصیلی نخبگان آن و میزان دانش و دانایی آنان است. ملتی که دانشگاه با کیفیت و تحصیل‌کردگان با شعور نداشته باشد، در مسابقهٔ جهانی عقب افتاده است و نمی‌تواند نقش برجسته‌ای در تاریخ ایفا کند. ارزش‌های اخلاقی و معنوی یک ملت باید با بالاترین دانش‌ها و فن‌آوری‌ها و گسترده‌ترین علوم انسانی همراه

باشند. شما جوانانی که با دیپلم بالا وارد بازار کار و مسئولیت می‌شوید، وظیفه دارید که با تخصص و به‌طرز حرفه‌ای و با دقت کار خود را انجام دهید ولی یادتان باشد که آموختن پایانی ندارد. کتاب خواندن، موزه رفتن، روزنامه خواندن، تبادل نظر و شجاعت در اندیشه و انتقاد از جمله کیفیت‌های انسانی لازم و ضروری در جهان ماست. ملت‌های پیشرفته دانشگاه و مدرسه باکیفیت دارند و دارای افراد باسواد و روزنامه‌خوان و کتاب‌خوان هستند و به‌طور مدام بر خِرد و دانش خود می‌افزایند. شهروند مستقل، روان خلاق و شخصیت پرمایه محصول یک روند جامعه‌شناختی زنده و آموزش پیگیر و فرهنگ غیردینی است.» در پایان، به دانشجویان گفتم: «به شما سفارش می‌کنم که روحیهٔ انتقادی خود را با مطالعه حفظ کنید و ارزش‌های برجستهٔ این جامعه مانند آزادی و جداانگاری دین از سیاست را فراموش نکنید.»

عباس کیارستمی

مراسم همراهی برای خاکسپاری عباس کیارستمی، مراسم احترام به یک هنرمند بزرگ سینمای جهانی بود. به‌گفتهٔ مارتین اسکورسیزی، اکیرو کروساوا و ژان لوک گودار کیارستمی یک نام بزرگ است. او مجیزگوی حکومت اسلامی نبود، او عاشق هنر سینمایی و عاشق زندگی بود.

بسیاری از ایرانیان سیاست زده هستند و تنها ملاک زندگی را سیاست میدانند. هنر بر احساس و هیجان و عاطفه و الهام و اندیشه و انسان تکیه می‌کند. هنر رنگ زمان و مکان می‌گیرد ولی خود به بسوی بلندی‌ها و به آنسوی مرزها کشیده می‌شود. هنر در بندها نمی‌ماند و همیشه در پی گسست است. سیاست بند می‌زند و معیار ثابت پدید می‌آورد. حال آنکه هنر با عشق و احساس و انفجار و اندوه و راز انسان می‌آمیزد. هنگامی‌که هنری در فراسوی مرزها شنیده می‌شود حامل همان پیام و احساس جهانی شده است. سینمای کیارستمی هنرمندانه است، سرچشمه‌های گوناگون دارد ولی ویژگی و ابتکار و امضای او را دارد.

از تهمت‌زنی و سیاسی‌گری سبک‌سرانه باید پرهیز کرد و آموخت و ارزش کار هنری را به دیگران و فرزندان یادآوری کرد. میراث هنری را باید با دید بزرگوارانه

مورد توجه قرار داد. باید فیلم‌های کیارستمی را دید، سَبک کار او را مورد بررسی قرار داد و سهم او را در سینمای ایران و جهان سنجید. قدرشناسی از هنرمند و نقد هنرمندانه و بدون کینه به ما کمک می‌کند تا پیش برویم و به بلوغ روشن‌فکرانه برسیم. عباس کیارستمی یک هنرمند بزرگ جهانی بود و ایرانیان باید قدرشناس او باشند. انسان‌هایی که برای هنر و ادبیات و فلسفه و اندیشهٔ انتقادی و گسترش ارزش‌های انسانی تلاش کرده‌اند دوستان بشریتِ مترقی هستند. کوته‌بینی‌ها بلای جان ما هستند. اصغر فرهادی در هنگام مراسم خاک‌سپاری عباس کیارستمی در یک سخن‌رانی انتقادی گفت: «این روزها از شما بسیار گفته‌اند و گفته‌ایم هرچند دیر، بسیار دیر ... از شما سپاس‌گزارم که نام این سرزمین را در جهان به نامی پراحترام و دلنشین بازگرداندی! سپاس‌گزارم که دل نبریدی از این خاک با وجود همهٔ نادیده‌گرفتن‌ها و قدرناشناسی‌ها و سنگ‌اندازی‌های سفره‌لیسان سیاست! از شما سپاس‌گزارم که راه ناهمواره و سنگلاخ جهانی کردن سینمای این مرز و بوم را بردبارانه هموار کردی که اگر امروز کنجکاوی و اشتیاقی هست برای دیدن آثار سینمای ایرانی در بیرون این مرزها وام‌دار گام‌هایی است که در آن روزهای سخت برداشتی! سپاس‌گزارم که بیش از شمارگان فیلم‌ها و عکس‌ها و شعرهایت تشنگان فراگیری را گِرد خود جمع کردی نه فقط برای آموختن که بالاتر از آن برای دلگرم کردن آن‌ها که می‌توانند در هر شرایطی با اندک امکانی رؤیاهاشان را به تصویر بکشند... از شما سپاس‌گزارم که دوری از هیاهو را آموختی، که با همهٔ بزرگی از دایرهٔ فروتنی فرو نلغزیدی!»

سینتیا فلوری، «روسانتیمان» و کینه جوئی

سینتیا فلوری روانکاو و فیلسوف، استادکرسی علوم انسانی و بهداشت در هنرستان ملی هنر و صنایع، با کتاب فلسفی تازه اش «درمان کینه جوئی» بار دیگر رابطه بین سلامت روان افراد و سلامت دموکراتیک را به گفتگو می‌گزارد. در قلب جوامع ما که از دیرباز تجزیه و بخش بخش شده اند، یک دشمن جدید پدیدار شده است: «روسانتیمان» و کینه جوئی. او توضیح می‌دهد که چگونه تلخ کامی و کینه می‌تواند انسانها را تضعیف کند. او همچنین نشان می‌دهد که چگونه می‌توان از این «آفت

عاطفی نفرت» که بسیار خطرناک است خارج شد. این نفرت همچون ویروس جامعه را ناتوان و آسیب پذیر می‌کند.

او می‌نویسد: من در بطن بحران‌های روانی فردی و دموکراتیک کار می‌کنم و کینه به نظر من در محل تلاقی بحران‌ها ظاهر شده است. ده سال فعالیت من به عنوان روانکاو این گمان را تقویت کرده است که برخی از بیماران روانی در دام تمایل به کینه و انتقام و تلخ کامی قرار گرفته و این امر نشانه ای از یک فضای بزرگتر است. نارضایتی علیه دنیای کار و عدم شناخت اجتماعی، یک بیماری جهانی است. امروز ما در شرایط عینی اجتماعی، افزایش خشم را تجربه می‌کنیم. ناامنی اقتصادی، احساس ناتوانی سیاسی، ناامنی فرهنگی، همه جا حس می‌شود. در دل جامعه دمکراتیک تمایل "ضد نظام" و براندازی آن پررنگ است. پیروان نظریه‌های توطئه که «همه چیز» را تحقیر می‌کنند و نفرت خود را در شبکه‌های اجتماعی استفراغ می‌کنند، نمونه ای از این موارد «ضدنظام» است.

جامعه پیوسته در موج‌های هیجانی قرار دارد. سو استفاده‌های لفظی در توییتر گیج کننده است، پرخاشگری در خیابان و شبکه‌های اجتماعی بشدت احساس می‌شود، جو عصبانی و انفجاری حس می‌شود، براحتی ما قربانی هیجان و احساس می‌شویم و در ناامنی فرهنگی فرومی‌رویم. عصبانیت می‌تواند منجر به یک چیز مثبت شود، ولی این امر به خشم و به کینه تبدیل می‌شود.

جهانی شدن در سال‌های اخیر منجر به افزایش نابرابری‌ها شده است که این مسئله خشم مردم آسیب پذیر را برانگیخته است. ما آن را با جلیقه‌های زرد در فرانسه، با خروج انگلستان از اروپا، با ترامپ در ایالات متحده دیده ایم. اما ناامنی فرهنگی نیز وجود دارد. جهانی شدن به این معناست که برخی کشورها از نظر فرهنگی و اخلاقی روز به روز تنوع بیشتری می‌یابند و جمعیت‌های گوناگونی در دل خود جای می‌دهند.

این امر باعث تقابل ارزش‌ها در سرزمین‌های گوناگون می‌شود. با این تغییر و تنش‌ها سرانجام، کینه ای بوجود می‌آید که در روان انسان مستقر می‌گردد. عصبانیت و تلخی می‌تواند در یک زمان ما را فرا گیرد. در کشورهای دمکراتیک خشم و ناامیدی و جدایی و استرس جمع شده و بصورت روانی ما را در خود می‌گیرد. کینه ای که فرد در سطح فردی احساس می‌کند، گاهی می‌تواند به یک کینه جمعی و سیاسی بزرگ منجر شود.

فلسفه سیاسی و روانکاوی یک مشکل اساسی در زندگی انسانها و جوامع را مطرح می‌کند و آن نارضایتی کسل کننده ای است که وجود آنها را آزار می‌دهد. این نارضایتی و یا رنج در نزد همه گروهبندی‌های اجتماعی قابل مشاهده است. هدف ما تجزیه و تحلیل، جستجوی ریشه ها، درک عمیق هستی انسان، کاستی ها، مشکلات و خواسته‌های جامعه است. دانستن این امور با احساس بهبودی، آرامش و دلجویی کافی نیست. برای این امر، ما باید بر درد، خشم، عزاداری، کینه، چشم پوشی و هیجان غلبه کنیم. روند دمکراتیک در جامعه اجازه می‌دهد با نشخوار فکری قربانیان مقابله کنیم. قربانیان خشم خود را پرورش می‌دهند حال آنکه ما راه حل میخواهیم. یک مدیریت مناسب می‌تواند ما را در برابر پولسیون‌های انتقام جویانه مدد کند. نهادهای دمکراتیک می‌توانند انگیزه بیدادگری را مهار کنند. شهروندان و حاکمیت قانون می‌توانند با تشخیص کینه و روحیه انتقام جوئی، بر نیروی تاریک کینه جوئی و وسوسه‌های فردی و جمعی ناشی از آن پیروز شوند.

وحشت و نفرت فضا را پرمیکند و به انجاهای میرود که فکرش هم نمیکنید. نفرت دارای پتانسیل مهمی است و در جامعه درخواست می‌شود. مانند نفرت و انتقامجوئی که در گفتار هیتلر جمع می‌شد و اغلب مردم این انتقامگیری را از ان خود کردند و جامعه را الوده کردند و کشتار جمعی را همراهی نمودند. پایه کینه و نفرت و انتقامگیری چه بود؟ یک هذیان جنایتکارانه دهشتناک که به افراد لذت میداد.

طبیعت کینه جوئی در چیست؟ از ضعف آدمی، سنت ها، واکنش ناآگاهانه، بی غیرتی ها، تلخکامی ناشی می‌شود. کینه جوئی یک بیماری است.

مونتی می‌گوید: روح در مورد چیزهای دروغین هیجان زده می‌شود و کینه جوئی با شکست حقیقت و فوران هیجان ظهور میکند. فاشیسم واکنش بازندگان و نارسیسم زخمی شده است و بقول «آدرنو» به «برابری طلبی سرکوبگر» روی می‌اورد. دیوهای پولسیونل و نیروی عقده رها می‌شود بدون انکه کسی جلودار باشد. رئیس و توده در انتقامگیری متحد می‌شوند.

البته در جامعه دمکراتیک کار بسیار دشوار است. ولی روشن است که در جامعه ای بسته و استبداد زده مانند ایران، چاره در عملکرد نهادهای موجود نیست بلکه باید این نهادها را دور زد زیرا فساد ساختاری است و نهادهای فاسد خود روحیه انتقام و خشم را تقویت میکنند. در نظام دینی همه سازماندهی‌ها

بلحاظ فساد و رشوه خواری و اقتدارگرایی قدرتمندان کوچک و بزرگ خشم شهروندان را باعث می‌شوند و ناتوانی آنها در بهبود شرایط، کینه ورزی نسبت به کل دستگاه سیاسی را موجب می‌شود. در یک نظام دمکراتیک که امکان انتقاد و بهبودی وجود دارد کینه ورزی یک جانبه و کور مخرب است و کالای مورد استفاده عوامگرایان چپ و راست است. حال آنکه در نظام استبدادی دینی تولید کینه ورزی از بن بست‌ها مایه می‌گیرد. البته کینه ورزی راه حل نیست و بنابراین اندیشه گری و پیشنهادهای تحول ساز و سازمان یافتگی و خردمندی نخبگان لازم است. آسیب‌های جامعه ایران عمیق است. تغییر کامل قدرت سیاسی و نقد کامل دین و تحول فکری کامل جامعه سیاسی و روشنفکری از جمله چاره‌های لازم است. بسیاری از سیاسیون مخالف رژیم آسیب دیده دین هستند و از سکولاریسم درک محدود و محتاطانه دارند. هنوز ذهن بسیاری از روشنفکران ایرانی دارای رگه‌های آل احمدی و شریعتی می‌باشد. هنوز ایدئولوژی «ضدامپریالیستی» قادر است در لحظات خاصی روشنفکران را در آغوش اصلاح طلب و نواندیش بیاندازد. یک شیفتگی پنهانی عمل می‌کند. شیفتگی آقایان محمد رضا نیکفر و فرهاد خسروخاور به ایدئولوگ‌های مسلمان همان پاتولوژی ضدامپریالیستی و اسلام خواهی است. آنها نوعی کینه ورزی علیه روشنفکران لائیک و ناباور دارند. این ایدئولوگ‌ها چپ چالش مدرنیته ایرانی را درک نمی کنند و پیوسته در حال مماشات و مصلحت جوئی و کنار آمدن با اسلام هستند.

میشل هولبک[1]، نویسندهٔ نگران

میشل هولبک رمان‌نویس، شاعر و هنرمند سرشناس فرانسه که زادهٔ سال ۱۹۵۶ است و بیش از سی رمان و نقد و دفتر شعر چاپ کرده، به‌خاطر رمان معروفش یعنی ذرات ابتدایی مشهور شد و خوانندگان بسیاری برای خود فراهم می‌آورد. رمان بعدی او «پلاتفرم» Plateforme، است که به توصیف بدبختی عاطفی و جنسی مردان غربی در دهه‌های ۱۹۹۰ و ۲۰۰۰، می‌پردازد و در ادبیات فرانسه پیشرو بشمار می‌آید. او با رمان «کارت و سرزمین» La Carte et le Territoire،

---

1. Michel Houellebecq

و پس از چندین بار کاندیدا شدن برای دریافت جایزه‌های ادبی، جایزه گنکور را در سال ۲۰۱۰ دریافت کرد.

به دلیل بلندپروازی ادبی نویسنده، رویکرد توصیفی و جامعه شناختی وی، رمان‌های میشل هولبک اغلب توسط متخصصان ادبیات با رمان رئالیستی فرانسه در قرن نوزدهم مقایسه می‌شود. افزون برآن در عرصه اجتماعی و بیولوژیکی یا انسان شناسی کار او با آثار مکتب ناتورالیسم یا طبیعت گرایی امیل زولا مورد ارزیابی قرار می‌گیرد. نزدیکی برخی از رمان‌های او با رومانهایی از نویسندگان قرن بیستم، به ویژه فردیناند سلین و آلبر کامو نیز مورد توجه و تحلیل قرار گرفته است.

منتقدانی شیوهٔ نویسندگی او را همانند شیوهٔ فردیناند سلین، نویسندهٔ رمان در انتهای شب می‌دانند. آن‌چه که در کار میشل هولبک به چشم می‌خورد تأثیر ادبی بودلر و تأثیر فلسفی آرتور شوپنهاور است. او نزدیکی انسان و حیوان و مقایسهٔ جامعهٔ انسانی و حیوانی را در رمان‌هایش مورد توجه قرار می‌دهد. وی می‌گوید کشتار غریزی در جامعهٔ حیوانی و انسانی در گذشته و در زمان حال یک پدیدهٔ مشترک و هم‌گونه است. میشل ولبک خداناباور است ولی از یک سو می‌گوید جامعهٔ انسانیِ بدون دین به خودکشی دست می‌زند زیرا انسان در خود احساس خالی بودن می‌کند و از سوی دیگر برآن است که دین‌های تک‌خدایی هر چقدر خدا را به اوج آسمان می‌برند خشونت و دیکتاتوری‌شان بیشتر است.

در سال ۲۰۱۵ نیز رمان معروفش با عنوان تسلیم چاپ شد. میشل هولبک در این رمان آیندهٔ فرانسه در سال ۲۰۲۲ را اسلام‌زده می‌بینید. کشور اسلام‌زده در ذهنیت او با رئیس‌جمهوری مسلمان همچون سرزمین وبازده است. رمان تسلیم میشل هولبک نیز جنجال‌های بزرگی به پا کرد زیرا این رمان آیندهٔ فرانسه را با یک رئیس‌جمهور مسلمان ترسیم می‌کند. واقع‌گراییِ سیاسی یا نگرانی برای آینده؟ آیا فرانسه توسط اسلام تهدید می‌شود؟ او از اسلام می‌هراسد. میشل ولبک به‌طور عموم فرد خوش‌بینی نیست و یکی از نگرانی‌های عمیق او رشد اسلام‌گرایی در جامعهٔ فرانسه است. او یکبار در نشریه ادبی «لیر» گفت:«اعتقاد به یک خدا فقط کار یک احمق است، نمی توانم به کلمه دیگری فکر کنم. و احمقانه ترین دین اسلام است. وقتی قرآن را می‌خوانیم، سقوط می‌کنیم ... وحشتناکه! حداقل کتاب مقدس (تورات و انجیل) بسیار زیباست، زیرا یهودیان انبوهی از استعداد ادبی

دارند. ...اسلام از زمان پیدایش یک دین خطرناک است.». البته اسلامگرایان او را بخاطر این گفته به دادگاه کشاندند ولی دادگاه بنام آزادی بیان، او را تبرئه کرد.

این نویسنده در انتخابات فرانسه به موضع‌گیری دست زد. میشل ولبک می‌گوید: «من به انتخابات ریاست‌جمهوری با نگاه طبقاتی برخورد می‌کنم و هر نامزدی بیان‌گر یک طبقهٔ خاص است. اِمانوئل مکرون نمایندهٔ طبقهٔ اوست.» حال، اگر زاویهٔ فکری میشل ولبک را در واکاوی از انتخابات فرانسه به کار گیریم می‌توان گفت فرانسوا فیون نحست وزیر سابق، نمایندهٔ طبقهٔ دارا و سلطنت‌خواهان سنتی و خانواده‌های ثروتمند است. ژان لوک ملانشون، نمایندهٔ اقشار اداری و کارمندان و برخی روشن‌فکران چپ بدبین و جوانان رمانتیک است. مارین لوپن نیز نمایندهٔ کارگران و اقشار بی‌چیز و لایه‌های مأیوس و ناامید است. اِمانوئل مکرون نمایندهٔ طبقات متوسط و لایه‌های اجتماعی نوگرا و تازه‌به‌دوران‌رسیده و شهروندان امیدوار است.

او در زمینهٔ سیاسی به دموکراسی مستقیم باور دارد که مبتنی‌بر حذف ریاست‌جمهوری است. برای میشل هولبک جامعهٔ انسانی مانند جامعهٔ حیوانی است، جامعه‌ای که با خشونت و سلطه‌گری همساز است. به هر روی، میشل هولبک نویسنده‌ای جنجالی و نوآور است. شمارگان چاپ نخست هر رمان او بیش از صد هزار نسخه است. آثار وی به بیش از ۴۰ زبان ترجمه شده است. میشل هولبک نمایشگاه بزرگی از کارهای عکاسی و نقاشی خود را هم برپا کرد. این نمایشگاه که در کاخ توکیو پاریس در جریان بود دنیای شگفت‌انگیز او را به نمایش گذاشته بود. نگاه او به اَنسان، محیط، حیوان، دنیای رنگارنگ و خاکستری است. او از خود می‌پرسد روح زمانه کجاست؟

پی‌یر بوردیو، بزرگ‌ترین جامعه‌شناس فرانسوی

پی‌یر بوردیو یکی از بزرگ‌ترین جامعه‌شناسان فرانسوی نیمهٔ دوم قرن بیستم است. او در سال ۱۹۳۰ میلادی زاده شد و در ژانویهٔ ۲۰۰۲ میلادی درگذشت. واکاوی‌ها و کتاب‌های او در نقد جامعه‌شناختی بیان‌گر یک مکتب مستقل در علوم انسانی شده است. بوردیو هم‌طراز جامعه‌شناسان دیگری همچون امیل دورکیم و ریموند آرون

است. او پس از یک دوره مسئولیت در مدرسهٔ مطالعات عالی کرسی جامعه‌شناسی کالژ دو فرانس را شکل داد و در آن به تدریس پرداخت. بوردیو در جامعهٔ روشن‌فکری فرانسه و میدان سیاست نقش بسیار فعالی داشت و در سمینارهایش افراد انبوهی شرکت می‌کردند. در سال ۱۹۸۴ من نیز در کنفرانس‌هایش شرکت کردم. در این بحث‌ها، او پس از سخن‌رانی تبادل نظر با حاضرین را آغاز می‌کرد و برخی نکات نظریِ کنفرانس را به مسائل روزمره ارتباط می‌داد. تبادل نظر خیلی صمیمانه و بازی بود. او در زمینهٔ اجتماعی هم نقش فعالی داشت و با میشل فوکو دربارهٔ کارگران مهاجر همکاری داشت. بوردیو در عرصهٔ اندیشه از افرادی مانند لوئی آلتوسر، گاستون باشلر، امیل دورکیم، کلودلوی اشتراوس، کارل مارکس، ماکس وبر، نوربر آلیاس و موریس مرلو پونتی تأثیر پذیرفته بود. به‌معنای دیگر، مارکسیسم و ساختارگرایی در نظریه‌های جامعه‌شناختی او نقش برجسته‌ای داشتند. از جمله کتاب‌های برجستهٔ پی‌یر بوردیو می‌توان به تمایز، بازتولید، سلطهٔ مردانه، نظریهٔ کنش و دلایل عملی و انتخاب عقلانی اشاره کرد. یکی از ویژگی‌های نظریِ او کار دربارهٔ بازتولید اجتماعی و سلسله‌مراتب اجتماعی بود. او بر اهمیت عوامل نمادین و فرهنگی تأکید می‌کرد، مفاهیم سرمایهٔ فرهنگی و اجتماعی را برجسته می‌کرد ولی در نگاه او عامل اقتصادی و اجتماعی تعیین‌کننده بود. او بر آن بود که عادت یا عادت‌واره‌ها و سلیقه‌ها و کردارها و ضمیرناخودآگاه افراد هرچند دارای تأثیر اساسی هستند ولی این پدیده‌ها، در پایان، با میدان و فضای اجتماعی نقش‌آفرینان متناسب می‌شوند و از گروه‌بندهای اجتماعی رنگ گرفته‌اند. این میدان اجتماعی محل رقابت و تولید خشونت نمادین و تعیین‌کنندهٔ روابط سلطه‌گری است. او ساختار اجتماعی را با مفهوم «ساختار ژنتیک» شناسایی می‌کند که هر گونه تغییر را شکل می‌دهد.

در نگاه پیر بوردیو، جامعه به‌عنوان میدان یا فضای اجتماعی بازنمایی می‌شود. این فضای اجتماعی جایگاه رقابتی شدید و بی‌پایان نقش‌آفرینان است و در جریان این رقابت‌ها تفاوت‌هایی پدیدار می‌شوند که مادّه و چهارچوب لازم برای هستی اجتماعی را فراهم می‌آورند. پی‌یر بوردیو با مفهوم «فضای اجتماعی» سبک‌های زندگی گوناگون را نشان می‌دهد. فضای اجتماعی به این ترتیب ساخته می‌شود که کنش‌گران وعاملان و گروه‌های اجتماعی بر اساس حجم و میزان سرمایهٔ اقتصادی و فرهنگی با برخی افراد همسویی‌ها و اشتراکاتی می‌یابند و با برخی دیگر اختلاف و فاصله پیدا می‌کنند. بنابراین، فضای اجتماعی بر مبنای سرمایه

ساخته می‌شود. برای بوردیو هر قدر سرمایهٔ فرد بیشتر باشد، در فضای اجتماعی در موقعیت بالاتری قرار می‌گیرد. در واقع، مردمی که به‌طور نزدیک در یک فضای اجتماعی قرار دارند، دارای مشابهت‌های بسیاری هستند حتی اگر هرگز یکدیگر را ندیده باشند. به‌عبارت دیگر، مردمی که در فضای اجتماعی مشابهی قرار دارند، سلیقه‌ها و ذائقه‌ها و سبک‌های زندگی مشابه و نزدیک به هم دارند.

نظریه‌های بوردیو با انتقادهای گوناگونی روبه‌رو شده است. اندیشمندانی مانند ژک رانسیر، لوک بولتانسکی و برونو لاتور از جمله کسانی هستند که دیدگاه جبرگرایانهٔ او را نقد کرده‌اند و در رد دیدگاه او بر نقش مهم بازیگران اجتماعی و قدرت انتقاد تأکید ورزیده‌اند. یادم هست که در یکی از سمینارها بوردیو می‌گفت: کار ما جامعه‌شناسان دشوار است، از یک سو وقتی مفاهیم جامعه‌شناختی را به کار می‌گیریم، می‌گویند این گفتمان خیلی ذهنی و مشکل است؛ زمانی هم که ساده می‌گوییم، می‌گویند این دیدگاه سطحی و یک‌جانبه است. از دید او، جامعه‌شناسی یک شغل و حرفهٔ دشوار است زیرا شناخت جامعه کاری پیچیده است. به هر روی، بوردیو یک منتقد بزرگ بود و میراث گران‌بهایی برای شناخت جامعه باقی گذاشته است.

کافه‌های پاریس، فرهنگ و سیاست

کافه‌های پاریس محلی دلپذیر برای نوشیدن، غذا خوردن، گپ زدن، مطالعه و نوشتن هستند. البته فراموش نشود که چنین جایی برای آشامیدن چای و قهوه در خاور میانه و به‌ویژه مصر و ایران سابقه‌ای طولانی دارد. گفته می‌شود که قهوه‌خانه در ایران به چهار سده پیش برمی‌گردد. قهوه‌خانه محل ارتباط اجتماعی میان مردان بود تا بتوانند باهم گپ بزنند، چای بنوشند، موسیقی بنوازند و شاهنامه گوش دهند. در غرب، نخستین کافه در وین پایتخت اتریش در ۱۶۴۰ باز شد. در لندن و در سدهٔ ۱۸ میلادی، نخستین کافه کار خود را آغاز کرد. در فرانسه هم ژان دو لاروک، بازرگانی که در سال ۱۶۴۴ از قسطنطنیه بازگشت، نخستین کافه را در مارسی، در جنوب فرانسه، به وجود آورد. در پاریس، از سال ۱۶۶۹ نخستین کافه باز شد و شمار آن‌ها به‌سرعت رو به افزایش گذاشت. کافه پاریسی کار خود را با قهوه برای مشتری آغاز کرد و رفته‌رفته چای و شیرینی و همه نوع نوشیدنیِ الکلی و ساندویچ

و غذاهای گوناگون و بستنی هم بدان افزوده شد. کافه‌های پاریسی پاتوق دختران و پسران عاشق، دانشجویان، استادان، و محل گپ‌های سیاست‌مداران و راه‌پیمایان معترض و توطئه‌های انقلابیون و تروریست‌ها هم هستند. کافه‌ها و شهر پاریس به هم جوش خورده‌اند. ارمنی‌ها و ایتالیایی‌ها نقش مهمی در باز کردن کافه در پاریس داشتند. یکی از کافه‌های معروف قدیمی، توسط شخصی اهل سیسیل به‌نام فرانچسکو پروکوپیو در سال ۱۶۷۲ باز شد. کافه «پروکوپیو» که در کنار بلوار سن ژرمن در نزدیکیِ مترو «ادئون» قرار دارد و پاتوق بسیاری از اندیشمندان مانند ولتر، دیدرو، روسو، هوگو، ژرژساند، دوموسه، بالزاک و نیز شخصیت‌های سیاسی انقلابی فرانسوی و آمریکایی مانند بنجامین فرانکلین، توماس جفرسون، دانتون و مارا بوده است. بالزاک می‌گوید: «پیشخان یک کافه پارلمان مردم است.».

منتسکیو در کتاب نامه‌های پارسی از این کافه صحبت می‌کند. امروز نیز شمار زیادی از نویسندگان و شاعران و هنرمندان به این کافه می‌آیند. فضای کافه‌های پاریس از عطر دوران روشنایی و فلسفه و ادبیات و انقلاب‌های آمریکا و فرانسه و شورش ماه مِه ۱۹۶۸ و گپ‌های دنیای روشن‌فکران دیروز و امروز آکنده است. از دیگر کافه‌های معروف پاریس باید از «دوماگو» نام برد که روح‌وروان پاریس و اندیشه را در خود جای داده‌است. آرتور رمبو، پل ورلن، استفان مالارمه، گیوم آپولینر، الساتریلوله، لوئی آراگون، آندره ژید، پیکاسو، فرنان لژه، آندره برتون، سارتر و سیمون دوبوار، از جمله هنرمندان و روشنفکرانی بودند که به این کافه رفت و آمد داشتند. کافه دیگر «کافه صلح» است که مهمانانی مانند اسکاروایلد، امیل زولا، ویکتورهوگو، مارسل پروست، ارنست همینگوی، داشته است. «کافه فلور» در بلوار سن ژرمن مشتریان گوناگونی مانند فرانسواز ساگان، ژیاکومتی، بوریس ویان، ژان پل سارتر، سیمون دوبوار، لوئی ماله، داشته است.

انسان، اقتصاد و نوگرایی

سمیناری دانشگاهی دربارهٔ «انسان، اقتصاد و نوگرایی» داشتیم. چکیدهٔ بخش یکم سخن‌رانی من چنین بود: اقتصاددان لیبرالی مانند آدام اِسمیت (۱۷۹۰-۱۷۲۳) می‌گفت بازار تنظیم‌کنندهٔ اجتماعی است، «دست پنهان» به‌شکل خودکار

جامعه را هماهنگ می‌کند و، بنابراین، نوآوریِ شخصی در چهارچوب این بازار شرط ساختاری سرمایه‌داری است. در نگاه او سرمایه‌داری پدیده‌ایی طبیعی بوده و دارای نظمی موزون و همیشگی است. کارل مارکس (۱۸۸۳ - ۱۸۱۸) در اثر برجسته‌اش سرمایه شیفتگی کالایی را نقد کرد و گفت سرمایه‌داری همیشگی و ابدی نیست زیرا خود بازتاب لحظهٔ معینی از تاریخ اجتماعی و اقتصادی است. از نظر او این الگوی اقتصادی متکی بر تصاحب ارزش افزوده ناشی از کارتولیدی کارگران است و ماشین دولتی بورژوایی با خشونت خود در خدمت بازتولید نظام و حاکمیت طبقه مسلط است. مارکس در نتیجه‌گیری سیاسی خود گفت این جامعه توسط انقلاب قهرآمیز پرولتاریا واژگون شده و جامعه به‌سوی کمونیسم یعنی جامعه بدون طبقه می‌رود و انسان رهایی یافته در کمونیسم قابل تحقق است. نظریهٔ مارکس در تلاش‌های تاریخی مانند انقلاب روسیه در ۱۹۱۷ و انقلاب چین در ۱۹۴۹ به تجربه درآمد ولی محصول تاریخی این تجربیات خودکامگیِ اِستالین و مائوتسه دونگ و تبدیل مخالفان به بیمار روانی و خرد شدن انسان بود. همهٔ کشورهایی که به‌سوی الگوی سوسیالیستی رفتند، دوباره به الگوی سرمایه‌داری بازگشتند. نوگرایی در تنش و واکنش‌های متضاد زندگی می‌کند. سرمایه‌داری در یک سدهٔ پیشین جهانی شد، به تولید ثروت مادی و رشد فن‌آوری ادامه داد ولی، همزمان با انباشت، بحران‌های بسیار سخت و دردناک را تجربه کرد، بی‌عدالتی‌ها را بازتولید کرد، عقده‌ها و نابسامانی روانی را رشد داد و «ازخودبیگانگی» انسان‌ها را گسترده کرد. از دیدگاه انسان‌شناسانه و جامعه‌شناختی انسان در پی نوعی «خوشبختی» است ولی انسان همچنان در کیستی پیچیده و پاره و احساسی متضاد و چندگانه زندگی می‌کند. او هم در پی رفاه مادّی و آسایش می‌باشد وهم پیوسته برای خود تنش و اضطراب تولید می‌کند. او هم عشق را می‌خواهد و هم با کینه و نفرت زندگی می‌کند. او هم رابطه با دیگری را می‌خواهد و هم دیگری را مانع خشنودی خود می‌داند و او را طرد می‌کند. او هم می‌آفریند و هم مرگ و ویرانی را ادامه می‌دهد. او هم می‌خواهد آزاد باشد و هم در خود، هیجان و شیفتگی آسیب‌شناسانه به مهارت و کالا و پول و دین و اوهام را رشد می‌دهد. انسان با گسیختگی شخصیتی زندگی می‌کند و ذهنیت او همان بازاری است که مورد پسند ادیان و جادوگران و افسون‌گران مذهبی قرار دارد.

راه ابریشم در هنر و ادبیات

راه ابریشم میان شرق و غرب فقط راه بازرگانی کهن نیست بلکه راه هنر و ادبیات نیز هست که دو دنیا را در گذشته و امروز به یکدیگر پیوند می‌دهد. راه گذشته برای تجارت ابریشم از مناطق شرقی چین آغاز می‌شد، از سمرقند و نیشابور و سپس گرگان و اردبیل و تبریز و قزوین و برخی شهرهای ترکیه و سوریه امروزی گذر می‌کرد و در بندرهای دریای آزف در کنار دریای سیاه و، در پایان، در مدیترانه پایان می‌یافت. راه امروز میان تهران و پاریس و لندن و نیویورک و رم و آمستردام در دو جهت باز است. گزنفون دربارهٔ پارس‌ها نوشت. غربی‌ها مانند پی‌یر لوئی و کنت دوگوبینو و مونتسکیو دربارهٔ ایرانیان حرف زدند. حافظ و مولوی و عطار و ابوعلی سینا ترجمه شده‌اند و با غرب سخن گفتند. آقاخان کرمانی و آخوندزاده و هدایت و نیما و شاملو از غرب آموختند. شریعتی و آل احمد بر ضد غرب نوشتند. صدها رمان‌نویس و فیلسوف و جامعه‌شناس غربی به فارسی ترجمه شدند و در ذهن‌ها جای گرفتند. راه ابریشم فرهنگی و هنری، با وجود ناهمواری‌ها باز است. موسیقی‌دانان کنسرت پاریس نیز روی خط راه ابریشم راه می‌روند، آن‌ها برنامهٔ هنری خود را با «آفتاب» آغاز کردند و با سمفونی «نابوکو» «آزادی» از آهنگ‌ساز بزرگ ایتالیایی یعنی فرانچسکو وردی به پایان رساندند.

قارهٔ آفریقا و نخبگانی فاسد

چندی پیش، چند همکار دانشگاهی آفریقایی به پاریس آمده بودند. بحث دربارهٔ گسترش همکاری میان دانشگاه‌های فرانسه با برخی دانشگاه‌های کشورهای آفریقایی بود. در سال‌های گذشته، برخی دانشگاه‌های آفریقایی می‌کوشند تا با توافق دانشگاه‌های پاریس مدارک دانشگاهی فرانسوی را در کشور خود داشته باشند. زمانی که با دانشگاه فرانسه پیمانی بسته می‌شود، مدیریت آموزشی و تعین ملاک‌های دانشگاهی توسط دانشگاه فرانسه انجام می‌گیرد و بیشتر استادان از پاریس برای تدریس، هر بار به‌مدت چند روز، به این یا آن کشور می‌روند. بر این پایه، برخی از درس‌های‌من هم در دانشگاه تونس انجام می‌گیرد. در این دیدار تازه، گفت‌وگویی داشتیم دربارهٔ نخبگان آفریقایی و غرب و این‌که چرا پیشرفت

آفریقا دشوار است. یکی از همکاران گفت برای این‌که در آفریقا فساد در هرم دولتی بیداد می‌کند. دیگری گفت نخبگان آفریقایی میهن خود را دوست ندارند. یکی دیگر گفت برای این‌که شرکت‌های بزرگ استعماری غرب کشور را چپاول می‌کنند. آن‌یکی گفت چون پس از استقلال در دهه‌های ۶۰ و ۷۰ میلادی، رهبران دولتی مستبد از بالا و عقب‌ماندگی مردم و رشد سریع اسلام وهابی و فرقه‌های مسیحی اوانژلیک از پایین خلاقیت و هوشیاری را نابود می‌کنند. یکی دیگر هم گفت ثروت زیرزمینی مانند نفت زیاد است ولی بی‌سوادی و بیماری در سطوح پایین و بی‌لیاقتی در نزد مسئولان در سطح بالا غوغا می‌کند.

پاتریس لومومبا و نلسون ماندلا قهرمانان اعتراض به استعمار و نژادگرایی بودند. تاکنون، چندین شخصیت آفریقایی، ۲ نفر در شیمی، ۴ نفر در ادبیات و ۹ نفر در زمینهٔ صلح جایزهٔ نوبل گرفته‌اند ولی شوربختانه در این قاره مدیران شایسته و برجسته برای گرداندن سیاست و اقتصاد و دانش بسیار اندک هستند. افزون‌بر آن، احساس مسئولیت فردی نزد افراد نیرومند نیست. من بارها به کشورهای آفریقایی مانند مالی، مراکش، تونس، مصر و ساحل عاج رفته‌ام و در پاریس دانشجویان زیادی از کشورهای آفریقایی داشته‌ام؛ آن‌ها خیلی خونگرم و ساده و صمیمی هستند ولی همیشه بر وجود دموکراسی و آزادی پافشاری نمی‌کنند. خیلی از آن‌ها فقط غرب را مسئول وضع کنونی می‌دانند و بدان کینه دارند ولی مسئولیت و نقش خود را نادیده می‌گیرند. الجزایر برای استقلال خود و بیرون افکندن استعمار فرانسه مبارزه کرد و در سال ۱۹۶۲ استقلال خود را به دست آورد ولی با وجود استقلال و ثروت بی‌کران خود، بیش از نیم قرن است که در عقب‌ماندگی و استبداد نظامیان الجزایری و تعصب اسلامی دست‌وپا می‌زند. بدبختانه آفریقا سرزمین دیکتاتورهاست. مستبدانی مانند ژزف موبوتو، دونیز ساسوگسو، حسنی مبارک، امین دادا، عمرالبشیر، زین العابدین بن علی، سانی اباشا، ژان بدل بوکاسا، عمربانگو، حسن ابره، روبرت موگابه، پل بیا، میواتی سوم، و دیگران محصول سیاست‌ها و راهبرد سلطه‌گری جهانی هستند و هم نتیجهٔ تاریخ خودی و فرهنگ قبیله‌ای و اجتماعی داخلی. عقب‌ماندگی جامعه، سنت قبیله‌ای و مذهبی، نبود خواست‌های دموکراتیک و حقوق بشری محکم، نبود نظام آموزشی پیشرفته، ناتوانی نهادهای مدنی و اداری نوگرا، روحیهٔ تقدیرگرا و تسلیم‌خواهیِ مردم، آسان‌خواهی و سازش‌گری روانی و فرصت‌جویی و فساد نخبگان از عوامل نیرومند بازدارنده در آفریقا به شمار می‌آیند.

فریدریش نیچه و مرگ خدا

آیا خدا مرده است؟ فریدریش نیچه، فیلسوف، شاعر، منتقد فرهنگی و واژه‌شناس در سال ۱۸۴۴ به دنیا آمد و در سال ۱۹۰۰ در ویمار آلمان درگذشت. در مورد کارهای برجستهٔ او باید از نوشته‌هایش دربارهٔ تاریخ، دین، اخلاق، زیبایی‌شناسی، معرفت‌شناسی، تراژدی، و جداانگاری دین از سیاست نیز صحبت کرد. نیچه دین را زادهٔ خیال می‌داند و برآن است که شناخت انسان زیباست، حال آن‌که اخلاق دینی نتیجهٔ توهّم است. او دارای شناختی گسترده دربارهٔ فرهنگ و تاریخ یونان و روم و ایران بود. در کتاب «تراژدی یونانیان» و «چنین گفت زرتشت»، شناخت و احساس او را دربارهٔ ایران درمی‌یابیم. نیچه حافظ را نیز می‌شناخت و به‌گفتهٔ برخی ده بار نام حافظ در نوشته‌هایش آمده است و می‌گوید حافظ زندگی را با شور سرشار می‌ستاید. غروب بت‌ها، فراسوی نیک و بد، چنین گفت زرتشت، تبارشناسی اخلاق، حکمت شادان از جمله آثار نیچه هستند که به فارسی ترجمه شده‌اند.

برخی از پژوهش‌گران نیچه را «سلسله‌جنبان پسانوگرایی» می‌دانند. او می‌نویسد مقولهٔ دانش به دانش منطق‌گرا و مکانیک تبدیل شده، حال آن‌که دانش باید آفرینندهٔ ارزش‌های جدیدی باشد. نیچه ضد سیستم است، او منتقد ارزش‌های رایج و مسلط مذهبی و فلسفی در غرب است. زمانی که او از «اَبَرانسان» صحبت می‌کند منظورش نه نظریهٔ سیاسی بلکه نگاه اخلاق است. از دید نیچه، ارزش‌هایی مانند «خوبی و بدی» هیچ واقعیت عینی مربوط‌به این جهان ندارد بلکه این مقولات نتیجهٔ ذهن انسان هستند. برای او ارزش «خوب و بد» رایج در جامعه یا ارزش‌های اخلاقی اجتماع از خودخواهی یک نژاد برده‌دار ناشی می‌شود. نزد او، مسیحیت و یهودیت مخالف زندگی و زیبایی هستند. یهودیت گناه پدید می‌آورد و آن را به مسیحیت انتقال می‌دهد و مسیحیت هم آن را در جهان می‌گسترد. همین روحیه است که احساس برده را می‌سازد و کینه‌توزی از اینجا سرچشمه می‌گیرد. انسان برای خوش‌بختی خود به حکم اخلاقی نیاز ندارد زیرا در چیستی او فردگراست و به اصول کلی نیازی نیست. فلسفهٔ نیچه فرد را در مرکز توجه قرار می‌دهد و به این دلیل دولت و جامعه و کلیسا و دین مورد انتقاد قرار می‌گیرند. نیچه می‌داند که این اخلاق پایهٔ فرهنگ و هنر است. به همین خاطر او به این

ارزش‌های بنیادین مسلط حمله می‌برد تا اعتماد مردم را نسبت‌به این ارزش‌های کهنه واژگون می‌کند. نیچه با گفتن «خدا مُرده» در پی آن بود تا نابودی ارزش‌های کهن را اعلان کند. مرگ خدا دورنمای جدیدی برای انسان می‌گشاید، مرگ خدا یک خبر شادمانه است. نیچه مرگ خدای مسیحیت را اعلان کرد و امروز ما نیز مرگ الله را اعلان می‌کنیم.

Friedrich Wilhelm Nietzsche (Also sprach Zarathustra, 1885)

ولتر و روحیهٔ انتقادی

آیا نویسندگان بر جهان تأثیرگذارند؟ نویسندگان فرانسوی برجسته‌ای مانند ولتر جهان را از اندیشه‌های خود متأثر کردند. آن‌ها نه‌تنها ادبیات جهانی بلکه آزادی و دموکراسی را نیز با قدرت فکر انتقادی به‌طرز بی‌سابقه آبیاری کردند. انسانیت نوگرا برای پیشرفت و ترقی خود بدهکار و وام‌دار آن‌ها هستند. فرانسوا ماری آروئه ولتر در ۲۱ نوامبر ۱۶۹۴ در پاریس زاده می‌شود و در ۳۰ مه ۱۷۷۸ می‌میرد. ولتر مردی دانا و پرکار و متأثر از جان لاک و اسحاق نیوتن بود. آثار ولتر دربرگیرندهٔ ۵۶ نوشته در زمینهٔ نمایش‌نامه‌نویسی و رمان و شعر و واکاوی هنری وادبی و فلسفی و نقد سیاست و نقد دین است و همچنین بیش از ۲۰هزار نامه و یادداشت از او به یادگار مانده است. ولتر تلاش و مبارزه بی‌سابقه‌ای بر ضد نابردباری، تعصب دینی، کلیسا، قدرت شاه، جنگ و بی‌عدالتی سامان‌دهی کرد. او پیوسته بر ضد استبداد شاه و علیه دین و کلیسا می‌نوشت و به همین خاطر چند بار به زندان افتاد و قدرت سیاسی حاکم همهٔ آثار او را سانسور کرد و نوشته‌های بسیاری از او توسط دولت سوزانده شدند. اتهام او این بود که نوشته‌های او بر ضد دین و کلیسا و سلطنت استبدادی و «نظم اجتماع» هستند. به همین خاطر، ولتر نوشته‌هایش را در آمستردام و لاهه و ژنو چاپ می‌کرد و پنهانی به فرانسه می‌برد. اندیشه‌های ولتر زمینه‌ساز انقلاب فرانسه در سال ۱۷۸۹ و نیز انقلاب آمریکا در ۱۷۷۶ بود. او روشن‌فکر و اندیشمند دوران روشن‌گری و از دید فکری خداناباور بود. او برخلاف جریان حرکت می‌کرد، از طرح اندیشه‌های انتقادی هراس نداشت، آزاداندیش بود، بر ضد تعصب و کلیسا و شاه می‌نوشت و برای اصلاح ژرف جامعه

مبارزه می‌کرد. اندیشهٔ ولتر در راستای خِردگرایی و گسترش عقلانیت بود و به افراد می‌آموخت که متعصب نباشند و در برابر اندیشهٔ مخالف بردبار باشند. در فرانسه اصطلاح «روح ولتری» به کار گرفته می‌شود و به این معناست که ذهن و اندیشهٔ خود را همیشه نسبت‌به مذهب و قدرت سیاسی انتقادی نگه داریم. آیا همهٔ آثار ولتر به فارسی ترجمه شده‌اند و آیا ولتر را در مدرسه و دانشگاه و محیط روشن‌فکری ایران می‌خوانند؟ جوانان و دانشجویان ما در سیر تاریخ اندیشه و در عرصه فلسفی و جامعه‌شناختی حتماً اندیشهٔ ولتر را باید بشناسند.

فیلسوف فرانسوی، میشل سر

میشل سر، فیلسوف فرانسوی ، در ۱۹۳۰ میلادی زاده شده و یکی از پرکارترین فیلسوفان معاصر است. او فیلسوفی فعال در رادیو و تلویزیون و روزنامه‌هاست. سر یکی از هم‌اندیشان میشل فوکو بود و کتاب واژه‌ها و چیزها از فوکو بر اساس گفت‌وگوهای این دو اندیشمند پا گرفت.

اندیشهٔ فلسفی او جبرگرایی علمی را رد می‌کند و بر این باور است که در برابر پیوند دانش و خشونت بایَد شک و اخلاق را گسترش داد و پیوسته باید در فضای آزادی و دنیای پدیده‌های نامنتظره پیش رفت. نگاه او با فرانوگرایی و تفسیرشناسی درهم آمیخته است. پس از چاپ کتاب هرمس در دهۀ ۱۹۷۰ میلادی، کتاب دیگری از او با عنوان پنج حس در ۱۹۸۵ به بازار آمد.

میشل سر به نوگرایی ایمان دارد و می‌گوید این نوگرایی از سال ۱۹۴۵ و زمانی که آمریکا روی شهرهای ژاپن بمب اتمی انداخت به بحران کشیده شد. ناگهان دانشمندان و اندیشمندانی که به دانش وفادار بودند و احساس سربلندی می‌کردند دیدند که دانش به فاجعهٔ انسانی منجر می‌شود. این واقعه سبب شد تا در ذهن اندیشمندان تردید بزرگی نسبت‌به دوران روشن‌گری به وجود آید و اندیشهٔ «پیشرفت» ناشی از دوران متوقف شد. پیشرفت چیست؟ چرا با دانش به تراژدی رسیدیم؟ امروز، فلسفهٔ روشن‌گری باید با نوآوری‌های تازه پیش رود. زمان خود را بشناسیم: ۷۰ سال صلح در اروپا، از دهۀ پنجاه میلادی امکان روزافزون تندرستی و نقش قاطع پزشکی برای افزایش امید به زندگی، فن‌آوری‌های تغییر

در الگوی کار و سازمان‌دهی. این رویدادها را باید بررسی و فلسفه‌ای تنظیم کرد که به فاجعه منجر نشود. نگاه او به جهان خوش‌بینانه است و وی بر آن است که با همهٔ پدیده‌های فن‌آورانهٔ جدید باید سازش داشت. او با جهان سرجنگ ندارد و ستایش‌گر صلح است. او می‌گوید من فرزند هیروشیما هستم و به این خاطر هم تشنهٔ صلح هستم.

میشل سر در آثار فلسفی خود دانش و ادبیات و زیست‌بوم و ریاضیات را به هم پیوند می‌زند. او می‌گوید در اعلامیهٔ جهانی حقوق بشر ۱۹۴۸ هرچه که بیرون از دنیای انسان باشد طرد شده است، حال آن‌که ما باید به‌شکل دیگری به طبیعت نگاه کنیم. میشل سر نخستین کسی است که در کتاب قرارداد طبیعی از «حقوق طبیعت» صحبت می‌کند. برخی او را ادامه‌دهندهٔ راه گاستون باشلار معرفی می‌کنند ولی از دید من او مکتب ویژهٔ خود را دارد. به هر روی، او نگاه خوش‌بینانه‌ای به جهان دارد و بر این باور است که ما در حال تجربهٔ یک بحران ژرف هستیم، نمی‌توانیم به عقب برگردیم و به همین خاطر باید نوآوری کنیم. همچنین، ما باید فن‌آوری‌های جدید را به‌ویژه در زمینهٔ آموزش و به‌شکلی گسترده به کار گیریم و دگرگونی و دگردیسی ناشی از این انقلاب را در عرصه‌های گوناگون واکاوی کنیم. میشل سر بسیار پُرکار و خوش‌سخن است و نگاه مهربانانه‌ای دارد. او تاکنون بیش از ۴۰ اثر چاپ کرده است.

ما چند بار همدیگر را ملاقات کرده‌ایم. یک بار در آغاز یکی از کتاب‌هایش برایم نوشت «زنده باد ایران!» و آن را به من تقدیم کرد. چندی پیش هم در یک کنفرانس همدیگر را دیدیم و دست‌های همدیگر را فشردیم و سپس گفت: «زرتشت را نباید فراموش کرد.» او به فرهنگ و تاریخ ایران علاقهٔ بسیاری داشت و اوستا را میراث بشریت می‌دانست و تمدن ایران را یکی از فرازهای تمدن بشری به شمار می‌آورد. حال، زمانی که شما ستایش فرهنگ ایرانی را از جانب فرهیختگان غرب می‌بینید، از خود می‌پرسید بی‌گانگی بسیاری از روشن‌فکران و سیاسیون ایرانی نسبت‌به فرهنگ خودشان ناشی از چیست؟

Serres Michel : Le Contrat naturel, Paris, 1990, éd:François Bourin. 1991: Le Tiers-instruit, Paris. 2012: Petite Poucette, Paris, Éditions Le Pommier. «Darwin, Bonaparte et le Samaritain». «Les Cinq sens», Paris, Grasset; réédition, Paris, Fayard, 1985

آندره برائیک، ستاره‌شناس و راز هستی

در روزنامهٔ لوموند خواندم یکی از ستاره‌شناسان بزرگ فرانسه یعنی آندره برائیک در سن ۷۳سالگی به‌سبب سرطان درگذشت. این دانشمند و استاد دانشگاه پاریس، یک پژوهش‌گر بزرگ است و همراه با یک فیزیک‌دان آمریکایی سه حلقه پیرامون کُرهٔ نپتون را کشف کرده بود. او نام این سه حلقه را «آزادی»، «برادری» و «برابری» گذاشت. از میان نوشته‌های آندره برائیک می‌توان به کتاب‌های کودکان آفتاب: تاریخ منشأ ما، روشنایی‌های ستارگان: رنگ‌های پدیدهٔ نامریی و دانش: بلندهمتیِ فرانسه اشاره کرد. او یکی از دانشمندانی‌بود که با زبان ساده شناخت ستارگانِ را در جامعهٔ فرانسه و در محیط جوانان و دانشجویان گسترش داد. او با زبانی ساده و با عشق افراد را مشتاق و شیفتهٔ دگرگونی‌های فیزیک ستارگان می‌کرد. وی فردی خوش‌اخلاق، شوخ و کاردان بود و شما هرگز از صحبت با او خسته نمی‌شدید و دل‌تان می‌خواست تا پایان برنامهٔ سخن‌رانی یا برنامهٔ رسانه‌ای پای صحبتش بنشینید. او تندتند حرف می‌زد ولی آن‌چنان گیرا و جالب سخن می‌گفت که شما را با خود همراه می‌کرد تا پرسش‌ها و پاسخ‌های هستی‌شناسانه را از زبان یک دانشمند بشنوید. به‌راستی خاستگاه ما کجاست و به کجا خواهیم رفت؟ او می‌نویسد اتم‌هایی که امروز جسم ما را تشکیل می‌دهند همان اتم‌هایی هستند که چه‌بسا ۱۲ میلیارد سال پیش در قلب یک ستارهٔ بسیار دور پدید آمده‌اند و زمانی دیگر از آن جدا شده‌اند. فردا اتم‌های ما در ستارگان دیگری جای خواهند گرفت. برائیک در پایان کتاب کودکان آفتاب می‌نویسد برای این‌که بدانیم جایگاه انسان در دنیای هستی چیست، باید همیشه به مشعل عقل وفادار بمانیم.

André Brahic astrophysicien français, «Enfants du Soleil: histoire de nos origines», Paris, Odile Jacob, 1999

شکست «قادسیه» و شکست ما

یک بار یک برگ از مینیاتور با شعر شاهنامه دربارهٔ شکست «قادسیه» را دیدم. تهدید ایران‌زمین از سوی اعراب مهاجم و اهداف متجاوزانهٔ اسلام و عمر، خلیفهٔ دوم، باعث شد تا در نوامبر سال ۶۳۶ میلادی دربار ایران یعنی رستم فرخزاد، حاکم

خراسان، را به قادسیه در نزدیک کربلا، که در آن زمان جزو امپراتوری ایران و به هنگام پادشاهی یزدگرد سوم بود، بفرستند. رستم با سپاهش برای رویارویی با عرب که به‌گفتهٔ فردوسی «بخون برادر کمر بسته بود» وارد عمل شد. جنگ چهار روز طول کشید؛ هرچند، در گام نخست سپاه ایرانیان بر عرب‌ها غلبه کردند ولی در گام بعدی دشواری‌های اقلیمی و وزش بادی تند و سوزان وضع را نامناسب کرد. رستم گرفتار قوای اسلام شد و یک نظامی عرب به‌نام هلال بن علقمه یک ضربه شمشیر بر پیشانی رستم فرود آورد، سرش را برید و بر سر نیزه کرد و فریاد زد: «به خدای کعبه رستم را کشتم.» با این واقعه، روحیهٔ سپاه ایران با، وجود دلیری‌ها، ناتوان شد و شکست بر آن‌ها غلبه کرد. به‌سرودهٔ فردوسی «غمی گشت و لشگر همه برگرفت.» در این جنگ درفش کاویانی به‌دست عرب‌ها چپاول شد و زمانی که آن را به عمر رساندند، خلیفهٔ عرب گوهرهای درفش را جدا کرد و پوست چرمین آن را سوزاند. برای شناخت بیشتر این واقعه، به آناهیتا از ابراهیم پورداوود، تاریخ ایران بعد از اسلام از زرین‌کوب و تاریخ باستانی ایران از حسن مشیرالدوله پیرنیا می‌توان رجوع کرد. این شکست سرآغاز شکست ایرانیان در برابر قوای مسلمانان عرب بود. به‌گفتهٔ فردوسی :«چنین است گردون ناپایدار/که با کس نباشد همی سازگار» به این ترتیب بود که به‌گفتهٔ فردوسی «روز بد» بر ما چیره شد. یک سال و نیم پس از این واقعه، یزدگرد سوم بی‌تجربه و جوان اقدام جدیِ چندانی در برابر عرب‌ها نکرد و سعدبن ابی وقاص تَصرف و ویرانیِ تیسفون، پایتخت ایران، را هدف تهاجم بعدی قرار داد. پس از سقوط تیسفون، یورش عرب و اسلام در سراسر ایران گسترش پیدا کرد و آیین مِهرپرستی و مانی‌گری و زرتشت و شاهنشاهی افول کرد. روند دردناک مسخ‌شدگی و ازخودبیگانگی ایرانیان آغاز شد و دین و جهان‌بینیِ دشمن بر دل‌های ایرانیان تسلط یافتند. ناتوانایی‌ها و نبود روشن‌بینی در بین ما راه را برای تسلط دین سامی باز کرد. ما با اسلام بازندهٔ تاریخ شدیم.

ابن رشد و عقل

پیش‌تر آثار برخی از بزرگان دنیای اسلام مانند ابن رشد را بررسی کرده‌ام. فیلسوف معروف ابن رشد اندلسی در ۱۱۲۶ میلادی در کوردوبای اسپانیا زاده شد و در ۱۱۹۸

میلادی در مراکش درگذشت. اروپائیان او را «اورئوس» می‌خوانند و او را یکی از بزرگان متمایل‌به عقل‌گرایی به شمار می‌آورند. هرچند، مقولهٔ «عقل» در نزد او قابل بحث و نظر است ولی ابن رشد از «مکتب حکمت الهی» جدا می‌شود. او مسلمان سنی مالکی بود ولی مورد نفرت و کینهٔ تمام سلسله‌مراتب مذهبی قرار داشت زیرا اندیشه‌هایش کاملاً با دین رسمی اسلام هماهنگ نبودند. ابن رشد پیوسته کوشش کرد تا فلسفه ارسطویی را با اسلام هماهنگ کند و در اندیشه‌اش، برخلاف دین اسلام، به روح ابدی باوری نداشت. او انتقادات گسترده‌ای به غزالی داشت و یکی از آثار او در نقد تهافه الفلاسفه غزالی است. فصل‌المقال مشهورترین کتاب اوست. در غرب این فیلسوف اندلسی بسیار با اهمیت تلقی می‌شود زیرا از نظر برخی متفکران عنصر عقل گرایی در نزد او با اهمیت است و به همین خاطر او به اعتقادات غزالی که حامی شدید دین است انتقاد می‌کند. ابن رشد دارای ذهن باز است و تفسیر او در باره ارسطو بسیار جالب است و به همین خاطر اسلام‌گرایان او را «فردشیطانی» می‌خوانند و حکم به آتش زدن کتاب‌های او دادند. بسیاری از اسلام‌شناسان غربی مانند رژه آرنادز، آلن دولیبرا و ریمی براگ او را «فیلسوف عقل‌گرا» ارزیابی می‌کنند. او در کار خود به جدایی این جهان و امر مقدس می‌پردازد و عقل را تشویق می‌کند و این جهان را از نظام دینی به‌شکلی جداگانه بررسی می‌کند. به همین خاطر، او در غرب به «اصلاح‌گرا» معروف است. یادآوری کنیم که گودالی به قطر ۳۳ کیلومتر روی کرهٔ ماه به‌نام ابن رشد نام‌گذاری شده است و همچنین سیارهٔ کوچکی در آسمان نیز به‌نام «۸۳۱۸ ابن رشد» وجود دارد. جیمز جویس، رمان‌نویس بزرگ، در شاهکار خود یعنی اولیس از او یاد می‌کند؛ سلمان رشدی هم دارای قهرمانی به‌نام ابن رشد است و خورخه لوئیس بورخس نیز داستانی به‌نام «جست‌وجوی ابن رشد» دارد. در فارسی هم چند کتاب دربارهٔ ابن رشد و نقد از او نوشته شده ولی به‌جز ترجمهٔ کتاب تهافت‌التهافت ابن رشد که توسط آقای دکتر فتحی و به‌وسیلهٔ انتشارات حکمت (در سال ۱۳۸۷) به چاپ رسیده است (همین اثر چند سال پیش توسط آقای علی‌اصغر حلبی هم ترجمه شده بود)، از سی آثار ابن رشد به زبان عربی اثر دیگری به فارسی ترجمه نشده است. چرا آثار او به فارسی ترجمه نشده است؟ مسئول کیست؟ این فقدان پرمعناست.

Ibn Rochd de Cordoue, Averroès, (trad.Marc Geoffroy, préf.Alain de Libera), Discours décisif, Paris, Flammarion, coll.«GF», 1996

اقتصاد و عدالت

امروز، اول ماه مِه در پاریس، آسمان آبی بود و راه‌پیمایان و سندیکاها و انجمن‌ها و احزاب فرصت دیگری یافتند تا خواست‌های خود را مطرح کنند: مخالفت با تغییر قانون کار، اعتراض به بی‌عدالتی، پشتیبانی از بی‌کاران، اعتراض به رئیس‌جمهور فرانسه، بهبود شرایط کاری، توجه به سلامتی کارکنان در شرکت‌ها، اعتراض به دستمزد کلان برخی کارفرمایان شرکت‌های بزرگ. همین چند روز پیش بود که روزنامه‌ها اعلان کردند مدیر اصلی شرکت خودروسازی رنو دستمزد سالانه‌اش در یک سال گذشته به بیش از ۷ میلیون یورو رسیده. حال، اگر این رقم بالای سالانه را به دستمزد هر ساعت برسانیم، این شخص مدیر در هر ساعت معادل ۸۰۰۰ یورو به دست می‌آورد. اگر مقایسهٔ دیگری کنیم، این حقوق ۵۰۰ برابرِ حقوق قانونیِ حداقل در فرانسه است. یکی از امتیازات فرانسه نسبت‌به ایرانِ آزادی و دموکراسی است ولی، به هر روی، عدالت اجتماعی آرزوی بسیاری از انسان‌هاست. کمونیسم شوروی وعدهٔ برابری داد ولی خودکامگی و بی‌عدالتی را به جامعه تریق کرد. سرمایه‌داری در طول تاریخ ثروت مادّی و تکنیکی را به اوج رساند ولی نابرابری اجتماعی در این نظام مورد انتقاد همهٔ کسانی است که برای دنیای بهتر تلاش می‌کنند. یکی از منتقدان نظام اقتصادی در فرانسه آلن لیپیز است. ما یکدیگر را از ۲۵ سال پیش می‌شناسیم. او یکی از اقتصادانان و زیست‌بوم‌گرایان معروف فرانسه است و ۱۲ سال نمایندهٔ پارلمان اروپا بوده. یکی از معضلات مهمی که او همیشه در کتاب‌هایش مطرح کرده ایجاد ساختاری تعادلی و مداخله‌جویانه در نظام سرمایه‌داری و انتقال از تولید اقتصاد انبوه به اقتصاد زیست‌بوم‌گریانه است. این الگوی جدید هم تعادل بیشتری در تقسیم ثروت در جامعه برقرار کرده و هم اقتصاد را به‌سوی اقتصادی پایدار و تمدنی زیست‌بوم‌گرا سمت‌وسو داده. امروز، اقتصاد جهانی منابع بسیاری را هدر داده، طبیعت را ویران می‌کند و مصرف را به یک پرمصرفی بیهوده و زیان‌آور سوق داده است. نمونهٔ دیگر در این زمینه اقتصاد ایران است که در فساد و آخوندیسم اسلامی و رانت‌خواری و ویرانیِ منابع طبیعی و نفی اقتصاد بازار بیداد می‌کند. ما می‌توانیم اقتصاد دیگری با رعایتِ معیارهای زیست‌بوم و حفظ ارزش‌های انسانی و اخلاقی برنامه‌ریزی کنیم بدون آن‌که به تأیید نظام سوسیالیستی و یا دولتی منجر شود. اقتصاد بازار را

باید با دولت رفاه پیوند زد.

Alain Lipietz, Green Deal. La crise du libéral-productivisme et la réponse écologiste, Paris, éditions La Découverte, coll. «Cahiers Libres», 2012. La Société en sablier. Le partage du travail contre la déchirure sociale, La Découverte, Paris, 1996, rééd. augmentée 1998.

منطِقُ‌الطِّیر عطار نیشابوری

ادبیات ایران شاهکارهای برجسته‌ای در خود گرد آورده است. ادبیات فارسی پایهٔ اصلی استواریِ زبان فارسی است. منطِقُ‌الطِّیر، زبان مرغان یا آواز پرندگان، منظومه‌ای است از شاعر ایرانی، عطار نیشابوری، که به زبان فارسی و در قالب مثنوی سروده شده. عطار نیشابوری در سال ۵۴۰ هجری برابر ۱۱۴۶ میلادی در نیشابور زاده شد و در سال ۶۱۸ هجری به هنگام تهاجم لشگر مغولان به قتل رسید. او آثار برجسته‌ای مانند اسرارنامه، الهی‌نامه، تذکره‌الاولیا، مصیبت‌نامه، مختارنامه و منطق‌الطیر در کارنامهٔ خود جای داده. کار سرودن منطق‌الطیر در قرن ششم هجری قمری (۱۱۷۷ میلادی) پایان یافته است. این مثنوی، که ۴۴۵۸ بیت دارد، از مثنوی‌های تمثیلی‌عرفانی به شمار می‌آید. منزل‌ها یا مرحله‌ها در راه پویش و جست‌وجوی عرفَان یعنی شناختن رازهای هستی در منطق‌الطّیر عطار هفت منزل هستند. او این هفت منزل را هفت وادی یا هفت شهر عشق می‌نامد. هفت وادی یا سرزمین به ترتیب چنین‌اند: طلب، عشق، معرفت، استغنا، توحید، حیرت، و فقر که سرانجام به فنا می‌انجامد. در داستان منطق‌الطّیر، گروهِ بزرگی از مرغان برای جُستن و یافتن پادشاه‌شان، سیمرغ، سفری را آغاز می‌کنند. همه سرگشتگانی هستند در جست‌وجوی پادشاه‌شان هستند. در هر مرحله، گروهی از مرغان از راه باز می‌مانند، گرفتار حادثه یا زخمی و رنجور می‌شوند و به بهانه‌هایی پا پس می‌کشند تا این‌که پس از گذر از هفت مرحله، از گروه انبوه پرندگان تنها «سی مرغ» باقی می‌مانند و با نگریستن در آینه هستی در می‌یابند که «سیمرغ» در وجود خود آن‌هاست. در پایان، با این خودیابی و خودشناسی مرغان حقیقت را در وجود خویش می‌یابند. این اشعار بیان‌گر یک فضای عرفانی است، فضایی که

بخش بسیار گستردهٔ ادبیات فارسی را متأثر کرده و مانع گسترش اندیشهٔ فلسفی شده ولی با همین داستان عطار می‌توان از دید روان‌شناسی و روان‌کاوی امروزی نیز به آن‌ها توجه کرد. افرادی که توانایی خود را فراموش کرده‌اند و به‌سوی افسانه یا آرزویی جاذبه و کشش دارند ولی نمی‌دانند که خود آن‌ها همان نیرو و توانایی گمشده هستند. اندیشهٔ خِردمندانه و قدرت تخیل و آفرینش انسان را به خلاقیت و توانایی برتر سوق می‌دهد. دریابیم که ما می‌توانیم آفریدگار باشیم.

خِردگرایی و اخلاق

بررسی پایان‌نامه‌های دانشگاهی دانشجویان و دفاعیهٔ آن‌ها تمام روز طول کشید. از بخش اداری دانشگاه خواسته بودم از ساعت ۸ صبح برنامه‌ریزی کنند و دو همکار دیگرم در هیأت داوران به‌موقع حاضر شدند. موضوع‌ها در دو زمینهٔ جامعه‌شناسی و الگوی‌های سازمان‌دهی کار و مدیریت صنعتی بود. دانشگاه کنام فرزند دوران روشن‌گری و انقلاب فرانسه است که در ۱۷۹۴ به وجود آمده است. کنام یکی از معتبرترین نهادهای دانشگاهی است که با هدف تربیت مهندسان و نخبگان برجسته جامعه زاده شد. این تاریخ و این سنت فرهنگی و تخصصی بالا همیشه مورد توجه من بوده و پیوسته از دانشجویان خواست درسی روزافزون داشته‌ام. در آغاز، دانشجویان در برابر حجم کار و کیفیت مورد نظر نگران می‌شوند ولی با توجه به مدیریت و روش و محتوای آموزشی و راهنمایی از توانایی خود آگاهی پیدا می‌کنند. امروز ما در دانشگاه پرکار بودیم ولی نتیجهٔ کار دانشجویان رضایت‌بخش بود. ما در جهانی هستیم که دانشگاه‌های جهان با یکدیگر رقابت علمی دارند. همچنین، باید جوانان را که برای زندگی اقتصادی و شغلی به دانشگاه می‌آیند تشویق کرد تا به دانستن و دانش عشق بورزند. در پایان روز، برخی از دانشجویان می‌خواستند مرا ببینند. یکی گفت روش شما ایجاد بحث است و این روش انگیزهٔ درسی را تقویت می‌کند. دیگری گفت پرسش‌های شما افق‌های جدیدی را باز می‌کنند. آن دیگری گفت هر کلاس با تحرک و حس شادی همراه است. یکی دیگر گفت تبادل نظرها اعتمادبرانگیزند. دیگری هم گفت: «سپاس بابت روش تدریس شما! خیلی آموختم.» من همیشه مشوق دانشجویان هستم و

می‌خواهم افزون‌بر تلاش فراوان برای مواد درسی کتاب هم بخوانند و بافرهنگ باشند. دانشجویان فراوانی با انگیزهٔ قوی این روند را آغاز می‌کنند و برای‌شان دلپذیر است که تلاش خود را ادامه دهند.

همهٔ این گفته‌ها می‌توانند خودستایی فردیِ تندروانه را تقویت کنند ولی متانت هرگز نباید ما را ترک کند. خودستایی بیمارگونه رفتاری است که منجر به برتر دانستن منافع خود بر دیگری می‌شود و خودمرکزبینی آسیب‌شناسانه می‌شود که می‌تواند تا مرز زیان رساندن به دیگری پیش برود. این اندیشه‌ها مرا به یاد یک فیلسوف انداخت: خانم آین راند، فیلسوف و رمان‌نویس آمریکاییِ روس‌تبارِ یهودی که در ۱۹۰۵ در سن پترزبورگ زاده شد و در ۱۹۸۲ در نیویورک درگذشت. او فیلسوفی خِردگرا و آزادرفتار بود. وی آثار فراوانی دربارهٔ لیبرالیسم، آزادی، مالکیت و دولت نوشته است و یکی از آثار معروفش تقوای خودپرستی است. در این اثر، او از زندگی «برای خود» حرف می‌زند. برای او صحبت از یا اخلاق اجتماعی از «خودِ خود» و از شخص جدا نیست. او می‌نویسد: «هیچ قانونی، هیچ حزبی هرگز نمی‌تواند «من» را نزد انسان بکشد.» طبیعت انسان رفتار اخلاقیِ خِردمندانه‌ای را به انسان تحمیل می‌کند. حقوق بشر در انسان به‌شکل حقوق یک فرد اندیشمند متبلور می‌شود. این فرد کسی است که برای زندگی‌اش در پی زورگویی نیست. برای آین راند، خِرد و آزادی درکنار همدیگرند. روش این فیلسوف متکی‌بر عینی‌گرایی و واقع‌بینی است. او می‌گوید زندگی و فرد عینی و عقل‌گرا هستند و هستی ما نیز باید عینی و متمایل‌به خِرد باشد. وی برآن است که خِردگرایی ابزاری برای زنده ماندن است و این در ادامهٔ خود اخلاق اجتماعی، رفتار و انتخاب ما را در زندگی تنظیم می‌کند. او می‌گوید برای جمع نباید به نفی خود پرداخت، کار ما نباید به قربانی کردن خود برای دیگران نباید منجر شود زیرا این‌گونه رفتار به نفی خود می‌انجامد. احترام به شخص خود با احترام به حقوق دیگران گره خورده.

کافه لئونارد، لویناس و دیگران

روز سرد و آفتابی بود. هنگامی که کلاس درس صبح دانشگاه کنام تمام شد، به رستوران لئونارد رفتم و برای غذا، ماهی و پلو با یک لیوان شراب سفید سفارش

دادم. سالیان درازی است که به این کافه‌رستوران می‌روم چون روبه‌روی دانشگاه است، غذا مناسب است، کارکنانش مهربان هستند و گاه با همکاران برای گپ زدن در آنجا گرد هم می‌آییم. صاحب رستوران هر وقت مرا می‌بیند می‌گوید: «پروفسور سلام، امروز شراب خوبی به شما پیشنهاد می‌کنم. من ایرانی‌ها رامی شناسم، آدم‌های مهربان هستند.» از خودم می‌پرسم آیا ما ایرانیان همگی مهربان هستیم؟ در داخل دانشگاه رستوران وجود دارد ولی من به اینجا می‌آیم چون اغلب موقع ناهار روزنامه می‌خوانم. ماهنامهٔ فلسفه و هفته‌نامهٔ شارلی ابدو و روزنامهٔ لوموند از جمله یاران من در هنگام غذا بوده‌اند. اگر به پاریس آمدید، برای ناهار به این رستوران بروید و پس از ناهار هم می‌توانید به موزهٔ «هنرها و حرفه‌ها» در نزدیکی اینجا می‌روید. با پنج دقیقه قدم زدن به «مرکز فرهنگی ژُرژ پمپیدو» می‌رسید در قلب پاریس هستید. به هر روی، پس از غذا خوردن به آمفی‌تئاتر برگشتم و همهٔ دانشجویان آماده بودند تا سه ساعت درس مرا گوش کنند. یک استاد اشتیاق و انگیزهٔ دانشجو را سریع حس می‌کند و اشتباه نکردم؛ نظریه‌های جامعه‌شناسی را یک‌به‌یک برای آن‌ها باز کردم. همه با وجود این‌که جزوه‌های درسی مرا در دست داشتند، یادداشت‌برداری می‌کردند. در پایان، به یک دانشجو گفتم: «روزتان خسته کننده بود؟» او هم گفت: «نه، روز پرکاری بود و این روزها با این بحث و با این همه دوستان دانشجو در خاطرهٔ ما می‌مانند.» در واقع، ذهن ما در روزها و لحظه‌های پرتلاش فعال‌تر است و دیدار با دیگران بیشترین تأثیر را تولید می‌کند. یکی از فیلسوف‌های یهودی‌تبارِ فرانسوی، امانوئل لویناس، می‌گوید: «انسان به اعتبار رابطه زنده است و احساس مطبوع آن است که با دیگری پیوند برقرار می‌کنید.» گفتهٔ لویناس ما را به تقویت پیوند با دیگران دعوت می‌کند.

فلسفهٔ اِمانوئل لویناس و خودکامگی اسلام

جامعهٔ انسانی به آرامش نیازمند است و ایران نیز در جست‌وجوی آن است ولی تأثیر دین اسلام در جامعهٔ ما تنش‌انگیز و التهاب‌آور است. در چهارچوب یک فرهنگ آزادمنش و رهایی‌خواه و نقّاد، ایدئولوژی و دین خاستگاه فشار و خفگی و خشونت هستند. زندگی اجتماعی به دین محدود نمی‌شود ولی در برخی جوامع دین

نقش قاطعی ایفا می‌کند و تأثیر پررنگی بر پدیده‌های گوناگون و رفتارهای انسانی می‌گذارد. همچنان‌که در ایران نیز چنین است و زندگی اجتماعی با دشواری‌ها و خشونت‌های گستردهٔ ناشی از دین روبه‌رو است. در اینجا می‌خواهم دو الگوی بینشی را در کنار هم قرار بدهم و نتایج ناشی از آن‌ها را بیشتر احساس کرده یا درک کنم. در پژوهش‌های اجتماعی، نگاه فلسفه و جامعه‌شناسی به عملکرد دین بسیار آموزنده جالب است. در این نوشته بینش فلسفی متکی‌بر فلسفه اِمانوئل لویناس و اصل دینی اسلام، که با تجربهٔ ما درآمیخته است، به مقایسه گَذاشته می‌شود و نتایج جامعه‌شناسانهٔ ناشی از آن‌ها به‌طور کوتاه ارائه می‌شوند. انتظاری نیست تا یک بینش فلسفی به خط مشی اقتصاد و سیاست در یک اجتماع تبدیل شود. فلسفه با وجود اثرهای فرهنگی و سیاسی که در اجتماع تولید می‌کند به شاهراه اندیشه می‌ماند. پرتو فلسفه در عرصهٔ اجتماعی به زایش دست می‌زند و بنیاد فکری و کنش اجتماعی را آبیاری می‌کند، همان‌گونه که دین تأثیرات گاه بسیار سنگینی در اجتماع به بار می‌آورد. هدفْ نشان دادن دو کردار و دو رفتار از دو بینش متضاد است.

اِمانوئل لویناس زادهٔ سال ۱۹۰۶ میلادی در لیتوانی است. او سپس برای گذران دوران پناهندگی به روسیه رفته و پس از آن در سال ۱۹۲۸ در آلمان فلسفهٔ هایدگر و هوسرل را مطالعه کرده. او، که از سال ۱۹۳۰ دارای ملیت فرانسوی می‌شود، در کار خود میان فرهنگ یهودیت و فلسفهٔ غرب و ادبیات روس و پدیدارشناسی آلمان پیوند برقرار می‌کند. لویناس در سال ۱۹۶۱ اثر برجستهٔ خود را با عنوان کلیت و بی‌کرانگی را چاپ کرد و سپس نوشته‌های مهم دیگری مانند خدا، مرگ و زمان در سال ۱۹۹۳ و اخلاق به‌مثابه فلسفهٔ اولی را در ۱۹۹۸ را در اختیار مخاطبانش قرار داد. او، که درسال ۱۹۹۵ در پاریس درگذشت، میراث فلسفی ویژه‌ای برای ما به یادگار گذاشته که در هیچ نظام و مکتب فلسفی خاصی جای نمی‌گیرد. لویناس از ایدئولوژی می‌گریزد و به مناسبات متعارف میان انسان‌ها نگاه می‌کند و زشتی‌های آن را به نقد می‌کشد و از ما دعوت می‌کند تا «دیگری»، چهرهٔ دیگربودگی، را دریابیم. تراژدی‌های قرن بیستم با واقعیت این بیگانگی نسبت‌به دیگران همراه بود. تمام خانوادهٔ اِمانوئل لویناس توسط نازی‌ها از بین می‌روند و خود او نیز چند سال را در زندان می‌گذراند وبا وجود این وضعیت دردناک فلسفه‌اش به زندگی و هستی توجه دارد. او حافظهٔ تاریخی را به

دیگران انتقال می‌دهد و می‌گوید چرا باید زندگی را دوست داشت و چرا نمی‌توان نسبت‌به دیگران بی‌اعتنا باقی ماند.

اِمانوئل لویناس فیلسوفی است که رابطهٔ انسان با دیگری موضوع اساسی فلسفه‌اش را رقم می‌زند. دیگری جست‌وجوی خدا نیست بلکه ابزاری برای رسیدن به نزدیکی و آرامش است زیرا انسانیت رنج بسیاری کشیده است. این نزدیکی نفی تفاوت نیست و حل شدن در یک کلیت را شامل نمی‌شود بلکه بیان‌گر یک دوری بی‌کرانگی و نامتناهی است که ما را در یک کلیت بسته قرار نمی‌دهد. فلسفه او هم نگاهی به گذشته است و هم چشم به‌سوی دیگری و آینده دارد. او «خوبی» افلاطونی را برگزیده و از «جمهوریت» افلاطون متأثر است و به‌ویژه از فلسفهٔ مارتین هایدگر و هوسرل تأثیر گرفته است. او جبرگرایی سیاسی و فلسفی کارل مارکس را نسبت‌به فرد نقد می‌کند و این رابطهٔ انسان را، که پیرو سیستم است، «کلیت» می‌خواند که به‌معنای «مرگ سوژه» است؛ این کلیت یا خودکامگیِ نظامی متمرکز است که تفاوت‌ها را نابود و دیگر بودن را حذف می‌کند، این کلیت نفی دیگری و خواستار سلطهٔ یک‌جانبهٔ مطلق است. لویناس برخلاف بسیاری از فیلسوفان مانند مارکس و لوی استراس، که ساختارگرا هستند و اندیشه‌های «سیستم» را ویژگی مکتب خود می‌دانند، اندیشهٔ خویش را به‌سوی فردیت کنش‌گر سوق می‌دهد. برای او عصر ما، دوران انسان‌گرایی و اخلاق ازخودگذشتگی است. مسئولیت «لویناس‌وار» بر آن است که «به هر روی، من مسئول مسئولیت دیگران هستم.» و معنای برای خود بودن مسئولیتی بزرگ‌تر از مسئولیت دیگران داشتن است. داستایفسکی در برادران کارامازوف می‌گوید: «هر کسی در برابر دیگران مسئول همه‌چیز است و من بیش از هر کس دیگری.» این سخن جان کلام و مسئولیت از دید اِمانوئل لویناس است.

از دید اِمانوئل لویناس، این رابطهٔ میان انسان‌ها مسئلهٔ مرکزی انسان بودن است، رابطهٔ با دیگری به انسان معنا می‌دهد. از دید لویناس، موضوع «با دیگری بودن» در قلب انسانیت است؛ هنگامی که انسان از خود بیرون می‌آید و از هستی خود می‌گذرد و فراتر از آن می‌رود به دیگری می‌رسد. زمانی که انسان در خود باقی نمی‌ماند و با دیگری ارتباط برقرار می‌کند، برای خود ایجاد مسئولیت می‌کند. در نگاه لویناس، من دارای مسئولیت دیگری هستم و اخلاق اجتماعی از همین مناسبات پیدا می‌شود. بخشش برای دیگری برای خوبی است. زمانی که اروپاییان

شاهد جنایات نازیسم بودند، آیا خود را مسئول حس می‌کردند؟ زمانی که نخستین اقدام‌های یهودی‌ستیز سازمان‌دهی می‌شد تا هنگامی که یهودیان به اتاق‌های گاز برده می‌شدند، آیا شهروند اروپایی احساس مسئولیت می‌کرد؟ آیا تراژدی و فاجعهٔ انسان‌ها کسی را به درد می‌آورد و این درد به واکنش و اعتراض منجر می‌شد؟ هر کس در زمان نازیسم باید به خود می‌گفت من مسئول هستم.

دریافت اِمانوئل لویناس را از اخلاق را باید به‌مثابه گونه‌ای رخداد به شمار آورد. برای او انسانیت یعنی دیگری را دریافتن و اخلاق لویناس متکی‌بر «دیگری» یا «دیگربودگی» می‌باشد. برای لویناس درک اخلاق باید ما را به دیگری برساند و شرط امکان آن را باید دریافت تا در این راه به چهرهٔ دیگری رسید. کشف دیگری یک رخداد است، یک ملاقات هستی‌شناسانه و مسئولیت‌ساز است. ما مسئولیت دیگری را داریم و به سرنوشت او نمی‌توانیم بی‌اعتنا باشیم. فلسفه به چه کاری می‌آید؟ آیا تنها فلسفه برای اندیشیدن است؟ آیا فلسفه تنها با پرسش برای خود و در بستر اندیشه به ما کمک می‌کند که بیندیشیم؟ یا فلسفه به ما می‌آموزد تا به دیگری بیندیشیم و زندگی را تغییر دهیم؟ از دید اِمانوئل لویناس، فلسفه به ما می‌آموزد تا پیوسته هوشیار باشیم و دقت و مواظبت خود را فعال نگه داریم. از دید او، فلسفه برای درک مسئولیت و ساختن زندگی با دیگری است. لویناس می‌گوید پاسخ همهٔ پرسش‌ها را نمی‌توان داد ولی هوشیاری ما را می‌طلبد و اندیشهٔ ما را به نگهبانی وامی‌دارد زیرا ما مسئول هستیم. او از «خوبی» و«نیکی» در اجتماع یک اخلاق می‌سازد و به ما می‌گوید این نیکی را در رابطه با دیگری باید فعال نگه داشت. رابطهٔ بین انسان‌ها، بیان مناسبات نزدیکی، خودبه‌خودی، مهربان، خلاقانه و نامتقارن است و این نقطه‌ای است که بنیاد اخلاق لویناس را معنا می‌بخشد. ما به‌طور دقیق یکسان عمل نمی‌کنیم و یک شیوه در برابر یکدیگر نداریم؛ متفاوت هستیم ولی مسئولیت متقابل داریم.

از دید جامعه‌شناختی، نتیجهٔ فلسفه لویناس کدام است؟ جامعه‌ای که در آن انسان مسئول است و خود رابطه‌ای است با دیگران، دیگرانی که متفاوت‌اند. جامعه‌ای است در جست‌وجوی پیوندها و چهره‌ها و آرامشی که برای زندگی است. اخلاق اجتماعی تکیه‌گاه کنش انسان و جامعه است. این اخلاق اجتماعی برای نفی تلاش نمی‌کند بلکه برای نیکی همسودِ انسان و مسئولیت در قبال تراژدی فعال است. در این اخلاق، انسان‌ها سوژه‌های زنده و کنش‌گر و چهره‌دار هستند

و این اخلاق با بدی‌ها که رابطهٔ انسانی را مضمحل کنند همخوانی ندارند. از دید جامعه، برای این‌که این فلسفه جنبهٔ انتزاعی به خود نگیرد و در میدان اجتماعی دارای مادیت باشد، باید تمام نهادها و سازمان‌دهی عمومی که مناسبات انسان‌ها را تنظیم می‌کنند از آن الهام گیرند. در این میدان، مسئولیت نقش‌آفرینان اجتماعی باید مورد آموزش قرار گیرد و احترام به شخصیت فردی به رفتار همگانی تبدیل شود. پذیرفتن دیگری با تمام تفاوتش و دیگربودگی و آزادگی‌اش پایهٔ حقوق انسانی در جامعه است.

در قرآن به‌طور عمده واژهٔ دین به‌معنای پیرویِ همیشگی و وابستگی و عبودیت در پیشگاه الله است. «آنچه در آسمان و زمین است از آن اوست و دین و اطاعت همیشه مخصوص اوست.» خدای قرآن نه‌تنها خالق بشر بلکه «مالک» است و بشرهم «بنده و برده» هست. خداوند هر کس را که بخواهد در بیراهه می‌گذارد و گمراه می‌کند (سورهٔ النسا، آیهٔ ۱۴۳ و انعام، آیهٔ ۱۲۵) و از همه می‌خواهد تا بت بزرگ «الله» مورد پرستش بی‌چون‌وچرا قرار بگیرد وگرنه گناهکارند. «هر کس با خدا و پیامبر او مخالفت ورزد، آتش جهنم نصیب اوست که جاودانه در آن می‌ماند.» (سورهٔ توبه، آیهٔ ۶۳) «با تعظیم و اجلال بر او سلام گویید و تسلیم شوید.» (سورهٔ احزاب، آیهٔ ۵۶) اصل توحیدی اصل خودکامگی است. قرآن که «کتاب الهی» و به «عربی» است (سورهٔ یوسف، آیهٔ ۱) و اسلام که خاص اعراب است به همه تحمیل می‌شود زیرا همه باید آن را بپذیرند. «شما نمی‌خواهید چیزی جز آن‌چه خدا بخواهد.» (سورهٔ دهر، آیهٔ ۳۰) در سورهٔ حج می‌خوانیم: «برای کافران لباسی از آتش به‌اندازهٔ قامت آن‌ها بریده‌اند و بر سرآنان آب سوزان جهنم ریزند تا پوست بدن‌شان و آن‌چه درون آن‌هاست به آن آب سوزان گداخته شود.»

خودکامگی الهی ـ قرآنی هیچ راهی برای آرامش و آزادی نمی‌گذارد و نیز هنگامی که محمد در مدینه بود به‌عنوان یک سلطان دینیِ مقتدر عمل می‌کند و به انتقام‌جویی و سرکوب‌گری می‌پردازد: «هر کجا مشرکین را یافتید، آن‌ها را بکشید و از شهرهاشان آواره‌شان کنید.» (سورهٔ بقره، آیهٔ ۱۹۱) یا «ای اهل ایمان، سلاح جنگ برگیرید و آنگاه دسته‌دسته و یا همه با هم برای جهاد اقدام کنید.» (سورهٔ نسا، آیهٔ ۷۱) یا منافقین را «هر کجا یافتید، به قتل برسانید.» (سورهٔ نسا، آیهٔ ۸۹) یا «مشرکین را هر کجا یافتید، به قتل برسانید.» (سورهٔ توبه، آیهٔ ۵) یا «موقعی

که با کافران روبه‌رو می‌شوید، آن‌ها را گردن بزنید.» (سورهٔ محمد، آیهٔ ۴) آن‌چه بیان می‌شود بازتاب فضای جنگ و اختلاف میان قبایل محیط عربستان و راهبرد جنگی و اجرای قدرت پیامبر اسلام در برابر رقبای سیاسی است. لحظهٔ تاریخی ـ سیاسی نشان می‌دهد که تحمیل قدرت محمد ساده نبوده بلکه ایجاد تناسب قوا می‌کند تا پیامبر و یارانش با قهر و خشونت امتیاز کسب کنند. همچنین، اسلام فاقد هر گونه بردباری است و گروه‌های «منافق» و «مشرک» و «کافر» که در نهایت امر کلام و موضع محمد را نمی‌پذیرفتند و مخالف او بودند پیوسته تهدید به قتل می‌شدند. در این الگوی دینی، که به‌ویژه معطوف‌به کسب قدرت سیاسی است، اعتراض و انتقاد، چه در اجرای قدرت و حفظ آن و چه پدیده‌های فکری گوناگون و اختلاف و تفاوت دیدگاه در جامعه، تحمل نمی‌شود.

هنگامی که ما دین اسلام را از نگاه روان‌شناسانه و جامعه‌شناختی بررسی می‌کنیم، نمی‌توانیم به اثربخشی آن بی‌توجه باقی بمانیم. حال، بحث بر سر این است که این اثرگذاری در جامعه چگونه است؟ آیا پیام معنوی اسلام آرامش‌دهنده است یا موجب افزایش تنش می‌شود؟ آیا هوشیارکننده است یا هذیان‌برانگیز است؟ برای کسانی که به دین ایمان دارند و فاقد نگاه انتقادی هستند، به‌دلیل بازتولید شرایط ذهنی اعتقادی و خودفریبنده احساس همخوانی و سرمستی می‌کنند، حال آن‌که کسانی که چنین باوری ندارند ناراحت هستند و رنج می‌کشند. همچنین، نیروهای اجتماعی و سیاسیِ مزاحم و استبدادی حاضر یا حاکم در جامعه با اِعمال فشار خود جامعه را در خفگی قرار می‌دهند. فرسایش و نابودیِ پویایی و خمودگی جامعه نتیجهٔ این روندهای فشار و سرکوب و خرافه است. می‌توان این پرسش را مطرح کرد که بازتاب پیام قهری و جنگیِ موجود در چیستیِ اسلام چه نتایجی برای جامعهٔ امروزی به وجود می‌آورد؟ در واقع، دین اسلام از یک سو با تعصب‌گرایی و جبر الهی خود قدرت نوآوری مغزی و روحی را از مسلمان سلب می‌نماید و از سوی دیگر با الگوی رفتار محمدی و روانی خود روان انسان‌ها را آماده می‌کند تا با نابردبارانه‌ترین و خشن‌ترین رفتارها رفتار کنند. فرد در دایرهٔ این نظام دینی نه مختار است، نه آزاد و نه تصمیم‌گیرنده و نه می‌تواند سرنوشت خویش را تغییر بدهد. همه‌چیز از پیش و به‌شکل آسمانی طراحی شده و «قادر مطلق» فقط پذیرندهٔ عبودیت است و فردی که مؤمن نباشد و به این نظام شک کند و مخالفش باشد سزاوار مرگ و آتش جهنم است. دین اسلام یک کلیت سلطه‌گراست و با

خودکامگی خود همه‌چیز و همه‌کس از جمله تودهٔ یکسان و شمشیرکش را پیرو خود می‌خواهد. این پیروی به‌معنای نفی هویت، اندیشه و خودِ فرد است. پیروی از این کلیت نفی چهره‌ها را سبب می‌شود.

از دید جامعه‌شناختی، تسلط اصل اسلام بر قدرت و ذهن به‌مثابه یک کلیت تمام‌گراست و نسبت‌به آن هیچ فاصله و تفاوتی پذیرفتنی نیست. همان‌گونه که محمد در سرکوب رقبای سیاسی خود از کشتار دوری نمی‌کرد و خودکامه بود، پیروان او در قدرت‌های سیاسی معاصر و گروه‌های اسلام‌گرا و تروریستی جهان هم همان الگو را ادامه می‌دهند. همچنین، جایگاه آزادی فردی و اصل انتقاد و منش آزاد در جامعه برای این اصل تاب‌آوردنی نیست. اصل اسلام هرگز نمی‌تواند هوادار حقوق بشر و آزادی فردی باشد. این‌که افراد در اصول قرآنی بازنگری و تفسیرهای ملایم‌تری عرضه کنند نکته‌ای عقلانی است. گروه‌های اجتماعی برای منافع خود و قدرت‌گیری یا حفظ قدرت، تفاسیر گوناگونی عرضه می‌کنند که البته با وجود جنبهٔ نرمش‌پذیریِ آن همیشه مشروط و محدود است ولی در عرصهٔ نظری و دینی و مبانی قرآنی، بینش موجود در آیات در ضدیت با آزادی فرد به سر می‌برد و یک نظم ذهنی خودکامه است. جهان‌بینیِ قرآنی و قواعد مندرج در آن خواهان انسان بنده‌ای در خدمت «الله قادر» هستند. رابطه‌ها در قرآن عمودی‌اند و از بالا به پایین. الله، که در شش روز جهان را آفریده، بر حیات انسان سلطهٔ یک‌جانبه و مطلق دارد و انسان بنده‌ای است که به آستانهٔ او التماس می‌کند. انسان‌ها رابطهٔ افقی ندارند و از یکدیگر بیگانه‌اند. در جامعه، این الگوی «قدسی» عمودی به معنادهندهٔ هستیِ بندگانِ خدا تبدیل شده و تودهٔ بنده فقط توسط رهبر مطلق یا امام و آیت‌الله رهبریِ می‌شود. بنده فرمانبر است و در راستای خواست حق تعالی باید تسلیم باشد و هر چه الله می‌خواهد او هم بخواهد و توجیه‌کننده جنایت نمایندهٔ الله باقی بماند. خوشبختی بنده به مِهر و بخشایندگی الله بی‌رحم یا توجه امامزاده‌هایی اساطیری است که با وساطت نزد الله برایش بهشت را معامله می‌کنند. الگوی جامعه از جهان‌بینی خودکامهٔ الهی سرچشمه می‌گیرد و پویایی زمینی و نقش بازیگران آزاد بی‌معناست. در این الگوی قرآنی فرد خفه می‌شود، حال آن‌که در فضای فلسفهٔ اِمانوئل لویناس او نفس می‌کشد.

ژان پُل سارتر و جهنم

چکیدهٔ نمایشنامه‌ای از ژان پُل سارتر با نام «در بسته» جملهٔ «جهنم دیگران هستند» ارزیابی می‌شود. در این نمایش، که در سال ۱۹۴۴ در سال‌های اشغال پاریس توسط آلمان نوشته شده، سه شخصیت نفرین‌شده در جهنم گرفتار آمده‌اند و هر سه در یک اتاق دربسته هستند. آن‌ها در جهنم و بر اساس پنداشت‌های خود منتظر شکنجه‌گرند اما خیلی زود می‌فهمند که شکنجه‌گری در کار نیست و در واقع خودشان شکنجه گر یکدیگرند. سارتر می‌گوید همگی جهنم همدیگر هستند و هیچ‌یک این را را نفهمیده‌اند.

اگر رابطهٔ من با دیگران ویران شده است، بنابراین دیگران جهنمی بیش نخواهند بود. دیگران آینه‌ای از شخصیت من هستند. در واقع، رابطه‌ای میان شعور و آگاهی من از یک سو و حضور دیگران از سوی دیگر وجود دارد. نگاه دیگران مرا به من می‌فهماند و مرا به اعماق «من» می‌برد. من دیگران را نگاه می‌کنم ولی به‌گفتهٔ سارتر آن‌چه دیده می‌شود نه رنگ چشم‌های دیگری بلکه روح و روان اوست است که بیدرنگ حس می‌شود. آن‌چه نزد دیگری حس می‌شود نه دیگران همچون یک «چیز» بلکه به‌مثابه یک فرد دیده می‌شود زیرا روح و روان در نگاه بیننده ظاهر می‌شود. حال، زمانی که من تنها هستم نمی‌توانم خودم را ببینم بلکه حضور دیگری مرا به درک خود می‌کشاند. دیگری واسطه‌ای است تا من خودم را ببینم. بنابراین، زمانی که مناسبات من با دیگری دشوار و پرنفاق و جدال‌برانگیز است، دیگری جهنم من می‌شود. حال، این جهنم را چه کسی پایان می‌دهد؟ ما بازیگر اصلی هستیم و سرچشمهٔ تغییر مناسبات خودمان هستیم و بنابراین بازیگر آزادی خود هستیم.

دیدگاه ایو میشو دربارهٔ خوش‌نیتی

کتاب تازه‌ای از جامعه‌شناس فرانسوی، ایو میشو با عنوان علیه خوش‌نیتی چاپ شده است. از جمله نکاتی که او در این کتاب مطرح می‌کند این است که خوش‌نیتی و برخورد مهربانانه در مناسبات میان انسان‌ها در جامعه بسیار اساسی است. ادب، خوش‌رویی، مهربانی، نرمش‌پذیری و تاب‌آوری یک کیفیت در مناسبات

انسانی به شمارم می‌آیند ولی چنین‌چیزی در عرصهٔ سیاست و مدیریت جامعه منفی و خطرناک است. در جامعه، افراد با فرهنگ‌ها، دین‌ها و منش‌های فردی و قومی گوناگون زندگی می‌کنند و جامعه باید از شکیبایی و بردباری خود را نشان دهد ولی در یک جامعه که بر پایهٔ ارزش‌های دموکراسی و جمهوری‌خواهی و برابری حقوقی انسان‌ها استوار است، نمی‌توان الگوی اسلامی را دربارهٔ مدیریت سیاسی و زن و ارزش انسانی پذیرفت زیرا این الگو عقب‌مانده و ضد ارزش‌های نوگراست. این الگو خطرناک است و نباید نسبت‌به آن خوش‌نیتی و مهربانی نشان داد. خوش‌نیتی احترام‌انگیز تنها برای تقویت همبستگی‌های اجتماعی انسانی است. زشتی‌ها و بنیادگرایی در ضدیت با استواری مناسبات انسانی سالم است.

ایو میشو برآن است که کیستی‌ها بر پایهٔ قراردادها و قوانین تعریف می‌شوند. جنگ دربارهٔ کیستی بی‌معناست زیرا در چنین حالتی کیستی نتیجهٔ تعصب و هیجان خواهد بود با چاشنی دین، نژاد، خاک، محله، سنت، فوتبال و غیره. در چنین حالتی، احتیاط و دقت و انتقاد لازم است تا طعمهٔ هیجان‌های هویتی نشویم. سیاست‌مدارانی هستند که این‌گونه موضوعات را برای سوداگری به کار می‌برند.

بی‌توجهی به سه عامل مهم ما را به مرحلهٔ مرگ‌باری می‌کشاند:

نخست، بنیادگرایی دینی. اسلام دینی تاریک‌اندیش ونابردبار و نادموکراتیک است. اسلام سنی که در فرانسه جاری است هیچ انتقاد و رابطهٔ خِردگرایی را نمی‌پذیرد و همه‌چیز را موکول به الله می‌کند. ایو میشو می‌گوید برخی ادعا دارند که اسلام بردبار است و اسلام اندلس صلح‌خواه بود. ایو میشو می‌گوید امروز این بردباری کجاست؟ تا زمانی که اسلام اصل جمع‌گرایی، آزادی، دموکراسی و انتقاد از مذهب و خدا را نپذیرد، نمی‌تواند بردبار باشد. در برابر این دین نمی‌توان بردبار بود و سکوت کرد. اصل آزادی فرد است.

دوم، عوام‌گرایی. عوام‌گرایان می‌گویند دیگر صندوق رأی و رهبران «سیستم» مورد اعتمادی نیستند و بنابراین اروپا به درد نمی‌خورد و منافع خودی اصل هستند. عوام‌گرایی راست و چپ وجود دارد و آن‌ها اغلب پیشنهادهای ناواقعی می‌دهند و مردم رَا هیجان‌زده می‌کنند و ایدئولوژی خود را اساس جامعه قرار می‌دهند، حال آن‌که در جامعه قرارداد و توافق لازم است. مردم‌فریبی عوم‌گرایی را نمی‌توان تاب آورد و بنابراین نقد نظام‌مند شعارهای آنان مهم است.

سوم، «واقع‌گراییِ سیاسی» بزرگ‌ترین قربانی واقع‌گرایی سیاسی عامیانه

اخلاق اجتماعی است. مطلب این نیست که باید دارای اصل مسیحی‌گرا باشیم و بر آرمان‌گرایی ناب تأکید کنیم. واقع‌گرایی را نمی‌توان فراموش کرد و نمی‌توان اصل داده‌های واقعی را ندیده گرفت. آرمان‌گراییِ عمل‌گرا وضعیت جهان را می‌بیند، وضعیت جهان هم همکاری است و هم از اختلاف سرشار است. ملت‌ها هم امنیت می‌خواهند و هم خواستار رفاه هستند. واقع‌گراییِ سیاسیِ منطقی که همهٔ دشواری‌ها را می‌بیند و در ضمن به وظایف انسان‌گرایانه توجه دارد باید مورد تأکید باشد. این جنبه از سیاست جهانی به نقض حقوق بشر در چین و کُرهٔ شمالی و غیره توجه خواهد داشت. بنابراین، یک سیاست بردبارانه جهانی باید داشت بدون آن‌که نسبت‌به نقض حقوق بشر بی‌توجهی صورت گیرد.

در «آندولس» اسپانیا چه گذشت؟

سفری به آندولس اسپانیا داشتم. تصرف و خلیفه‌گری مسلمانان در شهرهای آندولس از سال ۷۱۱ میلادی تا پایان قرن پانزدهم را شامل می‌شود. طی این دوران دراز، عرب‌ها و بربرها با دیگر مسلمانان بر برخی شهرها مانند گرونادا و سِویل و کوردوبا حاکمیت داشتند و خلیفه‌گری متمایل‌به بنی‌امیه و دمشق را بر پا کردند. محصول این دوران تسلط اسلامی، ترکیب در معماری و شهرسازی و سنت‌ها و زبان است. آندولس از مسیحیت، بیزانس، یونان، سوریه، ایران، فضای شرقی، اسلامی و اسپانیولی‌های مسلمان نشان بسیار گرفته است. در این سفر بسیار آموختم و متوجه شدم که تصرف عرب در شرق عربستان یعنی ایران برای ایرانیان فاجعه‌انگیز و نابودکننده بوده و یورش اسلام سقوط هولناک ایران‌زمین را رقم زده، حال آن‌که خلفای حاکم بربرتبار در آندولس همزمان با سرکوب مردم تا اندازه‌ای سازندگی داشتند. رنگی که امروز آندولس اسپانیا دارد از فضای فرهنگی شرقی گرفته است. ولی نباید فراموش کرد که با وجود این تاریخ این شهرها در تمدن غربی نفس می‌کشند و مدیریت و امنیت و رفتار شهروندان و ارزش‌های آن‌ها هماهنگ با تمدن و فرهنگ غربی است. نوع شهرسازی، ادب مردم، پاکی شهر، کافه‌های زیبا، خیابان‌های دلپذیر، گل‌کاری‌های شهری و احساس آزادی از جمله جلوه‌های قشنگ در هنگام گردش شهری است. این جلوه‌ها در قاهرهٔ مصر

و پایتخت تونس و باماکو، پایتخت مالی، و کراچیِ پاکستان به چشم نمی‌خورند. آندولس با فرهنگ تمدن غربی است و رفتارهایِ روزمره متأثر از این فرهنگ است. جالب این‌که بسیاری از نام‌های اسپانیایی با «ال» آغاز می‌شوند و احتمالاً این پدیده با زبان عرب که زبان حاکمان دورهٔ اسلامی است بی‌ارتباط نیست. به این جغرافیا که می‌آیید، نمی‌توانید به «ابن رشد» فکر نکنید. این فیلسوف در جست‌وجوی تلفیق دین و فلسفه بود به عقل انسانی وزنهٔ برجسته‌ای می‌بخشد. ابن رشد توسط علمای بزرگ اسلام تکفیر شده بود.

سن میشل پاریس و روشن‌فکران

در کافه «دپار» در بولوار سن میشل پاریس هستم. سن میشل یکی از محله‌های مهم و تاریخی و خاطره‌انگیز پاریس است که در نزدیکی دانشگاه سوربن، کلیسای نوتردام، کاخ دادگستری و رودسن واقع شده. در نزدیکی همین کافه، میدان کوچک «چشمهٔ سن میشل» قرار دارد که محل برگزاری بسیاری از اعتراض‌های اجتماعی و سیاسی است. بسیاری از اعتراض‌های ایرانی‌ها بر ضد حکومت اسلامی همین‌جا شکل گرفته است. یکی از ویژگی‌های تاریخی سن میشل راهپیمایی‌ها و درگیری‌های خشونت‌بار در زمان جنبش ماه مِه ۱۹۶۸ فرانسه است. این جنبش‌اعتراضیِ بی‌سابِقه و طولانیِ دانشجویان و زنان و کارگران فرانِسوی بر ضد دولت شارِل دو گل و برای رسِیدن به جامعه‌ای باز بود. شارل دو گل، که نماد مبارزه با نازیسم بود، این بار توسط شهروندان به‌عنوان رئیسی اقتدارگرا معرفی می‌شد. از جنبش مِه ۶۸ به این سو، جامعهٔ فرانسه تکان خورد و تأثیر خود را به کشورهای دیگر انتقال داد. این بلوار در قلب کارتیه لاتین جای گرفته و فضای این محله با خاطرات بزرگانی مانند ولتر، ویکتورهوگو، ژان ژاک روسو و امیل زولا درهم گره خورده است. در دو قدمیِ اینجا و وقتی که کمی در کوچهٔ «سن آندره دزار» پیش می‌روید از کتاب‌فروشی قدیمیِ ژیبر ژون می‌گذرید و به سالن تئاتر کوچکی می‌رسید که چهل سال بدون وقفه تئاتر اوژن یونسکو را نمایش می‌دهد. کمی دورتر به «کتاب‌فروشی شکسپیر» می‌رسید که فقط کتاب‌های انگلیسی‌زبان می‌فروشد و از سال ۱۹۵۱ دایر شده و ساختمانی بسیار قدیمی

و شگفت‌انگیز و دلپذیر است و فضای گیرایی دارد که شما را جذب خودش می‌کند. کافه‌های سن میشل پر از مشتری‌اند: دانشجو و جوان و گردشگر خارجی. این کافه‌ها بخشی از دورهٔ جوانی مرا در خود دارند. هنگامی که جوان بودم در سال‌های ۷۰ میلادی، پیش از آغاز کلاس درس در دانشگاه سوربن یا پس از کلاس، در همین کافه‌ها با جوانان پرشوری که می‌خواستند انقلاب مارکسیستی کنند گپ‌های پرشوری داشتیم، از انقلاب در دنیا حرف می‌زدیم و سرمایهٔ مارکس را نگاه می‌کردیم. یادم می‌آید یک روز یکی از جوانان پرشور همکلاسم به من گفت: «من عاشق نمی‌شوم، من انقلابی هستم.» آن دوران، دوران انقلابی‌گری، ساده‌لوحی‌های جوانانه و آرزوهای دوردست بود.

من نیز انقلابی مارکسیست بودم و جلوی ورودی سوربن با شور و هیجان گفتگو می‌کردم. انقلاب اکتبر و انقلاب چین و انقلاب چریکی کوبا ما را شوق می‌بخشید. سه کتابفروشی در این محله ادبیات سیاسی چپ را پخش می‌کرد: ماسپرو کتابهای چپ و جهان سومی را می‌فروخت، کتابفروشی نورمن بتون کتال‌های پروپاگاند چین مائو را با قیمت ناچیز می‌فروخت و کتابفروشی نشر سوسیال کتاب‌های شوروی و حزب توده را می‌فروخت. در کافه‌های میدان سوربن همه روشنفکران و دانشجویان چپ و انتقلابی بودند. نوعی فضای ایدئولوژیکی چپ غلبه داشت و روشنفکران راست مرعوب بودند.

اکنون دیگر از آن فضا هیچ خبری نیست. این بار که قهوه می‌نوشیدم، دیگر مارکسیست نبودم. امروز برخلاف گذشته، هر نوع ادبیاتی را می‌خوانم. همین امروز در کافه، مطالعهٔ کتاب جالبی را آغاز کردم: دیالکتیک من و ناخودآگاه نوشتهٔ کارل گوستاو یونگ، روان‌پزشک سوئیسی.

همدلی با خوشبختی

دانشجویی از من پرسید: «خوشبختی یعنی چه؟» گفتم: «ما دلمان می‌خواهد همیشه آزاد باشیم، خوش باشیم و به آرزوهامان برسیم. این خواست‌ها برای بسیاری از مردم جهان پیش‌پا افتاده است ولی رسیدن به آن‌ها آسان نیست. آزادی از دیکتاتورها، خشونت‌ها، نادانی‌ها، آدم‌های حسود و بدجنس، نگرانی‌ها

و تردیدها دشوار است. ما همیشه با این دشواری‌ها روبه‌رو هستیم و این وضعیت به ما اجازه نمی‌دهد تا از زندگی خوب بهره بگیریم. با این حال، من فکر می‌کنم زندگی را باید ساده گرفت و آنجا که آرامش درونی ما مهیاست، آزادی روانی من جا خوش کرده و آنجا خوشبختی من است.» ایدئولوژی‌ها برای مردم خوشبختی تعیین می‌کنند و اغلب تباهی و مرگ به ما می‌دهند، مذاهب خوشبختی را به پس از مرگ موکول می‌کنند و شادی روی زمین را از ما می‌گیرند. یک جامعه باز شرایط مناسب‌تری برای آسایش افراد به وجود می‌آورد ولی خوشبختی پیش از هر چیز یک حالت درونی آرام است. ما بهانه‌های خوبی برای زندگی باید داشته باشیم. کتاب خواندن، گپ زدن، عاشق بودن، فلسفه خواندن، کار هنری کردن، درس دادن، نوشتن، ساحل و دریا را نگاه کردن، گل‌های رنگارنگ را تماشا کردن، آلبوم عکس‌ها را ورق زدن، سلامتی و رشد فرزندان را شاهد بودن، تنها نبودن، خاطره‌های کوچه‌باغ‌های شمیران را به خیابان‌های کارتیه لاتین پاریس پیوند زدن، در کتاب‌خانه کتاب را در دست خود حس کردن، بازار میوه رفتن، با شور برنامهٔ فردا را تنظیم کردن، در حرف‌های شورانگیز درگیر بودن، طاعون آلبر کامو و برگ‌های گاتهای زرتشت و زرق مست آرتور رمبو را خواندن، روان‌کاوی و جامعه‌شناسی را در کنار هم گذاشتن، راجع‌به خوشبختی انسان گپ زدن، با دوستان قهقه زدن و نیز به‌گفتهٔ فردریک نیچه امکان فراموش کردن؛ اگر این‌ها اگر به من آرامش می‌دهند و معنایی برای زندگی‌ام فراهم می‌کنند، بسیار خوب است و خوشبختی همین‌جاست. خوشبختی‌ها یکسان نیستند ولی می‌توانند خیلی ساده باشند. به‌گفتهٔ فروغ فرخزاد: «دست‌هایم را در باغچه می‌کارم/ سبز خواهم شد، می‌دانم، می‌دانم، می‌دانم/ و پرستوها در گودی انگشتان جوهری‌ام/ تخم خواهند گذاشت.»

کافه همینگوی در پاریس

یکی از لحظات خوب در پاریس پرسه زدن در خیابان‌های محلهٔ زندگی و آمدورفت نویسندگان و هنرمندان بزرگ است. در سمت چپ رود سن، بخش روشن‌فکری شهر پاریس است که دربرگیرندهٔ دفتر انتشارات گوناگون، کتاب‌فروشی‌های

رنگارنگ، خانه‌های نویسندگان و رستوران-کافه‌هایی مانند «دوماگو» و «فلور» و «لیپ» و «میشو» است که پاتوق نویسندگانی مانند ژان پُل سارتر، آلبر کامو، آندره برتون، سیمین دوبوار، جیمز جویس، ارنست همینگوی و دیگران بوده‌اند. قصد کردم به یکی از دو کافهٔ «میشو» یا «سن پر» در خیابان‌ژاکوب بروم. این کافه محل غذاخوری و گپ زدن افرادی مانند ارنست همینگوی و جیمز جویس بوده. همینگوی از سال ۱۹۳۹ تا ۱۹۴۵ به‌عنوان خبرنگار جنگی به پاریس آمد. او عاشق این شهر بود و بسیاری از کافه‌های شهر را می‌شناخت. محصول این سال‌ها کتابی با نام پاریس، جشن بی‌کران است که بخشی از خاطره‌ها و یادداشت‌های پاریسی اوست. امروز ساعت چهار بعدازظهر به کافه رسیدم، داخل از مشتری پر بود و خیلی از مشتری‌ها آمریکایی و مشغول غذا خوردن بودند. آن‌ها حتماً به‌خاطر هم‌وطن خود به کافه آمده بودند. من هم گوشه‌ای از کافه، کنار شیشه و پشت به آفتاب، گیر آوردم و با سفارش یک قهوه به ارنست همینگوی فکر کردم. او در سال ۱۹۳۶ از آمریکا به اسپانیا آمد تا از جمهوری‌خواهان در برابر فرانکیسم پشتیبانی کند و نتیجهٔ این کارش کتاب «ناقوس‌ها برای چه کسی به صدا درمی‌آیند» بود. در جنگ دوم با نازی‌ها و همراه با لشکر فرانسه وارد پاریس شد. سپس همینگوی به کوبا و ایتالیا و اسپانیا می‌رود و حاصل این دوران چاپ پیرمرد و دریا در سال ۱۹۵۳ بود. او در ۱۹۵۴ جایزهٔ ادبی نوبل را دریافت کرد و در ژوئیه ۱۹۶۱ با تفنگ خود را کشت. همینگوی در کتاب پاریس، جشن بی‌کران می‌نویسد: «ما عجله داشتیم به رستوران «میشو» برویم و فهرست غذا را بخوانیم. رستوران شلوغ بود و ما بیرون می‌ایستادیم تا کسی بیرون بیاید و ما جایش را در کافه بگیریم. از بس راه رفته بودیم خیلی گرسنه بودیم و این رستوران برای ما گران و عجیب بود. در همین رستوران بود که جویس با خانواده‌اش غذا می‌خورد.»

واژهٔ «قهوه»

امروز برای روزنامه خواندن در پاریس به «کافه پل» رفتم. درخواست یک فنجان قهوه دادم. سپس به این فکر کردم که واژهٔ «قهوه» عربی و به‌معنای «اشتهاآور» است ولی در جایی خوانده بودم که برای برخی از پژوهش‌گران «قهوه»، در اصل، از

واژهٔ «کافا» (kaffa) نام منطقه‌ای در اتیوپی است که مردم آن آشامیدنی ویژه‌ای داشتند که بعدها به کافه یا قهوه معروف می‌شود. قهوه از اتیوپی به یمن، از یمن به خاورمیانه و سپس به آمریکای جنوبی و پس از آن به اروپا می‌رسد. در فکر خود از قهوه به «ارقام» رسیدم که می‌گویند «صفر و ارقام» توسط عرب‌ها کشف شده ولی پژوهش‌گران نشان دادند که این کشف متعلق‌به هندی‌ها یا آسیای جنوب شرقی است. سپس به فکر کتاب کلیله و دمنه افتادم که از دید برخی در قرن هشتم میلادی به عربی تنظیم شده است ولی هنگامی که دقیق‌تر شویم، این کتاب در اصل به زبان سانسکریت پدید آمده و سپس روزبه پوردادویه یا ابن مقفع ایرانی نسخهٔ عربی را از ترجمهٔ فارسی متن سانسکریتی تنظیم کرده است. یادم هست چندی پیش یکی از دانشجویان در دانشگاه به من گفت: «غرب از ما خیلی آموخته؛ ابن سینا یک پزشک عرب بوده است.» به او گفتم: «بیشتر نوشته‌های ابن سینا به عربی نگارش شده ولی ابن سینا ایرانی بوده و اندیشه‌اش او تا اندازه‌ای دور شدن از منطق یک‌سویه و مطلق قرآن است و به همین دلیل او مورد تکفیر قرار گرفت.» تمدن‌ها به یکدیگر یاری می‌رسانند و از هم می‌آموزند. در این زمینه، ارنست رنان می‌نویسد: «جهان از عرب‌ها و اسلام چیزی یاد نگرفته است.» بالأخره فراموش نشود که تاریخ ما ایرانیان شاهد خشونت و ویرانی ناشی از یورش اسلامیِ عرب در ۱۴۰۰ سال پیش بوده است. در این مسیر تاریخی، قرآن و دین اسلام و شیعه‌گری چیز مثبتی به ما نیاموختند بلکه ما را مسخ و از خود بیگانه کردند.

بردگی روانی

ولی فقیه مردمی گَلّه و خدمت‌گزاران برده برای حکومت و نیروهای مخالفی مطیع می‌خواهد. شخص ولی فقیه نمایندهٔ الله و امام روی زمین است و تسلیم همه در برابر او تسلیم در برابر آسمان است. پدیدهٔ پیرویِ مطلق و یا کرنش در برابر قدرت مستلزم ازخودبیگانگی انسان و روحیهٔ اطاعت‌پذیر است. روحیه و روانی که آزادی و استقلال اندیشه را از دست داده و پیروی و راهبرد آن در رفتار او جاافتاده، به جامعهٔ سکوت و یا پَست و حقیر می‌رسد. این پیروی از آخوند و شاه و رهبر سیاسی و مسئول نظامی زشت و شخصیت‌شکن است. در جامعهٔ ما،

شیعه‌گری همچون قلادهٔ محکمی عادات و ناخودآگاه آدمیان را به زیر سلطه گرفته است و پستی و حقارت در رفتار را بازتولید می‌کند. انسان باید بیندیشد و انتقاد کند و همیشه منتقد باشد. جامعهٔ دینی و مصرفی و کمونیستی در پی انسان پژمرده و تسلیم‌شده‌اند. به‌گفتهٔ فیلسوف نامی، کامو، ما محکوم هستیم تا آزاد باشیم. ما با آزادی اندیشه ایستادگی خود را سازمان می‌دهم و روان‌مان را برای درگیری با زشتی به حرکت درمی آوریم. کمونیسم انسان ایدئولوژیک پیرو بروکرات‌ها را می‌خواهد، ایدئولوژی مصرف‌زدگی خواهان مچاله کردن روان انسان و محدود کردن لذت و میل انسان به عمل مصرفی کالا است. قرآن و اسلام بندگی انسان را می‌خواهند و در این دین انسانی که بنده نباشد برای دوزخ خوب است. چرا ایرانیان سرسپردهٔ این دین شدند؟ ما تا زمانی که به این پرسش پاسخ نگوییم و از این فضا خارج نشویم، عقب‌مانده و درمانده باقی خواهیم ماند.

چرا مردم تسلیم اسلام و دستخوش مسخ و ازخودبیگانگی شدند؟ چرا روشن‌فکران دچار خاموشی شدند؟ چرا گفتمان پای‌بند به جداانگاریِ دین از سیاست و انتقادی متوقف شد؟ ما باید به روان‌شناسی و بررسی ساختار روانی افراد و جامعه بپردازیم. روان و ناخودآگاه انسان‌ها در زیر فشار مستقیم و نامستقیم دین، در شرایط تسلیم‌خواهی عمومی، در شرایط پارگی‌های تاریخی و نیز در شرایط استبدادهای گوناگون و قتل عام‌ها، عنصر ایستادگی روانی و فکری سست شد. افزون‌بر آن، بندگی و بردگی روانی با عامل جهان‌بینیِ مقدس ذهن را تابع می‌کنند. بردگی روانی چیست؟ آنجا که روان به «اختیار» می‌پذیرد که سلطه بر او طبیعی است، بردگی روانی واقعیت پیدا می‌کند.

الله بنده می‌خواهد، ارباب نوکر می‌خواهد، استعمارگر برده می‌خواهد، نظام اِستالینی رفیق سرسپرده می‌خواهد، نازیسم اس‌اس‌های وفادار به پیشوا می‌خواهد، مافیا اعضای سرسپردهٔ جانی می‌خواهد، رهبری حزب کمونیست اعضای حرف‌شنو می‌خواهد، ارتش سربازان پیرورِ نظم‌وانضباط می‌خواهد، آیت‌الله خمینی مؤمن امتی می‌خواهد، بازار مصرف‌کننده می‌خواهد، مرد مردسالار زن مطیع می‌خواهد و نظام‌های کوچک و بزرگ سلطه‌خواه نیز انسان مغلوب می‌خواهند. در تمام این زمینه‌ها، مسئله فقط بردگی روان انسان است. اگر انسان کوتاه بیاید و ارادهٔ سلطه‌گر را بپذیرد، به خودمختاری و آزادی خود پایان داده است. ایستادگی توانایی روانی و شناخت می‌خواهد. کسی که زیر فشار مطیع شد

و به خواست خود مطیع شد، به بردگی کشیده می‌شود. نزد فرد نخست، احتمال شورش‌گری وجود دارد، حال آن‌که نفر دوم همیشه برده می‌ماند.

زیگموند فروید بر این باور بود که ضمیر ناخودآگاه ۹۰ درصد و ضمیر خودآگاه انسان ۱۰ درصد ذهن انسان را در برمی‌گیرند. از دید او، بسیاری از بیماری‌ها و نیز دین در ناخودآگاه انسان ریشه دارند و از عقده‌ها و احساس‌های سرکوب‌شدهٔ دوران کودکی مایه می‌گیرند. احساس گناه و خواست پیروی از خدا در کودکی پایه‌گذاری شده است. از نگاه فروید، انسان در زمینهٔ جنسی و ابراز این حس دستخوش دشواری و مشکل است و آن را پس می‌زند و پنهان می‌کند و عقده‌های و احساس فروکوفته را در ضمیر ناخودآگاهش انبار می‌کند. فروید می‌گوید: «دین یک بیماری عصبی جمعی است. کودک بر پدر تکیه می‌کند و بزرگسال به خدا. حال، چون انسان احساس گناه دارد، در نهایت تسلیم خدا می‌شود.» برای زیگموند فروید، دین بسیار خطرناک است زیرا به تقدیس و درست جلوه دادنِ پدیده‌های نادرست و ایجاد احساس‌های نادرست و منفی کمک می‌کند. دین همان باور به یک امر موهوم در ذهن انسان است و مانع رشد فکری و اندیشهٔ انتقادی می‌شود. ممنوعیت اندیشه موجب فقر خِرد در نزد انسان می‌شود. برای فروید، دین عامل عقب‌ماندگی انسان است و اخلاق را بر سست‌ترین پایه قرار می‌دهد زیرا اخلاق مساوی و برابر با اطاعت انگاشته می‌شود و عدم اطاعت از خدا را غیراخلاقی به شمار می‌آید. انسان وابسته‌به دین در ضمیر ناخودآگاه خود از گناه و اطاعت از خدا لبریز است و، به این ترتیب، بردگی از خدا را به‌آسانی می‌پذیرد.

مرگ کاسترو مستبد و درماندگی فکریِ چپ ایرانی

فیدل کاسترو مُرد. او یک تاریخ و تراژدی بود. با آرمان‌های میهن‌پرستانه انقلاب کرد و با کشتار و سرکوب مخالفان و پشتیبانی شوروی، طی شصت سال، حکومت فردی و خانوادگی خود را تضمین کرد. مرگ فیدل کاسترو حکومت اسلامی ایران را متأثر کرد زیرا سران حکومتی مانند خامنه‌ای، یزدی، خاتمی، احمدی‌نژاد، روحانی، حسن خمینی با او دیدار داشتند و به او احترام می‌گذاشتند. با مرگ کاسترو چپ‌های ایران و روشن‌فکران زیادی نیز بسیار متأثر شدند. این نخبگان

ایرانی کاسترو را به‌عنوان یک رهبر بزرگ و سرچشمهٔ الهام معرفی کردند. بنابراین، یک بار دیگر ما شاهد بیماری ایدئولوژیک این چپ و کهنه‌اندیشیِ آن هستیم. وابستگی ذهنی و روانی به اسطوره‌های ایدئولوژیک هویتی آن‌چنان نیرومند است که تاریخ نمی‌تواند به‌آسانی تغییرش دهد.

زمانی که اِستالین مُرد، میلیون‌ها کارگر و کمونیست و روشن‌فکر گریستند، هنگامی که مائو مُرد میلیون‌ها کشاورز و کارگر و افراد چپ مارکسیست ـ لنینیست گریه کردند و امروز نیز با مرگ فیدل کاسترو بخشی از مردم کوبا و سیاسیون و کمونیست‌های جهان اندوهگین هستند. به‌دنبال خبر مرگ کاسترو، رهبر حزب کمونیست چین گفت: «یاورْ کاسترو تا ابد زندگی خواهد کرد.» رهبر روسیه، پوتین، هم گفت: «کاسترو نماد یک دوره از تاریخ نوگراست.» بان کی مون، دبیرکل سازمان ملل، هم گفت: «در زمان زمامداری کاسترو، کوبا در زمینهٔ سوادآموزی و سلامتی و بهداشت پیشرفت کرد.» این‌گونه گفته‌های یک‌جانبه در چارچوب دیپلماسی جهانی درک‌پذیرند و نمی‌توانند بیان‌گر همهٔ واقعیت باشند زیرا دیپلماتیک هستند ولی زمانی که سیاسیون و روشن‌فکران چپ به ستایش الگوی کوبا می‌پردازند، مسئله متفاوت می‌شود. در کنار مواضع حاکمان، شخصیت‌های سیاسی نیروی مخالف چپ در جهان نیز برای کاسترو نوشتند. برای نمونه، در فرانسه رهبر حزب کمونیست و ملانشون، رهبر چپ عوام‌گرا، اندوه خود از مرگ کاسترو را ابراز کردند و در ستایش سیاست و شخصیت او به راهپیمایی عمومی پرداختند. چپ ایران نیز به‌شیوهٔ خود و با احساس عمل کرد و مرگ کاسترو را ضایعهٔ بزرگ ارزیابی کرد.

توده‌های متوهّم و سیاسیون و روشن‌فکران شیفته و ایدئولوژی‌زده برای دیکتاتورها گریه می‌کنند. در نظام اجتماعی، دستگاه ایدئولوژیک حاکم نبود آگاهی خردمندانه و نقادانه در ذهن توده‌ها و بازتولید توهّم‌ها و خرافات کهنه توده‌ها را آماده کرده تا قربانی باقی بمانند. توده‌ها برای هیتلر کف زدند و چشم خود را در برابر کوره‌های آدم‌سوزی بستند و توده‌ها برای خمینی «زنده باد!» گفتند و خود را فدا کردند. تودهٔ خرافه‌زده از ارزش‌های ترقی‌خواهانه دور و در خدمت ارتجاع است و، بنابراین، توهّم و خرافهٔ آنان ارزش مثبتی به شمار نمی‌آید. اما، در کنار توده‌ها، نخبگان سیاسی و روشن‌فکری اسیر ایدئولوژی بسیارند. روشن‌فکران ایرانی که عقل را تعطیل کرده‌اند و خود را در خدمت دین اسلام و توده‌های خرافی

گذاشتند و یا وقف ایدئولوژی خودکامه کرده‌اند هم بی‌شمارند. روشن‌فکرانی که انرژی و آرمان‌خواهی خود را برای تقویت اِستالینیسم و مائوئیسم و کاستریسم به کار گرفتند، طی دهه‌های گذشته نقش زیادی در کج‌روی‌ها ایفا کردند. تجربه ثابت کرده که بیشتر اوقات در سیاست کار با آرمان‌خواهی و صداقت آغاز می‌شود و سپس به بروکراسی و جنایت و سرکوب منجر می‌شود. آیا آرمان‌خواهی و صداقت برابر با عدالت‌جویی و ترقی‌خواهی و احترام به ارزش‌های انسانی است؟ هرگز! هیتلر و اِستالین هم آرمان خود را برای یک جامعهٔ جدید داشتند، یکی جامعه پاکِ متکی بر فرمان‌روایی نژاد برتر و دیگری جامعهٔ خوشبخت و به دور از استثمار متکی‌بر دیکتاتوری پرولتاریا. هر دو هم بشریت را قتل عام کردند. مأموران و فرماندهان و جاسوسان آن‌ها هم با دل و جان و با صداقت برای جانیان فعالیت کردند.

در ایران همهٔ نخبگان و جزم‌اندیش‌های شیعه، آخوند و نواندیش، هوادار استعمار عرب هستند و هرگز هوادار برابری حقوق انسان‌ها نبوده‌اند زیرا تبعیض نسبت‌به انسان‌ها و برتر دانستن مسلمانِ مؤمن پایهٔ جهان‌بینیِ اسلامی است. این نخبگان فاشیسم اسلام را به‌عنوان راه نجات معرفی کردند و همیشه تلاش کردند تا از خودبیگانگی ایرانیان ادامه یابد. از سوی دیگر کمونیست‌های هوادار مسکو و پکن و کاستریست‌ها و گواریست‌ها نیز غرق در حکایت یک طبقهٔ کارگر غیبی و افسانه‌ای بودند و به هر مخالف سیاسی و یا هر عنصر ناکارگری شک کردند و با داس طبقهٔ برتر بر فرق طبقه‌های ناکارگری و بورژوا زدند. اِستالین روشن‌فکران و مخالفان خط مشی حزبش را به‌عنوان بیمار روانی به سیبری فرستاد و آن‌ها را با کار اجباری و سرما و پلیس مخفی کُشت و همهٔ کمونیست‌های جهان و از جمله حزب توده و گروه‌های مارکسیست ایرانیِ مخالف حزب توده نیز گفتند این افراد دشمنان طبقاتی بوده‌اند و یاورْ اِستالین حق داشته است. همین روحیهٔ کرنش و ایدئولوژیک و متمایل‌به جنایت و استبداگرا امروز هم ادامه دارد و تجلی تازهٔ خود را در واکنش به مرگ کاسترو نشان می‌دهد.

پس از مرگ دیکتاتور در مقالات و پیام‌های فیس‌بوکی، سیاسیون چپ ایرانی با شور و احساس از رفیق کاسترو سخن می‌گویند و به ستایش او می‌پردازند. آنها میگویند کاسترو «یک رهبر بزرگ و ضد امپریالیسم» آمریکا بود و بهداشت و مدرسه را ملی و رایگان و دست آمریکایی‌ها و بورژواهای کوبایی را از سر ملت

قطع کرد و دستاردهای بزرگی را معماری کرد. آیا چنین بود؟ روشن است که این حق همهٔ ملت‌هاست که خود را از زیر استعمار و سلطهٔ قدرت خارجی درآورند و بر سرنوشت خویش حاکم شوند. آمریکا در سال‌های ۶۰ و ۷۰ میلادی با کمک سیا و نظامیان آمریکای لاتین را به قارهٔ کودتا و پیمان‌های اقتصادی تبدیل کرد. در این سال‌ها، برای آمریکا حفظ کوبای وابسته و مطیع در چارچوب این راهبرد بوده است.

پس از واژگونی رژیم باتیستا در سال ۱۹۵۹ و پس از تسویه‌حساب خونین با مخالفان و جناح‌های داخلی و کشتار ۳۰۰۰ نفر، کاسترو در سال ۱۹۶۵ نظام تک‌حزبی کمونیستی را حاکم و قدرت استبدادی‌اش را طی ۶۰ سال بر کوبا مستولی کرد. کوبا آزاد نیست؛ زیر فشار سیاسی، مردمان بسیاری مجبور به ترک میهن خود می‌شوند و روشن‌فکران و نویسندگان بی‌شماری به زندان می‌افتند. رژیم تعداد روزنامه‌ها را به‌شدت کاهش می‌دهد و امروز فقط دو روزنامهٔ کنترل‌شده توسط دولت موجود است. بر اساس گزارش‌گران بدون مرز در سال ۲۰۱۲، کوبا دومین کشور در جهان است که بیشترین روزنامه‌نگاران خود را به زندان می‌افکند. به‌خاطر سرکوب و زندان، سطح فرهنگی پایین مانده و امروز از ۱۹۵ سالن فقط ۲۰ سالن سینما باقی مانده است. در کشور یاورْ کاسترو فن‌آوری انترنت ممنوع است و جوانان و روشن‌فکران از این امکان اطلاعاتی نوین محروم هستند. اقتصاد کوبا یک اقتصاد واپس‌گرای مولدگراست که ۴۲ درصدش متکی‌بر گردش‌گری است و بقیه در استخراج معدن نیکل و نفت و تولید تنباکو و سیگار خلاصه می‌شود. در کشور یاورْ کاسترو، جوانان بسیاری بی‌کار هستند و آرزوی رفتن به آمریکا را دارند. در کوبای کاسترو، محیط زیست ویران می‌شود و فساد گسترده است. در کوبای انقلابی، یاورْ کاسترو بلوز ورزشی «آدیداس» می‌پوشد و مانند مانکن تبلیغاتی در برابر رسانه‌های دیداری ظاهر می‌شود. در کوبای سوسیالیستی، هنگامی که یاورْ کاسترو به‌شدت بیمار شد و به‌ناچار فعالیت دولتی خود را کاهش داد، از یاد نبرد که کنترل حزب کمونیست را در دست داشته باشد. فیدل کاسترو انقلابی از زمان کناره‌گیری از مسئولیت دولتی، برادرش «رائول» را در رأس دولت قرار داد و پسران خود را آماده کرد تا پس از مرگ، قدرت سیاسی را در دست خانواده باقی نگه دارند. خلاصه کنیم: رژیم فیدل کاسترو از فردای انقلاب ریشوها، یک رژیم سرکوب‌گر نظامی است و در برابر دموکراسی و حقوق

بشر قرار گرفته است. آرمان‌خواهی آغازینِ کاستریست‌ها هرگز نمی‌تواند کارنامهٔ سیاه او را پاک کند.

باید ازخود پرسید در طول عمر رژیم کوبا، چه جنبه‌ای دلپذیر و مترقی است؟ بی‌درنگ، مبلّغان ایدئولوژیک این رژیم از سیاست و آموزش و بهداشت سخن خواهند گفت. چند نکته را باید یادآوری کرد. نکتهٔ نخست آن‌که از عمر این رژیم شصت سال می‌گذرد و به‌طور کلی شگفت‌انگیز نیست که مدرسه و دانشگاه رایگان و ایدئولوژیک باشد. همهٔ کشورهای سرمایه‌داری از دیرباز به این ویژگی‌ها دست یافته‌اند. کشورهای شمال اروپا و اقتصاد و تعادل اجتماعی و سطح فرهنگی چشمگیرشان را فراموش نکنید. پس از جنگ و جدایی دو کُره در سال ۱۹۵۰ میلادی، کُرهٔ شمالی به‌سوی بدبختی و دیکتاتوری و بردگی سوسیالیستی رفت و کُرهٔ جنوبی به‌سوی دموکراسی و صنعت و اقتصاد سرمایه‌داری. در کُرهٔ جنوبی رشد اقتصادی با نرخ ۵ درصد است، قدرت خرید مردم و رفاه عمومی و وضع بهداشت در سطح بالایی قرار دارد، سوادآموزی بیش از ۹۷ درصد را پوشش می‌دهد و این کشور به‌اعتبار مدیریت اقتصادی دوازدهمین کشور صنعتی جهان است. الجزایر پس از مبارزه با استعمار فرانسه در سال ۱۹۶۲ به استقلال رسید و از آن زمان تا امروز با حاکمیت یک گروه از نظامیان و بروکرات‌های مستبد و فاسد و مردسالار و با چپاول منابع هنگفتِ نفت و گاز، در عقب‌ماندگی و فلاکت و بی‌سوادی و تعصب اسلامی و استبداد غوطه‌ور است. در رژیم کاسترو هیچ‌چیز دلپذیری وجود ندارد و هرگز کاسترو نمی‌تواند قهرمان مثبتی باشد.

در دههٔ ۱۹۶۰ میلادی، الگوی کوبا و الجزایر الهام‌بخش بسیاری از سیاسیون ملی‌گرا و ضدآمریکایی و ضدغربی شد و این نخبگان با فرهنگ سیاسی غیردموکراتیک شیفتهٔ رهبران جهان‌سومی مانند فیدل کاسترو و بومدین شدند و الگوی التقاطیِ سوسیالیستی ـ ناسیونالیستی و دیکتاتوری‌منشانه را قطب‌نمای خود کردند. بسیاری از نخبگان روشن‌فکری و سیاسی ایرانی در برابر استبداد شاه و ساواک استبداد کاستریستیِ اِستالینیستی ـ اسلامیستی را راه نجات می‌دانستند. ما نمی‌توانیم ارزش دموکراسی و حقوق بشر را درک کنیم و با وجود انتقاد به نظام اقتصاد بازار از استبداد مزمن سیاسی و ایدئولوژیک جهان‌سومی دور باشیم. تمام سازمان‌های سیاسی نیروهای مخالف و چپ با احترام و ستایش از الگوی کوبا پشتیبانی کردند. شیفتگی روشن‌فکران و سیاسیون ایرانی نسبت‌به کاسترو ژرف

بود زیرا ساختار ذهنی و فکری آنان استبدادگرا بود و کوته‌بینیِ ایدئولوژیک توده ایستی و بی‌سوادی فرهنگی پایهٔ نگرش آنان را تشکیل می‌داد. این زمینهٔ تاریخی امروز هم باقدرت تأثیر می‌گذارد و عمل می‌کند. مرگ کاسترو لحظه‌ای است که دوباره و به‌طور برجسته تمام عقب‌ماندگی و استبدادگرایی ذهنیت روشن‌فکران چپ را به نمایش بگذارد. مقالات و پیام‌های منتشرشده دربارهٔ مرگ فیدل کاسترو با اشتیاق از شخصیت کاسترو و دستاوردهای انقلاب کوبا سخن می‌گویند، از الگوی برتر «سوادآموزی و بهداشت عمومی» کوبا حرف می‌زنند و گاه برخی «نارسایی»های الگوی کاستریستی را یادآور می‌شوند ولی همهٔ آن‌ها دل در گرو مِهر کاسترو دارند و الگوی سیاسی و احساسی و هیجانی و ایدئولوژیک آن‌ها با کاستریسم همسوییِ ژرفی دارد.

خوشبختانه، روشن‌فکران و سیاسیون زیادی از خودکامگیِ مزمن و خطرناک فاصله گرفته و هوادار آزادی و دموکراسی شده‌اند و الگوی کُمونیسم شوروی و مائویستی و کاستریستی و تروتسکیستی و توده‌ای و گواریسم را به نقد کشانده‌اند ولی افراد درمانده و ایدئولوژی‌زده بسیارند. از یک سو، اشخاص زیادی هستند که بین دو خط ایستاده‌اند و به « یاورْ فیدل»، « یاورْ استالین»، « یاورْ لنین» انتقاداتی دارند ولی از دید آنان این «یاوران» بانی «دستاوردهای» زیادی هستند و از سوی دیگر افراد فراوانی هم هستند که به‌طور قاطع و پایدار «مِهر و وفاداری» خود را به ایدئولوژی‌های دموکراتیک‌ستیز حفظ کرده‌اند. وابستگی ایدئولوژیک به خودکامگی‌های گوناگون ریشه در تربیت فکری و اسطوره‌های ذهنی و ساختارهای ناخودآگاه و دین‌خویی افراد دارد. بسیاری از این افراد همان کسانی‌اند که نمی‌توانند به دین اسلام و قرآن و «مذهب توده» انتقاد کنند و دستخوش توهّم‌ها و احساساتی هستند که به فلج کردن ذهن خِردگرا منجر می‌شود. این افراد دارای ذهنی هستند که با فرهنگ دموکراتیک و روحیهٔ آزادمنش آشنا نیست و در بند هنجارها و ضوابط مقدس‌اند. این ذهن در کارکرد خود پدیده‌ها را از پیش و بر اساس معیار ایدئولوژیک به «خوب و بد»، «پاک و ناپاک»، «برتر و پست»، «مقدس و نامقدس»، «پرولتر و ناپرولتر»، «مارکسیست و ضدمارکسیست»، «چپ خوب و راست بد» تبدیل می‌کند و قدرت پژوهشی و علمی خود را از داده است. چپ ایرانی همان نیروی سنتی باقی مانده و فکر می‌کند که انتقاد سطحی بر سرمایه‌داری معادل برتری الگوی ایدئولوژیک سوسیالیسم آن‌هاست. البته

بحران‌های جهانی «اقتصاد سوسیالیستی» و فروپاشی آن در چین و بلوک شوروی تزلزل‌هایی به وجود آورد ولی در الگوی ذهنی این سیاسیون ایدئولوژیک باور به سوسیالیسم همچنان پابرجاست. سوسیالیسم آن‌ها بی‌شاخ‌ودُم است و معلوم نیست چه اقتصاد و کدام شیوهٔ رشد را می‌خواهد. این الگو شخصی و پادرهواست ولی با قدرت تمام ذهن آن‌ها را شکل داده و باورهای قدسی‌شان را جهت می‌دهد. این باورهای قدسی و خشک در بهترین حالت به استبداد دیگری ختم می‌شود زیرا در بطن خود نفی حقوق بشر و جمع‌گرایی و آزادی کامل اندیشه است. این باورهای قدسی یاور دین و خرافه‌اند و در تضاد با الگوی اقتصادی و اجتماعی متکی‌بر زیست‌بوم هستند.

این چپ سنتی برای مرگ کاسترو، یک دیکتاتور و عوام‌فریب، گریه می‌کند و متأسف می‌شود ولی همین چپ برای هزاران کوبایی که برای آزادی‌خواهی در زندان هستند، شکنجه شده‌اند، سانسور می‌شوند و یا از سرزمین خود دورافتاده‌اند احساسی ندارد. به‌طور مسلم، تاریخ را باید به‌طرز علمی مطالعه کرد و انقلاب کاستریستی و اثرات آن را را هم بدون محک ایدئولوژیک مورد توجه قرار داد ولی با متانت و قاطعیت باید گفت که الگوی کاستریسم یک خودکامگیِ عوام‌فریب، یک فاجعهٔ دیگر در تاریخ بشریت است. روشن‌فکران چپ ایرانیِ بسیاری هستند که حاملین همین الگو هستند.

کیستیِ ملی

روزی در دانشگاه یکی از دانشجویان پرسید: «با وجود جمعیت خارجی‌تبار در فرانسه، چگونه باید کیستیِ ملت را تعریف کنیم؟» گفتم: «ملت با تاریخ، فرهنگ، حافظه، اسطوره، نماد، افسانه، ادبیات، عطر غذا، سنت‌های مردمی، زبان، دولت، بازار، قوانین، پروژهٔ امروز و فردا، احساس نزدیکی به یکدیگر و یک فضای جغرافیایی و سیاسی معنا پیدا می‌کند. تعریف ملیت در فرانسه بر پایهٔ خون و نژاد نیست بلکه بر پایهٔ به دنیا آمدنِ شما در دل این مجموعه عوامل است و این‌که شما تمایل و اراده دارید که جزوی از این ملت باشید یا نه. قانون و فرهنگ فرانسه درها را می‌گشایند ولی آیا شما احساس مشترک دارید و می‌خواهید، در

عین تفاوت‌ها، هم‌سرنوشت و هم‌درد باشید یا نه. فرانسه جامعهٔ بردباری است و تفاوت‌ها را در دل خود می‌پذیرد و به‌آسانی می‌توان با ویژگی خود در آن زندگی کرد و جزو ملت بود ولی کسانی هستند که روی کاغذ فرانسوی شده‌اند و در دل و احساس خود بیگانه‌اند. این حالت یا ناشی از پریشانی است یا نبود صداقت.»

ملت‌ها در طول تاریخ با آمیزش‌ها ساخته‌وپرداخته شده‌اند و، در ضمن، دارای یک شخصیت و روح عمومی هستند. اعضا از راه‌های گوناگون آمده‌اند و با خود رشته‌هایی ساخته‌اند و برای اینده می‌خواهند با هم باشند و پروژه مشترک بسازند. هویت سیال است ولی مفهومی خالی نیست. تاریخ اجزا هویت را کنار هم می‌چیند و به آن قدرت تغییر نیز می‌دهد. عناصر درونی و عوامل بیرونی ترکیب را جابجا می‌کند. هویت ما ایرانی‌ها در طول تاریخ تغییر کرده ولی در ضمن تاریخ و حافظه و زبان و آرزو و دشواری‌های ویژه ما مانده و دلمان می‌خواهد کاری کنیم و جامعه را از سیه روزی بدرآوریم. با مفهوم هویت باید با معیار تاریخی و فرهنگی و اجتماعی نگاه کرد. کمونیست‌ها و اسلام‌گرایان ضد هویت بوده و از زاویه‌ای ایدئولوژیک و اسلامی علیه آن می‌شورند. حال آنکه دشمنی و جنگ علیه هویت که یک مقوله جامعه‌شناختی و فرهنگی است، بیان نادانی است.

روشن است که هویت ملی در چارچوب یک سلسله قوانین اجباری پرداخت می‌گردد. در طول تاریخ، سیاست‌های اقتدارگرایانهٔ حکومتی نیز در جمع کردن اجزا نقش ایفا کرده‌اند. روند ساخته شدنِ ملت فرانسه با پادشاهان مقتدر همراه بوده است. ملت چین از دیکتاتوری مائو و اقتدارگرایی سیاسی جدا نیست. ملت روس هم از تزاریسم و اقتدار کلیسا دور نبوده است. ملت ایران نیز در روند شکل‌گیری خود با امپراتوری شاهنشاهی و دولت‌های اقتدارگرا مانند حکومت رضا شاه درهم آمیخته است. ملت از اقوام و گروه‌بندی‌ها شکل گرفته ولی خود به کلیت جدید ارتقا می‌یابد. این کلیت با تضاد و گوناگونی درونی برخوردار است ولی خود دارای پیوندهای کلان ویژه است. حتی یک قوم که می‌تواند از نگاه جامعه‌شناختی ترکیب ساده‌تری داشته باشد و همگون‌تر به چشم بیاید از تفاوت‌ها و تضاد درونی برکنار نیست. داریوش آشوری می‌گوید: «هویت یکپارچهٔ جمعی را بیشتر در میان قومیت‌ها باید جست. قوم‌ها اغلب دارای زبان و مذهب و حافظهٔ جمعی یگانه و چه‌بسا نژاد یگانه‌اند اما ملت‌ها به‌معنای نوگرا کلمه ترکیبی هستند از قومیت‌ها. در جهان، جز در برخی کشورهای بسیار کوچک، به

نظر نمی‌رسد که ملتی وجود داشته باشد که تنها از یک قومیت تشکیل شده باشد. ملت‌ها مجموعه‌های انسانی‌ای هستند که در قلمرو جغرافیایی معین در زیر فرمان فرمایی یا حاکمیت یک دولت به سر می‌برند.» (برگ ۲۵۳، پرسه‌ها و پرسش‌ها، آگه ۱۳۸۹). از دید من، ملت لبنان دارای پنج میلیون جمعیت است ولی یک ملت چهل‌تکه است، حال آن‌که ملت فرانسه ۶۵ میلیون جمعیت دارد و با وجود گرایش ملی‌گرای کرس‌ها یک ملت پایدار است. بسیاری از ملت‌های نوگرای امروز ساختار قومی خود را از دست داده‌اند و یک جمعیت فراقومی شده‌اند و جنبه‌های قومی به ردپای ذهنی و خیالی تبدیل شده‌اند و فاقد مادیت جامعه‌شناختی هستند.

داریوش آشوری می‌گوید: «پروژهٔ ملت‌سازی در ایران با انقلاب مشروطیت رسمیت یافت ولی این روند که با دولت رضا شاه پیش می‌رفت در جنگ دوم جهانی باز ایستاد و در زمانی دیگر دوباره با انقلاب ۵۷ متوقف شد.» او برآن است که در ایران پدیدهٔ ملت و دولت ملی به‌درستی پدیده نیامده است. شاید این برداشت نوعی مطلق‌گرایی باشد زیرا داریوش آشوری ملت‌سازی ژاپن را در نظر دارد. استحکام ملی در کشورهای گوناگون همیشه یکسان نیست و ما باید درک از ملی‌گرایی را در گوناگونیِ آن ببینیم. در فرانسه، که یک کشور قدرتمند است، در جنگ جهانی دوم دولت ویشی و بخش مهم ارتس و بروکراسی به منافع ملی پشت کردند و با هیتلر ساختند. این پیشامدهای منفی و ضدملی همچون شکنندگی‌ها و نارسایی‌ها و گنداب‌های درونی ملت‌هاست ولی مفهوم ملت گسترده‌تر و پایدارتر است و از یک فرهنگ همزیستی تاریخی حکایت می‌کند.

دایوش آشوری به‌درستی می‌گوید: «با روی کار آمدن جمهوری اسلامی ما با ایدئولوژی ملی روبه‌رو نیستیم. حاکمان جدید از امت اسلامی حرف می‌زنند اما دولت جدید در امت‌سازی کامیاب نشد.» (همان، برگ ۲۶۶) درست است که انقلاب اسلامی یک عامل منفی در گفتمان ملی‌گرایی و احساس و عاطفهٔ ملی‌گرا است ولی ملتی که روند ملت‌سازی کلاسیک را دنبال نکرده نابود نمی‌شود. گفتمان امت اسلامی شکست خورده و به‌طور مسلم یکی از دلایل شکستش واقعیت ملی‌گرایی و پدیدهٔ ملت ایران است. ملت‌گرایی در ایران جنبهٔ شیعه‌گری را با خود دارد ولی کیستیِ ملی به این جنبهٔ ایدئولوژیک خلاصه نمی‌شود. شکل‌گیری ملت‌ها همه جا یکسان نیست و برآمد ملت‌گرایی در ایران به دوران هخامنشیان برمی‌گردد. در طول تاریخ، این ملت دستخوش پیچش‌ها و افت‌وخیز و بحران‌های

گوناگون شده است. تبلور این ملت‌گرایی گاه پررنگ و گاه بی‌زور بوده است. دیدگاه آشوری این اندیشه را القا می‌کند که ملت ایران ناپدید شده است. همهٔ روندهای تاریخی و فرهنگی و زبانی و عواملی مانند دولت و جغرافیا و حافظه در ساختار ملت ایران وجود دارند. ارادهٔ حاکمان شیعه بر ایران متکی‌بر اسلام‌گرایی است ولی در پایین و در سطح جامعه تمایل‌به «خود باقی ماندن» ادامه داشته است. کیستیِ این ملت آسیب دیده است. اسلام این کیستی را به ازخودبیگانگی کشانده است. ما ملتی آسیب‌دیده هستیم ولی ملت ما همچنان حضور دارد.

نظریهٔ علمی و روان دین‌گرا

هنگام تدریس مبحثی دربارهٔ جامعه‌شناسی و رابطهٔ آن با اقتصاد، دانشجوی عرب‌تبار گفت: «چرا استادان دربارهٔ چارلز داروین صحبت می‌کنند و از تئوری او حرف می‌زنند؟» من هم گفتم: «اِشکالش کجاست؟» گفت: «نظریهٔ داروین رد شده و مخالف دین است.» پرسیدم: «دین شما رد نشده؟» او هم گفت: «دین ما محکم است.» با پاسخ او متوجه می‌شویم که او دارای فکری بسته و متعصب است. به او گفتم: «آموزش در فرانسه بر پایهٔ معیارهای علمی، تجربی، تاریخی و فرهنگی و مبتنی‌بر اصول جداانگاری دین از سیاست است. ایمان به دین و ناباوری آزاد است ولی آموزش باید به پیشرفت دانش توجه کند و دین نباید در آموزش شهروندان در چهارچوب مدارس و دانشگاه‌ها مداخله کند.» او هم گفت: «من داروین را دوست ندارم و می‌خواهم آن را تخریب کنم.» من هم در پاسخ او گفتم: «از آنجا که شما نادان و خرافاتی هستید، آموزش جوانان باید همیشه بر پایهٔ علم باشد تا زمینه‌های اعتقاد داعشی و جزم‌اندیشانه در جامعه مورد مبارزه فکری و فرهنگی قرار گیرد. شما خودتان نمی‌دانید ولی طعمهٔ نادانی و خرافه‌پرستی هستید.» سپس از او پرسیدم که آیا کتاب داروین را خوانده و حتی مقاله‌ای علمی در این زمینه مطالعه کرده یا نه. روشن است که واکنش او نشان باور دینیِ جزمی‌اش بود.

در ارزیابی از چنین ذهنیتی این پرسش پیش می‌آید که ریشهٔ این پرورش فکری در کجاست و چگونه روان آدمی اسیر باورهای جادویی و خرافی باقی

می‌ماند؟ نقش خانواده و دین و مدرسه در ایجاد ساختار جزمی چیست؟ چگونه انسان قدرت اندیشیدن را از دست می‌دهد. اگر ذهن آدمی با تنبلی و عدم دقت و نبود پرسشگری و تقدس دینی رشد کرده باشد و در نوعی آسایش‌خواهیِ روانی و رفتاری گرفتار باشد، به بیماری تنبلیِ حافظه گرفتار شده و توان اندیشیدن را از دست می‌دهد.

کم‌توانی یا واپس‌گراییِ ذهنی اختلالی است که با عملکرد هوشیِ زیر حد طبیعی و اختلال در مهارت‌های انطباقی مشخص می‌شود. البته کم‌توانی ذهنی می‌تواند زیستی و ارثی و نتیجهٔ تغییرات ژنیتیک و کروموزونی باشد. در اینجا منظور من این نوع کم‌توانی ارثی نیست، منظورم کم‌توانی ناشی از محیط فرهنگی و جزم‌اندیشیِ دینی و محرومیت‌های اجتماعی و جنسی است. در این ذهن تحریک‌پذیری ترس و تنش پنهانی و انگیزه‌های روان‌کاوانهٔ نفی شخصیت وارد عمل می‌شوند و ذهنْ مهارت یادگیری را محدود می‌کند و از شکوفایی باز می‌دارد. یک ذهن مذهبی عملکرد روشن‌فکری را در خود فلج و قدرت کلامی را ناتوان می‌کند و به ساده‌لوحی و شعبده‌گرایی روی می‌آورد.

محاکمهٔ شارلی ابدو و آزادی نقد دین در فرانسه

در سال ۲۰۰۷ در دادگاهی در پاریس، محاکمهٔ شارلی ابدو انجام گرفت. در سالگرد این دادگاه روزنامه‌ها می‌نویسند که چگونه مرتجعان اسلامی به‌خاطر چاپ چند فکاهی از محمد و اسلام شورش به پا می‌کنند و من هم به صدها دانشجوی خود این رویداد را یادآوری می‌کنم. بسیاری از همکاران فرانسوی هراس دارند و در برابر دانشجویان عربِ مسلمان سکوت می‌کنند ولی من برای حقیقت‌گویی و پرداخت یک آموزش پای‌بند به جداانگاریِ دین از سیاست به گفتارم در این زمینه ادامه می‌دهم. حقیقت‌گویی جسارت می‌خواهد و اگر می‌خواهید روشن‌فکر باشید، باید جسارت گفتن حقیقت را داشته باشید. من در این دادگاه حاضر بودم. محافل و احزاب اسلام‌گرا به‌دنبال چاپ طرح‌های محمد در پی محکوم کردنِ نشریهٔ طنز شارلی ابدو بودند. هنگامی که من در انتظار بازشدن درهای سالن دادگاه بودم، جمعیت زیادی حاضر بود زیرا جامعهٔ فرانسه ملتهب و

از رأی دادگاه نگران بود. در دل امید داشتم و به دادگاه رفته بودم تا اگر دادگاه شاهدی به‌سود نشریه بخواهد من حاضر باشم. می‌خواستم پیروزی نشریه را با چشمان خودم ببینم. در پایان، دادگاه رأی به برائت شارلی ابدو داد و رئیس دادگاه اعلان کرد در فرانسه نقد دین به‌طور عموم و نقد اسلام و پیامبرش آزاد است. او گفت این طرح‌های طنزآلود توهین به یک فرد مسلمان نیست بلکه بیان آزادی اندیشه و انتقاد است. تصمیم دادگاه درست بود. شما ممکن است این هنر یا آن طرح را دوست نداشته باشید ولی هنرمند و اندیشمند باید آزاد باشد. مبارزه برای آزادی و جداانگاری دین از سیاست بیهوده نیست؛ ما باید کارمان را ادامه دهیم. شرافت انسان در آزاد زیستن است. ما چگونه جامعه‌ای برای فردا می‌خواهیم؟ آیا جامعه‌ای مانند جامعهٔ عربستان، ایران اسلامی، چین، سومالی، کُرهٔ شمالی و پاکستان آرزوی ماست؟ جوامعی مانند فرانسه و هلند و ایتالیا و سوئد و آمریکا و اتریش، باوجود نارسایی‌ها و آسیب‌ها، بهترین رژیم‌ها را دارند. رفاه عمومی، امید به زندگی بالا، آموزش پیشرفته و پای‌بند به جداانگاریِ دین از سیاست، پارلمان، رأی آزاد و انتقاد همه‌جانبه از ویژگی‌های مهم این جوامع‌اند. آزادی از عدالت بهتر است و در این کشورها آزادی و رفاه عمومی وجود دارد. روح شارلی ابدو در این کشورها زنده است و نفس می‌کشد، حال آن‌که در کشورهای ظلم و استبداد و سانسور، نقد علمی و طنز سیاسی و انتقاد بر قرآن و فقه رایج است.

یک شماره از هفته‌نامهٔ فرانسوی شارلی ابدو در انتقاد به اسلام به طنز نوشت: «اسلام دین صلح جاودانه» و کاریکاتور همراهش هم نشان می‌دهد که این «صلح» بر روی جسد قربانیان تروریسم اسلامی قرار گرفته است. تروریسم اسلامی به‌مثابه یک رویداد هولناک مرتب تکرار می‌شود، جامعهٔ غربی ایستادگی می‌کند ولی کنترل خود را از دست نمی‌دهد. تروریست‌ها خواهان ایجاد ناآرامی هستند تا تمدن غرب واژگون و خلافت اسلامی برقرار شود، همان‌گونه که در قرآن آمده باید کفار را کشت و داعشیان هم عین آیهٔ قرآنی را اجرا می‌کنند. فرانسه، آلمان، بلژیک، اسپانیا، هلند و بسیاری کشورهای دیگر جهان میدان عملکرد تروریسم‌اند، طاعونی که خاموش نخواهد شد. یادمان باشد که قدرت عادت ما را بی‌حس نکند. همیشه حساسیت خود را در برابر تعصب و تاریک‌اندیشی تازه نگه داریم. تروریسم ناشی از فقر اقتصادی نیست بلکه ریشه در ایدئولوژی اسلامی و منافع پیچیدهٔ قدرت‌های محلی و جهانی دارد.

این نشریهٔ فرانسوی به همهٔ ادیان انتقاد آشکار دارد و نقد آن به اسلام و قرآن و تروریست‌های اسلامی صریح است. این نشریه تجلی تاریخ و دموکراسی و دوران روشن‌گری و قانون جداانگاری دین از سیاست در فرانسه است. هنرمند و قلم و خلاقیت هنری آزادند. تلاش روزنامه‌نگاران و طراحان شارلی همیشه مورد حمله بنیادگرایان اسلامی بوده است. نواندیشان دینی و بسیاری از چپ‌های ایرانی و سیاسیون فرصت‌خواه این‌گونه کارها را لعنت می‌کنند. آن‌ها به‌شکل مستقیم و نامستقیم در جهت حفظ اسلام تلاش می‌کنند. ایرانیان آزادی‌خواه باید از آزادی نشریات بدون قیدوشرط پشتیبانی کنند ولو این‌که کسی هم‌سلیقهٔ شارلی ابدو یا نشریهٔ دیگری نباشد. انتقاد حق همه است ولی پشتیبانی از آزادی بدون قیدوشرط و متکی‌بر مسئولیت فردی و وجدان شخصی لازمهٔ دموکراسی است. شهروندان مسلمانی که از اسلام رنج دیده‌اند آزادند تا بنویسند و بگویند. شهروندانی که خواهان خروج از اسلام هستند، حق دارند اعلان کنند و جشن بگیرند. آن‌ها بدین ترتیب خود را از یک ایدئولوژی تبعیض‌گرا و خشونت‌بار و استعماری جدا می‌کنند. ما حق داریم به قرآن و اسلام و روحانیت و نخبگان سیاسی این دین، به هر شکل دلخواه، نقد بنویسیم و افشاگری کنیم. شجاعت در انتقاد از دین اسلام یک صفت پسندیده است.

واژگونی رژیم، تجزیهٔ ایران نیست

بحران سراسر حکومت اسلامی را در برگرفته است. بن‌بست در قرارداد برجام، منجر به فشارها و تنگناهای جدیدی برای رژیم شیعه شده است و این تناقضات درون حاکمیت را افزایش داده است. بیماری آیت‌الله خامنه‌ای و کشاکش برای تعیین جانشین، احتمال کودتا بر ضد حسن روحانی و جابه‌جایی در سران سپاه، تعرض اصلاح‌طلبان بر ضد جنبش مردمی و برای حفظ نظام، اختلافات جدید به‌دنبال ویرانیِ پایگاه‌های نظامی رژیم در سوریه و افزایش شتابِ انتقال پول به خارج از کشورِ از جمله نمودهای این بحران هستند. بحران بالایی‌ها در بستر یک بحران اجتماعی بزرگ جریان دارد. جامعهٔ ایران ملتهب است و بخش بزرگ جمعیت ایران نسبت‌به رژیم بی‌اعتماد شده است و به‌باور آن‌ها رژیم دوران آخر

زندگی را می‌گذراند. افزون‌بر آن، رژیم در یک انزوای روزافزون دیپلماتیک جهانی است. روابط امروز جمهوری اسلامی با اروپا و چین و روسیه به منافع اقتصادی لحظه کنونی مشروط است و اگر مناسبات جهانی بخواهد می‌توان این روابط را رها کرد. این نظام دینی فاقد پیمان همکاری محکم با کشورهای دیگر است. از دید جامعه‌شناسی و روان‌شناسیِ اجتماعی گسست آشکار میان بالایی‌ها و پایینی‌ها یک شرط مهم برای فروریزیِ نظام است ولی این شرط هرگز کافی نیست زیرا قوای سرکوب و تبلیغات رژیم، نبود جایگزین سیاسی گروهی چشمگیر یا شخصیتی فرهمند، فعال نشدن انرژی همهٔ گروه‌بندی‌های میانی و کارگری و دانشجویی و روستایی، نبود تب نارضایتی در میان نیروی نظامی و بوروکراسی از جمله عوامل کُندکننده به شمار می‌آیند.

اصلاح‌طلبان موافق نظام ولایت فقیه هستند و از دید آن‌ها با فروپاشی حکومت ایران به سوریه تبدیل می‌شود. آیا ایران با فروپاشی حکومت اسلامی تجزیه می‌شود؟ برخی از شخصیت‌های اصلاح‌طلب مانند صادق زیباکلام در همه‌جا می‌گویند و هشدار می‌دهند که مبارزه‌ای که هدف حذف نظام دینی حاکم را دارد نابجاست و تنها آن اقدامی درست است که رژیم را مجبور کند تا ذره‌ذره و یا به‌قول آن‌ها «اپسیلون اپسیلون» وا پس بنشیند. آن‌ها می‌گویند همین که عناصر هوادار احمدی‌نژاد در مجلس نباشند خود یک پیروزی است. اصلاح‌طلبان در دورهٔ گذشته به‌شدت بر ضد جنبش موضع گرفتند و حتی گفته‌اند که برای حفظ نظام اسلحه به دست می‌گیرند. تجربه اینجاست که در درازای چهل سال حرکات اپسیلونی زیاد بوده ولی ساختار دینی و ایدئولوژیک و رانتی تغییر نیافته است.

واژهٔ «اپسیلون» واژه‌ای یونانی و به‌معنای بسیار خُرد و کوچک می‌باشد. در دیدگاه روان‌شناسی، اپسیلون بیان‌گر شخصی است که دارای هوش پایین است. خب حال اگر در چارچوب رژیم دینی باید به شیوهٔ اپسیلونی اقدام کرد، ساختار و تمامیت این رژیم تغییر نخواهد کرد. حرکت‌های اپسیلونی در رفتار حکومتی از آغاز وجود داشته و تغییری در حاکمیت به وجود نیاورده و نخواهند آورد. در تمامی نظام‌های خودکامهٔ تاریخ، بازی‌های درونی و جابه‌جایی‌های درونی وجود داشته است. نظام هیتلر و اِستالین و پول پوت و پینوشه و مائو و برژنف و موسولینی و امین دادا و غیره دارای تغییرات ریزی بوده‌اند زیرا این اقدام‌های اپسیلونی برای ادامهٔ بقای سلطه حتی لازم هم هستند. یک نظام سیاسی همیشه

در پیرامون خود عامل فشار و تأثیرگذار دارد و تناقضات درونی نیز عمل می‌کنند و، بنابراین، پذیرش «نرمش» و راهبردهای کنترل‌شده تضادی با اصل نظام ندارد. اختلاف میان طالقانی و منتظری و خاتمی و روحانی با رهبری دینی کلان و نظام مسلط اختلالی جدی در ادامهٔ کارِی رژیم تولید نمی‌کند. آن‌ها همه به نظام دینی و سلطهٔ طبقهٔ آخوند و ساختار نظامی و اقتصادی و جاسوسی و اجرای قواعد اسلامی وفادار بودند. حتی اعتراض پررنگ آیت‌الله منتظری در مورد بخشی از اعدام‌ها به‌معنای نفی جمهوری اسلامی و اصل ولایت فقیه نبود. بنابراین، پیشنهاد اپسیلونِ اصلاح‌طلبان فقط به‌معنای پذیرش این نظام دینی و خودکامه است. چرا؟ برای این‌که آن‌ها آیندهٔ خود و امتیازات کنونی و بعدی خود را در چارچوب همین نظام میسر می‌دانند و به همین خاطر در دورهٔ گذشته بیشترین دشمنی‌ها را نسبت‌به تظاهرات دی‌ماه ۱۳۹۶ نشان دادند. معترضین گفتند نه اصول‌گرا و نه اصلاح‌طلب. آن‌ها سیاست جناح‌ها را مخالف دموکراسی و مصالح ایران می‌دانند. ماجرای نقشهٔ اصلاح‌طلبان از این پس برملا شده و جامعه آن‌ها را جزو هیأت حاکمه‌ای می‌داند که عامل بدبختی و دروغ است.

پس نه‌تنها سیاست اپسیلون نادرست است بلکه افزون بر آن امروز با تجربه چهل سال، جامعه پختگی بیشتر یافته و تحقق خواست‌های مهم خود را خارج از جمهوری اسلامی می‌بیند. امروز بیش از ۷۰ درصد مردم به این نظام اعتماد ندارند و حتی به پایان رژیم امید بسته‌اند. برخی همه‌پرسی‌ها و پژوهش‌های میدانی و گزارش‌ها و دیدگاه‌ها در شبکه‌های اجتماعی و گفت‌وگوی روزمره در ایران این گرایش را تأیید می‌کنند. البته جامعه یک‌دست نیست و در این جامعه دینی توهّم و دنباله‌روی و دین‌خویی بسیار انبوه است و نظام حاکم همیشه تلاش خواهد کرد تا از این منابع روانی و تهییجی موجود در سنت جامعه بهره ببرد ولی امروز یک تقدس بزرگ درهم شکسته و جمهوری اسلامی برای بخش بزرگ جامعه نماینده «مشروع» نیست و نماد زورگویی و زشتی و فساد روی زمین است و اسلام گیرایی و وهم‌آفرینی ایدئولوژیک خود را به‌میزان زیادی از دست داده است.

وجود همین نظام ولایت فقیه آسیب‌های فراوانی بر پیکر ملت ما وارد آورده است. خاستگاه تیره‌روزی همهٔ ایرانیان همین رژیم است و همهٔ بخش‌های ملت ایران از سانسور و نقض حقوق بشر، ویرانی محیط زیست، زندان و شکنجه و اعدام، فشار اقتصادی و گرانی، توهین و بی‌شرمی حاکمان، سرکوب فرهنگی و

هنری و آخوندیسم و فساد روحانیت رنج دیده‌اند. مخالفان حکومت در سراسر ایران‌اند. همهٔ بخش‌های ملت ایران، با وجود خاستگاه‌های اخلاقی و قومی متفاوت نتیجهٔ تاریخ ایران هستند. همزیستی مردمان ایران همانند ملت‌سازی اِستالین و تیتو در یوگسلاوی و برش جغرافیایی سوریه توسط سازمان ملل مصنوعی و نتیجهٔ استعمار نیست نیست. اصفهانی و آذری و تهرانی و بلوچ و کُرد و گیلک و خوزستانی و کرمانی و مشهدی و لر و ترکمن و غیره و نیز ایلات و عشایر محصول یک همزیستی تاریخی و سیاسی و اجتماعی هستند و در این مسیر طولانی با شادی‌ها و رنج‌ها و سختی‌ها و یورش خارجی و جشن‌ها و آرزوهای مشترک زندگی کرده‌اند. وجود عناصر بسیار معدود شوینیستیِ تجزیه‌خواه، که از سوی ترکیه و اسرائیل و عربستان سعودی پشتیبانی مالی می‌شوَند، به آن‌ها حقانیت و مشروعیت قومی و منطقه‌ای و کشوری نمی‌دهد. این واقعیتی است که استبداد دینی ـ سیاسی موجود تمایل و خواست فرهنگی و زبان مادری آذری و کُردی و بلوچ و عربی و غیره را منکوب کرده است. این ویژگی را باید پذیرفت. همه حق دارند گویش و زبان و فرهنگ مادری خود را نگه دارند و شکوفا کنند و، بی‌شک، شکوفایی فرهنگ در سراسر ایران با شکوفایی هر فرهنگ و آمیزش‌های هنرمندانهٔ همهٔ آن‌ها و نیز فرهنگ جهانی حاصل می‌شود. بافت جامعه چند قومی است و همهٔ فرهنگ‌ها باید امکان توسعه داشته باشند و این تناقضی با زبان سراسری فارسی، که همهٔ ایرانیان را به هم پیوند می‌دهد، ندارد. ستم‌گری دینی و سیاسی و اقتصادی و فرهنگی نظام تبعیض متوجه همهٔ ایرانیان بوده است. همهٔ شهروندان ایران از خشونت این حکومت و دین اجباری شیعه‌گری رنج دیده‌اند و از آزادی و دموکراسی و احترام به حقوق بشر محروم بوده‌اند. خواست جمع‌گرایی و جداانگاری دین از سیاست و دموکراسی چکیدهٔ خواست تاریخی کنونی است و این خواست در راستای خواست انقلاب مشروطه است.

نگاه جامعه‌شناسی نشان می‌دهد که بالایی‌ها دیگر مانند گذشته نمی‌توانند حکومت کنند و پایینی‌ها دیگر نمی‌خواهند در چنین نظامی بمانند. بالایی‌ها متشکل از گروه‌بندی خانودگی مرفه رانت‌خوار، گروه‌بندی‌های وابسته‌به بیت ولایت فقیه و سرداران سپاه و بسیجی و مدیران تکنوکراسی و بروکراسی و اصلاح‌طلب و نیز سلسله‌مراتب حوزوی پشتیبان ماندگاری رژیم هستند. بدنهٔ اصلی جامعه، که آمیزه‌ای از تولیدکنندگان اقتصادی، گروه‌های متوسط جامعه، بخش گستردهٔ

کارگران و کشاورزان، بخش بسیار مهمی از زنان و دختران و پسران جوان و گروه‌هایی از ناراضیان نظامی و اداری مخالف نظام دینی و رانتی موجود هستند. اعتراض‌ها یکسان نیستند و ابعاد گوناگونی دارند ولی همهٔ این این گروه‌بندی‌های ناراضی به ستوه آمده‌اند و فکر می‌کنند تغییر رژیم مطلوب است. بخش گستردهٔ آن‌ها به قهر و خشونت تمایل ندارند ولی فکر می‌کنند این رژیم باید فرو افتد. فلج جامعه و هدر شدن نیروها و منابع این مملکت به‌خاطر این نظام ناموّلد و انگل است. طبقهٔ آخوندی هیچ‌گونه ثروت‌آفرینی ندارد و معنویات او همان آیات تبعیض‌آمیز و خشونت‌بار قرآن و همان خرافات شیعه است و این حافظان دین بیزاری از رژیم را به وجود آورده‌اند.

مطرح کردن تجزیهٔ ایران یک فرضیهٔ اشتباه تاریخی است. زمینه‌های هم‌زیستی و یگانگی ایرانیان بسیار ژرف و دیرینه‌اند و برخلاف دیدگاه‌های ناامیدانهٔ برخی از افراد نیروهای مخالف حکومت و نظریهٔ اصلاح‌طلبان، رفتن این رژیم منجر به فروپاشی نمی‌شود. البته خطر همیشه در کمین جامعه است و نباید خام بود. توطئه و درگیری تحریک‌آمیز و ناشی از اقدامات جناح‌هایی از نظامیان و حزب‌الهی‌ها و حتی افراد مسلح محتمل است ولی پارگی سرزمین ایران و جدایی بخش‌های گوناگونِ ملت ایران نشدنی است. عوامل ساختاری وحدت‌دهنده بسیارند:

نخست این‌که همهٔ بخش‌های قومی و جغرافیایی امروز از یک کیستیِ تاریخی برخوردارند و همهٔ این مردمان دارای حافظهٔ تاریخی و احساسیِ مشترک هستند. این کیستی دربرگیرندهٔ دیرینهٔ تاریخی، سنت کشورداری، ویژگی فرهنگی و اخلاقیات مردمی است.

دوم این‌که تمدن و فرهنگ فراگیری وجود دارد که اجزای آن مانند جشن نوروز و مهرگان و شاهنامه و شعر و اساطیر و پهلوانی‌ها در ذهن و ناخودآگاه و رفتار ایرانیان نشان ژرفی باقی گذاشته‌اند.

سوم این‌که زبان فارسی زبان همهٔ ایرانیان است. وجود زبان‌های دیگر نافی این پیوند مشترک نیست. زبان فارسی آفرینندهٔ شعر و ادبیاتی است که نتیجهٔ خلاقیت هنرمندان با تبار اقوام گوناگون این ملت است.

چهارم این‌که یکی از ویژگی‌های این مردمان نبود جنگ یک قوم در برابر قوم دیگر است. در نزد همهٔ اقوام ایرانی ما، زخم‌ها و دردها نه از جانب یک قوم بلکه ناشی از خودکامگی و زشتی‌های حاکمان، استبداد، فشار کشندهٔ دین اسلام

و مهاجمان به ایران‌زمین بوده است. ما کینهٔ قومی نداریم.

و پنجم این‌که در همهٔ لحظات تاریخی مانند انقلاب مشروطه، جنبش ملی نفت، انقلاب ۵۷، جنبش سبز، جنبش دی‌ماه ۹۶، مبارزان و فعالان و تظاهرکنندگان از همهٔ اقوام ملت ایران می‌آیند. نقش‌آفرینان عرصهٔ سیاست اعتراضی شهروندان هستند که متعلق‌به بخش‌های گوناگون ملیت ایرانی است.

در اینجا بحث دربارهٔ محورهایی است که به‌طرزی پویا پیونددهندهٔ یک ملت و بیان‌گر هم‌سرنوشتی اقوام گوناگون مردم ایران هستند. این عوامل همیشه انگیزهٔ هم‌زیستی را فراهم کرده‌اند و این عوامل در تاریخ بوده‌اند و امروز نیز به‌شکل پررنگ‌تری موجودند. همچنین، یک عامل جامعه‌شناختی اساسی دیگر را هم باید در نظر گرفت که به ساختار جمعیتی مربوط است.

دانش جمعیت‌شناسی نشان می‌دهد که جمعیت ایران در این چهل سال گذشته از یک درآمیختگی بسیار قوی برخوردار شده است. تغییراتی مانند مهاجرت از روستا به شهر، کشش شهرهای بزرگ برای جلب جوانان و کارگران و بی‌کاران از مناطق، انتقال افراد از مناسبات ایلیاتی به مناسبات شهری و شهروندی و غیره درهم آمیختگی جمعیتی را افزایش داده و پیوند ارگانیک جمعیتی را تقویت نموده است. افزون بر آن، ازدواج‌های مختلط میان قومی، تمرکز جوانان گوناگون در محیط دانشگاهی، همکاری‌های شغلی و حرفه‌ای، تأثیر رسانه‌ها و شبکه‌های اجتماعی، این درهم‌آمیختگی اجتماعی و فرهنگی را باز هم بیشتر تقویت کرده و بافت جمعیتی قومی را از شکل ساده به‌شکل مرکب سوق داده است.

بنابراین، این عوامل همبستگی ملی را تقویت می‌کنند. البته در لحظاتی عوامل ذهنی و ایدئولوژیک و سیاسی و تبلیغات جهت‌دار چه‌بسا نقش مهمی در شکل دادن رویدادها ایفا کنند ولی عوامل بنیادی یادشده در بالا عوامل پیونددهنده هستند و پایهٔ محکم اقدام و ارادهٔ مشترک را به وجود می‌آورند. همچنین، درد مشترک آنان، که ناشی از ستمگری حکومت اسلامی است، احساس مشترک و هم‌آرمانی تولید می‌کند. البته یک عامل قوی دیگر را باید در این مسیر در نظر داشت و آن نقش فرهیختگان و نخبگان و سیاسیون پای‌بند به جداانگاری دین از سیاست و مسئول است. آن‌ها باید برای رهایی و یگانگی ملت دلسوزی و هوشیاری داشته باشند، در راستای شفاف‌سازی و وحدت ملی و مخالف با مداخلهٔ خارجی و تجزیه‌خواهی سیاست فعال سامان دهند و هر یک به‌سهم خود در رفع

بی‌اعتمادی‌ها و در برقراری نزدیکی احساس‌ها و نظریه‌ها و سیاست‌ها اقدام کند.

عناصر رژیم پیوسته توطئه‌چینی و تفرقه‌افکنی کرده‌اند. جانیان و فدائیان این رژیم می‌توانند جنایت و جنگ داخلی راه بیندازند. تاکنون دیده‌ایم جاسوسان و عوامل ایدئولوژیک حکومتی به‌طرز آشکار و پنهان پیوسته جنگ شیعه و سنی را دامن زده‌اند. رژیم حاکم همیشه بهایی‌ستیزی و یهودی‌ستیزی را تقویت کرده است. اِعمال محدودیت در اجرای آداب و آیین‌های دیگر یکی از شگردهای رایجِ این نظام بوده است. ادامهٔ این رژیم عامل ویرانیِ عناصر پایداری ملی و همبستگی مردم ما، عامل نابودیِ محیط زیست ما و عاملِ ویرانیِ ثروت‌های مادّی و معنوی مردم ماست. پس واژگونی این حکومت جلوِ بسیاریِ از آسیب‌ها و تفرقه‌ها و تحریکات را خواهد گرفت. ثروت کشور ما در پروندهٔ تبهکارانهٔ اتمی و موشکی و نفتی و سدسازی و کمک به حاکمانی مانند اسد و جریان‌های شیعه مانند حزب‌الله و جاه‌طلبی‌ها و جاسوسی‌ها در کل منطقه خاور میانه با وجود این رژیم بیشتر نابود شده. هر روز از ماندگاری این رژیم با چپاول و سرکوب بیشتر شده ولی خوشبختانه در هر منطقه‌ای از ایران اعتراض در برابر نظام سیاسی ولایت فقیه و تبهکاری و بی‌لیاقتی و فساد دستگاه حاکم جاری است. مردم بیش از پیش اعتمادبه‌خود پیدا می‌کنند و خواهان تغییر هستند. هدف مشترک ایرانیان پایان بخشیدن به حکومت ولایت فقیهی و برقراری قدرت سیاسی پای‌بند به جداانگاری دین از سیاست و دموکراتیک و مجلسی سالم با گزینش رأی مستقیم شهروندان است.

جهان کنونی با سرعت شگفت‌انگیز خود ملت‌ها را بر آن می‌دارد تا از تمام امکانات و منابع و نیروهای خویش بهره ببرند و موقعیت پسندیده‌ای در فرهنگ، اقتصاد، فن‌آوری، محیط زیست و سیاست جهانی کنونی به دست آورند. نظام سیاسی حاکم بر ایران رویاروی این اهداف قرار دارد و با جنگ‌خواهی و بحران‌سازی و فساد ساختاری توان کشور را ویران می‌کند. اگر منابع آبی ما در وضعیتی بحرانی است علتش اصلی سوءمدیریت و نابکاری مسئولان این نظام است، اگر زنان ایران در رنج هستند علت اصلی‌اش این نظام و جهان‌بینیِ اسلامی آن است. این نظام مسبب زشتی است و اصلاح‌شدنی نیست.

این مطلب فراموش نشود که اصلاح‌طلبان در پی دلسرد کردن مبارزان و خواهان ادامهٔ نظام ولایت فقیهی و حاکمیت دین اسلام و رانت‌خواران بر روان

و جان و مال مردم ما هستند. منشأ آسیب‌دیدگی ما حاکمیت اسلامی و جهان‌بینیِ ویران‌گر اسلامی است. سیاسیون ما با توجه به تجربه‌های تاریخی و تجربهٔ تلخ انقلاب خمینیستی باید جمهوری‌خواهی و حکومت پای‌بند به جداانگاری دین از سیاست و آزادی کامل اندیشه را بخواهند. آزادی سیاسی و نقد دین و قدرت شرط لازم دموکراسی‌خواهی در جامعهٔ ماست. اصلاح‌طلبان در قدرت و خارج قدرت بقای نظام را می‌خواهند، مجاهدین یک قدرت استبدادی با رنگی دیگر می‌خواهند، چپ‌های متحد خواهان پل‌های ارتباطی با قدرت و اصلاح‌طلبان هستند، جریان‌های جمهوری‌خواه و پای‌بند به جداانگاری دین از سیاست و دموکرات و لیبرال پراکنده‌اند و در جامعه قابل لمس نیستند. برای کاهش سردرگمی و تقویت امید در جامعه، نیروهای دموکرات مخالف حکومت باید پروژه و طرح بدهند، برنامه‌های حکومتی عرضه کنند و شخصیت‌های دلچسب و جسور و بااخلاق را به‌عنوان نمایندهٔ خود معرفی کنند. جامعهٔ ایران در پی حکومت دینی نیست پس نباید دنباله‌رو نواندیشان دینی و اصلاح‌طلبان رنگارنگ باشیم و باید در نظر داشت که جداانگاری دین از سیاست در رأس خواست‌های دموکراتیک جامعه است.

روشن‌فکران ایران نیز باید منتقد جزم‌اندیشیِ ایدئولوژیک باشند و آزادی و تولید اندیشه و فرهنگ‌سازی را اولویت خود بدانند. گروه‌بندی روشن‌فکران ما باید آزاداندیشانه باشد و دنباله‌رو باور توده و گرفتار عوام‌گرایی نباشد. روشن‌فکران اسلاموفیل[1] برای جامعه ما زیان‌آور هستند زیرا دین‌خویی و تسلیم‌خواهی را تقویت می‌کنند. جامعه بدون روشن‌فکر آزاداندیش و نقد جامعه‌شناسانه و فلسفی به فساد می‌گراید. ما نیازمند یک جامعهٔ پای‌بند به جداییِ دین از سیاست و سیاسیونی هوشمند و دوراندیش و بااخلاق و بی‌باک هستیم ولی ما در چنین جامعه‌ای پیوسته نیازمند روشن‌فکرانی هستیم که از نقد قدرت و دین و تباهی نمی‌هراسند.

---

۱. رجوع شود به مقالهٔ «اسلاموفیل‌های ایرانی کیستند؟» از جلال ایجادی.

مدرنیته یا نوگرایی: نیاز بنیادی جامعه

آیا ایران به نوگرایی نیازمند است؟ تلاش برای نوگرایی از زمان مشروطه آغاز شد و ناکام باقی ماند. رابطهٔ ما با نوگرایی در تمدن غرب چگونه تعریف‌پذیر است؟ آیا امروز دسترسی به نوگرایی در جامعه ما کماکان یک چالش اساسی و لازم است؟ گویا فرایند بزرگ نوگرایی باید ادامه یابد.

نوگرایی چیست؟ نوگرایی فلسفی به‌معنای شیوهٔ نوینِ اندیشیدن و نیز دگرگونیِ سلسله‌مراتب ارزش‌ها است. این دوران نوگرایی بیانِ پیروزی عقل و دورهٔ انکشاف دانش و مهارت است. سده‌های پانزدهم و شانزدهم به‌عنوان دوران نوزایی در اروپا شناخته شده‌اند و سده‌های هفدهم و هجدهم نیز به‌عنوان دوران نوگرایی و اندیشهٔ نوین. در طی این سده‌ها نظام قدرت و سنت‌ها تغییر می‌کنند و دین جایگاه مسلط و تقدس نامحدود خود را از دست می‌دهد. از این پس خرافه و دین در یک روند آرام و طولانی به حوزهٔ شخصی رانده می‌شوند و جزم‌های ایمان‌محور از حوزهٔ اندیشه بیرون می‌روند. روشن است که ما از یک چرخش و روند پیچیده و متضاد صحبت می‌کنیم. گذشته در ذهن ادامه دارد و واکنش‌های باورمند روانی موجود است. با این حال، جامعه از سده‌های میانه دور می‌شود و دگرگونی‌های صنعتی و روانی و جامعه‌شناسانه از سدهٔ هیجدهم با قدرت به سدهٔ بیستم کشیده می‌شوند.

چگونه ذهنیت سنتی جامعه مشخص می‌شود؟ در این ذهنیت، ایمان در برابر عقل است؛ روایات دینی رفتار انسان را تعیین می‌کنند، باور به تقدیر و خواست آفریدگار بر همهٔ جهان تسلط دارند، سرنوشت فرد توسط کلیسا تنظیم می‌شود، فرد در جست‌وجوی خدا به دعا و نذر و باور به جهنم و بهشت و قیامت می‌پردازد و به قدرت و هوشمندی خود بی‌توجه است و در انتظار نیرویی بیرونی است. دوران روشن‌گری این سپهر ایمانی و باورمند را به هم می‌ریزد و تردید و تزلزل را در ذهن جاری می‌کند.

رنه دِکارت در دوران نوزایی می‌زیست ولی معنای واقعی خود را در نوگرایی می‌یابد و راهنمای جهان حاضر است. لایبنیتس و کانت و هگل نیز به اهمیت ساختاری فلسفهٔ دِکارت در نوگرایی اعتراف می‌کنند. دِکارت تردید فلسفی را رایج می‌کند و می‌گوید: «من می‌توانم به همه‌چیز شک کنم اما به این واقعیت که

شک می‌کنم نمی‌توانم تردیدی داشته باشم؛ بنابراین، شک کردن من یک یقین است و از آنجا که شک شکلی از حالات اندیشه است، پس واقعیت این است که من می‌اندیشم. چون شک می‌کنم، پس صاحب اندیشه‌ام و می‌اندیشم، پس کسی هستم که می‌اندیشم.»

در سَبک کاریِ رنه دِکارت، تأکید بر عقل و قدرت انسان نمود دارد. عقل ابزار زندگی است و چون انسان دارای عقل است، پس می‌تواند استدلال آورد و قواعد عقلانی را درک کرد. در جامعهٔ نوگرا انسان دارای فردیت است و شخصیت انسانی با ارزش خود در جامعه پیروز می‌شود. عقل را روشن‌فکران اختراع نکرده‌اند بلکه نتیجهٔ عملکرد خودِ مغز است ولی در پیش از این دوران عقل در خدمت دین بوده است و از دین پیروی می‌کرده است اما منطق‌گرایی زاده می‌شود و این شادمانی بزرگی برای جامعه پدید می‌آورد و انرژی روشن‌فکری را تقویت می‌کند و منجر به جهش می‌شود.

نوگرایی به‌معنای پدیده و رفتاری تازه است، گونه‌ای انقلاب در منش، گونه‌ای انقلاب روشن‌فکرانه. فیلسوفان و متفکران به‌طور اشکار با استبداد و دین درگیر می‌شوند، به گسترش دانش می‌پردازند و در سدهٔ هجدهم به نوشتن فرهنگ‌نامه‌ای اقدام می‌کنند تا دانش و منطق و عقلانیت سامان یابد و واژه‌ها و مقوله‌های هنری و تکنیکی و علمی و فلسفی دسته‌بندی و چاپ شوند. فیلسوفانی مانند دالامبر و دیدرو و ولتر در تهیه و پخش این فرهنگ نقش برجسته‌ای بازی می‌کنند. رنه دِکارت، توماس هابز، جان لاک، باروخ اسپینوزا، ویلهم لایبنیتس، دیوید هیوم و مونتسکیو به تنظیم اندیشهٔ ساختاری خود می‌پردازند. ریاضیات و فیزیک و ستاره‌شناسی و علوم طبیعی مورد توجه قرار گرفتند و این اندیشه به‌نوبهٔ خود عقل و تجربه را تقویت می‌کند. در این شرایط وحی و ایمان و باور دینی به‌مثابه معیار اساسی حقیقت افول می‌کند. خودمختاری عقل و خِردگرایی ابزار اصلی اندیشهٔ نوگرا می‌شود.

این تلاش فرهنگی و علمی بیان‌گر برآمد دانش روشن‌گرانه در برابر باور دینی و کلیسایی و تلاشی است تا تصویر جدیدی از جهان و الگوی نوینی از زندگی پدید آید. زمین از مرکزیت می‌افتد و کُپرنیک پیروز می‌شود. زندگی اقتصادی و اجتماعی و سیاسی دگرگون می‌شود. فئودالیسم واپس می‌نشیند و سرمایه‌داری گسترش می‌یابد. در چنین بستری، آزادی وجدان که با لوتر به راه افتاده، به قدرت

کلیسا ضربه وارد می‌کند و دگراندیشی و «دینی‌نااندیشی» با فیلسوفان تقویت می‌شود. در عرصهٔ فلسفی، انسان خردمند و خودمختار زاده می‌شود. انسان‌ها در زندگی خود مداخله می‌کنند و تصمیم می‌گیرند. حقیقت‌جویی در این جامعه دیگر به خدا متصل نمی‌شود و از این پس به اراده و خواست خدایی وابسته نیست. حقیقت با دانش و تجربه و عقل به دست می‌آید. ارزش‌ها از مقام آسمانی و الهی به ارزش‌های زمینی و انسانی گرایش می‌یابند. دنیا دیگر یک پدیدهٔ عجیب و رازآلود نیست بلکه واقعیتی لمس‌شدنی است و با شیوهٔ علمی و تجربی و عقل می‌توان در آن مداخله نمود. طبیعت و جسم انسان آزمودنی و درک‌پذیر هستند.

جامعه به بستر آزمایش و پروژه تبدیل می‌شود و با مهندسان دنیای جدید پروژه‌های نوگرا پرداخته می‌شوند. کُپرنیک و کپلر و نیوتن و گالیله تلاش می‌کنند تا جهان و هدف آن را بفهمند. هدف پروژه نوگرا عبارت است از آزادسازی انسان از راه هنر و مهارت و ایجاد ترقی و پیشرفت در زندگی انسانی. روند ترقی آزادکننده می‌شود. نیوتن گفت زمین نه‌تنها گرد است بلکه به دور خورشید می‌گردد. در قرن هفدهم، گالیله کهکشان راه شیری را کشف کرد و سطح کُرهٔ ماه را شناخت و اسحاق نیوتن نیز نور را شناخت و گرانش عمومی را کشف کرد. فلسفهٔ سدهٔ هیجدهم با اتکابر نوآوری‌های هنری و علمی دوران نوزایی به انقلاب در مفاهیم فلسفی دست می‌زند. ژان ژاک روسو که از دین مسیحیت بیزار بود، در پی تأثیرگذاری بر مسئولان دولتی عمل می‌کند و از قرارداد اجتماعی صحبت می‌کند. ولتر اندیشهٔ آزاد و آزادی بیان را مطرح می‌کند و در دوره‌ای که هنوز جدایی دولت و کلیسا مطرح نیست، به انتقاد از دین می‌پردازد و همچون یک شهروند خواهان دور انداختن نشریات تبلیغی کلیسا می‌شود و بر این باور است که تبلیغات دینی در پی ایجاد جنگ داخلی هستند. ولتر می‌گوید نخبگان مسئول نباید در کارهایی چون ختنه و غسل تعمید و کلیسای مسیح و کعبه و مریم مقدس مداخله کنند و بهتر است که کتاب‌های نویسندگانی مانند سیسترون و مونتنی و دولافونتن را بخوانند.

انقلاب ۱۷۸۹ فرانسه نه‌تنها محصول سقوط ارزش‌های سیاسی و دینی کهنه است بلکه خود سرچشمهٔ دگرگونی‌های بزرگ در اروپاست. انتشار «اعلامیهٔ حقوق بشر و شهروند» در ۲۶ اوت ۱۷۸۹ برابری انسان‌ها و آزادی شهروندان را اصول جامعه نوین قرار داد. به گیوتین سپردن لویی شانزدهم در معنای نمادین خود آغاز نظام سیاسی جمهوری و اندیشهٔ تازه در ذهن اروپایی دربارهٔ قدرت

سیاسی است.

در قرن نوزدهم، جان استوارت میل اندیشهٔ فلسفه و اقتصاد لیبرال را گسترش می‌دهد. الکسی توکویل، فیلسوف و مورخ، با پروژهٔ خود دست به دگرگونی اندیشهٔ دموکراتیک می‌زند، آدام اسمیت اقتصاد کلاسیک را پایه گذاری می‌کند و چارلز داروین زیست‌شناسی را زیروزبر و نظریهٔ فرگشت را ارائه می‌کند. با داروین اعتقاد به افسانهٔ آفرینش در تورات و انجیل و قرآن به‌طور جدی به تردید کشیده می‌شود.

دامنهٔ نوگرایی به سدهٔ بیستم کشیده می‌شود و در این مرحله مهارت، اقتصاد، هنر، جنگ‌ها و انسان نوگرا زاده می‌شوند. در این دوران، پرسش‌ها و نگرانی‌های تازه‌ای تولید می‌شود. به‌گفتهٔ برتراند راسل: «دین‌شناسی غایب است و از این پس خاستگاه انسان و رشد و امیدها و نگرانی‌ها و هیجانات و باورهای او ناشی از پیوستگی اتم‌های اتفاقی است و فلسفه برای ماندگاری خود باید این مطالب را به بحث بگذارد. (رجوع شود به چرا من مسیحی نیستم؟ ۱۹۵۷) نگرش برتراند راسل از یک جابه‌جایی صحبت می‌کند. ما از الگوی کهنه به الگوی نوگرا وارد می‌شویم. این نوگرایی با تناقضات خود به سدهٔ شگرف بیستم می‌رسد. انسان نوگرا به سلطه می‌رسد و بر طبیعت و صنعت و زندگی خود غلبه می‌کند. انسان از تصورات و باورهای پیشین و دینی خالی نشده ولی هستی او پای‌بند به جداانگاری دین از سیاست است. این سده هم اوج منطق‌گرایی و قدرت خلاقیت انسان است و هم تنگناهای ناشی از بینش یک‌جانبه عریان می‌شود. پیروزی صنعت و اقتصاد و فردگرایی همزمان با جنگ و نازیسم و اِستالینیسم و بمب اتم است. این پدیده‌های زشت نمی‌توانند نوگرایی را کهنه کنند چراکه نوگرایی نیازمند انتقاد و دگرگونیِ نگرش است. در جهان ما قدرت و سیاست نوگرایی کماکان راهگشای خروج از تاریکی‌ها است.

نوگرایی زندگی سیاسی را دگرگون می‌کند، باور دینی را به شک‌گرایی سوق می‌دهد و میان حقوق و قدرت پیوند برقرار می‌کند. در این شرایط گسترش حق فردی و حقوق شهروندی قدرت مطلقهٔ دینی و استبداد را متزلزل می‌کند، خشونت و خودسری را پس می‌زند و راه دموکراسی را هموار می‌کند. نوگرایی زندگی سیاسی و اجتماعی و شخصی و نیز نظام حقوقی و ارزشی و سیاسی را دگرگون می‌کند.

پروژهٔ سدهٔ هجدهم فلسفه روشنایی است که در موارد زیر خلاصه می‌شود:

- مبارزه با تاریک‌اندیشی دینی و خرافه‌گرایی و سلطهٔ دستگاه کلیسا، یک پروژه بزرگ روشن‌فکری است.

- جامعه از تقدیرمحوری و تقدس‌گرایی دور می‌شود و تردیدگرایی در جامعه و اذهان گسترش می‌یابد.

- فکر سیاسی به‌سوی یک قرارداد اجتماعی حرکت می‌کند و بردباری و آزادی و نفی استبداد به خواست رشدیابنده‌ای تبدیل می‌شود.

- اندیشه در راستای شکوه و ترقی روح انسانی و توجه به اعتلای دانش و تکنیک جامعه را فرا می‌گیرد.

- نوآوری‌های فلسفی و علمی سدهٔ هجدهم اثرات اقتصادی، بازرگانی، تکنیکی و اجتماعی بزرگی در سدهٔ نوزده پدید آورد. انقلاب صنعتی و ماشینی شدن و اقتصاد سرمایه‌داری چهرهٔ جامعه را تغییر و روابط اجتماعی را تکان می‌دهد. در سدهٔ بیست میلادی، جهان غرب تجلی یک نوگرایی بزرگ است و بافت طبقاتی و عملکرد روانی و سلسله‌مراتب ارزش‌ها به‌میزان بی‌سابقه‌ای دگرگون شده است. در این شرایط، باورهای دینی و رفتارهای تقدس‌گرا نسبت‌به کلیسا بیش از پیش و با شتاب ریزش می‌کنند. به‌گفتهٔ ژان بودریار، فیلسوف و جامعه‌شناس فرانسوی، رشد بی‌سابقه علوم و تکنیک، گسترش خِردگرایی پیاپی، وسایل تولید، مدیریت و سازمان‌دهی آن‌ها بیان‌گر یک نوگرایی است کَه بارآوری نشان برجستهٔ آن است: شدت کار انسانی و تسلط بر طبیعت فصل مشترک ملت‌های نوگراست. از دید بودریار، نوگرایی شیوهٔ تمدنی است که با سنت مخالف است و در گوناگونی جغرافیایی و نمادها و نمادها خواهان نوعی هماهنگی است. این نوگرایی دربرگیرندهٔ دولت، مهارت، موسیقی و نقاشی، اخلاقیات و اندیشه‌های نوگراست و، در یک کلام، یک فرهنگ عمومی است.

نوگرایی در تاریخ غرب زاده می‌شود ولی به‌معنای پایان یافتن همهٔ جوانب دینی و رفتاری و فرهنگی پیشین نیست ولی، به هر روی، نوگرایی به‌اعتبار اقتصاد منطق‌گرا و صنعت و علم ساختاری، شخصیت انسانی جدیدی پدید آورده است. نوگرایی به غرب محدود نشد بلکه به کشورهای دیگر و در اَشکال دیگر بروز یافت. نوگرایی در کشورهای دیگر اغلب فاقد ریشهٔ تاریخی بود ولی خود به‌شکل مادّی و تکنیکی خود را بروز می‌داد. در کشورهایی که دارای ساختار سنتی است و

وزنهٔ مذهب در آن‌ها سنگین است، نوگرایی به‌شکل گونه‌ای صنعتی و بازار مصرفی خود را نشان می‌دهد. در چنین حالتی تناقضات و تنش‌ها به‌صورت حادّتری خود را نشان می‌دهد. در این کشورها مانند ایران نوگرایی به عمق نمی‌رود بلکه تأثیر آن در عرصهٔ سیاسی و فرهنگی تند و پررنگ است و حالت بحرانی به خود می‌گیرد. در این شرایط، گاه به‌دلیل سیستم پولی و اقتصاد بازار و نقش رسانه‌های جدید، نظام موجود از تعادل اقتصادی و تولیدی خود خارج می‌شود و واکنش‌های اجتماعی تندی پدید می‌آیند و الگوی اداری و سیاسی سنتی را به بروکراسی زمخت و فاقد شایستگی تبدیل می‌کند. کشورهایی که به‌طور تاریخی از روند جداانگاریِ دین از سیاست محروم بوده نمی‌توانند با سرعت و هماهنگی و تعادل به‌سوی کسب نوگرایی حرکت کنند. بیشتر نخبگان و روشن‌فکران این کشورها فاقد روان و فکر پای‌بند به جداانگاریِ دین از سیاست هستند و دارای آمیزش متمایل‌به دین و سنت‌ها هستند. روشن‌فکرانی نیز هستند که توانایی همراهی با نوگرایی را دارند ولی آن‌ها با وظایف بسیار سنگینی روبه‌رو هستند و با مخالفت قدرت سیاسی و قدرت دین و واکنش کهنه اجتماع درگیرند.

زیان‌باری اسلام و نوگراییِ نیمه‌کاره در ایران

در دوران پایانی قاجار و نیز سلطنت رضا شاه پهلوی، نوگرایی جامعه و کشور به پیش رفت. در ایران و در زمان مشروطه، گرایش به قانون‌گرایی و مخالفت با مذهب و آخوندیسم خود را نشان می‌دهد. در چنین بستری، اندیشه‌های میرزا فتحعلی آخوندزاده، میرزا آقاخان کرمانی، میرزا ملکم خان و مبارزه با خرافه‌های اسلامی و استقبال از قانون‌گرایی و اصلاح گسترش می‌یابد. در مرداد ۱۲۸۵ خورشیدی، مجلس شورای ملی بر پایهٔ نخستین قانون اساسی ایران و با فرمان مظفرالدین شاه بر پا شد. در این دوران جدید، نهادهایی مانند دارالفنون و مدرسه‌های رشدیه و شوکتیه و ارفع‌الدوله و سعادت بوشهر و البرز، به سَبک نوین و جدا از مکتب‌خانه‌های سنتی آغاز به کار کردند. این روند با طرح ایجاد دانشگاه تهران در هشتم خرداد ماه ۱۳۱۳ به تصویب مجلس شورای ملی رسید. ساختمان راه آهن سراسری ایران در اسفند ۱۳۰۵ زمان رضا شاه آغاز شد و این پروژه

بندر شاهپور در ساحل خلیج فارس را به بندر شاه در ساحل دریای مازندران پیوند داد. مدیریت بانکی تازه در شهریور ۱۳۰۷با بانک ملی ایران در تهران شکل گرفت. کارخانهٔ برق در سال ۱۳۱۷ در تهران به کار افتاد. در سال ۱۸۰۰ میلادی، سفارت انگلستان در تهران آغاز به کار می‌کند، سفارت روسیه در سال ۱۸۱۴ میلادی فعالیت خود را آغاز می‌کند و در اکتبر ۱۸۲۱میلادی نیز فتحعلی‌شاه به‌طور رسمی دستور پایه‌گذاریِ وزارت امور خارجه ایران را صادر کرد.

محمدعلی فروغی، که در ۱۲۵۴ زاده شده بود، به یک روشن‌فکر و ادیب و تجددخواه و فیلسوف تبدیل می‌شود و نخستین کتاب فلسفی دربارهٔ فلسفهٔ غرب را می‌نویسد و مجلد نخست سیر حکمت در اروپا در ۱۳۱۰ در تهران چاپ می‌شود و کشف حجاب اجباری در دوران دومین دورهٔ نخست‌وزیری او رخ می‌دهد. فروغی در پخش اندیشه‌های روشن بسیار فعال است. با فروغی است که اندیشهٔ مونتسکیو در ایران گسترده می‌شود. فروغی بر جدایی سه قوه در دولت نوگرا تأکید داشت و پشتیبان اندیشهٔ لیبرالیسم فلسفی و سیاسی بود. او در پیش‌درآمد کتاب پل بوگار و در پشتیبانی از اقتصاد نوگرا می‌نویسد: «اگر انسان‌ها در امور ثروتی آزادی داشته باشند، برحسب صرفه شخصی و مسئولیتی که در کار خود دارند موجب پیشرفت امور خواهند شد اما در صورتی که این امور به دولت واگذار شوند به علت بی‌تفاوتی و تعلل و تأنی موجود در دستگاه دولتی پیشرفتی در کارها صورت نخواهد گرفت.» (اصول علم ثروت ملل). اندیشهٔ فروغی بیان‌گر گرایش به نوگرایی در جامعهٔ ماست. این‌گونه اندیشه با اقداماتی مانند نوسازی ارتش ایران، برقراری رادیو ایران، خبرگزاری پارس، فرودگاه تهران، موزهٔ ایران باستان، کتاب‌خانهٔ ملی ایران، جلوه‌هایی از جداانگاریِ دین از سیاست جامعه و گرایش به نوگرایی‌اند.

این گرایش‌ها نسبت‌به هیولای دین و خرافه و سنت از توانایی لازم برخوردار نیستند. اندیشهٔ نوگرا وارد جامعه شده ولی بنیاد جامعه بر باور اسلامی و شیعه‌گری و تقدس دینی و مناسبات رازآمیز میان روان اجتماعی و دین مستقر است. نوگرایی به تربیت جامعه تبدیل نمی‌شود و در بخش نازکی از جامعه جلوه‌گری می‌کند. در دوران پهلوی نوگراییِ فلسفی و سیاسی صورت نگرفت، نوگراییِ اداری و شهری و صنعتی و ارضی انجام شد. مناسبات کهنه در روستا و خانواده و مدرسه جابه‌جا شدند و لایه‌های شهری و روشن‌فکری جدیدی پدید آمد. اما نوگراییِ فلسفی و

سیاسی و روان‌شناسانه صورت نگرفت و انسان به شهروند خودمختار و قانون‌گرا تبدیل نشد.

انقلاب اسلامی عصیانی در برابر جلوه‌های نوگرایی و دگرگونی‌های جدید بود و با قدرت بی‌سابقه خواهان بازگشت به منحط‌ترین الگوی سیاسی و فرهنگی و اجتماعی بود. اسلام یک جهان‌بینیِ استعماری و انحصارخواه است. قدرت سیاسی جدید از همان آغاز خواهان بَستن جامعه و استمرار قدرت مطلقه دینی بود. در جامعه تحقق این هدف آسان نبود. با استقرار نظام ولایت فقیهی مستبد، با ذهنیت دینی و خرافه‌گری توده‌ها، با بهره‌گیری از بودجهٔ هنگفت دولتی و نفت، با سرکوب متمرکز و حادّ، با تبلیغات ایدئولوژیک حادّ در برابر غرب، با حقنه کردن احکام اسلام و قرآن و فقه شیعه، رژیم به حکومت چهل‌ساله ادامه داد ولی بستن جامعه و الگوی آخوندی خلافت علی و حسین میسر نبود. دگرگونیِ دوران پهلوی و جهانی شدنِ مناسبات اقتصادی و فرهنگی و نقش فن‌آوری‌های اَرتباطی و شبکه‌های اجتماعی و دگرگونی‌های روانی و فکری لایه‌های متوسط نوگرا و زنان شهری و دانشجویان و لایه‌های هنرمند و روشن‌فکر در جامعهٔ ایران، سیّالیت و تغییر فرهنگی را ناگزیر می‌کرد. بدین ترتیب، جامعهٔ ایران از دوگانگی و تضاد هویتی مایه می‌گرفت. ساختارهای کهنه گرا و ارتجاعی و دینیِ سخت از یک سو و روندهای نوگرایانه و تازه از سوی دیگر در همزیستی جدال‌آمیز قرار می‌گرفتند. در تمام دوران چهل‌سالهٔ جمهوری اسلامی تضاد حادّ میان سنت و رفتار ناشی از آن از یک سو و نوگرایی و رفتار و کنش همخوان آن از سوی دیگر به‌طرزی عریان و تنش‌آمیز وجود دارد. جامعهٔ امروز ایران با هیولای دین زندگی می‌کند و نوگرایی از عملکرد فلسفی و اجتماعی و سیاسی ساختاری برخوردار نیست.

جامعهٔ ایران از نوگرایی گسترده‌ای برخوردار شده ولی از نوگرایی عمومیت‌یافته به دور است. جامعهٔ ایرانَ با وجود نوگراییِ فن‌آورانه و ابزاری، در نوگراییِ سیاسی و فلسفی و فرهنگی و روانی استقرار نیافته است. ویژگی‌های سنتی و دینیِ جامعه کجا نمایان می‌شوند و چگونه روند نوگرایی را کند و سست می‌کنند؟

نخست، اسلام و شیعه‌گری در طول تاریخ آسیب‌های سنگینی بر جامعه و فرهنگ و روان ایرانیان وارد ساخته است. امروز بار و وزنه مذهب و سنت در جامعه بسیار زیاد است. در عرصهٔ اجتماعی، خداباوری، امام‌پرستی، سفره انداختن، مراسم دعا و قرآن‌خوانی، نماز و روزه، زیارت قبور مذهبی، رجوع به

دعانویس و آخوند، اتکا به رسالهٔ عملیهٔ آیت‌اللهها و غیره رایج است و ذهنیت به جداانگاری دین از سیاست استواری دست نیافته است. گفته می‌شود ۴۲ درصد جوانان در کشور نماز می‌خوانند و سالانه ۲۸ میلیون به زیارت امام رضا می‌روند. بیشتر مردم در زمان دشواری‌ها علی بن ابی طالب را فرا می‌خوانند و برای رفع مشکل خود نذر می‌کنند. کلام مردم و بار مفهومی در گفتارهای روزمره دینی است و تکرار سوگند به امام و قرآن یک پدیدهٔ روانی ناخودآگاه و آسیب‌شناسانه است. در واقع، فردیت دینی و تقدس‌گرا حرکت ذهن و جامعه را تنظیم می‌کند و این با نوگرایی تناقض دارد.

دوم، خودکامگی سیاسی و دینی ویژگیِ بارز قدرت سیاسی است. استبداد دینی ریشه در قرآن و خلافت پیامبر و تعبّد اسلامی دارند و با جاه‌طلبی‌های فردی و فسادخواهی و تربیت تاریخی درهم آمیخته است. استبداد ولایت فقیهی، نظام قضایی متکی‌بر شریعت، آموزش مذهبیِ مدارس و دانشگاه، اقتصاد وابسته‌به نهادهای مذهبی و قدرت‌های دینی، مجموعه‌ای را تشکیل می‌دهند که جدا از دین و مراکز تصمیم‌های مذهبی درک‌پذیر نیستند. در این مجموعه، دین فقط ابزار نیست بلکه مضمون‌ساز هم هست. نهادهای سیاسی مانند مجلس و انتخابات و سه قوه به‌طور کامل از عملکرد درست و دموکراتیک به دورند. تمامی این وضعیت نام‌برده در تناقض با نوگرایی قرار دارد زیرا گسترش نوگرایی نیازمند اقتصاد بازار و دانش فزاینده و سیاست پای‌بند به جداانگاریِ دین از سیاست و جمهوری شهروندانه است.

سوم، بیشتر نهادهای موجود در جامعه از عملکرد مدنی و غیردینی به دور هستند و شمار زیادی از این نهادها با بودجهٔ کلان دولت دینی فعالیت دارند. این نهادها زیر مسئولیت یک آخوند یا دین‌دار متصل‌به حکومت و لایه‌های مذهبی قرار دارند. در واقع، فساد و دین و فریبکاری و مداخله‌گری و تبعیض دینی و قومی و شغلی، قراردادهای اجتماعی را نابود و زنان را بی‌حقوق ساخته و جوانان را ناامید کرده‌اند. نبود قراردادهای قانونمند اجتماعی، نبود آموزش رها از مذهب و نبود برابری شهروندی با نوگرایی در تناقض‌اند. اسلام در جامعه بنا بر طبیعتش مزاحم و فربه و انحصارخواه است و نمی‌تواند با نوگرایی کنار آید.

چهارم، در ایران فلسفه و جامعه‌شناسی علمی و منتقد آموزش داده نمی‌شود. علوم انسانی با سد قواعد خشک جزمی و سانسوری و قدسیت احکام دینی

روبه‌روست. علوم انسانی باید منتقد جامعه و قدرت باشد، حال آن‌که قدرت سیاسی در پی خفه کردنِ آن است. علوم انسانی در دانشگاه، فاقد آموزش علمی و انتقادیاست. جامعه‌شناسی به‌طور مرتب توسط قدرت سیاسی و حوزه سرکوب می‌شود. نشریه‌های دولتی و دانشگاهی، روایات جعلی و افسانه سازی را به‌عنوان جامعه‌شناسی و تاریخ می‌نمایانند، دین را به‌جای فلسفه جا می‌زنند و با ایجاد ناآرامیِ فکری حاکمیت باور دینی را مستحکم می‌کنند. نوگرایی با وجود فلسفه آزاد و مستقل، با گفت‌وگوی مکتب‌های فلسفی، با وجود فیلسوفان اندیشه‌ورز در عرصهٔ مفاهیم فلسفی، با دیدار همهٔ اندیشمندان پژوهشگر، با برنامه‌ها و نشریه‌های پژوهشی و علمی و بدون سانسور مشخص می‌شود و این وضعیت دانشگاهیِ مطلوب در ایران شکل نگرفته است.

پنجم، بسیاری از روشن‌فکران ما نسبت‌به پدیده دین متوهم هستند و حافظ صلح با خرافه و شیعه‌گری اسلامی می‌باشند. اسلام عامل بزرگ فساد و سقوط در ایران بوده و ازخودبیگانگی ما را سبب شده است. نواندیشان دینی خرافات را به کالای دینی جدید تبدیل و آن‌ها را به‌عنوان فلسفه و نوآوری به جامعه تحمیل می‌کنند و تاریک‌اندیشی را رواج می‌دهند. روشن‌فکران غیردینی و اسلاموفیل و ترسو تسلیم دین هستند و وظیفهٔ نقد دین را فراموش کرده‌اند. در چنین شرایطی، خِردگرایی فلسفی و شفافیت روشن‌فکری و آزادمنشی فکری قربانی فضای ناسالم هستند. این نخبگان و روشن‌فکران از استقلال فکری دورند و به‌دلیل مسخ‌شدگی و ازخودبیگانگی خود نمی‌توانند نوگراییِ فکری و فرهنگی را تقویت کنند. روشن‌فکرانِ هوادار نوگرایی با نقد قرآن و دین و تقدس‌گرایی و استبداد و همهٔ تباهی‌های ایدئولوژیک باید به روشن‌گری ادامه دهند.

با توجه به دلایل برشمرده، جامعهٔ ما به یک دگرگونی فرهنگی بزرگ و وگراییِ فعال نیازمند است. میراث نوگراییِ غرب هنوز در ایران تحقق پیدا نکرده است. همهٔ چالش‌های جامعه به این موضوع خلاصه نمی‌شود. ما باید از تاریخ خود آگاه شویم، باید آسیب‌های فکری و فرهنگی خود را بشناسیم، باید به فصل‌های استوار فرهنگ خود تکیه کنیم، باید از جهان بیاموزیم و باید درک کنیم که پیشروی در نوگرایی یک ضرورت تاریخی است.

ابن مقفع روزبه، چالش ایرانی برای امروز و آینده

ما باید به امروز و آینده خود فکر کنیم ولی روشنایی هایی در تاریخ، ما را در درک امروز مدد می‌رساند. ما نیازمند مدرنیته ژرف هستیم و این امر مستلزم برش و گسست از فرهنگ قرآنی و شیعه گری است. ما از خودبیگانه گشته ایم و فرهنگی پست را در سرشت فکری و رفتاری خود جای داده ایم. هویت همیشه سیال است و می‌توان جنبه‌های آرکائیک و فرومایه آن را تغییر داد. ما باید با نقد تاریخ و با آموزش فرهنگ مدرنیته و فلسفه انتقادی و اصل حقوق بشر و بینش زیستبومگرایی، عوامل پوسیدگی و مسخ شدگی خود را به چالش بکشیم. بررسی جنبش‌های تاریخی پس از تجاوز اسلام و درک شخصیت هایی مانند بابک و ابوعلی سینا و ابن مقفع، دریچه‌های تازه ای در بررسی دیروز و امروز باز می‌کند.

ابومحمد عبدالله ابن مقفع با نام اصلی روزبه پور دادویه معروف به اِبْنِ مُقَفَّع زاده سال ۱۰۴ هجری در فیروزآباد شیراز و بسال ۱۴۲ در بغداد به دستور خلیفه عرب کشته شد. ابن مقفع نویسنده و مترجم بزرگی بود و نام او به «کلیله و دمنه» گره خورده است. در هنگامی که متجاوزان خواهان نابودی قطعی ایرانیت بودند، تلاش ابن مقفع در برابر حاکمان حفظ و گسترش فرهنگ بود.

ابن خلکان و بلاذری و ابن ندیم منابع معتبر در باره ابن مقفع بشمار می‌آیند. شمس الدین، ابوالعباس احمدبن ابراهیم بن ابی بکربن خلکان قاضی، مورخ و ادیب مشهور معروف به ابن خَلّکان در کتاب وَفیاتَ الأعیان که در سالهای ۱۲۶۵ تا ۱۲۷۴ نوشته شده و دربرگیرنده شرح حال حدود ۸۵۰ تن از بزرگان علما، امرا، وزرا و عرفا می‌باشد گوید: «عبدالله بن مقفع از اهل فارس و در آغاز مجوسی بود». دادویه و خانواده‌اش از جمله پسرش روزبه زرتشتی بودند هرچند نام‌های اسلامی بر خود گذاشته بودند و این رسمی بود که به لحاظ مصلحت و حفظ جان در دوران خلافت اسلامی رواج داشت. ابن‌مقفع در آغاز دبیر و کاتب داود بن عمر بن هبیره اهل شام و خطیب ماهر و شاعر توانا، می‌شود. گویا ابن مقفع برای پیشرفت در دستگاه دولتی عباسیان تصمیم می گیرد که بظاهر مسلمان شود.

گزارش مسلمان شدن او را ابوعبدالرحمان، هیثم بن عُدَی طایی، که زبان‌شناس، نویسنده و محدث عراقی در سده دوم هجری بود چنین می‌نویسد که ابن مقفع شبی به نزد عیسا پسر علی، عموی منصور، خلیفه‌ی عباسی، می‌رود و به او می گوید

که «مسلمانی در دل من راه یافته و می‌خواهم به دست تو مسلمانی گیرم». عیسا می‌گوید «سزاوارتر است فردا در برابر مردم اسلام آوری». به این ترتیب او ابن مقفع را شام در خانه‌ی خویش نگه می‌دارد. چون خوان بگستردند ابن مقفع بشیوه زرتشتیان زمزمه گرفت. عیسا گفت «با نیّت مسلمانی هنوز زمزمه‌ی مجوسان کنی؟» ابن مقفع در پاسخ گفت: «آری. نخواهم که شبی را بی‌دین به روز آورم». پس از آن ابن مقفع توسط عیسا مسلمان می‌گردد. سپس ابن‌مقفع دبیر عیسا عموی منصور، خلیفه‌ی عباسی، شد. اما همواره مسلمانی او با چشم تردید دیده می‌شد و او متهم به زندیقی بود. جاحظ، تاریخ‌نویس، نیز می‌گوید که ابن مقفع در دین خویش «متهم» بود. در مورد باور ابن مقفع، گفته اند زندقه و زرتشتی و حتا الحادی بوده است. او چه بسا در برزویه حکیم که بر کلیله و دمنه افزوده، در باره خود چنین می‌گوید: «به‌هیچ تأویل درد خویش درمان نیافتم و روشن شد که پای سخن ایشان (اهل دین) بر هوا بود». از مهدی خلیفه روایت است که «کتابی در زندقه ندیدم که با ابن مقفع ارتباطی نداشته باشد.». مَا می‌دانیم که در زمان عباسیان شکوفایی فرهنگی روی می‌دهد و این امر نه ناشی از اسلام و قرآن، بلکه ناشی از امتزاج فرهنگ‌های ایرانی و یونانی و هندی و ترجمه آثار فرهنگی گوناگون به عربی بود. ابن مقفع در جریان نهضت فرهنگی زمان عباسیان نقشی بسیار اساسی داشت. او برای آماده ساختن زمینه‌های بحث و تحقیق در امور فلسفی، ابتدا کتابهای مرقیون و ابن دیصان و مانی را به عربی ترجمه کرد.(تاریخ اجتماعی ایران، راوندی، جلد سوم).

هوشیاری ابن مقفع در بصره اطرافیان خلیفه را بی تفاوت نمی گذاشت. منصور به سفیان، والی بصره، نامه نوشت و به کشتن ابن‌مقفع فرمان داد. کتاب فتوح البلدان، از احمد بن یحیی بلاذری در آخرین کتاب عمده دربارهٔ فتوحات مسلمانان می‌گوید: عیسا در کار برادر خویش عبدالله به ابن مقفع گفت که به نزد سفیان رو و چنان و چنین کن. ابن مقفع گفت: «جز مرا بدین امر گمار چه من از او بر جان خویش بیم دارم». عیسا گفت: «دل بد مکن، من جان ترا پذرفتاری [پشتیبانی]کنم».

سفیان کینه‌ی زیادی از ابن‌مقفع داشت و منصور خلیفه هم به او فرمان کشتن ابن‌مقفع را داده بود. بدنبال یک توطئه از جانب خلیفه، روزی ابن مقفع به دیدار سفیان رفت، او ابن مقفع را تنها به حضور پذیرفت و او را کشت. ابن مداینی،

مورخ، می‌نویسد: چون ابن مقفع به نزد سفیان درآمد، سفیان او را گفت «آنچه مادر مرا بدان برمی‌شمردی به یاد داری؟» ابن مقفع هراسید و زنهار خواست. سفیان گفت «مادر من - چنان که تو گفتی - مغتلمه باد اگر ترا نکشم به کشتنی نو و بی‌مانند». پس فرمان کرد تا تنوری را برتافتند و اندام‌های او یک یک باز می‌کرد و در پیش چشم او به تنور می‌افکند تا جمله اعضای او بشد. پس سر تنور استوار کرد و گفت «بر مُثله‌ی تو مرا مؤاخذتی نرود، چه تو زندیقی بودی و دین بر مردمان تباه می‌کردی». بدین ترتیب، ابن مقفع در جوانی و در سن ۳۶ سالی کشته شد. ابن خلکان سال کشته شدن ابن مقفع را سال ۱۴۵ قمری می‌آورد. اما از کتاب «اخبار بصره» نوشته‌ی عَمرو بن شیبه برمی آید که سال ۱۴۲ یا ۱۴۳ قمری بوده است.

قتل ابن مقفع ادامه کشتار ایرانیان بدست استعمار عرب بود. در مقابل دین اجباری عربی، ایرانیان بسیاری خواهان حفظ آئین خود بودند. ولی خلافا و مدافعان شان، آنهایی را که در زرتشتی گری و مانی گری بودند زنادقه می‌خواندند. براستی چگونه در برابر جباران استعمارگر باید مقاومت صورت می‌گرفت؟ در تمام دوران پس از تجاوز عرب، مخالفت و مقاومت فرهنگی و سیاسی بسیاری شکل گرفت. تلاش فرهنگی ابن مقفع یکی از این اقدام‌ها بود.

ابن‌خَلّکان ابن مقفع را «مشهور به بلاغت و دارنده‌ی آثار بدیع» می‌گوید. ابن ندیم هم وقتی از «ده سخنور شیوای جهان» («بُلَغای عشره‌ی ناس») سخن می‌گوید ابن مقفع را نخستین آنان می‌شمارد. ابن ندیم در بخش شاعران می‌گوید ابن مقفع به عربی شعر می‌سروده است. در بخش فرزانگاه (حکیمان) هم ابن مقفع را یکی از مترجمان و ناقلان حکمت و دیگر دانش‌ها از زبان پارسی به عربی می‌خواند. ابن ندیم کتاب شناس، فهرست نگار و محقق بغدادی که در سده ۱۰ میلادی می‌زیسته، هم چنین در کتاب «الفهرست» می‌گوید در گذشته ایرانیان شماری از کتاب‌های منطق و پزشکی را از یونانی و رومی به پارسی ترجمه کرده بودند و ابن مقفع و دیگران آنها را به عربی برگرداندند.

آثاری که ابن‌مقفع از زبان پارسی (پهلوی) به زبان عربی برگردانده است چنین‌اند:

ـ کتاب کلیلگ و دمنگ: با نام کلیله و دمنه

ـ کتاب الادب الکبیر (سخنوری بزرگ)

- کتاب الادب الصغیر (سخنوری کوچک)
- مزدک‌نامگ: با نام عربی «کتاب مزدک»
- کتاب خداینامگ: به نام عربی «سِیَر الملوک العجم» یعنی کردارهای پادشاهان ایران
- کتاب تاجنامگ: به نام عربی «التاج فی سیرت انوشیروان» تاج در رفتار انوشیروان
- کتاب آیین نامگ: به نام «کتاب الآیین» در آیین‌های گوناگون ایرانیان چون آیین دربار و جنگ
- ریکیهای سگستان: با نام عربی «عجائب سجستان» (شگفتی‌های سیستان)
- نامه‌ی تنسر
- کتاب «الدُرّۀ الیتیمۀ» (مروارید یکتا) در شیوه‌ی نگارش و نامه‌نگاری رسمی یا فن رسائل. این کتاب گاه به نادرستی «الدُرّۀ الثمینه» (مروارید گرانبها) معرفی گشته است. اصمعی گوید «الدرۀ الیتیمه» در فن خود مانند ندارد.

جمال الدین قفطی تاریخ نگار و پزشک مصری (۱۲۴۸-۱۱۷۲) هم در «اخبار الحکما» آورده است که ابن مقفع فاضلی کامل بود و نخستین کس است که میان مسلمانان به ترجمه‌ی کتاب‌های منطق پرداخت. کتاب‌هایی که ابن‌مقفع در زمینه‌ی منطق یونانی و منطق ارسطو، از پهلوی به عربی برگردانده چنین اند:

- انالوطیقا (در یونانی: Analytika در انگلیسی: Analytics) برابر «واکاوی» نوشته‌ی ارسطو
- خلاصه‌ی «باری ارمینیاس» (در یونانی: Peri Herminias در انگلیسی: On Interpretation) برابر «در تفسیر» نوشته‌ی ارسطو
- ایساغوجی (Isagoge) نوشته‌ی فرفوریوس (Porphyry) در سده سوم پیش از میلاد، اهل صور (Tyre – شهری در لبنان) این نوشته درآمدی بر قاطیغوریاس ارسطو است
- قاطیغوریاس (در یونانی: Kategorias در انگلیسی: Categories) برابر رده‌بندی نوشته‌ی ارسطو.

این کتاب‌ها دارای حکمت و عقلانیت و پیام در زندگی بوده، همراه نگاهی دنیوی و عرفی بوده و امر قدرت سیاسی را مورد سنجش قرار می‌دهد:

کتاب کلیله و دمنه مجموعه‌ای از افسانه‌های ایرانی و هندی است که ابن‌المقفع از زبان پهلوی به عربی ترجمه نموده و سرگذشت‌ها و قصه‌های آن از زبان جانوران و پرندگان، درباره وظیفه‌های صاحبان قدرت نسبت به مردم خود و دقت پادشاهان به داد و اعتدال می‌باشد. استاد مجتبی مینوی می‌گوید کتاب کلیله و دمنه از جمله آن مجموعه‌های دانش و حکمت است که مردمان خردمند قدیم گرد آوردند و «به هرگونه زبان» نوشتند و از برای فرزندان خویش به میراث گذاشتند و در اعصار و قرون متمادی گرامی می‌داشتند، می‌خواندند و از آن حکمت عملی و آداب زندگی و زبان می‌آموختند.

کتاب «ادب کبیر» رساله‌ای است که از اندرزنامه‌های ایرانی و همچنین از تجربه‌های نویسنده در زندگی شخصی، سرچشمه گرفته است. جنبه اخلاقی کتاب سراسر عملی است. اندرزهایش در باره آداب معاشرت، زیرکی و بهره‌جویی از عواطف نفسانی به سود خویش است و جهان‌بینی آن بیشتر با نگرش در باره مردم دوره تجدّد و رنسانس، مناسبت دارد. نویسنده در مقدمه کتاب «ادب صغیر»، نیاز عقل به ادب و تأثیر آن در رشد عقل انسان را بررسی کرده است. کتاب «رسالة فی الصحابه»، اثری در باره سیاست است. در دانشنامه در باره کتاب می‌خوانیم که مخاطب ابن‌مقفع در این کتاب، خلیفه زمان، بی‌گمان منصور بوده و نویسنده درباره مسائل سیاسی، دینی و اجتماعی ابراز نظر می‌کند. رفتار طبقه ممتاز لشکری خراسان و روابط آنها با خلیفه، انتخاب صاحب‌منصبان عالی مرتبه و درباریان، وضع اهالی عراق و شام در آغاز خلافت عباسی و اختلافات قضایی و اداری، نکاتی است که طرح شده و نویسنده ملاحظات و پیشنهادهایی به خلیفه مطرح می‌کند. نظر نویسنده آن است که خلیفه باید یک مجموعه قوانین و آئین‌های قضایی فراهم آورد و مناسبات میان مذاهب مختلف را زیرنظر اتوریته خلافت، وحدت بخشد.

ابن مقفع روزبه، شخصیت فرهنگی بزرگی بود که در لحظه برزخی یک ایرانی بود. تجاوز عرب یک تجاوز خانمانسوز استعماری بود که همه آثار و تلاش‌های فرهنگی ایرانی را مورد هجوم قرارداده بود. تجاوز عرب با هدف نابودی کتاب و زبان و آئین و فلسفه و فرهنگ ایرانی بود. گویند روزبه احتمال می‌داد که تمام کتاب‌های ایرانی توسط عربها نابود شود و او تنها راه حفظ آنها را در ترجمه یافته بود تا فرهنگ ایرانیان و حافظه پارسیان و محتوای فرهنگی اشان نگهداری شود.

کتابخانه‌های به آتش کشیده شده و تخریب آثار نوشتاری پهلوی، ابن مقفع را بر آن داشت تا با نیرنگ علیه دستگاه خلیفه عرب و با زیرکی، راه دیگری انتخاب کند. او یکی از متخصصان زبان عرب بود و زبان پهلوی را نیک می‌دانست. او می‌خواست در چالش ماندگاری هویتی و فرهنگی، چیزی باقی بماند. ابن مقفع یکی از بزرگان ایرانی بود که درهای فلسفه و منطق یونانی را بازکرده و عطر فرهنگ ایرانی را در فضای بسته و خفقان آور اسلامی پخش نمود.

برخی پژوهشگران بر آنند که هدف ابن مقفع در ترجمه آثار ایرانی به عربی، جلوگیری از انقراض یادگارهای ایران باستان است. ابن مقفع با ترجمه‌ها به سران عرب و دیگران شوکت ایرانیان را یادآوری می‌کند. او به خود ایرانیان گرفتار نشان می‌دهد که اجداد آنها دارای فرهنگ و سنت نوشتاری بودند و آنها باید در برابر استعمار عرب حس غرور داشته باشند.

این گذشته تاریخی به ما یادآوری می‌کند که سنت عرفی و عقلانی وجود داشته است و ازخودبیگانگی ما امروز زخم بزرگی است. این گذشته می‌نمایاند که امروز بطرز آشکار و همه جانبه باید علیه ایدئولوژی اسلامی و قرآنی و علیه ایدئولوگ‌های اسلامی و اسلاموفیل‌های چپ و ملی مبارزه کرد. اومانیسم و مدرنیته فرهنگی فلسفی و دمکراسی سکولار خواست ماست.

گفت‌وگوها، همکاری‌ها و دیدارهای جلال ایجادی

با ادگار مورن، فیلسوف جامعه‌شناس

با پی‌یر منان، فیلسوف و تاریخ‌دان

با رمی پراگ، فیلسوف و تاریخدان ادیان

با ایو کوپنس، انسان‌شناس و سنگواره‌شناس

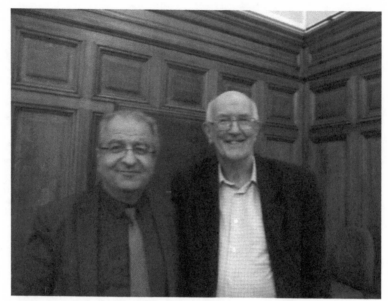

با مارسل گوشه، تاریخ‌دان و فیلسوف

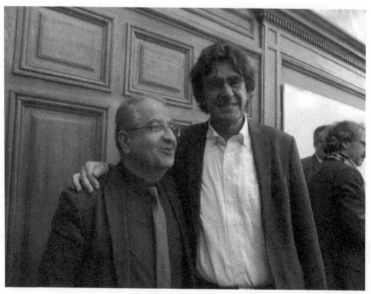

با لوک فری، فیلسوف

با اکسل کان، دانشمند ژنتیک

با سه فیلسوف: پی‌یر هانری تاوا لوت، اریک دوشاوان و روبرت لوگرو

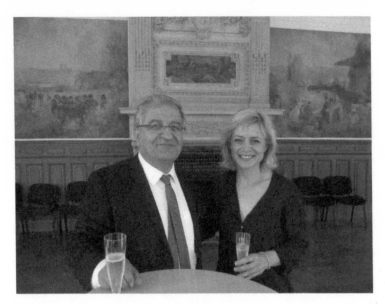

با لورانس هارتمن، اقتصاددان

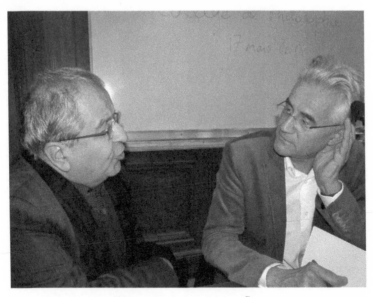

با آندره کونت اسپونویل، فیلسوف

با فرانسوا دروش، تاریخ‌دان ادیان و قرآن

با توماس رومر، تاریخ‌دان دین

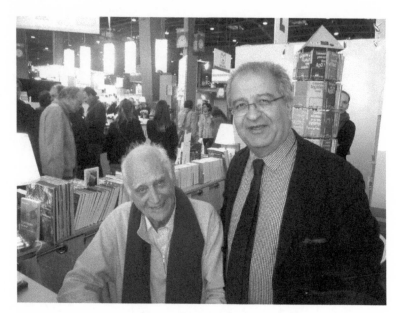

با میشل سر، فیلسوف

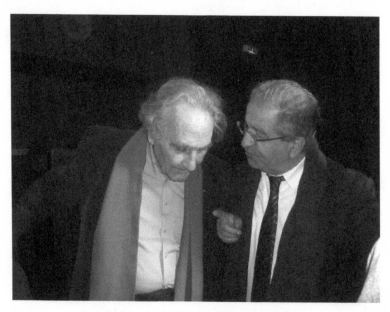

با هانری اتلان، فیلسوف و دانشمند زیست‌شناسی

با سلمان رشدی، نویسنده و رمان نویس

با روزنامه نگاران شارلی ابدو و شارب

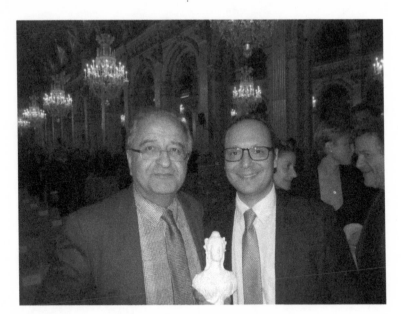

با ساموئل مایول استاد در دانشگاه پاریس ۱۳

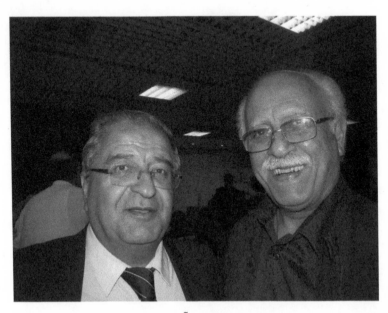

با داریوش آشوری

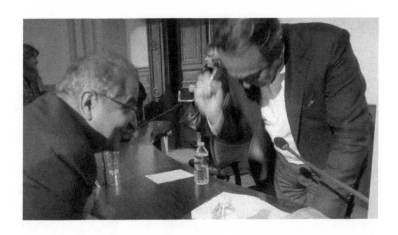

با ژیل کپل اسلام شناس

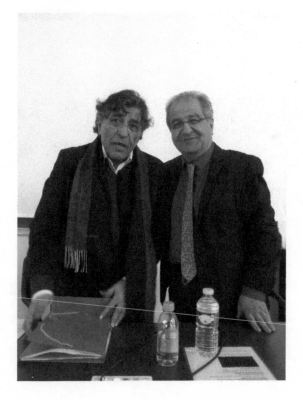

با یدالله رویایی

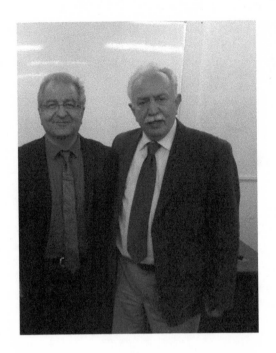

با ماشاالله آجودانی

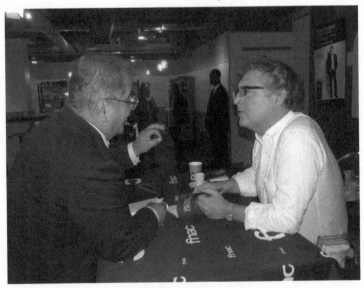

با میشل اونفره فیلسوف

با آندره ساله و فرانسیس مینه، استادان همکار

با برخی از همکاران و دانشجویان در دانشگاه کنام

کتاب‌شناسی:

کتاب‌های نویسنده:

جلال ایجادی، جامعه‌شناسی آسیب‌ها و دگرگونی‌های جامعه ایران، چاپ دوم نشر مهری، ۱۳۹۹

جلال ایجادی، نواندیشان دینی، روشنگری یا تاریک‌اندیشی، نشر مهری، ۱۳۹۸

جلال ایجادی، بررسی تاریخی، هرمنوتیک و جامعه‌شناختی قرآن، نشر مهری، ۱۳۹۸

جلال ایجادی، اندیشه ورزی ها درباره جامعه شناسی، فلسفه، زیست بومگرایی، اقتصاد، فرهنگ، دین، سیاست، نشر مهری، ۱۳۹۹

کتاب‌نامه:

پی‌یر بوردیو، تمایز، نقد اجتماعی قضاوت‌های ذوقی، ترجمه حسن چاوشیان، ثالث، ۱۳۹۱

آلبر کامو و ماریاکاسارس، خطاب به عشق، ترجمه زهرا خانلو، فرهنگ نشرنو، ۱۳۹۹

فلکر پپ، آغاز اسلام، ترجمه ب. بی‌نیاز (داریوش)، انتشارات فروغ، ۱۳۹۵

مارکوس گروس، دربارهٔ تأثیرات بودیسم بر اسلام، ترجمه ب. بی‌نیاز (داریوش)، انتشارات فروغ، ۱۳۹۸

فریدریش نیچه، فراسوی نیک و بد، ترجمه داریوش آشوری، خوارزمی، ۱۳۶۲

صادق هدایت، «افسانهٔ آفرینش، کاروان اسلام، توپ مرواری، حاجی آقا»، انتشارات فروغ، ۱۳۹۵

باروخ اسپینوزا، اخلاق، ترجمه محسن جهانگیری، مرکز نشر دانشگاهی، ۱۳۶۴

جواد طباطبایی، زوال اندیشهٔ سیاسی در ایران، گفتار در مبانی نظری انحطاط ایران، نشر کویر، ۱۳۹۸

ملاحظات دربارهٔ دانشگاه، انتشارات مینوی خرد، ۱۳۹۸

رضا ضرغامی، شناخت کورش جهانگشای ایرانی، انتشارات نشر مرکز، ۱۳۹۷

فاضل غیبی، اسلام، آیین پیشاشهری، انتشارات فروغ، ۱۳۹۹

هانری کربن، تاریخ فلسفهٔ اسلامی، ترجمه جواد طباطبایی، کویر، ۱۳۷۳

ریچارد فرای، عصر زرین فرهنگ ایران، ترجمه مسعود رجب نیا، سروش، ۱۳۶۴،

عبدالحسین زرین کوب، دو قرن سکوت، امیر کبیر، ۱۳۳۶

ابوریحان بیرونی، آثار الباقیه، ترجمه اکبر دانا سرشت، امیر کبیر، ۱۳۶۳

آذرنوش و زریاب خویی، ابن مقفع، دائره المعارف بزرگ اسلامی ۱۳۷۰

عباس قبال آشتیانی، شرح حال عبدالله ابن مقفع، برلین ۱۹۲۶

عباس اقبال آشتیانی، تاریخ طبرستان (۱۳۲۰)

محمد محمدی ملایری، تاریخ و فرهنگ در ایران، دوران انتقال از عصر ساسانی به عصر اسلامی، انتشارات یزدان، ۱۳۷۲

رسول جعفریان، شعوبیگری و ضد شعوبیگری در ادبیات اسلامی، آینه پژوهش، خرداد و تیر ۱۳۷۵

ذبیح‌الله صفا تاریخ ادبیات در ایران. تهران، فردوس، ۱۳۷۱

عبدالحمید آیتی، شعوبیه: پیشاهنگان نهضت استقلال‌طلبی ایران، دی ۱۳۴۹

حسین‌علی ممتحن، نهضت شعوبیه و نتایج سیاسی و اجتماعی آن، ۱۳۵۳

محمودرضا افتخارزاده، شعوبیه، ناسیونالیسم ایرانی، چاپ دوم. تهران ۱۳۷۶

دکتر ناث، گلدزیهر و افتخارزاده، اسلام در ایران، شعوبیه، نهضت مقاومت ملی ایران، ۱۳۷۱

مرتضی راوندی، تاریخ اجتماعی ایران

ابوالفضل بیهقی دبیر، تاریخ بیهقی، ویرایش جعفر مدرس صادقی، نشر مرکز ۱۳۹۶

صادق زیبا کلام، ما چگونه ما شدیم؟، انتشارات روزنه، ۱۳۷۷

ایلیا گرشویچ، تاریخ ایران دورهٔ هخامنشیان، ترجمه مرتضی ثاقب فر، چاپ جم، ۱۳۸۷

موریس باربیه، مدرنیتهٔ سیاسی، ترجمه عبدالوهاب احمدی، نشر آگه، ۱۳۸۳

احسان نراقی، علوم اجتماعی و سیر تکوینی آن، نشر فرزان، ۱۳۹۶

محمدعلی موحد، ابن بطوطه، نشر نی، ۱۳۹۶

پی‌یر منان، تاریخ فکری لیبرالیسم، ترجمه عبدالوهاب احمدی، نشر آگه، ۱۳۹۴

هانری کربن، ملا صدرا، ترجمه ذبیح الله منصوری، جاودان، ۱۳۶۱

لوک فری، خدا، انسان یا معنای زندگی، ترجمه عرفان ثابتی، ققنوس، ۱۳۸۳

داریوش آشوری، پرسه‌ها و پرسش‌ها، آگه، تهران، ۱۳۸۹

Bibliographie

- Alexandre Laurent, «La guerre des intelligences», éd: JCLattès, 2017

- Atlan Henri, «Les étincelles de hasard», éd: Seuil, Paris, 2003

- Bachelard Gaston, «Matérialisme rationnel», Puf, Paris.

- Bauman Zygmunt, «La vie liquide», «La société assiégée», «L'Amour liquide», «La vie en miette», éd: Pluriel, 2013

- Bostrom Nick, Super intelligence, Dunod, Paris 2017

- Boullier Dominique, Sociologie du numérique, Colin, Paris 2016

- Bourdieu Pierre, L'ontologie politique de Martin Heidegger. Sociologie générale, éd: Seuil, Paris, 2015

- Collectif, Regards sur la Perse antique, Le Blanc, Saint-Marcel, Amis de la Bibliothèque municipale du Blanc et Musée d'Argentomagus, juin 1998

- Comte-Sponville André, Dictionnaire philosophique, Puf, Paris

- Coppens Yves, Pré-textes, L'Homme préhistorique en morceaux, éd: Odile Jacob, Paris, 2011

- Dawkins Richard, Pour en finir avec Dieu, éd: Robert Laffont, 2008

- Déroche François, le Coran, une histoire plurielle, éd: Seuil, Paris

- Descartes René, Discours de la méthode, éd: GF, 2000

- Devillers Laurence, Les robots et les Hommes, Plon, Paris, 2017

- Epicure, Lettres et Maximes, Puf, Paris.

- Ferry Luc, Histoire de la philosophie, éd: Laffont, 2014

- Ganascia Jean-Gabriel, Le mythe de la singularité, Seuil, Paris 2017

- Gauchet Marcel, Le désenchantement du monde. Une histoire politique de la religion, Paris, Gallimard, 1985.

- Gauchet Marcel: Que faire? Dialogue sur le communisme, le capitalisme et l'avenir de la démocratie, avec Alain Badiou, 2014.

- Gauchet Marcel:L'Avènement de la démocratie, Le Nouveau Monde, - Gallimard, Paris, 2017.

- Goldziher Ignace,Sur l'Islam, éd: DDB, Paris, 2003

- Guattari Félix, Qu'est-ce que l'écosophie, éd: ligne/imec, 2013

- Hanne Olivier, L'Alcoran, éd: Belin, Paris, 2019

- Harvey David, Brève histoire du néo-libéralisme, éd: Prairies ordinaires, Paris, 2014

- Hegel,Les principes de la philosophie du droit.

- Heinich Nathalie, Des valeurs, une approche sociologique, éd: Gallimard, 2017

- Hobbes Thomas, Léviathan, éd: folio-essais, 2000

- Hume David, "Abrégé du traité de la nature humaine», éd: Rivages, 2017

- Idjadi Didier Jalal, sociology of fractures and changes in iranian society, H&S, 2014.

- Illich Ivan, «La convivialité», éd:Points, 2004

- Jonas Hans, Evolution et liberté, éd: Rivage, 2005

- Jonas Hans, Le principe responsabilité, éd: Champs, 1990

- Jung C.G., L'Ame et la vie, éd: Livre de poche, 1963

- Kant Emmanuel, Fondements de la métaphysique des mœurs.
 qu'est-ce que les Lumières?, éd: Flammarion.
 La critique de la raison pure, Paris.

- Laval Christian, L'homme économique, éd: Gallimard, Paris, 2007

- Martinez-Gros Gabriel, L'Empire islamique, VII-XI siècle, éd: Passés/composés, Paris, 2019

- Marx Karl, Les thèses sur Feuerbach, 1845.

- Micheau Françoise, Les débuts de l'Islam, éd: Téraèdre, 2012

- Morin Edgard, Mes philosophes, éd: Germina, 2011

- Naess Arne, Une écosophie pour la vie, éd: Seuil, 2017

- Nietzsche Friedrich, La naissance de la tragédie, éd: folio-essais, 1949

- Onfray Michel, Le temps de l'étoile Polaire, éd: Laffont, Paris 2019

Ouvrage collectif, «Les épitres des frères en pureté» (Rasa'il ikhwan al-safa), éd: les belles lettres, 2019

- Pelluchon Corine, «Réparons le monde», éd: Rivages, 2020

- Picq Pascal, Qui va prendre le pouvoir?, éd: Odile Jacob, 2017

- Briant Pierre, Histoire de l'Empire perse, de Cyrus à Alexandre, 1996

- Piketty Thomas, Le Capital au XXIème siècle, éd: Seuil, 2013

- Piketty Thomas, Capital et Idéologie, éd: Seuil, 2019

- Pinto Luis, la vocation et le role du philosophe, le seuil 2007.

- Rosanvallon Pierre, Notre histoire intellectuelle et politique, 1968-2018, éd: Seuil, 2018

- Roth Philip, M'Amérique de Philip Roth, éd: Gallimard, 2013

- Russel Bertrand, science et religion, éd: folio essais, Paris

- Sénèque, De la constance du sage, éd: Foliov, 1962

- Serres Michel: Le Contrat naturel, Paris, 1990, éd:François Bourin. 1991: Le Tiers-instruit, Paris. 2012: Petite Poucette, Paris, Éditions Le Pommier. «Darwin, Bonaparte et le Samaritain». «Les Cinq sens», Paris, Grasset; réédition, Paris, Fayard, 1985

- Sigmund Freud, Pulsions et destins des pulsions, éd: Payot, 2012 Nevrose et psychose, éd: Payot, 1974

- Spinoza, Éthique, éd: Flamarion, Paris

- Stuarh Mill, De la liberté, éd: Folio, 1990

- Stuarh Mill, L'asservissement des femmes, éd: Payot, 2005

- Tavoillot Pierre-Henri: Comment gouverner un peuple roi? Traité nouveau d'art politique (Paris, Odile Jacob, 2019)

De mieux en mieux ET de pire en pire. Chroniques hyper modernes (Paris, Odile Jacob, 2017),

- Voltaire, Traité sur la Tolérance, éd: Gallimard, 1975

- Wittgenstein L., Les remarques philosophiques, 1964.

tabous dans la société. Cet effort intellectuel et culturel s'efforce de critiquer la religiosité de la société, l'idéologie populiste, le dogmatisme marxiste, le soufisme, le mysticisme, le chauvinisme, l'anti-occidentalisme. Il s'agit de la critique de l'esprit paresseux et usé, la critique des mensonges sacrés, la critique de tout pouvoir. Avec notre critique avisée, nous voulons accroître la soif de la société d'apprendre, de savoir, de développer la culture académique. La religion de l'Islam est une impasse, elle produit la sclérose du cerveau, les idéologies communistes détruisent la fraîcheur intellectuelle, tout économisme détruit l'équilibre social, les comportements sociaux sont entachés de superstition et de mysticisme, de nombreux intellectuels ont perdu leur caractère intellectuel critique et leur travail ne menace pas le système idéologique dominant.

Cette situation entraine une vie dans l'épuisement, au mieux, la continuation du statu quo. Nous devons sortir du déclin et de l'impasse de la pensée, nous devons critiquer notre aliénation psychologique et culturelle, nous devons jouer un rôle de premier plan dans le monde et dans le monde de la pensée.

Les questions et défis fondamentaux de notre monde font l'objet de ce livre. Les réflexions dans ce livre contiennent les idées dans le domaine de la sociologie, la philosophie, l'économie, l'écologie, la religion, l'histoire, l'art, la littérature et la politique. Zygmunt Bauman a parlé d'un monde comme un liquide. Si le monde est fluide, toutes ses lois ainsi que toutes les relations sociales et humaines sont fluides et liquides. La réflexion et la pensée trouvent leur vérité dans la fluidité et le dynamisme. Mais ce n'est pas la vérité absolue. Nos valeurs, idéaux, projets et expériences influencent la vérité de la pensée. Il faut un éclairage permanent dans un monde où les connaissances sont fragiles et partielles.

Didier IDJADI a déjà publié «Sociologie des fractures et des transformations de la société iranienne», deuxième édition, Mehri Publication,«Les nouveaux penseurs islamiques, le mouvement des Lumières ou l'obscurantisme», Mehri Publication,«Étude historique, herméneutique et sociologique du Coran», Mehri Publication, Londres.

Didier IDJADI enseigne au CNAM, à l'université Paris XIII, à l'université Gustave Eiffel, à l'Ecole Centrale de Paris.

Le résumé du livre «Les Pensées» et la biographie de l'auteur

IDJADI Didier Jalal, sociologue, présente sa vision du monde dans son dernier ouvrage «Les Pensées». Les grands bouleversements économiques sociologiques écologiques technologiques dans le monde, lancent des défis inédits qui nécessitent une connaissance multiple et systémique. Les événements du monde sont accélérés et nos pensées ne sont pas complexes.

Dans la société iranienne, le champ public et social est pollué par les croyances religieuses, la chute des valeurs morales et la dégénérescence intellectuelle. La tyrannie politico-religieuse et le facteur de l'Islam, sont la cause de la croissance des infections intellectuelles, de la destruction de la pensée rationnelle critique, et de la régression de la philosophie et des connaissances. La psyché de la société est affligée, impuissante et endommagée. Nous devons promouvoir la modernité culturelle et philosophique et transformer la société. Cette modernité ne peut pas être limitée au concept du XVIIIe siècle.

Cette modernité regarde le monde d'aujourd'hui et implique dans sa réflexion tous les phénomènes intellectuels, scientifiques, écologiques, ainsi que tous des défis humains actuels et futurs. L'évolution de la psyché humaine, des besoins nouveaux humains, la physique moderne, la génétique, les neurosciences, le besoin d'approfondissement de la démocratie, et la liberté individuelle, sont des éléments d'intervention de la modernité et du paradigme de notre temps. Les individus sont fascinés par la spéculation publicitaire mais aussi par le populisme, la religion, le marketing politique, diffusés par les réseaux sociaux et les médias. Dans une société de crise sanitaire, sociale et intellectuelle, il est difficile d'élever le niveau de la culture critique.

Les pensées de ce livre sont de poursuivre l'effort pour briser les

the religiosity of society, populist ideology, Marxist dogmatism, Sufism, mysticism, chauvinism, anti-Westernism. It is the criticism of the lazy and worn-out mind, the criticism of sacred lies, the criticism of all power. With our wise criticism, we want to increase the thirst of society to learn, to know, to develop academic culture. The religion of Islam is a dead end, it produces sclerosis of the brain, communist ideologies destroy intellectual freshness, any economism destroys social balance, social behavior is marred by superstition and mysticism, many intellectuals have lost their critical intellectual character and their work does not threaten the dominant ideological system.

This situation leads to a life of exhaustion, to the best, the continuation of the status quo. We have to come out of the decline and the dead end of thought, we have to criticize our psychological and cultural alienation, we have to play a leading role in the world and in the world of thought.

The fundamental questions and challenges of our world are the subject of this book. The reflections in this book contain ideas in the fields of sociology, philosophy, economics, ecology, religion, history, art, literature and politics. Zygmunt Bauman spoke of a world like a liquid. If the world is fluid, all its laws as well as all social and human relationships are fluid and liquid. Reflection and thought find their truth in fluidity and dynamism. But it is not the absolute truth. Our values, ideals, projects and experiences influence the truth of thought. We need permanent lighting in a world where knowledge is fragile and partial.

Didier IDJADI has already published:

Sociology of fractures and transformations in Iranian society, second edition, Mehri Publication,

New Islamic thinkers, the Enlightenment movement or obscurantism, Mehri Publication,

Historical, hermeneutic and sociological study of the Koran, Mehri Publication, London.

Didier IDJADI is a Professor at the National School of Engineering andTechnology (CNAM), Paris XIII University, Gustave Eiffel University and the Ecole Centrale de Paris.

The summary of the book Les Pensées and the author's biography

IDJADI Didier Jalal, sociologist, introduces his vision of the world in his latest book "Les Pensées" (les rélexions, thoughts). The great economic, sociological, ecological and technological upheavals in the world, raise new challenges which require multiple and systemic knowledge. World events are accelerated and our thoughts are not complex.

In Iranian society, the public and social field is polluted by religious beliefs, the loss of moral values and intellectual decay. Politico-religious tyranny and the factor of Islam, are the cause of the growth of intellectual infections, the destruction of critical rational thought, and the regression of philosophy and knowledge. The psyche of society is afflicted, helpless and damaged. We must promote cultural and philosophical modernity and transform society. This modernity cannot be limited to the concept of the 18th century.

This modernity looks at the world today and involves in its reflection all intellectual, scientific, ecological phenomena, as well as all of the current and future human challenges. The evolution of the human psyche, new human needs, modern physics, genetics, neurosciences, the need to deepen democracy and individual freedom, are elements of intervention of modernity and the paradigm of our time. Individuals are fascinated by advertising speculation but also by populism, religion, political marketing, disseminated by social networks and the media. In a society of health, social and intellectual crisis, it is difficult to raise the level of critical culture.

The thoughts of this book are to continue efforts to break taboos in society. This intellectual and cultural effort strives to criticize

سپیدی این صفحه برای توست...

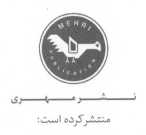

نـشـر مـهـری

منتشرکرده است:

کتابی برای کتاب‌ها ● اسد سیف
آیین های روسپیگری و روسپیگری آیینی ● س. سیفی
ایران و اقوامش: جنبش ملی بلوچ ● محمدحسن حسین‌بُر
چهره‌ای از شاه (زندگانی، ویژگی‌های اخلاقی و کشورداری محمدرضا شاه پهلوی) ● هوشنگ عامری
غرور و مبارزه‌ی زنان (تاریخ انجمن زنان فمینیست در نروژ از ۱۹۱۳) ● الیزابت لونو، ترجمه‌ی مهدی اورند، متین باقرپور
زنان مبارز ایران، از انقلاب مشروطه تا انقلاب اسلامی ● بنفشه حجازی
آن‌شی‌گائو، بودای پارسی ● خسرو دهدشت‌حیدری (دوتتسو ذ نجی)
کتاب سنج چهارم ● رضا اغنمی (نقد و بررسی کتاب)
جستارها در زبان و تاریخ فرهنگ پارسی ● مسعود میرشاهی (نقد ادبی)
خرافات به مثابه ایدئولوژی درسیاست ایرانیان از مجلسی تا احمدی‌نژاد ● علی رهنما
تاریخ غریب، خاطرات شاه نادر کیانی ● به کوشش مسعود میرشاهی
بانگ نوروزی در پرده واژه‌ها ● مسعود میرشاهی
نور مایل و سایه‌ها ● نسرین ترابی (مجموعه مقالات)
سرگذشت شعر پارسی از سنگ تا چاپ سنگی ● محمود کویر

ادبیات کلاسیک
«قصه‌ی سنجان» داستا نِ قرا رِ به‌دینا نِ بی‌قرار در هند ● مهدی مرعشی
رساله یک کلمه (میرزا یوسف مستشارالدوله) ● به کوشش باقر مؤمنی

هنر مدرن، نقاشی و عکس
دلدادگان‌مدارچاپی؛ مجموعه‌آثارپی‌سی‌بی‌مینیاتورآرت ● رضا رفیعی‌راد
منظومه‌ی ناپیوند واله‌گی ● شعر-داستان از الهه رهرونیا؛ نقاشی حبیب مرادی
سفر ایشتار به دنیای زیرین ● نجوا عرفانی
من آنجا پشت خورشیدم ● منصور محمدی (مجموعه عکس از طبیعت کردستان)
تازیانه بر باد ● مژن مظفری
این است بدن من مجموعه آثار هنر مفهومی ● رضا رفیعی‌راد

کودک و نوجوان
دالی و آیینه‌ی رازآلود ● خسرو کیان‌راد؛ تصویرگر: هاجر مرادی
بیژن و شیر زخمی ● نیلوفر دُهنی
نابغه‌ی کوچک ● فریبا صدیقیم
لولو و جوجو ● نرگس نمازکار

سفرنامه
از رَمیِ جَمَرات ● مرتضی نگاهی
به‌سویِ طَبَس (۱۹۵۹) ● ویلی شیرکلوند؛ ترجمه: فرخنده نیکو ، ناصر زراعتی